60

PORQUE PARECE MENTIRA
LA VERDAD NUNCA SE SABE

colección andanzas

DANIEL SADA
PORQUE PARECE MENTIRA
LA VERDAD NUNCA SE SABE

1.ª edición en Tusquets Editores México: marzo 1999
1.ª edición en Tusquets Editores España: junio 2001

Diseño de la colección: Guillemot-Navares
Reservados todos los derechos de esta edición para
Tusquets Editores, S.A. - Cesare Cantù, 8 - 08023 Barcelona
www.tusquets-editores.es
ISBN: 84-8310-173-4
Depósito legal: B. 23.637-2001
Impreso sobre papel Offset-F Crudo de Papelera del Leizarán, S.A.
Liberdúplex, S.L. - Constitución, 19 - 08014 Barcelona
Impreso en España

Índice

Primer periodo 13
Segundo periodo 83
Tercer periodo 117
Cuarto periodo 159
Quinto periodo 233
Sexto periodo 279
Séptimo periodo 319
Octavo periodo 369
Noveno periodo 391
Décimo periodo 415
Undécimo periodo 471
Duodécimo periodo 511
Decimotercer periodo 541
Decimocuarto periodo 575
Decimoquinto periodo 619

Para mi esposa Adriana Jiménez, mi impulso cotidiano,
y para mi hija Fernanda Sada

Dios creó el mundo porque ama las historias.

Frase escuchada en el café
La Blanca del centro histórico
de la ciudad de México

Porque parece mentira
la verdad nunca se sabe.

Frase escuchada en la central de
autobuses de Culiacán, Sinaloa

Primer periodo

Capítulo uno

Llegaron los cadáveres a las tres de la tarde. En una camioneta los trajeron –en masa, al descubierto– y todos balaceados como era de esperarse. Bajo el solazo cruel miradas sorprendidas, pues no era para menos ver así nada más paseando por el pueblo tanta carne apilada, ¿de personas locales? Eso estaba por verse. Y mientras tanto gritos por ahí, por allá, por lo demás, al fin, chiflo avisor que penetró a cuchillo en recintos tan íntimos como el de Trinidad, quien buscando frescuras fue a tirarse gustoso al mosaico del baño, más resuelto que nunca a gozar de su siesta.

La de todos los días, en calzoncillos, la siesta ideal, de casi media hora, mas cuando despertara habría de culminarla con un cigarro de hoja, fumárselo despacio, y entonces repensar, para darle cabida a tanta paradoja. Contimás esa vez que Trinidad no pudo acomodarse tal como le gustaba, porque seguía el desate del zumbido exterior no obstante su encerrona y no obstante también haberse puesto burujos de algodón en los oídos. Así debía apagarse aquella reciedumbre, pero ni para cuando se apagara. Antes bien, al revés, se hizo más ostensible lo que él consideraba una guerra en su contra: barullo de zancudos, ¿o de gente?... Siquiera manotear a ver si, ¡y no!... Todo vino a aclararse cuando su esposa airada violó su intimidad.

–¡Levántate, haragán!, ¡vámonos a la plaza principal! Acaba de llegar la camioneta, la esperada por todos los de aquí desde hace unas tres horas. Trae un montón de muertos balaceados, los del mitin, ¿te acuerdas?, donde iban nuestros hijos.

–¿Nuestros hijos?... Ah, sí... Aunque, mmm... yo no creo que estén muertos –con apatía gatuna y sin abrir los ojos respondió Trinidad.

–Yo tampoco lo creo, pero de todos modos hay que ir... ¿O no estás preocupado?

–Lo estaré cuando sepa la verdad.

13

—Pues qué mal padre eres, qué inhumano, ya ni la...

—Es que, bueno, ¡comprende!... ¿No ves que estoy dormido?... ¡Déjame descansar!... Pero, ¡anda, ve!, si quieres; y cuando traigas la información correcta, entonces a ver qué hago.

Monumental pachorra una vez más la de ese cincuentón, dado que ni siquiera por sus hijos era capaz de abandonar sus hábitos. Inútil convencerlo porque de medio a medio el sueño se imponía en tanto que el rosario de insultos y reclamos para él no pasaba de ser mero zumbido. Y apretar más sus párpados ¡con ira!, y taparse a la tupa ambas orejas para evitar oír el notición macabro. Pero ¿por cuánto tiempo sus manos harían fuerza? No mucho más allá de tres minutos, porque ni dos minutos —fue lo bueno— duró la repasata de la esposa. Total que la mujer, sintiéndose vencida, le soltó una azagaya cargada de veneno:

—¡Pues yo sí voy a ir! ¡Pero cómo quisiera que en lugar de mis hijos el muerto fueras tú!

Enseguida el portazo y la intranquilidad, ya de relance, tras dejarse vencer de nueva cuenta y sentirse de golpe señalado por un dedo diabólico justo cuando empezó su pesadilla, donde, dificultosamente caminaba sobre un posmo reguero de cadáveres para al cabo caer exhausto, macilento, y oír casi al oído la frase gemebunda de su esposa y susurrada a coro por sus hijos: *¡Muérete corazón aquí junto a nosotros!*, siendo así un bulto más, a fin de cuentas, ¿escuálido a cercén?, tal como uno cualquiera del montón que había llegado al pueblo.

Allá lo resultante: ciertamente... Crasa la comparanza porque de uno por uno, como bultos escuálidos, tendían a los cadáveres en ristra, y bocarriba, sobre una acera chueca que estaba a un costado de la plaza. Téngase la indolencia a causa del apuro, porque salvo dos hombres voluntarios, además del chofer y sus compinches, ni una persona más de los mirones, se acomidió a efectuar la tarea de descarga.

Y enllegando al resumen de una vez: de los veintiocho muertos presentados únicamente cuatro eran de ese lugar. Tras reconocimientos en detalle (físicos, y además mediante esculcos, lo facilito pues, alguna credencial: si metida en sus ropas, en un equis bolsillo; lo difícil: las prendas ¿aún reconocibles?) no hubo la cantidad que la gente pensaba, más si se le compara con lo que se dio a cambio: un acopio infeliz de preguntas al vuelo contra el chofer de aquella camioneta, quien no era de allí, como tampoco eran los que venían con él: mudo trío sudoroso de ayudantes, asegún «¡voluntarios!»; si cuatro en la cabina apretujados que andaban con su carga pestilente desde hacía ¿unos tres días?... Menudo mentidero en progresión, y adrede, sin

14

embargo ¿teatral?, ¿cierto?, ¿sobrado? Para comprobación una evidencia notable a todas luces: nomás ver de reojo que sobre el toldo de la camioneta estaba colocada una bocina; de hecho la resonancia de la voz dramática-tipluda sí alcanzó las orillas de Remadrín, al menos, pero en cuanto a su alcance a campo abierto: a saber hasta dónde habría llegado. Al respecto el chofer hizo énfasis de más y para redondear lo aún informe terminó señalando con su índice derecho unas estrías de nubes: ¿sendo alcance?, y algo más todavía: visto el planeo de buitres en rondón, fiel en el seguimiento con cálculo a distancia desde el arranque pues: una amenaza, o sea: fiel a un ideal de cruenta comilona en cualquier rato: ¡horror!, y allá mejor, en lo alto y para siempre, cual si fuesen diez puntos suspensivos que en aína se hicieran rolde y órbita, en vil preparación para el descenso; mas los de acá, de abajo, ¡en sus empeños!; lo suyo: arremeter, que no por distracción ni por temor dejarían de exigirle al tal chofer en jefe respuestas más redondas y más grandes, y él estando en comedia, medio sonriente a fuerzas, se las daría gustoso ¡a su manera! Es decir: lentamente, porque... ¡vaya alboroto!

Debieron transcurrir más de tres horas para que el susodicho diera parte por parte casi en forma total los pormenores. Así consideró estar en su derecho de pedirles con creces a los más preguntones que de favor siquiera cooperaran para subir de nuevo a la cajuela la suma de cadáveres restantes. Retirada discreta hacia el anochecer, salvo los familiares, tan pocos de por sí, y unas cinco personas de esas politiqueras, nadie se acomidió. Repugnancia mayor tratándose de muertos no queridos. No obstante, y ya nomás como último servicio, la camioneta llevó casa por casa a los cuatro difuntos, ya llorados bastante por unos nueve hombres y unas veinte mujeres.

Fue un cortejo anormal, de suyo, cuatro en uno, y no muy elegante, más bien no. Téngase la pirámide sangrienta, coronada, a tolondro, por los cuatro cadáveres de Remadrín al viento, sin sábana siquiera. Y resaltó a ojos vistos otro aspecto anormal: lerdos y cabizbajos, ¿pensativos?, a pie los familiares iban ¡sí!, pero véase lo insólito: en vez de ir a la zaga de aquel mueble luctuoso, tal y como se estila en varios sitios, por mor de señalar rumbos correctos tomaron delantera.

Por ende el ritmo cambió.

Más lentitud todavía.

Penosas vueltas de rueda.

Y el chofer atento a... *Ahora dóblese a la izquierda, ¡en la esquina!, por favor, y ya sígase derecho hasta la orilla del pueblo;* o también algo más fácil: *Son seis cuadras nada más y no hay vuelta a ningún lado;* o también algo, digamos, un poco zaragatoso: *Hay que irnos por donde mismo de regreso a la otra orilla... cuando quiera me pregunta y le digo dónde doble.* La última indicación fue tan larga que mejor la ponemos como ETCÉTERA. Y volviendo a lo de antes...

Previamente el problema se presentó cuando hubo disparejos para ver quién primero, y luego quiénes, y lo último, ¡ni modo!, a caminar más trechos. La condición fue clara, fue aceptada. También, para acabarla, los familiares tuvieron que subir a fin de cuentas, aparte de los suyos, los veinticuatro muertos y ¡cuanto antes!, porque si no el chofer, vengándose a lo chino les dejaría en la acera sus cadáveres, sin más negociación.

Favores con favores y, ¡total!, el adiós relativo; la simpatía no obstante la frialdad; y las «gracias» y ¡ya!

Sin embargo, ¿sembrar una promesa?

La espera contra la duda, y en rebaja la confianza, contimás por lo evidente: tan sólo ocho lugareños vieron la escena postrer; ¡ah!, no se cayó ningún muerto pese al arrancón al re. Y es que huyó la camioneta cual si huyera de un infierno –a medianoche–: ruidosa. Empero dejando abiertas hartas posibilidades de un regreso menos tétrico y con más información. A saber... Sí, pero no, porque, bueno, digámoslo más de tajo: si se miden pesadumbres ¿cuál será más llevadera: el luto por corto tiempo o el ascua entre el «sí» y el «no»? Luego habría que imaginar cómo se cocían las cosas en las casas: ¿de una en una?, y particularizando... Para deslindar supuestos se retoma lo sabido: el trasunto flojeroso: Trinidad: su pesadilla: en la cual pudo morirse, pero despertó en el límite viéndose de arribabajo, y el chasco maravilloso: ¡qué bueno que no sangraba! Pauta para un desenlace más fresco, menos porfiado, más casual, más parejero, entonces ¿más amoroso?

Luego de que la esposa –Cecilia se llamaba– anduvo donde anduvo –un tanto arrepentida y otro tanto en la guala–, regresó más o menos hacia el anochecer, se llevó una sorpresa: Trinidad ya vestido –y peinado distinto, sin raya ¿para qué?– absorto se encontraba fume y fume cigarro tras cigarro, o qué mejor: envuelto en humo en la pequeña sala, ¡en sí!, listo también para enfrentar la riada chacharera de neurosis ¡al tiro!, y:

–Tenías razón, nuestros hijos no estaban entre el montón de muertos.

–¡Ya ves!, por eso no quise ir.

–¿Pero cómo supiste...?

–Quería esperar lo peor y nada más. Una mala noticia tiene alas.

–Ay sí, qué a gusto me lo dices. Pues déjame te cuento que el chofer...

–Lo del chofer no importa. Yo sé lo que en verdad nos interesa.

–¿Pero qué es lo que sabes?

Despeje y acomodo para entrar en materia. Primero echarse uno o dos cigarros y luego poco a poco, adrede vacilante (reojos, muecas turbias, y titubeos, y al viso –por demás– ciertos ruidos bucales), hasta... Los hechos nebulosos del comienzo cuando un gentío se unió una mañana: un mitin gigantesco de pronto convertido en marcha de protesta rumbo a la capital, o sea: a Brinquillo. Unas doscientas gentes, ¿cien?, ¿o menos?, más las que se agregaran a su paso, porque hubo suciedad en los comicios. Sin embargo, el ejército reprimió aquella marcha con lujo de violencia y (para redondear)...

–A mí se me hace que el ochenta por ciento de los manifestantes ha de estar sano y salvo... ¡A todo lo que daba huyó la mayoría por el desierto!

Sus hijos, desde luego... dos, solamente dos, uno de veintiún años y otro de diecinueve: solteros, albañiles: Papías y Salomón, quienes desde hacía un año o poco más vivían en una suerte de barraca hecha por ellos mismos allá en la orilla sur de Remadrín; y aparte ya hombrecitos metidos en política, quiérase hasta las cejas, y en la marcha ¡pues sí!, pero vivos aún, seguro que escondidos en... Lo que sabía el marido –¡qué caray!– era un burdo rejuego de hilazones al tiento, si real: ¿quizás?; si onírico: ¿fallido? Historia potencial de un abarrotero al que sus clientes vienen a contarle mentiras del tamaño de su ocio y él se deja llevar si su ánimo no mengua. No por nada recién hacía dos días alguien vino a contarle que sus hijos estaban escondidos en la cueva de El Zopo. Papías y Salomón temblando de terror. Y se explica el porqué para llegar al cómo: ¿cómo salir?, o sea: se entiende que serían descabechados por guachos carniceros si salían gritoneando a pecho abierto sus «vivas» combativos de lucha y libertad y el nombre de su gallo derrotado. Mas lo último era cola, por supuesto, deslinde necesario que Trinidad usó nomás por dar un dato que a lo mejor servía, mas no para de oquis enredarse en los estrapalucios de un mugrero político, siendo que le bastaba creer en los vislumbres que el sueño a veces muestra; la única proyección: sus hijos aún vivos adentro de la cueva y...

–¿Eso es lo que sabías?, si me lo hubieras dicho tal vez yo no habría ido a ver tantos difuntos en la plaza.

—Es que... quería dormirme.

—Pues qué mal padre eres, qué inhumano... ¿y ahora qué vas a hacer?, ¿vas a dormirte?

—La verdad tengo sueño, ya es muy noche y estoy bien desvelado... Espero que me entiendas... además me imagino que han de faltar dos horas para que salga el sol.

Pero eso no era cierto, faltaba mucho más, y el enojo de ella no servía. Servía una acción infiel, o mejor dicho, su postura de madre arropadora, reluciente, objetiva, habida cuenta que tras haber tocado un fondo negro pretendiera a la brava salir un poco a flote diciendo algo como esto:

—Como tú te haces guaje todo el tiempo yo me voy ahora mismo a buscar a mis hijos.

—Aaaah —incrédulo exclamó el abarrotero; como si se tratara de un chiste mala leche sépase que ese «aaaah» era de bostezo, para colmo, más bien... Más peor para la esposa, que no lograba sensibilizarlo.

—Si no es mucha molestia ¿podrías decirme dónde está la cueva?

—La de El Zopo, ¿preguntas?

—Sí, la que te dijeron, ¿cuál otra habría de ser?

Explicación tardada en medio de flojeras y estires musculares. El lugar estratégico no estaba muy distante de esa localidad. Yendo a pie cuando mucho cualquiera haría dos horas de camino, desde luego siguiendo estrictamente de una por una las indicaciones, cosa harto complicada, de resultas, sin tener a la mano un croquis básico, diseñarlo en papel ¿sería lo consecuente?, lo más claro posible con flechas por doquier... pero no, quizás luego, y por lo tanto sobrevino la bronca... El haragán frenándola a base de argumentos machorrines, a pie juntillas sin hacer ademanes, seguro como era de palabras y modo en momentos cruciales como ése: tal cual... Mejor decirlo así: tenía razón a medias siempre y cuando se endilgara el papel de protector. La angustia delantera, sus puntos suspensivos, amén de que la búsqueda a la postre sería más apremiante; y todo a causa de una pataleta... Agréguense la noche y sus horrores y la mujer a solas en el monte.

Razón a medias, la inferida al sesgo, ya que yendo al trasunto de revés: ¿por qué el esposo le describió al detalle el trayecto más rápido? Error de suspicacia, debido al ¿entresueño? Y ella encaprichadísima, como diabla cojuela, tiento a tiento se dirigió a la puerta.

—¡Espera!, no te vayas —clamó el abarrotero. Su culpa por encima de su desfachatez.

18

–Pero ¿de qué te asustas? Yo confío en mi memoria y tú también confía en que respetaré los pasos a seguir.

–No, mejor no. Mejor mañana ve, o yo voy, como quieras, pero mañana, o ¿qué decir?, dentro de pocas horas.

–Ahora o nunca.

–¿Me estás amenazando?

–Ahora o nunca, ¡entiende!, ¿o me vas a pegar?

–Sería incapaz. Tú sabes.

–Bueno, pues ya está dicho –y que gira la chapa y...

–No, eso me toca a mí. Yo tengo que decir la última palabra y, por lo tanto, yo soy el que se sale. Voy directo a la cueva.

–¿Irás?, ¿en serio? –irónica la esposa, todavía: tardaba en sorprenderse.

–Iré –y luego más situado–. Podría hacerte promesas, pero me gusta más que hablen los hechos.

–Lo que debo entender es que estás decidido a traerte a mis hijos.

–Traeré hijos o nuevas. Sabré más.

–¡Ojalá!, ¡ojalá! Nomás no te hagas guaje. No vayas a dormirte por ahí.

–Créeme por esta vez.

Brazos cruzados de la madre fiera para mirar con sorna, y no se diga incrédula, el meneo extravagante de un señor que al parecer del sueño no salía; ver la escena completa, cual si fuese película, hasta el momento mismo de la huida. Maniobras presurosas por lo pronto de irvenir. Enchamarrarse. Listo. Sin sombrero, ¿qué raro? Y sin beso siquiera en el cachete ganó la calle. Adiós. Sólo ese adiós piadoso pronunciado, ni hipócrita ni tórtolo.

Mirada hacia el relumbre farolero de la esposa volviendo a su papel. Lejos la resonancia: las botas insinuando nueva vitalidad. La mirada a distancia, desde (se sobrentiende) la puerta abierta aún. Ella sola, perpleja, y recapitulando al tiempo que veía la sombra gacha del abarrotero, cual si fuese querencia perdediza...

Entonces ¿qué?, ¿seguirlo? No, tampoco. De ese modo, por ende, él debería asumir todos los riesgos. Por lo visto ya estuvo: quedó atrás la sorpresa acaso en aras de una transformación, y sí, porque nomás así por puro impulso la doña gritoneó contrahecha y extasiada: *¡Cuuuíiidaaateee, coooraaazóoon!, ¡reeegreeesaaa cuuuaaantooo aaanteees!* El eco ¿llegaría? Probablemente fue rumor apenas, vibra significante entreverada, airecillo venial... en fin, etcétera.

Capítulo dos

–En mi opinión ustedes deberían de salirse, y de una vez por todas, de ese circo político en el que andan metidos, ¿o hasta qué altura quieren escalar?, ¿o qué tantas maromas tendrán que seguir dándose para que un día se salgan con la suya? ¡Háganme caso ya!, antes de que sea tarde. Y esto lo digo yo, su mero padre, quien ya tiene kilómetros andados y por lo mismo muchos tropezones. ¡Entiéndanme!, ¡deveras! En un país como éste el voto no funciona, así es que por favor no se hagan ilusiones. ¡Sálganse de una vez!... Yo no sé quién carajos les metió esas zonceras en la cholla...

Ruidos bucales, labios apretados y cejas de rebelde en arcos bien tupidos de pelos en desorden Papías y Salomón a punto de soltar espumarajos, mas como no lo hacían, por mínimo respeto hacia una jerarquía sobrentendida, ni tampoco la madre, porque andaba al aparte sirviéndoles huidiza unos cafés con leche, Trinidad a sus anchas continuó:

–... ¡Miren!, no sean pendejos, la única postura política de peso es no votar jamás. Si todos los votantes se pusieran de acuerdo para no ir a las urnas en un momento dado, entonces sí, ¡qué bárbaro!, sobrevendría sin más el desmantelamiento del mentidero infame al que a base de habladas, dizque muy justicieras, nos quieren empujar, y luego así las cosas ¿a quién pondrían entonces de nueva autoridad?, ¿seguiría el que ya estaba?, ¿o a la fuerza pondrían a tal o cual?, ¿o entre ellos mismos se harían pelotas solos? En fin, de eso se trata: sembrar la confusión, que se peleen entre ellos solamente y que el pueblo, mirando el espectáculo, se dé cuenta por dónde va la cosa.

Pero es que no. Pero es que cómo es eso... La pobreza tremenda y sin remedio. Los salarios–limosna y por todos los siglos de los siglos. Para tal fin ayuda la democracia en vilo: argumentos así usados en voz baja –a causa del respeto– por los hijos aún tibios, timoratos de más ante su padre, a pesar que ya estaban bastante descompuestos. Dos contra uno, y la otra, potencial todavía, sin meterse ni nada; indiscreta, pues no, mejor tantear al bies. Porque de por sí uno podía con dos y más, aun cuando esos dos querían desviar la riña de conceptos hacia un lado tal vez más tranquilizador, en donde se abordaran, por ejemplo: los turbios derroteros a que ha de conducir un sistema político basado en la promesa, en la abstracción malsana de las mentiras dichas con aire de verdad. La perfección del asco y de la fantasía. Pero a cada intentona muchachil por refutar al padre con razones de peso, era más que reatar a un mulo retobado.

Esto es: la voz enloquecida de aquel progenitor ladrándole a sus vástagos preguntas de un talante francamente burlón; preguntas picadoras, sañudas, ponzoñosas, las cuales ahora mismo saldrán a relucir, éstas son, fueron pues (unas cuantas), y aquí van las más feas:

–¿O qué quieren, idiotas?, ¿ser héroes o algo así?, ¿morirse por los otros para que ellos sí gocen del fruto de sus luchas?, ¿o a lo mejor ustedes por lo que andan luchando es para que un iluso patriotero, de los que nunca faltan, les erija una estatua que estará cagoteada tarde, noche y mañana por chanates gloriosos en algún lugar público?, ¿o no llegar siquiera a nada de eso por no tener empaque ni garganta de líderes?

Ya el caldo estaba hirviendo.

Entonces sí de plano Papías se incorporó y le escupió un gargajo archibilioso en directo a su taza de café –el padre aún sentado sin poderlo creer–. Y Salomón haciéndole segunda fue mucho más allá: lanzó un escupitajo en directo a la cara de su progenitor. El salivazo puerco le cayó a Trinidad en la mera nariz, quien dada su sorpresa, no se atrevió a limpiarse con los dedos temblones su cara de caballo, por lo cual aquel líquido se le fue resbalando hasta llegar caliente a su boca entreabierta. Sí, cayó un pingajo adentro amargoso y tenaz. Todavía ambos retoños con los puños crispados a punto de... Y la madre alarmada intervino en el acto:

–¡¡Deténganse, infelices!!, ¡¿pero cómo se atreven?!, ¡¡miserables!!, ¡¡no voy a permitir que lo golpeen, antes a mí me tupen, desgraciados!!, ¡¡y lárguense de aquí!!, ¡¡váyanse de esta casa!!, ¡¡hagan su vida aparte!!

Freno al encrespamiento: a contracurso: el odio endemoniado. Los hijos se largaron para siempre, a las carreras pues, sin discusión, y sin cargar velices ni darle un beso leve en el cachete a la esposa (su madre) defensora.

Capítulo tres

Aquí empieza el repunte de consideraciones no probadas por alguien que confunde la materia del sueño con la materia real sin saber dónde está la línea divisoria o dónde está lo absurdo a fin de cuentas; a prueba el haragán, a la deriva, noctívago aprendiz por vez primera, queriendo ser veloz a toda costa.

Por empecinamiento de hombre crédulo y para aligerar sus imprudencias de jefe osado y huero, debía ir en directo hasta la cueva donde sus hijos se morían de hambre sólo por no exponerse a los balazos. ¡Pues qué lata, deveras! Si ellos fueran más listos podrían rendirse y punto, manos arriba ¡claro!, o improvisar una bandera blanca con calzoncillos o con pañoleta, con jirón de camisa o con sus calcetines en lo alto pendiendo de sus dedos, o de plano también, como beatos, con sus manos unidas implorando perdón de viva voz. De seguro todo eso sería más efectivo que su tonta mudez agazapada.

Y no siendo posible tal encargo ni por telepatía, no había más que seguirle, aprisa más y más, sin entretenimientos, al rescate obligado, afán debía sobrarle a Trinidad aun cuando el avance, dijérase sonámbulo, insinuara rodeos y pazgatueces. ¿Pazguateces?, ¿por qué? Acaso arrepentirse de una vez y virar por ejemplo rumbo al río, como lo hacía de niño cuando lo regañaban. Vivaz escapatoria berrinchuda. De otro modo el trasunto: en su papel de padre lo antañón ahora se revertía completamente si no al triple sí al doble, cuando menos. Y la venganza ¿cómo?, ni siquiera pensarla. Resignación, entonces, humildad, tregua del subconsciente a toda hora porque la culpa obraba contra el sueño, más aún cuando el pobre abarrotero se llevó a la nariz su mano izquierda, cual si quisiera quitarse para siempre el supraescupitajo de su hijo Salomón. Ése era un tic nervioso que hubo de repetirse hasta en las duermevelas...

De resultas la prisa de llegar como un presentimiento tras la chispa, a sabiendas, incluso, que tal vez caminaba a lo largo de un sueño. Así adrede el equívoco y así la duda tras el desvarío conforme se alejaba de las luces del pueblo. De suyo, para mal, la culpa ¿renacía? Se prometió por ende no tocarse la cara durante todo el trayecto. Y entró de lleno en lo desconocido...

Una intemperie atónita de estrellas.

La idea preconcebida para lavar su imagen aberrante.

Sobre la carretera dejarse ir, y hacia atrás por supuesto la embrollada hilazón tratando de encontrar la clave nebulosa de lo que ya sabía. En sobrio reacomodo hacer memoria y... se imaginó dormido (esa única vez) con su cabeza sobre el mostrador. Lo despertó algún cliente, pero ¿quién? Emborronado el límite impreciso, pues no podía acordarse si antes o después de que cayera súpito hubo una larga plática con alguien.

Si no fue así ¡qué diantres!

Otros decursos lógicos podían ser las hablillas filtradas por resquicios de puertas y ventanas, porque no transcurrieron ni veinticuatro horas para que el haragán supiera de pe a pa lo de la matazón. Amén de: *Llegarán los cadáveres a las tres de la tarde. En una camioneta los trae-*

rán... Boqueado sin cesar del mismo modo por muchos alarmistas; y lo más importante, pero también ambiguo, por difusa emisión y confusión: que sus hijos se habían desperdigado encontrando refugio en donde ya se dijo. Síntesis de rebanes el hartazgo. Motivo suficiente para que Trinidad durmiera a todo dar, como un recién nacido.

Aunque las pesadillas... La verdad...

Llegaría, en consecuencia, el predecible último momento y entonces sí, pues ¡órale!, la discusión entre él y su señora en torno a quién de ellos debía ir al rescate de sus dos hombrecitos. El jefe de la casa, por supuesto, previsor obligado ya con la mira de irse muy lejos de su casa, tan sólo por romper con la monotonía.

¿Luego? El prurito final era una sutileza: no hacer bulla en la calle. Senda corazonada de torpe soñador: se imaginó la escena palabrera cuyo tejemaneje no se limitaría al ámbito doméstico. Sea que: los dos al aire libre averiguando mientras en derredor las luces se prendían. Ventanas aterradas. Repudio tremebundo de «¡váyanse de aquí!», con ecos trepidantes, quedando señalados de por vida como malos payasos conyugales. Hubiera sido horrible... Pero no tan horrible como la realidad de caminar de prisa. Es que: luego de haber andado más de cuatro kilómetros ya el haragán se estaba arrepintiendo, ya cuando el alba, ya quería sentarse. Aunque un rato ¿nomás?, no, nunca, ¿cómo?, y menos a la orilla de aquella carretera donde posiblemente anduvieran los guachos trepados en el toldo de un camión cazando correlones, con catalejos viendo por doquier. Pero una inminencia tan letal había que descartarla, y a otra cosa ¡por Dios!

Por cuanto Trinidad entraba en deducciones la fuerza de su mente debía actuar. Mas también era lógico que tras largas y zotes aprensiones el haragán deseara un intermedio, desviarse por ahí. No estaba mal echarse una cejita. Y miraba y quería y... El punto más allá, de modo que hacia allá los ojos dirigidos. ¡Vaya! El punto era una bola de pirules en la falda de un cerro. La duda y el deseo bajo la sombra un rato. Es que, bueno, tal vez, pudiera ser, y por qué no mejor, es que también, incluso, bueno, ¿qué? Es que sería perder tiempo precioso. De resultas: un último jalón, dado que no faltaba mucho trecho.

Sin embargo.

A Trinidad se le antojó un cigarro. Carga de baterías. Tan sólo diez minutos. Hurgóse pantalones y camisa. Nada. Las bolsas sin dinero, sin cajetilla de tabaco suelto.

Ni modo, ¡chin!, pero para su suerte distinguió entre la bruma ñuridita el pinturreo uniforme de aquel pelonerío. Amasijo cerril amanecido en pena. En tinte de almagrado la pendiente cuyo remate en redondeada mancha era la boca misma de la cueva.

¿Gritarles desde ahí? Pero su voz así: zumbido apenas. Pero, ¡chin!, otra vez, el cálculo de pasos, un kilómetro ¿más? Un último jalón... Y lento Trinidad se fue acercando triste. Tan sólo de pensar de grado en grado en las dificultades subsiguientes le dieron ganas de una media vuelta. Bien hubiese querido que sus hijos le gritaran de arriba, mas supuso lo peor –por un instante–: ellos ya eran calacas saboreadas por miles de gusanos.

¡No!, ¡fuera el horror!, por mientras, por principio, y hasta no verlos no pensar tan mal.

Pasos pesados contra lo imaginario. No por nada el desvío casi automático hacia aquel panorama de cactos vigilantes, adentrándose incierto, desvaído, llegar quería, saber, subir, sentarse a platicar con... ¡ojalá que sus hijos lo recibieran bien!

Siguió. Había hecho una promesa. Esperaba su esposa cuando menos una noticia fea para dejar de andar especulando. Llegado el haragán medio cae que no cae al pie de aquella cuesta, vio la cueva y no vio asomos hacia acá.

Otra vez a capricho quiso en serio pensar que sus hijos estaban aterrados y antes de que estuvieran mucho más se decidió a gritarles desde abajo:

–¡Papíaaas!, ¿¡me oooyeees?!... ¡Salomooón!, ¿¡me oooyeees?!... ¡Soy su papaaá que viene a rescatarlooos!

La respuesta imposible. Categórico el aire mañanero alargaba su silbo, su estridor de bocaza, sin embargo, ¡qué va!, Trinidad a la carga porque, aún papanatas, dedujo que su grito no fue tan estentóreo. Tenía que agarrar aire en demasía y hasta más no poder inflarse cual endriago gigantesco y va de nuevo y... ¡No!, se desinfló, ¡caray!, porque por un instante, pensándolo más bien, mejor era trepar un poco más. Casi como un chamaco –cara de órdiga– que quisiera ganarle a otro chamaco la llegada a la meta, fue trepando animoso, y sí, a la mitad del cerro llegó fresco. Cabe la aclaración: un cerro no muy alto, un altillo, un cabezo, para no exagerar. Pero de todos modos aquello era de aplauso. Récord para su edad: unos cuarenta y tantos y unos catorce metros de subida en unos quince o dieciséis minutos. Llegó jadeante el pobre sacando las toxinas más añejas de sus miles y miles de cigarros. Viéndolo como estaba, dicho sea, deveras que se había sobrepasado. Después de un largo rato de nuevo alzó la vista y nada, nada, nada...

Nada que se moviera, ningún ruido y ni siquiera algo en perspectiva. Para colmo de males tenía que inflarse al tope nuevamente. Gritar desgañitado sin importarle un pito que le salieran lágrimas, dado el esfuerzo al fin lágrimas buenas, de treguas y querencias infinitas.

–¡¡Papíaaas!!, ¡¡¿¿me oooyeees??!!... ¡¡Salomooón!!, ¡¡¿¿me oooyeees??!!... ¡¡Les juro que están fuera de peliiigrooo!!... ¡¡No hay guachos por aquiií!!... ¡¡Pueden salir tranquilooos!!... ¡¡Soy Trinidaaad Gonzáleeez, su papaaá!!... ¡¡Ya vengo por ustedeees!!

Por un momento pareció que alguien desde el fondo macabro contestaba. Seco chasquido, vibra redundante. La sabia voz del viento recogiendo los ecos y Trinidad inmóvil como un cacto en espera de indicios, pero ¡oh, desilusión!, al cabo naderías. Como si desde el ascua de su muerte los hijos respondieran por medio de artilugios ambientales, creyólos hasta dentro retacados, pero ellos, por su lado, hasta que no lo vieran cara a cara podrían asegurarse.

¿Sí? Churrera conjetura de un desesperado que intentaba ya el último jalón: hacia la certidumbre, ya asequible a la voz y a la mirada. Y una vez en la boca de la cueva –*He venido a salvarlos y a pedirles perdón... ¡Anden!, ¡salgan!, ¡por Dios!, ¡vamos a hacer las paces!*– quizás caer vencido por el sueño, pero llegar, exhausto.

Capítulo cuatro

Figura aparecida contra la oscuridad. ¿Captada a grandes rasgos?, eso es lo que quería. Primera sensación. Ambivalencia. Luego: figura que se adentra gradualmente en silencio. Figura en desdibujo, a la deriva, en sombras, y una visión austera como un simple asegún. De hinojos Trinidad, y su mano derecha temblorosa, extendida al azar intentando asir algo... (inútilmente), el grito contra el eco: «¡Papíaaas!, ¡¿me...?!». Bulto al fin desplomado. Quedó la resonancia en batahola durante algunos minutos como enjambre obsesivo, y habrían de condensarse los emplastos de un sueño de quejumbres que a la postre debieron continuar aun cuando el papá se despertara quizás más recobrado.

Así la confusión, la negritud, la luz detrás, y no el olisco a pudrición de nada.

Capítulo cinco

¿Pasaron varias horas? El espectro de hombre se incorporó más tarde. Sus hijos –todavía– ¿un poco más al fondo? La indecible esperanza aún merodeaba.

Trinidad acechante: si pudiera avanzar con paso firme profanando lo oscuro, si trajera una lámpara de mano o un humilde cerillo. Lástima de sí mismo. Se tuvo que frenar cual si quisiera recomponerse un poco. Decidió por sus fueros, ya como intento endeble, una última llamada. Lo hizo en tono más bajo, a modo de susurro:

–Papíaaas... ¿Me oooyeees?... Salomooón... ¿Me oooyeees?... No se asusteeen, soy yooo, su papaaá Trinidaaad... Andeeen, saaalgaaan de aaahiií...

Y por primera vez se percató del rotundo fracaso de aquella su intentona. Ridículo fracaso subconsciente donde se conjugaban ficción y candidez; otrosí: sus sueños ¿lo engañaban?, ¿su memoria también? Por lo mismo, cuanto antes, debía de rechazar el vil embrollo, nada más por jactancia. Entonces la renuncia: diose la media vuelta cabizbajo yéndose hacia el acceso iluminado. Necesitaba luz, nuevos encomios. Se fue despacio, empero, zaragateando cosas todavía. Urgente un reacomodo momentáneo empezando con la obviedad mayor: la pestilencia en pleno, a cual más concentrada en un cubil profundo, y no, en definitiva, dado que los oliscos tan sólo eran de encierro y humedad. Mas si aún existiera alguna pifia en esa conjetura, los pasos a seguir serían de otra manera, porque ya convertidos Papías y Salomón en corruptas calacas, habría que rescatarlos con lámparas, camillas, sábanas y hasta burros, sin descontar costales para guardarlos bien y evitar la impresión.

Baño de luz total enllegando a la boca de la cueva: silente la extensión a partir de sus pies. Lejanía proverbial, somera recompensa tras haber concluido su tarea, no obstante las preguntas, mínimamente amagos y tanteos para llegar a una suposición: de seguro sus hijos aún estaban vivos más allá de su vista, por decir, tras los cerros azules... Los destellos... Afín desplazamiento pasajero para hacerle creer que salía de una tumba: *grosso modo*, si bien, como deslinde onírico en tanto real en sí la escapatoria, motivo por el cual el haragán se tuvo que doblar con lentitud de azoro. Su extrañeza hecha nudo. Pero inmóvil, de nuevo, las piernas flexionadas y los codos rozando las rodillas y las manos abiertas bajo el mentón y el gesto restirado... En esa posición quedóse muchas horas. Su mente en blanco aparte y en contraste con sus ojos cansados divisando villorrios por ahí y por allá. Resumen claroscuro, siendo también que el mundo había girado un poco más, tan leve inclinación; desvíos en derredor o afán eléctrico contrarrestando las últimas potencias vespertinas. Ah, si todo fuese así, al margen del estrépito... Pero al notar lo suyo, su lugar de por vida –hacia el oeste el sitio henchido de nogales– tuvo motivaciones momentáneas.

¿Momentáneas?, ¿baldías?

Discretos recomienzos.

La hondura de la noche como un hostigamiento.

Las estrellas de más. Pero había una apartada.

Benigna conexión para su estado de ánimo...

Justo en esos instantes su mujer... ¿Por qué se acordó de ella?

He aquí que Trinidad se incorporó con lentitud de asno y reculó perplejo, a duras penas, solamente unos pasos.

Capítulo seis

Festejo modestísimo –asegún– fue aquel de unos ochenta convidados. Damas, padrinos, pajes, conocidos, clientes de siempre, parientes criticones y uno que otro colado de último momento. A esa cuantía revuelta debieron agregarse Papías y Salomón, Cecilia y Trinidad, así como también los músicos de rancho que tocaron un vals desafinado y una veintena en ráfaga de piezas trotadoras: seudoprofesionales pizcuintíos que, además de cobrar jugosa cuota, exigieron comida y tres botellas de Club 45. Tremendo dineral de todos modos, no obstante que los autocelebrantes desearon sencillez en su fandango. La misa fue bien rápida y ¡qué bueno! El cura peloncete, traído de San Chema, no dijo más que frases de cajón, y más por el motivo de esa vez: unas bodas de plata donde no hubo siquiera dos anillos de níquel para simbolizar lo largo y lo complejo de un lazo conyugal, así pues el jerarca de sotana quiso hacer una fábula a modo de remate: que con todo ese aguante el matrimonio había subido a una montaña santa, y que al virar sus ojos hacia abajo podía ver con desprecio a tantos divorciados reducidos a enanos miserables. En suma: ambiente austero, nada de pompa o garra en demasía, ni los matrimoniados para acabarla pronto y ¡vámonos de aquí!, porque todos querían ya entrarle a los guisados.

Sin invitar al cura a la comida (no se les ocurrió), Cecilia y Trinidad, seguidos de Papías y Salomón, y más atrás del corro mitotero de quién sabe qué diablos festejantes, aparte de la gente convidada, rumbo a la propiedad de los González iba, partiendo plaza, lerdo y delirante, el grupo perfumado. Digámoslo en teorética alusión: LA AFABLE LENTITUD, rompedora a propósito de la gran lentitud característica de aquel pueblillo en calma. E imaginar también el derredor, sea que: a la vista de cuántos el suceso de a pie, donde las serpentinas y el arroz aventados al aire, al igual que el confeti, daban para el rebusco de opiniones. Un tema de añagazas por acumulación. Flores, filos y trivia insospechada en vivo regodeo, al margen, desde luego, y más y más etcéteras y... El tope fue en la puerta de la casa. Quedémonos aquí. Tratemos de observar el batidero afuera, o sea en la calle la desesperación. Ahora imaginemos un embudo: la masa al cuello, o dicho de otro modo: el cono y el canuto, y para ponderar la analogía: en el cono la masa (gente, turba) y a través del canuto los que iban filtrándose al fandango (puros privilegiados), mismos que se colaban hasta atrás, en donde había una lona por si acaso llovía. En el traspatio pues lo consabido: mesas y risionadas y olor a barbacoa. Entretanto el problema allá en la puerta. A voluntad Papías y Salomón, junto con otros dos tipos rollizos, fueron los encargados de ir reconociendo a los que sí: ¡adelante! Pero... Al no haber papeleo –o sea los distintivos de costumbre– se hizo más difícil para ellos saber si los filtrados eran precisamente las personas que sus padres deseaban que comieran, brindaran y bailaran. Y como la pareja festejada debía estar hasta el fondo bastante entretenida en labores de cháchara anfitriona, ¿cómo iba a ser correcto que se les distrajera?

Pretextos no faltaron para que algunos listos defendieran con creces su derecho a pasar mediante socarrones alegatos. A troche y moche necios forcejeos acompañados de zotes griteríos propiciaron que los que hacían de guardias desesperadamente aullaran a los vientos: «¡Auxilio!, ¡policía!, ¡auxilio!, ¡policía!».

Pues no les quedó de otra, ¡qué vergüenza!, y luego la tardanza pintoresca, y mientras tanto ¡cuerda!... Por ahí hubo un desgarre de camisa, hasta que muy airosos llegaron los azules, tres nada más que al ver el batidero queriéndose colar, casicasi al unísono exclamaron: «¡Retírense!, ¡retírense!», y ya con las macanas en lo alto ardían en ganas de surtirle duro al primer hocicón que tarasqueara. Ninguno por supuesto. La cosa fue a la inversa: la masa se fue haciendo para atrás.

El principal azul pidió a los de la puerta que la cerraran pronto. La orden se acató. Enseguida la masa se fue desperdigando. Gacho trámite mudo pero tardo. El despeje total. Entonces otra vez toquidos en la puerta, misma que se entreabrió. Eran los de cachucha quienes nomás por pura conveniencia querían cerrar el caso con un aviso corto: «Asunto terminado». Pero... sus caras de pipiolos inocentes deseaban algo más. Para disimular uno de ellos apenas sugirió: «Si hay problemas después, ustedes ya lo saben: estamos a sus órdenes». Adentro, en las penumbras, las caras juntas de los dos hermanos aún no conectaban el mensaje indirecto. Tirantez de miradas y de gestos. Se insinuaba una súplica también, la cual nunca se dijo, sino que... Al fin Papías captó. El agradecimiento por tan caro servicio merecía compensarse pero no con dinero –descartado–, sino... es que... ¿cómo pedir algo tan obvio? ¡Pues sí!, la invitación: «¡Adelante, señores!». Y risiones y ufanos los tres uniformados pasaron en hilera.

En diferentes formas, unas muy claras y otras muy sesgadas, de vez en cuando eso acontecía en aquel lugarcillo. Por el radiante mérito de meter en cintura a una masa deseosa de zumba y de bailada, el premio era pasar a los azules no como unos colados, sino como campeones de la armonía local. De lo anterior se saca a colación otro aspecto que va en la misma línea: también los presidentes podían ir a las fiestas –si querían– con sus distinguidísimas esposas, incluidos los hijos –si tenían–. Pero esa vez el mandamás en turno dijo que no, que gracias; mas la tal negativa se explica de este modo: en los últimos meses había muchos problemas en la localidad. Muchos opositores contra el gobierno en sí, por corrupto y abstracto y demás hermosuras. Y vaya que si no. Invectivas (pedradas) contra quien se dejara que le llovieran más, así los de hasta arriba ya andaban, por decir, con el zoquete al cuello. Entonces se concreta: al aire libre nunca ninguno de los altos... Y la escala era en grande... De ahí la conclusión: que últimamente el pueblo los tachara de ser antisociales, ¡uh!, no era insulto siquiera, sino adorno barato para lucir a solas. Una exageración muy a propósito, en vista de que el clima lugareño se prestaba para eso y quizás para más.

Otras razones saltan a partir de este engorro. Eran pocas las fiestas populares, unas cuatro por año, en Remadrín; y las particulares... De unos años acá allá cada seis meses había algún ahorrador muy decidido a aventar sus billetes al garete para hacer un fandango de mucha polvareda. Sin embargo, contados invitados –se supone– a bodas o a quince años o a bautizos. Dicho lo cual, volvamos al embudo: la desesperación. Una masa expectante en las afueras, misma que cabizbaja habría de evaporarse automáticamente en cuanto aparecieran (asegún)... Entre más pobre se iba haciendo el pueblo más gente encachuchada aparecía.

29

Vista de otra manera: la pobreza aglutina. Mugre filosofía de la necesidad. Se forman las manadas. No falta la ocasión. Cualquier motivo sirve. Unos huyen en serio a quién sabe qué lados pero no falta algún advenedizo que venga con la mira de enturbiar cuanto hay. Así de refilón se infiere lo siguiente: en los últimos años han venido a este pueblo gargantones sabihondos con la finalidad expresa y contumaz de picarle la cresta a tanto amodorrado. ¡Cuánta materia prima debieron encontrar!

Inoportunamente la llegada final. La paradoja fue que los hermanos, por estar al pendiente de las infiltraciones, se quedaron al margen del brindis colectivo, así los de cachucha, quienes buscaban vasos de cartón y botellas de sidra, no encontraron siquiera cocacolas. Pero estaban adentro y eso era lo importante. De mirones un rato oyendo un poco al margen someros parabienes al compás de la música. En cambio los hermanos... Pasados los azules, Papías y Salomón creyeron que el asunto del forcejeo en la puerta en realidad ya estaba terminado, pero ni para cuándo porque nuevos toquidos volvieron a escucharse y ellos se regresaron para dejar entrar a otros encachuchados que con todo cinismo pasaron al fandango: unos diez en hilera. Seco anonadamiento innecesario. Papías y Salomón desentendidos cerraron con ganchete la susodicha puerta, la que tal vez sonara sin cesar hasta la medianoche. Empero ni los otros rollizos referidos se quedarían un rato vigilando las eventualidades, asegún, de abrircerrar, o solamente oír... Por camaradería la imitación: despichaditos, ¡sí!, como si los jalaran con suavidad de más, siguieron a los hijos de los agasajados. Pero la confusión: tanto apriete de cuerpos en tan pequeño espacio para una cantidad que no se había sentado todavía. No entraron al borlote los rollizos: sesgados avanzaban, y por si fuera poco muy cerca de una barda lateral encontraron buen número de sillas disponibles al tiempo que observaban algo desconcertante: los hermanos cargaban una mesa, la traían desde el centro del traspatio justo adonde ese extremo no demasiado extremo pero sí, pero, bueno, es que no solamente los rollizos se miraban las caras, sino... Sorpresa inconcebible resultaba el visible desplante: Papías y Salomón no pidieron ayuda ni nadie se la dio ni se ofreció. Más bien fue lo contrario: con gran dificultad se abrieron paso dando pie a un reconcomio general: la incómoda maniobra del traslado ponía en claro que ellos no deseaban estar –y la razón exacta ¿cuál sería?– muy cerca de sus padres. A rehilo se saca el tal voluntarismo a cuenta y riesgo pues, y he aquí lo principal: ¡qué raro es que estuvieran al pendiente en la puerta de entrada un poco antes! Y lo cierto, también: ¡no se les encargó ninguna vigilancia!

Desde cuatro días antes del fandango Trinidad les pidió a dos amigos suyos que estuvieran a cargo de la entrada quince minutos máximo. Todos los invitados entrarían de un jalón, sólo los asistentes a la misa: checarlos y cerrar. Pero fueron los hijos junto con los rollizos camaradas quienes los desplazaron arguyendo tener una segunda lista en la cual figuraban los invitados de último momento (no de sus padres, sino...), la cosa es que ninguno se presentó puntual, excepto los rollizos. Pero sea como fuere les sirvió de pretexto para no compartir lo que consideraban un burdo despilfarro. Debían entretenerse a su manera evitando rozarse con esos firulais. Mejor acá la posibilidad de hablar de temas fuertes: política ante todo, aunque muy en voz baja hermanos y rollizos casi como entumidos celebrando en secreto el inminente triunfo de su gallo –deveras carismático–, aunque fuese siquiera por unos cuantos votos a favor. ¡Ojalá así pasara el día de los comicios!, puesto que su partido, nunca antes como ahora, había hecho tan buena propaganda en los alrededores regionales, correspondientes a su municipio. Y entre ¡vivas! y ¡ajúas!, dichas casi en susurro, fueron desconectándose, no totalmente –¡ojo!– porque cesó la música y...

¡Atención!, por lo tanto...

Enfoquemos ahora –porque vale la pena– a la ejemplar pareja bendecida. Se dio paso al desfile de felicitaciones: apechugues fingidos por demás, seguidos de alabanzas diplomáticas. No faltó el detallazo ni la ridiculez: un descarado azul formándose en la fila o alguna solterona sacrosanta dispuesta a tirar línea.

«De ahora en adelante todo será brillante.»

«Ojalá que esta unión dure cien años.»

«Siguen las bodas de oro y si Dios lo permite las bodas de diamante.»

En Remadrín las hubo hacía apenas tres décadas. Un acontecimiento tal vez irrepetible que figura en recuadro y con letras mayúsculas en las actas añosas del Registro Civil Municipal, según hizo memoria un felicitador, hombre de extensa labia al cual lo apresuraban los demás para que diera chanza a la hilazón de otros leves cumplidos. Protestas en la cola, entre más atrás más los abucheos. Pero el hombre terqueaba porque tenía diez cosas que añadir. Rechifla progresiva mientras tanto, orillando al fulano a soltar en aína su remate forzado: «... bueno, pues ya lo saben, si Dios les presta vida y se mantienen juntos de aquí pa'l real cincuenta años mínimo, óiganme bien, empatarían un récord que ninguna pareja ha logrado empatar...». ¡Fuera!, ¡fuera!, ¡canijo! Los de mero adelante tuvieron que empujarlo.

«Les deseo lo mejor. Nada de divorcio a estas alturas.»
«Enhorabuena, ¡bravo!, y déjenme abrazarlos.»
Etcétera y etcétera.

Al concluir el trámite engorroso de tanto parabién en sarta machacado como recitación y oído casicasi con las orejas gachas por la triunfal pareja, una porra espontánea poco a poco creció. Tímidamente: «¡beso!», «¡beso!», «¡beso!», ola en ascenso, voces adheridas, insidioso rebumbio a modo de presión repetido más fuerte cada vez ¡mucho más!, y mucho más tardada la sabrosa palabra: «¡¡¡beeesooo!!!» «¡¡¡beeesooo!!!», «¡¡¡beeeesoooo!!!», «¡¡¡beeeeesooooo!!!», hasta que en acto pues Cecilia y Trinidad: instantes de suspenso, perfiles que se juntan, y parando sus trompas pelotitas: ¡zas!, ¡perfecto!, y ¡ya!, ¿eh?, así nomás por puro compromiso y así el postizo efecto de aplausos a rabiar. Sin embargo la crítica distante: hipócritas, cretinos, sinvergüenzas en el fondo Papías y Salomón pensaban eso y más de sus progenitores, cada cual en desvío de rememoraciones. Un simple picorete de salivita furris –¡bah!– para no quedar mal ante la concurrencia... Nada de alteraciones por lo visto... De golpe el trance, a fuerzas, nada más, siendo que, por lo mismo, el pormenor sabido estaba aún pendiente.

De otro modo se expone lo que ahí quedó trunco. Cuando ellos eran huercos sus padres se besaban desesperadamente por lo menos seis veces cada día. No importaba el lugar. Podía ser en la tienda o en la plaza, incluso mero enfrente de la iglesia después de misa o antes, pero después mejor: ya bendecidos ¿qué? Probándose y probando la libertad de hacerse travesuras se agarraban delante de la gente valiéndoles camote que les dijeran «perros» o «marranos». Pero los pichoneos jamás degeneraban. Era el puro sabor –pastel de frutas– sus lenguas y sus bocas. Y es que debe aclararse lo siguiente: nunca los hijos vieron a sus padres encuerarse de a tiro ni hacer un desfiguro de patas para arriba. Sólo las calenturas sabrosonas y ¡a trabajar se ha dicho! Pero los besamientos fueron disminuyendo al paso de los años debido a que la gente empezaba a sacarles la vuelta retefeo. Trinidad perdió clientes y Cecilia, apenada por tanta peladez, anduvo cabizbaja durante bastantes meses sin atreverse a hablar más que con Dios o con el sacerdote del lugar cuando se confesaba semana tras semana. En los últimos años su pasión se abismó, y aún quedaba un lastre a cuán más pernicioso, una brutalidad cochina y suculenta que a veces se antojaba. Justo esa vez, ¡por Dios!, la recreación de entonces, enmedio del fandango la remota delicia, contimás enguizcados por el redor gritón: «¡otro!», «¡otro!», pues otro... pero igual, para aplacar los morbos.

No paró ahí el asunto de las formalidades. La mayoría pedía que Trinidad hablara... y aquél tan vergonzoso ¿cómo mirar a tantos y no perder el hilo de una improvisación? Decirle a una gran masa lo que por lo común espera oír: sendas reiteraciones asaz sentimentales pero con un matiz harto asombroso. Y se formó una oleada de coros tabarreros contrapunteada apenas por un filón de voces que no pedía palabras sino baile, que se echaran un vals rematador los autofestejados. Lo mejor para ellos era aguardar un poco. Sin embargo seguían los tole-tole, flotaba en el ambiente un rumor dilatado interrumpido al cabo cuando el abarrotero se dirigió al micrófono, el único que había del grupo musical. En consecuencia: ¡orden por favor!, y de un extremo a otro los «isssht!», «isssht!», «issssshtttttt!», ¡caray!, raudos, aplacadores movimientos de manos en cuantía, el mismo Trinidad con ademán nervioso pidió calma. ¿Hacia dónde mirar primeramente? Los hijos –orillados (conexión, inquietud)– miraban a su padre con un odio supino. Una fijeza hipnótica o un puente: lapso de titubeo sin más ni más, porque de allá hacia acá corría un veneno lento, inevitable pues, como si sus retoños le dijeran: *Ahora sí vas a hablar, maldito desgraciado. Dirás puras mentiras.* Trasmutación de agobio, de algún modo, por mor de un frenesí que a lo mejor... Obvia tartamudez para empezar: *Este... bu-bu-bueno, yo quiero a-a-agradecerles su a-a-asistencia...* De manera sucinta se refirió enseguida a los muchos y bruscos altibajos de una historia amorosa que había durado nada menos que veinticinco años repletos de problemas, lapso en el cual también hubo alegrías sin cuento y grandes recompensas que a la postre redundaron en la paz y natural concordia. Luego ya de corrido la fábula ampulosa: *Nos costó un gran trabajo salir de la pobreza, hacernos de una casa y poner una tienda de abarrotes...* ¡Portento de mentira! ... *Nos esforzamos tanto...* La verdad era otra y muchos la sabían. ¿Cuál pobreza?, ¿cuál friega? En rigor se imponían los puros «grandes rasgos» de una vida ligera donde no hubo a las claras un simple replanteo. Trasunto accidental e inmaculado al que sólo faltaba llenarlo de colores.

Muchos y mentirosos –a capricho– repasos tras repasos. Las mil combinaciones hasta hacerse un perfecto pupoño enrarecido cuyo plaste irritante pareciera estar hecho de grumos y rajadas. Así pendía de un hilo sutilísimo ese cuadro de mierda que se estaba exhibiendo... *La lucha diaria, o dicho de otro modo, el esfuerzo continuo, o bien lo que se entienda como dura batalla contra la indecisión o el «ahi se va», bueno pues todo eso –como pueda entenderse– ha sido desde siempre nuestro gran fundamento...* ¡Qué gran sinvergüenzada de haragán! ... *La palabra «decencia» ha sido en nuestra casa una palabra clave. O sea: ¡somos decentes!, y creo que esta familia es ejemplo a seguir...* Papías y Salomón desde su mesa lo miraban con furia contenida. Ambos tenían sus manos casi en forma de garras: dedos temblones, tiesos, listos para... tal vez... Si pudieran ahorcarlo, pero ¡pobre señor!, ¿cómo iba a defenderse? Templanza, calma, cargo de conciencia. Esa vez, más que nunca, debían de comportarse como buenos políticos. Cecilia, por su parte, estando allí a su lado, no hallaba si jalarle la camisa o pisarle un zapato para que se callara. Los parientes, los clientes, quienes lo conocían desde mucho tiempo ha, se miraban entre ellos contrariados casi como diciendo: ¿pero cómo es posible que mienta de esa forma?

No obstante, hay que situarse en la otra orilla al menos durante un rato. Salgamos en defensa del padre perezoso aunque sea nada más para dar un volteón. Trinidad nunca fue demasiado hablantín, antes bien al revés, le gustaba escuchar con sabia parsimonia las cosas de los otros, sobre todo de aquellos seudoclientes que compraban alguna bagatela (un chicle o una soda o cigarros baratos) –nunca un mandado en grande para unas dos semanas– sirviendo tal pretexto, bueno... ya se imaginarán... Una tarde completa, a veces un día entero: palabrerío implacable de tantísimos suatos.

Bien se podría advertir la postura corriente de Trinidad González: el mostrador servía de apoyadura, acodado de fijo y las manos abiertas apretando su cara. No había día diferente, una excepción siquiera, lo único es que a veces –¡muy a veces!– optaba (de vencida) por la teatralidad: ¡cuántas formas de cejas, cuántos cambios al vuelo, y qué decir también de sus aburrimientos prolongados y siempre reprimidos! La descarga en revancha tenía que ir en directo al seno familiar. Durante comidas, cenas, desayunos, cuando reunidos todos a la mesa, cada quien a lo suyo saboreando y pensando. Un ensimismamiento tan sólo interrumpido por las inevitables peticiones: las tortillas calientes, como norma, el «pásame la sal», o el «dame más café». Y de repente allá de vez en cuando una arenga explosiva de neurótico ente desatado, regañón infeliz a despecho de ¿qué?, contra quien fuera ¿quién?, crudo y fenomenal monólogo que nadie, por lo mismo, podía contrarrestar. Cualquier atrevimiento incitaba al bocón a engallar más su voz. Deveras daba miedo. Agachados los hijos, la señora, se metían la comida temblando como pollos en medio de un chubasco. Parecía que la lengua de Trinidad González estuviera enchilada o tuviera tres pilas o cuerda para rato.

Así frente al micrófono: gratísima experiencia primeriza, dada la resonancia; tamaña la ocasión para expresar ideales fabulosos ante un público inmenso.

Inmenso por creciente. Porque ya a estas alturas del fandango montonales de gente se estaban infiltrando. Sombrerudos de pie, en repuje hacinado. Reducido el espacio de maniobra. Un embutido inflándose de hedores, de cuerpos que no caben. Más azules también, pero en acción difícil de macanas en lo alto. A despejar espacios por la buena, excepto los fotógrafos colados: luzazos en desorden, al fin en redondel abarcador y segundo a segundo mayor intermitencia de estallidos bajo la lona verde. Así el despeje en cosa de un minuto una media docena de azules voluntarios que también custodiaban la puerta principal, pero ¿por cuánto tiempo? Dios ayudó, por cierto, siendo que ante el alud de pueblerinos lo más seguro era que hubiese despiporre. Todo en perfecta calma y todavía el hablinche, harto desentendido del rejuego grosero de empujones, tropiezos y reclamos, siguió posesionado del aparato aquel que llevaba su voz a otras orillas, lejos, ¿qué tan allá aún audible la ráfaga expresada? Pero también la urgencia de frenar esa arenga que ya nadie atendía. *Por favor ya silénciate...* Cecilia le decía, aunque muy en susurro. Tenía que aparecer la mención a los hijos: *Yo y mi señora nos hemos esforzado para que nuestros hijos siempre vayan por el camino recto...* Por azar, ¿por deslinde?, Dios escuchó las súplicas de cuántos, porque (véase el rejuego): devino un accidente a modo de respuesta: una condescendencia de golpeteo en la lona: granizada puntual, excitación de voces. Los que estaban sentados se pararon. Papías y Salomón se carcajeaban. ¡Oh, sintonía del cielo! Gracioso tupidero. Y el ajetreo se desbordó de pronto cual si hubiese calado un veneno letal hasta lo más profundo de un grandioso hormiguero. ¡Aleluya!, ¡aleluya!

Capítulo siete

Papías y Salomón de vez en cuando iban a la funesta casa de donde los corrieron. La entrada por la tienda. Jilos y despichados querían pasar, si no como fantasmas, sí como un par de sombras desmirriadas. Pero un zumbo menor, un chasquido importuno, leve, fútil, en fin, un truene contra el piso...

Trinidad los notaba, los seguía con la vista buscándoles los ojos, pero ellos en su entrampe, sin voltear –sería error–: de frente hacia el traspatio, o si no a la cocina, donde la madre, ¿dónde?: hallarla era bien fácil.

Dicho de otra manera, para englobar las veces, pura repetición. Entraban sí, no miraban siquiera de reojo al señor que una vez (nomás por prepotente) Papías y Salomón lo escupieron con ira; aunque debe aclararse: Papías en el café, suma asquerosidad incorregible, porque no era lo mismo que en la cara (rápido se corrige con pasarse un pañuelo): ése fue Salomón. Es decir: hay extremos y niveles también. Sin embargo, no había arrepentimiento desde entonces acá de ninguno ni un ápice, ni medían consecuencias... ¿para qué?, siendo que las heridas contra su ideología todavía estaban frescas. Y no iban a sanar en unos cuantos meses. Años quizás, entonces podría ser... Y he aquí que su dureza, mientras tanto, parecía presunción o pudor ejemplares. Firmes las convicciones de esos dos, que no debían siquiera distraerse volteando a ver patanes como el que se menciona. Su padre vil, su padre desgraciado, que se fuera rodando por un desfiladero y con toda su horrenda pachorrez. A Trinidad tampoco le afectaban aquellas actitudes tan fachosas. De tantas veces ver la misma escena a él se le afiguraba que sus engendros eran como nubes que pasan.

Sí.

Pasaban al traspatio. Si no estaba la madre ni en los cuartos del fondo ni en la cocina oyendo cuanta radionovela, en la iglesia ¿tal vez?, o visitando a ¿quién? Y los hijos, sintiéndose a la fuerza de nuevo casi sombras, salían –pues no había de otra– por donde habían entrado: por la tienda!, en efecto, sin palabras de adiós. ¡Bah!, «... como nubes que pasan». Ni era capaz el padre de llamarlos: ¡entiendan!, ¡vengan!, nada. Orgullo contra orgullo: la inflexibilidad.

¡Qué curioso, asimismo, que a la que los corrió en definitiva, ni más ni menos la autora de sus días, ninguno de los dos le guardara el más mínimo rencor! Curioso, inexplicable, si se ve desde lejos, por cuanto que la doña era de ideas compactas, tanto o más que el señor, y además era dama sufridora. Y he aquí la eficacia: el llanto maternal y el sentimentalismo verborreico. Fácil proclividad que doblega al más fiero, llámense «hijos» o llámese «marido». También otros detalles que en un momento dado podrían establecer la diferencia que había entre el haragán (por no decirle «jefe») y la madre hacendosa, es que ella ni de broma les cuestionaba nada; un ejemplo al respecto cabe aquí: *No me hablen de política porque yo no la entiendo. Hagan su vida aparte, pero pórtense bien.* Felicidad a medias revirada. Total independencia. Un cariño basado en el consentimiento. Ergo, en plena quietud: ¡a volar zopilotes como sepan volar! En cambio el haragán dale que dale y duro, con palabras de a tiro: «¡imbéciles!», «¡zoquetes!», «¡retrasados mentales!». Palabras como zumbos volando a media altura, desde donde escurría –y valga la figura– el odio como lodo o algo peor.

Y así, por simpatía... Lo de ella era disculpa y disimulo; lo de él excitación y abuso de poder...

No obstante...

Siempre que ellos venían la madre les lanzaba la misma cantaleta: *Deberían de pedirle perdón a su papá*. ¡No!, nunca, la cosa era al revés: que viniera de aquél para pensarlo luego. Tironeo sin final. Prueba de resistencia. Terquedad ideológica. Discrepancia directa. La dignificación endurecida acaso como un fruto que aún no está maduro. Por tan costosa fe de cada cual, por intuir al sesgo la cauda de argumentos que había tras de la ofensa, la madre prefería cambiar de tema pronto: *Así que de albañiles... ¿Y cómo se la pasan?* Mañosamente –es obvio– si hemos de referirnos a dulces perspicacias. Su táctica procaz, su previsión huidiza, saliendo a flote siempre su cualidad otrora femenina: ese múltiple y denso sexto sentido ¡feo!, relacionado a fuerzas con las cosas que pasan y las que pasarán. De ahí que, por ensalmo o quisicosa, al sacarle la vuelta al conflicto supremo sabía muy de vencida, empero a conveniencia, que tendría de su lado o «entre sus brazos» –¡claro!, es la figuración a-pro-xi-ma-da– a sus hijos ¿sí o no?

Y su consejo reiterado, amargo, más y más lastimero, ¡por Dios santo!, con el fin de esconder gustosamente su gustosa malicia: *De-be-rían de pe-dir-le...* alargando las sílabas. De resultas, digamos, cabría un largo episodio entre esposa y esposo extendiéndose en pláticas harto derivativas, pero no, ni con mucho. Al contrario, más bien, la reserva, el suspenso, la debida acechanza, como si huyeran siempre de un crucial alegato. Y es que siendo un asunto demasiado tolondro, algo que requería... o mejor, si a esas vamos, hay que cuadrarlo así: por su parte la madre no era capaz de comentarle algo a su esposo escupido, nada de que «ya hablé con los muchachos», lo cual quizás quedara como una insinuación tácticamente aislada. Trinidad, por su parte, tampoco hacía preguntas acerca de lo hablado en tal o cual visita. Su orgullo extraordinario sepultaba sin más todo lo que valiera como vago consuelo. Solamente una vez hubo un escolio al bies, pero vino de un cliente llamado Idilio Anaya:

–Oye tú, Trinidad, tus hijos no te hablan, o si no, por favor, acláramelo bien, ¿por qué pasan de largo casi siempre sin saludar siquiera?

Brutal indiscreción. Un enojo al vapor mostraría la verdad. Ocurriría lo mismo si no hubiera respuesta. Obligado al chispazo, y rápido y preciso. Por lo que Trinidad, con autosuficiencia, dijo a guisa de albur:

–Ellos nunca me hablan cuando estoy en la tienda, pero atrás, en la casa, hablamos demasiado.

37

Capítulo ocho

Después de una discusión que duró más de cinco horas hubo un beso prolongado, es decir: hubo un acuerdo.

Batalloso frenesí... Por las recriminaciones en distintos desniveles con que ambos se endilgaban omisiones e imprudencias: primero las mil disculpas, y después... Pero veamos al hombre resignado solamente a las visitas de reojo. Los cruces tan ofensivos de sus hijos salerosos, y él, ¡en sí!, tan metido en un papel secundario e infeliz del cual le urgía ya zafarse.

La intentona fue una noche: persuadir a su mujer casi como no queriendo. Ella nomás asintió sin decir una palabra, no quería prender la mecha porque ¡vaya tempestad! No obstante, como el señor terqueaba sobre lo mismo de diferentes maneras, no sólo antes de acostarse sino durante las comidas, en sus vacíos laborales que abundaban bien adrede, bien buscados y, por tanto, dejando la tienda sola y con la clientela encima, pues pasó lo que pasó: se gritaron los esposos sendas culpas de por vida hasta el tope del sarcasmo.

¿Y el acuerdo cuándo pues?

Antes de entrar al asunto es necesario decir que a últimas fechas Cecilia rezaba más de la cuenta. Pretendía que sus retoños vinieran con más frecuencia. Lo consiguió, pero a medias. De dos que eran en principio se convirtieron en tres las veces que ellos venían por semana a platicar con su madre largo rato. Las simplezas predecibles –que por lo común abundan en las charlas familiares– también se salpimentaban con los grados recurrentes de un «deber ser» machacado, pero dicho con ternura cual si fuese un acertijo, o mejor –por peteneras–: con un celo del carajo. Había tiempo para eso en virtud de lo siguiente: poco a poco se alargaban las visitas, otrosí, en la sala, y por las tardes dos, tres horas nada más; sólo una vez fueron cuatro y: *Jamás vuelvan a escupir a un familiar que los quiere. La violencia trae violencia. Deben ser bien tolerantes porque todos la regamos.* Una lluvia de consejos matizados con amor. Empero la resistencia... Contra la culpa el dolor de sentirse unos cretinos. Un dolor alucinante al cual por lo visto ellos debían de ponerle un límite. Las razones, los enfados, el hecho de referir en sondeo trancapalanca los maltratos de su padre, no valían como argumento. Su único y real recurso era desaparecerse. Esto es: se iban siempre un poco antes de la cena familiar, no fuera a ser que de pronto se toparan con aquel al cual lo veían distante, fantasmal, dominador, a su modo alto, digamos, en una cima difusa, incluso como piltrafa en un rincón renegrido. Enseguida presentían la sucia red que su madre les estaba preparando. Atraparlos –sutilmente–, orillarlos, obligarlos –¿cómo hacerle?– a que pidieran perdón de rodillas o agachados, y chillones ¡qué mejor!, y mejor aún si ellos abrazaran a su padre o le besaran la mano. ¡Eso no!, ¡nunca!, ¿por qué? Cecilia cambió de táctica. ¿El acuerdo referido? Además, por la premura, la víspera del fandango, debía soltar en caliente su aciaga maquinación, dado que no era tan feo lo que les iba a pedir:

–Este, bueno... En dos semanas su padre y yo celebramos... este... nuestras bodas de plata. Habrá una misa solemne y luego una fiesta en grande... este... que tendrá lugar aquí, o más bien, en el traspatio.

Luego: así muy de sopetón les explicó entusiasmada los graciosos pormenores. Ella vestida de blanco y él de traje azul marino, iguales que aquella vez; mas la talla... descripciones: ¿si al respecto... necesarias?, que la falta de ejercicio, que la grasa sedentaria o que las lonjas colgantes. Pero... a ver... mmm... desde luego... comparados los esposos con la gente de su edad no quedaban tan fregados. Visto bien estaban vivos. Después de veinticinco años de vaivenes amorosos dentro de un ámbito estrecho ¿qué pedir? Fiesta y ¡punto!, y además una bola de invitados. Se estaba haciendo la lista. Apuntar en primer término a las amistades críticas, las más identificables, desde luego a viejos clientes, los conocidos de sobra. Empero quedaba al margen el rigor de un rol plausible dado que a la hora de la hora lo anotado en un papel no serviría ni de guía. El remedio, por lo tanto, debía ir por otro lado: tendrían más aceptación los que asistieran a misa. De todos modos, es cierto, los colados siempre son como su nombre lo indica, ¡ojo!... Pero aún no sabían quiénes se encargarían de la entrada, ¿eh?, un buscapiés por ahí esperando una reacción. No obstante, aquel voliquete no fue captado por ellos. Ambos parecían huizaches inexpresivos, inmóviles.

–Bueno, pues... Si no quieren hacerlo por su padre, tan sólo háganlo por mí. ¡Vengan! –fuera de tono la súplica y lo que siguió también–. No me gustaría la fiesta sin la presencia de ustedes. Y es más... es posible que si vienen se alivie lo que está enfermo. Yo le pediré a su padre que les pida una disculpa, aunque creo que es al revés, a ustedes les corresponde. Pero, bueno... les ruego que no me fallen. Yo no quisiera fingir que la estoy pasando bien cuando en verdad no es así. ¡Vengan!, ¡diviértanse mucho! Lo de más es lo de menos.

¿Lo de menos? ¡Por favor! ¡Qué débil era Cecilia! ¡Qué pequeñita! ¡Qué mugre! Su apañada rogativa resucitaba un mugrero ya enterrado para siempre. Un supuesto reconcomio no era cosa nada más de borrón y cuenta nueva. Al contrario: se avivaban los recuerdos: gritos, golpes, represión, lloro aparte, sangre aparte, en espeso remolino. Y esos hijos cacheteados, cintareados tiempo ha, en lugar de verla a ella se vieron entre ellos mismos como diciendo sí o no. ¿Qué hacer pues –para acabarla– con la sumisa señora? En señal de afirmación se sonrieron timoratos...

Ha llegado el momento de potenciar a Papías y Salomón, mismos que tardaron en dar el «sí» esperado. Toda vez que en largo intercambio se susurraron al oído quién sabe qué runrunes, aceptaron con sequedad la invitación, sólo que condicionada a sus necesidades. Esto es: hacer una lista propia de invitados. O sea: gente de su partido político, gente que platicara en la fiesta de los problemas que afectan, sin duda, a las mayorías. ¿Sí?, sí, ¡sí!, ¡por supuesto! No era (ejem) ni ofensivo ni incómodo para Cecilia aceptar a gente indignadísima y hambrienta de justicia, siempre y cuando, eso sí, no agredieran la decencia del resto de las personas.

Bueno, pues... Entonces, no habiendo más que agregar, los hijos se retiraron... airosos, ¡vaya!... cuando casi anochecía.

¡Ea! De inmediato Cecilia fue a buscar a Trinidad. Al darle la buena nueva éste no pudo creerla: ¿cómo?, ¿sí? ¡¡Sí!!, ¡que hubo arreglo! Y el abarrotero no tuvo más que lanzar un alarido al techo y levantar un puño de victoria. Se consiguió lo deseado. Y en remate suculento, para celebrar el triunfo, se besaron los esposos largo rato; beso largo, arduo, lenguoso, jovencito por ser blando, y adulto por ser movido: se parecía a los gozados en sus tiempos de noviazgo.

Capítulo nueve

Los saludos plausibles de clientes al azar. Trato de personaje a personaje: comprador(a)-vendedor(a), minutos de premura contra letargo de horas de ver y degustar la grata perspectiva callejera a través de un rectángulo de luz. Rectángulo a favor de las urgencias: opción de empañamiento: una visita. Pero fue hasta muy tarde. Llegó un platicador alrevesado, morboso como todos los morbosos que formulan preguntas en grandes cantidades para sólo cazar respuestas pesimistas, valiéndose de ellas de resultas a fin de solazarse en múltiples rebanes acaso chocarreros. En cuanto a ella, si bien, aquello le sirvió para salir un rato de su entumecimiento.

–¿Qué tal, doña Cecilia? Buenas tardes. ¡Vaya!, no se ve usted tan mal de abarrotera... Pero, en fin, ¿qué me cuenta de nuevo?

–Estoy mortificada, como toda la gente de aquí de Remadrín. ¿Y usted qué tal don Vénulo?

–Pues yo también estoy mortificado, porque ¡óigame usted!, ¡qué matazón!... Y cambiando de tema ¿dónde está Trinidad?, ¿lo tiene castigado?

–No, fue a buscar a mis hijos...

–¿A sus hijos?, ¿adónde?

–A la cueva de El Zopo.

–¿Cómo? A ver... Cuénteme más.

–Es que un cliente le dijo que allí estaban. Me imagino que sabe lo que ocurrió en el mitin de hace apenas tres días.

–¡Sí, cómo no!, lo de la matazón.

–Y sabe que bastantes mitoteros andan desperdigados.

–También eso lo sé.

–Imagínese usted que el susodicho cliente le dijo que mis hijos estaban refugiados allí donde le dije. Los pobres han de estar temblando de terror. Se me afigura que ellos no saldrán hasta que esté aplacado todo este desgarriate.

–Pero ¿cuál desgarriate? Yo no he visto soldados en el pueblo y no creo que anden ahora cazando opositores. Aunque, ¡claro!, por ahí andan diciendo vaguedades: todo eso de las cuevas de aquí de la redonda. Pero es sólo un rumor y nada más. Bien sabe usted también que a la gente le da por inventar cuando no tiene informes muy correctos. Y a ver, ahora dígame ¿cómo está eso de la cueva de El Zopo?, ¿por qué tal precisión y por qué sus dos hijos?

–Así se lo dijeron. Yo no puedo agregarle mis supuestos.

–¡Vaya cosa, Dios mío! –el cliente hizo una pausa y miró anonadado a la señora: la tamaña inocencia. Seguidamente volvió un poco sus ojos hacia la luz filtrada por la puerta. La calle: sin sorpresas. Una desconexión asaz efímera, adrede ¡en sí!: por la incredulidad de haber oído tan inimaginable fantasía. Vénulo, como dato de paso, o a prorrata, o a hurto, era el mismo señor que en el fandango, y en su oportunidad, cuando se hizo la fila para felicitar a los matrimoniados, había traído a cuento aquel récord añejo: las bodas de diamante en Remadrín –¡recuérdese!–, las únicas, más bien, pacata información que nadie por supuesto le iba a refutar. Dadas las circunstancias, por mera paradoja, le había caído el veinte en el sentido de ser precisamente lo que con tanta saña él criticaba: un común y corriente falseador a los ojos de muchos. ¡Bah!, qué le iba a importar eso si sus reales empeños iban por otra vía. Deveras que Cecilia le gustaba bastante desde que era soltera, se le hacía muy bonita. Pero... casada y vieja y ejemplar madrecita... ¡qué locura tratar de seducirla! Apretado el momento para añadir palabras convincentes. Nuevamente volvióse para mirar con ojos más que tiernos a aquella gran mujer todavía flor y todavía olorosa, aunque ya sin frescura. Entonces el ataque, ergo, con un tonillo, digamos, «silabeado», dizque de personaje muy sesudo, pero más postinero que peleón, rompió el silencio así:

–Es fácil entender a su marido, sobre todo a sabiendas de que es muy despistado. Porque siendo sincero, Trinidad, la verdad, es más lento que un buey, ¿qué no se ha dado cuenta? Es obvio que él pensó en la cueva de El Zopo porque es la más cercana que tenemos.

–Entonces ¿no es verdad?, ¿es falso que allí estén?

–Mmm... por favor, señora... ¡yo qué voy a saber!

–Por su tono de voz parece no importarle nada de esto –conjeturó doliente la mujer, un tanto sorprendida por las palabras rudas del fulano. Y así, fingiendo que espantaba a algún zancudo, con desconsuelo aventuró un enlabio– ... si usted tuviera hijos...

–Pues los tengo, señora, ¿qué no sabe?, sólo que ya hace tiempo se fueron de mojados. Algún dinero mandan, suficiente, para que un servidor no se preocupe por trabajar en nada... Y si quiere saber usted más datos de mi actual situación, nomás deje le informo que estoy solo a mis anchas, sin carga, bien a gusto... También, si no lo sabe, enviudé hace... perdón... ¡ya ni me acuerdo!... pero ni me preocupo, pues como ya le dije, mis hijos me mantienen. Ellos no andan metidos en politiquerías.

–Y me imagino que usted quiere mi aplauso –enchilada Cecilia acompletó.

–Si eso es lo que merezco ¡venga pues!

A Cecilia, en efecto, no le faltaban ganas de vaciarle en su jeta un torrente de puyas venenosas. Pero como deseaba mayor información, debía de manejarse con suma perspicacia.

–¡Ay, mire nada más! Hasta ahora caigo en cuenta de algo que no sabía... ¡Qué gran inteligencia tiene usted! Sabe siempre torear los asegunes, y en cuanto a su criterio ¡qué agudeza! Hoy comienzo a entender el porqué Trinidad jamás se cansa de referirse a usted. Vénulo por aquí, Vénulo por allá –como podrá notarse eran puras mentiras, es que por fin Cecilia brujuleaba a las claras el trecho más directo–. ¡Nunca me imaginé que en este pueblo hubiera gente zorra y aparte bien amable! Usted es un buen ejemplo para la juventud, y me atrevo a decir que hasta para los viejos.

–Pues por ahí va la cosa, aunque no exactamente. ¿Cómo decirle? No es que pretenda yo ser un ejemplo, pero me llegan siempre cantidad de rumores, visiones que no fallan, y sin salir de casa ¿cómo le queda el ojo? Bueno... a veces me pregunto ¿por qué a mí?, ¿quién soy yo?, ¿qué imán tengo o qué diablos?

–Por favor, no le siga. Para mí queda clara su grandeza, usted sabe más cosas de las que yo supongo. ¡Qué bárbaro!, deveras.

–Le vuelvo a repetir: ¡yo qué voy a saber!... La enorme diferencia que hay entre su marido y éste su servidor se adivina al instante. Yo analizo al detalle pros y contras del asunto que sea, es como desplumarlo y destazarlo y, bueno... Mejor se lo demuestro, porque vamos por partes, es decir, supongamos que es cierto lo de la cueva esa ¿sí?, muy bien... Ahora usted, por favor, pregúntese algo que es bastante simple: ¿no se le hace de plano que sus hijos no son unos idiotas en cuanto a los tanteos –y más siendo de día ¡válgame Dios!– como para avistar las peligrosidades, olerlas, calibrarlas, y desprenderse rápido hasta acá?... Eso por una parte, ahora viene la otra: ¿no se le hace también bastante exagerado que los guachos estén de sol a sol, y las noches completas, escondidos y en pos de gente inofensiva, o sea, que no trae armas?, ¿a un guacho qué le cuesta meterse a una cueva y balacear a todo el que esté vivo? No, a mí lo que se me hace es que a su esposo le falla la cabeza porque no la utiliza como yo. Y es fácil comprobarlo, puesto que acomodó todo a su antojo... Y además, por lo que toca a usted, ¿no se ha puesto a pensar que su querido esposo anda de parrandero por ahí?... Ahora viene la parte más jugosa, ¡agárrese de esto!, de la neta más neta, porque de acuerdo a los rumores lógicos es más posible que los desperdigados anden allá en las cuevas de Acamita o en las de El Nogal Solo, también hay unas cerca de Laderas, o si no en las de Fécula o en las de Dulces Sombras, pero no aquí tan cerca, aquí donde la mecha –si hemos de hacerle caso a los rumores– aún está prendida. Esas cuevas a las que me refiero sí están muy retiradas y los guachos no van a perder tiempo corriendo tras la gente opositora que, vuelvo a repetir, no porta ningún arma, o dígame ¿sí o no?

–Bueno, las podrían conseguir...

–De acuerdo, sí, pero luego tendrían que organizarse en sólo cuestión de horas y no es de enchílame otra enfrentar a un ejército nomás al aventón.

Cecilia toda oídos, y bajando su vista derrotada, pensó por un momento –seguras deducciones imperiosas– que Vénulo era el cliente lengua larga. Estaba la evidencia frente a ella, porque ¿para qué más? He ahí a un personaje bastante colmilludo, pero mucho más que eso, un engreído infame, un muymuy, un cretino, un tronco frío y podrido. Ejemplo aparatoso de fábulas sin par, porque eso de citar tranquilamente cinco nombres sacados de la manga, ¡ah!, era confirmación de lo anterior pensado. Fue entonces que Cecilia no soportó más labia. Le bastó un movimiento corporal para lanzarle un duro picotazo: un puñado de frases tan ajenas a las que ella sacaba en tales circunstancias.

–Suena muy razonable lo que usted argumenta. Pero si hemos de hablar con la verdad ¡confiéseme una cosa!: nadie menos que usted fue quien le dijo a Trinidad que mis hijos estaban refugiados en la cueva de El Zopo, nomás diga sí o no. Ande, no sea rajón, pórtese como hombre.

–Soy hombre y digo ¡no! Yo no invento patrañas. Y se lo digo así: en nombre de la Virgen del Santuario y con todo respeto.

–Pues guárdese el respeto y lárguese de aquí ¡viejo enredoso!, porque yo no permito que ningún hocicón bien firulais, como es usted y su chingada madre, venga aquí a hablarme mal de mi marido. ¡Lárguese o ya verá!

–Pero doña Cecilia, exijo...

–¡Lárguese a cortar tunas ahora mismo y que su puta abuela lo acompañe!

El cliente enrojecido de puro nerviosismo no quiso entrarle al juego de groserías calientes y por lo mismo se fue como de rayo levantando un poquillo su sombrero texano. Adiós trágico a fuerzas, en clímax de principios y ¡al diablo pues! el problemón aquel.

Pobrecita señora, tan desmoralizada, tan animal incluso, pero era necesario. Ella no hablaba así, no se atrevía. Algún turbio cachano le picó las costillas, dadas las retahílas ofensivas.

¿Cómo iba a imaginar el hombre entremetido que un ama de casa –tan humildita ella, tan cosita preciosa– le fuera a resultar una tigresa? Necesidad de rabia y garras afiladas sólo por defender a un hombre que jamás le ponía tope alguno a ningún fanfarrón. Tal fue el momento justo para entrar al relevo. Hálito potencial asimilado para soltar la lengua con gran facilidad. Aunque... pensándolo mejor... Defensa enardecida ¿para qué?, si hasta quizás el flojo abarrotero calibrara el asunto como era, si no trivial, absurdo y prescindible, quimérico, chistoso, blandengue, reciclado, como una larga escena donde un nadie de nadies, un maniquí bilioso con muchos tics orondos, de cuando en cuando, de tanto hablar y hablar y hacerse bolas, aventara verdades que por seguir hablando las echaba a perder.

Ya volteado el asunto la señora entendió por el lado correcto a su querido viejo. Vista a sí misma lejos en benigno y crucial desdoblamiento, debía de imaginar cuántas horas baldías en postura acodada detrás del mostrador pasábase su esposo viendo a ver quién venía, clientes o proveedores, los últimos allá una vez por semana. Y venga el recurrente dormerío tras la ardua tolerancia cotidiana de escuchar pazguateces a granel, mientras que la mujer dizque hacía a su manera los quehaceres, atrás, en el traspatio, aparte, muy aparte la lavada de ropa, las comidas en serio: las tres esclavizantes para cuatro personas (antes... se sobrentiende), no sin dejar de lado su inclinación corriente que consistía en oír –estambre en el regazo (cuando tenían el radio)– cuatro radionovelas libertinas de cabo a rabo todas. No siempre había manera de aplastarse en su sillón mullido favorito, las oía trabajando, y durante breves lapsos, cual si tomara aire, cual muñeca de trapo se doblaba. Los ajenos problemas establecían la pauta para esquivar los suyos, más aún los recientes: sus hijos albañiles expulsados, redimidos a medias todavía, y entre interrogaciones su desaparición, en tanto que su muerte aún estaba «en veremos». Pero había otra pregunta más indeterminada, abierta hacia el futuro e imposible, por ende, de cerrarse: ¿Trini... cómo poder asir lo que fue y podría ser más?... Si ella lo procurara más seguido la distancia entreambos ¡pues ya no!, se trenzarían deveras más mielosos. No bastaban los besos que se daban de pie, sino... ¡Ojalá que de ahora en adelante compartieran el lecho y las cobijas como en los buenos tiempos!

Ergo: tenían que aparecer remisamente las culpas de raíz: recapitulaciones afanosas, tanto por el desgano individual como por esa asfixia de estar juntos sin qué desarreglar. Si durante tantos años de rutina ninguno de los dos empujó al otro para cambiar de vida, un poco, nada más, y a la buena de un hábito trillado recrearse en imposibles. Sueños ebrios de sueño hacia un vacío infinito...

Infinito trasfondo... Equívoco total.

Y mal que bien después: ¿la reconquista?

¿Cómo?, ¿cuándo?, ¿mañana?

Trinidad no venía. El molde de la duda –la plasta endurecida– repleto de preguntas. Los hijos ¡en batanga!, pero la convicción con respecto a uno y otros era de ¿quién primero? Papías y Salomón o Trinidad o juntos encontrados camino de regreso.

La reconciliación.

Familia. Convivencia. Recobrar simplemente el sentido común.

Eran las siete en punto. Aún pardeaba la tarde, empero la luz pública en contraste, en luido claroscuro.

Pues a cerrar ya pues e ir a hacer la cena para cuatro personas. Y apurona la reina de la casa como niña traviesa dispuesta a...

En eso unos toquidos en la puerta, en la tienda; más lejanos aún unos gritos agudos. Las interrogaciones de Cecilia esperando lo peor, por ende: ir, fue, atrabancadamente, para hacer desde dentro la pregunta espantada: *¿¿Quién?!* Pero como era largo de contar tenía que dar la cara... *Nomás veinte minutos, por favor*: la súplica de afuera: estrepitosa. Entonces, valentona, la dio pero sin cuerpo, la cabeza asomada por la puerta entreabierta, y la sorpresa al canto...

Afuera había una sombra chaparrona, figura enrebozada de los pies hacia arriba; la cabeza, cual bola sarmentosa, semejaba un tumor. Ingrata aparición cuyo único rasgo distinguible parecía una amenaza de ultratumba: nariz piramidal en escalones, y lo demás, pues... Vino la información en sorda correntía con el objeto de rehinchir propósitos. Un resumen parcial sería el siguiente: trama de ofuscaciones justicieras. Sendos determinismos resultantes de largas reflexiones relativas a lo que estaba en boca de la comunidad: la matazón y los desperdigados. Así y así, de acuerdo, por supuesto, porque también Cecilia formulaba preguntas que exigían precisión en las respuestas. Aunque yendo a los puntos en apariencia ciertos, la figura burlaba con diestras evasivas los aspectos quizás más comprometedores. Otrosí, para colmo, el precavido asomo de la ahora abarrotera se antojaba ridículo, máxime que a esa sombra se le iban aclarando, en tanto discurría, ciertos rasgos muy finos. Por un efecto eléctrico inconsútil con el lustre lunar, se apreciaban sus manos exquisitas, y más aún sus labios: ¡qué delicia!, pese a que su nariz era gigante. Pero al margen del cambio de impresión, era mejor tenerle desconfianza. Es que: por más que se aclararan sus facciones, seguía siendo, ni modo, una desconocida. En cambio había llegado con excelente oferta, además de tener sobrado ahínco y gran discernimiento para despejar dudas e inquietudes. Los dimes y diretes estaban descartados. Mas la argumentación de las respuestas daban para quedarse, si quisieran, toda una noche en vela platicando.

Por supuesto que el límite pactado se rompió desde cuándo, y una hora fue poco... Sin embargo, rebasado ese lapso los minutos mentales transcurrieron de modos muy distintos, de acuerdo a la importancia de lo que se decía. En total hora y media permaneció Cecilia mostrando su cabeza nada más. Un heroísmo a ultranza revirado a favor de un recelo bastante mentecato. No dar de sí, poner un «hasta aquí», lo cual beneficiaba a la informante, dado que debía ir con su propuesta a las casas de otros implicados, faltándole seis más de las nueve que estaban a su cargo.

Las consabidas «gracias», los atentos «de nada» de parte de las dos en toma y daca. La extensa despedida...

Cual si fuesen amigas desde siempre no hallaban la manera de darle cierre a un trámite tan burdo. Se trataba de un «sí», un simple monosílabo que implicaba a su vez un compromiso no fácil de cumplir. Pero entre devaneos y posibilidades Cecilia halló por fin una estrategia. Un foco se prendió en sus pensamientos y un «sí» rotundo, suelto, extravagante, dicho –y acompañado– con un «no sé si yo o mi esposo»: la mueca fresca: ¡sí!; para que en una lista sacada de sus líos entretelados la narizona aquella pusiera una paloma con un lápiz, el cual usaba como dije al cuello pendiendo de un collar: una solución práctica ¿no es cierto?, a la mano, palpable, para que no se le perdiera nun... Adiós.

Puerta cerrada.

Oscuro personaje evaporado.

Justo en ese momento un zumbido punzante se apoderó de Cecilia, ¿hubo un cambio de ritmo?, ¿más lentitud cargante? En denso espacio, a tientas, redomona, con el ruido en sus sienes regresó a la cocina cual si se encaminara a un antro misterioso. Al llegar a la mesa observó entre tinieblas el mantel y el florero. Dadas las circunstancias no había motivo alguno para celebraciones de tipo personal. Comer, hartarse en serio, no le ayudaba en nada, antes bien al contrario, sería más asquerosa tanta masa revuelta, trayéndole a propósito, y tras la indigestión, molestias implacables, tanto así por demás, como para ya no poderse levantar ni siquiera un momento de la cama, por los retortijones en cadena. Era mejor dormir, pensar después. Pero era inevitable el regodeo maldito en torno a la propuesta del personaje oscuro, porque oscuro era el «sí» definitivo. No por nada, con la tristeza encima y los nervios de punta, quería permanecer con los ojos abiertos hasta el amanecer.

Analizar las cosas empezando por ¿dónde? La decisión tomada ante aquella persona la empujaba a planear de modo subrepticio desenlaces siniestros en los que figuraba su marido como actor principal. Endilgarle tareas radicalmente opuestas a su naturaleza y al mismo tiempo vislumbrar acaso otra suerte de vida, pero sólo para ella.

¿Sí?

Como autómata ilusa la señora se dirigió a su cuarto. Luego al caer en blando como cuáchala inerte –de buenas a primeras, sin quitarse la ropa– sus miras tenebrosas volvieron a excitarse. ¡Y se desesperó!

Sin embargo, el rejuego... no podía entrar en ritmo, batallaba. Quería más lentitud, pero... El incesante ruido en su cabeza y el zumbido exterior en obsesivos círculos: ¡zancudos!, ¡monstruos!, ¡ánimas en pena!, insidiendo en sus sesos: las ideas en vaivén. La confusión. La angustia. La paz indispensable podría ser, ojalá, desde mañana... Esa vez por lo pronto trató de distraerse.

Esto es: la recámara donde dormía Cecilia daba justo al traspatio. Su camastro, contiguo a la ventana, le permitía observar noche tras noche el espectáculo de las estrellas. ¿Así? Así los aerolitos en desplome fugaz. Algún brillo en despunte anunciaba –y había que suponerlo ¿por qué no?– la inminencia recóndita de un acontecimiento. Por ejemplo –¡ya estuvo!–: los cirros alumbrados por la luna. Una primera idea traída desde el cielo para sentirla suya. Y no, no era por ahí, pero reconoció que aquello le ayudaba a despejarse un poco. Siempre como remedio las estrellas. Aquella del Oriente (Cygnus-Sirrah), esa; una estrella invernal que refulgía extenuante como aura de incendio, allá, en una lejanía casi piadosa. Estrella-ámbar-reliquia que enviaba sus centellas a cuantos la miraran. Cecilia consternada avizorando un fin, un alumbre secreto de aciaga plenitud para saberse anónima y abandonarse plácida tratando de que el sueño la venciera... En cambio Trinidad... Oscura conexión... ¡Él!, que solía hacer lo mismo, el brillo de una estrella lo mantenía despierto. Podía pasarse horas contemplando el centelleo estelar: estupefacto, inmóvil, tratando que su mente se mantuviera en blanco. Pero allá donde estaba, en esa altura ambigua, cuando cayó la noche tuvo miedo. Pasos hacia la cueva ante un impacto de oscuridad que enerva y establece distancias, símbolos de terror como presentimiento de inminentes catástrofes. Allá debía dormir, en el antro cerril, enmedio del equívoco... Mañana partiría. Dormir en una suerte de sepulcro, acaso en santa paz, durante un lapso enigmático.

Capítulo diez

Trinidad siempre fue un hijo consentido. Llegado a este mundo en buenas condiciones, leche materna rica y pañales de seda, no supo valorar la cantidad de mimos recibidos. Ni de niño ni siendo adolescente ni ya en sus años de juventud membruda entendió lo que era la lealtad. Nunca quiso estudiar ni trabajar, sólo fue mandadero de papá y de mamá, pero, asegún, a veces, si le daba la gana. Esto mismo se explica con un lugar común: por una oreja le entraban los consejos y le salían por otra. No obstante, y para envidia de tantos hijos buenos pero no chipilones, la suerte siempre estuvo de su lado. La casa con traspatio donde vivió sus años más felices (y vive todavía), además de unos muebles maltratados y un dinerillo equis suficiente para poner la tienda, amén de cajas fuertes: un par aún intacto, fue el legado brutal que por ser hijo único recibió así nomás tras la muerte del padre. No se lo merecía, pero la suerte, ¡uy!, es sino inamovible.

Su madre se murió cuando él tenía doce años. Como si hubiese muerto la perra de la casa, no derramó dos lágrimas siquiera. Se puso colorado nada más, se paseó como loco en torno al ataúd, se hincó sólo un minuto, rezó un Ave María, y ya en el camposanto, como por no dejar, echó un puño de tierra y un clavel a la fosa al tiempo que empezaron a ritmo acelerado las toscas paletadas de los enterradores. En cambio su papá –¡válgame Dios!– sí estaba hecho añicos. El luto le duró casi diez años. A expensas de sus vanos soliloquios no hallaba ni de chiste el permanente alivio en su adorado engendro. Un consuelo cualquiera, dicho sucintamente, en vez de sosegarlo avivaba aún más su inabarcable cuita. ¿Y cómo hacerle pues? Intentos tras intentos: la imposibilidad... Tras sus largos y tristes desahogos aquel púber cretino le decía: *¡Resígnate papá!, ¿para qué tanto drama? Bien sabes que los muertos no salen de sus tumbas; si algo sale es su espíritu, y lo único que hace es andar asustando*, o también una frase más tajante: *Dios sabe lo que hace*. ¡Sí!, en efecto, pero la recompensa: pedinche Trinidad extendía con firmeza sus manos de rufián. La exigencia violenta: *Dinero, por favor*. O sea que aquellas frases dizque consoladoras tenían un alto precio, y el padre, sin chistar, ponía un par de billetes en una sola mano; el monto, cualquier cifra: un modo muy vicioso y muy artificial de agradecer epítimas. Dando y dando a la mala y a la buena, pero más a la mala, truco al fin, apapacho patético de un hijo que se apiada de un padre miniatura. Menuda indiferencia para una pesadumbre que vista desde un punto de vista racional: ¡ah!, no tenía lado óptimo ni concreción posible.

Así: para evitar el luto y sus desgastes Trinidad, por su parte, se dedicó a noviar. Desde temprana edad anduvo enfebrecido tras las bocas de ciertas muchachitas, las lindas pizpiretas, las que más callejeaban por las tardes, las piernudillas tiernas pura miel. Entre que pajareaba pero no, las abordaba en seco. Era un atrabancado. Nomás le sonreían y ¡bolas!, peladísimo, si las tenía muy cerca les daba sus besadas. Más de una vez lo cachetearon feo, pero más de una vez se le ablandaron. La condición sutil de parte de ellas: un freno muy a tiempo, amor en lo oscurito –aún venial, de pie– para agarrarse a gusto sacando toda su ansia juvenil.

Trinidad donjuaneó sin ton ni son mientras que a su papá se lo estaba llevando la tristeza.

–Papá, tú deberías de hacerle como yo, búscate una chamaca para que te aligeres más la vida.

–Lo que quieres decirme es que me case.

–No, ¿cómo crees?... Diviértete, eso sí. Manda a volar pesares y problemas.

Una ofensa mayúscula. Una interpretación de paranoico: manchar el nombre eterno de la madre difunta: «¡Ea!, sinvergüenza», y le soltó un fregazo que al esquivarlo el hijo fue a estrellarse de lleno en la pared. Se lastimó la mano –sangrerío salpicado– y las criadas tuvieron que vendársela. Todavía de remate y con más saña Trinidad le aventó un airón ponzoñoso: *Eso te pasa por no hacerme caso.* No se lo hubiera dicho, le dolió tanto al viudo la puntilla verbal que se hizo de repente más pequeño, un pedacito ardiente arrellanado, enfermo en un sillón se la pasó pensando varias horas y de ahí en adelante no tuvo más deseo que irse con su esposa al reino de los cielos, decepcionado ya del mundo material, de esta esfera usurpada por los diablos en donde Trinidad –cínicamente– sí se sentía a sus anchas.

Un penco tentador a toda hora en busca de más faldas y engolosinamientos. Un peliculero de piernas y de caras, revoltijo mental de formas contorneadas en suspenso lascivo, medida insuperable porque nunca preñó a ninguna novia... Las suaves superficies... ajenas... asequibles... De hecho, sus desquites hallaban plenitud en ¿pero cómo decirlo?... A ver, a ver, a solas (cerebral) ¡puñetera ilusión!, ni más ni menos. ¡Qué lástima también! Siempre las chamaconas lo topaban, porque los niños, ¡ay!, porque los niños... Y quede así la cosa en éxtasis a medias para dar paso al viudo, por contraste: tan empequeñecido como estaba le dio por refugiarse en su ranchillo –no distante del pueblo–, la única propiedad, aparte de su casa; siendo que tras la muerte de su esposa había vendido en menos de tres meses tres silos de depósito: su riqueza mayor a contrapelo, todo un mar de sudores de pronto evaporado; ganga, increíble ganga, una oportunidad incomparable para muchos postores sin solvencia, pues ¡venga a nos tu reino! Luego se arrepintió...

Pero ¿ya qué?

Agréguense bicocas, sinfín de cachivaches y faltoso delirio por vender al chaschas sus muebles más queridos. Queridos sobre todo por la esposa, porque fue ella quien los escogió. No podía hacer a un lado ese detalle. Por eso no fue fácil desprenderse de sala y comedor; nunca de su recámara y tampoco de ciertas prendas viejas: las joyas, los vestidos que la esposa difunta lucía requetebién en los retratos: los cientos colocados de manera demente en todas las paredes de la casa:

un museo personal de viudo inconsolable, absorto en la locura de mandar a enmarcar hasta fotos tamaño credencial. Baste ilustrar el zonzo titubeo, había una escena siempre repetida: hecha la operación, recibido el dinero, mejor no, las vibras del recuerdo le producían de a tiro quién sabe qué colapso subconsciente. Tuvieron que pasar como cinco años para que ya por fin le entrara el tedio.

Llámese «humor» o simplemente «afán espiritual» lo que bien podría ser «reacomodo total». Excepto los retratos que en indeterminada cantidad calafateaban tanto descascare de paredes mohosas, ¡fuera joyas y prendas de vestir!: pura bisutería vendida a precio de oro y garras regaladas a mendigos, cuanto antes mejor... Como si la difunta desde el cielo le dijera: *¡Deshazte de mis cosas de una vez!* Medroso vencimiento paulatino cual si se despojara de un lastre repugnante, quedándose tan sólo, en un momento dado, con las indispensables antiguallas de uso cotidiano: dos camas, una mesa, dos sillas, una estufa; el refrigerador podría sustituirlo por otro más pequeño.

El camión de redilas jamás lo iba a vender, y si vamos más lejos: la casa y el ranchillo ¡ni de loco! No se hable de minucias en desorden, pues sería fastidioso hacer un enlistado que fácil llenaría como unas veinte hojas, y todavía a saber si...

Lo que viene enseguida corresponde a esas conjeturas generales de donde se desprenden las tergiversaciones que un hecho nimio llega a suscitar. Al correr a las criadas justo una tarde que granizó bastante, dejando sólo a una, la vieja de confianza, la gente lo tomó por otro lado: ¿para qué las expuso a un descalabro?, ¿qué ganaba con eso?, y demás quisicosas enfiladas a una deducción bobalicona: el viudo enloquecido odiaba a las mujeres, sobre todo a las jóvenes, y temía que su hijo les anduviera haciendo travesuras y... Ergo: el desprendimiento. Así también vender a manos llenas, ¿luego recuperarse? Pues vámonos al grano... Con las grandes ganancias obtenidas sin pensarlo dos veces se compró en Pencas Mudas un par de cajas fuertes. Ya tenía una antañona, aunque era tal el amontonamiento de billetes doblados o arrugados que en varias pesadillas se repetía la misma fijación: un billete de más metido a fuerzas y ¡un vómito monstruoso de dinero! Además en sus sueños entraban a la casa ventarrones insólitos que ponían a bailar a los billetes para luego sacarlos por puertas y ventanas antes de que él tuviera a bien cerrarlas para saberse momentáneamente un vórtice suputo empapelado. Mas como no era así, se suscitaba entonces un vislumbre ulterior: la papeliza al cielo –como una adivinanza– sin atajo de árboles en el viaje ascendente. Los billetes tal vez le darían vuelta al mundo como unas cuatro veces y luego de volar en muchas direcciones, sin ser vistos por nadie, se saldrían disparados de la faz de la atmósfera... Luenga alucinación, pero también qué infame desperdicio.

¿Pudiera suceder?

No sólo al dineral sino a los pensamientos había que darles orden. Atadas con dos ligas las fajinas debían sumar de menos como ochenta millones de los pesos de antes, cuéntense los sobrantes que siempre hay, y cuéntese asimismo el juego niño de ir haciendo adentro columnas y pirámides –el obsesivo ahorro–: trabajo delicado, presentido, inclusive, en condiciones óptimas para unas cinco horas. Es decir que el papá, previsor como era, diseñó una estrategia muy a tiempo. Fue por necesidad. Acor con las sospechas naturales que asaltan a un avaro, consumado, en potencia, o como sea, desde el arribo mismo de las cajas en presencia del hijo y de la única criada (ella, de nombre Olga Judith, una mujer con cara de «no sé», pero harto embarradora), el padre procuró no soltarles de buenas a primeras la neta información, sino más bien hablarles con ambages. Digamos que así fue. Antes el menester, la animosa maniobra de bajar de la troca: colocar en la sala esas compras pesadas: esfuerzo a cargo de tres conllevadores, limitándose el dueño a dar indicaciones, hasta que:

–¿Para qué son las cajas?– preguntó Trinidad.

–Mmm... para guardar dinero –respondió su papá, al tiempo que le daba la espalda a otra pregunta.

–Pero si ya tenías una muy grande.

–Mmm... Ya hablaremos más tarde.

–¿Y bueno pues?, ¿por qué tanto secreto?

–Ahora ando repleto de dinero –por sobre el hombro izquierdo el papá lo miró de arribabajo y añadió con donaire–: ¿qué no te has dado cuenta que vendí muchos bienes?

–¡Sí, claro!

–Pues en estos depósitos metálicos estará resguardada casi toda la herencia que te voy a legar.

–¿Sí?, ¿en serio?

–Sí... –y reflexionó el viudo sin que viniera al caso–: Aunque debo aceptar que tuve algunas dudas. Es que de un tiempo acá he tenido bastantes pesadillas. Veo el dinero volando más allá de las nubes...

–¿Cómo?

Inútil confesión para un desentendido. Pausa entonces apenas. No quería revelar lo irrevelable: la recua fantasiosa de los vientos que entra y sale llevándose billetes en eje de espiral hacia un confín inhóspito. ¡No! Vino la corrección y el titubeo. Le dio la cara a su hijo:

—Bueno, a lo que voy es a esto: en un momento dado pensé que mi dinero debía estar en un banco, hay uno en Metedores y dos en Salimiento. Pero ya la distancia es un problema. Nomás el hecho de ir con todo el dineral y tener que bajarlo de la troca y entregárselo a... ¡Uy!, es mejor que esté cerca de mis manos.

El viudo desahogado continuó argumentando rarezas y temores mientras que Trinidad de viva voz atisbaba en toperas menos viables: tal vez en una cueva o tal vez en un cofre gigantesco tres metros bajo tierra... Y un seguro escondite ¿dónde?, ¿cómo?, ¿qué hacer? Pero estaban allí las cajas fuertes y antes de que otra cosa sucediera...

—De todo ese dinero que vas a almacenar deberías darme siquiera la mitad, ¿por qué no me lo das?... Me serviría bastante.

—No.

—¿No?, ¿y se puede saber en qué te afecta?

—Mmm... Hablaremos más tarde. Por favor ya no insistas.

—Más tarde es mucho tiempo, dímelo de una vez.

—No, pues. Tú pídeme dinero y yo te doy, como siempre lo he hecho. Es decir, te daré como máximo dos billetes de veinte cada vez que me pidas.

Una equivocación estrepitosa porque sólo de ver la reacción del muchacho: entre cejas de órdiga y labios gandujados la nariz parecía crecerle en línea recta: un dilema de cara, en principio, si bien... Luego: soliviantado y cínico efectuó un ademán de manos hacia afuera como diciendo «¡válgame!», y se pintó de allí dando saltos pirrungos directo a los billares —a saber—, como todos los vagos que van, cruzan apuestas, y en el caso de ese hijo sinvergüenza —desglosando supuestos—: ya perdiera o ganara disparaba las mesas.

Otro punto de vista revirado: la criada Olga Judith saboreándose acá la buena nueva. El viudo, sin embargo, en ascuas todavía. Su palurda estrategia para luego...

Pareciera que el yerro no se podría enmendar. Relativo a las veces: tres por día cuando menos. Cierto es que en ocasiones temblándole la voz le negaba billetes: *Ya te di dema-a-a-siado, de-e-entro de cua-a-a-tro dí-i-ias me pide-e-es otro po-o-o-co.* Trinidad acataba no sin enfurruñarse. Cierto: más riesgoso sería que el viudo le dijera: *Ya no te voy a dar un solo quinto. Tienes que trabajar.* ¡Achis!, ¡qué mula!

Por lo pronto las cajas juntas y sugestivas, puestas como un adorno portentoso. Obscena tentación no sólo para el hijo sino para la criada. El viudo, mientras tanto, pensó que si se iba diariamente a su rancho y se pasaba allá desde temprano hasta el anochecer tendría menos encuentros con lo desagradable –hijo y criada: protervos, conspirando, bebiéndose palabras de uno y otra, u otra y uno al acecho, en la nocturnidad: cruenta demora; zorros especulando ante la ausencia de, aprovechar, actuar, aunque el procedimiento fuese complicadísimo– encuentros pendencieros ¡al demonio! La cosa es que su plan tendría que ejecutarlo cuanto antes. ¡Sí! No le dio ni dos vueltas al asunto.

La práctica varió luego de cuatro días. Hasta la medianoche el viudo regresaba porque al anochecer, como lo hizo las tres primeras veces, inevitablemente se topaba con el hijo pedinche, exigente en virtud de lo ya prometido, y ni modo: ¡caifás!, véngase con la feria. La variación entonces: los regresos tardíos, las salidas tempranas, apoyado en sospechas candorosas: su querido rufián siempre estaría dormido: sí, seguro: eso en primer lugar, lo cual le funcionó sólo al principio; pero más adelante se enunciará el porqué.

Y en segundo lugar: Trinidad no iba a ir al rancho a pie solamente a pedir y regresarse. Jamás se le ocurrió. La distancia que había entre aquellos dos puntos debía considerarla un serio impedimento, siendo que: para buscar a su único dador tendría que agarrar monte. Mas no conocía el punto ¡ganadero!, ni quería conocerlo... ¿Acaso habría una brecha lamentable?... Al sesgo refiramos que el rancho en otro tiempo fue muy próspero; se encontraba detrás de la montaña contigua a Remadrín.

Se dilucida aquí lo oscuro del problema: la tacañez del viudo iba en aumento. Pero había que entender el cambio de actitud hasta donde la lógica tuviese validez. ¿Y por qué, de resultas?, en todo caso recriminarle en seco sus excentricidades; cazarlo a cualquier hora, por ejemplo. Trinidad al pendiente. Para colmo, si bien, nunca pudo el papá entrar sin hacer ruido: los pasos de las botas sobre el mosaico endeble, retumbos progresivos... Un plan inexplicable empero destruido: ¡caifás!: a medianoche, tres veces sucedió, y las reclamaciones a deshora por parte del engendro alebrestado: *¿Para qué andas sacándome la vuelta?, ¿a qué te vas al rancho todo el día y parte de la noche?, ¿qué te puede pasar si tan siquiera me das el diez por ciento de tu inmensa riqueza?* Las respuestas paternas importarían un bledo en tanto hubiese afloje de dinero, mas si no lo soltaba luegoluego, a la brava el engendro sacaba a relucir sus tretas de rufián nomás para seguirlo fastidiando. Un pergeño surgido al calor de las broncas revivió un mal a medias. De manera indirecta se trajo a colación un lejano intercambio de señales entre el padre y la criada susodicha. Veamos pues la causa: desde el fallecimiento de la madre los gastos de rutina le fueron endilgados a la criada; por vieja, por prudente, la prueba de confianza, y respondió con números exactos: gasto y devolución, regate y porcentaje de ahorro cotidiano. No obstante, para el hijo eso era inconveniente y al respecto también hubo reclamos, y he aquí la retahíla: *¿Por qué a ella y no a mí?*, *¿no me tienes confianza?*, *¿no piensas que ella es pobre y te puede robar?* Y mudo el padre a fuerzas. Le bastó con poner en la mano de su hijo dos billetes de veinte para obtener a cambio una sonrisa cómplice. Ante tal extorsión, y previniendo enlabios reincidentes, no le quedó otra cosa que atisbar en la idea de desaparecerse de ese infierno casero, ¡oh alarmante visión!, pero antes por lo mismo, procuró esclarecer un par de dudas. Tenía que hablar a solas con la criada. Se la jaló una vez al comedor.

–A ver, Olga Judith... Te exijo que me digas la verdad, ¿Trinidad te ha pedido de lo que yo te doy para los gastos?

–Sí, señor, sí me pide.

–¿Y te lo quita todo?

–Para serle bien franca, hasta ese grado no. O sea: yo le enseño el dinero y él solamente agarra la mitad.

–Menos mal que así es, pero de todos modos de hoy en adelante si te llega a pedir dale monedas sueltas, pero pocas.

En ausencia del hijo la criada y el señor podían darle campantes a sus despachaderas. Pudieron, es decir, por largo rato, una vez en la sala, por la tarde: sentados cómodamente en dos sillones cercanos: temerario desarrollo de preguntas y respuestas para llegar a las quejas: las de ella, sobre todo. Llegó el momento propicio para decirle al señor que su hijo la tenía bajo constante amenaza; esto es: si no le daba dinero, como mínimo diez pesos, dizque la ahorcaría sin más. Risotada del señor, ¿cómo que así?, a ver, a ver... Sobrevino el desconcierto de la criada quejumbrosa que esperaba asesoría en vez de burlas pelonas. Y mientras tanto ¿qué hacer? Primero un rato de mofa hasta que...

–No te preocupes por eso que nada te va a pasar. Mi hijo no es asesino –luego le entró la tristeza–, es un vago irremediable que me tiene hasta el copete, ¡pero es mi culpa!, ¡es mi culpa!, ¡nunca podré corregirlo! –y palideció enseguida sin agregar más palabras.

Vino un suspenso indeseable, como tergiversación. Pasados varios minutos la criada soltó una frase:

–Pues yo tengo mucho miedo.

–Déjame pensar un poco. Es que con lo que me dices debo pensar de otro modo.

Su pensamiento, entrampado, no iba a cambiar de pe a pa. Tras la incauta exposición, y otras neutras novedades, el ingenio del señor sufrió algunos vapuleos, mas fue puntual y benigno. Veámoslo más de lejos, cual si fuera un silogismo. Si la criada paranoica no hubiese traído a cuento la evidentemente descabellada amenaza, si la puntada del ahorcamiento no hubiese aparecido tan a rajatabla, es problable que la plática durara bastante más: dos, tres horas agradables. Más en confianza, digamos, en un ambiente al que sólo faltaría conferirle una deliciosa temperatura de huevo cocido.

Capítulo once

El movimiento generalizado de orillas que se mueven hacia el centro: gente: desde temprano: el barullo apurón hacia el vórtice cruento de la plaza de armas adonde se frenaban las correrías de cientos y adonde el remolino de indignación común cobraba un nuevo impulso. Había que repudiar las elecciones, en consecuencia: lo de la matazón, el despotismo airado y asqueroso. Había que organizarse para ello, de nuevo, con más gente, y a ver si ahora sí valía la pena. También desde temprano Trinidad llegó al pueblo. Regreso aparatoso: por lo visto. La obviedad era el centro: por ahí, de través, dentro de unos minutos... Imposible un desvío debido a que la casa quedaba justamente a dos cuadras y cacho de donde era el borlote y Trinidad entonces –no había pierde– iba haciéndose ideas para encontrar el modo de esgrimir una excusa bastante convincente ante su fiel esposa, pero andaba sediento, con los labios hinchados, hambriento, ni se diga, pero también deseoso de echarse cuando menos unos siete cigarros. En su imaginación se debatían puros necios aprietos harto maravillosos, anhelos imposibles de esos que cualquier tipo quisiera disfrutar, y aquí salta el primero: ¡cómo le gustaría tener un cigarrón interminable para no andar prendiendo gallitos que se acaban después de seis fumadas!

Con la conciencia limpia por el hecho de haber cumplido a medias con un deber de patria potestad, avanzaba tratando de mantenerse erguido. Ridículo: en principio: todos lo rebasaban. Tardón y despeinado. Un maniquí tipejo ante los ojos de los que iban corriendo y lo veían apenas de soslayo. Risillas o repullos a causa de la urgencia, según las percepciones. Virajes cotilleros, pero muy provechosos, porque verlo, deveras, ¡qué demonio traía! Autómata marchando, sonámbulo quizás, como si se tratara de un cadáver totalmente corrupto salido de un sepulcro o como un muñequete cuya cuerda en la espalda pronto se acabaría, y él en pos de su meta, en su papel de héroe inmaculado, caminaba cabellos contra el viento.

Así pasó de largo, ¡quién lo viera!

—¡¡¡Trinidad!!!, ¡¡¡Trinidad!!!

Pelele cumplidor. Una aventura a medias todavía de acuerdo a los tamaños del embrollo en mención. Aunque.. mmm... al llegar a su casa la esposa amorosísima corrió a darle un abrazo. Pero ¿por qué?, ¡de plano!... Al haragán le sorprendió la fiesta personal de una mujer que dados los apuros y los malentendidos de la última vez tendría que recibirlo con miles de preguntas. Sucedió lo contrario: silencio e impudicia. Vaya si no eran culpas que Cecilia sintiéndose ya sola poco a poco juntó. De refilón las dudas, pues otro era el asunto, ergo: el calor, en ciernes, la tensión despejada, y Trinidad de a tiro se dejó tentalear a manera de prueba, o sea: a ver si ahora ella con su ansiedad de manos conseguía por lo menos un leve ablandamiento. Dejarse consentir, saberse bienvenido. Ojalá que también las caricias llegaran a la cara y, ¡claro!, de una vez, a cualquier parte noble.

Sin embargo lo dicho: a fuer de la sorpresa Trinidad parecía un ser humano raro, como hecho de palo, en tanto que sus ojos ya andaban brincoteando: ¡logro!, en principio, y lentitud de amor. Desesperada ella lo miró sonrisuda acercándole mucho sus labios de intestino, mas no se los pegó. La tienda por lo pronto desierta de clientela, adentro solos y ¡órale! La boca en demasía, y la respiración... Aire perverso, fino. Labios que quieren labios, por favor. Y al dejo somnoliento Trinidad entregóse completo y abstraído como caer a un pozo cuyo fondo era de agua. Agua en los ojos, lágrimas que aclaran: de ambos: conjugadas, uniéndose al sabor y a todo lo demás.

Es que hubo otro motivo. Es que Cecilia anoche tuvo una pesadilla extrema y desleída: muertos sus hijos, hechos picadillo, y también su marido de una vez. La masa cruenta, enorme, con su nube de moscas afuera de la casa... Ahora recuperado Trinidad: mugroso, o como sea, pero con cuerda aún, ¡qué bendición!

Entonces lo fructuoso de resultas: fue un beso largo y muy elaborado. Fue un beso redentor. Fue un beso magistral de personas adultas. ¿Y? Lo malo fue zafarse en un momento dado, porque vino el dilema de las festinaciones. La información sacada con descaro, dicha concretamente:

—No encontré a los muchachos. No había nadie en la cueva. Un cliente me engañó, mas no recuerdo quién.

—Lo sé, mi amor, lo sé —concedió avergonzada la mujer en tanto se limpiaba la humedad de la cara—. Pero yo sí te tengo tres noticias.

–Al rato me las das, te lo suplico. Vengo hambriento de moles y de huevos. Quiero café con leche, y también se me antojan unas semas con pasas.

–¡Sí!, cómo no, enseguida. Estoy para servirte, corazón.

A expensas de caprichos magañosos estaba Trinidad dispuesto a desplazarse como loro en alfombra. Sus requiebros tan ñoños, tan pachuchos, falseaban, ¡ay!, su porte de caminante hastiado. Cierto es que al no entender los móviles supinos del agasajo en grande, al sesgo se le vino una frase común: *Así son las mujeres...*, para seguir un hilo que derivaría en esto: *... misteriosas, cambiantes, y en Cecilia están todas al revés y al derecho.* Idea que se esfumó, ergo: habiendo tantas cosas que pedir... En su nueva postura debieron aflorar finísimas sospechas.

–Es que... Ah, se me estaba olvidando... Tráeme una cajetilla de cigarros. Tómala de la tienda. Ya sabes, de los míos, y si no hay...

–Sí hay, tiene que haber... Son los de paquetito con la cara de un tigre.

–No, los de tabaco suelto con manojillo de hojas. No hay dibujo de tigre sino rayas nomás.

Detalle alrevesado. Confusión. Pero... La mujer como pinga en el acto fue y vino. El espacio de metros, por los muchos estorbos, parecía un laberinto. Pero no hubo problema. Y después como lela:

–Aquí están, corazón.

–Gracias... Es que... bueno... comprende... ¡Tienes que imaginarte lo que fue para mí no fumar durante casi cuarenta y ocho horas! Tuve que hacer esfuerzos gigantescos para seguir buscando a los muchachos sin echarme siquiera unos cinco o seis golpes.

–Pues fúmate un cigarro y controla tu angustia.

–Sí, ¿verdad? Me voy a llenar de humo.

Desesperado, zonzo, con sin igual torpeza rompió un extremo de la cajetilla. Más lento fue lo otro; sin embargo, al cabo de formar un buen gallito, casi como de extranjis:

–¿Dónde están los cerillos?

¡Qué olvido, por Dios santo! De más está decir el trámite siguiente. Un poco más tardado. De modo que el enfoque deberá dirigirse a la mano de ella –sacrosanta y ajada– entregando el pedido, y paulatinamente recorrer muy de cerca la longitud del brazo para enllegando al temple reprimido, exhibido en los gestos de la ilustre hacendosa: ¡ya!: entonces: notar otra legítima hermosura. Y el accidente exacto (prieto instante). Y todo el seguimiento posterior. Porque de todos modos tenía que suceder. Como en cámara lenta Trinidad tembloroso tomó aquella cajita, la cual se le cayó.

–Recógela..., mi amor –le pidió a su mujer con suavidad.

Obediente Cecilia se agachó bien contenta como diciendo «ay Dios», y el problema inmediato no fue otro que: ¿por dónde pues, caray? No le quedó otra opción que arrodillarse a los pies del señor. Se puso en cuatro patas luegoluego cual perra que olisquea. Arrastrada mujer –para acabarla– porque miró hacia arriba dos segundos y... La imagen portentosa: una estatua ranchera a punto de moverse. En principio, si bien, rudas botas de cuero a la *box-calf*, un pisotón y adiós, siendo que el tal objeto se encontraba nomás ahí atrasito de uno de los tacones. Mas la cuca Cecilia se hizo guaje allá abajo mientras que harto nervioso Trinidad avistaba hacia la puerta abierta de la tienda –luz, aire, incertidumbre–, quería ver si no había algún cliente a la vista. Ni uno... ¡No!, por lo pronto, y sí, espaciadamente, claro que iban cruzando fulanas y fulanos (afuera: los posibles): dos, tres, cuatro, hasta cinco, en bola zumbadora, o de uno en uno aprisa rumbo a la plaza de armas, pero nadie miraba la escena de acá adentro. Cecilia aprovechó para hacerle caricias en muslos y rodillas fingiendo que trataba de incorporarse presta apoyándose en él.

–¿A poco se perdieron los cerillos?

–No, mi amor, aquí están.

Una vez levantada, había que ver la cara de la mujer dadora cuando hizo la entrega. ¡Pobre!, a pesar de su mueca sonrisuda, se la estaba llevando la fregada, porque quería más besos, era todo; porque el hombre a propósito... Lo de los hijos luego saldría a flote... Etcétera y etcétera.

–¿Alguna cosa más?

–Quiero desayunarme un par de huevos y un poquillo de mole en plato aparte. Bueno, para que tú me entiendas, quiero en un plato grande una pierna de pollo en mole colorado y en otro...

–¡Mira!, te voy a hacer los huevos nada más, acompañados de frijoles charros. Cuando te los termines me pides lo que gustes.

–Está bien, es mejor.

–¿Alguna cosa más?

–No, nada.

Buena oportunidad –trámite concluido en apariencia– para que el contentísimo haragán prendiera su gallito. Lo hizo sin pensarlo. Virtual recobramiento la aspirada que dio: nubarrón victorioso rellenando un vacío, aunque:

–Ahora me toca a mí –a contracurso ella–. Quiero cerrar la tienda. No deseo ver a nadie durante todo este día, ¿vienes conmigo, amor?

Trinidad complaciente, no era un gran sacrificio por la simple razón de que él tampoco deseaba ver a nadie. Fueron. Ganchete puesto y tranca: la semioscuridad. De plano salerosa la mujer se fue acercando al cuerpo, en concreto a una oreja –y su boca exhalando cuanto deseo morboso en soplidos calientes– de Trinidad: reservas: estaba en otra parte, pero quedóse quieto como un espantapájaros mirando el horizonte claroscuro, doméstico: y el cigarro en sus dedos: a la mitad ceniza, casi en desequilibrio, al tiempo que los dedos tarantulosos de ella exploraban copete, patillas, remolino y cabello que muere en el pescuezo: pelo tieso, pringoso, por el polvo del campo, en despeine fantoche; la tal voz-suavidad penetrando en el hoyo, el cual tenía una escoria de cerilla naranja; tal la frase salaz y femenina: *Necesitas bañarte*, expresada con hálito indecente, arrimándole al cabo labios y lengua en punta a la boca reseca y pellejuda de su mugroso amor. La miel caliente a oscuras: regocijo, mientras que abajo, burda, la ceniza estalló, pero la bacha viva ascendió poco a poco, fue a dar hasta el espacio pequeñísimo que había entre los perfiles, se interpuso oportuna a modo de renuncia llegando hasta la boca fumadora para encenderse más, lo último quizás, porque el señor, pues no.

–Ahora me toca a mí –pertinencia y sofreno del marido–. Quiero desayunar. ¡Vámonos de una vez a la cocina!

Capítulo doce

Aquel día fue excepcional: con nubes fenomenales y un cielo azul formidable. En contraste lo de abajo como recomposición entre fe e incertidumbre.

–¿Alguno de ustedes sabe, compañeros, cuál era el nombre y el origen del chofer de la camioneta que trajo los cadáveres?

–¡¡No!!

–¡¡No!!

–¡¡No!!

–¡No!, bueno, no sabemos exactamente eso...

–¿Perdón?... ¡Hable más fuerte!

–¿Qué?

–¡Que suba la voz, si es tan amable!

–¡No!, digo, ¡que no sabemos exactamente eso!, ¡lo del nombre en concreto y...!

–¡A ver, señor!, ¡está usted medio lejos!, ¡acérquese un poquito!

La intencionada obediencia de un chismoso sin igual que lento se fue acercando y fue visto con recelo. El motivo –¿se adivina?–: se esperaban distorsiones, invenciones, disparates, ante un desconocido como era el dizque pez gordo venido desde Trevita. Se hacía llamar Néstor Bores. Fuereño de ojos borrados cuya aparición causó mucho meneo colectivo. Se trataba nada menos que de un líder estatal, uno de esos del partido que más polvareda hacía, o sea el de la Dignidad, según dijo en su momento, y con lujo de altavoz, al convocar con prestancia a quienes desearan ir adonde se había parado y, por ende (tras la angustia de no saber ¿qué?, o ¿por qué?, de la mayoría respecto... a ver... ¿se deduce?), presencia justificada para entrever soluciones o al menos procedimientos, siendo que, mero deslinde: en un lapso de dos días corrió el ingrato rumor (la matanza de unos cuantos y el desbalague de muchos), a saber cómo corrió: como sea pero llegó hasta sus mismos oídos y Trevita no está cerca. La cosa es que Néstor Bores sólo pudo confirmar la información bien a bien cuando hubo un telefonazo a su casa al tercer día. No supo la procedencia ni reconoció la voz, sin embargo (al respecto, y a las claras, se muestra aquí un cabo suelto que tal vez se ate o, digamos.... Por lo pronto...): la sorpresa. Tras esperar el arribo del que estaba en una orilla, asegún –lentitud, y pasmo luego: medio general, esto es: porque visto el susodicho cojeaba grotescamente, al grado que parecía tener una pierna buena y otra de hule: ¡pobrecito!–, el líder sacó su peine para arreglarse el copete, una acción deliberada para no compadecer a quien debía hablar de sobra. ¡Qué costoso recorrido!, pero ¡ya!, y... frente a frente es un decir: cuatro pasos de distancia, hasta que:

–Ahora sí, ¡dígame usted!

–Lo que yo quería decirle es lo mismo que le digo: nunca se supo ni el nombre ni el origen del chofer. Pero a medida que habló, por el montón de preguntas que se le estaban planteando, llegó a confesar que él era un ser bien intencionado, y también sus ayudantes. Como usted podrá entender: voluntarios a lo macho.

–¿Nada más eso les dijo?

–No, señor, nada más nos dijo eso, pues le siguieron lloviendo gran cantidad de preguntas y él las capoteaba todas con respuestas de «sí» y «no», nada más, sin ninguna explicación. Y así fachoso y miedoso siguió respondiendo igual. Nos llegó a sacar de quicio. Pero lo acosamos tanto que nos soltó algo muy útil, o ése es mi parecer: dijo que la camioneta se la había prestado un vato que vive allá en Pulemania, un hombre de muchos pesos. Lo bueno es que Pulemania no está muy lejos de aquí.

–Eso más tarde lo hablamos... ¿Y qué hicieron?

–Le seguimos preguntando, y ya no quiso decirnos cómo se llamaba el dueño ni por qué se la prestó. Tampoco quiso decirnos cómo se llamaba él ni los que lo acompañaban. Según esto, debían mantener sus nombres en perfecto anonimato, por temor a represalias.

–¿Y así se quedó la cosa?

–Bueno, a lo que le dio importancia fue a su labor de rescate. Nos contó largo y tendido desde que empezó a sonar la balacera en...

–Todo eso después lo cuenta... Lo que ahora me interesa es saber con precisión qué le hicieron al chofer.

–¡Pues qué le íbamos a hacer!

–¿Cómo qué?, ¿el chofer y sus compinches se fueron sin más ni más?

–Sí señor.

–Pues gracias por sus informes –y dirigiéndose fúrico a la plebe allí reunida–, ¿alguien quiere agregar algo?...

Un silencio de pavores se impuso en todo el entorno para que con más razón el líder se dirigiera al cerebro de sonido (este compacto aparato, al igual que el altavoz, tenían su estuche metálico. Néstor Bores los llevaba, cada uno en una mano, a dondequiera que iba. Hasta se dormía con ellos cual si fuesen extensiones de su cuerpo sanguijuelo. Cual bebés los abrazaba si se dormía en los camiones, y siempre, de preferencia, en los asientos traseros. Así se vino durante horas con sus hijos de a mentiras. Demasiado autobuseado, bien dormido, ronque y ronque, hasta que se despertó un poco antes de llegar a... Es que, bueno, los topes monumentales que se encuentran más o menos a unos quinientos metros de la entrada a Remadrín el chofer se los pasó porque no estaban pintados ni había anuncios precautorios, ¡pues vaya tumbo infeliz!, pero ni así Néstor Bores soltó sus finos enseres, al contrario...), hasta su máximo límite le dio vuelta de un jalón a la peonza del volumen, entonces con más aplomo:

–¿Por qué los dejaron ir?, ¡qué lástima que no estuve! Yo hubiera dado la orden de que me los torturaran hasta soltarles la lengua. No permitir que se fueran sin saber hasta lo último. ¡Carajo!, ya se complicó el asunto... ¡Esos dizque voluntarios muchas veces son personas que el mismo gobierno envía para encubrir sus vilezas!... Pero, en fin... Lo bueno es que ya tenemos al menos un nombre clave: Pulemania. Hay que tener eso en cuenta, porque es la única manera de saber un poco más... Y a todo esto ¿qué les dijo el líder de esta región?, digo, es que es de mi partido, mismo que se llama Evelio o Ernesto o Eloy o... bueno... y se apellida... ¿recuerdan?...

Pues sin decir agua va olas de palabrerío se formaron, estallaron en desorden altanero; querían hablar a la vez cuantos fueran y ninguno, de por sí, lograba sobresalir. Durante un rato así pasó: un concierto casicasi –pese a que áfono o rauco a través del altavoz el líder pedía silencio (gesto de enfado y desplante de manos en la cintura esperando a ver a qué horas)–. Mas el oleaje infeliz: tonos bajos y pitidos y chorreos al por mayor de frases increpadoras, la mayoría inentendibles. Sin embargo, por ahí adelantos necesarios. Claramente un vozarrón batallando por salir: *¡Oiga usted, no sea zorrillo!, él encabezó la marcha. Está desaparecido.* ¡Referencia a Evelio Anguiano! Alguien dijo el nombre abstruso. Y de todos modos ¡uf!: inquietud-cejas de angustia: el líder: su dedo índice a manera de batuta. ¡Bah!, quería payasear un poco, pero ni así se imponía. Y hacia otro extremo otra frase: *Nadie se movió de aquí.* ¡Ah... referencia a Pulemania!... Y más allá dos agudos al parecer femeninos: *El alcalde luegoluego partió hacia la capital...* En ascuas la deducción: ¿coyoteada? o ¿simple miedo?, además: *De la gente que marchó ninguna se ha regresado...* ¡Por supuesto!, ¡vaya, pues! Y otra irrupción furibunda más fuerte que la anterior: *¡Quereeemooos a nueeestrooos hijooos!* Ante aquello, reanimado, el altavoz: vil estorbo, y el líder alzó sus brazos y empezó a moverlos mucho. Fue entonces que aquel ruidero de asonancias trepidantes cual resaca sosegada se convirtió en cuchicheo. Calma, calma (lo mejor), un vacío como remache que duró veinte segundos. Y de nuevo, más tranquilo Néstor Bores, decidido, cogió el dichoso altavoz:

–Sé que hay inconformidades, pero para eso he venido, es decir, mmm... quiero ver qué resolvemos por acuerdo general... Me parece que es mejor si hacen fila los que quieran decir algo novedoso.

Nuevo: nada. Redundancias. Pareceres diferentes conforme avanzó la fila que fue hecha de inmediato. Táctica a contracorriente: no regaños sino oídos, así cada quien decía dos, tres frases ¡y a volar!, no sin que el líder dijera «muchas gracias» con dulzura. Ominoso pasatiempo para atenuar los furores, hasta que cazurramente empezó a plantear preguntas más directas y expletivas, poco a poco y más en seco, porque dadas las enjundias ¡qué trabajo le costó ir entrando en pormenores!

Cecilia estaba presente, orillada se mantuvo, silenciosa, por su bien, a sabiendas que si hablaba sería para lamentarse y por lo mismo exhibirse como una desesperada en espera de que el líder le dijera una lindeza a la vista de la plebe.

Preferible la reserva, preferibles los vislumbres.

No era menos que ilusión el querer que aparecieran sus hijos y su marido por ahí entre tantos cuerpos y enmedio de tantas voces. Pero de pronto: frialdad, realidad, y conjeturas, sintiéndose avergonzada por pretender imposibles, y atenta desde el principio, con flema y cara de ajo, iba a seguir hasta el fin, hasta que entre todos juntos decidieran algo en firme.

Desde un principio, a las nueve, se levantó confundida. A expensas del sinsentido en cuerpo y alma se supo una triste solitaria. Y deambuló cabizbaja no sabiendo con certeza si abrir o no abrir la tienda; mientras tanto, en su zozobra, le pareció desplazarse por un laberinto en ruinas, un palacio cuyos ecos irían creciendo conforme ella siguiera encerrada: sola, loca, vacilante, inventándose a sí misma e inventando sus fantasmas.

Por fortuna alcanzó a oír el ruido del altavoz que conminaba a la gente a reunirse –pero ¡ya!– en la plaza principal. Reiterada invitación.

¿Habría noticias verídicas?

Lo sabemos: fue aquel día que su marido se la pasó allá en la cueva durmiendo como lirón. El cálculo estaba hecho: tardaría como dos días como máximo, es decir, no había por qué preocuparse. Además, tal como estaban las cosas le repugnaba a Cecilia la idea de quedarse sola varias horas en espera de que un cliente le viniese a comprar algo y, de paso, con gran morbo, comentarle lo ocurrido en... En dos días de soledad podía hacer y deshacer lo que le viniera en gana. Caprichosa y saltarina dama o niña ¿qué más daba? Si fuesen más de dos días, si Trinidad, si sus hijos, entonces probablemente...

Pero... Una ausencia temporal...

Pues qué bueno que así fue, empero con la atadura de informarse bien a bien sobre lo que estaba en juego: esas desapariciones, su demanda, su incumbencia. Lo debido –por lo tanto–: por sí misma hacerse idea teniendo como premisa el no confiar en rumores. O sea que: al llegar a la plaza se dio cuenta (ejem), no sin asombro, que ya había una multitud. ¿Qué? El líder explicaba a través del altavoz la razón de su presencia en Remadrín, antes de entrar en materia. El preámbulo fue largo.

De titubeo en titubeo y demoras consabidas transcurrieron cuatro horas.

Lo que sigue es más de impetras y remilgos churrulleros: toda vez que el supuesto líder creyó, en efecto, tener consigo la cuantía de pormenores, se aprestó a señalar los pasos a seguir. En relación al motivo por el cual nadie se había animado a ir a Pulemania –no tenía mayor dificultad enterarse del nombre del dueño de la camioneta–, y más aún, en el probable caso de que eso fuese un embuste *(Es que dese cuenta usted, podría haber gato encerrado y, por ende, entre varios acordamos que no queríamos más sangre. Dicho y hecho, preferimos esperar a que por lo menos uno de los desaparecidos –son bastantes, usted sabe– regresara luego-luego y nos explicara todo),* no hubiera estado de más saber si era falso o no; así que sin duda pues, y desde cualquier inteligente, sensato o mesurado punto de vista, la inmovilidad no podía ser justificable, *¡ENTENDIDO!* Fue un error, y seguía siendo un error y no había pierde al respecto. En consecuencia, Néstor Bores se comprometió a ir al villorrio en mención en menos de un par de días. Dijo también que permanecería en Remadrín durante ese tiempo, al concordar con la mayoría en la posibilidad –no descabellada– de que apareciera un desaparecido; de no ser así, entonces, sin pensarlo más: ¡a Pulemania!, acompañado, por favor, de una comitiva no menor de diez personas. *¿Para qué tantos?* Era importante un buen grupo, un grupo circunspecto y con ganas de ir al grano: forma de aterrorizar, *ah...* Y otro mínimo favor: con exagerado ruego pidió asilo por un día a quien quisiera... Molestia suplementaria en vista que Remadrín no contaba con hoteles.

A Cecilia al oír eso se le prendió una pregunta por demás descerrajada. La pensó, la calibró, bajo ardores corrompidos: *¿Y qué tal si lo asilara una noche solamente?* Tan legítima merced sería una condenación señalada por mil dedos, máxime si el pueblo entero se enterara de contado que su marido no estaba. Aquel líder en su casa, en otra cama durmiendo. Bendición intempestiva de una suata providencia por mor de alumbrar un ámbito; pero el revés lugareño sería hondura demoniaca. Las señoras envidiosas verían maldad y sudores, encueramientos, ensartes, ergo: el atroz despelote cuando Trinidad llegara y los viera en plena acción. Afanoso mal ejemplo dado que... Centrábanse las urgencias en la gente balaceada, o bien, desaparecida, dónde, cuándo, y un hecho tan barragano atontaría para siempre a la sociedad local. Es que eso ni por favor. Aunque: no faltó quien se ofreciera.

Parte por parte otros puntos se tenían que desgastar.

Bienvenidos los deslindes siempre y cuando se evitaran bagatelas, tiquismiquis, charras, chungas maquinales o regates quejumbrosos; sin embargo parecía que todo iba por ahí: hacia un lerdo zipizape de reproches descarados.

Consecuencia o pretensión hacia un pasmo colectivo ¡ojalá!

Y el regodeo exasperaba: baba había para sentarse cómodamente y sacarla hasta las mismitas heces a lo largo de diez horas, por ejemplo: el asunto del alcalde relució y chispeó cuán más desde diferentes ángulos y por las causas que fuesen, pues muchos consideraban que él era de arribabajo el único y gran culpable de aquella despachadera. Una necia recurrencia. Cualquier punto que tocaran, al encontrarle la cola, o a partir del punto en sí, recaía en el pobre alcalde. Entretanto... Con sequedad Néstor Bores, y cada vez más tajante, asentaba que la orden de matanza –y no había que darle vueltas– provenía de más arriba, en virtud de... puntualizando el asunto: un alcalde tan rascuache en qué se beneficiaba con frenar de esa manera una manifestación. Una marcha de: ¿cuántos eran? Partieron trescientas gentes más o menos, más la gente voluntaria que se fue agregando al mitin durante el ruidoso trayecto. Antepuesto al beneficio de saberse poderoso cabría apenas el rebusco de imaginar al alcalde arranado en un sillón deleitándose en secreto de la chula balacera (¿sería cierto?); de hacerlo por sus pistolas de todos modos tendría que recibir el permiso, disponer de un batallón, ¿tanto engorro para qué?... Pues quién sabe. A todo esto: ¿cuántos muertos en total? Los que recogió el chofer junto con sus ayudantes fueron... este... ¡dieciocho!... sí, exactamente... Cuatro eran de Remadrín.

Al margen de las mercedes ya puntuales, ya obligadas, hubo corrillos aparte que empezaron en desorden a ensayar sus cantaletas: «Al-alcalde-duro-duro, al-alcalde-duro-duro», «muera-muera-el-asesino, muera-muera-el-asesino». Zumbudillos, tonterías, como oleadas iniciales de incipientes desahogos. No le quedó a Néstor Bores que coger el altavoz y gritar desgañitado con gran determinación: *¡EL ALCALDE NO ES CULPABLE. EL CULPABLE ES EL SISTEMA Y ÉL ES UNA MIRRUNGUILLA DENTRO DE LA MAQUINARIA!* ¿Mirrunguilla? ¡Qué concepto! Más bien el chivo expiatorio, pero al fin chivo asesino. En descargo retador, e incisivo todavía.

Calma, calma... porque ¡vamos!, había que ver lo esencial...

Lo malo de la razón es que siempre llega tarde...

Por lo mismo, a la gente que necea no queda más que cambiarle de sopetón la jugada. Esto es: a los más zamacucos había que darles, en principio, una parte de razón. La premisa es, será, sería, que el alcalde, y aunque Dios no lo crea, es un matón implacable. ¿Bien? Bien. De ahí la repercusión: ¿qué se gana con matarlo, o simplemente vejarlo? Es preferible que la protesta se oiga en todo el estado, y si se puede, en todo el país, y si todavía se pudiera, en el mundo entero. Cimbrar el sistema, que no a un individuo, es, debe ser, la consigna. Por ende: será necesario realizar otra marcha de protesta multitudinaria, pero más organizada. Otro punto para análisis. Incluso, con mantas y pancartas en las que se exija con letras coloradas un esclarecimiento satisfactorio sobre la matanza y el derrotero final de los desaparecidos, y además, ¡ojo!, la destitución y el encarcelamiento del alcalde ¿cómo se llama? Romeo Pomar. Bien, ¿eh?, e ir de nuevo a la capital y realizar un plantón frente al Palacio de Gobierno, o sea, en las meras narices del gobernador Pío Bermúdez, ¿eh? De paso Néstor Bores los felicitó por no haberlo efectuado en Remadrín. Fue un acierto, porque no se perdió tiempo.

Pero el regodeo llevaba un poco más de seis horas y Cecilia se aburrió. Sin embargo, ¡qué empeñosa!

Quería escuchar otras cosas
Pero aún no se decían
Si no las decían de rato
Entonces de plano se iba
¿No? ¡No!, ni así... Aguantadora sin cuenta...
A ver...

Quería escuchar que sus hijos estaban bien de salud y en un lugar lleno de privilegios donde en vez de maltratarlos los trataban como a reyes... ¿Así?

¡Eso!

Pero era más que imposible que sus deseos se cumplieran. Entonces...

Capítulo trece

Truco o pacto o ¿qué demonios?, ¿neta reivindicación? —la realidad era fea con micrófono en la mano porque Trinidad ¡qué barbaro!: las tamañas mentirotas mientras la lluvia seguía golpeando la lona verde. Y ni quién se lo quitara, pues era dueño y señor de aquel mundillo fiestero, centro y apetencia plenos; su esposa no se atrevía, sus hijos ni para cuándo, y el resto a la expectativa. Entre múltiples ejemplos el peor cabe traer a cuento: *Durante veinticinco años hemos sido muy felices.* Artilugio socarrón dado que la realidad era todo lo contrario. A la madre sí, pero a él sus hijos no lo querían, por haragán, por patán, por todas esas palabras que suenan a grosería, por piojo, por... Agréguenle las que quieran pero que suenen bien feo, ¿sí?, ¿cuál maquinación entonces?

Dejó de llover un poco, a propósito quizás. Seguro es que los absurdos de hablar y hablar vaguedades encontrarían directriz y conclusión contundente. Desde luego daba lástima la ingrata autoafirmación, entendida por la masa como preámbulo de algo; algo sin pies ni cabeza, vómito liberador, pero eso ya era ganancia; tanto valor inventado tenía que desembocar en una fina artimaña a fin de darle coherencia al garrafal salidero, y por supuesto que sí, en virtud de: *Me doy cuenta que en la fiesta hay muchísimos fotógrafos. Me gustaría que tomaran una foto de los cuatro, es decir...* –y aquí hubo un lapsus– *incluida mi persona, es decir, mi señora y yo sentados en dos sillones de sala... ¡A ver, que los traigan de allá adentro, por favor!, ¡se requieren voluntarios!...* Y *Papías* y *Salomón de pie atrás como guardianes, dicho sea, para indicar el respeto y ¡el cariño!, que nos tienen, que siempre nos han tenido. ¡Muchachos, vengan acá!* Pero los muchachos no, o quién sabe si... ¡qué cosa!... porque adrede parecía que no se habían dado cuenta. Embebidos en su plática, otrosí: lo secreteado entre ellos y sus amigos: los rollizos camaradas. El tema era su partido, su candidato, sus miras. *¡¿Muchachos?!, ¡¿qué no me oyen?!, ¡¡¡Papíías!!!, ¡¡¡Salomóóón!!!, ¡por Dios!, ¡vengan acá, por favor!, ¡nos van a tomar la foto!* Pese al volumen tremendo salido de las bocinas, pues igual, a contracurso, aquéllos desentendidos. Lejanía a ultranza: dilema, evasión inconsecuente. Los vecinos de su mesa tuvieron que intervenir:

–¡Anden!, ¡vayan!, ¡¿qué no oyen?!

–¡Les van a tomar la foto junto con sus papacitos!

–¡Es la foto del recuerdo!, ¡sin ustedes no es lo mismo!

Y el ruidero de las voces por allá creciendo a poco y el palmoteo posterior a manera de presión. Entonces ¿qué hacer?, ¿qué no? Papías balbuceó enojado: *Me importa pura chingada, yo no voy, no voy a ir.* Su rebeldía a flor de piel. Alguien lo debió escuchar porque se oyó una risilla maliciosa y reprimida. Salomón fue más ecuánime (dizque), en voz baja secundó: *Que nos ruegue mucho más y que venga por nosotros. Que ese viejo desgraciado se nos hinque y llore a mares ante la vista de todos, y que nos pida perdón como unas veinte veces. Luego vemos...* Sutil impacto en pequeño. Los rollizos camaradas volteaban de un lado a otro queriéndose percatar de que nadie había escuchado eso último infeliz. Mayor fue el aturdimiento, el pavor de ver a tantos dirigiendo sus miradas hacia ellos: ese morbo, por decir –además de colectivo–, perendengue, turulato, y dónde poner sus caras para simular quehacer, y Papías y Salomón que insistían en reanudar sus discusiones políticas... Pero ¿cómo?

De más está insistir en las sensaciones contradictorias que suscitaba aquel absurdo forcejeo de orgullos. Ante tan apretada situación, bien se podría confundir servilismo con afecto, o viceversa, y el uno era tan falso como el otro, si no es que una misma cosa. Borrada ya la espontaneidad de las querencias, la impostura parecía ser lo más adecuado para salir del trance, pero ello implicaba una teatralidad tan forzosa como inútil, teatralidad que el padre estaba dispuesto a ejercer. Cierto que, muy de vencida, él era el conciliador, el arrepentido, el que imponía cordura y... La ridiculez a punto porque el trance era tardado. Triquitraque de los hijos expuestos a una rechifla si al cabo se resistían. Por su parte Trinidad a la espera nada más, en virtud de que la gente se había puesto de su lado; para muestra el palmoteo más rítmico cada vez y más recio para colmo, encima la cantaleta: «¡fooo-tooo!, ¡fooo-tooo!, ¡fooo-tooo!, ¡fooo-tooo!». Cecilia estaba enfadada, quería tomar el micrófono y llamar a sus muchachos, aunque... era exponerse a lo peor... Por lo cual conjeturó que sus vástagos airados le gritarían invectivas más o menos como esta: *¡Mala madre!*, *¡conchavona! Buena trampa nos tendiste. ¿Para qué nos invitaste?, ¿para una fotografía? ¡Qué pinchurrienta te has visto!* Mejor no, mejor tal cual: la zozobra y el aguante.

Al parecer correspondía a terceros el empuje decisivo. Transcurridos ya diez, quince minutos, la peripuesta concurrencia dirigía sus ojos hacia aquella fallida pantomima. Salomón parándose, sentándose luego, y así otra vez como títere, y Papías lerdo, tímido, finalmente haciendo lo mismo. Espectáculo grotesco en el cual, por deducción, los rollizos camaradas parecían apuntadores, pues los hijos renegados los miraban de soslayo como si les consultaran sobre qué hacer y qué no. Resultado halagador, gracioso a más no poder, más que nada para algunos que estaban hasta el copete de la secuela fiestera: puras felicitaciones más la arenga exagerada. Paliativo extravagante, e indicio de otro decurso; así «en veremos» la música y, por tanto, la comida: a modo de oposición... ¿Hasta cuándo llegarían?... Empero, quiérase a hurto, otros cuantos con olfato confirmaban sus sospechas. No era sino fregadera el hecho de que los hijos, tan inexpertos aún, tuvieran su casa aparte y en condiciones pobrísimas, por no decir primitivas. Que hubo bronca ¡ni dudarlo!: ambos fueron expulsados...

A saber qué poder de influencia tenía uno de los rollizos camaradas, o digamos, qué fuerza diabólica tan eficaz para salvaguardar el honor de esos mentecatos y a la vez resolver en un tris un dilema harto embarazoso. ¡Sí!, tan sólo le bastó proferir una recriminación acaso de tres palabras y, ante el asombro de la concurrencia, Papías y Salomón se enfilaron con paso firme hacia donde el padre –no extasiado ni emocionado, ya que son palabras tremendamente elegantes para un cretino–: gustoso sí, pero incrédulo, los esperaba con los brazos abiertos. La madre, atrás, encogida, llorosa como una Magdalena, humilde, atenta, paciente... Y los aplausos en torno.

Es menester señalar que los sillones de la sala fueron traídos en menos de un cuarto de hora. Unos, hasta eso, de estilo castellano que entre cuatro voluntarios acarrearon no sin resbalones en el suelo encharcado, pero al fin pausas necesarias para contemplar de súbito el simpático espectáculo de los hijos indecisos.

Cuajado así el artificio: larga escena de bochornos y apechugues consabidos, y enseguida el corolario: turba explosión de luzazos. Hace falta introducir una cuña puntiaguda a efecto de anteponer una leve afectación. Debía suavizarse aquello por si de pronto surgieran alegatos impensados. A lo que... Entre sentimentalismos y mudez de toma y daca Trinidad discretamente puso al lado de los músicos el desgraciado micrófono. No evitó que el movimiento del pescante de jirafa chasqueara más de la cuenta. Torpes traquidos y seña y petición susurrada de valsecito dulzón, pero fuerte, manipulando el volumen, retumbante, rompedor, pues a la una, a las dos y... La música cornetera le dio énfasis al acto. Tórrido acompañamiento porque la morosidad no podía degenerar. Larga reconciliación: lo único bueno que trajo fue que Trinidad dejara de pronunciar con arrobo sus victorias infinitas, aunque el truco, el pacto en sí, o... Una reivindicación más cargante que ampulosa...

Sin embargo, las sospechas, todavía...

La fotografía formal fue tomada más de rato. Más de rato significa luego de un gran lagrimeo: efectivo en el relumbre e insincero en su trasfondo, negro ardid, falsa alegría, y el visible resultado: ¡pantomima para todos!

Lo siguiente hay que decirlo con absoluta frialdad, esto es: cuatro personas entretenidas en perdones zopencos y consuelos gestuales de sobrado histrionismo. No obstante, lo dicho, la serenidad final: Papías y Salomón de pie y sus padres cómodamente sentados. Muchas placas al respecto entre el bagaje profuso de imágenes melindrosas... Y es que llegaría muy pronto el día de la selección. Llegó. Cecilia y Trinidad discutieron cuál y cuál. Sólo valían dos la pena, desde luego la formal. De entre tantas la mejor fue una de colores sepia, obra de un fotógrafo de Pompocha que respondía al nombre de Emeterio Simón Vela, un declarado artista carero que hacía valer con creces su trabajo, y la otra, donde, por un extraño efecto óptico, daba la impresión de que los cuatro se abrazaban al mismo tiempo. Tal placa sí fue captada por alguien de aquí: el mismísimo Diego Ornelas, quien, al contrario del anterior, dejó el precio a consideración, por no decir: «lo que sea su voluntad». Pues fue escogida esta última: grandotota, presuntuosa, colorosa, brillonsona, misma que con marco fino –floritura de gabarros en relieve llamativo (también venta del fotógrafo: ínfima, y por eso ¡venga!)– fue colocada –algo chueca– en la pared más luzosa de la sala, dicho sea: enmedio –¿composición?– de una tonga –¿se recuerda?– de fotografías pirrungas donde reteseria siempre figuraba doña Fátima, la madre de Trinidad, la difunta inolvidable. Pero... bueno, ejem... eso fue después, mucho después; y al traerse a colación, o darse como adelanto, es porque el tal retratote ya luego no fue mirado con todo detenimiento, sino de reojo ¿nomás?

Lo importante es que esa vez la fiesta debía seguir...

Terminado el asunto de los apechugues (obviamente fingidos), la alegría general estalló cuando Trinidad tomó de nuevo el micrófono e hizo el siguiente anuncio:

–Ahora sí, señoras y señores, ¡A COMER SE HA DICHO!

Capítulo catorce

Decepcionada Cecilia quiso dar la media vuelta, pero el nombre «Pulemania», dicho por el altavoz, la detuvo, la inquietó: ¿y si allí estaban sus hijos? Al poner más atención se dio cuenta sin querer que entre apitos y choteos se barajaban al vuelo como veinticinco nombres: la burrada interminable de nombrar correctamente la futura comitiva. Según esto, lo primero: se visitaría al señor que era ¿quién?, el propietario en cuestión de aquel ya famoso mueble.

A unos pasos de Cecilia se encontraba un hombre sentado en una banca truene y truénese los dedos. Había permanecido en esa posición durante más de cuatro horas. Contemplaba –desde que llegó lo hizo– una ringlera de hormigas cuyo ignoto derrotero podía ser mentira artística. Se trataba de un decurso temporal e itinerante: ordenamiento instintivo a más flexibilizado en un trazo curvilíneo apto para idas y vueltas provechosas e inviolables. No se había perdido el tiempo. En un lapso de cuatro horas las hormigas de seguro habían traído a su reino las reservas suficientes para que su sociedad tuviera quehacer de sobra y descanso posterior ampliado a muchas más horas. Su concepto favorito sería «despreocupación», pero también «actitud» para hacer la sincronía entre trabajo y holganza, o mejor: los trabajos de la holganza: contrapeso y bienestar.

A Cecilia le gustaba la actitud del distraído. Una sombra secundaria sin urgencia de agrandarse, en reducción cada vez, antes bien preparatoria... Ligero entretenimiento para los reojos de ella entre gato y garabato, por decir, más el suceso del suelo, el cual no era interrumpido por el tránsito gigante. Y Cecilia, ahora sí, en conexión con los sesgos por no encontrar más que hastío en los devaneos de allá, prefirió observar al hombre como si viera a sus anchas un augurio sugestivo... Las querencias ¿inconexas?... Ver la sombra, verla grave; quería interpretar su arrobo confundido ritualmente con la desesperación, dados los truenes constantes: esos dedos inculpados de algo oscuro y sin salidas. Cual resorte liberado de pronto el hombre abstraído se incorporó a pie juntillas queriendo ver panoramas. Uno era el que le importaba y hacia allá se dirigió: hacia la bola de necios. A codazos se abrió paso. Cecilia lo fue siguiendo, más despacio, más distante, como seguir a hurtadillas los hilos de un entredós. Se plantó el hombre en el sitio donde debió haberlo hecho unas tres horas atrás, antes pues, que no después, cuando quedaba un corrillo de zotes discutidores frente al líder... Y lo que le dijo fue esto:

—Disculpe la interrupción, pero es que yo tengo algo importante que informarle...

—¡Adelante, por favor!

—Yo sé nombre, santo y seña del señor de Pulemania, el propietario del mueble. Se llama Abel Lupicinio Rosas y es un rico resentido. No creo que no lo conozcan. Es famoso en la región. Tiene muchísimos tráilers, además de camionetas. Desde hace ya varios años se dedica entre otras cosas al negocio de los fletes... Y sé de él lo suficiente porque fue como mi padre, él me enseñó a trabajar, me ayudó, me aconsejó, fue un patrón muy protector.

—¿Y por qué es un resentido?

—El gobierno le mató a su padre y a su hermano cuando él era un chamaquillo, pues desde entonces acá, por más que ha hecho el intento, no ha podido descubrir el nombre de los matones, ni al que disparó ni al otro, el llamado «intelectual». Ya usted se ha de imaginar el tamaño de su odio, guarda una sed de venganza que no se sacia con nada, por eso es...

Y siguió hablando y hablando con velocidad de tromba, dándole cuerpo a una historia —en este caso a una pista— demasiado tartajeada, proferida a contrapelo con angustia estrepitosa, de inclinación al rencor, hacia la muerte sangrienta superpuesta en las alturas: sangre horrenda, sangre luida, que aún siguiera goteando. Por lo mismo, para colmo, no había modo de frenarlo porque también había lágrimas que bañaban sus mejillas. Un lloradero proclive a la conmiseración: soliloquio al aire libre porque los otros bien fríos lo miraban de soslayo como a un loco destrampado que pese a su dramatismo estaba dando la clave de los pasos a seguir. Lo correcto era aguardar hasta ver que su discurso se fuera desmoronando, es decir, hasta ver que sus pucheros lo vencieran finalmente. Y así fue. Sin embargo los sollozos anunciaban todavía inéditos resquemores. Pero ya intervino el líder con sabrosa suavidad: *Calma, calma, es lamentable. Ya todos nos dimos cuenta.* Sí, ¡qué feo! Lo trataron como a un niño que de repente le avisan que le han matado a sus padres. Nuevo huérfano sin rumbo... Canallesca condolencia en virtud de que hubo alguien que le dio unas tres palmadas en la espalda: *Vamos, vamos, no se aflija...* Bueno, pues, y: con más pelos en la mano el líder se concretó a preguntarle una cosa:

–¿Puedo contar con usted?

–¡Claro que sí!, es lo que quiero.

Rebusco sentimental a favor de otra intención. El valor de aquellas lágrimas dilucidó de algún modo el secreto fingimiento del fulano intempestivo, siendo que lo venidero parecía estar calculado. No hacía falta un añadido pero el líder lo expresó:

–Quiero que nos acompañe a los de la comitiva que partirá a Pulemania, partirá mañana mismo y usted nos será muy útil. Con lo que nos ha contado las cosas serán más fáciles.

–Desde hoy estoy a sus órdenes... Y si usted me lo permite, pudiera agregar más datos.

–Es suficiente por hoy. Muchas gracias. ¡Ah!, nomás dígame su nombre para anotarlo en la lista.

–¿Lista de qué o para qué?

–Es la de la comitiva, a ver... ¡Dígame su nombre!

–Me llamo Conrado Lúa.

Magra forma de acabar: como a base de regates. Bullicio en disminución: los acuerdos ulteriores, en tanto se iba apagando la pátina del crepúsculo...

Voces, distancia, ¿inminencias?: algo para deducir... ¿en otra oportunidad?... Interminable la plática entre un hato de fulanos que se iba haciendo chiquito: por ejemplo: múltiples ofrecimientos para que el líder optara. Al margen todo ese lío –dónde dormir, dónde no– que contemplaba Cecilia aguantadora hasta lo último en su forzado papel de mirona incomparable... Al fin dio la media vuelta... Miraba ahora con dureza su rumbo desangelado: apenas un par de cuadras y doblando un par de esquinas. No escuchó lo que deseaba. Todo igual pero más bombo, más soplado sin razón, y se prometió que nunca andaría en esos trajines por mucho que la atrajeran, ni por morbo o frenesí. Al revés, dentro, por ende, la angustia había que tragársela, la

73

emoción: anticiparla. De hecho, si hubiera abierto la tienda... si hubiera prendido el radio o si se hubiera acostado en su cama durante horas metiéndose en la cabeza que estaba de vacaciones...

Su soledad: su problema.

Largo regreso sensible. Llave apuntadora en mano desde dos cuadras atrás (sí, ¡pues sí!): abrió la puerta y entró... Ella, en ascuas, mal que bien, ante las densas penumbras que a poco la ¿emborronaron? ¡Casi!, pero prendió un foco y enseguida lo apagó: la oscuridad la invitaba a encararse sin reservas con visiones más amorfas. Tiento a tiento... cruel vaguío... Dimensión insoportable porque no aguantó ir, dijérase, adivinando lo habido... ¿dónde?: ¡vaya!: acaso ¿ahí?... Unos pasos adelante prendió otra luz: ¿qué horas eran? Es que... mmm... ¡qué pazguate!: APENAS ANOCHECÍA. Un mal cálculo de horas y ya tanta sordidez. Luego recapituló...

Mientras tanto...

Un avance tenebroso en lo que eran sus dominios prefiguraba un matiz de risas entrecortadas: la simpleza del convivio tiempo ha, o el huidizo simulacro de los ruidos por venir. ¡Miedo en trance!, y magnetismo. Voces profanando sombras y muebles que casi hablaban.

¡Vamos!, había que cambiar de ánimo. ¿Por qué no prender las luces y bailar y canturrear? ¿Por qué no abrir las ventanas para que entraran zancudos: invitados especiales: que le picaran, ¡qué le hace!, siendo un modo renovado de sentir que la querían?

Capítulo quince

A Conrado Lúa nadie le dio asilo. Justo en el momento que el grupo discutidor se desintegró, él no supo a dónde ir. Situado en un centro de ascua, circunstancia inmerecida para un correveidile, con ingente desconsuelo vio que unos se dirigían perdiéndose por el sur, otros cuantos hacia el este y otros más hacia el sureste. Hacia el norte iba un fulano acompañando a su huésped, ¡con un gusto!... Es que ganó el disparejo para llevarse a la estrella: Néstor Bores, anchuroso, tratado a cuerpo de rey, y caminando estevado. Conrado Lúa, sin embargo, no se atrevió a preguntar quién diablos le daría cama, y cuando se decidió ya todos se habían borrado. ¿Y qué hacer? En vez de dormir caliente: la frescura de la noche, en la plaza, en una banca, ¿sería recreo para su alma? Además, pues no había de otra. Entonces sí contra el pueblo la resonancia molona de sus botas viboreras: en virtud de que pisaba con dureza los cascajos. Las ventanas se encendían, se apostaban las cabezas, y hasta ahí. Luego los apagamientos. Pero tuvo la impresión que las estrellas, en cambio, titilaban como nunca, como si con sus pisadas las hubiese despertado. Cualquier banca para el sueño, bocarriba, desde luego, ya que de ser bocabajo miraría de nueva cuenta otra ringlera de hormigas. ¡Sí!, dormir con la cara al cielo como un muerto: dignamente. Pero antes se echó un cigarro... Al ver que el hilillo de humo ascendía hacia el firmamento cerró los ojos sin más para adensar su visión. Viaje amable al infinito. Siluetismos estelares disolviéndose en la luz que estaba al final de un túnel.

Horas de letargo y fe y en concreto: picazón, y patas sobre su cuerpo. De repente las hormigas encontraron un camino por un brazo –¡qué ladera!– para llegar a su cara. Bastó un simple movimiento para que: ¡a levantarse al instante! ¡Ay!

No fueron tan dolorosos los piquetes hormigueros si se considera que Conrado Lúa reaccionó al sentir el primero de quince en ráfaga. Salvo mejor opinión, a esto hay que añadir una constante: el cuerpo resiste en grande (ejem) si el castigo es despiadado. En una palabra: duele más un piquete que dos; y si son más, las defensas aumentan. Tras su natural quejido Conrado determinó lo que debió hacer sin más al momento del cortón: *¡Me voy a Pulemania! Si vine a pie, regreso a pie...* Y cuando ya despuntaban los primeros pinturreos del amanecer pues ¡órale!: emprendió su retirada, rascándose –¡por supuesto!– brazo y cuello sin parar.

En fin: cogió la orilla de la carretera solitaria. Sus pensamientos hervían. Desechaba asuntos menores con la mira de incidir en el error cometido por la gente de Remadrín al no ofrecerle –¡vamos!, siquiera como ofrecimiento– cama y techo. E instintivo recicló su apetito de venganza: *¡Ah!, si me buscan no me encontrarán, pero si me encuentran les escupiré en la cara mis verdades, que son superiores a las suyas. Y si me corretean por ser sincero, nunca me darán alcance ni mucho menos lograrán cachetearme, porque les causaré temor, ¡mucho temor!* Otros aborrecimientos se atropellaban en su mente, quizás por eso mismo empezó a sentir en serio los efectos de los piquetes hormigueros. Pero se hizo duro, soportador, como si se inventara una coraza bajo la carne, y continuó... *Por lo pronto voy a quemarlos con don Abel Lupicinio. Le diré que vendrán a verlo y que son de esas bestias revoltosas que solamente consiguen enredar más a la gente.* Rajón por autodefensa. Ya después la dignidad, la atorrante gallardía. *Ojalá que no ceda a sus peticiones, porque de hacerlo es seguro que se meterá en problemas...* Ya clareaba.

La rueda del sol se levantaba tras los cerros como un repunte luminoso que redondeara al fin los deseos de ese peatón.

Lo fortuito es lo que viene: más de rato sucedió. En aquella soledad expandida y coloreada toparse con un fulano sería casi milagroso, mas sucedió casi adrede: hubo un cruce: frente a frente. No hubo saludos ni gestos. Fue el cruce de ¿dos fantasmas? Fugacidad sin sorpresas: de ida iba ¡sí!: Conrado; de regreso ¿Trinidad?

Capítulo dieciséis

El recuerdo de la sombra enrebozada rondó de nuevo la mente de Cecilia. No para mal refocile, aunque... si real, si falso, si a medias, o mejor, tomando cierta distancia, idea más que sombra, y sombra más que mentira, invento de sus temores justo la noche anterior. Del recuerdo ambivalente se rescatan las sorpresas. Para empezar mal que bien se soltó cual chaparrón un monólogo vernáculo de acentos desgarradores que se fue dulcificando quién sabe por qué razón. Lo que sí que: cuando todo en apariencia parecía que estaba dicho a Cecilia le surgieron diez preguntas insensatas. Consecuencia: hubo un diálogo agradable que duró más de una hora. Después se hizo muy pesado seguir hablando de cosas que parecían halagüeñas. ¡Noticias!, y compromiso, dado que: la sombra vino a informarle sobre la necesidad de reunir urgentemente a varias madres locales, sólo aquéllas cuyos hijos habían desaparecido luego de la matazón. En la lista figuraban inclusive hasta señoras que ya estaban bajo tierra. El objetivo, en efecto, era la depuración a base de palomeos. Esa sombra –lo advirtió– presumía de ser amiga de personas encumbradas, aseguraba, por ende, saber con exactitud en dónde estaban viviendo tales desaparecidos, y al grano pues, dónde pues... En una cárcel lujosa muy cerca de la frontera, por allá por Misantali. Todo un trecho... Se trataba de ir a verlos. El único inconveniente es que sólo podían verlos las madres, que no los padres, ni otros parientes ni nadie. En resumen: se estaba formando un grupo que partiría hacia la cárcel en unas cuatro semanas (¿quiere o no quiere viajar? ¡Sí!... ¡paloma!, y enseguida...), es decir: plazo prudente, si hasta entonces todavía no había regresado ni uno, y tampoco había una pista de dónde podrían estar. El resto fue pura sarta de meneos artificiosos. Las preguntas... He aquí una, con grado de afirmación: cuatro semanas son muchas ¿por qué tantas? Estrategias superiores. ¿Y el transporte? Está pendiente... Pero téngase de entrada que eso no representaba un problema colosal. Y hay que agregarle minucias y monsergas: las de ocultis... Para todo hubo respuestas de dos frases cuando mucho.

Creerle o no. Despedirse. Cecilia cerró la puerta. ¿La sombra se metería para siempre en su cabeza? Cierto, aunque: le hubiera gustado oír esa información tan acre, pero dicha por el líder. Que en vez de una averiguata fuese una deferencia... Bueno, sí, pero...

Regresemos a la noche de su íntimo festejo.

Después de haber tarareado tonadillas cancioneras mientras abría las ventanas, el estigma de un vacío, ese no saber qué hacer estando como ella estaba, vino a cruzarle la mente algo que había postergado pero que le serviría para atenuar tanto mal: recrearse durante un buen rato con las fotos de su boda –la primera: aquel fandango– poniéndolas en el suelo para evitar barajeos. En principio la molestia por no acordarse del sitio, ¿dónde el rimero?, ¿por dónde? A ver... ¿tal vez por allá?, o por ahí, o... Se puso en actividad, en lugar de hacer memoria, y tras prisas y desorden hasta el fondo de un trinchero halló el hato, lo cogió, le fue quitando las ligas y por fin el pasatiempo de arrodillarse devota y colocar como fuera las fotos amarillentas.

Ángulos y perspectivas. Primeras apreciaciones. No había fotos de sus hijos –¿cayó en cuenta o lo sabía?–, salvo la tomada a fuerzas cuando las bodas de plata, salvo también porque era grandísima y además lucía moldura florosa: en cuelgue, pero algo chueca; en la pared: ¿precisión?: la más cande de la sala. Vaguío momentáneo pues; aunque luego, deslindando, se acordó que el tal rimero era nada más de fotos de ella con su marido, y se le ocurrió jugar haciendo una larga hilera que llegaría en culebreo hasta el final de, o mejor: a partir de donde estaba la puerta, el vano –isí, allí!– de su recámara, ergo: el principio de la sala y ahora sí hacia dónde: a ver... el culebreo: los espacios... Entonces parte por parte barajó todo el rimero: semiselección en friega, siendo que iba a poner hasta el final de la hilera la peor foto, según ella, la que rompería enfadada, la de los tristes recuerdos, pero ¿cuál?, ¿la más borrosa?

A ojo de buen cubero difícil le era elegir tanto la primera foto como la que rompería –pauta para el titubeo–. Tenía que memorizarlas... Se inclinó por otro método: hacer un cuadro perfecto para verlas de un tirón, casi seis metros por seis, según cálculos al vuelo. Pero ¿las apreciaría?... ¡No!... Entonces pues ¿barajarlas de nueva cuenta?, ¡qué lata!... Sus dudas fueron creciendo al igual que sus terrores.

La conexión hijos-madre-marido-ausencia-recuerdos tuvo una inercia crucial. Esa sombra enloquecida: si real, si falsa, si abstrusa... La oscura interpretación... La inquietud anticipada... Cecilia desconocía la manera de enfrentar y a la postre disuadir esas vibras demoniacas. Lo que hizo fue muy sencillo: empleando todas sus fuerzas cerró sus ojos, sus puños, cual si estrujara a un espectro que la invadiera por dentro, también apretó sus labios y echó hacia atrás su cabeza.

Metida en un entresueño por demás desfavorable los instantes de terror a poco se convirtieron en letargo venturoso. Con el rimero en el suelo y arrodillada ante el diablo que merodeaba el ambiente con soplidos espasmódicos, Cecilia allá en sus adentros pudo ver líneas y manchas aurinas y fugitivas. Nueva inercia auxiliadora. Pero ¡atención!, otra vez, como ayer, como supuso: oyó unos fuertes toquidos en la puerta principal. *¡Ábrame, se lo suplico!* Lo indeseable sucedió. Entreabriendo su mirada Cecilia se puso en pie... *¡Ábrame!, ¿qué no me oye?* La indefensa juguetona, sintiendo el brutal acoso, dio unos pasos hacia atrás. Con sus puños en ascenso tiró golpes al vacío deseando que se estrellaran en alguna mole aérea. Mas la respuesta ambiental actuaba de otra manera: vibras materializadas –en un redor redivivo– parecían hacerse plasta, como una gruesa capota que la fuera aprisionando... *¡Yo soy la que vino anoche. Me urge decirle algo!* ¿Escuchar amplificadas las falsedades de ayer? Asumirlas, postergarlas. ¿Esperar que la visita llegara en otro momento?, ¿cuando no estuviera sola?, o durante el día, ¿por qué no? Eso le iba a responder, pero se aguantó las ganas. Aviso y excitación contra insensibilidad en constante jaloneo, tanto que, por peteneras, inmóvil y boquiabierta la señora de la casa... ¿Sólo por unos instantes? ¡Sí!, porque: el único proceder para estropear todo aquello sería actuar como si nada. La total indiferencia a fin de empezar el juego, o mejor no, ¿para qué? Se inclinó por lo segundo. Otra sería la ocasión. Mientras tanto los porrazos eran más amenazantes, más seguidos y furiosos... *¡No se haga la despistada, sé que usted está allí adentro!* Cecilia tranquilamente ató el liacho: silbadora. Silbidos desafinados porque no era para menos. *¡Si no me abre ya verá...!* Concentrada en su trabajo buscaba un nuevo lugar donde meter –dónde a modo–, donde tener a la mano sus entrañables imágenes. ¡Bah!, después... Las dejó sobre el armario. Enseguida se dispuso a cerrar las tres ventanas que daban hacia el traspatio. Siguió silbe y silbe (mal) escalas improvisadas. De pronto vino una frase que le erizó los cabellos: *¡Si no acude a mi llamado le caerá la maldición!* Puya eléctrica mendaz cuando ella estaba de espaldas (pero): mientras hacía su trabajo se repitió en voz muy baja: «Es mentira-gran mentira, es mentira-gran mentira, no es la voz de mi conciencia, es la voz de la locura». Así, harta, temblorosa, dejó el rimero en el suelo, sin atarlo, o sea al garete, para luego dirigirse por instinto a su recámara y meterse de inmediato bajo cobijas y sábanas tapándose los oídos...

«Es mentira-gran ment...»

Trató ahora sí de rezar porque no había a dónde hacerse.

«Padre nuestro que...»

No se pudo. La voz traspasaba todo. Ráfaga recrudecida que terminó sentenciando: *¡Ya lo oyó... Le caerá la maldición!*

Luego hubo un largo silencio: profusión aterradora que anunciaba algo más cruento.

¿Ruidos? ¿Voces? ¿Hecatombes? Cygnus–Sirrah tras las nubes.

«Es mentira-gran ment...»

Capítulo diecisiete

Esa noche, durante el sueño, a Cecilia le picaron dos zancudos nada más.

Capítulo dieciocho

–Madre, ¿a qué ha venido? Nosotros no la queremos.

–Madre, usted nos engañó. Aliada con nuestro padre nos hizo ir a su fiesta, la de las bodas de plata, sólo para que a los cuatro nos tomaran a lo zonzo una foto familiar.

–Madre, un engaño como el suyo no podemos perdonarlo.

–Madre, no somos basura, y ni usted ni nuestro padre tienen derecho a tratarnos como muñecos de trapo. Son ustedes los que tienen pura mierda en el cerebro.

–Madre, desde esa vez nos da asco. Ya no queremos ni verla. ¡Váyase!

–Madre, nosotros no volveremos a ese pueblo endemoniado.

–Madre, aquí estamos muy a gusto. ¡Váyase!, no nos moleste.

Cecilia no dijo nada. Dócil, se dejó inundar por esa riada de insultos. Dócil, dio la media vuelta y con su derrota a cuestas se dispuso a abandonar aquel palacio enrejado. No era fácil la salida porque era una adivinanza. Innumerables tanteos, circulares, agobiantes, puertas falsas, pasadizos. Celdas enormes y espectros prisioneros y felices que por zote distracción se burlaban de esa madre al ver cómo caminaba, medio agachada, perpleja. Y el fastuoso laberinto parecía a poco ensancharse a cada uno de sus pasos. Burdo encono manifiesto contra aquella adversidad en la que en vez de avanzar volvía al punto de partida, siendo que: pasaba de nueva cuenta por donde estaban sus hijos, quienes con un ademán le indicaban que se fuera. El cansancio la vencía, pero afortunadamente vio una pequeña abertura. Una fuga por ahí... La abertura semejaba una bocaza de plástico que se iba haciendo más grande y trataba de engullirla. ¿Entregarse de una vez? Otra alternativa ¿cuál? Así se dejó comer e ilesa se deslizó por un tubo –dijérase un intestino curveado y horizontal– en armonioso trayecto porque la señora al fin empezaba a sonreír. Una fantasmagoría de tobogán delicioso hasta llegar a un final que no le hizo mucha gracia: luz extrema demorada-deformada oblicuamente por monstruosas nublazones: gris idea de libertad, pues aún debía cruzar largos prados, nogaledas, antes de dar con los muros del entorno carcelario.

Llegó al límite: jadeante. El obstáculo infranqueable (asegún), aunque... Los guardianes la dejaron que escapara cual si nada, sin obligarla –¡qué raro!– a anotar de puño y letra su registro de salida en el libro de visitas.

Ante sí un desierto inmenso...

La dimensión inconsciente antepuesta al espejismo en tanto se decidía a dar los primeros pasos. Caminar sin rumbo fijo. Su regreso hacia un final de líneas reverberantes sería infame travesía. Punto arbolado su entorno: de por medio días y noches, más los descansos airosos siempre en una insinuación de barrancas y cañones. Mancha inútil: borradura: lo de atrás: a la deriva, hacerse pues a la idea de que llegaba a su pueblo, a saber... Otra sorpresa bien fea al encontrar, para colmo, mero enfrente de su casa, una masa putrefacta de carne y huesos molidos, de quién, ¿por qué?, si sus hijos, si su esposo, en grosero revoltijo, si las moscas que rondaban, ¡maldición!

Se despertó atolondrada. Diríase que su camastro la empujó, mas ya de pie, ¿qué demonios? Esa madre solitaria se apretaba la cabeza con sus manos temblorosas tratando de acomodar el sucio desbarajuste. Para zafarse del lastre antes que nada debía poner una buena cara. A fuerzas gestos amables ante el matiz mañanero de los primeros colores. Carcajearse de una vez ¿sí o no? Con verdadero trabajo se dirigió a la cocina todavía un poco aturdida. Es que... La maldición de la sombra podía alargarse de más, inclusive de por vida, porque: cada vez que se durmiera: ¡santo Dios!; cada vez que despertara: ¿despejarse totalmente?, ¿cuántas veces podría hacerlo?

Entre ansiedad y recelo y desánimo aparentes por fortuna se acordó que hacía ya bastantes años una mujer lugareña, con poderes brujeriles, le había dado un buen remedio: cada vez que ella anduviera con el santo de cabeza debería coger un huevo y pasárselo diez veces por la cara y por los senos, sólo una vez por la panza y dos veces por los brazos y ¡con eso! En una ocasión lo hizo allá cuando era soltera, y ¡qué va! En menos de un cuarto de hora hubo un enderezamiento, según esto: concepciones limpiecitas. Pues ahora, ni pensarlo. Fue al canasto de los huevos y cogió uno café. Renovada sensación al moldearlo entre sus dedos. Respetuosa del consejo maniobró y se fue diciendo: *¡No!, ¡imposible! Mis hijos no hablan así. No tienen tantos demonios retacados en su cuerpo. Solamente así ocurrió en ese maldito sueño, pero...* Por el lado del absurdo el trastrueque se hizo fresco. Devino en un entusiasmo casi de color de rosa, es decir, creatividad, sin meter venenos lentos, e inventarse un desenlace que a ella la dejara a gusto. Antes orden, prioridades, a partir de la verdad. Fueron dos días y dos noches de ausencia y excitación; fueron tiempo suficiente para saber qué tan cierto o qué tan falso fue el chisme de que sus hijos estaban en una cueva. Por deslinde nada más, y por disfrute también, no descartaba llevarse –a partir de la limpiada de la cintura hacia arriba con el huevo de la suerte– la gratísima sorpresa de ver llegar a sus hijos y a su esposo bien contentos, y –¿por qué no?– hasta bromeando, por ejemplo: picándose las costillas.

Y en rebaja los tanteos. Con que llegara su esposo entumido y derrotado, sin hablar ni balbucir, la causa se evidenciaba: una pérdida de tiempo, y todo por un engaño. Ella entonces ¡cascabel!, amorosa, besadora. El gran acontecimiento de tener entre sus brazos a su macho protector, ese saberse segura contra fantasmas y espíritus, contra la perversidad de cretinos como Vénulo. No había que echar a perder con reproches insufribles la llegada de su amado. ¡Vamos pues!, si traía malas noticias ¿por qué se tardó dos días?... ¡Nada de eso!

Al contrario: ¡fiesta íntima! Era un hecho que el marido llegaría en un rato más. Por eso mismo se dijo: *Me arreglaré bien bonita. Lo trataré como a un rey que regresa a su palacio.* Tan confiada de por sí, estimó que no había tiempo de darse un baño de reina. Sólo enjuagues por encima, amén de coloretearse y ponerse aquel vestido lleno de rosas pintadas.

El lerdo embellecimiento y el acopio de detalles en su exacto regodeo para exhibir sobriedad ante el suceso supremo. Lista, ufana y saltarina se dirigió hacia la puerta, asomarse a ver si... ¡No!, todavía no, pero: calma. Asomarse muchas veces hasta que: ¿será?, ¿tal vez? En desleído vislumbre se acercaba, entreverada, la figura enhiesta y digna del pelele muñequete.

–¡¡¡Trinidad!!! ¡¡¡Trinidad!!!

Solo. Vivo. Pero allí. De carne y hueso. Nervioso. En su ámbito. Cabal. Con ganas de disculparse. Leve intercambio de frases incipientes, prescindibles. Tras el beso mañanero se desvaneció el terror.

Se sabe el recibimiento. Se supo tan inaudito después de lo que pasó: la palurda sumisión de una esposa enamorada. Se sabría, se intuiría, tras los sucesos lastrados por la simple inmediatez de saciar necesidades...

Y el legítimo deseo...

(Es que hacía mucho que no, ni siquiera lo habían hecho cuando las bodas de plata. Era la oportunidad...)

Otrosí: después de que Trinidad se retacó de comida vino lo mejor de todo: los cambios de sintonía.

Ellos (ejem), al principio un poco tímidos y sin decirse palabra. O mal que bien dando a entender lo obvio a base de miradas y muecas descompuestas, se fueron despojando de sus prendas. El tanteo encuerado en la cocina, pero quedó la cosa en puro pichoneo. Se hicieron la promesa, sin embargo, de que esa misma noche, luego de una bañada con amole, entonces sí en la cama rechinona el acompasamiento ya entrampado (si tuvieran el radio que tenían, podrían oír la doble «u» romántica) de dos reyes joviales dejándose envolver gozosamente por los ruidos nocturnos (mas si tuvieran, ay, el radio que tenían, dejaríanse envolver hasta la medianoche por la voz de la América Latina).

Segundo periodo

Capítulo uno

–¿Ah, sí? –exclamó incrédulo Abel Lupicinio Rosas a manera de chacota. Incrédulo es un decir; entusiasta, pero a medias; irónico, ciertamente, porque se frotó las manos luego de haber recibido los informes relativos a la inminente visita de una gruesa comitiva.

Desde las salutaciones escéptico el ex patrón quiso cortar por lo sano arguyendo no tener tiempo para comadreos. Sin embargo, la insistencia –en principio– pudo más: Conrado Lúa se vació, soltó lo más importante a fin de ir encendiendo los rencores antañones de un hombre lleno de tirrias, nervioso desde chamaco, y rugiente contra aquellos que estaban bajo sus órdenes. No era el caso de momento, fue hace mucho cuando sí, cuando el ahora informante fue un empleado como tantos a los que el perro patrón había iniciado en las artes del quehacer meticuloso, sin descansos, sin rebajas, y sin cauda de maltratos. De sol a sol la crueldad pero también la observancia de potencias escondidas en cada cual (explotarlas): exprimiéndoles el jugo hasta dejar sólo el magma, o mejor, por consecuencia: una recia cuarteadura; o mejor, si cabe aún: empaque y autonomía para el resto de sus días. Porque esa era su intención: educarlos como hijos y despedirlos bien pronto ya con la enseñanza a cuestas, lo cual se le agradecería de diferentes maneras.

Sea que: redondeando lo antes dicho dos eran los resultados: o triunfadores de cepa u orates irremediables. En su inmensa mayoría tanto unos como otros por lo menos una vez lo visitaron con gusto. Las causas quedan aparte porque significa entrar en oscuros pormenores. Los efectos valen más. La inercia de ir a buscarlo en procura de un consejo (es que, bueno, detrás de esto había algo suplementario), inclusive hasta un desplante les serviría para siempre. Un desplante tan fachoso como el que le hizo a Conrado:

–Está bien, es suficiente. Gracias por ponerme al tanto. Esperaré a los fulanos a ver qué humos se traen...

83

—Son personas revoltosas.

—Para mí lo revoltoso es bagazo ensalivado. ¡Bah!, es cuestión de platicar.

—Pero es que...

—Mira, sólo te pido un favor y espero que me lo cumplas, porque si no ya verás... Quiero que desaparezcas de mi vista durante un rato... Digo, si fuera un año, mejor.

—Y ¿por qué?

—Te despedí hace dos meses. Entiende que tu trabajo de chismoso no me sirve, porque haces puros inventos que se apartan de lo real, y yo quiero informes claros.

—Bueno, este...

—Corre mundo, por favor; prueba en jales de otro tipo... Luego me vienes a ver, si fracasas, ¿entendido?... Pero acuérdate del plazo: no vengas antes de un año.

De su colmada cartera Abel Lupicinio Rosas extrajo quince billetes y se los dio a su ex empleado. Acto reflejo constante el bailongo de sus dedos sobre un bolsillo trasero en tanto que aguantador, como nunca lo había sido, soportaba de perfil la riada de impetraciones de... ¡caray!: lo visto al viso: ¿si llovizna musical?... Ni para qué contemplar la nerviosa media vuelta y los pasos arrastrados de ese pigre sinvergüenza que, apretando los billetes, se fue en serio condolido.

Detengámonos aquí porque vale traer a cuento una apostilla que aclare, aunque sea de refilón, el historial resentido de Abel Lupicinio Rosas. Es un vago silogismo.

Trabajoso por lioso su coraje tiempo ha, contra el gobierno en abstracto por haberle asesinado a su padre y a su hermano, Abel Lupicinio Rosas se hizo duro como un palo. Muy de raíz, eso sí, buena fe tenía de sobra, pero no se le notaba ni en su sonrisa de lepe ni en los tics de sus manotas que siempre revoloteaban. El trato con sus empleados, con la gente en general, era de tú allá y yo acá, cada quien en su papel de personaje fugaz hasta ganar la confianza; tiempo al tiempo y mucho roce y entonces sí los consejos cariñosamente enérgicos de un sabihondo hecho pedazos. La empatía a final de cuentas tras la ayuda proverbial: no muy altas cantidades pero útiles al cabo.

Por eso venían a verlo hasta quienes más lo odiaban (en promedio un ex empleado cada setenta y dos horas): ya pupilos de resultas, con la consigna a godeo de soportar sus consejos farragosos, reciclados, para enseguida, ahora sí, el dinero, por remate, automático en la mano.

¡Cómo no!, ¡así quién no!

Sin embargo: lo reciente –ya la excepción, asegún–: Conrado Lúa, el de Escobillo, el paseante sin igual: abusivo, sinvergüenza, que venía cada semana a contarle fantasías, como antes, porque sí; y Abel Lupicinio Rosas esa vez, la referida –si de una vez– reculó, pues de repente dedujo que su difícil fortuna, hecha durante años, dijérase: gota a peso, peso en gota, se iría a pique algún día de estos si continuaba soltándole dádivas al susodicho, cuyas historias, de plano, cada vez eran más posmas de locuras sin rehilo o irreales cual garabatos que se trazan con el dedo en la luna: desde acá. Culpable pues el peatón del tope puesto a los otros: pedigones eventuales, cuyas historias –¿pretextos?– tan sólo se limitaban a redondear un deseo de acuerdo a un menester: breve, empero, y casi credo, casi fábula crucial. Pues ni modo, ¡qué carajos!, porque de ahí en adelante para todos ¡niguas!, ¡cuernos!, ¡que no había ni habría dinero!, menos recontratación, por lo tanto ¡se acabó!

Capítulo dos

Pensar sin llegar a nada, figuraciones nomás. Desatino o tino a medias lo del arresto, y pues no. Palurda inexactitud de quién, de quiénes, entonces (Conrado Lúa ¿por lo pronto?) imaginando la acción del ejército: ¡sus métodos!, si eficientes y en aína; o bien, para ir más al grano: cómo se hizo la captura de doscientos correlones, o de más: en cuántas horas. Que si los guachos estaban enterados desde cuándo de esa marcha opositora, desarmada, ¡claro está!, para lo cual ya contaban con diez camiones o cuántos para el acarreo final. Si desde antes escogieron la zona de intercepción, la más despejada: obvio, y la hora: otra sorpresa: la estrategia ¡tan a hurto! ¿por qué diablos fue de noche?, como lo afirmó el chofer. Aunque esas suposiciones se las pueda hacer cualquiera ¿dónde informarse?, ¿es posible?, en una estación de radio: a lo mejor, más bien no; en los periódicos ¿sí?, es decir: en las ciudades... Es seguro que si algo se supiera, más o menos, ya habría corrido el rumor en friega hasta Remadrín... Lo que también es seguro es que si un manifestante, ¡uno!, al menos, se escapó de todasdas: airoso regresaría cuanto antes a su pueblo: ¡ojalá sí!, y obligado por la gente revelaría de pe a pa el suceso criminal, inclusive hasta de más, echándole sal y salsa... Pero ¡vamos! ¡qué esperanzas!, eso todavía hasta cuándo...

Tales reflexiones huérfanas, quizás últimas y útiles, como zumo de una escoria gota a gota predecible, pertenecían al, digamos (ejem):

ahora momentáneo caminante, o mejor dicho: corrido de su trabajo: Conrado Lúa, quien, muy propio, mas con los ojos llorosos, salió al alba de Escobillo, un villorrio retefurris localizado a un kilómetro al norte de Pulemania.

Traía consigo EL MUY SERIO –como es de suponerse, según estampa de viaje– una mochila gigante que le pendía de sus hombros y soportaba su espalda, y dos valijas de plástico de muy regular tamaño: en una mano una frágil y en la otra una ¿vacía?, más frágil, ¡sí!, mucho más, porque el paseo era más brusco que el otro: que casi no: si oscilaciones a modo: desiguales, por lo mismo. Y así calmo, pero enhiesto, abandonaba –¡con dejos!– para siempre su jacal, su otrora pozo de lágrimas, y despejado –asegún– de tanto telarañeo, ya tenía como destino la frontera –por principio– siendo su mira final nada más y nada menos que... Se imaginaba feliz en Canadá, por allá, lo más arriba posible, según su mapa escolar. Quizás hasta mero arriba habría bastante trabajo, y la paga, uy, fabulosa.

Piense y piense esperaría el autobús de primera que lo llevaría hasta... Pasaba a las siete y media el que iba hasta Villa Dunas. Porque irse a pie, ¿para qué?, traía bastante dinero. Su trabajo le costó ir juntando a cuentagotas billetes y más billetes durante casi veinte años de mezquinas privaciones. El ahorro promisorio le permitió darse el lujo de mandar todo al carajo; ultimadamente, o sea: si corrido, justo a tiempo, cuando aún tenía ilusiones y juventud a raudales. Esos treinta y cinco años...

Tras buscarle más trasfondo al despido, frío, de suyo, resultaba a fin de cuentas con gran lustre duradero. Muy a la sorda inclusive era el deseo de los dos: el adiós definitivo, y en cuanto a Conrado: esto: ya esperaba el desfiguro por parte de su ex patrón. Trama de acrisolamiento nomás por clavar el clavo que ya ha clavado la gente. Lo oído como inferencia notarlo ¡sin menoscabo!: los ricos son muy miedosos. Desconfiados de raíz (al cargar tanto billete asumía Conrado Lúa su condición de pudiente), sienten que el odio los ronda y con sobrada razón ven la avidez callandito en los ojos de cualquiera: rival-potencial-¡horror!: que pretende despojarlos de lo que con tanto «esfuerzo» han logrado retener. Mejor decirlo en directo: pávidos pigres nerviosos que ven moros con tranchete y de tanto ver, de pronto: mal que bien dizque se apiadan, porque no les queda de otra, de los que están hasta abajo. Y ahora vámonos más rápido: Conrado Lúa es el ejemplo. Caso aparte y ligazón de culpas acumuladas y sentimientos muy hondos porque viéndose hacia atrás: en reducción: remotísimo (en tanto que caminaba, ya no enhiesto, quedo pues, sin embargo ¿qué decir?... pasos, dudas, no desvíos, cual si fuese un burro tuerto buscando agua, pero ¿dónde?), bueno, entonces, a lo que íbamos: el ahora despedido quedó huérfano de todos a la edad de nueve años: sin hermanos, no tenía; sin parientes, ¿quiénes eran?; sin dinero, ¡a trabajar!, y sin padres, lo más feo, por ende, cabe un ensanche... La madre murió bien joven, de un infarto, pobrecita; mientras que el padre: ¿ejemplar?, se cayó casi ex profeso justo a dos meses de muerta su esposa –su otra mitad–, calculando la distancia para su descuajeringue, o sea, que estaba trepado en una altura que a varios puso los pelos de punta: allá, como equilibrista en las máquinas aduncas del molino en plena acción. Si en el último minuto el mal pudo redondearse con una duda ¿postrer?, o un deseo ¿no presentido? Pues ¡ni modo!: para siempre... Sólo resta imaginar el costalazo y el truene cual si figura de barro...

Tras lo trágico un enlace, pero antes: ¡alto aquí!, a manera de intermedio refrescante: unos minutos... Las dos muertes ¿tan buscadas?: no fueron manchas coloras en aquella correntía límpida de Pulemania, pues ambas acontecieron en la época de jauja de Abel Lupicinio Rosas. Tanteos en lo que hacía falta: que un gran molino de trigo para darle más revuelo al negocio de los fletes, ¡oh, amorosísima idea! –a la sazón una empresa iniciada cual si fuese menudencia o guasa vil, puntada dicha si viendo un espejismo a distancia y en el mero corazón de un desierto enhuizachado. Para más exactitud se apuntala lo siguiente: a Abel Lupicinio Rosas le cayó una gota de agua en un ojo y más aún en su niña izquierda, ay, cuando ni siquiera había nubes gordas en el cielo. Indicio de buena suerte derivado en prendidez, o para decirlo al tiro: chispazo trascendental que se materializó–, chispazo amoroso, entonces, convertido en tres patadas en un negocio tan próspero que el ya rico (más y más) se vio en la necesidad de comprar seis camionetas (con las tenidas, o sea: las de los fletes: tartanas, ya eran dieciséis ¡ajúa!: suma a la cual de una vez se habría de agregar el burro repartidor en los ranchos, los contiguos nada más), útiles para el transporte del costalaje de harina: primera y segunda clases.

Del reparto hay que decir que en sus comienzos aún no, pero no se acompletó un año –fueron diez meses– para que, por la demanda, se rebasaran los límites del estado de Capila y enloquecido el patrón se agenciara cuatro trailers: carísimos por modernos, y tal vez más adelante: otros: ¿cuántos?, porque, ¡claro!, la espiral productivista siguió hacia arriba y ampliándose: imán cada vez más fuerte, e irresistible y virtual, porque se corrió la voz de que urgían trabajadores.

Durante cuatro años y medio buena racha providente que debía de proyectarse como un floroso prodigio. Se articulan los efectos de relance, por lo mismo: en ringleras hormigueras llegaban brazos y brazos a Pulemania día a día. Y creció la población sin llegar a ser ciudad, ni siquiera pueblo grande; villorrio, en cambio, pomposo, por supuesto, mal que bien: modelo de auge en pequeño. Y como siempre sucede, hubo luego estancamiento, cierta circularidad, pero... Cada una de las razones ¿mencionarlas?, ¿para qué?

Lo que cabe aquí es lo amargo transferido ya en concreto al personaje en mención. Abel Lupicinio Rosas ocupó a Conrado Lúa. Un niño de nueve años ¡empezando a todo tren! ¿Se hizo las ilusiones?... Regla de oro del patrón: de entrada exprimirlo al tope para que entrara de lleno en la dinámica: misma: invariable del negocio. Lo malo es que los sudores imparables de Conrado le eran recompensados con un salario mirrungo que no le daba la opción de ahorrar billetes cafés; rojos sí, monedas sí: risibles por su valor, y quincena tras quincena. Ahora que: en cuanto al trabajo: mandadero responsable: por varios años: ¡fue estrella!, sin embargo: estrella rota, debido a que no aprendió a manejar camionetas, tráilers: ¡ni en sueños!, y: obvio: ya para qué mencionar las máquinas molineras; nunca de los nuncas: ¡ea!, puesto que no lo intentó. Luego la hizo de chismoso: oreja, pues, sensitiva: la de él que al alba salía a pie a los pueblos cercanos para enterarse de cosas de caciques y gobierno. Al respecto hay que saber que al patrón no le cruzó por su cabeza la idea de comprarle un burro: ¡nunca!; tampoco se lo exigió Conrado, y tenía razón, porque no sabía montar. Sin embargo, las venidas: prontas todas: clara la orden: aunque con ciertas licencias: si llovía, si granizaba, pero fuera de eso, esto: que no se le hiciera noche y que por ende en la tarde ya estuviera de informante, aunque... Le dio por la fantasía, a la postre, y fue eficaz; incluso abundó en pretextos para quedarse a dormir en el monte cuantas veces el cansancio lo venciera, e incluso mañoso luego ya nomás se iba a hacer guaje junto a la orilla del río (el único regional, mismo que estaba a una legua de Pulemania, o sea: a modo), y cobijado, también, por alguna sombra exigua de pirul o de chaparro, redondeaba hartas historias, sin empezarlas con lógica y sin lógica agrandarlas, y el resultado, si acaso, unas sensacionalistas y otras sin pies ni cabeza inventadas gordamente, y con sal, la indispensable, para que el patrón cayera en las redes de la intriga y le siguiera pagando... Pero el rompimiento: ¡ya!: de una vida de invención, a partir de: si volviendo: Conrado se dijo esto: *No hay duda que mi apá se dejó caer adrede. Sin mi amá a mi apá la vida le resultaba dema-*

siado poca cosa, o una inmensa tontería. Y dada su frustración yo no iba a ser su consuelo. Más cosas por el estilo iba pensando Conrado al acelerar el paso, pese a la humedad undosa de la niebla tempranera (en invierno así ocurría), mas los vientos por venir para despejar la brecha que a tientas lo iba llevando en directo a la parada de los camiones de ruta. La parada: una garita con techumbre de carrizo y escobillo copetón. Mas el recuerdo proclive aún reacomodo a favor, tenía que desviar sus ansias. Si el montaje aparatoso casi como atravesado: ver a su padre caerse fue una escena refundida en tonos medio grisáceos, soñada de mil maneras; sin embargo, para colmo, prevalecían dos constantes: una de ellas, la corriente: el ridículo aleteo de su padre y suficiente para flotar en el aire; siendo la otra más irreal por ser más insospechada: dándose varias maromas cual cirquero en su caída, llegaba al suelo su padre, de pie, como cualquier gato, y sonrisudo y ¿qué tal?, sin lesiones, ¡increíble!, y hasta diciéndole a cuántos: «¡Ah, ¿verdad?... No pasó nada!». Otrosí: las sutilezas variaban a tutiplén, a veces volaba el padre sólo durante unos segundos, a veces ni se veía el trayecto del desplome y a veces, como un arcángel, hasta remontaba el vuelo... ¿Y más etcéteras turbios?... Sustos más o sustos menos: sueños luidos transportables no sin angustia o asombro. Así también lo fatal: una vez, sólo una vez, soñó lo mismo más largo, contimás exagerado: el costalazo en el suelo debió ser casi fantástico... Tantas posibilidades... La cabeza desprendida fue a dar hasta un rincón ruede y ruede torpemente, y los brazos por allá, y las piernas flexionadas, solas, lejos, al garete, tratando de patalear. Ergo: despertarse a gritos y persignarse en el acto... Hubo otro sueño grosero, quizás el colmo de todos: tras la luz de una cachimba se trufaba una silueta: plasta blanca recalándose en un sillón mantecoso, plasticidad rediviva con ganas de ¿palabrear? Por ahí la voz del padre perfilada en altibajos de volumen chillador. Dicho sea: composición: de Conrado: porque sí: en un sueño fresco y fiable: *Yo ya estoy junto a tu madre, pero acá en el paraíso. Vente a vivir con nosotros. También cáete como yo de lo alto del molino. Hazme caso y ya verás.*

No estaba mal la propuesta, pero la vida acá abajo tenía encantos facilitos, momentáneos e imborrables, tan discretos como suaves, como ahora: verbigracia: caminar con las valijas y la mochila en el lomo a tientas entre la niebla huyendo de un infierno para ir a un purgatorio llamado *Estados Unidos,* siendo el cielo: ¿Canadá?... ¿NADA MÁS?, ¿SÍ?, ¿POR LO PRONTO?... Mmm... la cauda de placeres... Lo que era estar todavía batallando de este lado...

De este lado: ¿dónde, entonces?

¿Qué tal si se arrepintiera?

¡No!, al contrario, y por fortuna, enllegando a la parada reafirmó su única chanza. Al fin sabrosa descarga: restirarse, descansar, poniendo aquellos ajuares en el suelo... Mientras tanto... enrojecía el horizonte.

Inocente su mirada hacia un pespunte –¿hacia dónde?–. Por entre cerros, al bies: lejanos, siempre los mismos, los que vio, dimensionados, como predestinación: a tajos, desde su infancia, desde atrás de una ventana: los que estaban hacia el sur, en cadena rebordeada. Desde entonces hasta ahora por entre aquellas laderas se desprendía a troche y moche el hilo carreteril por el cerro, donde: ahora: triunfal, como nunca antes, el autobús se afanaba más pedorrero que nunca. Acercábase el trastrueque, porque –¡véase lo inminente!–: aceleró el autobús cual si previese el chofer una posible renuncia del pasajero en potencia. Pero justo fue al contrario: la ansiedad, la idolatría... ¿Conrado idólatra, pues?... Lo deslumbró aquel impacto de abrupta modernidad.

Mecánicas las acciones de meter en la cajuela (panza de abajo espaciosa: metálica y ¡con foquitos!). Los ajuares: hasta el fondo, y circunspecto el chofer (de cachucha y de corbata y gordinflón y oloroso a loción de pinabetes, es decir, ¿cómo decirlo?... mucha experiencia y paseos) exigiéndole en el acto que aflojara ya la feria para entregarle el boleto. Trámite y deseos en vilo, hasta que...

Capítulo tres

Tengo que mentir... Ésa es mi obligación... Mentir con categoría, con aplomo de chismoso... Y mentir es ocultar lo que no debe saberse... ¿Pero cómo hacerlo bien?... ¿Cómo hacerlo de a deveras? Se dejaba entumecer el chofer –¿ya recuerda?– por sus necias reflexiones. Repensaba, calculaba.

Tanto él como sus compinches habían recibido una orden, henchida de pormenores, y más que orden amenaza dictada en la oscuridad por un hombre enchamarrado y con cachucha de guacho. Por principio (y conveniencia) tenían que disciplinarse y aprenderse de memoria todo un código de normas largo y soso (y campanudo), dicho más bien como sarta de emergencias entrampadas. Y no había que darle vueltas a lo externo del meollo, sino: entender que la estrategia tenía un trasfondo político sumamente delicado, encubierto, si se quiere, y enredoso hasta el hartazgo. Un trasfondo cuyo peso recaía

–para acabarla– en la triste humanidad del indefenso chofer, quien, a cercén endilgado en sabrosas correcciones, de lo extenso nada más deslindaba lo tajante, recordando algo como esto: *Hable cualquiera de ustedes todo lo suelto que pueda, pero no toque los puntos que se les han señalado*. A partir de esa premisa: la pura y gorda inventiva a como fuera saliendo exhibirla con fe y gracia. Y empezaba a especular. Manejaba silencioso en tanto que sus compinches, metidos en la cabina, venían contando sus chistes y riéndose como locos, más bien nerviosos y pencos. Luego hablaron en desorden sobre su plan ¡a seguir!, que, en efecto, no era el suyo –dinero había de por medio y bastante sustancioso–, la cosa es que a ciencia cierta ¿a la postre podrían ellos cumplirlo al pie de la letra?

Presuponía lados flacos la aparente rigidez, el chiste era descubrirlos...

De hecho, para empezar –y eso fue dicho al final–, debían dar por descontado que les fuera a pasar algo. Aunque no lo pareciera, el ejército acechante, escondido en puntos clave e invisible de algún modo, controlaba aquella zona, lo que ya era un gran alivio. Los caminos, por principio; y los pueblos, ni se diga; y los ranchos, ya ni qué... (y la duda... ¿todavía?). Así es que tranquilamente podían andar con su carga de muerterío desangrado mostrándola sin problemas (para reconocimiento). Desde donde está ese rancho llamado La Saciedad hasta el mero Remadrín: el trayecto regresivo, o sea que: de aquellos sitios de paso el que se les antojara. Aunque... no se deberían tardar más de dos días en llegar a Remadrín ¡ni de chiste!

Entonces pues a lo suyo, pero... Antes de poner en marcha su mueble espectacular debieron saber cuál era su papel en este asunto. ¡Vamos!, no sería tan complicado, puesto que les era afín a su condición y lastre de pobres irremediables –bueno, después de cumplir la orden de pe a pa, ¡y ojalá sí!, serían ricos de por vida–: esto es: ARDOROSOS VOLUNTARIOS Y CON CARA DE INDIGNADOS. Histrionía. Perversidad. Un servicio para el pueblo que tanto lo merecía, mas a cencerros tapados, toda vez que terminaran con su encomiable labor, estos dizque voluntarios podían recoger el monto de su participación en Chacoterán, Capila. Le fue entregado al chofer un papelillo buchío en donde estaba anotada con horribles garabatos la dirección de la casa donde se les pagaría un dineral increíble. Asimismo, se les dotó de micrófono y bocina-caracola, sin faltar el monitor para medir el volumen. Tres guachos en media hora hicieron la instalación mientras el enchamarrado seguía precisando aspectos, el más obvio al fin y al cabo: explicarles en aína la prendida y la apagada de todo ese aparataje en perfectas condiciones –nuevecito, casi intacto–, y cómo manipular las tres peonzas importantes de las siete disponibles. «Las otras no, por favor...» ¡ENTENDIDO!... Más aspectos necesarios: gasolina para el caso, y además, los porcentajes calculados de comida para cuatro, más o menos, para unos cinco días, y también para cigarros, si querían, y: se les entregó un buen fajo de billetes de cincuenta; estaban consideradas cinco llenadas de tanque y la posibilidad de alguna descompostura, pero no... Es que el mueble era muy nuevo... Total, si les sobraba dinero, eso sería el adelanto. De hecho, el hombre enchamarrado les aconsejó dos cosas: evitar gastos superfluos y no tomar ni siquiera una gota de cerveza. *Para el calor compren sodas. No me vayan a fallar, porque, aunque ustedes no lo noten, estarán bien vigilados. De su buen comportamiento dependerá el otro pago. Si quieren hacerse ricos dentro de una semana tienen que cumplir con todo lo que les estoy diciendo.* Otros apercibimientos en rebaja aparecieron, más lindezas de pasada que indicaciones concretas, hubo una, sin embargo, que les levantó las cejas: *Háganla de comprensivos y manténganse en un gesto de absoluta indignación. Hasta tienen libertad de hablar pestes del gobierno.*

Y...

Retrocedamos un poco por mor de las quisicosas que se han quedado pendientes. Recogidos los cadáveres que estaban despatarrados en un área no mayor de unos veinticinco metros de la ancha carretera, con linternas y cachimbas entre guachos y chofer y compinches afanosos, se pusieron a limpiar el cruento y trascendental mugrero del pavimento. Pasteleada la cajuela, que tenía redilas cortas, la luz de la luna llena adrede la iluminaba, ¡oh, amasijo membranoso! Pero antes, como fue –de acuerdo a las estrategias corregidas de sentón, a la mesa, punto a punto, en solícita aveniencia de tácticos quisquillosos–, se cerró la carretera. El tráfico fue desviado muchos kilómetros antes, justo donde se bifurcan el camino a Fierrorrey (por donde obligadamente debían circular los muebles) y el que va rumbo a Brinquillo y se prolonga hasta el sur. También por el otro extremo hubo una desviación, en Brinquillo, a las afueras, nadie podía utilizar la carretera que va hasta el mero Villa Dunas. Si esa era la tentativa de algunos cuantos choferes, tenían que dar un rodeo por Fierrorrey y después tomar el rumbo de Misas-Pompocha-Múnriz para llegar hasta el norte. Dos pequeños batallones se encargaron de bloquear y mentir de buena gana arguyendo con donaire que el tramo iba a estar cerrado por espacio de diez horas, debido a que por la noche *se hizo una carambola de tráilers contra autobuses y hubo muertos y Cruz Roja y heridos y, sobre todo, grandes daños materiales.* Mentira harto convincente en virtud del menudeo de este tipo de reveses, al menos por lo que informan las revistas y los diarios. Y el espanto que suscitan, y también la comprensión, porque: si hubo atoro y con ejército en el caso mencionado, nomás hay que imaginar cuánta sangre relució, amén de los desfiguros.

Sería bueno darse cuenta, pero...

Ahora viene el desenlace previsto por el ejército en una noche de alcoholes que terminó en dominó y un friego de retadoras. Al estilo «capitán» jugaron nomás dos cabos y dos viejos generales. Y nomás había una mesa; por lo mismo, los cuantiosos retadores no hallaban qué hacer por mientras, si planear o ver el juego: juego de un sinfín de errores, dizque reñido, entrampado, pero aburrido y odioso, indigno del espectáculo. Además, eran puros principiantes; porque, es más, nadie retó a fin de cuentas y mejor se dedicaron a planear punto por punto: en el suelo de una vez, o sea: acá, isí!, acá el resto, o digamos el bulto de militares; porque allá: los memos jugadorcillos-borrachos poniendo fichas. ¡Claro!, que se quedaran allá. Que hicieran muchos zapatos toda la noche, sí pues.

Y lo previsto y revisto por el bulto de sesudos. Es decir (ejem), había que diseñar un plan de captura efectivo, tanto, que no le hicieran correcciones ni el teniente coronel ni el mismo gobernador. No hubo quién dijera «no». Concordancia y redacción con faltas de ortografía. La carta pasada en limpio por una gran secretaria, porque era muy «eficaz», llegó a manos sin demora del mismo gobernador, la secretaria también. Y la orden fue dictada por teléfono en la noche, cuando el jefe del estado tenía sobre su regazo a la «eficaz» secretaria.

Para bien del bulto aquel, no hubo ni una corrección.

¡Y al ataque en pos de la orden!, sobre todo, del extracto de la orden. Digamos que algo como esto: *con el terreno acotado el plan se simplificaba y era cosa de unas horas capturar a correlones.*

Luego...

Posiblemente en las faldas de los cerros circundantes hubiese guachos alertas, deseosos de interceptar a tanto desperdigado. Aquí encajan pareceres y barruntos quizás ciertos, mismos que pertenecían al chofer y sus compinches, por deslinde las sospechas de que lo peor y macabro todavía no acontecía. Si supieran la verdad... ¡Ah!, no estaban tan lejos de ella, isí, deveras!, mal que bien, y dejémoslo asentado de una vez para evitar mayores figuraciones.

Todo pareció cortarse cuando el hombre enchamarrado les dijo que ya se fueran. Retacados, mientras tanto, como se les ocurriera, en la cabina, y nerviosos el chofer y sus compinches. Una parte del encargo consistía en buscarle dueño a cada muerto de atrás. Mientras no hubiese un espacio disponible en la cajuela; retacados (ya se dijo) y sudando como bestias. Sin embargo, preferible era el retaque. Es que a ningún ayudante se le antojaba viajar al lado de los cadáveres y soportando el olisco.

¡Qué bonito fue observar para los encasquetados que la troca se alejaba! Serio encargo delegado a un grupillo de ambiciosos, con lo que –viéndolo desde lo alto de una pirámide abstracta– el gobierno vivaracho se podía limpiar las manos y decirle a la nación que no había pasado nada.

Capítulo cuatro

No hacían falta las palabras para que Conrado Lúa adivinara al chaschas la invitación a un placer tan de verdad sin igual. ¡Siéntese! ¡Duérmase! ¡Goce! Eso era un sobrentendido que el chofer no pronunció, pero que estaba predicho por el simple hecho de entrar Conrado, al tingo lilingo, al interior de aquel mueble: ¡comodísimo!, ¡lujoso!, y sentarse con firmeza como alcalde en su sillón, uno de tantos: vacío... Su vergüenza fue instantánea puesto que su vanidad se impuso ganosa y regia y el asiento terminó por ablandarla y moldearla, no sin que el nuevo viajero, ufano a más no poder, atisbara, por si acaso, en los suatos dormeríos circundantes: si contarlos... ¿Siete?... ¡No!... Y por inferencia seis eran los pasajeros que se hallaban en la luna a esa hora ¡y con razón! Siete: ¡no!: dado que uno tenía (ejem) aún sus ojos abiertos y sus cejas bailongueando: ceños: ¿muchos desconciertos?... Despiertos dos del pasaje si se cuenta a: ¡ya se sabe!, pero mejor no se cuente porque él también se durmió a las primeras de cambio... Si sobre ruedas Conrado y con su sueño hacia atrás como si recuperara de otro modo lo sabido ya en imágenes anómalas: todas fatales e ¿inciertas?...

Bueno, otra vez: figurarse. Desatino o tino a medias acerca de la matanza y de los manifestantes correlones, ¿capturados? En el sueño aparecía una cárcel ubicada en la mitad del desierto, pero ésa no, o ¿cuál?, entonces, era la ideal para tantos; o más bien, en correntía, qué cárcel de esta república podía albergar de un jalón a un número así de presos: doscientos y tantos, ¿eh?, enllegando a los ¿trescientos? En la región, por lo menos, las cárceles parecían casi casas de muñecas; y en el sueño más aún, como esa vista a distancia en la mitad del... ¿Sería?...

Entre espejismos el sol daba al traste con la casa de muñecas de repente. Tragedia onírica horrenda, y más porque aparecía un cuarto rectangular, pero con el techo bajo, en el que estaban los presos hechos bola, si embutidos, grite y grite, tanto así, que hasta parecía un concurso consistente a fin de cuentas en saber cuál de los presos era el que gritaba más...

Si oportuno el «hasta aquí» como asalto incidental. Alivio. Sacudimiento de Conrado al despertarse... Fue por culpa de una voz, misma que, con gran donaire, informó algo necesario:

–Estaremos en Pompocha solamente diez minutos... Por favor, los pasajeros cuyo destino es aquí, tengan la bondad de recoger su equipaje con la persona encargada de abrir la cajuela de la unidad. Enséñenle nada más su comprobante y ¡ya está!... En cuanto a los pasajeros que continúan el viaje, tienen tiempo suficiente para desentumecerse, o ir al baño, o comprar algo... Todo es que así lo deseen.

La voz del chofer, enfática, y bastante enronquecida, salvó a Conrado de caer (en otro sueño profuso) como pandorga chafada de las máquinas ¡aquéllas!, tal como lo hizo a propósito su padre por ¡puro amor!: para alcanzar a su esposa, de rebote: alma en el cielo, madre ¿pura?, jovencita, que se fue llena de gloria. Otrosí: especulación: el aleteo inverosímil, entreverado a cercén con el vuelo corredor de aquellos manifestantes, embutidos ¿al final?... Entonces despabilarse podía ser una premura demasiado entarascada, pues tanteador él se daba a toda esa vanagloria que era la vigilia en ciernes. Y esa vez fue lo contrario. Contra sí las transgresiones de ruda saturación, al menos estaba de ánimo –contimás si se trataba de un lapso de diez minutos– para soportar con creces muchedumbres circulando en la estación de autobuses, en concreto, menos-menos: y algo: ¿como?, ya recreo; pujante fugacidad. No sin agregar, de paso, el frenesí incomparable de ir a orinar ¡a capricho!... ¿Eh? De una vez: prevenirse, no fuera a ser que en el viaje... ¡Fue entonces que se dio prisa!

Mundo, o mundillo tenaz: posible de todas –¿muchas?–, de gente que busca y busca porque al parecer encuentra casi todo cuanto quiere, y eso es vicio contagioso difícil de eliminar, siendo que –por asegunes–: para bien o para mal la vida de la ciudad es un trasunto sanguíneo: si excitación de continuo –paradoja de la angustia– y ámbito de personajes hastiados de su papel, porque en reducción y empacho ¿cuándo podrán darse cuenta que son y han de ser personas tan comunes y corrientes? En diez minutos, si menos: una máscara cualquiera: cuál se pondría el ex chismoso para ir al baño a orinar. No sabía si el entrecejo o las muecas de sorpresa. Mejor tener la mirada algo así como perdida, no obstante ¿cómo abstraerse?... En virtud de su hurañez, teniendo para acabarla una ristra de orinones a ambos lados (y morbosos), sentía que por el mero hecho de sacarse su pilinga en ese lugar tan público, sería observado de reojo, no tanto por ver su cosa, sino por el chorro en sí, a ver si salía bien fuerte... Al principio no, ¡qué lata!, ni a base de sacudidas el chorro salía uniforme. Es que eso no era posible. Tenía como doce horas de no tomar nada de agua y por tal razón sentía que estaba haciendo el ridículo. Detrás de cada orinón había dos, tres orinones, por lo cual: trancapalanca: la presión de hacer la chi era comprometedora, y si nomás le salieran puras gotas infelices de seguro los demás se burlarían de lo lindo por tan pésima regada.

Ni modo de disculparse. Las disculpas no valían, pues la gente de ciudad no era perdonavidas. La cosa es que estaba allí esforzándose a lo bruto. No quería ser señalado por... pero... En lugar de concentrarse en si salía o no salía el chisguete amarillento, quiso pensar en las trabas que aquejaban a la gente de su ámbito regional.

Desatino o tino a medias: otra vez figuraciones: para atisbar en el «¿cómo?», deslindando de su sueño la cárcel vista a distancia, y de cerca, al cabo: ¡horror!: el cuarto donde... ¡El retaque... nunca lo debió soñar!, dado que la captación de aquella loca matanza la hizo estando despierto; sin embargo, ya con rumbo: cómo podrían informarse los habitantes de Piélagos, Salimiento, Remadrín, Metedores y San Chema, más ranchos circunvecinos sobre tantos correlones y dónde sus derroteros. Si en Pompocha los periódicos dijeran algo al respecto cuántas pistas habrán dado o qué tantas para que alguien ya hubiese dado el aviso. Pero todavía el reproche poco menos que mediato: trunco, aleve, farfullero, para preguntarse a hurto si a la gente de ciudad le importarán de a deveras los problemas que suceden en los pueblillos y ranchos...

Cayeron tres gotas ocres. Conrado cerró sus ojos a modo de sofaldar su parecer embrollado...

Desatinos ¿todavía?... Figuraciones a medias, porque en ensarte algo más... No dejaba de ser raro que el mandamás y cacique de Remadrín no estuviera en su pueblo –¡oh, sinvergüenza!–, dando la cara ¡pues sí!, a la hora de la hora, cuando sucedió lo peor... De oídas supo Conrado del tal descaro en aína... Y estirando los efectos... Ya a estas alturas, ¡caray!, a la gente de los pueblos no le queda más opción que los medios indirectos... Leer cartas, las que lleguen a cada pueblo: una idea: última: ¡sí!: no del todo equivocada. También de ahora en adelante los teléfonos serán, al igual que los telégrafos, los medios de información donde se podrá saber algo acerca de... El hilo del pensamiento se cortó porque –¡carajo!– al fin se hizo el milagro. El otro hilo, el de la orina, no muy fuerte, pero en firme, bañó el mosaico pringoso por más de cinco segundos. De ahí que la conclusión de Conrado, pese a pese, resultara providente: *Ya he rebasado los tiempos de chismoso, y a otra cosa... A mí qué diablos me importa lo que ocurra en estas tierras, siendo que pronto estaré encantado de la vida en los Estados Unidos, y después en Canadá.* Tímidamente, por tanto, levantó su puño izquierdo: el que le quedaba libre, y sonrió como un cachano cual si cantara victoria. Su orina sobre lo hediondo, sobre aquel atascadero de urbe inmunda y delirante: dizque: ¿sí?... ¿Tarea acabada?... ¡Orinarse en la ciudad y hacerlo con mucho gusto!: En Pompocha y ¡¿quihubo y qué?! Chula su valentonada como ungüento contra sí, tanto que al guardarse el miembro no tuvo la precaución de abrocharse la bragueta, ya que a lo loco movió su cabeza por doquier a ver si veía periódicos (un voceador, algún puesto), y no, ¡diantres!, y también: tenía que irse cuanto antes porque el autobús ya se iba. Pues qué hombre tan «sin embargo», es que andaba sin calzones y: no se le fuera a salir y: las burlas-risas-quejumbres le valieron cacahuate, porque él, muy al contrario, se dirigió al autobús caminando saleroso como un héroe de película, indiferente al escándalo que ya se estaba formado. Fue el chofer quien lo previno:

–Disculpe que lo moleste, pero... Antes de tomar su asiento... Por favor súbase el cierre...

–Ah, qué bárbaro, ni siquiera me fijé...

–¡Ande, súbaselo rápido!

–Es que a veces se me traba, pero ya lo voy a hacer...

–¡Apúrese, por favor!

Al cabo de unos segundos de visible forcejeo se lo subió a la mitad.

–Parece que hasta aquí sube.

–Bueno, pásele a su asiento porque ya es hora de irnos.

–Sí, ¡vámonos pronto de aquí!... ¡Ah!, disculpe ¿cuánto falta de camino?

–¿Usted va hasta Villa Dunas?

–No, yo me quedo en Pencas Mudas.

–Hasta allá haremos tres horas, por lo menos... Pero ¡ande!, ¡tome su asiento!

–Sí... Perdón... Este... Bueno... Está bien... ¡Vámonos ya!

Conrado quería decirle que le abriera la cajuela para sacar su mochila; que le diera unos minutos para ir al baño a cambiarse... Pero, bueno...

Capítulo cinco

De toda esa pepitoria de problemones a medias, se destaca el ingrediente sacado en última instancia: *el teléfono*. La clave. Lo demás es lo de menos. Bosquejos y replanteos. Nudos para desatar.

Capítulo seis

Al igual que en muchos pueblos de por aquí, en Remadrín hay sólo una caseta telefónica. Sin embargo, más que un beneficio social, el dichoso avance tecnológico ha sido una aparatosa fuente de suspenso e intriga; sea porque son pocas las llamadas a diario recibidas, o sea, también, porque es un problema andar localizando a la gente llamada. Mas cuando eso sucede se entera el pueblo todo, o casi, pues la tal novedad provoca comidillas, mismas que por infundio degeneran en fantasías tremendas cuya propagación termina hasta que llega otro telefonazo.

Sirva la referencia para traer a cuento a Dora Ríos. Una cara bonita y un espíritu amargo, aunque por los afectos el sinsabor no fuese más que la mondadura que debería quitarse, porque: huérfana desde niña y recogida por unos familiares regañones de más: a puros cintarazos la educaron. El pronto resultado fue su rencor: empero silencioso, en un rincón de lágrimas: secreto, donde se alimentaban sus deseos trabados durante años. Y es que Dora anhelaba escaparse cuanto antes de ese cuadro drámatico. Su rebeldía cuajó cuando fue veinteañera. Robada por su novio anduvo a la deriva; aventureros ambos al puro dale y dale sin parar y no encontrando asiento en ningún lado, probaron suerte en Texas y no les fue muy bien. No conseguían trabajo. Pordioseaban y aparte –con angustia– dormían al aire libre donde les daba sueño. Además: ilegales huyendo de la migra, sin mascar el inglés ¿qué podían esperar?

Escoria de la escoria dentro de un engranaje aceitado hasta el tope, siempre estaban al borde de la eliminación. Y sucedió bien feo.

Fue una noche allá en Austin.

Una pandilla de negros, de esos casi azul marino, asesinó a cuchilladas a su novio tan querido en un parque solitario. Dora en vez de entrarle al quite se echó a correr por las calles bastante aterrorizada. Terror en verdad extremo, tan abarcador, incluso, de no sentirse segura aunque viviera escondida. Supo que no encontraría ni paz ni progreso a medias en ese país grandioso. Entonces: no le quedó más opción que regresarse bien *cuicli* –dicho sea: con una mano atrás y otra adelante– a Remadrín, aquí, donde, cuán más, cuán menos, la suerte le sonrió.

Oportuno fue el retorno porque: justo por esos días andaba calentándose la idea de instalar en esta área del país una red telefónica moderna. En principio... Estupendo... Pero luego, tras pertinentes cálculos de costos, el proyecto jamás cristalizó. El logro fue distinto, pero fue. La determinación de los de arriba consistió en instalar una caseta en aquellos villorrios que anduvieran muy cerca o no muy lejos del millar de habitantes. Lo de la red sería para después, digamos ¿en seis años?, cuando la autoridad tuviera más dinero.

Han pasado dos décadas y nada, excepto las excusas tendientes a aumentar cada vez con más dosis de ficción. Pero antes de seguirle exhibamos de nuevo la premisa: el regreso de Dora a su pueblo natal, donde no por azar sino por chispa, presintió y encontró su buena estrella: tarde, es cierto, pero todavía a tiempo para pedir perdón: concretamente, ya sin necesidad de hacerle al teatro. No había por qué llorar ni arrodillarse. ¡A levantarse pues!, con jalón a favor: definitivo. Entonces, tal como lo deseaba ¿sucedió? Pongámosle paloma de una vez.

Entiéndase también que ante una adversidad tan alarmante la tristísima viuda regresara segura de que aquellos parientes regañones se apiadarían de ella dándole asilo sin cobrarle un quinto. Eso no fue difícil –ya se dijo–, pero sí sorpresivo. Y consiguió trabajo sin pedirlo.

Tan buena suerte tuvo que no tocó siquiera ni una puerta. Al contrario, más bien, a ella se la tocaron. Pasada una semana, una comisión técnica formada en tres patadas por don Romeo Pomar, el alcalde-cacique, luego de analizar perfiles positivos de posibles empleados, llegó a la conclusión de que en el pueblo no había nadie más apto que la recién llegada para estar al pendiente noche y día de los telefonazos. No fue por su fogueo en el otro lado de talacha hasta el tope, sino por su tragedia incomparable. Por ser viuda pobrísima, por conmiseración, fue que el alcalde optó por contratarla.

Sobrio y al margen fue: tímido el comentario salido de las bocas de esos caros parientes (ahora perdonadores), y el efecto chocante... Dedúzcase el rumor impredecible, dramático y faltoso, y contimás veloz e inflado al tope, etcétera y etcétera, y de repente Dora: ¡personaja! ¿Cuántos dedos de allí la señalaron como piltrafa humana?, los que fueran no fueron los dedos importantes; los de la comisión en cambio sí... Agréguese el dedazo del alcalde.

Cierto: más que simple caseta el plan era tener un local amplio: chulosa instalación. Dado el requerimiento de virtual permanencia, Dora estaba obligada a vigilar de cerca el monstruoso aparato. Bosquejada entre líneas la descripción de la orden, en medio de una extensa perorata asaz salpimentada de nociones morales por parte del alcalde, unas seis, siete líneas del engolado fárrago le servirían más tarde a Dora Ríos como contrarrespuesta. Cierta la transparencia del deber, pero –a raíz de lo expuesto–, ese local debía tener recámara, excusado, cocina, muebles varios, en fin, lo indispensable para quedarse allí... Su exigencia cuajó... Sin contratiempos pues, sin pompa ni luzazos, fue un sábado en la noche cuando se realizó el acto inaugural. Dora un poco encogida dando gracias de más a los frescos enanos burocráticos mostróles la mazorca de sus dientes, y enhorabuena el brindis con sidra Copa de Oro. La realidad: mañana. A partir de mañana a primera hora se le subiría el puesto a la cabeza. ¡Ea! La primera llamada la recibió después de una semana de estar en ascuas viendo el teléfono muerto, la calle solitaria y las paredes blancas. La espantó la chicharra a mediodía: ¡milagro!, porque la aburrición de plano sí era en serio, empero lo contrario: pedía una voz nasal hablar con un fulano de nombre Roque Mesta, domiciliado allá en el Ojo de Agua, un lugar cuyo enclave estaba tras la vía del tren que va a Escamilla, un poco hacia el noreste, a más de tres kilómetros y medio de Remadrín saliendo en diagonal para tomar el rumbo de las huertas. Al trote, o mejor rauda, tenía que recorrer la viuda apuradísima el tramo tal a fin de reportarle al susodicho que se comunicara por cobrar a San Juan de Cosillas ahora mismo. Y fue –pues no había de otra– la encargada –en directo– en busca del fulano, el cual no estaba, ¡uy!, y no hubo ni un jodido por ahí que le dijera dónde podía estar. ¡Qué fastidio el regreso a pleno sol y qué ganas de echarse una caguama helada! Se la tomó la pobre en una tienda con ansiedad de burra zarancona.

El segundo timbrazo fue en la noche, como a eso de las diez. La misma voz nasal. Pero ya Dora Ríos tuvo algo que decir: *Roque Mesta no está. Lo fui a buscar y no. Ni los vecinos saben si aún vive o a dónde se pintó. Yo creo que lo mejor...* Grosero fue el cortón del otro lado, un cuelgue sin adiós, berrenchinado. Favorable y moldeable el argumento para la viuda que, ante una circunstancia de dundos gatuperios, podía chancear a modo variadas causas lógicas para exigirle airosa al mandamás un mínimo de apoyo: con un par de chamacos recaderos el servicio sería realmente bueno. De entrada nomás eso.

Y...

Volvió a brillar su estrella.

No pasaron ni veinticuatro horas cuando ya tenía a dos bajo sus órdenes.

Se sutiliza a modo la razón: o vigilaba al tiro el aparato sin despegarse nunca o no iba a resultar haberlo puesto sin prever los problemas que iba a crear. Petición socorrida por un jefe menor, un «¡cómo no!» (se entiende, es necesario). Y unos chamacos de esos que no estudian, pero de caras listas, relumbrosas, con las cejas paradas y boca-pelotita, con pinta de obedientes, le llegaron temprano, despertándola.

Pues hubo entendimiento de buenas a primeras, y hubo duración.

Se acostumbró la gente a ver correr a aquellos informantes durante las horas pico (durante años –si bien– algunos altibajos): de las once a las dos el sonadero, se acumulaban máximo –a rehílo– unas ocho llamadas, y a correr y traer solicitados si es que podían venir, o si querían, si no el recado en labios de un chamaco era forma de treta y tergiversación, y hasta corría el peligro de caer en sensacionalismos pecinosos. Duplicación, entonces, de llamadas como quiera que fuese: cuarenta en ese lapso cuando mucho: una por el aviso y otra por la respuesta... ¡Súmele por su cuenta y ya verá si no!

Por falta de costumbre, en un principio, varias anomalías se presentaron. Es que: durante el horario diurno lo que fuera. Prácticamente muerto en la mañana: el teléfono a veces –como algo excepcional– a destiempo sonaba, hacia la madrugada: por ejemplo, cuando aún no llegaban los chamacos. Su horario era de nueve a cinco y media... (Dora se dio buenas mañas para no alzar la bocina ni antes ni después de...) Media hora disponible para ingerir alimentos cada uno por separado, digamos que entre dos y dos y media. Y en la tarde el bajón. No había llamadas.

Hablemos ahora de la autoridad, la cual está –asegún– sujeta a tantas leyes. Siendo proclive al leguleyo trato –los empleados chamacos no eran gatos sino trabajadores, así es que dando y dando para evitar problemas– la autoridad estableció cuanto antes arreglo cucañero de por medio por ocho horas exactas. Púberes ambiciosos, mas no tanto, y con diploma en mano de educación primaria antes de cualquier cosa. Cumplido el papeleo (acta de nacimiento ¿para qué, y fotos tamañitas ¿para qué?) ahora sí que los padres al respecto pusieron condiciones, la mayoría, si bien, lindezas rebatibles, pero la principal: DURANTE LAS NOCHES NO.

Y un alegato aparte: ¿por qué lepes y no garzones frescos con ganas de jalar? Por la velocidad únicamente. Mas la razón secreta de la gente de arriba tenía una desviación camandulera: la maleabilidad y la prestancia acorde con la salva y el candor, aunque de todos modos el salario debía ser fruto lícito y puntual de un servicio específico...

¿Verdad?

Capítulo siete

¡Qué curioso que a la fecha los buitres, los «comemuertos», ronden poco por aquí! En el cielo regional ya casi no se les ve, ni mucho menos en tierra comiendo lo que les gusta. Alguna imponente fuerza o un blindaje repulsivo (ambiental e inadvertido) les ha impedido, como antes, planear y hacer de las suyas; e impenetrable se ha vuelto en términos generales esta parte del desierto no solamente para ellos sino para los chanates (tan comunes y corrientes) y otras aves de altos vuelos como pueden ser las auras. La razón ¿quién la supiera?

Esto lo sabe la gente sin enredarse en misterios. Tiene valor el fenómeno sólo por comparación. Y es que: antes la naturaleza ofrecía más colorido, y por ende percepciones más allá del puro ver. Ahora lo gris ilumina y reúne medianías: la entera desolación y la increíble tristeza maravillosa y sensual, porque lo triste es alegre y lo alegre es incompleto (escoria prefabricada) y más vale que se vea con buenos ojos lo feo.

Sin embargo...

Hace años por la tarde abundaban las parvadas de urracas, auras, chanates. Movimientos en el cielo y en fuga tintes y formas de lineazos tabarreros, como también en desliz colmando los pinabetes de la plaza principal. En Remadrín el concierto de una hora por lo menos era fiesta cotidiana. Tonos altos y afinados de solfeo prevaricante. La plaza cobijadora y la tarde socorrida de jubileos en rebaja, en trasunto sugestivo, otrosí: vivos colores en contraste con la música... Y el degenere a propósito, siendo que: los pajarracos cantores acababan por zurrar a la gente que buscaba un solaz bajo las sombras. Tras la afanosa soltura –toda vez que terminaba con estridente descarga lo que empezó como canto– muy despichados los novios enllegaban a la plaza limpiando primeramente con papelillos las bancas.

Una hora de ironía venial y reminiscente... Tras la tempestad la calma.

Y el mugrero por doquier.

Una hora torrencial, estarcido de otro tiempo que quién sabe si regrese. Que regrese por absurdo, por romántico ¿quizás? ¡No!, a la fecha aquello no. Y la gente se pregunta: ¿a dónde diablos se fueron esos pájaros zurrones?, ¿y por qué no han regresado?

Pero ahora ¿qué decir?, ¿querían hacerla de espías? Eso era inexplicable.

Capítulo ocho

El dato que faltaba: establecida la semana inglesa para los recaderos. De trámite nomás un documento escrito acá en confianza, porque no hubo un contrato de a deveras. Hubo un papel dedeado por los lepes en la parte de abajo. Y en la parte de arriba la imagen estrambótica del buitre azul posado en dos chaparros zampándose a un tlacuache, para dar a entender lo etiquetero de aquel rigor de pacto. En la parte de enmedio el credo de unas frases que de tan transparentes se volvían tarambana demasiado sintética, es decir —y perdón— sin aire ni argumento, cual si fuese una escala de peditos monótonos, ¡ah, sí!, y en sube y baja apenas: ¡RELAMIDA!, pedante hasta las heces... Pero con el atributo de ser fundamento y baba ordenada y oficial... En sí, pues, había que interpretar el documento de una sola manera: ¡pura lealtad y punto!

Documento imperioso —paparrucho— dizque lúcido y frío. Mas no un legajo de esos de tres o cuatro hojas donde se puntualizan claramente cuáles son los derechos y las obligaciones de quién con quién y cómo: para empezar y para terminar.

Para empezar ¿por dónde?

De entrada las restricciones eran para Dora Ríos. Aunque... De lo malo aprovecharse porque hasta las cinco y media ella podía estar sentada en su mecedora de haya oyendo no sólo el ruido relinchador del teléfono sino las radionovelas transmitidas en cadena, o si no canciones de antes, o si no... Todo hasta las cinco y media.

De ahí para adelante los potenciales sustos, las sonadas, la friega de pararse cuando no lo deseaba, pudiera suceder... y sucedía sin más. De modo que la viuda por las noches (sólo algunas hasta eso) como anduviera: mal o regular o a veces motivada —lo cual era muy raro— o laxa o al desgaire, tenía que acomedirse a caminar los trechos a bien de dar recados oportunos. La salud no importaba en ningún caso: o lo hacía o la corrían.

Pero la aberración no tardó en presentarse. Luego de algunos meses la gente llamadora se percató de que era más barato telefonear de noche, por ahí de las diez en adelante, dado que durante el día se suscitaba por lo común y al tope la congestión de líneas. Los bloqueos infelices parecían propiciados por tramposos incógnitos a modo de rehinchir invitaciones, las llamadas nocturnas disfrutables, además las ventajas del abaratamiento, evitando el abuso o la acumulación antes del mediodía, el tiempo clave y lógico que va desde las nueve hasta las doce. Por la tarde: mejor, y por las noches todavía más fácil, y entre más noche más.

La absurda consecuencia dio al traste para siempre con la comodidad. Se acostumbró la gente a ver a Dora Ríos deambular en lo oscuro por las calles y a fuerzas. Y aunque ella peleó durante cantidad de años para que por favor le concedieran otro turno (nocturno), de las siete a las tres de la mañana, otro par de chamacos mejor remunerados, los superiores le dijeron seco que ni chamacos ni barbilampiños ni mayores de edad ni nadie pues, ni para qué insistir, dado que no contaban con presupuesto extra para sus necedades. Y ante tan deschongadas precisiones más de una vez la viuda argumentó que se podía cambiar el turno diurno, trasladarlo a la noche. Entonces dar al traste con las formalidades, lo dicho: repetirlo, pero con más aplomo, y he aquí las palabras de un jefecillo de esos –*Si no quiere el trabajo déjeselo a otra gente. Hay muchos que hacen cola desde hace varios meses y es seguro también que están dispuestos a no decir ni pío*– que tanto se envanecen por ser autoritarios. Revirada fatal hacia la condición aguantadora de quien por menester estaba aún muy lejos de un «pero» valedero.

¿Agachar la cabeza o renunciar?, lo último jamás, porque aun con tamañas limitantes la mujer sentenciada podía ejercer poderes subrepticios. En revancha las tretas por hacer, empezando por una cuya derivación iba a calar más tarde...

(Engañosos los haces de su estrella. Potencias que se ablandan y se hacen pequeñez.)

(Molde que se endurece, pero que nadie ve.)

(¡Eso!)

A fin de oír la radio, complacida, la señora no se iba a molestar más de la cuenta: ¡nunca!

(¿Nunca?)

Que si entraban llamadas casi a la medianoche tendría dos, tres opciones para frustrar el trámite diciéndole en principio a un equis apurado que llamara mañana antes del mediodía, para ir a la segura.

Entiéndase la causa: ya con los recaderos correlones, prestos y cumplidores sería mucho más fácil ¿sí o no? Mas no faltaba el memo que exigiera prontitud pese a pese, dado que se trataba de un aviso secreto, casi de vida o muerte. Y el truco diablo al tiro... Ante una necedad apabullante –y faltaban más dedos en la mano para contar los casos– lo que hacía la señora era echarse una arenga telefónica a bien de revelar parte por parte ciertos puntos confusos de un largo reglamento inventado en caliente para desesperar al demandante, y también, lo mejor, para que le saliera al fin y al cabo bien cara la llamada. Mediata consecuencia: el iracundo cuelgue.

Que no se repitiera, sería el mensaje oculto, y cuestión de criterio y ay de aquél...

Aunque si bien es cierto, los favores nocturnos dependían netamente de lo cerca o lo lejos que estuviera la dirección de los solicitados. Es que si era a la vuelta de la esquina, hacia los cuatro puntos cardinales pero nomás doblando, más de modo concreto: a una cuadra y media como máximo, qué tanto le costaba a Dora Ríos traer hasta el local a tal o cuál y rápido. *Vuelva a llamar en una media hora, voy por...* etcétera, ¡a volar! En tanto que si algún solicitado tenía la mala suerte de vivir, en relación al trazo imaginario, un poco más allá del perímetro céntrico, la viuda para ello tenía contestaciones impígeras como esta: *A estas horas no hay nadie en el local que salga a dar mensajes. Deletréeme el recado. Le suplico sea breve. Aquí voy a apuntarlo. Mañana al mediodía...* Un secreto de oficio a fuerzas encontrado para ardid comodino. Aparte el devaneo, aparte la zorrez. Un juego delicioso para sacarle jugo, porque: la cosa era ir llenando de ideas alrevesadas cuadernos y cuadernos que además le servían de calendario.

De acuerdo a las urgencias los apuntes. No se daban seguido: fechas a la deriva y páginas en blanco. Empero, para mal, en los casos de muerte no había hacia dónde hacerse. Esa era la excepción. Entonces...

(Figura enrebozada y como dije –a modo, ¡sí!– una pluma colgando de su cuello. Tesoros escondidos en su ropa: hojas sueltas, libretas, recados por escrito.)

(Sombra menesterosa por las calles: alargada también en las paredes. Desleída en el monte.)

Malas noticias siempre, aviso ineludible: se acostumbró la gente a ese terror nocturno...

Y muchos esperaban que ojalá no llegara la sombra de mujer a tocarles la puerta. Pero otros tantos no, ni se inmutaban –pasaron varios años– porque: a pesar que el teléfono siguió sonando a diario hubo gente a la cual aún no le llamaban ni tuvo que llamar a ningún lado. Probablemente en unos cuantos días la mujer –¿cuál mujer?– viniera –¿quién era ella?–... Historia soslayada pero cierta. Los desaparecidos podían llamar ¿acaso? Voces inexistentes ¿todavía? De oídas la verdad, por tanto ¿era mentira?

Capítulo nueve

La vez de la granizada es la idea fija que cunde en las personas de edad. Bolas de hielo mortales como acción inverosímil. Engarruñadas las nubes: agresivas descendieron techando al pueblo en lo bajo para apedrearlo durante horas. Y el tal hecho se recuerda como advertencia diabólica. Heridos hubo sin cuento y muertos sólo hubo cuatro. Pero vacas, burros, perros –los caballos desbocados no lograron escaparse– llenaron el panorama de escozor esqueletero y buitres echando eruptos en festín apocalíptico. Pigres pájaros glotones: cantidades se juntaron. Venidos de lejanías, atraídos por olores de putrefacción y sangre al que bien podría llamarse «paraíso de la gula». Luego el desvanecimiento, la agobiante borradura fue imagen que tuvo brillo y miradas de por medio. Recrudecido el recuerdo que terminó en mansedumbre, empero los calosfríos: senda recuperación de una ya lastrada escena: ¡comensales picadores queriendo desgarrar almas!, por igual el sortilegio, porque sí, ansioso revoloteo ante el invisible ascenso, al fin ocre, parte a parte... Parecieran otra cosa esas formas en lo alto (tácticamente minúsculas). Serían indicios acaso de algún mal o un privilegio.

No faltan los optimistas que ven en esas presencias, por demás reconocibles, la merecida alegría para todos los de aquí, la alegría sobrentendida que no tardará en llegar.

Capítulo diez

–Este... Ey... ¿A dónde va? Espérese un rato más... Antes de que usted se acueste yo quisiera preguntarle...

–¡¿Qué?! –retrocedió el anfitrión mediante taconeos secos fingiendo a regañadientes no interés sino... En su mueca descompuesta se insinuaba una sonrisa demasiado acartonada. Era el colmo de preguntas por parte de Néstor Bores, a quien le dieron la cama principal de aquella casa. ¿Más caballerosidad? Un coloquio hasta el copete acompañado, si bien, de bostezos boquiflojos o siluetismos de cueva con dientes y campanilla, así como despedidas con ademanes nomás. Empero, desentendido, el líder hacía preguntas como las que hace un huerquillo de tercero de primaria: las respuestas, por lo tanto, eran aproximaciones, y por eso la insistencia.

–¿Qué? –volvió a repetir (más quedo) el anfitrión acercándose.

–Oiga... Este... ¿A poco es cierto que a nadie se le ocurrió preguntarle al chofer a qué otros pueblos de la región según él debía de ir con su montón descarado de cadáveres para mostrarlos y todo, a sabiendas que el olisco se podía quintuplicar? Digo, porque me imagino, que no se podrían pasear durante muchos días así, o al menos yo no lo haría.

–Pues hasta donde yo sé, nadie le hizo una pregunta como esa que usted pregunta, pero puede ser que sí... Puede ser que sólo uno le haya preguntado eso y lo malo es que ese uno no nos lo dijo a la gente.

–Si no se lo preguntaron cometieron otro error, porque con sólo saber a qué otros pueblos iría ya tendríamos muchas pistas.

–¡Sí!, es verdad, la multitud la regó. Pero ya no se preocupe. Duérmase tranquilamente... Además, mañana iremos a Pulemania ¿qué no? Es probable que allí mismo encontremos al chofer y salgamos de problemas, porque nomás ahora ¡súmele!, con el dueño de la troca y el chofer pues ya tenemos a dos personajes claves para platicar a gusto.

–¡Ah!, pues sí... y, este... ¿usted dónde va a dormirse?

–Es igual, en el suelo o en un catre que me preparó mi esposa... Pero usted no se preocupe.

–Oiga, mmm... me quedé con un pendiente.... ¿usted sabe si invitaron a dormir a alguna casa al hombre que nos habló del señor de Pulemania?... ¡Caray!, ¿cómo se llamaba? Carlos, Camilo, Conrado... ¿cómo?

–Mire, no me acuerdo de su nombre... Y en cuanto a si lo invitaron, yo creo que alguien lo invitó...

–Es mínima cortesía, ¿verdad?

–Sí, pero verá... Mejor vámonos durmiendo...

–Ese hombre es muy importante para nuestra comitiva.

–Bueno, con todo respeto, yo me paso a retirar. Pero si algo se le ofrece, usted nomás me echa un grito.

–Disculpe... ¿Cómo se llama?

–Ciro Abel Docurro Piña... ¿Y usted?

–Soy el mero Néstor Bores, ¡por favor!

–Pues, entonces... ¡Buenas noches!

Se retiró el anfitrión dando tres grandes zancadas.

–Bueno... ¡Oiga!... Pssst... –sin embargo Ciro Abel ya no le hizo ningún caso–. ¡Yo-me-levanto-a-las-seis!

Ululato sentencioso. El cansancio es el que afronta lucidez contra desvelo; en desgaste de intentonas –resistencia que no es– Néstor Bores miró al sesgo su aparato de sonido colocado en la moldura de un sillón desvencijado. Zonza posibilidad para imponer a esas horas su dudoso liderazgo. Dentro de una casa ajena despertar a una familia con micrófono en la mano... Tentativa nada más y sonrisa arrepentida. Es que se avergonzaría de hacer una pataleta sólo porque el anfitrión no quiso seguir su juego. ¿Juego?, ¿enlabio?, ¿devaneo? Lo que fuera así dejarlo acostándose sin más...

Abandono, ¡sí!, ruptura. Cruel jaloneo cuestabajo, a sabiendas, cada quien... Su quehacer en el vacío.

(El músico güirigüiri de grillos empecinados terminó por arrullar a estos dos platicadores.)

Cada quien en su regusto: sueño al fin sobre lo mismo, pero descuajeringado.

Capítulo once

Quien la viera ¿rezaría?, se asustaría por lo pronto...

Se convirtió a la larga aquella sombra en símbolo fatal.

Una risa interior se apoderó de ella. Risa contra sí misma de por vida. Así su buena estrella tendría otro relumbrón: casual, inapreciado por las autoridades tan inmunes a cuanto pareciera efecto inconsistente de la hablilla común.

A fuer del regateo murmurador, y a sabiendas de su poder abstruso, la mujer se hizo esquiva al paso de los años. Una labor tan comprometedora la obligaba a la guarda espiritual. No amigos confidentes ni gente que le hiciera sanáticas preguntas. Por motivos villanos –nada imaginativos– se volvió desconfiada hasta de sus parientes, los cuatro que tenía, lejanos, ¡al garete! Así se apachurró muy a propósito, la emborró la vejez, la hizo cínica y sosa. Por eso es que la radio (tan multiplicadora) se fue haciendo su amiga, la única en verdad. Ni siquiera sus fieles recaderos –que por cierto ya andaban con sus novias nomás atardecía– le inspiraban la mínima confianza. Lo otro: los programas: canciones a granel, noticias prescindibles, largas radionovelas donde el amor, el tema inevitable, era fruto salaz de jugueteos sin fin. Toda aquella resaca emocional le endilgaba a sus sueños sublimes boberías. Y en cuanto a las llamadas... Se enteró de maldades con enormes trasfondos que ella podía recrear en sus ratos de hastío, en duermevelas líricas cuya osadía mordaz la mantuviera anónima y feliz. Lo demás era simple: regalarle a este mundo mitotero un gesto adusto, o una sonrisa hipócrita, le era mucho más útil que regalarle ideas de uso corriente. Vaciar su pensamiento ¿para qué?, ¿ante quién que escuchara sin chistar? Soltar en todo caso ambiguas frases sueltas a fin de deshacerse de un interlocutor. Prestar oídos ¿cuándo? Mejor el soliloquio hasta la muerte: metáfora vital y reinventada que bien podría ensancharse más allá, mucho más...

Y Dora Ríos murió, murió en su mecedora oyendo a su manera un cachondeo de voces pueblerinas.

Capítulo doce

Desde temprano se formó la fila, se fue haciendo más larga hasta partir la plaza en diagonal y dos horas más tarde creció tanto que dobló un par de esquinas, tres a punto: con que llegaran unas diez personas, entonces sí, y lo raro: como a eso de las doce: la tercera, la buena, la de los peleonríos, se desdoblaba y se volvía a doblar. Un avance muy lento, la verdad, casi como hecho adrede, y todavía llegaban camiones, camionetas, gente de a pie: señoras y señores.

Una víbora humana nunca vista. Figura inamovible, sin embargo, porque el jefe de casilla demoraba el proceder. Se entretenía con regusto demasiado para mal. Explicaciones de más dadas a cada votante relativas a los pasos que deberían de seguirse. A fuerza de la tardanza chistes sin chiste de a tiro que soltaba sin motivo. Una siniestra estrategia, lúcida para los suyos: ¡LA DEMORA!, aunque, si bien, el problema no era ése sino lo que había detrás: que votaran unos cuantos a como diera lugar. Un amaño ¿calculado?

Capítulo trece

Iniciado el viaje del siniestro mueble que chorreaba sangre, en la madrugada, el chofer les dijo a sus compinches:

–Miren muchachos, más adelante hay un rancho llamado La Azulosa. De seguro allí podremos comer algo y luego irnos... Mmm... Es que yo tengo mucha hambre... no sé ustedes... pero, bueno... En el rancho hay restaurante, uno que es chiquititito y en el cual yo ya he comido. Allí venden buenos lonches y tienen una hielera donde sepultan las sodas para que se antojen más, están retecongeladas. También venden barbacoa. Comida para llevar. Es mejor que nos llenemos el estómago hasta el tope, así sirve, compañeros, que si nos agarra el hambre, ya nos encuentra comidos.

Capítulo catorce

Por vergüenza, el chofer decidió dejar estacionada la camioneta a unos trescientos metros de aquel lugar mirrunguillo. El muerterío, el sangrerío: que no los fueran a ver. Mas siendo tan llamativo el posmo ensabanamiento, viéronlo –¿pues cómo no?– con verdadero terror varias personas de allí, y que se dejan venir: ¿Cuántos?... Además: en el desierto es difícil esconder barbaridades. Se hizo un enjambre propincuo –no quejoso: ergo: si bien– en redor del mueble aquel. Se formó grueso y tranquilo (más tarde se haría agresivo). El chofer se adelantó al pedirles de comer: que tantita barbacoa, que metida en pan francés. Pero la carne, la otra: como posma novedad de pastel que causó alarma, dio pauta para un deslinde, talmente, dado el azoro y para adelantos: ¡véase!: fue un señor el que les dijo:

–Yo tengo un pariente joven que se unió ayer a esa marcha. Quiero saber si está el cuerpo de entre todos los que traen.

–Primero quiero saber si nos van a dar comida, y luego... Vamos a ver... ¿De dónde ha sacado usted que se trata de una marcha? –muy suspicaz el chofer. Modo de presentación: su recelo precedido de su gran necesidad. Y el enlace: ¿cómo hacerlo? Es que el hambre, por un lado; y la obediencia, por otro, de soltar cuanta mentira... Aunque... tan menudo proceder en nadie hubo de causar atoramiento o sorpresa porque:

–Cómo no voy a saberlo. Ayer en la noche oímos, y luego de lamparearla pudimos ver a una bola de personas enfilada rumbo al sur, o sea: del lado derecho, como también de ese lado, aunque varias horas antes, vimos pasar en hilera cuatro camiones repletos de soldados que, por cierto, vimos bastantes de aquí, los dos cruces a la larga tuvieron... ¿cómo decirle?... este... sí...

Tal señor, como se ve, se hizo bolas a sí mismo, por lo que otro entró al quite tratando de acompletar (el deslinde halló su vía, por ahí: consecusiones acerca de la matanza, en tanto que i¿la comida?!: borrazón, postrimería, u olvido más que deslinde):

–Era marcha de protesta porque de repente a coro gritaban cosas bien feas contra el gobierno, asegún, y pues en el campo ¿qué?, si el gobierno está bien lejos...

–Las cosas feas, las que oímos –jalando del mismo hilo otro señor intervino–, más que ir contra el gobierno, era para que nosotros nos fuéramos caminando grite y grite igual que ellos: confundidos en su bola, es decir: con la ventaja marracotera de andar, este... bueno... voy a esto: en una marcha como ésa, numerosa y enojada, no se sabe quiénes gritan y quiénes no... ¿usted me entiende?

Si a manera de sofreno contra lo que estaba oyendo el chofer quería meter su cuchara e ¡imposible!: porque muchos empezaron a hablar a tontas y a locas. Otrosí, para desgracia, si ni haciendo dengüe y medio con ademanes en lo alto podía mecatear el caos: él no, ni sus ayudantes: que trataban de no verlo, pero en cambio sí veían al cielo, al suelo, a los lados y por tanto la cuchara: lo anterior: la pretensión –¿el ensayo?– del chofer de empezar a darle vuelo grandemente a las mentiras obedeciendo tal vez la orden más importante del enchamarrado aquel: ¡ah!, eso acaso podría ser dentro de ¿quince minutos? Y por mientras el concierto tingo lilingo de voces:

–Mi hijo se dejó influir –una madre con dos lágrimas, dos que hacían su recorrido– y por eso es que yo creo que está muerto, ¡pobrecito!

–¡Ojalá esté entre el montón el hijo de la señora!

–Desde ayer está llorando doña Jaima su desgracia.

–Un poquillo más delante los camiones de soldados encontraron escondite cerca de la carretera, ¡de eso sí yo estoy seguro!

–Y yo creo que desde lejos y todos al mismo tiempo le tiraron a la bola.

–O le salieron al paso para atinarle mejor.

–La pregunta que yo me hago es si mataron a todos.

–¡No!, eso no, la mayoría se escapó.

–Pues por aquí no ha pasado ningún correlón de esos, al menos por lo que sé, nadie de aquí ha visto a nadie: ningún cruzamiento en friega.

–Tampoco nadie ha llegado a pedirnos escondite.

–Lo cual sería lo deseado, porque en agradecimiento al menos uno de ellos nos platicaría con calma todo lo que sucedió.

Al chofer le parecían tales frases tiroteo ¡a las nubes!, por decir; o bien jolgorio de balas que conforme continuaba se volvía desesperante, más aún porque él continuó oyéndolas ¡en la guala!; mas de pronto, porque sí, le parecieron regalos ya desmoñados, ya abiertos, pero ¿qué le iba a importar?, si de alguna forma, incluso, le disminuían el hambre y... ¿frenar las balas... servía? El chofer consideró que esa vez el viento era una cosa bien vulgar, de hecho: en todos sentidos, por torcido, por caliente, contimás por no ayudar a un despeje repentino, alguien, nadie, alguna idea: dicha ¿cuándo?: una impetuosa que a él lo obligara a frenarla a base de fantasías. Otrosí: alguna exigencia de cualquiera de ellos ¡ya!: relativa a la bajada de cadáveres: ¡aprisa!... ¡No!, ninguna, sino tránsito de opiniones nada más: si borlote a tutiplén que se iba viniendo a menos y... ¿Quince minutos pasaron? Su cálculo: tino casi, porque el volteón otra vez. Como si cerrara un círculo el primer señor que habló de nuevo lo hizo y más fuerte tanto que su voz se impuso (fue cual rayo rajador porque el jolgorio ya no, o sea: un «isssth!», sin más, si tenso):

–¡Desde ayer a estas horas se cerró la carretera!

–¿¡Se cerró la carretera?! –repetidor el chofer por incrédulo inquirió.

–Digo, o sea... La cerraron los soldados... Ya no pasó ningún mueble, salvo el de ustedes ahorita, que llegó y que se va a ir, aunque...

–Ellos no se irán de aquí hasta que nos cuenten todo –acompletó uno de tantos, un social, un confianzudo, mismo que tuvo el apoyo con un salterío de ruidos: músico casi al final, pues todos dijeron «¡sí!». Sonido chale: fatídico, asegún, por tupas ligas al viso de aquel chofer: intimidado, perplejo. Tingo lilingo o refuerzo, o completez, o acechanza, o mera opción cual empuje para que el que acompletó (corajudo todavía) lo apretara al rematarlo con otra frase ganosa y tal sentir a tolondro por general tuvo influencia en el susodicho que: ¡obvio!: añadió con más enjundia–. ¡Queremos que nos platique de la balacera que hubo hoy mismo en la madrugada! ¡Ustedes saben bastante, puesto que traen a unos muertos!

Mirando al cielo el chofer esbozó un «je» de sonrisa mediante mueca estirada hacia arriba durante un rato. Ya comediante: ¡conquista!, y con público: ¡mejor! Sin embargo, a conveniencia, se hizo el interesante al mover de un lado a otro su cabeza despeinada; el viento vulgar, traidor: el causante, por supuesto ¡cuántos cabellos a la alza, y a la baja cuántos otros! La demora: conceptual; las mentiras: desfilando, y... Nada más por darles chanza preguntó muy saleroso:

–¿A poco quieren saber lo que yo sé porque vi de pe a pa lo que pasó?

De nuevo los «¡sí!» en registro de timbrazos por doquier y al final el zote alargue de subida en «¡iiii» virtual. Punto y ¡nada!: al fin y al cabo: el suspenso fue un hechizo que se les impuso a todos (si trabazón silenciosa), menos a: quien ahora sí:

–¡No!, pues no. Para empezar... Eso no fue balacera; fue cohetería, y ahi les voy... El ejercito probó unos cohetes muy modernos y lo hizo en un desierto, pero ¡ojo!, uno de los tantos que hay en Capila y, por lo mismo, de los tantos los que hay cerca de una carretera... ¡Total!: ese... Mero azar... Ese vecino de ustedes; y ahora vámonos despacio... Desde hace como dos meses el gobernador dispuso que en todos los municipios, esto es: en las cabeceras, se tronara el cohetería el 26 de noviembre cuando se celebra el grito. ¡Claro!, estos cohetes suenan más, como al triple que los otros, los que siempre se han usado. Pero... Veamos... Antes de irme más lejos yo quisiera preguntarles si alguno de ustedes sabe qué carajos se celebra el 26 de noviembre, ¿eh?... Si no me responden rápido pues lo tendré que decir, pero espero su respuesta... ¿Nadie?... ¿Eh?... ¿Deveras nadie?... ¿Qué no fueron a la escuela?... Bueno, mmm... el 26 de noviembre se celebra una vez más la noche en que un peludillo tocó, grite y grite aparte, la campana de su iglesia. La cosa es que los toquidos fueron como treinta y cinco. Ese peludillo era de los que ya no hay ahora... bueno... mmm... De las cosas que gritaba, nomás por darles ejemplos, les diré unas dos o tres: este (ejem)...*¡Viva nuestra libertad!*... *¡Viva la patria y sus héroes!*... *¡Viva la raza de bronce!*, y cosas por el estilo. Entonces, ahora volviendo al tema del cohetería, este...

Pero volvió y se enredó contrapunteando asegunes hasta hacerlos algo chachos e increíbles de resultas y lo bueno es que seguía en su hilazón delirante sin evidenciar ni dudas ni cansancio palabrero, sin embargo: el tope en seco del hombre acompletador que irrumpió y tronó con esto:

–¡No!, ¡ni madres! ¡¡Son mentiras!!... Estos muertos que usted trae son personas balaceadas. ¡¡Son las que hicieron la marcha!! Y nada de que estas gentes murieron por accidente al explotarles de cerca el cohetería que usted dice. ¡¡Eso no nos lo tragamos!!

–Es que déjeme explicarles...

–¡Explicarnos ¿qué?, cabrón!

Insulto: ya: rompimiento: útil para conminar a todos los que quisieran insultar a... ¡Sucedió! Y ahora véanse los efectos desde el nivel que merecen: el nivel superficial, es decir, el más caliente y... Si a flote lo rancheril: unánime ahora sí en el momento oportuno rudamente cual desveno contra un fuereño mañoso que pretendía –¡vaya treta!– tomarles el pelo a todos dizque con suato desvío: que la historia nacional, una clase: ¿para qué?; que pretextos inservibles, por no parecer siquiera medio lógicos u obvios. Y así el alud demencial, al grado de no dejar al chofer ¿ni defenderse?: cuando intentaba un enlabio, por lo cual, por los cortones, se fue encogiendo de a tiro y sus compinches también. Cuatro actitudes así, derrotadas, asegún, servían a guisa de honra que ha de empezar desde abajo, empero dando la idea de que ahí habría de quedarse, al menos durante un buen rato. ¡Sí!: del chofer y sus compinches sólo una disposición de servidumbre, ¿tal vez?: porque daban a entender con su silencio agachón que deseaban recibir cualquier orden de cualquiera y obedecerla y después...

Pero...

Peligro de linchamiento...

Seguían las increpaciones...

Y no tuvo más remedio el chofer, dado el encrespe, que jugársela de plano gritando a más no poder:

–¡¡¡Nosotros no somos gente del gobierno y, por lo tanto, hacemos esta labor de manera voluntaria!!! ¡¡¡Si a nosotros nos pagaran por acarrear los cadáveres, no seríamos tan pendejos para pararnos aquí, exponiéndonos de a tiro a un linchamiento de ustedes, que casi ya están a punto!!!, ¡¡¡¿¿¿eh???!!! ¡¡¡¿¿¿Y ahora dígannos ustedes qué harán con tanto cadáver si nos matan y nos juntan con los otros, eh, qué harán???!!! ¡¡¡Sepan de una vez por todas que venimos en buen plan!!! ¡¡¡Somos cuatro voluntarios que no piden nada a cambio!!!

Al volverse tan dramático lo que al principio había sido un atisbo de comedia, resultaba hasta risión todo el devaneo corriente: el habido ingrato, zonzo, por pendenciero y sin rumbo, siendo que por los apitos del chofer, rematadores, muchos de aquellos rancheros por fin cayeron en cuenta que debían de platicar sin alterarse ni un ápice y evitar el rojo vivo de otro alcance a la barata, casi a cálamo currete, como toda la hilazón de insensatez y otrosí: lo que aconteció enseguida... Que hubo un remanso de ¿órdiga?, ¿reducido a complacencia? Fue el efecto natural, pues la plática, de suyo, de rato encontró los modos del favor fácil en sí, por preciso nada más.

Si todo continuó calmo hubo un efecto mejor. A los rancheros de allí terminó por no importarles si lo de anoche ocurrido fue a causa de un coheterío o de una matazón, en virtud de que su urgencia era, cual debió de ser, encontrar a sus cadáveres lo más rápido posible:

dos ¿nomás?, cifra ¿segura? Oblicuando las honduras de explicaciones, incluso: toda vez de que se fueran tales favorecedores.

Así: descompuesto el proceder para llegar al meollo del siniestro acontecido, lo que seguía era venderles lonches y sodas –¿primero?– a los fuereños o, antes: bajar de uno por uno los cadáveres... i¿a ver?! Como el hambre era imperiosa como imperioso lo otro, lo mejor era reunirse en muñidiza, al aparte, para ponerse de acuerdo. Varios rancheros lo hicieron. Unos diez, quince minutos de estrategia solamente. Gran apretura de cuerpos y de bisbiseos en friega, tras lo cual ivenga el despeje! Por principio esta procura: un volado democrático, asegún, y que el azar fuese el árbitro... Aceptación de las partes porque un alegato más a nadie beneficiaba.

De modo que un ranchero, poco antes del lanzamiento, ventajoso pidió «águila», y al chofer ¿qué le quedaba? Pero juguetón el viento, y aleve en tal circunstancia, hubo al cabo de llevarse la moneda, para colmo, por el vuelo que tomó, hacia la orilla derecha de la carretera donde: traquipapo fue el desplome; si el efecto: muchos pasos, y luego la realidad: el chofer había perdido. Hecho que significaba aguantarse cuando menos –tanto él como sus compinches– durante un par de horas el hambre.

Sin embargo, no fue tanto porque: imanos a la obra pues!, por parte de los rancheros. Es que los del mueble ino!, sólo dejaron hacer... y en aína el bajadero: sorpendente por lo rápido: sólo para los mirones. Es que el trabajo duró poco más de media hora, incluída la subida. iSí!: no estaban tan escondidos los muertos de La Azulosa: dos nomás, como se dijo: reconocerlos fue fácil; dos nomás los atraídos por la bola opositora; dos: i¿qué lástima también que no fueron de los tantos correlones, se supone, sanos y salvos, i¿acaso?!

Luego –como ocurre siempre–: redundante el lloradero sin igual de las mujeres al aire libre tras ver a esos dos muertos i¿tan caros?! Tras la localización: fin, entonces, por inercia, de cualquier segundo trámite, siendo que ya conseguidos los cadáveres de allí, le dio el conjunto la espalda al chofer y a sus compinches.

Y hasta un recinto de adobe el traslado de los muertos hecho por cuatro rancheros, habida cuenta que hubo una suerte de cortejo fúnebre y convenenciero, debido a que no hubo nadie que atendiera a...

–i¿Qué no nos van a vender la comida prometida?! –doliente gritó el chofer, y sólo una persona, una que iba a la zaga, volteóse para decirle que lo más recomendable es que se fueran cuanto antes. Ni sodas ni lonches pues, sino piedras a raudales contra ellos si no se iban. Es que había muchas sospechas en relación a que ellos fuesen, como lo habían dicho, voluntarios de a deveras. Si el «¿por qué?» cual contrapunto del chofer como relance sólo obtuvo un asegún: cerrada la carretera desde ayer cómo explicar que ellos con su cargamento anduviesen circulando. El chofer quiso sacarse de la manga una respuesta, pero el fulano lanzóle una piedra que traía y conminó a los demás para que hicieran lo mismo y, en efecto: lluvia, quiérase, automática, sin más...

Pues a huir, no había de otra.

El arrancón de aquel mueble fue a toda velocidad, tanto que un muerto cayó. Si recogerlo... ¡Qué diablos!

Capítulo quince

Ruda experiencia de viaje: la primera, como indicio de lo que sobrevendría, o también como desveno para evitar repetir tanto inútil tiquismiquis cuyo desenlace fuese el odio sin fundamento, siendo el fundamento real el tamaño de un favor así nomás porque sí. Fueron muchos pormenores. Fueron muchas las preguntas repetidas a propósito para que el chofer cayera, si se revisa el suceso de cabo a rabo con lupa, en por lo menos un par de contradicciones claras. Pero... Nunca nada tan pazguato, ni tan zorro ni tan fresco. Nunca el chofer en lo íntimo tuvo vagas sensaciones de derrota aun cuando hubo dos encrespes sin largueza y al final franco y abierto el apedreo culminante; y es que sólo por repaso viendo a cercén lo ocurrido, mal que bien él y los suyos libraron el burdo obstáculo. Entonces sobre la marcha tranquilos en la cabina esos favorecedores se rieron a erre que erre de su zonza travesura.

¡Ni sudaban los malditos!

Tercer periodo

Capítulo uno

La casilla «A» –correspondiente a la sección tres mil seiscientos cincuenta, adscrita al distrito electoral número treinta y cinco– abarca por entero al municipio de Remadrín, mismo que cuenta con siete rancherías y dos villorrios, dando un total, más o menos (si se redondean las cifras), de mil doscientos votantes registrados, cual se debe, en el padrón respectivo. Sin embargo, a última hora, y por razones aún vagas, los de por sí importantísimos municipios de Caranchos, Salimiento y Metedores se quedaron sin casilla. Treta de ocultis buscada por los jerarcas de siempre: indinos y sonrisudos, sobre todo si se juzga que la abstención, si prospera (siendo enemiga a vencer), resulta determinante para evitar grandes chascos, y provocarla, por ende... Favorece la apatía ciudadana (¿rancheril?), de antemano, ¡claro está!, al partido en el poder y... En este caso ¡dedúzcase!: en las tres localidades cuatro mil o más votantes se mantuvieron, quizás, en asperges, o solícitos, o de plano exasperados, durante casi siete horas, en espera de, hasta que, llegó el anuncio oficial; ergo: he aquí lo central de las tres largas, si bien, parecidas peroratas, ergo: que quienes aún tuvieran ganas de emitir su voto, podían desplazarse ¡iya!: a Remadrín o a San Chema, según distancia y antojo, dizque había en tales lugares dos listas adicionales; ¡iya!: siendo que a las dieciocho horas se cerraban las casillas, pero... La desidia al por mayor, dado que al estar al husmo quiénes de cuántos harían el viaje a regañadientes, al apuro, empero ¿cómo?: en burro, en mueble, o en ¿qué?, si optimistas, si confiados...

Tanta irregularidad en el diseño final pensada de medio a medio como un efecto rotundo: ¡sí, pues sí!, por ser manida, aprendida, no tenía por qué fallar.

Véase el truco gobiernista de otro modo, por lo bajo, tan al sesgo, porque (ejem): los simpatizantes del denominado «partido mayoritario», nada tontos, ya estaban concentrados desde la medianoche para ser los primeros en hacer la fila. De paso se informa que la casilla entraría en funciones a partir de las ocho de la mañana.

Pues desde las cinco: ¡vámonos! Entonces los desvelados: en fila ¡más de trescientos!: en adelanto mañoso.

Ningún sufrimiento, empero, habría de significar una más entre muchísimas desmañanadas históricas. En preparación triunfal los «borregos» con su dádiva: su billetito café –en la bolsa, por decir–, a sus anchas se encontraban reunidos, pero en silencio, en un pasaje zacato, a menos de una legua al este de Remadrín. Y yendo a las precisiones: «a sus anchas» significa... mmm... que estaban comiendo lonches, hasta cuatro se aventaban, aprovechando también que había montones de sodas. De hecho, para acompletar la trasnoche y sus meneos, dos camiones de redilas –propiedad de un diputado de Metedores, pesudo– pletóricos a saber de qué víveres y cosas de reparto por venir: tal vez pasado mañana: bajo lonas: mientras tanto, o ahora ¡pues!: el tal retaque misterioso para muchos, aunque... Si dos panales a dónde... ¡ah!... Guiados por el puro olor algunos especulaban que había tamalera adentro; y además... Faltaba ver si en San Chema ocurría algo parecido... Como inmediata inferencia el «¡no!» por adelantado, y esto acá muy a la sorda. En San Chema, por supuesto, el triunfo era más seguro y no habría mayor problema. Tal inferencia a partir de lo dicho en su momento: que festejarían durante horas la victoria categórica de su partido en San Chema ¡tal vez pasado mañana!

Fiesta de simpatizantes provenientes cuando menos de unos siete municipios, los de la región, o sea: que vendrían a Remadrín seis camiones de redilas para llevarse a San Chema a los casi cuatrocientos ¿simpatizantes de acá?: para festejar ¡con creces!, ya se dijo, pero, bueno... No está de más redondear el círculo triunfalista que no pasaría de ser una embriaguez sin alcohol.

Ahora bien, y ya en concreto, situándonos en la acción suscitada en Remadrín, el jefe de la casilla era un señor chaparrillo, gracioso por vivaracho. Traerlo a cuento es importante, debido a que su reloj marcaba el tiempo oficial; por lo mismo he aquí un dato: se cerraría la casilla poquito antes de las seis, hora local, eso sí, y ni un minuto de más. Tal dato se amplificó al correr de pe a pa como reguero de pólvora culebreando hasta el final de la fila que crecía. Otrosí, por mero azar, que alcanzara lo alcanzable. De paso otras sutilezas concernientes al chanchullo que se estaba preparando: las urnas donde caían los votos, si papelotes, eran bastante pequeñas, más o menos del tamaño de una caja de cervezas. Dizque había cinco o seis más, y al respecto y por lo tanto, ese señor chaparrillo haría dicha aclaración si alguien se lo preguntara. Y el revuelo de subida en la fila aún bisbiseado. Y el fraude latente ¿ya? ¿Quiénes eran los jodidos? Quede al margen si se quiere esta consideración, porque (ejem): véase un poco más de lejos este asunto que da luz a lo que ha significado el escabroso proceso democrático de acá. Si con todo lo anterior queda en firme establecida la premisa de un informe, he aquí entonces lo siguiente:

A lo largo de la historia de las campañas electorales jamás ha sucedido lo que ahora. La propaganda de los tres partidos políticos de mayor arrastre logró penetrar en los sitios más impensados, al igual que sus candidatos. Por ende, aún es difícil de concebir que en un villorrio como La Ronca, cuya población no excede el centenar de habitantes, se hayan realizado tres ruidosos mítines de tres aspirantes a presidente municipal. Véase pues la envergadura de estos actos memorables y el basamento que sientan. Véase el logro, y véase ¿por qué no?, la enjundia para el futuro, dado que apenas ha de caber en cualquier cabeza la idea despatarrada de que en un ejido como San Juan de Cosillas –y eso por citar un caso entre tantos, siendo que existen otros lugares tan aislados como el referido, nómbrense La Caricia, El Pensamiento, si a ésas vamos, El Camote, La Ascensión, Depósito de Emergencia, y también La Sorpresita– dos candidatos de la oposición hayan entablado un diálogo con la gente que, asegún, el gobierno no ha atendido desde ¡uf!...

Pero, bueno, es que también dentro de las paradojas caben otras paradojas, cunden las contradicciones, y de resultas ¿qué más?: los discursos infelices dizque triunfales ¿qué tanto?... Para evitar más deslindes, si no hay inconveniente en cuanto a este revoleo, ahora el enfoque debe ir a los apersonamientos, y de una vez... ¿se adivina?; los que adivinan son ¿quiénes?... A Papías y Salomón les tenía muy sorprendidos el dundo voluntarismo, fruto de una propaganda que siempre queda «en veremos»; se persuade, se sacude, pero de ahí a que la gente se despierte de a deveras... Empero bastaba ver las llegadas de continuo y enterarse de vencida por boca de los formados que por el camino viejo, ese mismo que hace entronque con la nueva carretera que viene desde Torsión, venían decenas de gente caminando a toda prisa, al igual que camionetas y camiones de redilas, e inclusive algunos carros recogían al que quisiera de acuerdo con las urgencias; el efecto a simple vista: sobrecupos proverbiales, a la postre el desparramo y luego el ordenamiento. Como por arte de magia otra esquina se doblaba –voz corrida por doquier–: ¡cuatro ya! –¿quién lo creyera?–:

al filo del mediodía. Frenesí por una parte, pero por la otra la rabia, porque el avance deveras se hacía cada vez más lento.

Capítulo dos

Si Papías y Salomón hubieran intuido el chanchullo electoral tal vez no habrían ni de chiste –medio pandos como andaban– cantado victoria a gritos en la fiesta de la boda, ni habrían hecho pantomima tan balina, tan grotesca, por querer y no querer tomarse la foto aquella; inclusive, desde antes habrían seguido el consejo de su padre testarudo referente a no meterse en la bola opositora, y tal vez –para acabarla– jamás lo habrían escupido, esto es: café-cara-rompimiento: imágenes corrosivas. ¡No!, ¿verdad? Sin embargo, ya encarreradas las cosas...

Forzada foto y después, al volver a su lugar, la réplica prepotente:
–¡Ganaremos!, ¡ganaremos!, ¡la oposición triunfará, quiéranlo o no, aunque les duela, nuestro gallo es el mejor!...

De pie Salomón subido en la mesa, y zapateando, tomó desquite a lo macho por haber sido empujado a tan cursi complacencia (esa foto –aquella escena– el retoque falseador). Y sobrado de coraje quería brincar de repente como niño en una cama, pero mejor peroraba a intervalos, muy adrede, cual si quisiera notar las reacciones de la gente. Viendo su padre el berrinche en la orilla de la orilla, pidió al grupo musical que le subiera el volumen: para ruidos los de acá, el micrófono, además, para gritar triplemente, o cuádruple si quisiera; de una vez, pues, sin remilgos: *¡¡¡SI USTEDES QUIEREN COMER O BAILAR HÁGAAAANLOOOO YAAAA... LA BARBACOA ESTÁ MUY BUENA Y LA MÚSICA TAMBIÉN!!!* Contraataque reforzado: más zapateos en la mesa simulando –bueno fuera– un chubasco azotador. Grito contra grito: ¡sssssth!: la respuesta general, puesto que todos deseaban un pronto apaciguamiento. Con los platos en la mano humeantes de barbacoa y en la axila las tortillas las meseras hormiguitas (chancludillas) no sabían si había llegado la hora de servirle a los sentados o... Para eso estaba Cecilia que les hizo una señal desde el centro de la fiesta: ¡órale!, y tronó sus dedos. La repartición se hizo.

Los parados que esperaran, que bailaran: ¿podría ser? Parado sobre la mesa seguía Salomón gritando, mas sus gritos pizcuintíos: ¡*Ganará la oposición, es decir, nuestro partido!... ¡Le daremos en la torre a este gobierno tan feo!*, ¡uh!, la música era más fuerte; comparados los registros, ape-

120

nas la perorata del berrinchudo subido –más sus dizque taconazos– alcanzaba cuando mucho siete metros en redondo; se incluye la barda, el eco, por ende la insuficiencia. En redondo es un decir; entre las mesas cercanas a contracurso los «issssth!»: más largos, cada vez más fuertes, hoscos, silbadores, empezando desde luego por... Los rollizos camaradas intentaban reprimirlo jalándole el pantalón, desde luego, suavemente. Papías, en cambio, parado sobre la tierra no hallaba si hacerle segunda voz o dirigirse al micrófono, arrebatárselo al padre y gritar con todo el pecho nomás una sola frase: *¡QUE VIVA NUESTRO PAR-TIDO!*, pero lo pensó seis veces... La prudencia ¿consejera?... En efecto, porque al fin él mismo exhortó a su hermano a que ya no le siguiera, le gritó *¡Bájate!, ¡aplácate!;* lo apoyaron los de cerca con palmas sin ton ni son. Los rollizos camaradas ahora sí que lo bajaron a la fuerza y Salomón de coraje hizo pucheros agudos como de bebé con hambre. Cuando se estaba sentando gritó lo último al cielo: *¡¡¡Pinche gente, pinche mundo!!!* El alivio, entonces sí, fueron los platos humeantes que una mesera temblando puso sobre aquella mesa. Ironía, contrasentido, la comida... ¿Y las cervezas?... Era cuestión de pedirlas, pero issssht!, sin aspavientos –aunque fuese muy difícil–, con toda amabilidad, y no pudo, ¡qué caray! Por eso es que le trajeron lo que le servían al resto: unas sodas bien heladas: Cocacolas, ¡ya ni qué!

Capítulo tres

–Buenos días tenga usted, ¡qué bueno que llegó! Mire, le he mandado llamar para algo muy urgente... siéntese, por favor. ¿No apetece una coca o una pepsi, o un cafecito solo o con azúcar?... ¿eh?, ¿no?... Si al rato se le antoja usted nomás levánteme su dedo... Pues sí, se trata de un asunto delicado. Pero no se me alarme, hay confianza ¿verdad?, y usted es de mi gente. O sea, como verá, pretendo ir al grano, pero no está de más ponerla al tanto. Usted ya por ahí seguro habrá notado que las cosas sociales no caminan muy bien. La gente anda encrespada. Hay mucha oposición al régimen actual, y eso, como usted sabe, es preocupante. ¡Pues, al diablo con tanto pelagatos!, si ellos siguen viviendo en el error no es culpa de nosotros, ¿o no cree?... Pero, ande, ¿no quiere echarse algo? Es que, verdad de Dios, el calorón está, y discúlpeme usted si soy exagerado, para que todo el pueblo se la pase batiendo la mandíbula... ¿Qué?... ¿No?... ¿Después?... Mmm... a lo que quiero ir es a este punto: usted es la encargada de recibir llamadas telefónicas en la única caseta que hay aquí, por lo cual, y, ¡ni modo!, tiene un gran compromiso con nuestra sociedad, y en concreto, conmigo. Esto es, tengo que hablar de mí porque no estoy contento con lo que está ocurriendo. En fin, tras largas reflexiones he llegado a pensar en mil monstruosidades relativas al flujo y al reflujo de información en clave. Sospecho que entrarán, si no ahora después, llamadas en cadena a la localidad, sobre todo de gente opositora, o enemigos del régimen, que viene a ser lo mismo. Lo que voy a pedirle es que durante estos días, y hasta que yo lo ordene, no conteste ninguna, ni permita que nadie, por ninguna razón, use nuestro teléfono, ni siquiera sus propios recaderos. Dicho lo cual, entonces, ¡ahora sí se da cuenta de lo que usted va a hacer!... ¿Qué?... A ver, hable más fuerte... ¡Ah, sí!... Ahora sí quiere coca... Permítame un momento: *¡Sanjuana, por favor, tráigale a la señora una coca bien fría, y a mí otra igual, aparte de una taza de café. Ya lo sabe, póngale dos de azúcar!* Entonces así estamos. Si alguien le pregunta que por qué no funciona el aparato, nunca falta una mosca en el chorizo, dígale que las líneas se bloquearon. Al respecto no hay pierde: mandé a uno de mis hombres a San Chema, donde está la Central, y con un memorándum dirigido a don Plutarco Espino, el alcalde de allá, para que no remitan ni una sola llamada a Remadrín. Sin embargo, no dudo ni tantito que el timbre suene a veces, eso es inevitable, pero si usted contesta no oirá más que ruidos. Aunque de todos modos pudiera darse el caso que se cuele una voz quizás medio rallada. Usted cuelgue y ya está. *Muchas gracias, Sanjuana.* En verdad sí se antoja refrescarse... Por cierto, mire usted, no está de más que sepa algo que ya ordené: el correo y el telégrafo están bajo control; cuanta carta que llegue la quemamos, y así también me aviento dos pájaros de un tiro, o sea: el transporte foráneo, en lo que se refiere a la paquetería, pues también me lo llevo de corbata. Y en cuanto a la oficina de telégrafos ¡uh!, eso sí es pan comido. He ordenado que adrede descompongan las máquinas. Así es que no hay por dónde se cuele información. ¿Cómo la ve, mi doña?... ¿Qué tal le cae la coca? Con este calorón lo helado sabe a gloria... ¡Claro!, probablemente usted podrá decir que soy mala persona, pero, a ver, por favor, póngase en mi lugar, ¿cómo torear a tanto tremendito? Yo he optado por tomar estas medidas antes que andar matando opositores. Una orden de mateo la doy en caso extremo, porque a mí no me gusta la violencia, es horrible ¿no cree?... Pero hablando de usted quiero expresarle algo que desde hace algún tiempo me ha venido punzando en mis adentros, una espina clavada o un ácido que me arde, ¡sepa Dios qué será!, este... ¿Cómo podré decírselo?... Mmm... Me conmueve su caso. Una mujer que es viuda como usted, sin nadie que la apoye en forma permanente, ¡tiene que trabajar! Pero... voy a explicarme... Las gentes más cercanas, mis orejas, o sea, mis asesores, más de una vez me han dicho que un puesto como el suyo debe ocuparlo un hombre. Yo les contesto en seco, pero también con pizca de sarcasmo: *¡Válgame Dios, señores!, se trata de una viuda que está desprotegida.* No obstante ellos alegan que desde hace tres años a la fecha su salud se ha empeorado día con día, que no cumple al dedillo con sus obligaciones; que exige como loca doble turno; que muy de vez en cuando la hace de recadera por las noches y sólo si se trata de un caso catastrófico, en fin, ¿para qué más? Ahora dígame usted, ante informes como estos ¿qué puedo responder? Simplemente me aferro a mi postura, ¿y sabe por qué lo hago? Porque yo conocí muy bien a su marido. ¿Qué nunca le contó?... ¿No?, ¿deveras?... Pues déjeme decirle que fuimos compañeros de parranda allá en la juventud. Fue mi mejor amigo. No quiero detallarle las vivencias entre ambos, pero fueron bien padres... Mmm... ¿No quiere que le traigan más coca, o cafecito, o pepsi, o lo que quiera? ¡Pida!, no sea ranchera... ¿No?, ¿en serio?... ¡Ah sí!, todavía tiene algo... Está bien, pero escúcheme: lo que yo he decidido, nomás por mis pistolas, es que siga en el puesto pero, ¡ojo!, con una condición: usted debe cumplir punto por punto con mis órdenes, de lo contrario la corro de inmediato. Y le repito: ¡cuidado con su par de recaderos! De lo que hemos hablado no se lo cuente a nadie, porque si no me ensaño. Si por casualidad entrara una llamada, pida el nombre completo de quien habla, apúntemelo y tráigamelo. De usted depende en mucho que en el pueblo no haya chismes ni tiquismiquis. Más adelante yo, como agradecimiento, le dobletearé el sueldo. Por lo pronto en la tarde puede pasar a recoger, si quiere, un pequeño anticipo. Entonces ¿qué, mi doña?, ¿cumplirá con mis órdenes?

–Sí señor, ¿cómo no? Cuente con mi lealtad.

–Así me gusta que hable la gente responsable, de empuje, emprendedora... Ahora le suplico, si no es mucha molestia, ¡váyase, por favor!... Y ya sabe que somos uña y carne.

–¡Sí!, ¡sí!, ya le entendí... entonces, hasta luego.

–¡Ah!, espéreme tantito... Nomás quiero informarle que a lo mejor me ausento durante un mes, más o menos, y yo creo que saldré la próxima semana... Es que el gobernador me ha mandado llamar. Voy a ir a su finca, ¿eh?, una que no conozco, pero que según dicen está bastante grande... Dicen que hasta funciona como un hotel de lujo... Mmm... ¿Usted cree que sea cierto?

–Pues...

–Bueno, ¡claro!... usted qué va a saber...

–Este... Mmm... ¡Pues sí!... Yo quiero imaginar que es un hotel... de-de lu-lujo... ¿por qué no?

–Mire... señora... ¡óigame!... Cuando yo no esté aquí, digo: en el pueblo, Sanjuana, usted la vio, la que trajo las sodas y el café... Bueno, a ella puede decirle lo que quiera decirle respecto a las llamadas telefónicas... si se oyen o no... o como se oyen, ¡pues!... ¡acuérdese!... los nombres... apúntelos, si se oyen... En fin... ¡Ya puede irse!

Incorporóse Dora estupefacta. Tan sorprendida estaba por la descarga eléctrica que, mecánicamente, agachó la cabeza en señal de respeto. Dióse la media vuelta y sin querer queriendo con pasitos menudos de tilica servil abandonó el recinto. Fue difícil hacerlo. Interminable y sórdido el trayecto. Capítulo de chascos que habría de concluir cuando le diera el aire de la calle, en tanto, ¡sí!, por ende... ¡Digestión o acomodo en busca de equilibrio contra ese trago amargo!... Sabor que tuvo un remate, una frase de travieso, descarada de por sí, que como un escurrimiento Dora oyó medio alarmada y a rehílo parte a parte: *¡Sanjuana, tráete... mi radio... ya va a empezar... el programa!* La rápida conexión (y ha de entenderse este enlabio) porque... En la gran oficina un reloj de pared con péndulo sonoro marcaba la hora exacta: once de la mañana, y la radionovela *Vendaval de amoríos,* la cual todos los días ella escuchaba, ya iba a comenzar. Tenía que darse prisa. Su lugar de trabajo estaba a media cuadra. Pero antes el fastidio inenarrable de atravesar el mundo oficinesco sintiendo las miradas acechantes de varios tinterillos. Ante eso el optimismo, o bien el poderío, la sal de caminar como una reina evitando el reojo o el suelo de mosaicos; erguido el cuerpo viejo, la mirada hacia arriba: presumida.

Capítulo cuatro

Salomón nomás mirando ese entorno tan banal. Le llovía más de la cuenta: *Hiciste mal.* ¿QUÉ PASÓ? *¿Qué ganas con tanto dengue?* Los rollizos camaradas, y Papías de refilón, no hallaban cómo decirle que no lo hiciera otra vez. Salomón: su lloro niño: ¿complicado o prepotente?, y su mirada, por fin, centrada en la barbacoa. Hosco perfil de lo incógnito. Mejor comer y comer. Su silencio: indiferente. La tatema puesta en taco: delicioso figureo. La música en otro mundo; las palabras por igual... En cambio a contracorriente sus secretos renovados afinándose en larguezas cuyos límites, si bien, podrían estar en las nubes, más allá, no mucho más, y con eso: el huero ambage: *g-a-n-a-r-e-m-o-s...* PARA SÍ: el presagio timorato...

–Yo creo que después de la comida hay que bailar ¿no les parece? Hay muchas muchachonas sentadas.

–¡Pues no creo que sea correcto! –Papías añadió iracundo y señaló con el dedo a su hermano silencioso–, no creo que cualquier muchacha quiera bailar una tanda con cualquiera de nosotros.

–¿Cómo no?, yo creo que sí, sobre todo con ustedes, simplemente por ser hijos de don Trinidad González.

Capítulo cinco

Pero las servidumbres no pueden durar tanto, los sinfines de guala, los tanteos... Se trata ni más ni menos de uno de los típicos acertijos de Evelio Anguiano, ¡sí!, uno de los líderes regionales más sobresalientes del partido autodenominado «de la Dignidad», quien formado como cualquier ciudadano, y ubicado en el segundo doblez de la fila (segunda esquina), cayó en cuenta de que el avance era lento gracias a que algo verdaderamente siniestro se estaba cocinando, es más: ya estaba cocinado. Y en efecto: lo que debió ser desde un principio una evidencia para los opositores era el hecho de que los «acarreados» fueron los primeros en hacer fila desde la madrugada. El claro pensamiento de Evelio Anguiano –acorde con su racional y ejemplar pundonor– afloró al filo de las tres de la tarde. Esta vez quería jugársela. El valor de sus tanates tenía que notarse ahora, ergo: se desprendió de la fila y anduvo, ¿cómo decirlo?: de atrás para adelante y de adelante hasta enmedio y de enmedio hasta, digamos, la gente que iba llegando. Entonces con peladez de tono y charros alardes de manos a media altura se dio a la tarea enfadosa de irvenir como una hormiga diciéndole entre susurros a cuanto votante había sobre el probable chanchullo; porque, bueno (ejem), HAY QUE RECALCARLO HASTA LA SACIEDAD: Evelio Anguiano era una de las cabezas más respetables –por aventado, por previsor, por la excepcional combinación de ambas cosas– de su partido, o sea, el de los hermanos González, o sea... El susodicho líder nombró una comitiva hecha al chaschas con el objeto de ir a echarle en cara a tal jefe de casilla acerca de la mugrosa irregularidad en los comicios: y siendo Papías y Salomón elementos de reconocida valía o, más bien, de absoluto sacrificio dentro del partido, por lógica tenían que formar parte de la selección ¡en pos! Dicho sea nomás así: ¡qué descuajeringamiento! Siete en total los actores que dejaron apartado su lugar en la ringlera para... Bruta confabulación... Tan visible secreteo (bajo un nogal aquel corro) prietamente sospechoso comparado con los ruidos que en oleadas gravitaban, en tremoleos falajeros, filadillos, follontones, libres, ¡oh!, fullonotacos, a favor o en contra de, por la causa, para bien, o aunque fuera por dar pasos, solamente algunos pasos. Pero ¿a qué horas, la verdad?

Capítulo seis

Otrosí: la salvedad. La devoción siempre atenta, imperturbable hasta el fin en postura relajada en la silla de costumbre: Dora Ríos; porque nada más llegó –apenas sí saludó a aquel par de recaderos, quienes le dijeron raudos que estaba muerto el teléfono: pañosidad de estridencias en rebaja se escuchaba. Es que lo habían descolgado en su ausencia: no por treta, sino por... (una excusa, ¿cuál ahora?)... ¿mera cuestión de control? Fue puntada de uno de ellos– y en directo prendió el radio. Primero era lo primero: la insana radionovela. Una hora de emociones antes de soltar lo feo que debió soltar cuanto antes. Ni siquiera el zonzo fiasco –una réplica sensata contra ese par vivaracho– la desvió de su propósito. Las emergencias no son más que puro alivio a medias si es que algo pudiera ser el tratar de hacerles frente. De modo que... El capítulo de hoy gozarlo como el alcalde... ¿sí?

Luego lo que vendría a cuento, por supuesto una minucia tan estricta como vil.

Capítulo siete

En un momento dado, justo cuando terminó de zampar la barbacoa, Salomón al fin soltó una frase entrecortada: *Q-u-i-e-r-o i-r-m-e d-e e-s-t-a f-i-e-s-t-a.* La renuncia predecible, abismal, y de refez, cual si él le diera importancia a tan payaso incidente, que visto de otra manera podría parecer heroico. Cierto que los entredichos inciertos dominaban el ambiente, sin embargo, las procuras tenían que ir por otro lado. De nuevo los otros tres soltaban frases felices, e insinceras de resultas: debían de sacarle jugo a lo que estaban viviendo; no distraerse, no hartarse, sino, por mor de «la causa», hacerle la faenilla a todo lo intrascendente. Tardaron en convencerlo.

Capítulo ocho

En nueve oportunidades Romeo Pomar había sido alcalde de Remadrín. Un récord inigualable conseguido, a ojos vistos, a base de disimulos plenos de marrullería. Pura y total perversión perfectible con el tiempo, es decir: en el sentido de ser cada vez más enliada y por ende más certera. Inmoralidad gloriosa que todos los moralistas tendrían que caravanear, empero, a regañadientes: tarde o temprano: ¡qué importa! Y es que entrando en pormenores es válido hacer deslindes, dado que: se trata de esas personas que conciben esta vida siempre arriba y adelante, siempre recta, siempre airosa, y por tanto les irrita cualquier curva o desviación, y si las hay las evitan. Así pues, bien se pudiera decir que es un enderezamiento efectuado de antemano para hacer simple el criterio, y, bueno, pues, si a esas vamos, es ansia de poderío, y es destreza a fin de cuentas, o ultimadamente es una insana diversión que no enfada ni adormece, como no debió enfadar ni adormecer ni un instante a tan preclaro señor, porque, veamos... Desde su primer trienio Romeo Pomar se dio el lujo de conformar una mafia compuesta de tinterillos (jovencitos por supuesto) con francas aspiraciones, comerciantes en ascenso, profesoretes hablinches, curas (muy a la antigüita) que limosneaban con creces, así como ganaderos y agricultores ricachos, a estos últimos, incluso, por ser los más importantes, les dio bastante manga ancha: que hicieran lo que quisieran. A la vista la evidencia: estudiada corrupción de dando y dando y jodiendo a los que no se amafiaran: la mayoría a todas luces, los pobres irremediables. Estudiada corrupción para colocar de alcalde a quien más tuviera méritos de lambiscón de a deveras.

Cacicazgo inteligente.

Pero...

De los tantos alcaldes puestos a conveniencia hubo uno, sin embargo, que se salió del huacal. Nunca falta un aventado, ¿un alcalde desafiante?, ¡vaya, vaya!... Eso mismo, dizque, al pretender poner orden, empezando desde luego por la turba dinerosa –lo que era una puñalada para don Romeo Pomar–, ¡uh, qué va!, su ocurrencia rebecona le salió bastante cara...

Una vez que iba a Brinquillo ése tal dizque muymuy, una bola de fulanos lo atajó en pleno desierto. Frenón de su camioneta ya casi al amanecer. Pues sin decirle agua va le dieron su matarili y lo desaparecieron. En Remadrín el siniestro se manejó de otro modo. La versión oficial fue: por ir demasiado aprisa (lo había llamado de urgencia el señor gobernador) se volcó en su camioneta por allá por La Malhaya (la cuesta más peligrosa del estado de Capila), y el vehículo dio tumbos para incendiarse allá abajo. Explosión aparatosa. Horrible pacedería disparada contra el cielo. La patrulla de rescate salida desde Pompocha sólo encontró puros fierros. Los policías anduvieron busque y busque en derredor a ver si encontraban cuerpos; ya de menos, ojalá, una mano chamuscada, una pierna, una cabeza, una víscera cualquiera... ¡No, caray!... Tampoco una bota humeante... ¿El sombrero del chofer?... ¿Nada, pues?... Todo voló por los aires y se fue directamente a casa de la fregada. Inaudita fantasía gritada de viva voz desde un entarimado a que no saben por quién... ¡Sí!, correcto... por el alcalde interino, que no era otro más que el mismo don Romeo Pomar Aguayo, quien, fingidor sinvergüenza, de a tiro virtió tres lágrimas, indignado, enrojecido, y con su puño derecho moviéndolo mero arriba.

La anécdota del percance (la sacrosanta artimaña) fue traída a colación por tres o cuatro integrantes de la comitiva aquella reunida bajo un nogal. De paso la referencia a propósito de oler lo que se veía venir.

La discusión afloraba: nadie se ponía de acuerdo, y las miradas en torno –cuántas en fila y aparte– a que no saben a dónde se dirigían casi todas... El alegato en la sombra sirvió de entretenimiento para tanto exasperado.

Aparte, ahora sí que muy aparte (ejem), en torno a la casilla electoral había tres camionetas raras. Dentro de ellas había gente.

Era probable –¿quién no lo daría por hecho?– que en uno de esos vehículos (de vidrios ennegrecidos) fueran transportados los votos, pero en uno nada más, ¿las otras·dos camionetas qué diablos hacían allí?

Secundaria conjetura.

La gente más bien deseaba llegar pronto a la casilla.

El rumor iba en aumento.

Capítulo nueve

Terrores supersticiosos acosaron a Dora Ríos al momento de enfrentar a los muchachos. Sospecha contra sospechas por el modo de llegar: las miradas, los desvíos, y a esto debe añadirse que la ahora salerosa no oía religiosamente el radio por las mañanas. El dato como excepción, porque ahora la señora, sentada como beata, medio cuerpo hacia adelante y las manos descansando sobre sus tamales muslos, extasiada y jubilosa frente al dichoso aparato, parecía escuchar a Dios. ¡Vaya!, algún mosco le picó en virtud de tal desplante: no virtuoso, sí vistoso. Y he aquí el choque inevitable: *Más de rato quiero hablarles muy en serio...* Mas lo que sí puso en jaque a... (ya se sabe)... La tardanza inexplicable. Primero la ausencia de ella, pero en segundo lugar: sus ínfulas alcornoques, y en tercero: cuando apagó el aparato y les dijo lo anterior, nomás dio la media vuelta y se fue hacia su recámara sin decir una palabra.

Allá anduvo como hormiga o como león enjaulado.

Capítulo diez

La luna, bobalicona, imán de las pesadumbres, amante de la negrura de las almas extraviadas, limbo endeble, nocturnal, depósito insuficiente de alegorías escabrosas, es abismo inmaterial, su blancura es poca cosa. Acaso quisiera ser transparencia peripuesta de todo el ingrato cosmos, pero le queda muy grande la dimensión de un color o la hondura de una cuita: una sola es insondable, ya en conjunto puede ser, aunque sea de todos modos una vaga pequeñez; el ejemplo chispea lejos: aquel lánguido fandango.

La barbacoa estaba rica y por eso las palabras no surgieron durante un rato. El silencio era tramposo porque las mentes fraguaban morbos cálidos, pletóricos de rebane y paladeo. El sabor de las ideas, hacia abajo, lentamente, contra la tierra hidratada. Y los cansancios apenas y la desazón a tajos. La luna quería influir, pero había muchos obstáculos: cúmulos agorzomados en descenso voluptuoso: podía haber una rendija instantánea para un haz, pero luego la llovizna a trasluz desfiguraba los estarcidos difusos sobre aquella lona verde. La mundaneidad abajo exenta a medias aún, dado que: a plenitud el ritmazo de la música salsera que varios iban siguiendo con los pies, pero sentados. Demasiado encantamiento que necesitaba ya de una ruptura inmediata porque ya todos estaban agüitados y mirones esperando a ver si... Por lo pronto y en contraste la disolvencia lunar cosechaba y recogía deliciosas pesadumbres. Pero –luego de una media hora de suspenso acompañado de tamborileos sin cuenta– se suscitó lo deseado: leve fue la caravana que realizó Trinidad para sacar a bailar a su bienamada esposa quien extendió todo el brazo y dejó caer la mano. Hacia el centro de la pista: su caminar tan fifí: los primeros bailadores, por supuesto, muy orondos. El deber sobrentendido. Y hubo palmas por ahí, como voto de confianza, es decir: hubo unas cuantas, porque: como si fueran jaladas las parejas luegoluego por un imán o por algo quizás mucho más potente (varias, pues): esto es: las señoras por señores, las muchachas por muchachos, pues a darle duro y bien: cual si fuesen monos guangos, es que, bueno, algunos bailaron suelto contoneándose bien tontos.

Capítulo once

Mientras tanto los perdones con sonrisas de «no sé». Perdones casi mecánicos, siendo que: no se veía fluidez y: el tal jefe de casilla tuvo constantes presiones –¡ojo!– por parte de los representantes de los partidos de oposición que unidos al griterío surgido: ¡de las esquinas!: le decían que se apurara. Las oleadas de protesta y cada vez más groseras... Sin embargo, la escena concreta es esta: cerca de la casilla estaban secreteándose el representante del Partido de la Renovación Nacional y el del Partido del Progreso. Un poco más apartado, solo y su alma y su mudez estaba como en la guala el representante enano del Partido Anticorrupto. Fue a las cinco de la tarde cuando... También el representante del Partido Triunfalista les contaba varias charras a tres tipos que fumaban y se reían tose y tose. Buenísimas las puntadas. Los escuchas reidores traían gorras de beisbol, se jalaban las viseras como si hicieran señales. Entre ellos los carcajeos, pero a muy bajo volumen. Para completar el cuadro, o para desdibujarlo, no cerca de la casilla sino abajo del nogal estaba el representante del Partido más chillón, o sea el de la Dignidad: allá con la comitiva estaba perdiendo el tiempo...
Pero volvamos al punto.
El tal jefe de casilla le comunicaba airado a la hilera de votantes –con vocecilla tiplada no oída ni a veinte metros, ni de frente ni en redondo– que efectuara sus maniobras con mayor celeridad. Y hasta sudaba al hablar; pero es que: los de adelante no corrían y los de atrás no se quedaban, más bien: la fila se descompuso poco a poco alebrestada... Eso se veía venir: el sudor del nerviosismo que iba haciendo más chiquito a tal jefe de la casilla, quien vociferaba quedo: *¡Adelántense!, ¡adelántense!*... y nomás esa palabra.

Capítulo doce

De la cocina a la recámara y de la recámara a la cocina y de la cocina al traspatio y así yendo y viniendo apareció Dora Ríos con tres vasos de aluminio y una jarra de agua fresca. Egrencito y Enguerrando se sirvieron hasta el tope y ella también lo hizo pero no le dio ni un trago. ¡Quería imitar al alcalde! Recordó lo de las cocas: ¿si atenuante ofrecimiento o mezquina anfitrionía? –ahora sí ya cual remedo–, para ir de a poco ablandando a sus, bueno... los que tiempo ha por ser huercos correlones, es decir: incansables mensajeros, ahora tenían sus mañas: unas cuantas: apenitas, al igual que bigotillo y una piochilla apenitas, empero... ¿el ablandamiento?... ¡Sí!, dizque mediante un larguísimo rebane (como el oído) que los pusiera bien lelos, para que luego al final les metiera sin problemas la puntilla venenosa. Antes, ¡sí!, la persuasión: lo de menos era la orden con su amenaza detrás, que perdieran el trabajo por cualquier fregaderita, sino –y he aquí el despiste falaz–: era el riesgo que corrían, podían ir hasta la cárcel, ser golpeados sin piedad: una invención de la doña para sentirse segura y aferrarse más al puesto. ¿Aclaraciones?... Al margen. No había por qué especular. ¿Que perderían el trabajo? ¡Bah!, si hemos de adelantarnos a lo que pasó después: ellos nunca lo perdieron. Lo demás estaba visto: Egrencito y Enguerrando eran más inteligentes que esa señora apagada, tan cosita, tan miedosa...

Y ahora vámonos de prisa como si ya, de una vez, diésemos un salto enorme a través de varios meses. Entonces pues, véase esto... Siendo la mentada viuda una mujer insensible y en la flor de su adultez, cincuenta años más o menos, parecía de ochenta y tantos, y cuando se petateó no llegaba a los sesenta, casi estaba por cumplirlos cuando... Su funeral fue un fracaso, no tuvo gran concurrencia. El pueblo fue indiferente a esa muerte tan buscada. Salvo el par de recaderos y la esposa enflaquecida de su único tío vivo y el párroco sin acólitos: nadie, ni las moscas se pararon. Ergo... La caseta telefónica quedó a cargo de Enguerrando.

¿Fue decisión al vapor? Fue objeto de comidillas un relevo tan así, cuando muchos tinterillos esperaban ser nombrados para un puesto que a la larga cobraría más importancia, si no es que ya, por lo visto, pero... ¡vino el desmoronamiento! Mas el runrún servilista halló el lado más servil: cerrar el pico y pensar, con resignada merced, que si edad era sinónimo de calidad o experiencia, debía estar muy por encima del pelaje o del buen ver; experiencia, sobre todo, porque era ultimadamente lo más noble de apreciar, y siendo así ¡ya ni qué!: ese par de copetones la acumulaba de sobra.

Tantos años trabajados en ese mismo lugar debió ser el muelle arbitrio de un alcalde colmilludo como lo era don Romeo. Otrosí: la redondez completada al fin y al cabo con un mínimo detalle: Enguerrando era mayor que Egrencito por tres meses. A estas alturas los dos contaban con veinte años, ciudadanos oficiales, ambos, pero, dicho sea: Enguerrando fue primero: ni tanta la diferencia, pero: por esa razón él era el más indicado para suplir a la viuda, aunque...

Lo de más es lo de menos cuando de una orden se trata; sin embargo, falta un dato:

Habían pasado tres meses de la famosa matanza. No es cuestión de hacer las cuentas pero todavía la viuda vivió aquello en carne propia al no permitirle a nadie que utilizara el teléfono. Fue celosa hasta la muerte, cumplidora, intransigente. Ni ella misma se atrevió a hacer una travesura. Cierto que: podía entrar una llamada de algún desaparecido. ¡Sí, pues sí! Empero la tentación se mantuvo como tal, y ahora esto: siendo ya jefe Enguerrando fue el primero que lo hizo nomás para comprobar si en verdad no se oían ruidos ni voces distorsionadas; a veces sí, a veces no, y lo neto es que el bloqueo seguiría mientras la gente se acordara del siniestro. Aquel tardado enfriamiento: ¿por cuánto más?, ¿todo un año? Agréguese de pasada que el pazguato de Enguerrando, prepotente y presionado, cual burócrata ejemplar, no le permitió a Egrencito comprobar por cuenta propia lo que él ya había comprobado.

Asunto dificultoso el nuevo estira y afloja que por ser tan vulnerable se tenía que reventar. La postura de Enguerrando era una calca infeliz, maniaca a más no poder, de lo que hacía Dora Ríos: sentarse junto al teléfono y con el radio prendido, sólo que: oía canciones rancheras en vez de radionovelas. Y el otro, ¡ay!, de mensajero... No pasaron ni dos días cuando molesto Egrencito lo hirió con todas sus ganas:

–¡Te vas a morir allí como esa vieja enmierdada!

–¡Cállate, pinche achichincle!

Se enchilaron luegoluego. Y llegaron a los golpes y a la sangre y ¿el ganón?... Se explica de otra manera: enfurecido Egrencito se fue en friega (en el trayecto fue hábil para contener los hilos de sangrerío aparatoso: con sus manos... ¿con qué más?... Tuvo la enorme virtud de quitarse la camisa cuando la reyerta aciaga en la cual salió perdiendo; por ende, no se manchó ni siquiera los zapatos; suerte de ir, pero sin lloro...) a su casa a redactar una carta desgarrada: su renuncia irrevocable; de una vez, con dignidad (primero se echó un buen baño), hacerle frente al alcalde.

Ante el «¿qué haces aquí?» a sus padres les contó una tamaña mentira. Se trataba de un proyecto de (asegún)... Pero... si era invención en aína, y exagerada de a tiro ¿valdrá la pena contar aunque sea sólo lo peor?... Mejor veamos el efecto inmediato tras concluir Egrencito su procura, que no fue de darle vuelo a ocurrencia tan sobrada, sino más de conmover a sus padres en un tris y... Aislamiento necesario para ordenar las ideas ¡por escrito!: contimás. Y empeñarse en elegancias de expresión etiquetera, ¿cómo?... Bueno ¡ya! Antes de cualquier palabra puesta sobre la siempre (ejem) intimidatoria y supina y repulsiva hoja en blanco, Egrencito hizo dibujos. Antes de llegar al meollo de su determinación, su mente tetrabarroca debía intentar un encastre, tan amable como agrio, para encubrir su dureza. Lo primero, ¡qué fastidio!, «muy querido» o «respetable» señor don Romeo Pomar... ¡No!... «muy estimado jefazo»... ¡Menos!... La lucha con las palabras parecía burla chachera de la hoja garabateada contra él, contra su afán. Mejor romperla en cachitos antes de sudar de gratis. Pero sudó, se angustió. Nueve hojas de intentonas por delante y por detrás –mugrero a su alrededor–, y ya en la número diez halló una frase faltosa, inconexa, subconsciente, pero que le permitió entrar de lleno al asunto. ¡Fuera los chulos remilgos! A cambio lo intempestivo, el acre sacudimiento para dejar que la tinta corriera sin ton ni son como por una llanura donde todo es puro y pobre; que se manchara de letras (hierbas, cactos y serpientes) lo virginal y brilloso de una árida hoja en blanco.

Así, a lo loco, en principio, así: trrrprrrptrrrptrrr el salidero. Ya después ¿las convenciones? ¡Sí!, quizás, pero sin olor de más. ¿Sabor, color?, esas cosas: taladradas, inclusive, buenamente edulcoradas, dadas, pues, en retahíla, sin armonía y sin razón, pero sí con harta furia, y qué le hace y qué más da... Al cabo los acomodos, más en firme, con afán, ¿con afán? ¡Sí!, en efecto, Egrencito a fin de cuentas escribía, recomponía, machacando las palabras, cual si pagara un pecado.

Borradores a raudales. Durante cuatro horas y media estuvo, más que prendido, rabioso contra sí mismo porque entre estilo y honrilla no avisoraba el final. Por cansancio lo encontró. Seco alivio inexpugnable, íntimo, resolutivo, ¡vaya! Sin atreverse a mirar por última vez la carta se dirigió a la alcaldía a sabiendas que lo escrito nunca es del todo perfecto, puede haber comas de más y hasta palabras de menos y hasta ideas imperdonables. Pero ¿qué?: lo justo no es justo nunca, le faltan puntos, y aparte le falta pedantería, ingredientes de pureza, simplicidad, resonancia, voluntarioso delirio, cierta delimitación, aunque: el rigor más exclusivo no es tan cabal ni tan divo, ni bien retorcido o bello, feo ¿quién sabe?... ¿Inconsistente?... El alivio es lo que vale, es el vino espiritual. No así, pero parecido iba pensando Egrencito en las otras consecuencias a partir de esas minucias.

No lo recibió el alcalde. Hizo entrega de la carta a la secretaria exótica, la del peinado de torre, la que servía Cocacolas: Sanjuana Cruz de la O (conste: renunció, no lo corrieron). Al día siguiente Egrencito fue llamado a primera hora. Al menos en apariencia no se enojó don Romeo. No hubo sermón de remate. En la palma de su mano le puso cuatro billetes: dos de cien y dos de veinte. Luego, con gentil prestancia, le dio un cheque de seiscientos. Era la liquidación en un voleo calculada por los años de trabajo... Bueno (ejem), al margen de las vacilaciones que por lo común aparecen cuando llega el momento de una despedida que se intuye definitiva, el alcalde sentenció, con innatural aplomo, no sin temblarle la voz:

–Te he entregado este dinero por los servicios prestados. Lo único que te pido es que te vayas del pueblo y no regreses jamás.

–Pero, ¿por qué?... Creo que mi carta es muy clara.

–Olvídate de la carta... Mmm... La razón es muy sencilla: ¡yo soy el que manda aquí!... A mí nadie me renuncia. Yo soy el que sabe cuándo se tienen que ir de aquí los cabrones servidores como tú.

–Pero, señor...

–¡No nos metamos en líos! Te vas a ir, pero del pueblo; y quiero que te me pintes de colores de una vez... ¡Ya no vuelvas, por favor!

–Claro... Bueno... ¿Pero si yo quiero hacerlo?

–¿¿Queeeeé??

–Que si yo quiero volver...

–¡Ay!, tontito, te daremos matarili.

–Pero, vamos, usted no sabe que si usted me mata a mí mi papá lo mata a usted.

–Mmm... Creo que no estás entendiendo. Mira, si te matamos a ti matamos a tu familia.

–Pero faltan mis amigos que son muchisisisísimos... Y los tengo aquí en el pueblo y en los ranchos de aquí cerca. Nadie, ni usted los conoce, ¿y sabe?, ellos inmediatamente vendrían a matarlo a usted. Así es que por eso mismo mejor usted no me mate.

Don Romeo no respondió, miró el redor de la sala para recrearse, de paso, en las glorias nacionales; levantó sus cejas ralas como lo hacen los fantoches que se sienten poderosos, y gritó: ¡Saanjuuaanaa!

La del peinado de torre estaba requeteagusto platicando y retorciéndose –escritorio de por medio– con un donjuán allá lejos. Se añade que el mencionado era un tinterillo altote, medía dos metros y cacho, aunque tinterillo al fin. Entonces: *¡Saaaaanjuuuuuaaaaanaaaaa...!* Entonces: *Ya me voy...* Y corriendo a grandes trancos se fue hasta donde... En un tris.

Frente a frente con el otro, el de acá, ¡sí!: don Romeo, quien le susurró al oído un enfermizo discurso, largo, tanto, que al terminar hastiada la de las Cocacolas se dirigió a un cuartito que estaba hasta el final de la enorme oficina. ¡Qué cantidad de triques cuando abrió! Era cosa de hurgar unos minutos, durante, es decir, cuando no hubo ni ruidos ni palabras de parte de ninguno. De allá y por entre ahí extrajo una pistola la chula secretaria, se la dio al mandamás, quien: *¡Crisóstomo Cantuuuuuuuuuuuuuuú...!* Sí: *¡Mande!* Un mande muy lejano proferido, instintivo, y un correr dando golpes, abriéndose camino. Inmediatez atenta con sello de humildad, tal como lo exigía el marrullero alcalde:

–Bueno... Ahora vámonos los cuatro al final de la oficina. No quiero que oiga nadie lo que les voy a ordenar.

A toda prisa avanzaron, pero Egrencito no quiso. Estaba tieso o, digamos, con la mente en blanco o casi.

–¡Quiero que oigas tú también lo que les voy a ordenar!

–Discúlpeme, señor... No me interesa.

–¡Ya me estás colmando el plato! A ver, Crisóstomo, ¡al tiro!, ve a traerte aunque no quiera a ese pinche respondón. Apúntale con el arma en la sien y así lo traes; agárratelo de un brazo; si se zafa le disparas.

Pues ¡ni modo!: ¿para qué arriesgarse más? El cañón: cualquier instante. Inclusive: un paso en falso. Caminaron apretados el ahora pistolero y el ahora amenazado. Es que: contra los pensamientos de Egrencito el balazo en potencia... Llegaron ambos sudando.

–A ver, a ver, Crisóstomo, ya deja de apuntarle... Mira, Crisóstomo, óyeme: se van a ir en mi camioneta guayina a Fierrorey. Tú vas a manejar. Allá dejas en el centro a este pobre muerto de hambre, a ver qué hace el desgraciado. ¡No!, mejor no... Mejor déjalo en Lanzazos, y también, ¡a ver qué hace! Tú nada más me lo tiras y te vienes luegoluego. ¡Ah!, otra cosa, no permitas que te hable durante el viaje ni una vez; si lo intenta te lo echas y lo tiras por ahí. ¡No lo vayas a dejar cerca de la carretera!... ¡Váyanse, pues, ahora mismo! ¡Ah!, pero espérame, Crisóstomo... Te daré para los gastos seis billetes de cincuenta. ¡Ven!...

–Discúlpeme, señor –interrumpió Egrencito–, aquí viven mis padres y mi novia también. Yo no me puedo ir.

–¡Te vas a ir!, ¡entiende! Ahí luego después les hablas por teléfono si quieres... Este... A ver, Sanjuana, encárgate de él ahora, apúntale con la fusca en el mero corazón... A ver, Crisóstomo, ¡apúrate!, ya dale el arma a Sanjuana... Y tú, cabrón, ya lo sabes, si intentas un movimiento te irás derecho al infierno... Entonces, ¿eh?, Sanjuana, échatelo sin miedo si se mueve... No me vayas a fallar.

Enseguida el alcalde se jaló al tinterillo, quería decirle aparte algo muy sucio. Sanjuana sudaba a chorros, pero firme en su papel de onírica delincuente le apuntaba –no muy bien– al mentado respondón. Por lo mismo aquél vibraba recapitulando rabias, lo que intuía burdamente cual si ramoneara afanes revueltos con su saliva para soltarlos en seco como un gargajo bilioso. Mientras tanto:

–Crisóstomo... Aquí entre nos... Quiero que lo mates hoy, ¿entendido? Nomás saliendo del pueblo le descargas la pistola. Cuando ya lo veas bien muerto sumes la bota y te arrancas. A mí se me hace mejor que te vayas por el rumbo de El Camote, por lo pronto, para que agarres la brecha que va hasta Los Arenales. Allí hay un barranco hondo... Allí lo puedes tirar...

Egrencito era una estatua que pensaba a su manera. La inminencia de su muerte la presentía como algo que libera los prejuicios y además envalentona. Lo fatal no es capitoso si en las venas corre sangre, aún febril, amanecida, aún buena para algo. Y por ende aprovecharse. Entonces cuasivibrante, sabedor patidifuso que (en etapa terminal) debe expulsar como fuere sus reservas reprimidas, se prodigó como orate sin medir las consecuencias:

–¡¡¿¿Verdad, don Romeo, que usted mandó matar a los que iban en el mitin??!! ¡¡¿¿Verdad que usted es el matón más famoso de este pueblo y de toda la región??!! ¡¡¿¿Verdad que usted se aventó a los desaparecidos, o no me diga que no??!! –como tromba el ex empleado desaforaba sus gritos, con volumen de subida; no había forma de callarlo más que dándole un balazo. Y Sanjuana nada más temblando con la pistola.

Y el alcalde a contracurso triplicando más su voz:

–¡¡¡Caaaaallaaaaateeeee, piiiiiltraaaaafaaaaa huuuuumaaaaanaaaaa!!!

Luego de eso hubo un silencio como impuesto por Dios padre. Resonancia furriñera que traspasó las paredes e hizo palidecer a los peinados de allá: engarrotado y atento el ámbito oficinesco queriendo más (en el fondo), acaso más insultante, nomás por morbo sumiso. Pero no.

De nueva cuenta el alcalde, volteando por sobre el hombro, con una ceja parada, le balbuceó a su, digamos, «mejor hombre de confianza»:

–¿Ves?, ¿lo ves?, ¿ya entiendes por qué me urge que lo mates ahora mismo?

Enseguida.

–A ver, Sanjuana, dale la pistola a Crisóstomo.

Burda frase inexpresiva, pero: ¡qué bueno que vino esa orden! Respiró profundo ella. Con una sonrisa helada se deshizo de esa carga. Temblorosa-agradecida. Justo entonces Egrencito:

–Disculpe la indiscreción... Si hemos de hablar a lo macho, yo quisiera preguntarle qué gana usted con matarme.

–Yo no te voy a matar, ni Crisóstomo siquiera. Él te llevará a Lanzazos y a ver qué haces, desgraciado. Y que conste: si te portas mal ya sabes.

–Pero luego mi papá...

–¡Cállate, no digas eso!... Mira, ven. Quiero explicarte el motivo y tú lo vas a entender.

–¿Matarme?... ¡Carajo!

–¡No!, espérate... Déjame que haga memoria. A ver... Tú por ser mi empleado de años sabes muchas cosas mías; si no eres mi servidor, habiéndolo sido antes, serás mi pronto enemigo. Chismearás, me atacarás, y a todo buen enemigo hay que tenerlo bien lejos.

–¿Enemigo?

Se enfrascaron en tonteras. Desacuerdos: que la novia, que los chismes, que el posible casamiento contra la posible muerte o el irse quién sabe a dónde. A Lanzazos, es decir, sin embargo, ¿por qué allí? *Allí está el niño Florencio, dicen que todavía ayuda; que se aparece y que habla.* Degenere de visiones y conceptos exultantes. Ninguna serenidad. Puro machacar los puntos con sonsonete alargado...

La frecuencia de las «a» y de las «e» cual pedradas. En remate, para colmo, las «i» horrendas, puntiagudas, buenas para prodigar ansiedades a lo bestia, énfasis que desespera: sin rejuego de por medio... Por lo cual: Egrencito cerró el pico; le resultaba mejor no resistirse a la muerte mientras no ocurriera allí sino en plena carretera y en manos de un subalterno que a lo mejor se rajaba. Mejor dejarse llevar...

Mejor, así, como fuera. Era la oportunidad de salirse con la suya.

Resignación y sosiego, mientras tanto... Y la ruptura cuajó. Revolviéndose los pelos el alcalde dio la orden. Ni tardos ni perezosos Crisóstomo y Egrencito salieron de la alcaldía. El mundillo oficinesco se jaló hacia el espectáculo que estaba a un tris de acabarse (las miradas seguidoras) porque: afuera el sol reinventaba un calor casi intocable: ¿quién pudiera no pisar aquel suelo de cascajo?, ¿y tener que usar la llave para abrir la camioneta? Los que se iban al demonio... A petición de Egrencito Crisóstomo prendió el clima: sí servía, sí refrescó: ¡aaaaah qué bueno!...

Luegoluego la heladera concentrada, constreñida, a un fantástico arrancón que rompió con una calma plena de asombro y siseo, y así en lineazos las casas como peliculerío. No hubo tiempo suficiente para que aquel ex empleado recordara a contracurso sus quehaceres, sus vagancias, su noviazgo cuesta arriba, su niñez en reducción, ¡ininguna totalidad!

Una lágrima indirecta se le tuvo que salir, le resbaló lentamente por su cachete derecho llegando hasta su camisa. Otra ya le iba a brotar y Egrencito la deshizo con el dorso de su mano. Y no más, ¡al diablo todo! Al momento que pasaron frente al local telefónico Egrencito vio a Enguerrando arranado en el sillón donde la viuda murió. El ahora jefecillo enredado en soliloquios allí se consumiría oyendo canciones tontas. Se iría apagando de a poco, trunco siempre, cabizbajo. Tras la deducción final por impulso el ex empleado lo despidió con un grito: ¡*Adióoos güüüeeey*!... ¡*Que así te quedes!* Quedaba sólo el avance y el impacto aún insinuado. Antes y después la huida a toda velocidad enfriaba sus pensamientos.

Capítulo trece

A raíz de la matanza al alcalde se le atribuían dos asesinatos más. La evidencia de esos crímenes era prueba suficiente para que el pueblo culpara con mucho mayor certeza al alcalde como autor de... Uno entre varios, es cierto, pero sin lugar a dudas uno ya identificable; de ahí que: habría una segunda marcha a Brinquillo ¿nuevamente?... De eso ya se hablará porque... La consecuencia inmediata fue efectuar turbios plantones casi a diario: medio ralos; si timoratos, por ende, no dejaron de ser necios, mas no para distraer al desvergonzado alcalde, dicho sea, porque después sí llegó la resonancia a Brinquillo.

Mientras tanto acá el alcalde, miedoso como los cuyos, no salía de su oficina. Allí comía, allí dormía en un catre desmontable. Por lo que toca a su casa: en turnos de ocho horas dos flotas de policías la vigilaban día y noche. Acerca de las protestas don Romeo consideraba que nomás en apariencia tenían su razón de ser. Pero su exageración hecha a base de invectivas tenía un énfasis rayano en cursilería trolera. Llantos bufos y quejumbres tan chillonas como inciertas que la verdad no invitaban a atenderlas durante horas, siendo que de hacerles frente aumentarían como al triple. Sin embargo, sólo en un par de ocasiones don Romeo salió al balcón a prodigarse en excusas que nadie se las creyó porque eran tan alarmistas como los mismos reclamos: *¡Yo no soy un criminal!*, *¡yo quiero aclarar los hechos para que mi pueblo sepa quiénes son los asesinos! ¡Hay que evitar cuanto antes que siga corriendo sangre! ¡Viva la paz nacional!* (por ejemplo) –¿nacional o regional?; temblorina, si se ve–, pero ¿por qué tanta hipocresía, sobre todo cuando aquél inventó una mentirota relativa a que un sobrino, hijo de una hermana suya, domiciliado en Caranchos, también anduvo en el mitin y se desapareció? ¡Sí!, pretexto para ponerse a hacer melodrama y medio ante los increpadores de entre quienes dos fulanos desde hacía unas dos semanas ya no iban a los plantones, nadie sabía dónde andaban: ¿eran los asesinados?

Sin embargo, en relación a otros crímenes, si reales o más o menos: burdos chirleos en retazos.

Y las culpas de ¿quién?, ¿quiénes?

Todo eso se supo allá, en la mera capital.

Aunque: se diluían las sospechas día con día por ser tan luidas, escurridas fantasías: hasta que:

El gobernador le habló al alcalde una mañana por el teléfono gris, el de la red oficial; furioso como un orate le pidió que renunciara.

Una segunda llamada, hecha dos horas más tarde, fue más bien en son de paz. Entendió el gobernador que no era un asunto fácil desprenderse de un cacique cuya influencia regional nadie podía discutir. Por eso: con un tonillo melifluo le pidió que de inmediato se desplazara a Brinquillo para hacerle un agasajo discreto pero honorable por su lealtad y servicio. Tenía que haber un abrazo que saliera en los periódicos.

El gobernador sonriente y don Romeo pues ¡ni modo!: mueca estirada-grosera, contenida, imaginada, un minuto: aquel requiebro: ante un montón de fotógrafos. La verdad es que al alcalde no le convencía la idea. ¿Para qué ir a exhibirse? Entonces como quien dice no aceptó la invitación. ¡No! Además, no era una cosa exclusiva aquel abrazo fingido. Eso mismo les pidió el acre gobernador a otros alcaldes puebleros. Todos fueron a Brinquillo a las primeras de cambio, excepto... Este alcalde enloquecido quería aferrarse a su puesto. ¡Claro!, con un miedo del carajo.

Fue la tercera llamada. Fue más dulce que las otras.

Empezó el gobernador con un vago ofrecimiento: ¿qué tal una casa en Donna?, o si quería irse más lejos para vivir su vejez en santa paz y riquísimo, podía alquilar una casa en un suburbio de Dallas. Un gordo plan tentador. Tal como estaban las cosas, que se fuera del país porque lo iban a matar. Sin embargo, don Romeo: su negativa estribaba en que le era harto difícil desprenderse de sus bienes: cinco ranchos, quince casas, una fábrica de hielo, una cremería en ascenso, unos billares de lujo, dos bodegas y dos tiendas... ¡Cuántos encariñamientos! Pero... la oferta se hizo más grande: que se fuera la familia contando a tíos y sobrinos.

Si esto resulta aún vago, hay que añadir que Sanjuana le contó a su pretendiente, el tipo aquel de dos metros, lo de las turbias llamadas; todavía le dijo más: la confesión alelada de ese alcalde hecho papilla: *Me pide el gobernador que renuncie ahorita mismo. Me hablará en unas dos horas para que yo le dé el «sí»... ¡Diantres!... ¿Yo no sé quién de mi gente anda diciendo lo que hago? Y como no tengo tiempo para saber quién ha sido, antes de dar mi renuncia quiero llevarme de encargo a dos o tres sospechosos... ¡Yo soy el que manda aquí aunque no sea presidente!...* Hubo bastantes llamadas. El gobernador de plano se puso a rogarle mucho.

Capítulo catorce

Fue graciosa en un principio la distorsión traída a cuento. Dándose besos Sanjuana con su largo señorón (el susodicho donjuán) le soltó lo confesado por don Romeo cierta vez. Bueno (ejem), entre lenguas y salivas de a cachos soltó la nueva. Cuando terminó Sanjuana el galán no quiso más; no besarse durante un rato era sobrio para ambos. Es que él se quedó espantado: ¡¿Qué, qué?! Chasco o electricidad: ¡¿Cómo?! Pero Sanjuana se rió como una niña perversa, la vanidad de ser santa ya la había dejado atrás: se descaró la maldita. El galán le dio la espalda. En lo oscuro las tinieblas dejaron ver que se fue: como si la secretaria fuese una bruja liosa, al irse corriendo lejos de refilón aquél dijo: *¡Yo mejor huyo de aquí!... ¡Yo trabajo en el gobierno!* Fue Sanjuana la espantada.

Así terminó la cosa, en desconcierto absoluto, pero siguió el zigzagueo de lo dicho y mientras tanto: ya todos en la oficina sabían (¿creencia veraz?) que al alcalde le quedaban tan sólo unos cuantos días en tan envidiado puesto. Sanjuana le reprochó a su ex besador cobarde el andar distorsionando lo que ella le confesó, en secreto, entre caricias; a lo que él:

—¡Lo nuestro se terminó! No quiero tratarte más.

—Pero respóndeme, idiota, ¡¿por qué la gente de aquí ya sabe lo que te dije?!

De favor le había pedido Sanjuana hablar un momento —pero aparte— no sobre el amor en sí, sino... El accedió de buen modo, pero... A la hora de la comida ellos fueron a la plaza... Y en la banca de costumbre:

—Si esto lo sabe el alcalde...

—Tú lo dices... Si esto lo sabe el alcalde yo diré que tú chismeaste.

—¡¿Sí?!, ¿a poco serías capaz?

—Tú eres su consentida... ¿Yo no sé cómo demonios te suelta lo que te suelta si tú lo sueltas después?

—Pero es que tú eras mi...

—¡Yo defiendo mi trabajo!

En frío, con zote desprecio, oyó Sanjuana al miedoso que de una manera u otra le decía que no la amaba, ¿cómo iba a quererla aún si la tachaba de golfa, y para amolarla más, de amante de don Romeo? Esto último, por cierto, una vez se lo hizo ver y ella lo negó de a tiro. En la mente cochambrosa del dizque serio aspirante a la mano de Sanjuana se agolpaban fantasías, fruto de tantos rumores que ya andaban circulando y, por tanto, a contrapelo, sacarlos a relucir, recalcarlos ¿para mal?

Esto es: las presuntas encerronas en la oficina durante horas; sospechas de jineteo entre ambos sobre la alfombra, o bien, sobre el escritorio; el jadeo desesperado percibido desde afuera por más de cuatro empleadillos, y un sinfín de cochinadas a partir de esas patrañas. Todo dicho a troche y moche con afanes tremendistas ahora de nueva cuenta —más pícaro que otras veces—, a lo que, por reacción obvia: un manazo le asestó Sanjuana a su pretendiente: tan fuerte que lo tumbó de la banca cual si fuera una pandorga de trapo. Tanta rabia contenida fue sorpresa para ella, así, ¿tanta?, a rajatabla, para luego rematarlo con:

—¡Es mentira todo eso!, ¡es envidia de la mala!... ¿Yo no sé cómo carajos quieres enfrentarte a mí, si yo tengo más poder?

Cuántas cosas por delante. La discusión fue valiente, duró más de media hora, y tras exhibir despechos se declararon la guerra:

—¡Conste, ¿eh?!

—¡¿Eh?!, ¿qué?, nada, ¿o qué de qué?... ¡Maldita burra maicera, no me estés amenazando!

–De esto te arrepentirás.

–Eso es lo que digo yo.

Los vaivenes del amor y la secuela del odio. El ex pretendiente en friega anduvo vociferando (y aumentándole a su modo) las discusiones entre ambos; hasta repetía las frases de su último enfrentamiento –según él, y lo juraba– con toda fidelidad. Era como obra de teatro. Al pretender imitar voz y gestos de Sanjuana, y hasta ademanes en lo alto, parecía una marioneta cuyos torpes movimientos provocaron risionada.

Risionada en las cantinas; no se diga en la oficina ni en otros lugares públicos; inclusive cierto día fue a contarles a Egrencito y Enguerrando lo que le había sucedido. So pretexto de una urgencia que justificaba hablar por teléfono a Pompocha –contra lo retesabido del bloqueo sin solución–, aprovechó el tinterillo para prodigar su gracia ante dos desconocidos. El inservible preámbulo (el romance del alcalde con su joven secretaria) se alargó más de la cuenta. En cambio lo sustancioso fue contado muy de prisa: el noviazgo tan fugaz entre él y la susodicha, y por ende los reveses y los burdos sinsentidos. Enllegando a lo deseado, sí teatralizó al detalle toda la escena final. Egrencito y Enguerrando supusieron que el ingrato –ése nunca visto antes– ya la había ensayado harto; todavía, con desenfado, de remate les dijo algo que sí los echó de espaldas:

–Todo lo que les conté cuéntenlo por todas partes.

Consecuencia inaplazable: la curiosidad creció. Un solaz con sendos hilos para matar el fastidio. Para prueba el rumoreo burlesco y exagerado de imitar la pantomima de los que extendían el caso y le añadían ingredientes evidentemente absurdos. Por fortuna no llegó a escribirse en las pancartas nada tocante a ese embrollo, tal como lo habría deseado el ardido tinterillo. Lo anterior hubiera sido doblemente más grosero que un innoble tomatazo en la cara del alcalde.

Sin embargo, a contracurso...

Sanjuana le fue a decir al alcalde santo y seña de lo que estaba pasando... No halló por dónde empezar... Al principio muchos «este»... Aunque...

Luego... El simple hecho de que un hombre, un empleado de segunda... Bueno... El más alto del palacio municipal, ¿sí? Ese mismo que no tenía mucho tiempo de haber sido contratado... ¿Para qué trabarse más?... Era un problema de tono... Sanjuana se puso seria... Quiso ser más sentenciosa, a bien de que don Romeo se enojara de a deveras... Antes ideó un regodeo.

–Ya todos saben que usted va a renunciar, y que si no lo hace le dan cuerda... Mmm... sí tuvieron efecto los plantones... Hubo una pancarta que decía: *Queremos la cabeza de don Romeo Pomar.* Y por ahí hubo otra que era mucho más fuerte: *Démosle chicharrón a ese alcalde asesino...* Pero lo peor es lo que viene ahora: en sus ratos de ocio el tinterillo ese desgraciado escribe aquellas frases y las va repartiendo entre los inconformes, en secreto, eso sí.

(Las mentiras en la guerra son verdades implacables.)

–¿Y tú cómo lo sabes?

–Bueno, debo serle bien franca. Él fue mi pretendiente y yo me le negué. Él me confesó eso: que era el inspirador de tanta gente ardida. Y me dijo también que a usted lo odiaba... Ahora anda diciendo que usted y yo aquí adentro nos besamos y todo, que ya me hizo su amante...

–¡Ay!, Sanjuana, tú bien sabes que soy un caballero. Yo no sería capaz de hacerte groserías como las que mencionas.

–Pero si yo no soy, es el rumor de afuera... El desgraciado ese fue el que lo provocó...

–¿Deveras eso dicen?

–¡Sí!, deveras.

–¿No estarás inventando?

La invención correspondía a otros endilgadores. Partes ciertas, partes falsas, para mezclar añadidos inexactos, pero gratos. (¡Vengan las malas conciencias!) Al respecto había un secreto: la plática embarazosa entre el alcalde y Sanjuana.

La tal plática final rellenada con detalles que cada quien a su modo hubo de recrear quitándole, o mal que bien completándole, de acuerdo a suposiciones y a partir de turbios lastres relativos a un amor –aún demasiado oscuro– que iba creciendo y creciendo pero entre cuatro paredes donde: al parecer los jadeos eran lo único cierto, dizque oídos sin querer... Lo que sigue es un supuesto que en la mente de Egrencito se hizo real y más extremo, no sin que lo antes contado (y sólo para sí mismo) fuese capítulo aparte de una fabulación desbordada en comentarios que acarrearan, ya de suyo, deformaciones, insidias, patetismos, tonterías...

He aquí lo que Egrencito reacomodó a conveniencia. Consecuencia de una acción que fue revista y oída por más de cien habitantes: el despido intempestivo, aparatoso en exceso, de aquel largo tinterillo que alguna vez hizo dengue en el local telefónico, el mismo archirrepetido –según se supo después– en otros lugares públicos. Así pues: el simulacro, útil para darse fuerzas antes de que lo mataran:

–No tengo por qué inventar, créame usted lo que le digo...

–Es que quisiera creerte, pero...

(El alivio progresaba. Tuvieron que haber pasado por lo menos Salimiento, El Molinillo, La Ronca, Pulemania: ¡sí!, además, la guayina no iba recio. El chofer en su papel nomás miraba el camino sin atreverse a voltear para ver las actitudes de su víctima intranquila. Parco en su renovación de respirar malamente quizás sus últimos aires, Egrencito –aunque extrañado de que aún el canchanchán no sacara la pistola ni por equivocación– siguió inventando patrañas en su mente, ¡a la barata!, retorciendo parlamentos entre, por despiste y frenesí; con tal de no platicar con Crisóstomo Cantú, porque... Ahora estaba seguro que su vida tenía cuerda, ¿cuatro horas nada más?, o ya en jaque de por vida, ¿días?, ¿semanas?, ¿cuántos años? Mientras tanto: el desamparo, y también el devaneo, siempre con la condición de saberse silencioso a lo largo del camino: ¿a Lanzazos?, ¡ojalá! Mientras tanto el retroceso para recomposición, y por cruel divertimento.)

–¿Qué es lo que lo hace dudar?

–No sé de qué base parten para tildarme de adúltero.

(Egrencito se sonrió. Mueca apenas para sí... A medida que avanzaban se iba sintiendo mejor.)

–Pero es que usted... ¿no se acuerda?... Trató de besarme un día... y delante de un empleado...

–Pero sólo fue una vez. Y, además, ¿qué es un beso finalmente?, ¿eh?... Una expresión de cariño ¿sí o no?

–Pero usted no me lo dio como me gustan a mí... Mmm... De todos modos un beso visto por otra persona da para muchas habladas.

–Ahora lo recuerdo bien. Fue un besito de trompita.

–Ésos a mí no me gustan.

–Pues ¿qué quieres?, ¿que nos besemos ahora, pero de otra manera?

–Yo qué le puedo decir...

–Bueno, ¡ándale!, ven, por Dios... Vamos a besarnos bien...

(Egrencito, por lo mismo, se imaginó más o menos el sabroso acercamiento. Pero antes una propuesta...)

–Don Romeo... Si me permite... Antes de que usted me bese quisiera pedirle algo...

–¡Ay!, mujer, ¿y qué me quieres pedir?

–¡Que despida a ese traidor!

–¿A ese tinterillo largo, a ese pinche monigote que anda escribiendo tonteras?

–¡Sí!, a ese mismo, ¡córralo inmediatamente!

–Pero...

(El paisaje prometía un retoque: palmo a palmo: nogaledas –luju-riantes– ¡a la vista!: como vallas de gendarmes a ambos lados del camino que hicieran harta alharaca sólo por verlos llegar. Con el viento en correntía vítores incidentales las hojas enloquecidas. Sensación de exuberancia cual cobijo para dos que viajaban silenciosos. Alegría y ambigüedad. Enllegando la guayina lentamente a Metedores... Luego, pues, en cosa de diez minutos atravesar el poblado.)

–¡Córralo, lárguelo ya!, porque si no el desgraciado hará más grande este enredo...

–Lo haré, pero antes quisiera hacer un sondeo un poco más amplio, más completo, o ¿qué decir?, más exacto, y por lo tanto, tal vez tarde una semana en encontrar lo que quiero... Hay bastantes sospechosos.

–Pero si él es el culpable, el que enreda a los demás.

–Mmm... Hay que rastrear otro poco...

–¿Entonces no confía en mí?

(El arreglo a conveniencia y del lado más absurdo: ¿cómo hacerlo de contado? Egrencito rebuscaba su manera de invención tratando de divertirse: tenía que dar todo un vuelco al trasunto imaginario. Ver al alcalde neceando con aquello del sondeo hasta que la secretaria lo hiriera en definitiva. Lo más grosero posible: ¿cómo pues? Antes bien la conjetura: presa del miedo el alcalde no deseaba enloquecer. Los reclamos incesantes donde la palabra «muerte», gritada, pintarrajeada, escrita con letras rojas en mantones y pancartas, además del rumoreo que él decía escuchar en sueños, era insidia insoportable que lo mantenía de plano en un estado de hipnosis. De ahí que mejor optara por no salir ni de chiste de su grandiosa oficina. No enfrentar sendos ataques tal como los enfrentó hasta hacía un par de semanas, cuando tras el enrejado principal de la alcaldía intentaba apaciguar a tantos manifestantes. Nunca más, porque: las amenazas de muerte no eran una jugarreta nada más de tres al cuarto. Es que era exponerse en serio a que alguien lo asesinara. Y así oculto se mantuvo días y noches como cuyo, en tanto que los disgustos alcanzaron resonancias primero regionalmente y después... Llamada desde la cumbre, el propio gobernador fue quien tuvo a bien decirle –con extremada dulzura– que renunciara a su puesto... Eneava vez, ya se sabe. Pero no. La insistencia persuasiva: ¿cuánto tiempo duraría? Por lo mismo don Romeo no contestaba el teléfono. Eso lo sabía de sobra el mundillo oficinesco, si no muy bien, cuando menos por oír mañana y tarde los insistentes timbrazos. También lo sabía Egrencito... y Enguerrando, desde luego, de refilón, ¡claro está! De paso la deducción hecha por ellos un día: si estaba muerto el teléfono que usaba la población, fue por culpa del alcalde, él fue el que tramó el bloqueo, ¿para qué darle más vueltas?)

–¿Por qué crees que desconfío?

–Porque quiere investigar algo que no tiene pierde.

–Es que...

(El ingenio desvaído de un joven amenazado que en unos momentos más podría irse al otro mundo. Trepidantes fluctuaciones en una cabeza turbia que acomodara los hechos para hacer sorna de ellos, y por ende imaginó la puntilla que faltaba.)

–¡Mire!... Yo no he querido decirle algo que me da vergüenza repetírselo y jurárselo. Pero nomás porque a usted no lo saco de la duda, se lo tengo que decir...

–Y ahora ¿qué?...

–Pues dice que usted es joto.

(Osadía, sal, hundimiento y sonrisa terminal... Egrencito reprimía su destrampe chachalaco.)

–¿¿¿Quéee???... No le entiendo. Primero nos acusó de que éramos amantes y luego me anda acusando de ser joto, ¿cómo pues?

(Mentira desesperada, delirante probidad que a cualquier macho derrumba; al fin desvío imperdonable cuya rectificación debe hacerse cuanto antes... Saliendo de Metedores Egrencito respiró cual si hubiese hallado el modo de trastocar su ocurrencia.)

–Todo es pura falsedad –quiso sentenciar Sanjuana.

(Y aquí Egrencito, por cierto, todavía tuvo el empacho de utilizar un recurso demasiado aparatoso, esto es: Sanjuana se levantó sus enaguas poco a poco hasta mostrar sus calzones colorados y brillosos. ¡Qué preciosidad de piernas, tamalonas, color miel!, y añadió la condenada):

–¿Verdad que no es joto usted?

–¡No, no soy!... ¡y ven aquí, por favor!

(Pero Sanjuana no fue... Egrencito la detuvo: a capricho, a conveniencia, y en efecto, ya capturada la presa, se le ocurrió otra artimaña... Sanjuana se fue bajando con delicia sus enaguas, y en tanto se contoneaba le reiteró su propuesta... Egrencito, confortado, halló el filón culminante.)

–¡Llámelo!, ¡córralo!, ¡mátelo!... ¡Que se vaya ahorita mismo!

–Pero... ¡qué! ¿no me vas a besar?

–¡Claro que sí!, pero antes, ¡cúmplame mi caprichito!

–Mmm... No quieras hacerme trampa...

–¡Claro que no!, ¿cómo cree?... Además... usted ultimadamente no es mi amante, ni será... Tampoco creo que sea joto... Más bien son las invenciones de un chismoso resentido... Ay de usted si las tolera... Yo lo que hago es informarle...

(Sanjuana dio media vuelta; adrede tenía que darla. La indignación ante todo y en el preciso momento. La oficina, entre tinieblas, se iba nutriendo de ruidos: tan terribles por discretos y por acumulativos. Taconeos. Zumbos. Chasquidos. Una largueza impensada... Y el vislumbre de Egrencito: la figura escultural en requiebros se alejaba cual si fuera a evaporarse. Amplitud. Estiramiento. La puerta aún no se abría. El alcalde cabizbajo, queriendo considerar: ¿dónde?, ¿cuándo?, a lo mejor, hasta que... con voz rauca sentenció):

–¡Bueno, está bien, tú ganaste!... ¡Ey, Sanjuana, por favor!, ¡tráime aquí a ese desgraciado!

Capítulo quince

Al detalle la verdad contra las suposiciones. La puerta abierta y la orden: el mundillo oficinesco se dio cuenta del suceso: de principio a fin tal cual. Lo dicho por el alcalde no fue invención de Egrencito –a él dejémoslo aparte, a bien de consecuentar lo visto por muchos ojos y a la postre pregonado–. Lo último oído fue claro, si se quiere: vergonzoso, y cierto por sorpresivo. De ahí entonces lo que sigue: por supuesto se enfatiza la indecible sutileza: puerta abierta: demasía: ver al alcalde sacar un rifle de un rodapié; ver a Sanjuana traer del brazo al difamador, largo como sus mentiras. Ergo: valía la pena asomarse. Frente a frente: el alcalde le apuntó a la cara con el rifle:

–¡Te vas a largar de aquí por andar de lengua suelta!

–Pero, señor presidente, si yo...

–¡¡¡Ahora mismo te me largas!!!

Y el grito rematador, a expensas de un desgarriate que Sanjuana concluía con una mueca de júbilo, se oyó a lo largo y lo ancho de: cuartos y cuartos en fila: *¡¡¡Criiisóoostooomooo, veeen aaacáaa!!!*... Desde el fondo y a codazos el empleado se abrió paso.

La ilación de lo demás, minuciosamente sórdida, es vivencia prohijada en insanos tiquismiquis que se resumen así: aconsejado el empleado a la vista de los muchos por don Romeo largo rato, no hizo más que conducir al supuesto lenguaraz del brazo hasta la guayina que no estaba estacionada en la calle sino atrás: en un como corralón –donde había también caballos, mismo que pertenecía a la alcaldía– y hasta allá: seguidos por las miradas burocráticas e incrédulas, ambos, bajo un sol estuoso, se treparon al chaschas: polvareda de arrancón: tras la cual quedó la duda de hasta dónde llegarían, sobre todo: el porqué nombró el alcalde a Crisóstomo Cantú para tamaña tarea, un hombre medio pazguato que tartamudeaba harto, obediente como todos, pero memo como pocos... ¡Él!, ¿por qué?, ¿si era tan bueno?... ¿Fue por eso justamente?

Crisóstomo traía el rifle con que el alcalde apuntó al supuesto maldiciente. La entrega y el nerviosismo de coger el artefacto por un tímido empleadillo que se santiguó muy mal, por inercia o por excusa, al momento de tomar del brazo al recién echado. ¡Muy mal el fatal trayecto!, dado que se santiguaba Crisóstomo a cada rato...

Tras el arrancón la puerta de la grandiosa oficina se cerró de sopetón y las cabezas voltearon adonde nunca debieron...

Adentro se había quedado el alcalde con Sanjuana.

La entrampada paradoja traducida en vil hervor. A solas... ¿otra violencia? No hubo ninguna osadía de ninguno para ver, como a veces lo hacían unos, por el ojo de la guarda, llámese también falleba o cerradura de loba o hueco de llave plana, ¿quién sabe por qué razón?... Sin embargo, y con prestancia, alguien lo debió haber hecho... Pero no, no sucedió.

Al cabo de una hora y media, y ante el asombro y el morbo del mundillo oficinesco, se encontraba de regreso la guayina enguarrecida por polvos de sepa dónde. Entró al corralón despacio. Crisóstomo con el rifle se bajó y vino corriendo a tocarle al mandamás.

La puerta abierta de nuevo y la entrega del fusil de Crisóstomo al alcalde fue vista por los burócratas en asomos perecenjos: la indiscreción a distancia (cabeceos en salterío: pintipuestos cual botones en profusión de ringlera) por culpa de los de adentro que no tomaron en cuenta el voltear a su derecha o el emparejar la puerta. Sonsonete matracoso los bisbiseos efusivos tanto de unos como de otros, siendo que: lo de afuera: torrencial, mientras que en pequeño círculo: don Romeo les secreteaba a Crisóstomo y Sanjuana sendas recomendaciones. El trasunto siguió al margen –el trío aquel: reconcentrado– pues nadie alcanzó a entender ni siquiera dos palabras. A decir de lo ocurrido cuántas sospechas equívocas. De resultas percatada del evidente descuido, fue por propia decisión de la secretaria exótica el ir a cerrar la puerta.

Capítulo dieciséis

A partir de la desaparición del dizque difamador –cuyo eco llegó lejos y casi en un dos por tres, por decir: al dominio regional. Además, téngase en cuenta la prudencia consabida de toda la burocracia (consistente en: no agrandar repercusiones, sería comprometedor) en contraste con la cada vez más fuerte presión de los demandantes por querer que se aclarara lo que aún era un enigma, varios pues, si se enumeran detalles, pero sobre todo tres: el derrotero cabal de los desaparecidos y si aún estaban vivos cuándo los regresarían, y si estaban malheridos ¡decirlo!... con humildad, y hasta cabría la indulgencia. Pero como la respuesta se tardaba o se encubría, no había de otra que exigir la renuncia del alcalde. Y los continuos plantones –panorama desgraciado–: el mandamás tuvo a bien girar una orden siniestra al total de sus empleados: (ejem) nadie podía abandonar la alcaldía antes de las once en punto ¡de la noche!, ¡ojo!, y bajo ningún pretexto. Ciertamente: la cosa era no rozar a burócratas corrientes con el grueso del poblado, ¡vamos!, evitar en lo posible las babas del chismerío. Más aún: el regreso a la oficina debía ser como a las siete ¡de la mañana!, ¡sin falta! En el caso de Sanjuana su salida era a las doce. Escoltada hasta su casa –no fuera que a medianoche la acosaran con preguntas tres o cuatro demandantes, de esos que hacían los plantones– por cinco azules, de menos. Su regreso a la oficina tenía que ser a las seis, o sea: bien gacho para ella, puesto que apenas dormía. ¡Qué castigo el entresueño! ¿Fue venganza del alcalde?... Por lo que toca a Crisóstomo, el tildado de asesino, al igual que el mandamás no podía salir ni un rato. Dormía y comía en la alcaldía; hiato agudo, desmirriado, por inercia baladí, porque silbaba de nervios –fiú, ¡qué va!– en vez de quejarse largo, y porque además el pobre enflaqueció como una «i», ya que cualquier piscolabis le hacía un daño del carajo. La causa era más que obvia: debió haberle parecido una tremenda injusticia el estar encarcelado: casicasi, desde luego, por culpable a fin de cuentas, o por fiable servidor. Mas el alivio a la postre: la promesa de un futuro risueño y desenfadado solamente por el modo de saber obedecer: mientras tanto, como fuera, a don Romeo nada más; por lo pronto, mejor dicho... Don Romeo, por otra parte, mandó ordenar diariamente comidas de sopa aguada y lonches fríos de aguacate para todos sus empleados. De cena nomás frijoles, y coca, la que quisieran. Había montones de vasos desechables, e inclusive, podían no volver a usarlos. No hablemos del desayuno, cada quien allá en su casa, ya que la entrada al trabajo era a partir de las ocho. Luego de unos cuatro días variaron los pipirines. Fueron menús más formales, con entremeses y postres. Para tales menesteres, del presupuesto asignado mensualmente al municipio don Romeo tomaba un poco, pero luego, por pudor, él ponía de su cartera. (Y aquí entran las convicciones porque se presta el asunto.) Exigente con los suyos también era generoso el alcalde a su manera. Buenos sueldos, por principio; semanas de vacaciones, hasta seis, si no es que más. Claro que por el momento ni de chiste se las daba, (ejem), pero de no ser así ¡uh!... Sin embargo, los que sí estaban de a tiro dados al cuas noche y día eran los encachuchados, aunque eso era relativo; a ellos les daban las sobras. ¡Hartura babeada y rica para indigestarse en serio! De resultas el hartazgo: todos gordos como «oes», tan membrudos como enfermos. La papa no era lo grave sino sus obligaciones. A estas alturas del tiempo el municipio contaba con ciento cincuenta azules que sin horas de descanso tenían que hacer vigilancias afuera de la alcaldía, en las calles, en la casa del alcalde, también en la de Sanjuana, también en la de Crisóstomo –que albergaba a un familión–, y en relevos dormitaban casi siempre recargados en una pared cualquiera, y con lapso reducido a minutos y segundos. Cierto que unos se caían, empero, con tirantez, los otros los levantaban, obligándolos sin más al empeño impostergable de mantenerse despiertos. Lo bueno es que don Romeo a diario los compensaba: eran más que sustanciosas las anchetas monetarias. Sobre todo en esos tiempos de turbulencia social. Otrosí: ya vendrían las vacaciones. ¡Calma, pues! Sin embargo, tales métodos ideados para encubrir el siniestro no evitaron que al respecto la gentuza se enterara a las primeras de cambio y de pe a pa lo enredaran. Con los ebrios añadidos que la fantasía permite, no faltó algún inocente que se fuera de la lengua; más aún, para acabarla, en los famosos plantones le endilgaban al alcalde otra desaparición; de viva voz, por escrito (y abundaban las pancartas donde se le condenaba como enemigo del pueblo), deveras que los insultos eran para enloquecer hasta al más aguantador. Y don Romeo enloqueció. Encerrado en su oficina, no fueron pocas las veces que se jaló los cabellos llorando por no saber cómo demonios zafarse de tantas imputaciones. Es que: hasta sus mismos empleados lo estaban acorralando. ¡Traidores por todas partes!, y él tan sentado en su macho, ¿cómo?: su renuncia: lo más fácil: su huida de Remadrín. Mejor no, mejor después. Su obstinación por encima de su parda dignidad, suya, ¡hasta el fin!, como fuera, y en activo aferramiento, porque una vez decidió suspender los pipirines. No más gastos sin sentido, ¿para qué darles comidas y dádivas a granel a quienes no lo querían?, ¿sólo Sanjuana y Crisóstomo?, ¿sí?,

¿y por cuánto tiempo más se mantendrían como aliados? De hecho, por si fuera poco, le quedaban los azules. Porque hasta los mismos ricos que durante bastante tiempo lo apoyaron sin reservas, ya le habían dado la espalda. Ni el acre gobernador ni los alcaldes vecinos actuaron en su defensa; nada de que sostenerlo con refuerzos policiacos. Al contrario: la renuncia, como manido argumento, reiterado con más fuerza, cada vez, tanto así que: mejor no pedir ayuda, mucho menos a la mafia formada como de rayo: allá, ¡uy!: cuando su arribo al poder. Aquella idea agrupadora, de prontos convencimientos, tan feliz: ya en la nostalgia, pero bueno: del corrincho original –unas ciento diez personas– tan sólo quedaban diez. Influyó la matazón para que muchos se fueran: si no en montón, sí en rosario: y el éxodo se notó en los cierres de comercios. Los vislumbres timoratos convertidos en razones ya faltosas, ya inminentes, como fuera a todas luces la fragilidad social derivada en griterío y por cuánto tiempo más; mientras que el orondo alcalde ¿qué esperaba?, ¿qué fraguaba?, ¿hacer de su necedad un modelo proverbial?, ¿que lo tildaran de loco o de héroe hecho y derecho? En efecto, y por lo mismo, su creciente paranoia estaba justificada, tanto o más que su sandez. Paranoia preguntona: porque: ante la aciaga presión aumentaba su delirio por enterarse al dedillo de quiénes de sus empleados decidieron traicionarlo. Hasta en sus ensoñaciones entretejía conjeturas que luego las consultaba en privado con Sanjuana. Entre besos y tentadas ambos hallaron culpables: los azules, por ejemplo, ¿por qué no? Ellos tenían más contacto con la gente de la calle.

Capítulo diecisiete

Los azules, ¡oh miseria! Fue horrible verlos bailar en la ya histórica boda de Cecilia y Trinidad. Exhibida su torpeza: pisotones y perdones, y quejidos mirrunguillos de las pobres bailadoras. En redondel saltarín el acopio de cachuchas. Los colados abusivos incidiendo en una pista que se iba apretando al grado de que en lugar de dar pasos articulados de baile, como debería de ser, debían de saltar un poco, o mal que bien contonearse, para evitar rozamientos con las parejas vecinas. Quede pues en desdibujo desvanecido el atasco de movimientos zopencos. Que se apague el jubileo a contraluz del recuerdo y quede la tenuidad de trazos y colorido, pero que siga la música como ajeno sortilegio...

Capítulo dieciocho

En ese trance la huida...

Hacia una liberación el rejuego de la muerte...

Pensamientos que caminan y que podrían detenerse en un punto indefinido... Mmm...

Entre ironía y sentimentalismo –y que toda decepción se imponga a final de cuentas– y entre fe y desacomodo –mudo el viaje, pero ¿a dónde?– Egrencito hizo recuentos de su vida en Remadrín. No la juzgó desgraciada: de inmediato, aunque, si empezara por su infancia... Lo inmediato... el alcalde estaba loco, pero él no. Los aires de dignidad que ambos habían exhibido propiciaron esta huida: muda, ¿ingrata? Mientras no abriera la boca Egrencito por lo visto no tendría ningún problema. Así que el tiempo seguía, para atrás, probablemente. Y luego se imaginó: en dos días más el alcalde tendría que huir como él. Otro menos en el pueblo. Tendría que huir su familia y por supuesto Sanjuana y... Crisóstomo manejaba con una serenidad, con un temple de señor medio santo, medio diablo, con mucho convencimiento...

Pero ¿a dónde?... Pero, entonces, ¿importaba?

¡Sí! Llegaría el momento que la guayina no tendría una gota de gasolina. A ponerle. Y Egrencito deseaba eso. La parada en la estación. Era la oportunidad para correr por el monte, huir mal, a sabiendas que un disparo le llegaría por la espalda: quizás no. Aunque: faltaba bastante tiempo para... Mejor, mientras: si pensaba en el alcalde podía pensar en más cosas. ¡Claro!, le dio por lo general...

Las vagas suposiciones metidas por un embudo. Conclusión: la renuncia del alcalde, o más bien, Egrencito imaginó que sería sacado a fuerza por seis guachos bien armados. Orden del gobernador... Bien grotesca la salida, siendo que él ¿forcejearía? Muchas piedras, y muchísimos insultos, en la calle, ¡sí, señor!, y escupitajos volados. Tendría que caerle alguno en plena cara, ¡ojalá!

Presa también la familia, y Sanjuana de una vez: bien quemada por los chismes la dizque amante mañosa (adentro de la oficina). ¡Fuera! Habría fiesta en Remadrín cuando el alcalde se fuera con sus mugreros detrás. Lo mejor sería matarlo para celebrar en grande, pero...

Capítulo diecinueve

¿Qué ocurriría después de eso? A saber... Y Egrencito quiso irse un poco más hacia atrás. No la infancia (las golpizas), hasta los mismos comienzos, primero las cachetadas, las jaladas de patilla, y a partir de los seis años las cuerizas con el cinto. ¡No!, sino: el sano encariñamiento con sus padres regañones. A la postre: agradecido. Es que alguna vez su padre lo acarició largamente para decirle una cosa: *¡Tú siempre cuenta conmigo! ¡Estoy para defenderte!* Y la madre envuelta en llanto repitiéndole lo mismo, acaso como un equívoco, tan sublime como triste. Bueno, el hijo –gracias a Dios– no tuvo necesidad de que ninguno de ellos lo defendiera de nadie. Sin embargo, ahora sí... La venganza era propicia. Aunque: Egrencito no querría que su padre de repente se convirtiera en matón, ni su madre, ni su hermana la casada, la que vivía en San Antonio con un gringo jubilado, imposible que viniera. Aunque: por el hecho de pensar en ella de refilón, le vino en gana argüir que no estaría mal del todo visitarla, e inclusive, pedirle asilo unos días. Aunque: ¿cómo?... No traía la dirección. Aunque: viéndolo bien, si quisiera, eso sería lo de menos... Era cosa de buscarla tardara lo que tardara... Se le metió en la cabeza que eso haría quién sabe cómo.

Capítulo veinte

El viaje seguía tranquilo. Hacía como diez minutos que habían dejado Caranchos e iban rumbo a Brinquillo, y de allí ¿rumbo a Lanzazos? Entre más se iba alejando Egrencito se acordaba de su novia bondadosa. Por ella valía la pena regresarse a Remadrín. Hubiera sido bonito gozar de su compañía en los momentos cruciales. Librarse del asesino y atravesar la frontera –de mojados, pero juntos– e ir a ver a su hermana.

Capítulo veintiuno

¡Ah!, supuestamente librarse. La monotonía del viaje le confería poco a poco ánimos para enfrentar a Crisóstomo Cantú. Aumentaba su procura en tanto escuchaba el ruido del aire acondicionado.

153

La frialdad contra el deseo, o a favor de un accionar que Egrencito reprimía.

Casi enmedio del desierto, sobre una recta borrada por las reverberaciones, nada más por darse alas y de paso amedrentar al compañero de viaje (silencioso, dominado, el dizque aún presunto muerto no contuvo su sorpresa: le brincotearon las cejas cuando vio que la pistola en la diestra de Crisóstomo brillaba como un cristal; artefacto incandescente movido de arribabajo), Crisóstomo se sacó lo que tanto le estorbaba: su pistola, su esperpento, tan inútil como útil, tan limitada a una orden: b-a-n-g... Después. ¡Sí! Por ahora solamente el potencial asesino quería juguetear un poco apuntando a todas partes...

Durante un rato... Darse alas.

Y reírse como un niño a sabiendas que su víctima se iba a encoger en su asiento... Mas todo estaba «en veremos»...

Capítulo veintidós

No, no iban a Lanzazos, pensaba Egrencito al cabo, y se imaginó también muerto, pero iluminado, al caer de cara al sol, lúcido en su infinitud. ¡No!, más bien, balaceado, transformado. Quedaría su calavera como adorno del desierto por los siglos de los siglos, o quién la recogería para llevarla a otra parte, ¿quién?... Se haría polvo como todo... Eso sería más delante, ya que: contra el miedo de encogerse a contrapelo se quiso desafiante, más o menos, es decir: tiento a tiento observador; porque: si ya se daba por muerto lo menos que podía hacer era armarse de valor para reírse primero y luego hablar como loco. Es que podría suceder que la reacción de Crisóstomo fuera de muchacho bueno: arrepentido, agachado, y que bajando en un tris el vidrio de su ventana, arrojara su pistola a la orilla del camino.

Entonces la seriedad no tenía razón de ser. Bueno, la mudez como impostura. Ergo: daban ganas de probar si era tal o si no era: y Egrencito se aventó (sería la primera frase dicha durante todo el viaje. Fueron dos preguntas zonzas, ganosa intimidación):

–¿Y qué con tu pistolita?, ¿me quieres impresionar?

–¡¡Cá-a-a-lla-te po-por-que te ma-ma-tooo!!

–¡Pues dispárame, si quieres!, ¡date el lujo de matarme!

Crisóstomo le apuntó, cortó cartucho y le dijo:

–¡U–un ru–ruido más y te su–surto!

–Nomás quiero preguntarte por qué me traes hasta acá, o ¿adónde vamos o qué?

No tuvo otra idea Crisóstomo que dispararle tres tiros al aire acondicionado. Lo fregó. Y lo que hizo Egrencito, pues no tuvo más remedio, fue abrir poco su ventana: quería que le entrara el fresco. Crisóstomo aceleró. Técnica para meter la cuarta velocidad con la pistola en la mano. Una recta era aburrida y más en pleno desierto donde sólo los huizaches servían para distracción, pero hasta eso que no bien. Los instantes sintomáticos de una locura aún en ciernes encogieron a Egrencito. Ya no hablar, ni por error.

Crisóstomo estaba loco, o ¿no? Era un muñeco obediente, y aunque estuviera a distancia –conjetura– no alteraba en lo más mínimo la orden de su patrón. Don Romeo posiblemente ya se sobaba las manos. Sin embargo: la tardanza. Eso pensaba Egrencito. También, en su beneficio, tenía que encontrar la forma más suave y: ¡más indirecta!: para persuadir a medias a Crisóstomo Cantú. Que se escaparan los dos, se fueran a la frontera; podían vender la guayina en Liraido, en Villa Dunas, inclusive en Pencas Mudas. Con el dinero en la mano podían pasar por el puente del otro lado del río. Y ambos irse luego-luego a buscar en San Antonio a la hermana de Egrencito.

Todo lo cual, embutido, girándole en la cabeza al que de milagro aún no se lo habían despachado, mismo que pensó, con pena: *Me parece muy difícil que yo convenza a este tonto... Seguro me va a matar.* Mejor la reversa a tiempo. Y tramó una acción osada. Su salvación... Como fuera; su heroísmo: terminante. Sin perderse en sutilezas ni en intentos por ganarse a su inminente asesino y hacerlo después su esclavo, Egrencito repensó, al revés, borrón, y listo: ¿jugársela con hombría? Hacia el final... ¿Final digno?

Vaivenes y revolturas por la recta que –a Dios gracias– ya se estaba terminando y: vio una señal Egrencito: una víbora pintada y con cabeza de flecha, varias curvas engañosas, ¡ah!, entrarían a La Malhaya. Era el momento de: nerviosísimo Egrencito: sus ideas se amalgamaban en un puro malestar. Atreverse... ¡Sí!... Aprovechando las curvas Egrencito de repente se le aventó al asesino. Le arrebató la pistola. La guayina zigzagueó, pero leve, pero brusco. El control. Crisóstomo sorprendido: burdas manos al volante, pero sobre todo una, la que soltó la pistola. ¿La pistola en su poder? Egrencito la cogió como coger un nuevo aire –ahora venía la revancha–: le apuntó en la mera sien a:

–¡Sálte de este cochinero!, aunque... No vayas a darle recio.

Con la frialdad de aquel fierro en donde menos quería, Crisóstomo manejó primero con lentitud, luego un poco más aprisa y luego le aceleró para tratar de matarse con todo y su acompañante, que agarraran una curva de aquellas del voladero para volar por los aires: y hacia abajo la guayina fracasada que cayera más de rato envuelta en llamas. Pero no. Egrencito por lo mismo le disparó sin pensarlo a Crisóstomo Cantú; zote balazo en la sien y el descontrol de inmediato, sin embargo, Egrencito metió el freno, pudo, también agarró el volante, no pudo evitar en cambio no salirse del camino, no había curva y había espacio –un discreto mirador–, lo hizo como entendió.

Capítulo veintitrés

Ya parada la guayina le dio tres balazos más a Crisóstomo Cantú para que muriera a gusto. El de la sien fue mortal. Pero no estaba de más darle uno en el estómago y otro en el corazón y otro más en la cabeza. Qué excelso poder de hacer: la pistola, de por medio y los milagros que hacía. Tan perverso como inquieto, Egrencito, durante un rato, poderoso, suficiente, como un mago que sonríe porque el truco no fue visto. Nadie en redor, de seguro, y el crimen tan simple y feo, y más feo el asesinado que Egrencito con trabajos lo arrastró para tirarlo hasta el fondo del barranco. Bueno... antes le sacó la feria que traía en los pantalones... Y ahí va el bulto.

Capítulo veinticuatro

Ahora ¿qué hacer?, ¿qué pensar? La manejada de carros no se la sabía Egrencito, y tenía que huir cuanto antes de ese sitio ensangrentado. La Malhaya era un cañón. Eran como seis kilómetros de cerros en cordillera. Otros cerros a los lados, en montones o en racimos, o como mejor resulte la figura ¿en agorzomos?, la cosa es que no había llanos que pudieran divisarse, divisarlos desde aquí, o sea: poco, a esa altura, por lo que: *Debo retirarme ya. Esconderme en una cueva, si es que encuentro por aquí... Debo situarme bien lejos de esta horrible carretera... Si supiera manejar me arrancaría a Pencas Mudas y me iría hasta el otro lado... Mmm... Debo perderme en el monte aunque sea por unos días...* Perderse, recomponer. Huir de la policía que no tardaría en llegar.

Capítulo veinticinco

Infinitivo desgaste: subir, subir y subir. Con la pistola en la mano. Por la loma. Hasta la cima. Sus pensamientos cedían. Caer en cuenta de ¿qué? De mensajero a asesino y de asesino a... Traía bastante dinero.

Un tiro se le escapó a las nubes, de repente; el cañón se quedó humeando y él le sopló nada más. ¡Qué soplo tan vanidoso! Luego aventó la pistola a un barranco y allá abajo se oyó un disparo expansivo, llenador de... fue el adiós... La pistola por sí misma quiso despedirse o ¿no?

Egrencito, más en calma, pensaría –mas cuánto le llevaría–, en la cima, en: todas sus ocupaciones: sólo durante esta semana.

Por lo pronto los lugares –de subida– imaginados, si Remadrín, si Brinquillo, si Pencas Mudas o ¿qué? o hacia dónde finalmente.

Lo bueno es que –repetimos– traía bastante dinero.

Cuarto periodo

Capítulo uno

Las obligadas vacaciones que el alcalde don Romeo hubo de pasar en la finca del gobernador Pío Bermúdez, fueron poco más que tristes, fastidiosas, al principio, mas señeras al final. Téngase su resistencia a ir –por lo que llegó enojado–; pero estando allá ¿qué hacer?

Lo menos desagradable eran aquellos paseos a caballo durante horas bajo el sol, como los hizo, si talmente maquinal, porque al hacerlos desviaba pensamientos de revés: cochinos, como los suyos, a bien de agenciarse otros algo extraños, sin embargo, algo nobles, con el trote, y cada vez más dementes: ¡suyos!, también, paradójicos, al grado que su ilusión creció pero en el sentido de regresarse a su pueblo pasara lo que pasara, e incluso pensó lo peor: si tuviese la puntada Pío Bermúdez –¿por qué no?– de renunciarlo a la fuerza si con armas, es decir: «¡arriba las manos, pues!»; humillado como un perro, ¡ah!, tras pasarse al bando opuesto como lo haría cualquier líder de esos natos como él, armaría una rebelión en tiempo récord de un mes y con éxito masivo; por lo cual, dándose cuenta, en un tris se haría cabeza, ¡adalid! –no cabecilla, jamás carne de cañón–, del Partido de los pobres, o sea el de la Dignidad... Aunque... si por reacomodo pensamientos ¿palancones?... suatos afanes ilusos porque atisbando de nuevo en el meollo o la premisa los suyos eran cuadrados y debían seguirlo siendo: ergo: los recuperaba en la cama: flojeroso: rascándose la cabeza, volviéndosela a peinar, triste, de hecho, pasmarote... De resultas poco a poco lección para sí ¿política?: como trama irreversible de una derrota que no, que en sus sueños era idea siempre en fuga, nunca exacta... Vacaciones: desespero: desde el principio quizás, porque: véase lo ocurrido: desde el principio el impacto al contemplar tal prodigio, la gran finca o latifundio, fruto de la corrupción. El efecto diferido lo tuvo como en la guala durante más de cinco horas, en las que, medio asustado, se hizo bastantes preguntas... En tres años de ejercicio el gobernador ¡qué bárbaro!, ¡qué dispendio sin igual! Y todo fue por ahí...

Quepa pues, de refilón, un acto casi de ocultis: el muchas veces alcalde del pueblo de Remadrín por vez primera acudía al lugar paradisiaco. No así los otros alcaldes: seis: alegres, descarados: ¡era su tercera vez!, y los motivos a hurto... Hablar de equis preferencias resulta muy sin embargo, en virtud de que el quehacer politiquero es deslinde tras deslinde, tras incógnitas, y luego tras –¡ojalá!– diminutas claridades; empero cuyas honduras son la cadena perpetua de suspensos tras suspensos, así que...

Con la glosa puesta arriba mínima y diferencial en relación a las veces de visitas de munícipes y también en cuanto al número de los mismos que estarían durante: ¿cuánto? ¿tres semanas?, ¿cuatro o cinco?, ¿o tal vez un poco más? Es posible deducir que el gobernador quería tenerlos bien distanciados de sus pueblos, sobre todo: de aquellos que se encontraban «a la ventura», es decir: a punto de, efervescentes, adonde la oposición se hubiese fortalecido y pudiese –cruz-cruz-¡fuera!– hacer de las suyas ¡todas!, justo el día de los comicios. Entonces, por peteneras: riesgos: ¿correrlos?, ¡pues no!: los menos, de menos: obvio: por ende: lo prioritario: proteger a los alcaldes, siendo que se habían tomado al respecto hartas medidas para evitar (je) desmanes o insurrecciones inocuas: fáciles de reprimir... de esas medidas lo básico, o mejor: lo callandito, ignoraban los ¡ALUMNOS!... ¿Alumnos? –ahora se aclara–. En los dos primeros días del dizque satis allá hubo clases: ¡con pizarra!: al aire libre: coactivas: dos a partir de las siete; ¿el límite?... La comida se servía a la una de la tarde, el desayuno a las seis... Así que haciendo las cuentas: lapsos de minutos, ¡ay!, si restando nada más... por lo cual aún no empezaba la holganza, la prometida, de modo que a ver si luego, mmm... ¡Pues al grano de una vez!: ¡alumnos los siete alcaldes, quienes tenían el derecho de preguntar cuanta cosa! Consecuencia: el regodeo. Horas de más y fastidio, más aún porque el maestrillo era un militar rechoncho, casi enano, ¡oh!, medallero, uniformado, y aparte bigotoncito entrecano que hacía esquemas, los borraba, y su labia (por encima) ronca, sobria, pretenciosa al tratar de hacer esquemas en abstracto: ¡qué problema!, no llegando ni siquiera a hacer dibujo al chaschas su lenguaje telegráfico. Empero vino lo bueno: el militarucho aquel se fue luego de dictar sus cátedras intrincadas, y entonces ahora sí ¡las vacaciones!... ¿deveras?

–¡Todo está bajo control. Nadie debe preocuparse! –sentenció el gobernador.

Pese a las explicaciones contrapunteadas-larguísimas, o las clases cual enigmas del militar-maestrillo, a nadie le quedó claro qué era lo que había hecho el ejército en los montes y redores de poblados importantes de Capila ni tampoco el abanico de estrategias «a seguir» de acuerdo a otro abanico de imponderables ¡más vasto!: a partir de una fórmula como jota igual a erre entre eme igual a ge, algebraicamente hablando y entendiendo algo, lo menos, geográficamente ¿qué?, si logarítmicamente la posible matazón era una mantisa ¿al cubo?, y cada muerto un monomio, y cada máuser, tal vez, un radicando o un índice, mientras que, siguiendo el hilo, cada desaparecido –¡ojalá ninguno, o ¿cuántos?!– un radián o un cotangente y total ¡un reborujo!, más extenuante que lioso.

¿Y entonces ahora sí las vacaciones, deveras?

Fue en un julio de esos perros el empiezo del recreo duradero, ensoñador, y el trato a cuerpo de alcalde para siete consentidos reyecitos capilenses, pero en este caso: ¡ojo!, se le daría una atención especial a don Romeo: diosecito acá, por mientras, un mimo que él no deseaba, pero, bueno, ¡ya ni qué!

Todavía el gobernador dio sus recomendaciones antes de irse a –tenía que irse. Era domingo en la tarde; dizque tenía mucho jale para el lunes en– Brinquillo: ciudadcapital que estaba a unos cuarenta y cinco kilómetros de distancia. *Volveré nomás los fines de semana a la finca a saludarlos.* Y... La placidez poco a poco tras la ida ¡¿ahora sí?!, porque: de ahí en adelante convivios hubo a raudales, comilonas, cenas pródigas, borracheras: desde luego: dominó y baraja en grande, y nadadas en la alberca de aguas medicinales, y también, a cualquier hora el que quisiera mujeres nomás que alzara la mano –lo advirtió un representante de Pío Bermúdez, a tiempo–, cantidades, asegún, de jovenzonas habría: bien bonitas, ¡claro está!, pero ahora –o mientras tanto– nomás estaban las criadas. Sin embargo... Sangronsísimo el alcalde de Remadrín le rehuía a ese frenesí impostado al preferir los paseos a caballo durante horas. Perderse a diario y adrede por los múltiples caminos flanqueados de tabachines, pinabetes o pirules, por las tardes, las mañanas, a veces durante las noches. ¿Modo de recuperarse en esa suerte de cárcel bien bardeada y custodiada por unos ochenta guachos? El gusto no le duró ni siquiera tres semanas (y de eso ya se hablará). La cosa es que, por salud, necesitaba estar solo. Salud mental: pingüe, óptima, porque pingüe era y al doble su tristeza combinada con su mohino nerviosismo, a sabiendas, en rigor, de que en treinta días, o ¿más?, no podía hablar por hablar más de la cuenta, ¡imposible!, ni tenía antojo siquiera, con lo que el refuerzo un tanto a prórrata relativo a su reserva ganosa pudo al cabo reafirmarse con lo sucedido en:

Hubo una cena de bienvenida (ejem) en la salasalón, casino a final de cuentas, o sea: en la pieza principal de la casona, la cual estaba atestada de sillones de abedul recubiertos de cretona y mesitas de caoba. *Bufet* o *servis yurself* para de entrada romper con formalismos de esos que allí no tenían gran peso. La distensión permitió que toda vez concluido el comedero a porrillo los alcaldes se animaran a bailar cumbias rancheras con las criadas, las mejores, rompiendo, ya en correntía, con otro, de hecho más rígido, formalismo de ajuntanza. Antes, para darse vuelo, el obvio desplazamiento del menaje a las orillas. Luego, ¡claro!, como norma, no se podían desvelar los alcaldes pese a pese, porque mañana había clases. Allí estaba, un tanto aislado, el militar-maestrillo viendo incrédulo el chanceo. Don Romeo, igual (pero cerca del señor que ponía discos), cabeceando a cada rato hacia atrás, como a tolondro, porque no podía creerlo, él no bailaba, de suyo, y tampoco, aunque supiera, se iba a rebajar de a tiro. En cambio el gobernador palmoteaba risa y risa y en el filo de un sillón –justo al lado del cacique–, como que ya estaba a punto de incorporarse y, frustrado, como que llevaba el ritmo, pero no, ni para cuándo, ni de chiste se animó a bailar, no tenía ganas, eso dijo, ¡eso era en serio!, aunque, bueno, por lo visto se lo impedía –¿a lo mejor?– su investidura estatal. Sin embargo, aprovechando el meneo ya enajenado se le acercó a don Romeo a bien de felicitarlo por su reserva admirable, la que habría de reforzar durante aquellas vacaciones. Le pidió, incluso, mudez, aunque a medias, es decir: la otra mitad camuflarla con pizcas de cortesía, no al extremo de soltar prenda sobre... ¡ya se sabe!; y viéndolo de otro modo: la petición de reserva obedecía a –he aquí lo dicho al oído del cacique, si en retazos, a manera de advertencia–: de todos los municipios Remadrín era el que más presentaba anomalías y el que requería de más vigilancia del ejército, a distancia, por supuesto: en derredor: en los cerros: campamentos apostados en laderas no visibles: ya había algunos, por lo que: ya había informes a través de un sistema radiofónico moderno acerca de los vaivenes del proceso electoral, y en Remadrín, por lo pronto, nada grave, pero entonces ¿qué pasaba?, ¿qué deveras o cómo era, mientras tanto, el registro de incidentes faltando una semana para el día de los comicios? Al respecto Pío Bermúdez optó por desviarse un poco, pero sin que se notara; le informó que llegarían a Remadrín los refuerzos policiacos, numerosos, desde luego, con la mira de frustrar cualquier disturbio o bullanga en el momento oportuno.

Y el desfase a unos metros: cual dominio al ce por be: tómese ya por engaño el mujerío como plaga, que no como variedad, como se dijo al principio. Lo real, lo visto, por ende: puras criadas nada más. Pero güeras, por ejemplo, o aperladas de más rango, de esas no: ¡qué despropósito!... Aunque... Ninguno de los alcaldes andaba desesperado como para irse a su cuarto con alguna y... a la postre...

El desespero a la postre, pero en globo y de otro modo. Así el círculo vicioso del letargo a cuentagotas. Ocio derivado en morbo con salida hacia, ¿se intuye?... Era obvio que don Romeo fuera el hombre más buscado por los otros mandamases. ¡Cuántas preguntas al tiro! Pero el tope, por recule: los paseos –¡inconcebibles!– a caballo de... Cierto es que el gobernador les advirtió a los alcaldes que en lo posible evitaran sacar a relucir mierdas y marrullerías políticas. Los alcaldes, sin embargo, obedecieron a medias, excepto: se encendieron las envidias cuando, sin justificarlo, le asignó el gobernador al ya célebre cacique la habitación más lujosa. Cierto: cada uno tenía la suya, pero sin televisor, sin aire acondicionado, sin mosquiteros, sin baño, sin todos esos detalles que hacen de la vida algo abarcable y, por lo tanto, llevadero, por decir: al cien por ciento sin fe. No así para los alcaldes restantes –¿si reyecitos?– piqueteados por zancudos, por las noches, y además el festival de zumbidos, pese a tener abanicos, cada cual, de esos de techo. Se deduce que para ellos dormir era un sufrimiento. En cambio para el cacique... Desvelos regocijantes, a humo de pajas: cachondo, en virtud de tanta opción en la tele ¡de colores!: gringadas a tutiplén, ergo: magicacanidades como churreo sensitivo tras los cambios de canal: craso peliculerío y ¿qué más?: puro beisbol, y también, algunas veces, tibias series policiacas y programas cancioneros... Y ¿después?

Capítulo dos

Eso de hacer distinciones nada más por puro antojo no es bueno para la gente. Tampoco las parejuras son que digamos parejas, lo que provoca de oquis malcontentos, contimás, porque hay engaño a propósito sin que sea adrede al principio. Así que el punto de vista, bueno, este... Si es desde abajo encabrona, perdón, molesta bastante; pero si es desde arriba... ¡Ah!, la cosa es que haya un motivo más cabrón que el encabrone, más –perdón– cretino ¿pues?... Pues como se entienda al fin.

Si lo penco es entendible, la distinción, la que hizo Pío Bermúdez cabe entonces, mal que bien, aunque el porqué, desde luego... Sin pensarlo demasiado véase el «ahí se va», que fue: la habitación más lujosa: ¿por qué la tuvo el viejillo, el gestudo, ese sangrón? (ya se sabe, se supone). Eso se lo preguntaron tres alcaldes, los más grillos a... también ya se sabe... Y he aquí la explicación:

–Le doy un trato especial porque bueno, este... No sabe la que le espera un poco más adelante... ¡Le pediré su renuncia! Pero: ¡ojo!, no se lo digan a nadie...

Sutilezas de relance, de vencida totalmente, como efecto y conexión de los alcaldes que dieron un medio paso hacia atrás, medio crédulos, ¡ya mero!, contimás porque aún tenían desvergüenza suficiente para hacerle otra pregunta al «ahí se va» que es fantástico y por ende resultón... Si les había prometido que habría mucha variedad de mujeres en la finca ¿por qué solamente criadas para bailar y demás?

–No sean tan desesperados. Más o menos en diez días vendrá una recua de güeras de *Macalen* y de *Braunsvil.*

Capítulo tres

La mirada escrutadora, el repaso de invitados, en tanto bailaba cumbia Cecilia pudo notar que ya no estaban sus hijos; desde ese mismo momento sus meneos se entorpecieron: dejó de mover los brazos, y sus piernas casi no.

Don Vénulo la miraba como miran las estatuas: como desde un más allá.

Olga Judith, la sirvienta del padre de Trinidad (tiempo ha), ahora más vieja que nunca, y también arrinconada, platicaba con el mozo Mario Pérez de la Horra: hombre clave, cuidador; tantos años en el rancho en difusa soledad confesándose día a día: ásperamente tranquilo, al igual que su patrón don Juan Filoteo González, padre del abarrotero. ¡Que Dios lo tenga en su reino!

Las señoras del rosario, unas once regordetas con las que Cecilia a veces se juntaba por las tardes para rezar por rezar, ¿quién las viera baile y baile ritmos de la nueva ola descaradas, increíbles?, aunque eso sí: con sus viejos: entumidos: que no le hallaban el ritmo a las cumbias del momento.

La clientela más asidua: por ahí...

Los colados simplemente dándole vuelo a la hilacha...

Los azules: que se sentían con derecho sólo por ser lo que eran...
Don Vénulo la miraba y le hacía guiños coquetos y Cecilia nomás
no. Cecilia más bien inquieta. Lo malo de todo eso era que su par de
engendros ya no estaban en la boda. Ella hizo un recorrido con sus
ojos sinsílicos como quien ve un panorama de puras caricaturas todas
con algo que hacer: de izquierda a derecha: ¡ilógico!: empezando por
los platos abandonados, repletos de barbacoa, mientras tanto –porque
luego tal vez otros comensales se volcaran, dicho sea: con sus tortillas
en ristre–: la mesa era ofrecimiento; ¡ésa!: suerte de tarima, pues:
famosa porque hacía rato el menor de sus engendros sobre ella hubo
de pararse para gritar ajaspajas, siendo visto durante un rato por...
¿quién no?, ¿quién no lo vio?... más que oído, desde luego, y... ¿cochina la barbacoa por estar contaminada por la tierra desprendida
de dos botas viboreras?... Bueno, se retoma el recorrido de los ojos de
Cecilia: lentitud peripatética detenida nada menos que en el pórtico
de entrada al traspatio donde había –¿cada vez más?– un dundo
amontonamiento de mirones afanosos. Pero un viso por lo menos, un
distingo de perfil... Tampoco andaban bailando ni Papías ni Salomón.
Y no se aguantó Cecilia, se lo dijo a Trinidad:

–Nuestros hijos ya se fueron. No los veo por ningún lado.

El marido displicente, en lo suyo, con el ritmo, dando brinquitos
de a tiro, hizo un pardo comentario a manera de respuesta:

–¡Bah!... Ya se tomaron la foto... ¿De qué diablos te preocupas?

Capítulo cuatro

Era insoportable ver a los azules bailar, pero cierto era también
que la crítica mañera sólo reptaba en redondo. Los cuchicheos por
doquier fueron rastra de un «después»: marginal, casi secreto. Al fin:
desvanecimiento.

Y para no darle vuelo a todo ese mecateo, vale traer de nuevo a
cuento un ejemplo referido: el de Salomón, o sea: se aborda al bies
solamente el episodio final tras su fregado desplante: ¡sí!: cuando se
puso de pie sobre la mesa de lámina: lo bajaron, ya se sabe, los rollizos camaradas, y Papías, por no dejar. Luego él, hecho un ovillo, cri-
ticando a los azules, y sobre todo a su padre, que con palmas, dado
el ritmo, los incitaba a seguir.

Cual lenguaje balbuciente carcomiéndose enojoso el de Salomón
no hallaba cómo remontar el vuelo. Zonceras interioristas, confusas

para los otros, que no lograban sacarlo de su invariable entrecejo, puesto que les importaba darle vueltas de revés al tema de la política. Sus llamadas de atención al malencarado eran de: *Ya deja de estar pensando para ti mismo zonceras*, o: *Con nosotros por lo menos comparte unas dos o tres*. Pero: los minutos se hacían largos. Ni con farfulleos bucales respondía a los planteamientos de los otros que, no obstante, no eran muchos ni insidiosos. Y así pues, luego de un rato, como si fuese potranca que recibe un chicotazo, Salomón se incorporó y echóse a correr sin más esquivando cuanto estorbo: a codazos, esto es: no decía ni «con permiso» y, ¡pues sí!: tumbó a dos platicadores y a un mirón y a una señora que de pie llevaba el ritmo. Los «perdones»: ¡ni de chiste!, pues el verdadero chiste era encontrar la salida, la cual no era tan fácil para Salomón, ¿de acuerdo?; aunque: ahorrándonos el trance: la sorpresa finalmente: aparatoso retaque de muebles contra la puerta; ¡claro!: para evitar vigilancia se imaginó que las criadas aliadas con los azules decidieron poner cuánto. Salomón por fin se rió: *¿Ahora sí que cómo le hago para salirme de aquí?* Luego sabiéndose solo: *Me voy a mear en los muebles*. Y se sacó (ejem) aquello con rapidez sin igual. Era su enojo o su chasco o su venganza entrampada, pero con más eficacia. Medio minuto de chi contra sillones y sillas. Meado: jijo: resentido. La corriente cervecera ahora sí que estaba hablando mediante un chorro, si bien, que sólo tuvo un color: un rucio medio pajizo. ¿La firma garigoleada difícil de repetir?... ¡Bah!, se carcajeó Salomón como un loco: mientras tanto. Y terminado el asunto: *Tengo que salir de aquí... ¡Tengo que tumbar los muebles!* Y se emocionó y salió.

Con el volumen subido del conjunto musical no pudo escucharse bien el gracioso tumbadero, labor que duró si acaso menos de cinco minutos.

Transcurrido un cuarto de hora los rollizos camaradas y Papías pensaron que Salomón se había tardado en el baño. Orinar tanta cerveza. O ¿a dónde más?, ¿a bailar? –era quien menos quería–, o ni modo que pandeado se fuera hasta la cocina a platicar con las criadas, ¿para qué? Deducción: se había ido de la boda. Pues entonces ¡a buscarlo! Se pararon a conteste los rollizos camaradas mientras que Papías lo hizo con disgusto y pesadez. Adonde tenían que ir –«con permiso», «me permite», para no soltar codazos– seguido uno de otro; se fueron. Lo que vieron en la puerta fue un desorden sugestivo, una rara perfección (pero con olor a orines) donde entre sillas, sillones y bicocas apiladas había como raya en medio, un atajo de dos metros (desparramo en dos mitades), por ahí... Si salirse con la duda: se salieron de una vez. Y por lo pronto en la calle tuvieron la sensación de que la noche era roja –comentarios al respecto de los tres confusos: ¿sí?–: rojo sanguíneo batido con morados membranosos y amarillos irritantes como de yema de huevo. Revoltura, incertidumbre: en el cielo ¿nada más? En la calle no había nadie. Ya la masa que intentaba colarse al fandango: ¡no!... ¿Hubo en un momento dado retirada colectiva?... O a lo mejor poco a poco... Allá afuera: fatalismos, dado el desguance de ímpetus: contra (o salvo): ciertamente: los rollizos camaradas y Papías: sus taconeos: resonancias discordantes contra el pavimento, o sea: su caminar inseguro en dirección a la plaza donde: hubo como un gancho-hechizo, forzado presentimiento que evitó los desesperos; no tardaron en hallar arranado en una banca al mustio de Salomón. Las preguntas contra él, quien: a fuerza de ser sincero adujo medio enfadado que el motivo de su huida no tenía nada que ver con su posición política. Fue por arrepentimiento. Habló del escupitajo, de la venganza del padre al forzarlos a tomarse una foto mentirosa, pero por seguir hablando les confesó la verdad: sí era un problema de escrúpulos. Tantos azules bailando lo hicieron palidecer, enrabiarse, si a tolondro, salirse sin avisarles. De ahí que sus convicciones se vieran amenazadas. Los reproches de inmediato. De hecho, para ponerse de acuerdo, ¡uh!, podían estar discutiendo toda la noche y ni así. Por lo mismo, dejémoslos en la plaza hable y hable y hasta luego...

La contraparte: el fandango: griteríos y diversión, y yendo más al detalle: las someras suspicacias en el centro de la pista por parte de:

–Nuestros hijos ya se fueron. No los veo por ningún lado.

El marido displicente, en lo suyo, con el ritmo, dando brinquitos insulsos, le respondió así nomas:

–¡Bah!... Ya se tomaron la foto... ¿De qué diablos te preocupas?

–Pero, por Dios, Trinidad... ¿No te importan nuestros hijos?

–Ahorita lo que me importa es la foto ¿qué no entiendes?... Ya después nos arreglamos.

–Pero... (las personas más cercanas oyeron la discusión).

–Bueno, ¡isssht!, lo mejor es divertirnos.

Cecilia algo titubeante dio dos pasos hacia atrás porque la mera verdad no creyó lo que escuchó y no le iba a caer el veinte mientras no se terminara el popurrí de los *tuis*. Ahora atónita la pobre. El baile y la indiferencia contra ella y sus reproches. Y cuando en esas estaba a Cecilia la tumbaron los que venían dando vueltas. En el suelo la señora no perdió la compostura. Sólo un «¡ay!» muy comprensible encubierto, sin embargo, por algunas risas chachas, mismas que se diluyeron con el ritmo a todo tren. Menos de medio minuto duró el grotesco sentón, porque, bueno... aquellos que la tiraron la recogieron muy mal. Y Trinidad se hizo guaje cual si avistara a sus hijos, de espaldas a su mujer, entre un mar de acalambrados por culpa del popurrí. Tal desdén de Trinidad tenía una causa grandiosa: no quería oír ni un reproche de Cecilia –¿lo esperaba?– que tuviese duración. Mas cuando intuyó que ella estaba de pie, de nuevo, volteóse para decirle con desvergüenza festiva:

–¿Qué carajos te pasó?... ¡Anda, vamos a bailar!

Bien feo que lo vio Cecilia: ojos de loba: punzantes, sendos filos que se unen para penetrar lo más; ténganse, como trasfondo, los dos mohínes que hizo y la ligera alcocarra de caderas y de pechos cual muestra de valentía amenazante y propincua; empero fue graciosísima la boca chueca que puso: boca en línea, labios finos: de chiflido, por decir, como si a final de cuentas se derritiera el intento: quiéranse las comisuras. Es que se aguantó el coraje acaso porque sentía los reojos circundantes, repasadas momentáneas para ver si obedecía. Por desgracia: ¡¿ambivalente?!: no se le rompió el vestido, no tuvo lastimaduras, no hubo sangre y por lo mismo había que seguirle dando al meneo y al zapateo. Trinidad la vio con rabia, le dio la orden con un gesto y un ademán oportunos, y ella, como arrepentida, y sin quitarle la vista, empezó a mover los pies tratando de entrar en ritmo; luego siguió el contoneo casi como no queriendo. Sus caderas regordetas de aquí a allá y de allá hacia acá torpemente, se deduce, sin buscar la corrección. Así: sus brazos se balanceaban con otra idea de compás. Le faltaba más soltura. La consabida soltura de varona salerosa que en otra época le daba, allá cuando bitonguera, por mecatear o bailar o andar brincando y también andarse desesperando si no iba por lo menos a dos fiestas por semana. Y lo contrario, ¡caray!, ahora: por desmemoria: su craso endurecimiento, además, para acabarla, tenía los ojos llorosos pero fuerza suficiente para no dejar rodar ni una grácil lagrimita. Mientras: Trinidad le palmoteaba dizque con mucho sabor: ¡No te pares!, ¡no te pares!, y es que jalando recuerdos su semblante se avivaba, más bien Cecilia sentía que alguien la estaba mirando desde una distancia equis para avivarla tal vez cual si la reconstruyera parte a parte, y casi no, siendo que, por inferencia, la fijeza del mirar sufría sus interrupciones... Es que el tránsito de cuerpos bailongueando sin cesar... Desde, asegún, antes, aún, la miraba Olga Judith: ¿fantasmal?, ¿imaginaria?, pero en la fiesta: ¿por qué?, si hacía veinticinco años la conoció muy apenas, y después... De la historia familiar de los González, la de antes, sépase que Olga Judith sólo divulgó a su modo los enredos más absurdos; lo hizo por no aburrirse en su vejez solitaria y por ganar amistades; pocas fueron, mas chismosas, de modo que todo el pueblo más o menos conocía algunos antecedentes de... Y el efecto natural tras el hopo de altibajos: veinticinco años de ¿amor?: de una pareja sombría que en su época de noviazgo fue jovial y jacarera, gaya, pues, como ninguna, por darse a tantos empachos y disfrutes a cercén, empero, todos veniales. Pero vino el casamiento y ¿qué pasó?, ¿por qué el cambio?, hubo hartazgo ¿no?, o ¿fatiga?, o su humor ¿fue innatural?; sañudo humor a la postre, porque: ¡sí!, ya como ensalmo, tal para cual loba y perro, ¿o al revés tendría que ser?

Dos genios de la fregada queriendo compenetrarse...

Pero...

Volviendo a la acción del baile el popurrí francamente degeneró en anarquía de tambores y cornetas, tanto que Cecilia, exhausta, se frenó de plano y vio sólo zapatos bailando, pero sin los pies metidos. Un agache fantasioso. Indagación de vencida en redor como queriendo hallar piernas sin cintura, y cintura sin estómago, y estómago sin costillas, y costillas sin... ¡Carajo!... ¡Ojalá que sin cabello las cabezas si es que había!, y ella se espantó, de plano, por el solo hecho de ver descomposturas de cuerpos que todavía se meneaban. Su solución fue bien fácil: al levantar la cabeza todo se hizo real ¡a medias!, pues los cuerpos que bailaban parecían volar ¡a medias!, flotar ¿no?, entre el polvo ¿sí?

Entre el polvo ella notó dos siluetas conocidas tiempo ha: caras de antes: ¿zafándose de sus cuerpos? La impresión fue paranoica y no se aguantó las ganas de decírselo a su esposo:

–¿Todavía no te das cuenta que en la boda están presentes Mario Pérez de la Horra, aquel mozo de tu padre, y la criada Olga Judith?... ¡Velos, allí están sentados! –tan buena fisonomista era Cecilia ¡qué va!, siendo que esos fulanos nada más los vio una vez: cuando se los presentó Trinidad: cuando la boda: hacía veinticinco años.

–¿Dónde?

–¡Allí!

–No los veo.

–¿Cómo que no?

–No, deveras.

Trinidad también bailaba con pasión el dizque *tuis*. Embebido en demasía, haciendo suyo aquel ritmo, no deseaba distracciones, pero:

–Pues yo voy a saludarlos y quiero que me acompañes.

–¿Qué?

–Quiero que vengas conmigo. Voy a ir a saludarlos.

–¡No, eso no!... ¡Ellos tienen que venir!

–Es que...

–¡Ellos tienen que venir!

–Pero...

–Ya no insistas, por favor. Mejor síguete moviendo. ¡Disfrutemos nuestra boda!

Siguió bailando Cecilia no convencida del todo... ¡Y que se aletarga el ritmo para bien o ¿para mal?! Súbito cambio dulzón. Lo amoroso y arrullado de un bolero melancólico hizo que los bailadores cogieran a su pareja. Los esposos festejados poco a poco, ¡ay!, pegándose... Larga caricia, por ende, de cachete con cachete...

Es indudable (ejem) que la nueva cadencia propiciaba acercamientos y secreteos más sensuales, aunque:

–Me imagino que tú invitaste al mozo y a la criada a nuestra boda; lo hiciste sin avisarme, pues no recuerdo sus nombres en nuestra lista final...

–No, mujer, yo no estoy loco... ¡Ellos dos ya se murieron!... Y lo que más me sorprende es que te acuerdes de ellos.

–¡Sí!, ya sé que se murieron, pero, bueno... Nomás voltea hacia tu izquierda y ve lo que yo miré...

Sintiéndose regañado obedeció Trinidad, pero su viraje fue casi-casi con retruene de pescuezo, por lo lento, más y más: nula emoción, como temiendo el impacto de la sorpresa colora o su echada de cabeza hacia atrás: inoportuna. Y el alivio tras lo visto: figureos de su mujer a erre que erre: improbables, porque siguió mirujeando y no, ni a fuerzas siquiera, y lo peor: lo segundero de su insistencia ex profeso para no contradecir a quien con tanta ilusión le ordenó ver y ¿rever?... Pero ¿cómo balbucir el desengaño?... ¿En qué tono?... Y ¡ni modo!, porque en seco, pero necio aún: ¡a la busca!, soltó lo que no quería:

–¡Yo no veo lo que tú viste y creo que no lo veré!

–¡Velo bien y ya verás!

–¡Pero velo tú también!... ¡A ver si ahora ves lo mismo!

Y pues ¡órale!: ¡A MIRAR! Dos pajareos. Dos fracasos. Y el lamento de Cecilia:

–¡Es cierto!, ya se esfumaron... Entonces son dos fantasmas... Dos que quizás ni a eso lleguen.

Y el reacomodo postrer de Trinidad que volteando con sus brazos invitó a Cecilia a continuar el bailongo aletargado no sin antes decirle esto:

–¡Anda mujer, no te afanes!... ¡Déjate de tonterías! Es mejor bailar la pieza y más románticamente...

Y pegaron sus cachetes temblorosos todavía.

Durante los primeros días de estancia en la finca ninguno de los muchos acuerdos previos a las vacaciones que tuvieron y arreglaron por el teléfono gris Pío Bermúdez y el cacique fue retomado a rehílo o merecedor siquiera de una abducción a la sorda de ambos para abordarlo punto por punto durante horas. Lo único que apreciaron los seis alcaldes restantes fueron alzadas de cejas y señas de dos, tres dedos y jeribeques al vuelo tan fugaces como vagos... Excepto la vez del baile de bienvenida en que hubo un secreteo sibilino y a retazos entre ellos a causa de la estridencia de la música tocada ¡ni uno más!, ninguno visto, y se concreta, por tanto –como avenidos lo hicieron ya hacia la tercera noche los alcaldes: otrosí: luego de haber terminado los juegos de dominó y cerveceaban nomás, comentarios al respecto y concordancia inmediata–, que la dizque preferencia era ya un sobrentendido; pero todavía uno de ellos quiso redondear la idea, pues de pasada sacó la oportuna aclaración, la hecha por Pío Bermúdez cuando se vio presionado, relativa a la renuncia del cacique, perentoria (¡y dale con la procura taladrada, machacada), para salud del gobierno: ¡ah!... Entonces la preferencia no era sino disimulo: zorro sí, zaragatero.

No obstante, hubo abordaje ¿relativo a los acuerdos?: de ambos, luego, durante horas, justo cuando Pío Bermúdez vino a la finca un domingo –el primero de unos cuatro– como lo había prometido.

–Don Romeo, quisiera hablar con usted... ¿Podemos ir a su cuarto?

Ni modo de decir no, y... Es que el cacique bien pudo decirle que a campo abierto, porque, cierto... ¿para qué tal encerrona?, pero... Antes de esa ida tan burda, descarada de dos hombres –¿no tan hombres?, o ¡qué diantres!–, y vista por... ¿ya se infiere?, mejor veamos *¡Ya saben que los domingos llego a la finca a las once, y si no llego puntual deben esperarme aquí desde esa hora hasta que llegue!* Ergo el salto hacia la intriga, la que hubo ¿se estiraría?, puesto que desconcertó la respuesta del cacique, no sólo al gobernador, sino... Aparte de los alcaldes estaba la servidumbre, que casi era muchedumbre, presente y estupefacta ante...

–¡Vámonos!, es lo que quiero, ya que a mí también me urge decirle unas cuantas cosas.

Una plática a la fuerza en privado y sin embargo cuando empezaban los jaques don Romeo se adelantó: *¡Yo no quiero renunciar a mi puesto, ni de chiste!* Ante tamaña respuesta estratégico en lo bajo el gobernador desvióse, pues hizo una descripción dulcísima y deletreada acerca de la cuantía de pormenores civiles habidos en Remadrín:

novedosos y casuales y ¡suputos!: quizás sí, para luego describirle con más dulzura y regusto los métodos militares que se usarían tras, empero: enfadado don Romeo lo interrumpió al repetirle con creces su cantaleta: *¡Yo no quiero renunciar a...!* Lastre idéntico, insidioso, y harto rayano al berrido de un bebito cuya madre anda bien lejos; por lo cual, a contrapelo, quien al doble se enfadó fue el gobernador ¡uy, sí!, ya que con su ronca voz le gritó, sin altibajos, todo este ácido pregón:

–¡¡La gente de Remadrín ya no quiere que usted siga de cacique, que es lo que es, más que alcalde, ¿se da cuenta?... Y menos con el apoyo del gobierno del estado... Si se aferra, como lo hace, en continuar tal cual es, no me cuesta imaginar que cualquier día se lo eche, no la gente opositora, sino algún rico del pueblo, gente que usted ni imagina!!... ¡¡Dese cuenta y agradézcame que lo quiera proteger!!

–¿Y usted por qué sabe tanto?, ¿de dónde ha sacado tanto?

–Yo tengo mis informantes y sé que hay en Remadrín demasiados inconformes, ya no digamos los pobres, que eso, como usted comprende, no es ninguna novedad; a los que yo me refiero son...

–Pero ¿para qué renuncia si luego habrá un nuevo alcalde en menos de medio año?... Uno que usted ya escogió.

–Por favor, no se haga pato... Cualquier alcalde que entre es nomás decorativo, porque usted a fin de cuentas es el que manda ¿sí o no?... Y eso lo ha venido haciendo desde...

–Yo ya no quiero mandar más que en mis propios negocios... Estoy viejo, como ve, pronto me voy a morir... Pero por mientras me quedo en Remadrín sin salir a...

–¡A los Estados Unidos!

–Y ¿por qué a allá?... ¡Yo no quiero! Allá no tengo negocios y allá no los voy a hacer.

Hueso duro de roer. Y con una terquedad tan de emplasto y tan estrecha cierto era que don Romeo representaba un problema para tantos, según ¿quiénes?, aunque tampoco, si bien, no tanto de «apaga y ¡vámonos!» porque incluso transigía cuando se sentía asediado, y es que tras otras razones expuestas por Pío Bermúdez, al cacique se le vino –entrampado como estaba– algo que le serviría como desveno quizás contra ese zote alegato a partir de una propuesta ya garabatosa al grado de no encontrar la salida ni la entrada de regreso. ¡Sí!, por ende, archicorrupto, si le ofreciera dinero, una buena cantidad, al gobernador –¡qué listo!– para que no se atreviera a renunciarlo, mas ¿cuánto?... ¡Bah!, eso no era necesario ni siquiera mencionarlo de travieso porque a tiempo sobrevino algo, digamos, resultón e inmediatista, que sirvió de tope: ¡falso!, pero lúcido, a cercén, quiérase como sorpresa o como fresco deslinde... Propuesta –promesa– ¿efecto?: gordo enlabio de raíz del gobernador, de pronto, ya que tan sólo estribaba en los modos de conducta del cacique –¡ojalá sí!– renovados para bien... Veámoslos de otro ángulo... Ergo la propincuidad de una celosa observancia jamás debería notarla el cacique, por principio. Observancia en el sentido de sus cambios: su prudencia, y más aún su firmeza para no andar de intrigante a la sorda cual solía; y actuar sólo bajo órdenes: aquellas que se le dieran por el teléfono gris... Pero si no contestaba las llamadas ¡allá él!, porque, ¡claro!: las funestas consecuencias habrían de sobrevenir de inmediato: así que: ¡ojo!... Vigilancia de tres meses, o quizás un poco más, y si todo era de plácemes, tal como se lo exigía el acre gobernador, la renuncia, ¡no!, ya no, y todo como si nada.

Téngase que a don Romeo le faltaban cinco meses para concluir su gestión de alcalde de Remadrín.

Pues hubo acuerdo y despúes un obvio apretón de manos y dos sonrisas al fin y...

¿Qué más? Caprichito por rebane como orla victoriosa o algo parecido a eso, porque un poco tartamudo pidióle al gobernador don Romeo con voz de niño que le prestara un caballo –¿modo de celebración?–, pero el mejor que tuviera, para andar todos los días paseándose por la finca.

(¡Claro!, ¡claro!, ¡por supuesto!)

Que dizque no había montado a caballo desde: ¡uh!... La última vez ¿cuándo fue?... A sus diecinueve años, más o menos por ahí, o sea que haciendo las cuentas, pues... La equitación, ¡la ranchera!, fue un deporte para él apasionante, si bien, en el sentido de andar reflexionando a buen ritmo; pero el ritmo lo perdió por distracción nada más, o porque ultimadamente no le fue tan necesario; y ahora recuperarlo, de viejo, porque había chanza... Recuperar la metáfora de esa época fantástica y decírsela tal cual al acre gobernador: *Saber domar a un caballo es como saber domar a toda la sociedad*, y el ensayo, por lo mismo: el dominio de una bestia día con día ponerlo en práctica. Por eso es que le pedía el mejor de los caballos: fiero y noble al mismo tiempo.

(¡Claro!, ¡claro!, ¡por supuesto!)

Aunque, bueno... La cosa es que le dio el peor, pero... Veámoslo de este modo: situémonos en un lunes, el primero allá en la finca cuando: el gobernador ausente: entonces: luego de desayunar en su cama don Romeo se fue a las caballerizas. Su entusiasmo tempranero al ver que un peón ensillaba a un caballo alazán, imponente, casi alado, pero real, cada vez más, conforme se iba acercando... Las alas: ¡no!: sendo equívoco. Desdibujada la estampa ensoñadora de antes.

–Lo supongo, ¿o me equivoco?... Este caballo es el mío, digo, el que me prestó don Pío...

–¡No!, señor... El que le prestó don Pío enseguida se lo muestro.

Don Romeo y el peón chaparro se fueron hasta el final del aprisco: tanteadores. Durante el trayecto no hicieron ni un comentario al respecto. Mitad ruano, mitad zaíno; el ejemplar divisado no era un cromo, de perfil, como el otro, por desgracia. Tampoco estaba ensillado; y el dedo índice del peón, el derecho: un poco garfio, señalándolo: nervioso, fue un exceso innecesario, porque don Romeo corrió para notarlo de cerca, como si el caballo mismo tuviese imán, o algo así.

–¿Éste es?

–¡Sí!, lo adivinó... Ése es –no tardó el peón en llegar a... Un metro lo separaba del cacique, poco más; y a metro y medio de ambos el caballo estaba presto, porque veía hacia los lados con delicia ¿servicial?: al cacique: sobre todo. Vil reojo, apenas sí, cual si estuviese empezando un drama suave y coloro, lento como una lección.

–Es que le pedí el mejor.

–Pues...

–Y ¿por qué no está ensillado?

–Yo sólo ensillo el que monto, a menos que haya una orden en concreto del patrón.

–Pero...

–A mí me dijo don Pío que usted era un buen jinete y me ordenó prestarle éste, que es mañoso y es bien bronco, pero tiene su nobleza... ¡Ah!, y también me dio otra orden: no ensillarlo... ¡Ya lo oyó!... Ni usted ni nadie, ni yo... Así que si usted lo monta, será a pelo, si no, no; digo: en otro no podrá hacerlo.

–¿Cómo?

Oscuras explicaciones del peón, si con seriedad, dichas truncas, se deduce, no obstante queriendo ser circulares, pero ¡vaya!, y al último, por clemencia, el peón pudo acompletar una idea, cual monición, como para agradecérsela:

–Para que lo monte usted, y deveras lo obedezca, no lo llame por su nombre.

–Pues ¿cómo diablos se llama?

–Venga... ¡Sssht!... –y aquí el peón hizo una mano como concha y se la puso a un costado de su boca, a manera de soltar un secreto pizcuintío– Se... este... llama... pero... acérquese... Duende... ¿me oye?...

Autómatica reacción del caballo: ¡inverosímil!, pues además dio un relincho imponente, ¡uf!, protestante, ya por poco los pateaba.

–¡Ya lo vio!... ¿verdad que sí?... Y eso que dije su nombre en voz baja, ¿se da cuenta?... Así que, como le digo, llámele «mi duendecito», y entre más lo deletree: d-u-e-n-d-e-c-i-t-o, por ejemplo, verá que no habrá problemas, ¿eh?... ¡Ya verá que sí resulta!... ¡Ah!, y también: no vaya a decirle a nadie el secreto que le dije... Se lo pido de favor.

Capítulo seis

Con excepción de don Romeo Pomar, todos en la finca: criadas y criados y alcaldes y hasta guachos rodeadores conocían el historial tremebundo del caballo: el único que prestaba el gobernador a cuantos aventados visitantes, y con perversa intención, ese Duende: malcontento: animal casi diabólico que al parecer se sentía orgulloso de sus tretas y más por haber tumbado a personas importantes del estado de Capila: hombres de alcurnia, pesudos, y funcionarios airosos, tan cándidos por confiados en lo que no suponían como un entrampe estratégico del acre gobernador. De un recuento hecho al vapor se destaca lo brutal (otrosí: por inferencia, se destaca de contado la cantidad de accidentes no tan grave, pero real): unos dieciséis heridos con fractura de cadera, y otros, más o menos veinte, con fracturas por doquier. Pero de esa cantidad (súmele usted por su cuenta) se desprende un porcentaje que es como un punto y aparte: sólo a siete u ocho lesos Dios los había condenado a andar en silla de ruedas, ¡sí señor! Porcentaje reducido es este último: el que viene, del que cabe hacer aquí un análisis al vuelo; ergo, pues, vamos a verlo... Una cifra de tres muertos no es alta, no puede ser, si sólo se le compara con el número de veces: en la finca: esos paseos: tres mortales nada más, y de los tres se destacan dos alcaldes sesentones que se partieron el cráneo como una sandía que explota; el restante corresponde a un empresario ejemplar, al menos en este estado, por tener harto dinero; y se recuerda a ese prócer porque al saberse preclaro, o muymuy, o valentón (no era de la simpatía de Pío Bermúdez, ¿se infiere?) se confió o le valió un pito decirle «Duende» al caballo tantas veces como pudo, incluso adrede, y ¡qué y qué!, e incluso bajo advertencia del tal peón ensillador, y el resultado: ¡caray!: se cayó por petulante –no sin que volara un poco por los aires grite y grite–, yendo a dar –no fue clavado– hasta el fondo de un barranco: el único, y muy profundo, que se encontraba al oeste de la finca, o sea hacia el rumbo por el que iba don Romeo muy quitado de la pena y a pelo llevando un ritmo trotador, bien facilito: de pensamientos al viso; ritmo: ¡oh!: docilidad, y hasta orondez del caballo en fuga hacia... ¿Quién supiera?... Por ende hubo desconcierto de las criadas y los criados: poco sí: nunca peloto. Peloto, en cambio, y mayúsculo, e incluso casi al unísono, fue el que tras el ventanal de aquella salasalón (y a hurta cordel: comedor) tuvieron los seis alcaldes en tanto desayunaban. ¡Miren!, dijo uno parándose, y los virajes del resto, y los pasos cautelosos hacia el ventanal de tres (mas de los seis, eso sí: la incordia casi estatuaria): ya de subida a tal grado de no atreverse a salir y alcanzar a don Romeo para, por medio de apitos, hacerle que desistiera de ese paseo peligroso.

Pero diose por azoro la inmovilidadmudez, categoría duradera hasta no ver ya mirrunga la estampaenigma¿espejismo?, o hasta no ver ya un pespunte alejándose, ya no, regresar al comedero.

Mas la estampa: su tardanza: una hora de tenebra: retorno por donde mismo visto por el ventanal por... Más entero y coloreado el feliz acercamiento: luego de: ¿hasta dónde fue? Novedoso, alegre el trote, y el jinete, sin sombrero, volteando hacia todos lados como lo hacen los rancheros que se sienten victoriosos.

Entonces el movimiento hacia afuera de los seis que fueron a recibirlo como héroe que regresa riente e ileso a su hogar, y al ser rodeado en enjambre por criadas, criados y alcaldes, vino la demostración, la obligada del cacique, al bajarse del caballo de un salto, como si nada; después –pero sin mirarlo– entrególe *aquella cosa* al peón (triunfal, ¿por qué no?), y tuvo que soportar el alud de las preguntas: seis que empezaban con esto: ¿sabía usted que...?, ¡oh, informaciones!, alusiones al misterio del caballo, los heridos, los tres muertos importantes y un blablablá molestón... Mas el cacique en lo suyo: su secreto (d-u-e-n-d-e-c-i-t-o): a nadie iba a decírselo, pues le hizo la promesa al peón, y tenía que respetarla.

Si para seguir montando y ya no ser molestado, a fuerzas debía callarse la boca al respecto y punto. Mejor dos puntos: o sea: ahora y después: como norma: para seguir pareciendo un héroe incólume, ufano, y enigmático, por ende.

Pero...

¡Basta!

Y en efecto (ejem), el alcalde los miró de arribabajo a los seis con el desdén en agraz o las ínfulas supremas que se dan los nefandarios al sentirse triunfadores y para –¡ay!– pensar con creces: ¡fuchi-fuchi, fuera-fuera!, cierto que no tan así, pero casi, que ya era algo, y entonces muy postinero volteóse para observar el trayecto que faltaba para llegar a su cuarto: sus pasos por un pasillo largo: ¿irreal?, ¡ay!, mucho más, y les dijo, sin mirarlos, con aplomo de mandón:

–¡No contestaré preguntas!, ¿eh?... Ahora voy a descansar... Mañana será otro día.

Capítulo siete

De pronto, de las tres raras camionetas se bajaron unos tipos que andaban enmascarados. Gala de ametralladoras para que los policías no hicieran más que encogerse y: *¡Arriba las manos, todos!* El jefe de la casilla palideció y tembló un poco, pero no antepuso nada: una frase, un estornudo o una alzada de cejas; solamente a hurto soltó un *chin* suave, algo quejoso, que nada tenía que ver con lo que se estaba oyendo: las olas de indignación y los chiflidos al cielo; sin embargo, la algazara se jalonaba hacia atrás, en resaca apaciguada, callándose-murmurando. Tres tipos enmascarados dispararon hacia arriba nomás para amedrentar a los ahora ex votantes, porque: con gran rapidez y técnica otros tres enmascarados cargaron con cinco urnas y se treparon con ellas a los muebles encendidos, ya listos para arrancar, como fue: trancapalanca, o bien a velocidad: serie de caricaturas, al unísono, en hilera.

Fue a las cinco de la tarde. Polvareda. Batahola. Comentarios entre toses. Algunos arremetían contra: etcétera, de hecho, porque luego se frenaban. Contra... (ejem) si a esas vamos... lo curioso es que tanto el jefe de casilla como la recua de azules tenían las manos arriba y no las querían bajar –la artimaña era evidente, sobre todo descarada. Es que ya no había amenaza–. Luego de quince minutos las bajaron, ¡ya ni qué! Entretanto: la masa se fue acercando.

Las protestas trompicadas entre frases y palabras: las palabras que se usan casi siempre en estos casos: *¡Trampa! ¡Fraude! ¡Corrupción!* Palabras muy desde abajo ante el cinismo oficial, mismo que ahora sí, a modo, era teatro al aire libre. Con sus rifles de pistón los azules apuntaron en directo hacia la masa. Fue así como hubo suspenso, al menos el necesario para que luego Sanjuana saliera empingorotada tratando de poner calma con las manos en lo alto a manera de aleteo:

–¡Vecinos de Remadrín, pueblo todo, compatriotas! Sólo queremos decirles que este acto vergonzoso debe ser inaceptable, pues ningún robo de urnas tiene, ni debe tener, validez legislativa para un pueblo que pretende llegar a la democracia. Entonces quiero aclararles, yo como representante del alcalde ahora ausente, que repruebo esta maniobra, la cual, de hecho, nos sorprende, porque es rara y, por lo tanto, inexplicable también... Hay que investigar los móviles para saber quiénes fueron los culpables y, asimismo, castigarlos de inmediato... –su voz se oía algo tipluda, como chillo de cigarra. Es que las increpaciones redoblaron su volumen.

(¡Puro teatro!, ¡pura trampa!)

Vale decir que Sanjuana un poco antes, a propósito, adentro de la alcaldía, largamente discutió con quienes correspondía darle excusas a la gente; eran cuatro: ¿observadores?: venidos desde Brinquillo entrenados para hablar con tono melodramático. Contrapuesto el argumento categórico de ella ante una orden mal dada. Entonces, pues, deformarla sin violarla: ¡claro está!, siendo que, por conveniencia, lo esencial quedaría intacto; porque al fin, y si no cuándo, la ocasión era excelente para hacerla de heroína, amén de lo sugestivo: su presencia femenina aplacaría los enojos, mejor dicho su cuerpazo, su conocida elegancia. Y se salió con la suya al lograr durante minutos, unos quince, cuando mucho, que la turba corajuda reprimiera su alboroto. De ella: su ecuanimidad, pausa zorra: su silencio, a fin de hacerse la extraña y crear más expectación. Sus movimientos: ¡ay, sí!: casquivanos casi todos, sin embargo hubo un volteón de cabeza hacia su izquierda: un aviso más atrás de alguien: un consejo, o sea: ladeo sensual de pichona y al cabo otra información:

–¡Compatriotas, por favor!... ¡Cállense... sssht, y oigan esto!... El tan descarado robo de urnas de esta casilla acaba de reportarse a Brinquillo hace un minuto... Se hizo por ondas de radio. (¡Mentiras!, ¡puras mentiras!) ¡Ya el ejército patrulla! Y sépanlo de una vez, no deben andar muy lejos los incógnitos ladrones. Será fácil capturarlos.

Usaba palabras pulcras como «incógnitos», ¿eh?, téngase... Por eso era mentiroso su pregón aclaratorio, por eso era interrumpido; y el bullicio, por lo mismo, terminó por imponerse. Aunque... Sanjuana seguía y seguía, adrede por o a favor de una apariencia correcta que pusiera como emblema la justicia en Remadrín. ¡Vamos!, no se iba a quedar así, o de una vez, por decir, las leyes se aplicarían. Pero: la mentira era tan gorda que merecía deshuesarla, hacerla plasta blandengue ¿a base de puros gritos? La turba: actora: aún no. Lo que sí que: por difuso, porque el micrófono: ¿dónde?: hasta atrás no se oía nada de lo dicho por Sanjuana, tan dada a los despropósitos de dizque emotiva enmienda, y acercarse: ¿tenía caso?; entonces, veamos esto: para evitar contratiempos, algunos de los representantes de los partidos políticos al aparte prefirieron congregar rápidamente a sus fieles seguidores para ver qué resolvían. Y hubo descomposición de la masa alebrestada. Llamamientos. Hacia atrás. Lerdamente, sin embargo. Así la coloración de lo insurrecto en meneo. Por su parte, Evelio Anguiano, líder y representante del partido más gallón, o sea el de la Dignidad, convocaba con aullidos deveras exasperados al tumulto triunfador, asegún, porque: triunfador entre comillas, bueno... eso seguro sería si es que no hubiese ocurrido lo que acababa de verse.

Aullidos de más también: los de los representantes del resto de los partidos. Se iban formando montones bajo sombras de nogales y así cada seguidor pues ¿por dónde... sin errarla?: a la busca de su líder: si preguntas, si tropiezos, tantas equivocaciones, si demora ¿relativa? Mientras tanto, sin embargo, la mayoría de la gente seguía injuriando a Sanjuana, por ser ella a fin de cuentas la única portavoz de las tretas del gobierno. Y si se hubiera podido de seguro (desde cuándo) le habrían dado matarili: a pedradas o a trancazos, con tal de que se callara, pero el flanco, apuntador, en potencia todo el tiempo: de los azules nerviosos por apuntar nada más, fue el estobo decisivo.

Y un simple paso adelante de quién o quiénes lo dieran: en lo bajo repetíales la advertencia dicha arriba a los que estaban al frente de la turba no empujona (dos sendas frases, por ende, ya viciadas, ya cargantes) un monstruoso jefe azul, con bigotazo gruesazo, gordo en serio y alto en serio, pero poco alharaquiento. Margen de separación desde luego había, no el óptimo, entre: ¿puede deducirse?; en el centro unos diez metros, pero en las orillas no: cinco metros, cuatro acaso. Sin embargo, en general, el tupidero a distancia de personas, por lo pronto, y salvo las excepciones... Se redunda adrede (puessnn): la presión en cantidades por suerte todavía no... Y Sanjuana a gusto entonces gritaba a más no poder rogándole a todo el mundo que ya se fuera a sus casas en silencio, esto es: en forma civilizada... Si presunta invitación con un remate dulcísimo:

–¡Anden, váyanse tranquilos!... ¡No se enfaden, por favor!... ¡Ya se arreglará el asunto!... Pierdan cuidado, deveras... ¡Ya habrá otra oportunidad!...

Ridícula invitación, parecía broma y no era, y por lo mismo: ¿qué?: al fin, para tomarla: ¿por dónde?... Por lo simple y sin esfuerzo la tomaron unos cuantos, que a base de carcajadas lenguosas y chispeadoras hasta aplaudieron con fe, y en salterío algunos «¡bravo!» muy desabridos sonaron. Agréguense los remedos, chascos de onomatopeya, bu, zas, chas, ¿a poco así?, miramira, zas, trrr, chin... y demás babas pirrungas en dispersos cuchicheos.

–No se rían porque es en serio... Mejor váyanse y relájense... –cantarina y en declive la vocecita chillona de Sanjuana en su papel de ñoña apaciguadora–. Los primeros sorprendidos somos los propios burócratas...

Por lo mismo, y para mal, fue invitación a la lucha, quiérase como refuerzo eficaz, de todastodas, para el coraje postrer o la terquedad y punto, ¿eh?, debido a que era el momento de arremeter en tumulto –deslindando a la oradora y al montón de uniformados– contra el jefe de casilla que sudaba como nadie.

No había otro chivo expiatorio incidental y a ojos vistos que el sudoroso en mención. ¡Estaba desesperado! Quería desaparecer. Lo hizo discretamente, no dejando, sin embargo, de ser espectacular, porque, bueno... habría que verlo: se agachó cual si buscara algún objeto perdido y a rastras se fue metiendo por la puerta principal de la alcaldía: ya covacha: y él ya cuaima que intentara, por decir: mimetizarse al instante en el color ceniciento de la caliza del suelo. Se esfumó: puerta cerrada, por lo que tenían que obviarse en el acto los enfados de quienes lo vieron irse. *¡Que regrese el cobarde ese!*, y eco tenue en tal sentido. *¡Que aclare si sabía algo del chanchullo, que lo suelte!*, y luego un colmo ¡¿abridor?! Befas y mofas cundieron, muchas más, y más rotundas, ante el descaro supremo, y alguna que otra pedrada que a ningún cuerpo tocó, todavía –isí!, tal vez, más adelante–; sin embargo hubo refreno en la misma muchedumbre: *¡No disparen!, ¡no sean tontos!* Los verdaderos disparos vendrían de allá para acá (acá la masa indefensa). Fue la suma precautoria de apitos en tal sentido tras las primeras pedradas; bastaba una solamente, cualquiera que se estrellara en el cuerpo de un azul para... Se entendía la indignación, mas: otro era el procedimiento. ¡Claro!, a ojos vistos tal chanchullo. Todo estaba preparado; sin embargo, la estrategia fue demasiado imperfecta. Quede al margen un supuesto como mero antecedente: lo mejor hubiera sido hacerlo a puerta cerrada, no el robo a los cuatro vientos. Tal torpeza sin igual traería ingratas consecuencias.

En lugar de las pedradas hubo insultos más hirientes, vil babeo resbaladizo que jamás llega a mayores mientras se mantenga igual. Nada quebranta al cinismo consustancial al poder. Es la norma inveterada y es un límite en abstracto. Aquí era cosa de metros entre el poder y la masa... Pudiera agrandarse el límite sólo con que los azules avanzaran apuntando con sus rifles de pistón. No lo hicieron y... Tuvo que haber un valiente que no sólo diera un paso, sino tres, y a ver si...

y ¡bolas!... Dos disparos oportunos –por inercia o nerviosismo–, mas uno fue el que lo hirió: balazo en la pantorrilla, ¡por fortuna!, hay que decirlo, aunque también el disparo (el bueno, se sobrentiende), como somero anticipo, hubo de ser un motivo suficientemente válido para que la muchedumbre reculara estremecida. Lo demás ya se adivina: el desplome y el quejido... Y las movilizaciones.

Capítulo ocho

–¡¿Qué?!, ¡¿ya estuvo?!
–¡Sí!, salió a las mil maravillas...
–¿Cómo es eso?, a ver... ¡detállame!
–Usted siga descansando... Todo está bajo control.
–Pero, dime, ¿no hubo ningún incidente?
–Hasta ahora, nada que rebase el orden... Tal como me lo pidió le reporto que sus órdenes se cumplieron cabalmente... Así que estése tranquilo.

A las dos de la mañana sonó el teléfono gris. Había uno a dos kilómetros de la mansión donde estaban hospedados los alcaldes, el único de la finca.

Cual tesoro prodigioso el aparato distante adentro de una caseta con techumbre de carrizo donde además se encontraban un poco desordenados en un estante de teca libros de leyes y horóscopos. Exiguo menaje antiguo: una lámpara en churrete y una tumbona de hierro estilo capitoné; en uno de los rincones había una muñeca inflable, hay que imaginar la historia: inclusive sin palabras: sólo formas en acción: tras la niebla: desdibujos, y el difícil desenlace –si es que hubiera– ¿sería insano?; eso puede redondearse con lo que viene enseguida: en el suelo de mosaico hallábase un desparramo de revistas en inglés –compra del gobernador– donde aparecían fulanas completamente desnudas agachándose de a tiro o de plano sonrisudas y con las piernas abiertas enseñando lo que ¡uf!; masturbaciones sin cuenta de un hombrecillo pelón que la hacía: ¡vaya tarea!: de un año a la fecha, empero: de encargado de caseta: velador de día y de noche, y hojeador revisteril, obsesivo hasta el hartazgo, y frustrado semental sin pareja en quien vaciarse. De modo que el susodicho –cuarentón, mas ya canoso, pero al estilo infrecuente, nada más por las orillas– vivía allí en la pura holganza; su trabajo –una simpleza– consistente en vigilar a la tupa el brincoteo chirriador del teléfono, pero ¡ojo!, el gris, el a hurto puesto a distancia, adrede (véase), mismo que rara la vez... Pero allá cuando sonaba tenía que salir corriendo como gamo en un respiro: el pelón desesperado, y también desesperados los toquidos en la puerta de quien debía contestar, e ir corriendo a cualquier hora. Y siendo así ha de inferirse que el propio gobernador era un corredor capaz, modelo para los huéspedes: casi todos funcionarios que a fuerzas debían sudar... Porque ¿tardarse?... ¡pues no!... porque el regaño ¿tal vez?... Ahora que (recomponiendo) nomás durante los domingos los chirridos de continuo a partir del mediodía hasta... bueno... no había límite... pero después de las nueve de la noche casi nunca... y por tanto el velador podía masturbarse a gusto sin que fuese molestado... Las excepciones: ¿groseras?, ¡por supuesto!, aunque, de hecho, en el año que llevaba el pelón al dale y dale en la caseta-guarida nada más hubo diez veces que llamaron en la noche; cuatro fueron en domingo... Con lo dicho no hay, ni habría, porque no hubo, desde luego, en un año de quehacer, antítesis valedera, mientras que síntesis sí: un horario aletargado de pornografía sin fin, que aún se podría estirar... Lo que sí que día con día el impúdico encargado estaba perdiendo pelo.

Ergo: visto así el encuadre de una vida sedentaria y plena de inspiración matizada con desidia ¿qué diablos le deparaba el destino al pelón ese, que era triste como un búho y mañoso como un perro, de esos de rancho, sonrientes? Mejor vamos a situarnos en un lunes, el segundo: del solaz de los alcaldes en la finca, pero justo a las dos de la mañana, cuando (lo dicho al principio) sonó el teléfono gris y el velador ¿presto?, ¿sí?: su descuelgue a contrapelo, agréguese su modorra (otra excepción): no alargada, sin embargo, porque en el cuerno se oían gañidos a la barata. Zotes frases tremebundas que insinuaban una urgencia y... No había de otra que vestirse y correr como de rayo a la casona a la busca de un tal don Romeo Pomar... Debido a la interrupción se le antojó al susodicho una pequeña venganza; así que dándose aires de fatuidad al tanteo, entre apuro y no y ¿qué más?, desaceleró sus pasos, se entretuvo en... ¿se entretuvo? Como quiera que se vea le habría resultado práctico ir tocando de una en una todas las puertas cerradas para ver si salía alguien de nombre «Romeo Pomar»... No lo hizo, ¡qué pereza! En cambio, dado que era un morboso de raíz, su primer chispazo fue ir a buscar a las criadas para...

Rotundo malentendido. A sabiendas que el pelón era, sexualmente hablando, un enfermo no confiable: un portazo en sus narices: se lo dio una de ellas: la eneava vez: feo, ¡pues sí!; una, mas todas de acuerdo; todas que vivían en pila en una como galera y: les bastaba con mirarlo para no dejarlo hablar. Ni siquiera hubo manera de que él completara –y rápido– una pregunta concreta: «¿Dónde está...?»; seco y frío el cortón, ¡ni modo! Idiotez predestinada: ¿para qué insistir si no? Mientras tanto... la demora.

Hasta que fue con los criados fue que supo adónde estaba el hombre a quien le llamaba un señor de Remadrín. En trance de duermevela don Romeo vistióse rápido para irse cae que no cae a escuchar casi en tinieblas la noticia que esperaba. A la luz de las estrellas lo peor, lo precipitado.

Tiempo para reacomodos el trayecto a la caseta.

Dramática la intemperie, la honda noche a la deriva recortada por los cerros y las copas de los árboles. Oscuridad y tanteo terrenales todavía: a cuán más aquel camino refalseado y enigmático –piedras, hierbas y de pronto algún pequeño declive– ergo, al cabo los terrores: en aumento: tantos eran, tantos luidos y casuales permutándose al contagio de los vientos nocturnales a cercén: de Remadrín a la finca, de Crisóstomo al alcalde, o al revés, o como fuere. El que espera y el que va. La duración hasta cuándo, cuanto fuere sería acaso ¿motivo para angustiarse?, sobre todo, en la distancia: el teléfono en la oreja y Crisóstomo sin más: del otro lado: en la guala, es decir: se quedó en ascuas, sin colgar, o sea tal cual: como un duende que especula, aunque... ¡Ojalá si a ver si ya!, sin embargo... Adelante el velador, guiado por sus intuiciones, reconocía parte a parte el terreno que pisaba. Y así, en lo superficial, circunscrita a los detalles su noción de los registros aprendidos de memoria, más y más desentendido se desplazaba en aína, sin considerar, por ende, el rezago del alcalde: muy atrás e indistinguible, tanto así que si volteara: ¡oh, sorpresa!, ¿dónde?, ¡diantres! Pero el cálculo de aquel paso a paso ¿adivinando?: en lo oscuro, dicho sea: oscura temeridad, porque unos metros atrás, al caminar entre matas, las ortigas lo asediaron con sus roces, sus rasguños, y el espinadero agreste, más agresivo de noche, dado el caso y siendo el trance, ya lo había mapeado harto. De suyo, ningún reclamo del alcalde todavía, porque era bien macho-chacho, o sea de los meros buenos, de esos pocos que aún quedan, contimás con su obsesión de resentir la tragedia a distancia en carne propia, sus niveles contra sí (esas culpas corrosivas) o quizás lo natural: ora acerbo, ora lioso, e igualmente incorregible como lo que sucedía en Remadrín a esas horas.

Acá pasos y sigilo.

Todo parecía apretarse en la noche a la intemperie.

Después: si en cualquier momento: tras las tramas incompletas de sensaciones al viso, el velador se acordó del alcalde: ¡ah, sí!: y volteóse y nada y ¿qué?, y luego ¿ruidos?: sobre la hierba, no, ¡ni uno!, sobre la tierra, tal vez, por ahí: chasquidos ¿ciertos?; botas triturando... ¡claro!... por lo cual el velador lanzó al aire dos apitos: *¡Apúrese, por favor!*, y... *¡Es una llamada urgente!*... Y también, en consecuencia, la respuesta presentada: *¡Espéreme, por favor!* ¡Qué canijo aquel pelón!: no había prendido su lámpara, la de pilas que traía, para que el de atrás tuviera un norte, el mínimo, acá: donde... Ahora sí que el pelón riéndose, no en sordina buscando eco, sino penoso a su modo, prendió (se atrevió, aluzó... puntada de solitario) su lámpara, o sea: alcanzó al alcalde: ¡pobrecito!: porque iba hacia el suroeste, y ya aluzado el trayecto no tuvo mayor problema en corregir el sentido y apurarse y llegar a... Más práctico hubiera sido tener allá en su recámara el teléfono a la mano, pero...

Tres hilos largos, si bien, de sudor cual culebrillas resbaláronle al vejete por su cara y ya ¡ni modo! Hilos tales como esos no le salían tan de a tiro ni tan largos: tiempo ha: como esa noche de marras en la que se le olvidó, acaso por el apuro, traer en la bolsa de atrás su paliacate de siempre; por ende: hubo de obligarse a una limpiada incivil con tres dedos y una manga: ¡qué vergüenza para sí y ante aquel pelón risueño!, porque, bueno, hay un detalle: el era de esas personas que tienen buenos modales, que vienen de buena cuna... Sin embargo (redondéese), no se excusó, y lo que hizo fue caminar cabizbajo.

Diose el emparejamiento caminante de esos dos. Del pelón: ni un comentario; del alcalde: una pregunta acerca de la llegada a la caseta, por fin, y la respuesta: lo visto: y así entrar y darse cuenta del descuelgue durante ¿cuánto?: la bocina cual badajo a expensas de los airones, no moviéndose, aún no, tal vez luego, siendo que: lo primero que impactó a don Romeo de ese ambiente fueron los muchos colores y sus límites: si negros, por refracción indirecta del foco único de allí, parpadeando sin cesar. Luego... este... el desparramo sensual de las revistas aquellas donde (contra los cinco sentidos): más vaginas y más pechos y más nalgas y más piernas que caras y cabelleras. Lo bonito era distinto, digamos que más pelado y, por ende, extravagante a la vez que detallista. Aun cuando don Romeo de reojo vio el teléfono: su asunto, se le antojó que las páginas a colores que veía de aquellas chulas revistas fueran de pronto movidas por un airón, pero no... Cierto: se distrajo durante un rato. Sude y sude como nunca hojeó dos revistas: rápido, y se tocó la bragueta para acomodarse a modo su ya naciente alboroto. Ergo: no sólo lo alebrestado de allí abajo se agarró, sino arriba: sus ideas, sus más broncas emociones, o sea pues, como se infiere, con una mano, y en friega, se rascó la coronilla. Transcurridos los instantes de hojeo prendidofeliz, volteó a ver, entrecejado, de arribabajo al pelón, quien le dijo bien nervioso:

–¡Ey!, señor... pues... ¿cómo ve?... Ahí lo espera la llamada.

–A mí usted no me apresure. Yo nomás recibo órdenes del señor gobernador –digno, seco don Romeo, pues por qué, no había derecho, y además de cuándo a acá.

Del otro lado Crisóstomo oyó por primera vez la voz de su amo: por fin. Se alegró como un niñito al que su papá le da un pirulí y un cariño (caricia que sabe a fruta), pero nada más lo mínimo (un contento pasajero) porque: ¡horror!: todavía no contestaba don Romeo, ni para ¿cuándo?

Esperar pacientemente.

Pese a lo que había ocurrido el pueblo estaba en silencio, a esas horas las protestas no tenían razón de ser.

Luego:

–Bueno... Bueno... ¿Sí?... ¿Con quién hablo?... Bueno... ¿Eh?...

¡Aleluya!, por lo mismo: la densa voz del alcalde, ahora sí, aunque... Crisóstomo titubeó... Después se puso feliz como un niñito que juega con su papá a las canicas:

–Este... Bueno... ¿Cómo está?... ¡Soy Crisóstomo Cantú!... Este... Nada... O dígame usted por dónde quiere que empiece a contarle...

Trasunto de toma y daca. Desacuerdos. Correcciones. Puras frases incompletas. Entonces dar con la clave: lo inmediato: el resultado, y resumido lo de antes.

Que reluzcan los intentos. Que se repitan, por ende, que se repasen, que sí.

¿No?

Pues... El devaneo del comienzo para llegar si se puede a:

–¡¿Qué?!, ¡¿ya estuvo?!

–¡Sí!, pues sí, salió a las mil maravillas...

–¿Cómo es eso?, a ver... ¡detállame!

–Usted siga descansando... Todo está bajo control.

–Pero, dime, ¿no hubo ningún incidente?

–Hasta ahora, nada que rebase el orden... Tal como me lo pidió le reporto que sus órdenes se cumplieron cabalmente... Así que estése tranquilo.

En realidad, no era menos que molesto para Crisóstomo Cantú dar santo y seña de todo luego de haber esperado más de una hora a su patrón, en la inopia, con su frágil y huidiza reinvención de tantos hechos cargados de contratiempos y minucias y hasta equívocos, por lo cual, dada su exasperación a la hora de la hora, temía pasarse por alto los detalles importantes. Y así, a cada nueva pregunta él le repetía al alcalde que se estuviese tranquilo, porque no valía la pena entrar en disertaciones; cierto: les llevaría cuando menos unas cuatro o cinco horas sacar a relucir cuánto. El alcalde, por su parte, le insistía en que resumiera; le ayudó con sus preguntas casi en ráfaga, y concretas. Entonces así ¿quién no? No hubo un orden cronológico. En vaivén: puntos y aparte: episodios reducidos a dos frases con remate no mayor de tres palabras.

Duración: más de la cuenta: circunloquios sin sentido, por abruptos: enfadosos. Nuevas órdenes entonces para no extenderse tanto, pero... Difícil le resultaba a Crisóstomo Cantú memorizarlas al vuelo, sin lápiz y sin papel, aunque... no se atrevió a interrumpirlo; y hay que poner otro obstáculo: al achichincle de plano se le cerraban los ojos. Su desvelo obligatorio –esa vez–, porque, ¡pues sí!, no debía de prolongarse hasta el alba: ¿cómo hacerle? Bueno, para no seguir oyendo órdenes de más, e incluso, precisiones y consejos a rehilo, y por rebane, se atrevió a soltar lo peor, la reserva tremebunda: el disparo en una pierna del ex votante más fiero (asegún), ése fue el único herido, ¡a Dios gracias! Y así el volteón de resultas encontrado sin buscarlo: fue la fórmula correcta para inhibir al alcalde. Preguntas... para después; órdenes... también después. Mientras tanto ¡fascinante!, ¡iluminosa!, contimás ¡inverosímil!, o ¿cómo?, la descripción alegórica, dicho sea para deslinde como una bomba que estalla y cuyo eco o radiación durara una noche entera... Por supuesto hubo desvelo emotivo, delirante, debido a la gravedad de un disparo así nomás: los efectos retardados a raíz de, o mejor dicho, más hosco el encrespamiento, o más agachón... o ¿cómo?, o ¿ambas cosas?, porque, bueno... de eso hubo un desvío en agraz: detallado, reiterado, lo cual debió sin embargo establecer un aspecto que Crisóstomo Cantú puso en claro en el sentido de torear lo venidero a expensas del loco error de uno de los policías: el tino de aquel disparo, mismo que no fue mortal, por lo que el deseo postrer de ya irse preparando para... (véase)... Experimentó Crisóstomo la actitud inquebrantable de un mandamás momentáneo; dijo que se había tomado la libertad de llevar al herido en la guayina al hospital de San Chema. Los pormenores del hecho asombraron al alcalde, quien para cerrar la plática dio tres órdenes finales y una advertencia profusa. Dentro del amplio discurso el alcalde entresacó algo de travieso, aparte: un favor: que le llamara su esposa o algún otro familiar como a las seis de la tarde, por más señas: antes de que oscureciera, más o menos, por decir: dentro de catorce horas. Y con eso don Romeo se despidió bostezando. Por fortuna, o por desgracia, todavía no amanecía.

Capítulo nueve

Se topó don Romeo con el pelón: sus miradas, sostenidas, decían todo, y además: las reforzaban sus gestos: cómplices de ahí en delante, tanto así que, conectados, ya no hubo necesidad de una advertencia al respecto.

La palabra «discreción» resultaba una obviedad.

Mal que bien la simpatía de mímica retrechera apareció dulcemente después de medio minuto de mirarse como efigies que quisieran parpadear. ¡No! Y el gusto de cada uno con el otro comenzó indeciso, medio tibio, terminando de igual modo. La mínima diferencia fue que el morbo ya asomaba en boca y ojos de ambos. Suficiente la intentona... La plática estaba a punto. Primero una mueca fresca seguida de una sonrisa –y un ademán abridor– por parte de don Romeo. A manera de respuesta el pelón alzó las cejas como un niño que ve a un perro, al acecho, de a deveras, olisqueante, dando pasos. Limpio azoro blanco, horrendo, nunca visto, reluciente, que seguiría al parecer casi como hubo empezado. Eso ocurrió, desde luego, por lo que toca a la cara del sedentario salaz, sin embargo, en retroceso, el silencio con el miedo ante la absurda amenaza: dos pasos imperceptibles que ni siquiera llegaron a toparse con un mueble; un tercero quizás sí, aunque... Lo tercero fue una mueca más o menos exquisita para que hubiera ruptura. Don Romeo miró de pronto las revistas en el suelo. Se agachó, recogió una para hojearla con delicia.

En la tumbona había más, por igual sobre una silla y también sobre un baúl. El reojo del alcalde apreció la profusión. ¡Qué ganas de verlo todo aunque fuera de pasada! De ahí hasta el amanecer, entre bostezos y amores, empeños de excitación a causa de la fatiga, cuestabajo, aguantador, hartándose como un gordo hasta el límite del asco. Pero... todavía faltaba mucho. Ánimo, pues, trabajoso, sostenido en su nivel por la ansiedad de drogarse con las nalgas exhibidas de mujeres comprensivas, esos ejemplos tan chulos, y las posibilidades tan remotas como próximas. ¿Devorar aquel mundillo? El pelón viendo al alcalde revisando aquellas cosas como un adolescente –dedúzcase por lo tanto su desespero nocturno–, se sonreía complacido. La perversión: de subida, y el pelón: ¡oh!, como nunca: sus poderes y sus tretas. También el gobernador cuando venía a contestar hojeaba dos, tres revistas –el teléfono: el pretexto; lo bueno era lo siguiente– pero éste: ¡qué goloso!, porque, viendo absorto tanto cayó en cuenta que en las fotos no sólo había peladez de mujeres comprensivas, sino de hombres también. Piernas, senos y vaginas contra pitos, brazos, semen, ergo: ensartes, revolturas, peludísimo regusto, sabihonda pornografía... y un etcétera: grosero. Queriendo desconectarse luego el alcalde notó que había una muñeca inflable en uno de los rincones perfectamente arranada con las piernas extendidas en el suelo de mosaico. Cierto: miraba con ansiedad, pese a no ser de a deveras. Soltó él la pregunta, entonces:

–¿Y para qué es la muñeca?

–Es con la que me masturbo.

Ilusión tras ilusión: apenas la conjetura renegrida del alcalde: ¡pobre idea de un pobrecito! Si el amoroso consuelo mitigara la amargura de no poseer ni en sueños a una tierna veinteañera, todavía el placer más grande se quedaría en mero ideal. Nunca el hartazgo o ¿quién sabe? Bien que la aproximación estuviese acompañada muchas veces por el llanto... o ¿quién sabe?... Porque... con eso era ¿suficiente? Estupefacto el alcalde no quiso hacer más preguntas, pues sabía que se trataba de un sedentario tan gris como su humilde trabajo, feo de sobra, acomplejado, y luego para qué herirlo con perfidias y rebanes. Simplemente lo miró como mira un poderoso a un fulano medio penco (mal de males para siempre), dicho sea: con la fingida ternura por alguien que está hasta abajo. De abajo el resurgimiento –¿cuándo?– a fuerza de quedar bien: servicial: tanto, y mejor: para ganarse al patrón, mismo que le pagaría con una mujer de aquéllas que él traería de los *Macalen* o los *Braunsvil* hasta acá: una frondosa güeruda, ¡ojalá que alguna vez! Mientras tanto conformarse con la muñeca ¡a sus anchas!: virtual diva inanimada que el velador podría darle la carne de juventud que a lo mejor aún tenían las artistas revisteras.

–Ya me voy...

–Mire, señor, allá tengo en un rincón unas revistas más fuertes. Son orgías escandalosas... Si usted quisiera mirarlas...

–¡No! Mejor otro día las miro –vino una pausa vibrante. De nuevo ellos se miraron sintiéndose unos perversos que se turban y no saben el porqué ni lo presienten, sí el efecto... y su caída: no aparatosa, no leve, sino... grosera la insinuación: tanto más o tanto menos, poco a poco las insidias, sin palabras a favor; ojos grandes nada más y un gesto tan parecido: de ambos la órdiga-ironía. Mas no el habla: por lo pronto, sin embargo, tras un minuto de azares decir una palabreja: de remate, ni siquiera... Así entonces la vergüenza de ser cómplices del mal. Por tal razón hubo un cambio de señales: de repente: por parte de don Romeo.

–Mmm... Creo que debe acompañarme, pues todavía no amanece. Necesito que me aluce el camino de regreso.

La lámpara se encendió, esa de seguridad que... tras graduar la luz en largo con sólo darle dos giros a la tulipa de acero, remató el pelón en seco:

–Cuando usted quiera nos vamos.

Forzado arranque y frenón del alcalde toda vez que entró de lleno en lo oscuro; esto es: a tres metros de distancia de donde estaba la línea de la luz: atrás, apenas, ya en terreno emborronado. Y otro paso... Mejor no... Es que se le hacía imposible lo de adelante, o muy ancho, y por tanto problemático, o acaso como un ensayo cuanto más dimensionado de acuerdo al deseo de avance, deseo inútil porque... Pronto el pelón con su lámpara se le emparejó al alcalde que no se atrevía a mirar más que el suelo, ¡ah!, sin notarlo... sentirlo suyo hasta... Ahora sí, miedos ¡al diablo!, otrosí: miedo de cerrar los ojos por el peso del desvelo... Y animarse pese a pese... Cual si entraran a una cueva se echaron a andar despacio.

La intemperie tenebrosa contra sus pasos, ¡oh, sí!, y contra sus pensamientos.

Morbo aún, en desdibujo.

Luidas formas encueradas.

Todo en fuga como un líquido que concluye gota a gota... ¿Cuántas más para el sosiego?

Las imágenes del sueño... Las tenebras que se van... ¡No!, por mientras: ¡la viveza!, siendo que... Si algún lastre les quedaba era su mudez, su afán de emborronar lo de atrás. Pero no, porque era bruto: fruta madura chorreando, y uno de los dos dijo algo rompedor de todastodas. Y enseguida hubo un alivio, y... Paréntesis de tragedia: Remadrín como repunte: hechura del subconsciente... Las obvias derivaciones: ¡al demonio de una vez! Entonces, a contracurso, ambos se fueron más rápido y hablando de puro sexo.

Capítulo diez

Lo dicho: el herido cayó: ¿cómo? Lo no dicho: bocabajo, es decir, mal, como tabla; su cara contra el cascajo. La masa se echó hacia atrás por instinto: algunos pasos: viendo al herido arrastrarse como queriendo llegar a los pies de los azules, torpemente y muy llorón. Un escinco derrengado, tal: si acaso: respirón, y enmedio de paradojas constreñidas a un pavor asaz zonzo, momentáneo. Es que por lo trabajoso ¡¿cómo iba a lograrlo así?! Sin embargo tuvo fuerza para soltar un gemido más rauco que lastimero: *¡Malditos disparadores!, ya me dejaron cojeando.* ¡Sí!, debió haber acomedidos luego de oír esa frase, pero continuó el asombro conjugado todavía con la tiesura en redor, y la sandez, por lo tanto, duró apenas un minuto; ¡un minuto nada más de espectáculo infeliz!, hasta que: de entre los mismos azules rompieron la fila dos y sin orden de por medio, dos chaparros, por más señas, fueron los acomedidos a cargar al arrastrado –nadie más– para meterlo a ver dónde, y por lo pronto sudando al alzarlo con trabajos. Fue Crisóstomo Cantú –quien salió desconcertado por la puerta principal de la alcaldía viendo aquello– el que dijo adónde pues. Primero hizo tres menciones a manera de tanteo, después se llevó los dedos a su boca y repensó. La chispa al fin, pero mala, por ser más bien disparate: ¡ah!, en un cuarto de los últimos, el que estaba destinado a bicocas en desuso, uno cerca del corral, y le susurró a Sanjuana que les dijera por dónde a los pobres cargadores, y que los acompañara. Dizque hasta allá curarían al fulano desgraciado.

Capítulo once

En la tienda de Trinidad González estaba de visita, como siempre, ni más ni menos que... ¿ya se adivina?... Villarreal es su apellido. Coincidencia platicona de dos que lo hacían, digamos, o muy temprano o muy tarde, casi a diario, pero ahora: el morbo del visitante empalagaba hasta el asco al –si no harto, sí pasivo– presentido abarrotero, quien, en su postura corriente: la de ponerse las manos debajo de la quijada como para no dejar que saliera una palabra, dedúzcase lo demás: codos sobre el mostrador, se obvia el gesto inalterable y... por exceso de hilazón el rumor encontró curso adonde tranquilamente seguiría recalentándose en sabrosa tozudez. Mas en concreto la clave: llegada como resaca entre apitos en desorden: que hubo fraude electoral; que se robaron las urnas y delante de la gente.

Era Vénulo el cretino, quien, como era su costumbre, siempre intentaba poner los puntos sobre las «íes» y el acento donde iba, en tanto que Trinidad nomás estaba escuchando.

Escena de obstinaciones: cada cual en su papel, y hasta qué horas la ruptura si debían considerarse los «mmm», «uuuh», «ajaaá», «síii», «yaaa», «baaah» de Trinidad todo el tiempo como únicas respuestas a los tantos devaneos de Vénulo que seguía confesándose en voz alta ante una estatua de carne. Estatua merecedora de lanzarle un buscapiés para ver si respondía, pero: tal era la indiferencia del pazguato abarrotero que el hablantín pues no hallaba cómo diablos sacudirlo. Ciertamente que el meollo podría ser tan alusivo como un presentimiento, porque, digámoslo así: a base de conjeturas Trinidad trataba en vano de conectar dos recuerdos no demasiado distintos; dos causas tras un efecto: su apatía, como conquista, y el origen o el pretexto, hechos ¿cuáles?, y he ahí...

Aunque: nomás hubo un buscapiés que sí lo trajo hasta acá:

–¿Y si matan a tus hijos? –Vénulo y su risa chueca.

–Mmm, ¡ojalá que no los maten! –respuesta al tope: ilusión, apetencia inconsecuente (y tamañita a la postre). Entonces, de nueva cuenta, Trinidad trató de ir hacia atrás: pero ¿hasta dónde?, ¿desde dónde con sus culpas?... Podrían ser al fin y al cabo los trasuntos de la infancia... ¿hasta allá, precisamente?... Eso sería lo deseable, pero, bueno, al fin y al cabo, lo mejor sería encontrar un motivo más cercano.

¡Sí!, a la fuerza, y a partir de (lo quiso dar por seguro para ya no atormentarse): la tal fecha, la visión, y el cambio apenas y ¿cómo?, ya que... Después de haber celebrado sus bodas de plata en grande y tras haberse tomado la tal foto del recuerdo con su esposa a su derecha y sus hijos insolentes como guardianes de pie, por supuesto a Trinidad le venía dando lo mismo que hubiera guerra o no hubiera en su casa o en el pueblo, o en el país o en... o sea: en virtud de que la vida –vista al revés ex profeso y sin ningún deshilacho– le había dado lo que da a un holgazán sabedor: ¡estabilidad!, cri-te-rio, cierto... mmm... cinismo venial, y lentitud y: total: que cambiara lo que sí; o si estallara: mejor. Pues teniendo a tutiplén dizque su vida resuelta desde que era chamaco, lo demás desmerecía, eso que la gente intenta embonar por peteneras: la reflexión con la acción, o viceversa, o a cachos, o como quiera que sea. Por lo demás sus recreos eran cosa de irse haciendo cada vez más hacia atrás, a fin de hallar la semilla de su predestinación. Los vanos florecimientos y el desgaste prodigioso, acaso por prematuro, empero óptimo o crucial para inventarse una imagen medio falsa, medio cierta, pero útil para creerse el personaje que era y cómo lo proyectaba, de tal forma que la gente pensara de él a su antojo y él pensara de sí mismo lo peor sin ningún problema. Así podía aventurar: su vida antes y después de la herencia ¿era la misma?

En el rejuego de claves y a base de conexiones a Trinidad se le vino sosamente a la cabeza algo que lo desquiciaba. Se acordó de la trastienda donde bajo tiliches y colchas tenía, si a tiento y retiento, aquellas dos cajas fuertes perfectamente al aparte. Aún intactas ¡lero-lero!: ¿qué era lo que atesoraban? Nunca quiso Trinidad abrirlas para saber... Es que le daba flojera enterarse cualquier día de que era un rico monstruoso... Lo contrario sería horrendo, porque hasta le darían ganas de irse inmediatamente al río a tratar de ahogarse pronto, si al abrirlas descubriera que ambas estaban vacías.

Capítulo doce

Luchones: Olga Judith, la criada consentida, y Trinidad, el antes vago: dizque sin remedio, sobrellevaron durante un mes y medio ese estira y afloja pobretón, novedoso también, al que los vino a orillar el viudo tras irse al rancho. La edad (ejem) de la viejilla chinchumida no vino a ser obstáculo o pretexto para afrontar con fe pilas de ropa, de otras familias, ¡claro!, amén del gozo en sí, ¿profesional?, para entregarse toda a la lavada, sin descuidar, empero, su quehacer de costumbre. De hecho en un par de días se promovió: tocando en quince puertas –¿poco menos?– de casas, ciertamente: las que había en su manzana, y en siete más, si bien, de otras manzanas: seleccionadas: donde: la gente conocida: pero la comprensiva o más amiga: podía oír sus motivos de pobreza acaso durante una hora, o poco más, y darle una docena, como darle un mendrugo, de ropa no tan sucia, con tal de que se fuera, pero ¡ya!, a seguir fantaseando con sus quejas adonde la aguantaran sin problemas. Total que llegó a un límite de esfuerzo, por enjorobamiento, la tal criada ochentona; empero, todavía: dormir lo menos y comer lo menos, siendo lo más, entonces, el puro dale y dale: mecánico, animal, y con lágrimas diarias: dos al anochecer: inevitables, y una más en la noche: acostada en su cama. Igual que Trinidad: acostado en su cama, la de él, se sobrentiende: senda lágrima diaria, despaciosa, luego de una jornada de apuestas a granel: en baraja, billar y dominó, donde no conseguía más que salir a mano en ganancias y pérdidas: en las cantinas: siempre, empezando a las cuatro de la tarde para acabar a eso de... Por ley municipal, una impuesta por don Romeo Pomar, ningún antro de juego podía seguir abierto, entre semana, más allá de las once de la noche... Es que si hubiese chanza de unas dos horas más...

192

La suerte: veleidosa. El triunfo cuando no... Cuando es un añadido. Era. Fue. Y ¿la ilusión? Se han de ver los afanes de Trinidad aquí en un encuadre rápido. El lapso se limita a un mes y medio: donde: hubo un solo color: un gris terroso, mas ninguna fisura apenas (esquinera) para que entrara una haz: un amarillo gualdo o un blanco níveo o cándido. Mas si se puede hablar de alteración: hubo una hasta el final –en la última semana–: discreta, sin embargo, porque: como un enlabio lo negro apareció: DERROTA TRAS DERROTA... Más lloro, por lo tanto, de Trinidad –¿se explica?–, no sólo al acostarse, sino en sus pesadillas. Tenía como dos años de no perder ni un peso y en la última semana perdió dos pesos diarios, pero el domingo: veinte: ¡la puntilla!

Lo inexplicable arredra, antes que diluirse, porque: yendo al ejemplo: no se puede explicar que Trinidad, con lo experto que era en agarrar pichones: devotos (por tenaces, y seguros: por ende) de su causa: ¡liviana!: vez tras vez, redundando a la postre en el empacho vago, el suyo de ganón (ganón casi por ley, ganón cada vez más), de repente ya no. ¡YA NO! ¿Por qué?

¿Por la necesidad?...

La suerte: ¡golondrina!, más no bocabajeada, y entonces el dilema del lloro o la ilusión, no sabiendo tampoco Trinidad si seguir apostando o cualquier día, ¡ni modo!, ponerse a trabajar en... ¡No! El juego como vicio, acorde con la apuesta, era un trabajo siempre sufridor e inclusive con más complicaciones que una simple talacha. Pero dada la serie de reveses sorprendente para él, padecida: ergo: nueva, tenía que hacerse al tiro la pregunta: ¿por cuánto tiempo más habría de padecer?... Quizás no fuera exacta su idea de sufrimiento. Y el gozo-necedad y el vicio-ahínco: al fin: seguir jugando pues, aunque perdiera.

La apuesta: ¡redentora! La suerte: ya somera.

Aunque...

A lo negro del susodicho encuadre se añaden puntos verdes: menudas esperanzas que siendo cuantía henchida, de suyo, abarcadora, pudiesen redundar en un hallazgo. La última semana fue crucial. Trinidad se acercó a las cajas fuertes dizque para extraer, a ver (depende): ¿encontraría dinero?... Mejor dando por hecho la victoria, supuso que las posmas cantidades de pesos en billetes le ayudarían en parte a subsanar sus cientos de fracasos en la cantina El Fuerte, adonde se encontraban sus: ahora ya no pichones, sino ajusticiadores... Entonces su intentona: la primera: la hizo cuando no estaba Olga Judith en casa... Si él supiera las claves de las combinaciones...

Como si fuera parte de su jale Trinidad operó durante cuatro mañanas en las tres cajas fuertes. Cuatro horas de corrido: cada vez. El tope era a la una de la tarde, hora en que Olga Judith ganosa aparecía para hacer de comer. No quería el vago aquel que ella lo viera. Mas cedió al quinto día, al no saber las claves tuvo que preguntarle y... Ella tampoco las sabía y ¿qué hacer?...

Movimientos de peonza entre los dos, y el tino: trabajoso: porque ni para cuándo... Ambos se dedicaron noche y día a mover: otrosí: sudar la gota gorda: soportando rechinos a derecha e izquierda. Se enajenaron harto. Bueno, cabe aclarar... dormían como cuatro horas; por lo tanto se añaden otras interrupciones: la comida y la cena; más lapsos de descanso que ellos mismos se daban para no hacerse bolas con tanta clave ideada; ¡sí!: las iban anotando en un papel: su lista de descarte; y la comprobación: lerda, molesta... Es que véase este enfado: no repetir ninguna clave: ¡ojo!: para no perder tiempo... Pero es que lo perdían de todos modos... Porque: no sabían si las claves constaban de seis, siete, ¿ocho números?, nueve ¿no?, cinco ¡menos! No obstante Trinidad dijo que seis, ¿de acuerdo?... Quiso la anciana proponer catorce: siete a la izquierda y siete a la... ¡Que seis y punto! Era orden y ¡ni modo!... Que tres a la derecha y tres a... De su tardanza dunda y sostenida a base de caprichos medio propositivos tan sólo se plantea lo dicho antes.

Pero si hablamos de antes hay que irnos más atrás. A partir de la ida del viudo ¡santurrón!: hubo complicidad, mayor acercamiento, pactos al vuelo, algunas confesiones entre... se sobrentiende... Incluso Olga Judith, cierta mañana, mañosa le propuso a Trinidad que fuera con pistola o carabina al rancho de su padre. El vago que ya estaba hasta el copete de estar dándole vueltas a la peonza, le preguntó el porqué, si para qué con arma, y ella le soltó el chisme, aquel horrendo, de que si iba él al rancho a visitarlo, sin más explicación se lo echaría. ¡¿Quéqué?!, por ende: ir, hablarle desde lejos, para evitar disparos: *¡Papá!... ¡Paaapaaá!... ¡Soy yooo!... ¡Soy Trinidaaad, tu hijooo!... ¡Ya sal de donde esteeés y ven a hablaaar conmigooo!*, o algo por el estilo, y si no oyera aún, entonces acercarse, entrar hasta la casa, pero con la pistola por delante. Si un disparo, pues otro de regreso, y si ni uno cayera –¡ojalá no!–, las palabras de ambos tendrían peso, las disculpas al tiento como frases de amor, etcétera y etcétera...

Consejo: ¡precaución! Trinidad miró al suelo: largamente; hizo bien. No responder. No actuar. Sin embargo, después de unos minutos, como un niño indefenso ante una bruja tétrica, aventuró un decir:

–Yo no tengo pistola... Por lo tanto, no voy...

–Mmm... pistola o carabina... Si usted se anima hoy mismo puedo ir a conseguirle ya sea una o sea otra...

Otra vez la mirada en el mosaico: Trinidad recorriendo garigoles: ¿engaño? Pobre verdad a medias. Dudas en forma de humo: si luidas: mero amago; su dibujo: cual flama, al fin reparto en grande, en la extensión: másmenos¿más azul?... Trinidad indeciso y... transcurrido un minuto contestó:

–¡No!, yo no quiero ir al rancho.

Capítulo trece

Bien difícil la maniobra.

Y ahora sí, como rejuego, la reciedumbre masiva.

No es necesario sopesar en un párrafo expletivo las muy diversas reacciones que tuvieron los líderes y representantes de los partidos políticos luego de haberse enterado del siniestro allá en el frente. En menos de seis minutos corrió la voz por doquier, empeorada, dicho sea, la noticia fue cambiando al grado de que la gente de mero atrás como autómata cogió piedras, las lanzó contra azules y burócratas, pues estaba convencida de que de seguro había un muerto o dos y la cosa es que tal vez habría un chorro si no se iban a sus casas como les recomendaron a los de mero adelante para que ellos a su vez se lo pasaran al costo a los de enmedio y de atrás.

De atrás vino lo insensato cual reflujo, de trancazo, volaron piedras e insultos aunque la mera verdad los segundos no importaban, en cambio las piedras: ¡uy!: por desgracia no llegaron al objetivo –lejano, ya de por sí; cuéntense además los árboles de la plaza: defensores: eficaces por su altura, sobre todo los nogales; y cuéntese el tupidero: anchuroso, irrebasable– deseado en tal circunstancia. Empero no iba a cambiar la compostura oficial sólo porque una pedrada –nomás por exagerar– le pegara en plena cara a uno de los azules. Lo que pasó en realidad no puede considerarse siquiera violencia a medias, esto es: salvo un recio proyectil, el único librador que tuvo la buena suerte de no rozar (¡ni de chiste!) con las copas de los árboles y que por lo mismo halló huecos en serie y llegó a rozarle a un policía: primero su pantalón y enseguida su espinilla –¿lo sintió?–, mas ni uno más, pero a saber si después.

Al parecer todavía se exagera lo ocurrido a causa del mugre efecto: el rozón, el desatino, pero es que así fue ¡deveras!

Suerte a medias, si se quiere; mayor suerte en consecuencia fue el hecho de que no hubiesen más disparos precautorios dirigidos a las nubes: ya lánguidas, vespertinas: difusas patas de gallo que se elevaban adrede cual si huyeran del oprobio (o daban la sensación) siendo que: puras piedras al garete, en el aire de acá abajo. Y hubo tristes descalabros.

Por la brusca inocentada de vuelos más que incompletos, tanto de ida como luego de regreso y todavía en múltiples direcciones, el furor no rebasó a la masa durante un rato. Por eso no hubo disparos, al contrario, hubo espectáculo para azules y burócratas, visto al principio con órdiga y al cabo con ironía; de suyo –¡pues ya ni qué!–, en gozosa parsimonia presenciaban de pe a pa una comedia de enredos desde una como carlinga (la figura valga aquí sólo para señalar que se trata a fin de cuentas de un lugar privilegiado) donde la inmovilidad fue a la postre una estrategia que influyó en definitiva para que los ex votantes volvieran a estar en paz.

Tuvo chiste la secuela por el acopio increíble de propuestas infructuosas y detalles mal que bien indirectos y vivaces.

Golpeados los de adelante –no muchos, hay que decirlo– respondieron al igual con pedradas hacia atrás. Lo peor les tocó de a tiro a los que estaban enmedio. Los bellísimos estorbos: los nogales lujuriantes: tuvieron la mayor parte de la culpa, sin querer. Choques contra sí y desvíos: la mayoría atinadísimos, pero ninguno mortal. Un líder descalabrado –no se cuente el sangrerío de la chusma enfurecida–, sólo ése, el del partido llamado Anticorrupto cayó de bruces y prestos en batahola los clamores en agraz, que por ser repetitivos no llegaron a inquietar ni a burócratas ni a azules. Sendos círculos, entonces, de donde, por si las dudas, cubriéndose la cabeza se iba saliendo un buen número de agachadosprecavidos en busca de alguna orilla a fin de mirar el trámite sin más riesgo que mirarlo.

Por miedo, por prepotencia, y porque la indignación aún no estaba formulada, hubo tregua y variedad de opiniones secundarias. Y aquí caben los deslindes, es decir, la pobre crítica ya no era más que supina incongruencia (bisbiseada) entre asombros y repudios: mezquindad, para acabarla, pero fuera, siempre fuera, de cualquier protagonismo; mezquindad a la deriva, porque... bueno... En la masa habría de estar el principal fundamento, de ahí tenía que surgir e imponerse pero... ¿cuándo?, ¿cómo?, ¿ya era tiempo?, no obstante que siendo claro el motivo del disgusto, la histeria lo coronaba.

¿Cuándo, entonces?

Poco a poco, por hartazgo, de entre líderes y gente que no deseaban guerritas surgieron voces de apuro solicitando control, serenidad pues, aplomo, puesto que la confusión retardaba en forma absurda su legítimo deber (ciudadano, se supone)... Y al garete lo siguiente... Que se aclararan los hechos: la exigencia de respuesta: pronta pero concertada. La calma como premisa... ¡¿Qué?!... Ya no más piedras perdidas ni protestas a lo loco (es oportuno decir que estas recomendaciones no alcanzaban gran registro. La sintonía dominante era el barullo y si no la desarticulación de comentarios chacheros al son de los movimientos). Sin embargo, todavía, que de ahí para adelante no hubiera en definitiva ningún lastimado más... Que sin más contemplaciones las pedradas debían ir, a manera de huracán, en directo a la alcaldía. ¡Ah!, esa última frase cruenta, oída como apostilla, fue el repunte incitador; digamos que tuvo efecto, se hizo eco sobre todo de tanto en tanto hacia atrás, de donde vino tal cual, ampliándose hacia los lados: donde hubo alerta, inacción, un relativo silencio –en plural, se sobrentiende; amén de los acicates, los deseos de acercamiento– y hacia el centro ir, poco a poco, donde: ¡ojalá se compactara la masa en un dos por tres! Mero ideal dificultoso porque: la tal frase no llegó hasta el lado delantero sino como vaguedad, una más, inatendible, pese al vozarrón tronante del líder más popular: Evelio Anguiano (asegún), quien, por su exasperación a causa del devaneo, aventuró la propuesta por considerarla urgente, y había que ver con qué encono: brusco gesto y puño en lo alto como si actuara en un teatro y ante un público perplejo (su cuello –quien lo notara– tenía las venas saltonas, su cara roja de ira, y aun por si fuera poco, dio un brinco espectacular). Ciertamente que por pingo logró atención, juntó gente –no la deseada, eso sí– e hizo que se suspendiera el tiroteo irracional, pero continuó el murmullo de por sí bajo, molesto, como lastre tanteador.

La mayoría: criticona; la minoría: tolerante. Justificable alharaca debido al caos que, de suyo, amenazaba alargarse. Injustificable el modo tan echado por arrobas puesto que sólo bastaba con el mismísimo impacto del vozarrón para ir hacia el punto desde el cual pareció surgir: ¿quién sabe?, ¿en el centro de la plaza?, ¿junto al quiosco?... A lo mejor...

Capítulo catorce

Cerrada con dos candados nadie más que Trinidad podía entrar a la trastienda. Cecilia sabía el secreto, pero no tocaba el punto desde una vez que su esposo la regañó como orate por haberle cuestionado

197

su cobardía de por vida. La puntilla que lo hirió fue la tonta hilaridad de Cecilia al preguntarle por qué diantres no quería saber de una vez por todas si había dinero en las cajas, o joyas, o documentos. Era un tema prohibido desde que tenían apenas dos semanas de casados. Desde hacía como cinco años ese cuarto no se abría. Caprichoso desperdicio. No obstante, la tentación: la última vez, y la duda de Trinidad se tradujo en largo arrepentimiento. No deseaba: ¿para qué?: toparse con la verdad, pues le faltaban agallas para un asunto tan simple que él complicaba de sobra. Enfrentarse a ese misterio –ya se dijo y se redijo– era enfrentarse a sí mismo. Ahí estaba un devenir que bien podía transformar sus más hondos pensamientos. Quizás luego se animara.

Capítulo quince

¿Y ahora qué?

Un argumento eficaz necesita de ingredientes que no resulten tan lógicos, ni tan tiesos, ni tan pardos como los que Evelio Anguiano sacó a relucir a gritos. En los detalles chispeantes se adivina la intención, se recrean las obviedades, se rehínchan, se sortean, y así se intrinca lo fácil y lo difícil se acopla a la armonía más ideal: la que resulta más próxima, la propia, por conexión, la que tiene un tiempo aparte: tan irreal como benigno... Suavidades ¿por decir?, ¡vaya!, ¡vaya!, lo que sea... Es por eso que se antoja traer a cuento algo sencillo, una reflexión manida, ¡sí!: *cada quien es cada quien*, ¿no? Pero, bueno, situemos el argumento en donde debe de ser. Ya de entrada la propuesta atrajo a bastante gente. El principio fue inquietante (la tal frase así nomás, aunque: con vozarrón de por medio...), pero he aquí que lo siguiente bien merece un gran paréntesis (si se quiere enriquecer el decurso natural de un propósito común, es preciso generar numerosas disyuntivas para que así los escuchas entiendan por separado y por separado actúen a la hora de la hora). «Libertad» es la palabra, la que no hubo y si la hubiese se prestaría a discusión. ¿Sí? Frases más o frases menos que no servirían de nada ante el empuje común de tirar piedras y ya. Reglas no: para el asunto: cometidos personales, pero hacia un mismo objetivo; y hasta aquí la contundencia; por lo demás los desquites tendrían variantes de todas: bruscas, ergo, las pedradas, y mucho más si atinaban, ¡claro! Se infiere que los azules no se quedarían sosiegos como dundos monigotes consintiendo ser golpeados, aunque... Antes de ir hacia adelante hay que destacar lo frágil para incidir en lo absurdo: fueron las explicaciones las que ablandaron sin más los impulsos vengativos. Y se expande el mangoneo en dos preguntas abiertas: ¿cómo unificar criterios ante un hecho tan siniestro como el robo de las urnas?, o mejor: ¿qué carajos debía hacerse ante una burla como ésa y que de plano iba en contra de la voluntad del pueblo?

La reacción era difusa porque eran bien diferentes las posturas asumidas por los distintos partidos, incluyendo, desde luego, a los que iban a votar por el partido oficial.

Hubo frenos, alegatos, contrapuntos de los líderes, importunos, a saber, y algunas desobediencias: piedras volando sin tino: unas que otras nada más; y abatimientos, renuncias, muy al sesgo: en desparramo: lentamente: sobre todo se apartaban –acaso porque sabían lo que iba a suceder– los dizque simpatizantes del partido en el poder; ¿cómo no iban a apartarse si les habían dado en grande comida y mugres regalos?

Divisiones y demora, y a ver pues... La torpeza de respuesta de la oposición en su conjunto (ejem) permitía a los observadores depurar sus estrategias. Informes, por consiguiente, remitidos a lo largo de la valla policiaca: de oreja a oreja: en principio: con bastante fluidez. Luego ocurrió algo increíble: debido a que se perdía y se seguiría perdiendo (muy al estilo ranchero) un tiempo tan importante, entre azules hubo risas reprimidas y de lado, risas tapadas por dedos para ocultar la sandez de una exhibición dental y con la lengua de fuera. Los informes se prestaban para hacer chilindronadas, digamos, extraoficiales. Circulaba en secreteos la pregunta que se hacían sobre todo los azules: ¿qué pasó con los colegas que cargaron al herido? El supuesto más perverso alguien de los de cachucha se lo imaginó (embriscado) y lo entresacó entre pausas, bajo, bajo, frase a frase, y que entre orejas corriera; según pues: es que como iba Sanjuana dizque a decirles por dónde, se olvidaron los colegas de la carga desgraciada para agarrársela a ella y besarla entre los dos y... (insana imaginación)... Todo porque la mujer, famosa por ser bien güila (de oídas la acusación), se levantó sus enaguas para enseñarles las piernas a los pobres sudorosos... (lujurioso mentirero, puercas mentes holgazanas)... Así que la revolcada de dos contra una duró; se metieron a algún cuarto, ¡claro!... (obscena imaginación)... y dejaron por ahí tirado al hombre sangriento, quien por sus grandes dolencias no podía gritar muy fuerte (cociéndose a fuego lento el figureo de rehílo). De modo que como pudo se fue arrastrando hasta el cuarto donde Sanjuana pelada y los azules también... (puro enlabio reteocioso)... se encontraban en acción cual si fuese lucha libre; aún faltaba que el herido también le entrara al revuelque. Pian pianito aquella talla se hizo onda irregular, tanto así que: enllegando hasta el final ya de a tiro era fantástica. Las tantas deformaciones (transformaciones inciertas) y revulsas repentinas atenuaban el rigor de mantenerse por más de unos diez, quince minutos en la misma posición. Fue más tiempo y, sin embargo –media hora, un poco más–, parecía que aquel rebane redujera a lo más ínfimo la caída de la tarde.

Otrosí: llegó al colmo de los colmos el descaro maquinal de los cuatro observadores que hasta entre ellos se pasaban información casi a gritos; como en la masa había afanes mezclados con desacuerdos, les importaba un comino que sus tácticas siniestras alcanzaran resonancia, pero no llegó tan lejos el repunte entreverado, sólo al lado delantero –descompuesto de la masa– y sólo como un equívoco de frasecita emotiva cuya subordinación *(... si nos tupen a pedradas les daremos matarili...)*, sí calentó a dos o tres; y vayamos al meollo: la réplica fue grosera: una caterva repleta de cabrones, culebrillas, chinas, sapos, estrellillas, caracoles y taquetes. Se menciona de pasada que a lo largo de ese lapso de aparente regodeo nunca dejaron del todo de salir cosas como esas de por ahí y por allá.

Pero veamos otro ángulo. Los movimientos de la masa eran (ejem) observados por Crisóstomo Cantú: lelo acaso, o sensitivo. Queriendo estar al pendiente para dar la voz de alerta, ni siquiera parpadeaba. Además, por ser en quien recaían las decisiones finales maulamente se afanaba por llenarse de valor para gritar a los vientos una idea descabellada. Pero, mientras... Entre azoro y titubeo el desgaste –¿y por qué no?– la clemencia por vergüenza y al final ¿el abandono?, siendo que, nomás por salir del paso, un pergeño del instinto parecía contrarrestar sus deseos de sofrenón, y así entonces ¿qué tal si se retiraban él y el cuerpo policiaco de la representación dejando de ese tamaño la churrada truculenta? ¡No!, ¡qué va! Cruce de alucinaciones cual sombras en su cabeza. Al contrario: por apego, y contimás por regusto: firme el alcalde eventual; y cierto es que para colmo el revés de sus temores seguía en ascuas todavía porque esperaba lo peor. Sin embargo ya era hora de, mero cálculo sin más; y cuando ya iba a... Lo distrajo el despiporre de los que supuestamente estaban bajo sus órdenes. Nada de que «matarili» a las primeras de cambio. ¡Compostura!, issssht!, ¡por Dios!, fueron cortos los regaños, mas el último fue fúrico: *¡Aplicación, por favor!... ¡Preparen, apunten pues!* Y así atentos los azules contra lo que no deseaban. Si se ve de otra manera, pero siguiendo el mismo hilo, es natural deducir que tal vez no hicieran caso a la orden de mateo *(¡Fuuuegooo!...* trrrurrrurrrupt... no querrían ver el reguero de títeres derribados). Cierto: era sólo un modo ingrato de amedrentar a la masa; la orden podría ser otra: «¡Disparen hacia las nubes!» ¡Ojalá!... Los azules, sin embargo, empezaron a sudar; es que según una orden dada hacía un par de semanas, la intervención policiaca se limitaba a lo visto: acecho-amague-dominio-desveno y de nueva cuenta acecho-amague y si no, si hubiese ataque masivo mediante lluvia de piedras, el ejército entraría oportunamente al quite, es decir, esa bola de matones que rodeaba Remadrín y que en un momento dado... ¡Uf!, ojalá no hubiera cambios; ojalá se respetara lo que se hubo acordado: ¡puro dengue!, ¡puro teatro!

Capítulo diesiséis

Perdida en los asuntos de una radionovela Cecilia se recreaba preparando la cena. Lo mismo hizo durante años y sólo entre semana: por las tardes.

Pero esa vez: domingo y votación: era también el día de la incredulidad: de ella bastante menos si se ha de comparar con la de su marido: tan desesperanzado, tan holgazán deveras; de ella bastante menos porque: sus hijos allá andaban haciéndose ilusiones.

Dizque desde mucho antes Papías y Salomón se habían labrado, a fuerza de indignarse, la previsible jeta de los opositores: la trompa, el entrecejo... ¡y los manidos rollos de un futuro triunfal! ¡Bah!, cosas de juventud eso de estar en pie de lucha: dizque: ¡ni modo!, ¡pobrecitos!, pero más adelante ¿habrían de apaciguarse?... Teorías de Trinidad que Cecilia hacía suyas.

Sin embargo, el pendiente, la mínima ansiedad como una rajadura que crujía más y más, y sólo haciendo gordas y meneando frijoles podía contrarrestar la influencia negativa. Ella aturdida entonces, aunque... la efectiva evasión se daba en el momento que haciéndose la lela pretendía entrar de lleno a la radionovela: ¡la!: toda oídos, presta, y sin fingir ni un ápice, se imaginaba atrás de alguna puerta oyendo (viendo acaso) el faltoso entramado de una historia de amor. Moliendas de problemas que no eran para tanto, de sucintas venganzas, de cuernos, de reencuentros, de culpas y sospechas que quizás, en esencia, no se diferenciaban de las que ella tenía respecto a Trinidad.

La bruta asociación para hallar el pretexto de un lloro necesario: que alguna lagrimita cayera en los frijoles como prueba de amor; secretos del sazón: el agua de los ojos como parte del alma.

¡Ternura!, ¡frenesí!, ¡la dulzura gloriosa!, y el enamoramiento que cae pero no estalla: de por vida ¿el sufrir? Pero para congojas mejor las de ese día: sus hijos... Y el añejo rencor, no obstante solapado, contra –aunque con suavidad– el marido (el abismo), al que por ser deveras tan miedoso le endilgaba la culpa de no haber sido ricos desde hacía muchos años, por no atreverse a abrir aquellas cajas fuertes. ¿Qué secreto guardaba el haragán? Es que con la riqueza (manejable) la historia familiar habría sido distinta, sus hijos no andarían metidos en política ni hablarían un lenguaje tan desde abajo y gacho, tan sin suputo acento. Pero los desengaños... ¿Y qué tal si a favor? ¡Ah!, todo sería supremo, orondo pues... ¡Y sabio, por calmado!

Y a trabajar ¡por ende!: nada de distracciones, mientras... la historia continuaba... Las voces de la radio –enfáticas, tipludas– lograron imponerse:

–¡Me engañaste, Rodolfo! Yo que por ingenua, pero también por honesta, te he amado siempre con pasión ¡mira con lo que me sales! ¡Ahora resulta que tienes una amante! ¡Tú, el hombre de empresa, el progresista, el héroe de las ventas, el marido ejemplar...!

–Pero entiende, Matilde... Esa mujer que dices que es mi amante, sólo es mi secretaria... Y si salimos juntos a cenar es porque en la oficina los teléfonos suenan todo el tiempo...

–A cenar y a bailar, ¿eh?... Y luego derechito a algún hotel de paso... ¿Qué, no te has dado cuenta qué horas son?... ¡¡Las seis de la mañana!!

–Es que entiende, Matilde... Por la maldita carga de trabajo...

–¡Nada!... En sólo quince días ya son once las veces que llegas a esta hora...

Etcétera y etcétera...

El adulterio en vilo. La imagen desgraciada de patas para arriba: a media luz: ¡prodigio!, e insinuado el dolor cual música nostálgica de un solo de trompeta. Caídas, regodeos, devenir que carcome... ¡Oh, vida oficinesca!

Lejanía artificiosa o imagen en declive de una absurda cascada de luces de neón. Fallido apagamiento. Cuerpos, caras, someras borraduras o letal desdibujo de bocas que se buscan. Trazos de sombra y luz para hallar el encuadre de los besos urbanos...

E-t-c-é-t-e-r-a, ¡pues sí!

Descuajeringada –pues– llegó la bulla de afuera, colóse por las ventanas que daban hacia el traspatio como un toposo filón, paparrucho: por decir: lleno de quejas mirrungas y agrios encabronamientos, a tal grado que Cecilia –enmedio de dos ruideros– no encontró cuál atender. Le ganó la circunstancia. No importando por lo pronto su ultimada convicción de abstenerse de votar, no estaría mal ir ahorita adonde estaba la gente y meterse entre la bola hasta que lograran verla sus dos hijos repelones, inclusive acompañarlos; y limpiándose las manos con el sucio delantal ya mero se decidía. Su nerviosa resistencia porque: faltaban cinco minutos para que finalizara el traqueteado episodio. Esperó medio enliada aventurando supuestos rapidísimos y truncos; y el óptimo sería amable: un final de los perdones: podría ser; que hubiera beso y abrazo entre un Judas derrengado y una Magdalena fresca. Pero no, ni para cuándo... Antihistórica la cosa en virtud de la premura... Y he aquí lo sucedido:

–Como ya no te soporto me voy a ir de esta casa.

–Pero Matilde, ¡por Dios!

La música violinesca fue el remate y el picón.

Capítulo diecisiete

Vale ya meter la cuña que dé soporte al engorro. El error de Evelio Anguiano no consistió en hacer dengues a modo de reunir fuerzas para enfrentar sin ambages a la amañada gentuza defensora del gobierno, sino argumentar lindezas de imposible ejecución: al unísono, a ojos vistas, como para darle tiempo a la guarda policiaca de responder con ventaja.

Caso aparte: lo escondido, que todos desconocían: la avanzadilla de guachos.

De lo dicho se retoma, sin trincar los desagotes de un discurso soflamero, lo citado tan de paso: «al unísono», o sea: ¿quiénes? Es que arguyó Evelio Anguiano lo siguiente (¿rebatible?, ¿obvio?, ¿sin chiste?, pues debe tomarse en cuenta que no era el único líder: por la memez de por sí, y la bravuconería –«a ojos vistos», se deduce–: aunque fuesen en principio dizque medio sigilosas. Medio aclarado lo de antes, dicho a modo de regate, entonces, pues, como va... Cosa de interpretación): la propuesta consistía en que todos fueran juntos poco a poco hacia adelante para evitar que chocaran las pedradas contra ramas de nogales o anacardos o pirules o arraclanes sarmentosos desde el tronco; ¡obvio!, ¡sí!, por libramiento, con piedras en ambas manos cada uno avanzaría para que, tras empellones forzosos, dados unos treinta pasos, todos estuvieran listos y en espera del conteo: que a la una, que a las dos, que a las... pero ¿cómo?: antes de cualquier acción de inmediato aparecieron tres argumentos en contra: el primero fue normal: *no era buena la violencia;* ya el segundo y el tercero hasta podrían permutarse porque: *sería tonto el movimiento* (demasiado amenazante), y por ende habría desorden.

Desorden hubo: de ideas: desde el mismísimo arranque. De resultas el avance más bien era un retroceso, y siendo que ningún líder se iba a salir con la suya, afloraron necedades y se empelotó lo simple de una réplica legítima, en conjunto proferida, o mediante un accionar eficaz, ¡definitivo!, ordenado, pero ¿a qué horas?

Entre bolas y más bolas de vanidades a prueba, pero sin juicio ni tono para romper tiquismiquis, de pronto en forma indirecta surgía una nueva propuesta que por ser tan secundaria nadie la consideraba. Fueron muchas, pero aisladas, y chillonas, es decir, no dichas por ningún líder, o para decirlo al tiro: los líderes sí tenían, tal como debe de ser, aparte de vozarrón, magnetismo y sonrisitas como de artista de cine, a lo cual hay que agragarle un repertorio abundante –ensayado hasta el hartazgo– de ademanes y de gestos.

La indignación ensayada, inservible al confrontarse con otros perfeccionismos.

En resumen: picoteos. Pugna enmedio de la masa, en el centro de la plaza más bolas, cada vez más, y más desahogos hueros cuyo efecto disgregaba a la gente que, si bien, antes estuvo apretada y dispuesta a rebelarse, pero en alud imparable, ahora tenía propensión al regate quejumbroso.

Ahora que, desde el poder... Lo mejor es ver por ver a la masa como mugre, sin meterse en más detalles; porque siendo como era en Remadrín esa vez: bolas también había lejos, y pintorescos supuestos de algunos abstencionistas; crasas y ñoñas hablillas en casascallescomercios, mas nunca desconexión, sino sesgo e ironía.

La tajante perspectiva. Cambio en ascuas. Acá entonces, por rejuego... y por sosa indiferencia. Acá donde, para colmo: entre azules aburridos que les daba por reirse, en vez de ponerse duchos –por la inútil rigidez de soportar lo que no, sus rifles ya no apuntaban a la masa sino al suelo–, y los cuatro observadores, hablinches ya de por sí, que le daban rienda suelta a sus tanteos vacilones (nuevas tallas despaciosas para contarse en voz baja), aprovechaban a modo el destrampe colectivo que podría degenerar en dispersión y más lío. Cuánta espera sin sentido. Allá todo el desarreglo. Por lo visto no habría enfoques para nadie durante un rato; de ninguno iba a salir una réplica de peso, tampoco de aquí hacia allá una advertencia final.

Largueza sin altibajos. Todo en ascuas, «en veremos», salvo (ejem): Crisóstomo Cantú atento, por no decir «temeroso». Como un maniquí perplejo tenía las cejas paradas, porque... mmm... En la medida que se prolongaba la indecisión de la gente él se hacía camotes solo. Glosa de presentimientos: los suyos: en desbalague, ya que daba por sentado (ejem) que de un momento a otro se dejara venir la avalancha de ex votantes encarando los disparos; e imaginó los desplomes, en hileras: muerterío, pero como eran bastantes los que aún quedaban vivos, dedujo lo más monstruoso: no había suficiente parque para matarlos a todos, de modo que al acabarse ¿pues qué hacer contra un montón? La sobrante mayoría acabaría por matar a los azules primero: a pedradas y a trancazos; luego a los observadores, y por último... si él previsor, o miedoso, se metiera a la alcaldía ¿cuánto se iban a tardar en encontrarlo y matarlo?; e imaginó otros extremos: el incendio colosal y quemados los burócratas dentro del magno recinto; mas aparte –y en aras de un descarrío más fantástico que real– se le antojó que la quema se extendería a todo el pueblo... Denodado tremendismo que podía seguir creciendo tan sólo con darle hilo e ir ensartando asegunes antes de que interviniera el ejército acechante.

Por el puro sinsabor de recrear dicha catástrofe a Crisóstomo Cantú se le iba poniendo blanca su cara de por sí prieta. Se negaba a presenciar un desparramo de muertos y la absurda consecuencia de lo que podría ocurrir aún después de que la turba lo asesinara a pedradas y él contemplara el incendio con lágrimas en los ojos desde el mismísimo cielo; ya tan lejos: ¿qué remedio?, en santa paz: ¿para qué? Ni le llegarían las llamas y sí en cambio muchas almas que entraban al paraíso en manadas provenientes de Remadrín nada más.

Churrada de paranoico cuyo hilo aún seguía; paranoico anonadado como estatua que no obstante parpadeaba y hacía muecas, aunque muy de vez en cuando, pero... Lúcida inmovilidad llamativa por contraste al nerviosismo oficial o al juego de indecisiones tanto de unos como de otros: por cualquier lado lo mismo, y entonces, a contracurso, crecía el símbolo a ojos vistos. Como imán irresistible poco a poco la presencia de Crisóstomo Cantú se imponía, se perfilaba como una luz novedosa tras la caída del sol. De suyo, había resistencia, cierto escrúpulo común por no dejarse influenciar por, digamos: no era del todo atractivo el absurdo fingimiento de ese achichincle pirrungo ya famoso en el entorno...

Lo sabido por los líderes: era un pésimo orador, siendo que, aparte de hacerse bolas, sudaba, tartamudeaba, pero en estas circunstancias lo importante era encontrar la clave de su soflama, sin embargo, seguía igual: ahíto, desconectado, y por más de un cuarto de hora, más lo que él aún agregara... Media hora, por ejemplo, en total, ¿sin altibajos? Media hora: sensitiva, mal que bien, o de resultas: amargosa, retorcida, en plausible ajenidad –como fue de cabo a rabo– toda su imaginería. Cierto: en pleno desequilibrio rendíase este paranoico al frenesí de una idea que de seguir en anchetas le haría gritar un «¡no!» horrendo, largo en serio, aturdidor, pero: esperaba que el dictado le viniera desde el cielo; y por nexo delineado el remedio sustancial, ya como presentimiento: ¡NO VIOLENCIA!, por principio, aunque violara las órdenes venidas de Pío Bermudez a través de... si don Romeo en ese instante se pusiera en su papel y presintiera a las claras la avalancha de la gente, el incendio, el muerterío... ¡No!, ¡qué va!, sus güevonas vacaciones seguían siendo güeva insana en el limbo del poder, así que: calculado el tiempo justo tomó aire suficiente para lanzarle a la masa no lo que estaba esperando, sino: un remedio escandaloso que a Crisóstomo Cantú se le vino a la cabeza (ténganse en cuenta sus miedos):

–¡Gente de aquí y más a-a-atrás. Pueblo que me-me oye oiga esto: las burlas no se per-per-donan... No se pueden per-per-donar... Menos cuando van en con-con-tra de los deseos po-po-pu-pu-lares... Al pueblo no se le en-en-engaña nomás así por-por-porque sí... Con esto quiero de-de-decir que el tal robo de las u-ur-urnas es un fiasco para to-todos... Entonces la so-solución es que... ¡oi-oi-óiganlo bien!... haiga nuevas e-e-elecciones, ¡sí!... ¡Habrá nuevas e-e-elecciones, pero no se sa-sabe cuándo...!

Trabazones en la masa: al vapor: como espeluzno: ruidos: tibios improperios, sin que hubiese de contado alguna respuesta clara; enjambre tan duradero (lleno de contradicciones) como duradero fue el silencio estupefacto de Crisóstomo Cantú. Los codazos contra él: muy molesto sobre todo el observador más alto: René Prócoro Guajardo, quien colorado de rabia quería ahorcarlo o ¿cómo hacerle para desaparecerlo?... Gran regada, ¡qué ocurrencia!... Eso no estaba previsto... Minutos después a coro se exigía repetición, y el mandamás eventual, delirante y con más énfasis, sólo se aventó lo último:

–¡Habrá nuevas e-e-elecciones, pero no se sa-sabe cuándo!... ¡¿Quieren oírlo o-o-otra vez?!... ¡Habrá nuevas e-e-elecciones, pero no se sa-sabe cuándo!

Pronto taparle la boca. Un observador lo hizo ante la vista de todos (revelación descarada que encrespó más de la cuenta a los más opositores. Era tan grande la pifia, y tan larga para colmo, que parecía una comedia de payasos atareados pero con final ambiguo. Falsedades de pe a pa, y sin embargo muy pocos se rieron de buena gana). El ridículo seguía: el forcejeo y los despeines: dos greñeros insolentes de dos malos luchadores. Y así pues: puro rasguño, porque: ninguno sabía hacer llaves; ninguno tumbaba al otro y: otro de plano intervino –un chaparrillo ponchudo– para darle un empellón a Crisóstomo Cantú, ergo: trastabilló el orador hasta caer de sentón. *¡Entiende que la regaste!:* la sentencia triunfadora del chaparrillo en mención sirvió para que Crisóstomo no pudiera levantarse, quien, sumido en su desazón, se tapó con ambas manos su cara de chancaquío, es decir, llena de granos enormes y con la puntita blanca... Aire, al fin, no el suficiente, pero... Toda recomposición se topa en primera instancia con una serie impensada de aclaraciones absurdas que para colmo de males no aclaran mínimamente siquiera lo más primario de una extrañeza sin peso. Conviene pues ir por partes, agotar... pero ¡carajo!, ¿cómo darle orden y modo a una disculpa ampulosa? Por lo pronto lo deseable: el susodicho ponchudo se presentó ante la masa pidiendo con aleteos –lentos los brazos en lo alto– paciencia, pues, por favor, silencio, atención y a poco los salteados «isssht!» lograron que el ruido disminuyera al más mínimo registro de chasquidos en redor:

–¡Yo soy Mario Blas Calanda y me envió el gobernador a observar las elecciones!... ¡¿Entendido?!... ¡¿Sí?!... ¡Pues bien!... Ya que tomo la palabra, ejem, me permito comunicarles que este asalto a las urnas es un hecho reprobable debido a que obstaculiza la vía hacia la democracia... –su voz no se oía hasta atrás; vocecita punzadora que a los de mero adelante les sonó muy enfadosa, por lo aguda, por lo lila, tan de piquito molón; el resto sólo entendió la mitad, y no muy bien–. Sin embargo, para beneplácito del pueblo de Remadrín, debo informar que del siniestro ya tiene noticia el señor gobernador y el alcalde don Romeo... Mediante un aviso telefónico el Licenciado Pío Bermudez ha girado instrucciones para que se proceda a realizar una investigación exhaustiva, a fin de que tanto el ejército como las corporaciones policiacas, y todos los que prestamos nuestros servicios al Estado, nos demos a la tarea de identificar y capturar lo antes posible a los responsables de este atraco... atraco, en efecto, que a todos nos desconcierta... Y sépanlo de una vez: quien resulte responsable será castigado –¡óiganlo!– con todo el peso de la ley, ¿eh?... Ahora, en cuanto a la realización de unas nuevas elecciones... Bueno, eso sería lo óptimo, pero éstas no se llevarán a cabo hasta que se cumpla cabalmente con las distintas etapas de la investigación señalada...

Dejémoslo hablando así: porque: cumplidor hasta el momento, hablaba sin alterar las órdenes recibidas, la cosa es que: a ver cómo capoteaba la ráfaga de preguntas en un lapso de dos horas, o acaso tres, o... cómo dar por terminado algo que iba para largo, además, sostenido en su impostura de su jerga artimañosa, cómo no desesperarse... Mientras tanto: Crisóstomo Cantú continuaba sentado, adrede, fingiendo incapacidad, en la acera, amenazando doblarse, ¡claro!, en espera de que los otros tres observadores o dos o tres policías lo ayudaran a... No lo hicieron, sino que se le acercaron para decirle en voz baja lo que bien se merecía:

–La vas a pagar muy caro. Te van a dar una tunda y luego te meterán a la cárcel para siempre.

–O a lo mejor te ajustician, pero haciéndote sufrir.

–Eso es... Mientras estés en la cárcel te agarrarán a reatazos.

–¡Grábatelo de una vez!: no creas que te van a dar desayuno, almuerzo y cena. Al contrario, te darán tres tundas diarias y a lo mejor un bolillo y la mitad de una coca, pero de esas chiquititas.

–Te van a matar de hambre.

–Y todo por tu regada.

–¡Ni modo!, ya te amolaste.

Tantísimos sufrimientos imaginarios o reales tenían que poner al tope a Crisóstomo Cantú. Tronadero en su cabeza: donde, y como quiera que fuese, se fabricaba un perdón que bien pudiera alargarse por lo menos durante un mes. El rosario de pretextos y la lógica infinita, tan perfecta como inútil, pero: se afanaba en recreaciones, en aína, burdamente, creyéndose mitotero, buen orador siempre y cuando se sintiera amenazado, es decir que le quedaran unos cuantos días de vida... De ahí que, por prepotencia, quisiera hallar en un tris motivos y precisiones mucho más que convincentes, sobrios pues, y por lo mismo, brillantísimos y... ¿cómo?, el comienzo, el desarrollo, y hasta es más: su lenguaje, su dicción... Su postura; y de una vez se sentía como un sabio reprendido o un muñeco sin cabeza e infeliz en un rincón –sentado como ahora estaba: en el suelo, pero íntegro, ¡sí!, como un sabio prodigioso que sin moverse ni hacer gestos de enfado o desprecio tuviera poder de sobra para ablandar a los guardias y hacerlos abrir la celda y escaparse y... Pero era mucho pedirle a la suerte así nomás, por antojo de patán... La simpleza articulada, desvaída, en reducción, es que hiciese lo que hiciese su argumento era tan pardo como triste era y sería su embeleso capitoso. Y todo por evitar la violencia en Remadrín: ¡uh!

Mientras tanto seguían los observadores solazándose en decirle lo que le iba a suceder. De pronto, Crisóstomo los topó con una pregunta tonta:

–¿Y ustedes van a informarle al señor gobernador del error que cometí?

–¡Claro que sí!, ¿por qué no?... ¡Somos los observadores!, para eso nos contrataron.

–Nomás checa lo que ocurre... Ahí está nuestro colega tratando de darle vuelta a todo lo que dijiste.

–Se va a tardar más de una hora, y hasta puede que sean dos.

Ágil, mudo, Crisóstomo Cantú se incorporó. Era idóneo ese momento para ir a ver al herido. No obstante, con aprensión pajareó sin ver a nadie. Lo hizo para eludir las miradas en su contra: esos tres observadores que deseaban molestarlo. Ignorarlos. Proceder.

–Con permiso.

–¿Adónde vas? –le preguntó furibundo René Prócoro Guajardo.

El pretexto –descrito muy de corrido; sólo se entendió una frase, la importante: suficiente para ya no repetirla–, ¡sí!, estaba bien desde luego, pero: René Prócoro Guajardo le hizo un guiño descarado al jerarca policiaco y además: *venga, venga,* con los dedos. Secreteos de boca a oreja: las cositas de uno y otro: los acuerdos finalmente en un lapso no mayor de un minuto que no fue ni cariñoso ni turbio sino justo y necesario para que el observador, asumiéndose de plano como auténtico mandón, le soltara al pelagatos una decisión como ésta:

–Puedes ir a ver qué pasa con la pierna del herido, me parece lo mejor, pero te acompañarán dos policías de confianza.

–Mire y se-se-sépase señor que yo soy aquí el que man-man-manda mientras no esté don Ro-Ro-Romeo. ¡A mí na-na-nadie me vigila, y... y...!

–A nosotros nos mandó el señor gobernador, que está, como has de saberlo, demasiado por encima de tu alcalde y tu pueblito, así es que no te me chifles porque...

–No... Sí... Es-este... Está bien que me a-a-acompañen, pero que no-no-nomás sean dos.

Agachón, por conveniencia, Crisóstomo, inteligente, muchísimo de por sí, ahora lo fue mucho más: le convenía no pelear. Y dócil se retiró. Lo siguieron dos azules muy de cerca, o qué decir: casicasi lo rozaban. De modo que lentamente, en principio, y cada vez más de prisa, o que fuera como fuera, pero ¡vámonos y ya!

Capítulo dieciocho

La vía hacia la probidad. Queden así descartados los residuos perniciosos de masa, robo, balazos, pedradas y más balazos y demás meneos horrendos. En todo caso Crisóstomo bien podía recomponerse haciendo una buena acción, esto es: curar rápido al herido y traerlo y exhibirlo ante aquella muchedumbre para apaciguar los ánimos. Buena acción, fallida acción... ¿Y si huyera? –titubeo–, debía ser ni más ni menos que a los Estados Unidos. Tal deslinde: por impulso. Para siempre debía ser porque si no qué tragedia. Al margen de pros y contras era cuestión de obstinarse, perpetrar el aliciente: más por desvío o por consuelo que por neta aspiración. En círculos expansivos sin embargo sus temores no insinuaban cuando menos una discreta espiral, al contrario –pobremente– achicaban su deseo, lo encuadraban, lo aplastaban, lo hacían pura vaguedad y le daban una cifra: días, semanas: por venir, fecha exacta, fin, principio, aunque: hasta que no se aventara encontraría las ventajas.

Cierto: además de la guayina, tenía a su disposición un buen monto en caja chica. Se interpuso, sin embargo, el compromiso asumido: quedó de hablarle al alcalde esa noche por teléfono... De no hacerlo... Es que en esas circunstancias Crisóstomo tironeaba a los lados sus ideas.

Su cabeza negadora.

(Ejem, pues.) Se supone que cuando alguien está indeciso de hacer algo tan definitivo busca obstáculos seguros, a tal grado que no lo hace (eso ha de pensarlo un viejo, porque un joven no calcula, etcétera y más etcétera... Rotundo lugar común que presupone un «pues sí»). Y hablando de impedimentos: Crisóstomo los buscó. De hecho, no había que buscarlos tanto. A fuerza de ir hilvanando secuencias y consecuencias cayó en cuenta que el ejército vigilaba las salidas. Fácil sería reportarlo y ¡por radio hasta Brinquillo! Luego de haber caminado poco más de treinta metros ató cabos mal que bien; ¡sí!, por fin, el cambio de percepción tras redondear un recuerdo como pudo, como supo:

En cuanto llegaron los cuatro observadores a Remadrín instalaron en el porche principal de la alcaldía un sistema radiofónico que haría contacto (asegún) con el jefe del ejército (en Brinquillo) y con el gobernador Pío Bermudez (en su finca). Triangulación de reportes que aún tenía un lado más: el meramente opcional: el del monte: con el jefe y los subjefes del ejército acechante (llámense cabos, sargentos, coroneles o mayores), en redor: ¡cuánto aparato! Y aún el lado más obvio: el de aquí: un achichincle de ellos lo custodiaba a distancia.

Achichincle empistolado, ponchudo y bastante alto, y con cara de marrano, así que...

Crisóstomo Cantú entonces tuvo que envalentonarse. Cincuenta metros de avance y un alto enmedio del patio. La noche ya comenzaba. Por lo visto no había nadie, excepto los dos azules y el mandamás eventual, éste último, por cierto, aprovechando de nuevo su encomienda, su papel, con aplomo precisó:

–¡Desde este momento ustedes me tienen que obedecer! ¡Yo soy el que manda aquí! –no tartamudeó el canijo, porque eran dos solamente a quienes se dirigía.

Los azules se miraron como queriendo reírse. Eran dos desconocidos. Dos de entre tantos refuerzos venidos a Remadrín. Acaso los dos más viles mañosamente asignados para cuidar a Crisóstomo.

Prosiguieron su camino rumbo al cuarto donde estaba desangrándose el herido: ¿dónde?, a oscuras, «en veremos» si había foco o veladora en el cuarto de hasta atrás. No recordaba Crisóstomo ese mínimo detalle. Y mientras, por si las dudas, y obligando a los azules a secundar su propósito, que no era sino el intento de hacer una buena acción a fin de tranquilizarse, freno-avance de Crisóstomo: penco modo de recalque, siendo que: avanzaba dos, tres metros, y otra vez: *Métanselo en la cabeza: ¡yo soy el que manda aquí!* Lo mismo dicho seis veces con distintos añadidos: *No me vayan a fallar. Apóyenme y ya verán... Que esto quede entre nosotros.* Y cosas por el estilo. ¡Ah!, pero su tranquilidad aún no se redondeaba, hasta que: *Si me obedecen ustedes y aparte no abren el pico, yo los recompensaré con unos buenos billetes.* Tentados, desconcertados, los azules se miraron sólo durante unos segundos... Y enseguida: sucinto fue el palabreo. Por delante el anticipo como tema principal. Un cuantioso porcentaje. ¡Sí!, aceptado, pero, en eso: la figura de Sanjuana haciendo señas en lo alto apareció por ahí, hacia acá venía la pobre. Se recortaba de pronto: acáallá brazos y piernas... ¿cómo pues?... La cabeza suspendida. Su cuerpo: trozos de cuerpo. Nunca la sombra completa. En trance de ilusión óptica: confusión, expectación: por castigo, o a saber... Sólo un grito se oyó claro:

–¡Dénse prisa por favor!... ¡El herido se nos muere!

Capítulo diecinueve

–Sé que te importan un pito las predicciones que yo haga, pero no olvides que soy un hombre muy especial, soy, digamos, visionario... Mmm... con sin iguales poderes para vislumbrar las cosas, y además, casi nunca me equivoco. Acuérdate Trinidad que tenerme como amigo es como tener... –del equívoco al dilema de ir retrocediendo a poco, en infusa duermevela: el dizque escucha abstraído tratando de hacer recuentos sólo por no hacerles frente a los sucesos del día, tan cruciales como vagos, y aún menos a las ínfulas de...–. Soy agudo como nadie... –Se complica la hilazón de imágenes interpuestas en vista que de vencida Trinidad cada vez más se iba metiendo en lo suyo, y nomás había que ver su desgano y dibujarlo. Pero no se puede aquí, aquí donde las palabras aproximan lo que no y figurean lo que sí y se queda todo apenas en alusión o tal vez en un todo tan de bulto que oscurece los detalles, nubla o nimba, falla o fragua lo ya ingrato y deshuesado; sin embargo valga esto: sobre el mostrador los brazos y la cabeza (de plano), los primeros: extendidos, fláccidos como de enfermo; lo segundo, la cabeza (¡qué desprecio por la arenga de Vénulo Villarreal!, mismo que monologando ufano justificaba sus seguras predicciones. Ciertamente que al hacerlo se autonombraba «profeta», «elegido», «iluminado», «previsor» y un largo etcétera digno de alrevesamiento), pero más que la cabeza el gesto en sí, la mirada (ese entresueño importuno), la total indiferencia; pero más que eso su mente, a saber si... Trataba el abarrotero de darle orden de una vez a tantos dobles sentidos que embonados al azar se esfumaban por lo mismo...–. Cierto es que no tengo amigos de a montón, pero es mejor. Es que pocos me merecen... Tú sabes bien que la gente en su mayoría es bien bruta y bastante acomplejada, pues ¿qué más quisiera yo? dobles sentidos o ¿triples? Más en contra que a favor de Trinidad sus recuerdos, siendo que entrando en materia ¿qué se embonaba y después se esfumaba y...? Así, por relampagueo, en inversa conexión, las turbias apariciones de Olga Judith platicona y Juan Filoteo perplejo o al revés, por no dejar, o por la simple apetencia de contrastes y tanteos se infiltró lo relativo al trasunto de las cajas, sugestivas PARA SIEMPRE, y la riqueza metida en dos de ellas: ¡ojalá! porque la otra... Pero, bueno, por lo pronto: ¿qué tal que en vez de billetes hubiera pura basura? Y más otros atrás símbolos como flamas afiladas. Escenas de lloro y risa, por decir: la madre acariciadora a bien de no dar consejos ni emitir una opinión, y el padre aún más circunspecto, también mimador-chuloso, pero contimás forzado, haciendo cosas contrarias a su convicción de macho; ¡sí!: cuando Trinidad chiquito: los juegos tingo lilingo... Visto el contraste después: los hijos del haragán... Su imperdonable diablura... Aquel supraescupitajo... A propósito una cuña relativa a la flojera de quien por angas o mangas se sabía ya rebasado por todo lo que rodea el esfuerzo cotidiano. La vida a final de cuentas, desde mucho tiempo ha, era un problema resuelto, más lo fue a partir de haberse celebrado aquellas bodas cuya vibración aún era, de diferentes maneras, tema diario en Remadrín. Desde entonces a la fecha Trinidad creyó a su modo, si bien, haber de raíz cumplido con sus deberes filiales y lo confirmó en sus sueños y lo siguió confirmando, aunque en retazos, ¿quizás?, porque aparecía en tinieblas la dizque foto señera tomada durante el fandango. En esa última imagen se coronaba una lucha con cauda de contrapuntos: armoníahazañacorajeesarmoníadignidadamoresperdóndolor y por ende desde entonces Trinidad se echó unas siestas que (dicho de refilón) nomás por la zote forma de despertarse: azorado, se veía que había tenido pesadillas ayayay, muy de culpas reiteradas y tamañas de por sí, que picoteaban con saña sus lados sensibleros, tan escasos, pero, bueno...–. Si mis hijos me mantienen se debe a la admiración que me tienen desde niños. Soy un gran merecedor cuya dicha es tan sobrada que no la aguanta la gente –antítesis elusiva eso del escupitajo–. Ahora bien, a mí no me duele nada. Tengo excelente salud –dolor bebiéndose amores tanto más inextricables que el dundo arrepentimiento de saber que estando súpito todo se alrevesaría–. Mis hijos triunfan a diario en los Estados Unidos. Desde hace ya varios años quieren que radique allá. Quieren comprarme una casa en Laredo o San Antonio. Pero bien saben que yo no me moveré de aquí mientras no haya por qué hacerlo. Además, ya me conocen, saben que a mí no me gusta hablar inglés ni de chiste. Es un idioma muy rápido. Un tupido güirigüiri al que yo deveras no... –reincidir dale que dale en las siestas pobladoras de secuencias incompletas: un rosario corrosivo y un sinfín ADJETIVADO tantas veces como fuere, como esa vez, como fue: despertóse tembloroso como siempre Trinidad tocándose la nariz; como nunca el tic nervioso porque oyó ciertas ideas que sí le estaban llegando... ¿Atisbos de predicciones?... Despabile en blanco y negro. Sin embargo el entresueño: como plasta escurridiza: la percepción del entorno: imágenes en pingajos... y los chascos en desorden. Conexiones arbitrarias: la tienda, Vénulo hablando, el rumor desde la plaza, el corredero de afuera, sus hijos contestatarios: allá pues. Y aquí... en fin–. Ahora me vas a escuchar –don Vénulo Villarreal respiró profundamente para... (Trinidad volvió a lo suyo: su obsesión harto evasiva: en serie de retornelos y regostos enfermizos se iba hundiendo más y más: abismo con asidero a su alcance dado que: aún a flote su inocencia, su arrobo como deseo, o como vano recurso para mantenerse al tanto, entonces querría estar presto, al sesgo, ¡oídos!, al cabo, ¡un

213

zumbido en altibajos!)–: preveo un mitin de protesta de gente de esta región que irá hasta la capital; en ese mitin irán tus hijos mero adelante... –siendo repunte inconsciente... y estorboso y redivivo: los recuerdos persuadían ¿cuál y cómo?... El pasado era lo eterno y el presente una premisa... Por desgaste lo que mella: el pasado ¿inabarcable? El entresueño venció: Trinidad volvió a acordarse de su padre MINIATURA, de cuando decidió irse a vivir a su ranchillo: ¡Pobrecito!, con tristeza sepultaba su amor propio, su ambición, al igual que lo hizo él, ÉL: A MODO: SOÑADOR: después de haber celebrado aquellas bodas de... bueno... con ardor, pero sereno: la no ansiedad de saber lo que no tiene sentido: nada, ¡etcétera!, o quizás algunas cuantas palabras, pero aisladas, o también: frases-nudo, frases-fórmula, o atisbos o arrimos nimios, al cabo inexactitudes que el azar diluye y trae como sucedió esa vez, levemente a sus oídos entraron cosas como estas: «mitin», «región» y «protesta», además, «tus hijos mero adelante»–. Preveo que habrá matazón, no masacre, o qué decirte: habrá mucho corredero, desbalague al por mayor. Y ya que estamos en esto, de una vez debo aclararte que no es lo mismo masacre que matazón o matanza, la segunda no es total, pero en cambio...– «corredero», «matazón», «desbalague al por mayor»: el chispeante salterío de palabras en decurso para formar una frase incompleta, pero grave: «tus hijos mero adelante...». Fue entonces cuando Trinidad entreabrió su ojo derecho cual si intuyera de pronto la siguiente predicción–... Lo visualicé hace rato, pero ahora te lo digo: no preveo que se despachen a tus hijos en el mitin, serán quizás los primeros en escapar de las balas, de eso ten seguridad... –el regreso al entresueño de Trinidad por hastío. Oyó lo que debía oír y así fue recuperando los trasuntos pesarosos a fin de llegar a un tope, empero medio difuso; empero... estaba por aflorar la clave de sus embrollos, líos oníricos lastrados, desatados torpemente por no saber bien a bien si eran reales, o quizás, y no obstante asegurarlos cual si hubiesen ocurrido ayer mismo ante sus ojos. La frescura: la evidencia, contimás el florilegio de minucias y acomodos: antojable, y más ahora que Trinidad ni siquiera, como sucedió otras veces, le dijo: «¡espérate!», «¡estáte!», «¡barájeamela despacio!», o algo así nomás por darle a las prefiguraciones un poquillo de más hilo, sin embargo, para mal, estaban por dispararse más supuestos en cadena, porque más suelto que nunca Vénulo siguió explayándose sin darse por enterado del desplome somnoliento de... Trinidad, camino al rancho, cuestas, curvas: todo a pie. Descansar en una cueva. El virtual ordenamiento, habida cuenta que el padre no había vuelto a Remadrín en casi ya mes y cacho, y el hijo (puede inferirse) concibió un plan canallesco, dicho sea: ir a arrebatarle al padre su herencia correspondiente; para mayor precisión: la fortuna por entero; que dictara el testamento, lo firmara de una vez, y el notario ¿dónde?, ¿a qué horas? Ninguno había *de prosapia* en esa región chilera. Sin embargo, en la lógica del sueño el notario (de Pompocha) estaba en el rancho, ¡oh!, tomándose unas caguamas con su padre y platicando acerca de las lagunas que se encuentran en las leyes. Y él, entonces, ya enterado, querría agarrarlos borrachos para... Si el padre se resistía no había más que acomodarle unos tres, cuatro fregazos y ¡a dictar!, ¡a firmar ya!, y si de paso el notario, aparte de su gorreada, se resistía al tecleadero, pues también darle dos, tres. Tórrida extrapolación. Golpes no hubo, ¡la verdad! Ni siquiera Trinidad escupió nunca a su padre como lo hicieron sus hijos contra él: endemoniados... Dale y dale por deseo, un obseso contra aquello que interrumpiera o desviara sus extravíos presentidos. Otro hilo para atar–. Y te vuelvo a repetir: tus hijos no morirán, más bien me los afiguro como un par de comadrejas temblorosas y escondidas en alguna de las cuevas cercanas a Remadrín, la de El Zopo, por ejemplo, aunque tal vez no sea ésa, sino otra más lejana, a lo mejor en alguna de las que hay en... –en tránsito y gradación los fragmentos de una arenga que oblicuamente metióse en los mundos refalseados de un sueño en el que volaban *muchisísimos billetes* con velocidad de tromba: interrupta la espiral en el polo de una nube. Y a la sazón, por alivio, el decurso que desciende a las copas de los árboles. Una inacción pasajera. Luego... al fin... sendo viaje horizontal (a una altura más humana): y los billetes tendidos volando como chanates; no obstante que era en lo bajo, el ahora abarrotero no podía coger ninguno, cogió en cambio una palabra y furioso la estrujó como si fuera una plasta que amasara entre sus manos: Z-o-p-o... Zo-po..., Z-o-po... Zo-p-o... en desgarro pertinaz o moldeo preparatorio, ergo: El Zopo... Cercanía-cueva-escondrijo, aunque aún sobrevolaba la idea de que sus engendros se refugiaran allí. Empero la conexión con su trama de somonte, trompicada por demás, afanosa y casi ilógica, amén de que a Trinidad le gustaría colocar esa cueva en otro sitio, en su sueño, ¡claro está!, dado que él podría pasarse una noche o todo un día dormitando como un león en la boca del cubil, y justamente lo haría si le quedara de paso, cuando fuera por la herencia... Un desvío premeditado, siendo que en el sueño el tiempo ha de dar más volteretas como para atar al vuelo lo que no se podía atar, como esto: que al ir al rancho del padre se encontrara con sus hijos: ¡en la cueva!, ¿por qué no? Vino entonces la resaca a más tranquilizadora de las dizque predicciones–. Para curarse en salud el gobierno apilará al desparramo de muertos, los subirá a la cajuela de una camioneta azul y los andará mostrando por pueblos, ranchos, villorrios, los de aquí de la redonda, a fin de que sus parientes puedan identificarlos... No lo olvides, la camioneta es azul –¿azul?, ¿sí?, adivinar el color ya era una exageración, pero... Azul onírico, ¿gris?, ¿verde mate?, ¿carmesí? Tanteo indirecto (fallido) pinturreando las escenas: las del sueño, otras, apenas, donde el haragán querría que el interior de una cueva fuera de color marrón. Pero «camioneta», «cueva», «muertos», «pueblos» y demás, en un embrollo tan gordo y a la vez tan apretado. Así los síntomas luidos: choque o capricho o alivio... ¿cómo?, ¿dónde?–. Y lo vuelvo a repetir: no aparecerán tus hijos entre la pila de muertos. Así es que no te preocupes... –vivos, corriendo: muy lejos, o escondidos en la cueva de...

Alcance premonitorio cuya cuerda aún podría encontrar la redondez.

Quiérase la asociación de otras tantas impudicias, pero el límite aún estaba a una distancia impensada y... Vénulo siguió explayándose cual si le dijera al techo lo que habría de suceder en un lapso de dos meses. Un sinónimo de altura, simulacro traspasable y grandeza ilimitada, bienhechora siendo que: era el techo su vigía porque Trinidad pues no. En la guala y para largo: paso a paso: el haragán: ya se sabe dónde andaba. Pasos, taconeos fragosos, los de Cecilia de pronto y su anuncio harto gritón: *¡Quiero ir a ver a mis hijos!* No obstante se percató de la tristísima escena y entre extrañada y villana soltó una arenga impulsiva:

–¡Vaya!, ¡Dios mío!, ¿qué les pasa? Mi marido está bien súpito y usted, como siempre lo hace, echándose sus discursos.

Malogro del visionario al sentir que la señora adrede le había cortado su campante inspiración. Obligada la mudez, y de suyo entelerida, dibujóle al orador una mueca de disgusto. Entiéndase a fin de cuentas su entusiasmo posterior, tan inmóvil como fresco: la presencia de Cecilia (su cara, siempre su cara) le fustigaba los nervios: a favor, por mor de un temple que no estaba todavía en su punto, sino apenas, y deseando, por lo menos, una dulce miradita, pero cómo si...

–¡Dése prisa, por favor!... ¡Ayúdeme a despertarlo!

–¿Y para qué es necesario si...?

–Quiero avisarle que voy a ver cómo están mis hijos.

–Mmm... Si quiere yo la acompaño.

Por fin esa miradita adornada de rubor; colorada, parpadeante, y no sabiendo por ende qué pensar del señorón, Cecilia empezó a mover un brazo de su marido, suavemente, sin jalarlo, y sin quitarle la vista a... Vénulo le cerró un ojo... y entonces sí lo esquivó. Cierto: movía el brazo de su amado nada más por hacer algo que le calmara los nervios: por lo pronto. Además se sintió chula, vieja chula que además aún traía en su cabeza el zumbadero piporro de aquella radionovela donde se oían varias voces de personas bien mañosas, cocoreras, y lo peor, respondonas casi siempre; y pues estando en tal trance, e imbuida de crueldad, Cecilia querría aventarse un intercambio de juicios con Vénulo Villarreal, pero Trinidad allí, casi muerto al parecer, porque, bueno... siendo que ella con su apuro deseaba en serio apurarse, optó por algo más rápido, alegre y rudo a la vez, o sea que: en vez de seguir moviéndole el brazote chuletón: guango cual más y extendido sobre el mostrador de teca, le empezó a hacer cosquillitas en los sobacos sudados. Reacción: ¡uy!: ánimo a medias. Luz: la misma: paradoja, y tiempo y espacio iguales: Trinidad desengañado: y nuevamente a lo suyo: seguir soñando a lo loco. Entonces Cecilia al tiro:

–¿Pues qué no me oye, don Vénulo?... ¡Ayúdeme a despertarlo!

Más cercanas las miradas. No obstante: la intermitencia. El pretexto valía poco: sacudir al dormilón.

–Yo con darle dos manazos lo despierto en dos segundos –dijo Vénulo, mordaz.

–Nomás no lo vaya a hacer. No se pase de chistoso.

Y los dos en acto suave –más cercanas las miradas. El sabor de los reojos–: cosquillitas por doquier sobre el bulto que de pronto respingó diciendo: «¡¡¿¿¿Quihubo??!!».

Entre adormilado y listo Trinidad escuchó esto:

–Voy a salir de la casa para ir a ver a mis hijos. Quiero platicar con ellos.

–A ver... Mmm... Este... Repítelo... ¿Que vas a irte...?, ¿a platicar...?

Lo mismo más deletreado Cecilia dijo de nuevo y le agregó más detalles, tantos y más ampulosos a fin de que su marido no le frustrara el intento.

–Bueno, ve, nomás no vuelvas muy noche.

–¡Ay!, Trinidad, ¿cómo crees?

–Digo, tienes que volver a casa máximo a las diez y media.

–¡Oh!... Dame chanza hasta las once.

–¿Pues qué tanto vas a hacer o qué les vas a decir?... Lo que deberías de hacer es tratar de convencerlos de que se salgan del circo en el que andan metidos.

–Eso sí lo veo difícil.

–Pues inténtalo siquiera.

–¿Que lo intente?, ¿para qué?... Creo que en vez de darme órdenes deberías acompañarme.

–Yo no voy. No me interesa. No quiero perder el tiempo –y lanzó un bostezo cínico estirando sus brazotes para añadir, a la fuerza, ergo: dándole un tono chillón a su excusa de arandillas–, es que si voy a la plaza es probable que me duerma en alguna de las bancas.

Sangronada rajadora, tanta porque se antojaba un culebrón pedantísimo que tuvo como reemplazo un nuevo y largo bostezo.

(Aaauuugggaaaauuugggmmmnnn.)

La pedantería hasta el tope o la flojera ¿veraz?

Mientras tanto...

Como zorro acorralado entre dimes y diretes Vénulo nomás miraba a Cecilia ¡con un gusto...!, temeroso, respetuoso, aunque listo, por si acaso. Boquiabierto, y de resultas: la esperanza, ¡oh!, tan remota; y también a Trinidad de repente con reojos: casi no, casi dudando, incluso mejor ya no.

–No creo que pierdas el tiempo... y tú lo sabes muy bien.

–Lo único que yo sé es que mis hijos me odian... O dime ¿ya no te acuerdas?, ¿eh?, ¿quieres que te lo repita?

–Pero...

–Si Salomón me escupió, tal vez ahora me golpee, y delante de la gente. Además, como uno influye en el otro y como andan de fanáticos, no dudo que entre los dos me surtan hasta cansarse.

Silencio a contracorriente. En lo alto el escupitajo: resbalando todavía...

Para Vénulo un gran dato, útil para elaborar un extenso y turbio augurio, pero, estatua incrédula y ¡ojo!: con tres pelos erizados. Claro que sí y muy en serio: gran dato desgarrador: mucho más para Cecilia que bajando su mirada se abstuvo de agregar algo retador, melodramático, además –se percató–: casi radionovelesco. Entonces la sumisión para evitar reprimendas... y compungida y trabada dijo algo muy quedito:

–Mmm... Tú no quieres a mis hijos.

–Los adoro... (aaauuugggmmmnnn)... los extraño, pero yo más bien quisiera...

–Está bien... Entiendo todo... Voy a regresar temprano, no quiero que tú sospeches que yo me portaré mal, y hasta es más... vendré antes de las diez.

–¿Y la cena?

–Te la dejé preparada... También puedes esperarme... Como quieras... Bueno, adiós.

218

Y salió. Diríase que se esfumó, aunque al principio lo obvio: lenta, fingida salida: casi arrastrando las chanclas. Una actriz no convincente. Mas cuando ganó la calle: correlona, entusiasmada, ahora sí, como quería. Lo hizo por no sentir que iba a recorrer a trechos un calvario: llanto en vilo: cuestarriba: no, ¡qué va!, así que como de rayo se fue a incrustar en la masa.

Recompensa.

Disimulo.

Algo como salvación.

... O despeje de la angustia.

Despeje: su hipocresía. La táctica de Cecilia –yéndonos a su costumbre– era no pedir permiso. Avisar, pero al hacerlo, su muestra de decisión se tornaba en prontitud de a tiro dulcificada con detalles cariñosos como podían ser «mi rey», «mi amorcito», «papacito», o bien: «mi todo» o «mi cielo»: muy a secas cada cual. Cosas hueras semejantes debía emplearlas cuando iba mes tras mes a confesarse, o simplemente iba a misa, o a ver a cualquier amiga, o para cualquier pretexto: la amplia gala de requiebros dicha como en retahíla, pero sólo en las salidas. Y lo extraño (más o menos): en esa ingrata ocasión se le olvidó algo halagüeño, concluyendo, para colmo, que la presencia de Vénulo echaría todo a perder, ergo: la había puesto muy nerviosa; no obstante, se despejó con sólo echarse a correr, ¡y quién la viera... deveras!, parecía que algún cachano le hubiese prendido un cohete!

(Ejem.)

Hacía mucho que Cecilia no corría de esa manera.

¡Ya!

Y acá... Veamos la incertidumbre de uno que desea dormirse y otro que quisiera hablar pero no sabiendo cómo. Mientras tanto los silencios. Sutilezas necesarias: en la tienda: apagamiento. Una suerte de penumbras... Quiérase como figura tras el impacto: ¿qué más?: franco desconocimiento de Vénulo: estupefacto: acerca del haragán, así que: ya hecha la sensación: un minuto fue bastante (el entrampe era propicio): henchido de poderío Vénulo soltó de a poco su veneno de costumbre:

–¡Vaya!, ¡vaya!, con que tus hijos te odian y hasta te pueden golpear porque de hecho te escupen, ¡uta!, nunca me lo imaginé, y eso que tengo intuición. Con razón andan como andan: de rebeldes a lo tonto, y lo peor, muy cerca del matadero, ¿te das cuenta? Pero por lo que estoy viendo tú estás peor porque... ¿eh?... ¿Me oyes?... –reincidente el cabeceo: entresueño tan supino (de a deveras) por abulia.

Y créase cierto el desplome sobre el mostrador de teca sin reparo en las palabras de Vénulo Villarreal. No era la primera vez, siempre lo hacía el haragán cuando el fanfarrón de Vénulo amagaba con soltar su discurso resentido, mismo que tras solaparlo con presunciones y augurios pareciera provenir de un mensajero del cielo. Sin embargo, parte extensa de una arenga contra todo, contra sí, era lo que se truncaba casi a diario o, por lo visto, era pura conveniencia de hipócrita comerciante, esto es: sobra decir que ese hablinche era su cliente seguro (por la mañana: cigarros; al mediodía cualquier jugo enlatado o Cocacola que se tomaba allí mismo, y por la tarde pan bingo: donas, panqués, mantecadas... o papitas o churritos y otra soda de una vez, pero ¡entiéndase!: casi a diario, que no a diario) y también el más antiguo. Pues con eso queda dicho que si antes el recurso de mostrarse flojeroso a Trinidad le sirvió para ahuyentar las arengas de un ser tan acomplejado (y profeta, para colmo, y regañón, porque sí), hoy más que exceso o lirismo, hoy el sueño sí era en serio, hoy por ser precisamente el día de la votación, ¿sí?... Pero aún falta entrever la premisa más aislada: jamás el abarrotero le confió a persona alguna la causa de su apatía–. No entiendo por qué te duermes... ¿Qué te pasa?... ¿Por qué sufres?... A lo mejor lo que quieres es confesarme un secreto... Pues suéltamelo, ¡carajo!, tenme fe, yo soy tu amigo... Pero por favor ¡despiértate!... –nada. En las mismas. O peor. Entonces la prendidez de Vénulo que pensó en Cecilia, su ¿imposible? Ir tras ella, aprovecharse (chispa-excusa-buen momento). Pero antes, por dignidad, no obstante que el haragán de suyo desatendiera los reborujos verbales habidos y por haber, Vénulo puntualizó su legítimo reclamo (dizque), pero, diablo, por demás, aunque allá muy en el fondo–. ¡Me molesta que no me oigas y por eso es que ahi nos vemos! Quédate con tus dolores y con tus sueños de loco.

Al fin fuera. Y el apuro... Mejor tomarlo con calma. Sería inútil perseguir a una mujer angustiada. Además, no quería entrar en la bola y fue que prudentemente se detuvo en una esquina, la primera que encontró, incluso la más segura: por donde debía pasar Cecilia ya de regreso. Esperarla. Relajarse. Llegó el tiempo de fumar (a sus anchas), como si eso le sirviera para idealizar su amor. De pie allí Vénulo crédulo. Un modelo de esperanza encarnado en ese cuerpo con joroba (mas no tanta) que alcanzaba sin embargo una altura de ¿dos metros? Un profeta lugareño –a saber quién le creyera–, siempre con la frente en alto (mas no tanto), que necesitaba amar a la imposible Cecilia, ¡uh!... ¡si ella le correspondiera! Un fulano afirmativo, aunque bien convenenciero, quien, por pura necedad, tenía enjundia suficiente para esperarla durante años deseándola como nadie. Sólo un beso, por ejemplo. Ya un abrazo sería excelso, y un tuteo pues mucho más. ¡Ojalá que alguna vez! Mientras tanto fume y fume... Mientras, ¡ay!, tan sólo se conformaba con verla pasar junto a él, a tres metros, ¡ya con eso!, para lanzarle un piropo suavecito, suspiroso: *Adiós, mi amor... Te ves bien*, y no importándole un pito que Cecilia lo mirara y se sintiera feliz por oír lo que había oído.

¡Oh, deseo!

Capítulo veinte

Estuvo bien asistir.

La plaza era efervescencia.

Es como un sexto sentido el olfato de una madre cuando intuye que sus hijos andan cerca del peligro. Uno o varios: tino(s)-centro(s). Y en plural ha de expresarse. Una madre es ante todo arropadora, o quisiera: con los hijos, con... a ver... Si los quiere, los previene; si están lejos los procura: como sea, hasta por telepatía, y si cerca (más o menos)... Un poco más retorcidos fueron los presentimientos de Cecilia que deseaba encontrar a sus retoños tan sólo para advertirles que no era recomendable que continuaran metidos en la bola opositora.

Muchas madres –se deduce– andaban en esos trances y por lo mismo tratando de abrirse paso a la fuerza entre tantos destanteados. La pervertida tardanza tras la angustia que circula pero que al seguir así hasta parece convivio donde los chistes mejoran. Mejoraban (se supone) apenas humildemente. Cierto es que la mejoría no rebasaba siquiera el mínimo fruncimiento: hacia arriba de una boca, o hacia abajo, medio chueco, el arrugue de una frente. Obvio era que por la angustia los chistes fueran muy malos y soltados nada más mediante frases al vuelo. Chistes que no eran siquiera iguales de absurdos que ellos: los frustrados de antemano, empezando por sus voces: tan pipiolas, tan tildías. Es decir: mejoraba la espiral, pero hacia abajo, despacio, como resorte oxidado. Desde abajo, harto difícil... tan errática ironía. Desde abajo, a trabe y tiento, tanto ingenioso al vapor mientras nadie propusiera una idea de rebelión ni regresara a su casa y ya mañana a ver qué.

Había puro abatimiento y otras madres a la busca.

Y además, alguien hablaba allá lejos, ¿era don Romeo Pomar o un zote representante? De todos modos la voz –gritona, pero distante– apenas si se escuchaba. Y...

Poco menos de una hora tardó en avistar Cecilia a Papías y Salomón. Antes, ¡puf!, el laberinto, y de suyo ¿qué ensayar?: la que estaba hecha pelotas por tanta radionovela intentó varios caminos en los cuales para colmo tras empiezos y renuncias oyó algunas frases sueltas, como en fuga, medio pencas (asegún): que habría nuevas elecciones, que no habría, que era un engaño. Zonceras a bote y vole obligaban a esa madre a taparse los oídos, no lo hizo, pero ¡horror!: ya con hacer el amago... No fue hasta que preguntó en dónde estaban reunidos todos los simpatizantes del partido de... ¿los Pobres?, ¿la Dignidad?, ¿cómo era?... Con desgano peculiar le indicaron el camino: hacia el este, hacia la izquierda. Fueron dos al mismo tiempo: con hartazgo opositor: «por ahí» (los dedos índices): que se metiera a ver cómo. Tanto estorbo, aunque... como pudo fue acercándose hasta que los tuvo a un tris, más o menos, dicho sea, porque: aún era dificultosa la distancia de tres metros. Demasiados pormenores de alegato inconsistente generaban nerviosismo de entra y sale (cuerperío), toma de aire (momentánea) y retaque por renuevo: con más necedad que afán. Y así: más difícil resultaba meterse en la muñidiza, mucho más para Cecilia, por pizcuintía, por remisa, y entiéndase la gachez: prietamente puros hombres frente a ella: como adrede; de modo que si intentara tirar codazos, meterse: a como diera lugar, no debían de sorprenderle los rozones indecentes (accidentales, ¡pues sí!). Sin embargo, las miradas; al cabo de dos minutos la entrevista conexión. Los hijos se sorprendieron de ver a su madre ahí, entre cabezas-sombreros, como lela que pretende. Y arremetieron contra ella sin reparar en la gente que de hecho los oiría:

–Madre, ¿qué anda haciendo aquí?, ¡váyase para su casa!

–Madre, ¡váyase... deveras!, ¡aquí corre mucho riesgo!

–Madre, por favor... ¡entienda!... ¡Váyase inmediatamente!

Con cierta dificultad Cecilia masculló apenas cuatro palabras ganosas:

–¡Sálgan-se, hi-jos, de es-te....!

–Madre, ¡váyase, carajo!, al rato habrá balacera.

Dos, tres pasos hacia atrás y después la media vuelta: la señora –su derrota–, porque se hizo muy chiquita ante los feos entrecejos no sólo de sus retoños sino... El repudio iba en aumento. Llámese «ridiculez» la osadía de aquella madre que se fue diciendo «¡cuídense!» tantas veces como pudo. Ante sí cuerpos mugrosos. Sudorosa ambientación en tránsito permanente. Las angustias. Los tanteos.

Ante sí... ¿cuál perspectiva?

El rejuego de la muerte: dejarlo atrás: cabizbaja, y la gnosis del peligro como un sonido que huye. Balacera (corredero), ¿cuándo? Al rato. El sinsentido. Sería largo y doloroso el regreso hacia su casa. Mientras tanto, por inercia, sus rezos a contracurso. Tras la ingrata deducción de que el amor de una madre hacia sus hijos –no importando, desde luego, si sensatos o inocentes o descarriados o infames– siempre sería un sentimiento inferior al «deber ser» de una convicción política, eran las manos de Dios las que debían encargarse de poner a cada cual en donde se merecía (voluntad-virtud-valor, destino a final de cuentas. Ansia y freno al mismo tiempo y anticipo encanallado), por lo cual (por disyuntiva): a Cecilia solamente le quedaba el sortilegio de los sendos «padrenuestros».

Y entre más rápido fuera...

Bisbiseos entristecidos: tan al margen del trajín y la boruca crecientes. Trunca la tibia plegaria salida, si es que salía: en retazos: chanza sí, de entre el enjambre feliz. A saber si por lo mismo su elevación se frustraba... ¡Ah!... Lo bueno es que no había un hilo, sino dos (los demás serían supuestos), ¡dos!, empatados, amén, porque: Cecilia cuando rezaba caminando entre la masa se encontró con Leona Cueto, su comadre preferida, otra ilusa que intentaba persuadir a sus retoños de que pronto se salieran de... (es bastante lastimera la ambivalencia política aún cuando sea más sobria), otra que contraponía su fracaso con el rezo, al igual: la identidad, por el fiasco parecido y acremente confesado. Eso se aclaró de rato. Antes las salutaciones y enseguida los consuelos, hasta que: cómplices de tal empeño, pues sus esposos estaban esperándolas en casa, cogiéndose de los brazos iban las dos dándose ánimos. Para hacer tiempo y también para soltar sus pesares: se retardaban adrede. Acaso por ser más fuerte –su frente en alto, su aire, su forzada cuadratura– Cecilia se decidió a acompañar-consolar a su comadre llorona hasta su casa diciéndole que no llorara de más: *Calma, calma, ¡no hay remedio!*: eso dicho veinte veces a lo largo del trayecto que era de unas once cuadras.

La sensible despedida.

Tajante la oscuridad a la orilla del poblado.

Las luces vendrían después, casi como aprendizaje.

Luces públicas distantes y mientras la adivinanza de ir sorteando –de vencida– el regreso cabizbajo. Cecilia haciéndose ideas. El primer farol aún lejos del segundo: tramo incierto: hasta llegar al tercero: donde: de allí en adelante: no: sino: la iluminación-alivio, más o menos: más acopio, para recapitular de otro modo su intentona.

Llegada por otro lado. Contrapunto. Paradoja. Lección para un solitario: el regreso de la amada. Ilusión a la mitad: a distancia, siendo que: Vénulo, por distraerse, volvió hacia su lado izquierdo su cabeza porque escuchó el retintín de un taconeo lejano cual si... ¿qué?... La presencia que anhelaba: contemplarla desleída. En la susodicha esquina Vénulo fumaba aún. No resultó lo que él quiso. Cecilia había regresado justo por el lado opuesto, y distante, casi adrede, como si detrás de ella un endriago protector o bien su ángel de la guarda le indicaran el camino secreteándoselo incluso a cada medio minuto. Total el «no» todavía. El «no» remoto, aullador. El «no» contra la apetencia de decirle: *Adiós, mi amor.* Y además de refilón: *Te ves bien... Me gustas mucho,* o cualquier dulzura de esas. Pero... Desgraciada jugarreta del azar contra su fe, y si la vio fue quizás como una idea que no cuaja. Se desprendía de la tienda la rebanada de luz donde el cuerpo de Cecilia parecía figuración. Allá: toda: fulgurante. Llamarla, casi invocarla, ¿para qué?; sería importuno ir tras ella; quedarse, entonces, ¿tal cual?... Si se durmiera allí mismo como un borracho cualquiera, por antojo, por tristeza, pero... tenía que pensarlo más.

Capítulo veintiuno

Hambre. Desesperación. Hambre por desesperación. Era la oportunidad.

Y vayamos a la carga.

A unos veinte kilómetros de Remadrín, rumbo al norte, se encuentra un lugar llamado El Molinillo. Allí hay una lonchería famosa desde hace mucho que trabaja noche y día. Es refugio de traileros y parada obligatoria de los autobuses Pardos, los que van a Villa Dunas y los que van a Torción. La fama de ese lugar, tragadero portentoso que se llama El Firmamento, obedece a tres razones; una cuarta o una quinta ya es cuestión de cada quien.

Por lo pronto, y antes de ir enumerando, «Molinillo» y «Firmamento» (dos palabras que se ayudan): son alianza sugestiva. Quede el dato como enlabio por si acaso alguien quisiera dejarse engañar de a tiro con esos significados que no acaban ni principian y más aún en el desierto donde las palabras suenan a retumbo de otra parte. Dicho lo cual ahora sí la comida es la atracción: tacos de sesos salseados y con jardincito encima: tomate, col y aguacate, sabor sobrenatural, casi como invento múltiple, ¡ah!, ésa es la especialidad. Pero el éxito también abarca a otros piscolabis: los inolvidables lonches de barbacoa encebollada (mmm...), no se digan los platones copeteados de riñones en adobo y con cilantro, amén de la sabrosura de lengua y nervios de chivo en caldo de remolacha, y si se sigue la lista: ¡cuántos guisados pupoños! El pipirín es de entrada o de postre, porque: las meseras chancludillas son la segunda razón de la procura trailera: florecitas bailadoras al ritmo que se desee, es al gusto de los clientes, lo que echen en la rockola; y si alguno se alborota más allá de los volteones, pues hay una gran galera (que antes tal vez fue bodega) y que ahora tiene camas rechinonas a propósito: en hilera, a ojos vistos... pero con la calentura ¿quién se va a poner fachoso?

Baratura de servicios.

Una tercera razón estriba en que a la redonda no hay un lugar parecido.

Debe agregarse también el aire acondicionado. Oasis y disparate: en dizque armonía y respiro. Téngase que las paredes cuentan con tapiz fotoso desde el más mugre bisel hasta el rincón más velado; de techo a suelo: expansión, o halago para la vista: paisajes de bosques, lagos y montañas con su nieve; ¿dónde?, ¿lejos?, ¿dónde pues?, ¿dónde echarse una cerveza y oír música sincera, que ataque los sentimientos? Lugares de huercas malas abundan en la región, pero ninguno que esté tan de paso o a unos metros de la ancha carretera, y menos tan exquisito, con luces prende y apaga coloradas y amarillas. ¡Ni uno igual!

Los que hay están escondidos.

Desviaciones (clandestinas) por atajos polvorientos.

Suciedad anticipada.

Sirva tal marco de plácemes para sofaldar el tema de tres fulanos nerviosos que andaban muy mal comidos. En la noche: sus antojos; unos tacos, y a seguirle. La parada incidental, como etapa de un decurso lleno de complicaciones.

La petición luegoluego antes de hallar una mesa. La encontrarían sin tanteos porque (rara la excepción) la lonchería El Firmamento estaba casi desierta.

Los tres con cara de diablos cuchicheaban entre sí mientras les traían las órdenes humeantes para empezar, y con eso, luego de: renuevo de bríos (tal vez) por la enorme travesura que hacía apenas una hora efectuaron en el campo. Pronta la tranquilidad cuando por fin saborearan los tacos –esa locura de sazón tan agarroso– y enseguida se aprestaran a echarle un montón de veintes a la rockola bruñida de luces rucias y zarcas. Agréguese un dato burdo: los tres fulanos portaban gafas negras contra el sol, a pesar de ser de noche.

Todo así cual desfiguro en un lugar ya tan réprobo. Las chancludillas deseosas de frivolizarse un rato, pero a distancia, de pie, sin hacer ni un ademán ni andar paseando caderas para ver si... La reserva, la acechanza, pero... Al cabo se suscitó un rompimiento, digamos, como llovido del cielo: en pleno zampe de aquéllos entraron al restaurante otros tres, pero más fieros: harto ruido, ¡oh!, dizque tosco. Dos azules, frente en alto, bien armados escoltaban a un personaje famoso; famosillo, conocido –sea, pues, relativamente– por su lambisconería. ¡Sí!: Crisóstomo Cantú (unas líneas más delante se habrán de hacer conexiones a bien de poner en claro su presencia intempestiva en donde ¡quién lo creyera!); de él se hablaba en la región siempre y cuando se aludiera a un ejemplo negativo, o positivo –asegúnpor ser sombra o plasta útil de personas poderosas. Sabida su biografía hasta por las chancludillas. No hablemos de otras personas: se deducen cantidades... El tal había trabajado en el molino de trigo de Abel Lupicinio Rosas; fue muy hábil para hacerse brazo derecho durante años del ricachón que además de aquel negocio era también propietario de El Firmamento y también de una gasolinería que estaba más adelante, por la misma carretera. Hubo pleito cierto día entre el lambiscón y el rico. La ruptura tuvo eco porque hubo golpes bien dados. Abel Lupicinio Rosas en la riña perdió un diente del maxilar superior, y otros dos del inferior: ¡qué coraje!, eran dientes importantes. Por miedo a que lo mataran Crisóstomo se esfumó, fue a dar hasta Remadrín. Quién sabe cómo le hizo pero convenció en un tris al cacique don Romeo (enemigo del ricacho) para que lo protegiera del acoso criminal, macabro, de refilón, que incluso podía implicar a terceros porque sí; ¡ah!, podía ser exagerado, pero ¡claro!: buen pretexto tanto de uno: el mayorazgo, como del otro, quien, ergo, ya no estaba a la deriva. Y algo más: quién sabe cómo le hizo para ser brazo derecho del cacique don Romeo siendo que había sido eso del malcontento enemigo: aquél, pues, el resentido: el que amasaba sus odios: en abstracto: solamente. ¡Oh, sabrosa perversión!: por parte de don Romeo: que hubo encontrado la fórmula para englobar su venganza. Dicho lo cual hay que hacer el resumen de una vez: dos hombres llenos de trucos, y un tercero, el lambiscón, que se las daba de alumno, de aprendiz ¿hasta la muerte?, desde luego, puesto que nunca sería ningún maestro pesado. Del lambiscón susodicho: ténganse las zarandajas y todo el bocabajeo que presupone fervor y acomodo a conveniencia de chistosos fingimientos; y de ahí lo que haga falta para llenar de atributos al: por lo pronto: famosillo: Crisóstomo: cabizbajo: no queriendo ver a nadie; entró, cierto, dedúzcanse sus temores, cabizbajo se sentó y les dijo a los azules que pidieran unos tacos: los famosos, los de sesos, él se los recomendaba: *Ya verán qué gran ricura*, completó.

Pero...

Veamos ahora desde la óptica del encargado del lugar: Félix Arturo Corcuera, nada más los movimientos de cabeza de unos y otros: los tres fulanos primeros: anteojudos, sin sentido, por lo de las gafas negras, y los tres últimos: quienes: lejos de andar fisgoneando el cachondo derredor, se enconchaban más y más como si se secretearan un entrampe asaz terrible.

Les dolía a los anteojudos la negligencia de aquéllos: conocidos, percibidos en Remadrín un día antes y lo que iba de hoy: los azules y ¿el señor?, ¿ése?, ¿qué no era de los burócratas principales del lugar o inclusive el mero-mero en ausencia del alcalde?; y lo más inexplicable: ¿qué diantres hacía comiendo en lugar tan apartado siendo el día de los comicios? Se ensancharía, por lo mismo, el ya grandioso misterio mientras siguieran haciéndose preguntas justificadas y aquéllos se mantuvieran en su agache mentecato.

Comentarios secundarios: en lo bajo: enjambre aleve. Y en lo alto la sospecha... Quiérase que la inacción debiera entenderse en parte: los azules y el señor estaban bien concentrados en la zampada de tacos. Podían pedir otras órdenes y, entonces, por distracción, de pasada mirarían no sólo a los anteojudos sino... (ejem)... Desde la óptica de las chancludillas –había seis, pero eran dos nada más las que les habían llevado los refrescos de naranja, de cola y de tamarindo, y luego lo mero bueno: esas órdenes humeantes– el suspenso de los clientes redundaría en convivencia cuando –de por medio había dos mesas, no era mucha la distancia– por primera vez se intercambiaran miradas, pero ¿cuánto tardarían?

No fue así... Por el momento... Porque... Los azules y el señor se iban a atascar en serio de pipirín enchilado y al parecer no advertían el pajareo de los otros aun cuando levantaran de repente sus cabezas ya fuera para pedir otras órdenes o ver de reojo el colorido: antepuesta la rockola al paisaje montañoso.

El verdor y amarillor y azulor, o como sea, sería al cabo un desdibujo... Un emplasto melancólico... Más aún: trama de una indiferencia para bien o para mal. Al fin colmo sin anécdota. Sobria foto, pero: ¿y qué? Foto amarga, en consecuencia, que tal vez interesara si no hubiera tanto nervio, tanta prisa, tanta hambre: de por sí, y cierta inseguridad.

Etcétera...

Se aprovecha el contratiempo a fin de ir hacia atrás. Se parte desde el herido que vigilaba Sanjuana: la muy cruzada de brazos, largo rato, siendo que: lo curaban dos señoras aunque la sangre manaba a pesar de los vendajes. Nomás de puro desangre podía morirse el herido, lo cual sería catastrófico. Mancha horrible e imborrable. Precedente autoritario el día de la votación. ¡No! Nerviosismo de Sanjuana y: como si se lo ordenara al mismísimo Dios Padre y obediente desde el cielo aquel sin mayor problema le cumpliera su capricho: llegó Crisóstomo al tiro. Antes toda la alharaca de señales en lo alto: y a distancia: dos, tres gritos; pero ya la decisión luego de (pues no había de otra): al mirar aquel fracaso Crisóstomo no dudó de llevarlo al hospital: a San Chema: en la guayina. Antes tuvo que entenderse con quienes lo custodiaban. Se fue volado a sacar veinte fajos de billetes. Se los guardó en la chamarra que se puso hasta el final.

La maniobra de Crisóstomo: el robo a la caja chica. A su antojo el relumbrón del estraperlo encontrado: ¡ahora sí!: manos ansiosas, desarreglo por las prisas, y en virtud de la ocasión de una vez aprovecharse para agenciarse, deveras, todo el dinero a su alcance.

No dolería tal punción porque el gobierno es muy rico, aunque alguien diga que no. Entonces: por el servicio: los azules: negociantes. Dos y dos: doscientos pues, y las sonrisas bribonas. En lo oscuro: por pudor: el reparto: ¡acelerado! La maldad casi inocente y, enseguida... fue un verdadero problema convencer, cargar, meter al herido a la guayina.

Una buena acción no tapa lo que bien podría llamarse «el robo más descarado de la historia regional»: ¿dónde quedaron los votos?... Bueno, obvio, hay que dar un adelanto: EN EL CAMPO, ¡sí!, lejos de las carreteras: se vaciaron las tres urnas. Papeliza a la intemperie. Algún voto se escapó de la quema colosal. Es que el viento hace jugadas y arrebata (como fue o como es de suponer) aunque sea cualquier minucia. Y los que habían efectuado lo que no debió efectuarse fueron esos tres fulanos que ahora estaban intrigados comiendo en El Firmamento, mirando tras sus anteojos la macabra realidad, amén del maldito asombro; ergo: ¿qué hacían allí dos azules y un señor tan principal? La duda se aclararía tan sólo con un enlace mínimo e intempestivo. Por su parte las miradas, las sonrisas: por el reconocimiento. Si así fuera: ellos les informarían acerca de su trastada: cumplimiento del deber. Luego empezaría la plática. De modo que ya metidos en política los seis: material habría de sobra, por lo cual: cabrían todos los despejes de incógnitas alusivas a los efectos sociales (inmediatos, por supuesto) del chanchullo en Remadrín, además de la extrañeza de encontrarlos tan huidizos en un lugar como ése, que, aunque fuese restaurante, era un congal de prestigio.

Capítulo veintidós

Con más de veinte preguntas en su mente burocrática, cual chafirete rebelde agarró la carretera Crisóstomo aquella noche.

Allá él y su conciencia.

Querría llegar cuanto antes a San Chema acompañado por los azules corruptos y el herido quejumbroso (el hombre más importante) en el asiento trasero. Quedáronse las mujeres tal vez rezando a escondidas ¿no?

Un problema relativo a la buena acción de irvenir –¡ojalá rápidamente!– era que por inferencia la sangre del malherido se emplastaría en el asiento y entonces los policías tenían que hacer la tarea –más dinero de por medio– de lavar lo harto difícil: que quedara reluciente, ni una mancha descuidada, descubierta aun cuando fuese mero puntillo pirrungo, un feo oasis en el centro de un territorio impecable: plausible exageración: a la fuerza, desde luego, porque: tanto escrúpulo cabal contra ésos, quienes –¡ilógico!– por corruptos y por fáciles tenían que dar algo más. Y Crisóstomo pensó: *Voy a explotarlos de plano. Voy a sacarles el jugo. ¿*Cómo no?, pero: el dinero por delante, y aceptado.

Presupuesto... Deducción, sin preguntas ni respuestas.

Así, por analogía, la referencia trasera: quejidos, cada vez menos, del moribundo acostado. Que los «ayes» píos y tardos no obstruían las hilazones de un chofer cuya conducta era correcta hasta ahora: no había hablado, tenía ganas, aunque...

Así el enrarecimiento de una lógica simplona que se impone de revés porque sólo se conecta con los favores futuros, es decir, parte de lo inesperado. Entonces: que se tuerzan las premisas: los caprichos del chofer, por lo menos durante el viaje... Pudieran ser razonables. Entonces: de entre tanto regodeo Crisóstomo ideó un remate: *Que suden todos los pesos que les voy a regalar... Además, les pediré discreción* –y tartamudeó en abstracto–: *¡o-o-ojalá no me trai-traicionen!*... Lo mismo: por seguimiento. Sin embargo, nomás agarró una curva (la primera del trayecto) y soltó la orden de a tiro: que la limpiada de sangre, que cómo debería hacerse, por supuesto: tardadísima, y otro «por supuesto» obvio: toda vez que regresaran a Remadrín, ¿entendido?

La guayina iba despacio. Faltaban treinta kilómetros para llegar a San Chema.

Al cabo una interrupción: unas luces, unos cuerpos. Se sabe: el ejército acechante vigilaba las salidas.

La guayina interceptada. Las preguntas militares. Los afoques hacia adentro. Y un herido. Dos azules. Y un chofer. ¿Hacia dónde a esa hora? La buena acción, por delante. El vehículo oficial. El torpe entretenimiento siendo que los militares tenían que comprobar cuánto. Explicaciones al vuelo de Crisóstomo y, no obstante: luciendo aplomo deveras, raro en él, pero así fue.

Quince minutos y ya: a seguirle, pero de ahí en adelante a toda velocidad. Deslíndese la eficacia palabrera del chofer, misma que se fue centrando en su hacer, a contrapelo: su salida zonzolona, y nadie más sino él, porque manejaba recio, para llevar al herido al hospital más cercano, el de San Chema, por ende, y...

Librado el único obstáculo se antojaba darle aprisa. Las pocas curvas que había, de continuo y engañosas, estaban en el cañón llamado Puerto de El Parche. Lo demás: la recta en sí: y entonces...

Capítulo veintitrés

Mientras tanto: vino la preocupación. El herido silencioso. El sangrerío de por sí ya se extendía hasta la alfombra y ni un quejido siquiera de dos notas musicales; una, a veces; luego nada, o para ser más preciso: cuando empezaron las curvas soltó un *la* y un *mi* sin dolor y sin respiro.

S-i-n r-e-s-p-i-r-o. Y en las curvas. Duda triple, acierto igual, aunque menos de Crisóstomo que del dúo de policías: el herido se murió: ¿sí?, si volteando los azules no veían ni un acomodo, ni una queja que escucharan: cualquier cosa, algún suspiro, sólo la sangre en su afán. Diríase que el moribundo controlaba a su manera las mentes de aquellos tres: de vencida, pero en grande; de seguro: porque el chofer nerviosísimo al ir tomando las curvas se acorralaba a sí mismo, no volteaba para ver si el herido se movía, ¡no!, al contrario, lo que más le preocupaba era llegar a la recta lo más rápido posible. Se deducen rechinones, volantazos y tenebra. Un iniciado sudor primero frío y luego seco: de los tres, ¡claro!, y por ende uno solo: membranoso. Pero luego la esperanza, la mudez inenarrable de tres suatos azorados por el alivio de estar a menos de un kilómetro de salirse de las curvas.

230

La agonía nocturna siempre.

La línea recta llegaba como tal hasta San Chema. Una doblez finalmente y ahí estaba el hospital a la orilla del poblado. Enseguida los trabajos: del chofer: su piterío, su frenón triturador de llantas contra cascajo; de los policías: primero: abrir la puerta de atrás: la de la izquierda: con ira: para hacer más llamativo el apuro de cargar al herido entre sus brazos para luego trasladarlo a... Lo de la carga fue amago, porque... Para trabajos: los otros: téngase el recibimiento: dos enfermeras salieron acomodándose el pelo, detrás de ellas un doctor, doctorcito chaparrito. Las tres frases gritoneadas por Crisóstomo Cantú, dichas tan a la barata y sin bajarse del mueble, surtieron rápido efecto. Una cadena de órdenes: porque: al cabo de diez minutos vinieron los camilleros. Sondas, suero de inmediato en la sala de emergencias y... Esa singular Cruz Roja demostrando su valía, la eficacia de su gente. Enfermeras bien vestidas; camilleros: ni se diga. Y eso que venía arrastrándose desde hacía bastante tiempo de que la Cruz Roja: ¡uy!, no luchaba ni de chiste por mejorarse un poquillo: ¡ah!: la ocasión era propicia para comprobar si sí, y la muestra de que no: el auxilio hecho en aína, aunque: todavía faltaba ver... Por lo pronto se asentó el relumbrón del servicio: ergo: no actuaron los policías. No hubo necesidad. Por lo que muy relajado Crisóstomo se bajó de la guayina: ¡oh, suspiro! Se fue acercando al doctor: chiquitito: cuerpecito, pero con una cabeza más grande de lo normal. Vibra pues: por el encuentro: muerte o vida: ¿cuál o cuál? De por medio el tratamiento. Por lo mismo: orden o súplica, y por lo mismo Crisóstomo: primero prendió un cigarro, ¡sí!, para armarse de valor y decir lo que había dicho, parecido, más o menos, mas no tan entrecortado:

–¡Atiéndamelo de urgencia!... Tiene un balazo en la pierna... No me lo deje morir... Ha perdido mucha sangre.

Quinto periodo

Capítulo uno

Para evitar que el lector caiga como cayó el padre de Trinidad en una tristeza inmunda, dicha como tarabilla, se empieza por la mitad de un recuento hecho por él y justo dándole foco a una suerte de estribillo: infeliz de todastodas, dicho de muchas maneras, siendo esta vez la doceava, en pausas: soltado: ¡adrede!: para causar compasión, pero quién sabe si no (para el lector lo mejor es leer con desapego esto que viene enseguida): *He... sido... un... pésimo... padre... tengo... que... reconocerlo... y... lo... he... de... repetir... tantas... veces... como... pueda...* Sólo eso nada más: entrecortado por ¿grave?, y casi con voz chamaca; empero otras reflexiones, las decía con voz señora de señorón macarelo: *Me lo he de repetir, pero en silencio, eso sí, desde ahora en adelante, hora tras hora y día a día, hasta que llore deveras.* Téngase (ejem) que en la deliciosa temperatura de huevo cocido que había en la sala de la casa de ese viudo dado al cuás, nunca antes Olga Judith, la sirvienta mañosísima cuyos servicios prestados durante más de quince años a esa familia: quiérase: casi a punto de extinción, había oído al susodicho, ya esclavo del sinsabor, quejarse, casi llorar, asumiendo una desgracia que debía ser relativa dado su historial espléndido. *Fuera de eso todo es limpio, y sobre todo ascendente. En mis empresas de vida siempre he conocido el éxito: en el amor, el dinero, y también en la salud, no tengo de qué quejarme.* De todos los personajes presentados hasta ahora sólo a él, por aflicción, le ha estorbado de raíz que se le tome por «cínico» (en los demás no ha hecho mella el adjetivo de marras, porque el «cinismo» ¿qué es?), y sí en cambio las palabras «santidad» o «sufrimiento» le caen como anillo al dedo. ¿Pero quién le dirá «santo» o «sufridor» algún día? Su hijo: en su cara: ¿cuándo? Nunca y ¡ajúa!, por desgracia; ergo: desde que murió su esposa él le da vueltas y vueltas a lo santo y al sufrir: en secreto: amargamente: haciéndose pequeñito. Empero ¿qué pretendía al soltarle todo eso a Olga Judith en la sala, es decir: ante las fotos de su esposa por doquier, colgadas, y todas chuecas? (falta la interpretación de la sirvienta, si bien, por lo bajo: a conveniencia). *Pero esas tres cosas juntas no son nada al fin y al cabo cuando se ha llegado a viejo y ya queda poco tiempo para ponerse a lavar ciertas culpas, que en mi caso –y lo sé bien– sólo es una, pero enorme, y no es otra que...* De nuevo: ¡ojo! el estribillo, cuyo remate helo aquí: *Ahora que, viéndolo bien, si mi hijo es haragán y lo será para siempre, ¡es por mi culpa nomás!, ¡por mi grandísima culpa!, ¡y que me perdone Dios!* Olga Judith, dado el caso, no podía abrazarlo fuerte ni besarlo enamorada con un beso original, ni darle la gran ternura que su esposa le dio siempre. Por ganas: no le faltaban: ser la esposa sustituta de aquel viudo ricachón, quien ya estaba por morirse; ¡ah!, depravada viejilla, resbalársele querría, nada más de imaginar el dinero de la herencia para ella: ¡qué delicia!... Por lo cual, con timidez, aventuró una propuesta, una última, quizás, debido a que antes le hizo algunas por el estilo:

–Si yo pudiera suplir a su esposa ahorita mismo (nótese el sesgo buscado tras la confesión insólita: por larga, por ominosa)... Si yo pudiera abrazarlo y besarlo como ella... Pero no quisiera ser una mugre pecadora.

–Como mi esposa ¡ninguna! (eso: un arma predecible, contra sí, pero venial; arma que a tiempo él sacaba y de la misma manera al sentir cualquier amago)... Nadie me dará lo que ella... –con tan necia convicción no había de otra que desearle un sufrimiento ejemplar. Eso pensó Olga Judith a la vez que se apretaba con sinsabor su dentera–. Porque se murió mi esposa y porque he llegado a viejo ¡ya no quiero intentar nada!, ¡todo para mí acabó! –y el meollo del meollo helo aquí: razón de más–. Y a lo que voy es a esto: me voy a vivir al rancho y a ver si después nos vemos... Me llevaré algunos muebles... Además, y de una vez, le pido a usted dos favores que son bastante sencillos: no me despida de mi hijo y, también, y esto es lo duro, que no vaya a ir al rancho, porque si va me lo echo.

–¿Se lo echa?, o sea ¿lo mata? –¡qué bueno que Trinidad no conocía adonde estaba el ranchillo de su padre!

–Todo el que vaya a mi rancho desde ahora en adelante, y sin que lo sepa yo, lo mataré con mi rifle...

–Pero, señor ¿se da cuenta lo que usted me está diciendo?... ¡Es una barbaridad!, ¿eh?... A que usted no se lo dice a un espejo ahorita mismo eso que me dijo a mí.

–Usted no me dé consejos. Su papel en esta casa es obedecer mis órdenes.

–Perdón, señor, que me atreva a decirle lo que siento... ¿Para qué

se va a su rancho y agarra esa postura de matar al que se acerque?...
Además, sólo un detalle, nomás déjeme decirle que usted todavía es
muy joven... ¡Vieja yo!

–¡Ya!... ¡No quiero saber nada!... ¡Estoy muy desesperado!

–Pero...

–¡No me ponga ningún «pero», ¡carajo!, no me provoque! Si yo
ya me siento viejo a usted qué diablos le importa. Lo que sí que, a mi
manera, yo me considero un santo porque asumo mi destino de sufridor hasta el fin... Yo quisiera irme al cielo porque a allá se fue mi esposa, ¿eh?, ¡entendido!... Ya sabe cual es mi plan, ¿eh?... Viviré aislado y sufriendo con mi grandísima culpa, y no quiero, por lo mismo,
que alguien vaya a distraerme...

–Pero...

–Adiós, ya no hablemos más.

Frente a frente: diez segundos: dos destellos: sus miradas, y el titubeo: ¿la ruptura?, si a punto de irse también la riqueza: ¿sería así? No
del todo, sin embargo, según la intuición de ella, porque habría aún
episodios con el hijo, de otro modo. Del patrón: su imperativo: malo
o bueno, lo peor: dado: locamente, ¿bueno acaso? Y Olga Judith
lamentóse, cabizbaja, casi a hurto, del rechazo a todas luces de su ternura senil, aún útil, poca, empero, y tan llena de experiencia, siendo
que ella era también una viuda tiempo ha, pero no tan dada al catre...
Los hijos se le habían ido y ella lo juzgó correcto, era un juego inevitable: lastre lógico: manido, y sujeto, por contera, a una sola y crucial
regla: «los viejos se quedan solos»: ¿obligada consecuencia?... Olga
Judith conservaba, para bien, si a esas vamos, un cinismo hecho de
albricias, infernal, por tembloroso, y dulce, por reciclado; mas lo
obvio: a contracurso... Podía besar todavía, pero...

Sorpresiva la locura candorosa del tal viudo que ella quiso inolvidable. Empero, por ser locura, se la debía de tomar a la ligera: inclusive: hasta el grado (en reducción) de reírse enfrente de él. Pues lo
hizo: total ¡¿qué?!... Pero se tapó la boca.

Don Juan Filoteo González diose al fin la media vuelta.

Capítulo dos

*¿Por qué nunca quise ser un lambiscón ejemplar, y por ende, inteligente,
concienzudo del disfrute que llega después de mucho?*, se preguntaba el cacique al ver por el ventanal la primera luz del día.

¡Él!: que siempre había soñado de mil modos ser: tiempo ha: gobernador de Capila (¿por qué nunca pudo ser?: ¿porque no fue lambiscón?: ¿a poco así era el entrampe?), esa noche tuvo un sueño: el mil uno (o por ahí) donde sentado a sus anchas sobre una nube gigante, daba órdenes por doquier a un sinfín de funcionarios que nomás decía que sí: gente harto tamañita en friega por todos lados: mancha móvil u hormiguero o espectáculo terrestre sólo visto de reojo por ¡él!: mandón sonrisudo.

Pero de entre tantas órdenes repartidas a capricho sólo una hubo de dar pie para un segundo sueño, mismo que fue el desenlace del anterior, pero ¡ojo!: fue a colores –dicho sea– de a tiro fosforescentes, en tanto que el anterior parecía medio antigüito: en sepia, es decir: borroso. Una orden para el ejército: histórica en el sentido de que no habría matazón, sino amago simplemente. De suyo, no estaba mal que la marcha de protesta fuese interceptada a tiempo, justo como a dos kilómetros saliendo de Remadrín.

Es que si la oposición amenazó en su momento que en caso de presentarse lo mismo de otras veces: el consabido chanchullo o de plano el robo de urnas, realizaría de inmediato una marcha de protesta: pacífica, por supuesto, a Brinquillo, donde luego se apostaría como pella o gacheta noche y día y gritona una semana (a saber cuánto gentío: mucho o poco, pero incómodo) mero enfrente del palacio estatal y con pancartas denunciando lo ¿sabido?: en este caso: del robo, ¿valía la pena matar a esos pobres perdedores nomás para demostrarles a otros futuros: iguales: que protestas de ese tipo, en masa, tan soflameras, no tenían razón de ser? ¡No!, pues no, mejor, si bien, un estilacho más fino (en cuanto a procedimiento) como el soñado esa vez por don Romeo: paso a paso: quiérase como receta (papel bajando del cielo y estrujado toda vez que llegara hasta las manos del vejete soñador) o como lento dictado a su oído (cachondez) por una ringlera de ángeles (eso ocurrió durante el sueño como segundo preámbulo): de uno por uno pasando, pronunciando, (¿deletreando?) una frase (sensualona) nada más (¡ay, qué caricia!), para luego retirarse vuele y vuele hecho la mocha; siendo entonces que a la postre lo dicho por tanto ángel al oído del cacique pudiera escenificarse (se escenificó, ¡pues sí!) en la tierra (¡en Remadrín!). Y el sueñorevelación: ¡ah!, si fuese realidad... (Bueno, este... por lo pronto, veamos paso por paso lo dicho por cada ángel.) Antojo de realidad: potencial, ¡sí!, por desgracia, debido a que don Romeo nunca fue y nunca sería gobernador de Capila (lloro no, risa tampoco)... Y ahora sí lo de los ángeles:

Sale la marcha ruidosa de Remadrín muy temprano.

Cuando lleva dos kilómetros de camino: ¡oh, sorpresa!

Una tropa bien armada de guachos le corta el paso al mitin entusiasmado.

Frente a frente: lo seguro: segundos de expectación.

La mudez de ambos lados alguien tiene que romperla.

¡Devuélvanse: por favor: a sus casas: de inmediato!

Eso lo dice un sargento queriéndose sonreír para hacerse el dizque amable.

¡Vamos a la capital nada más a protestar por el robo de las urnas: así que: con su permiso: por favor: ábranos paso! Eso lo dice algún líder: acaso el más valentón o el que tiene más saliva.

El sargento da la orden a los guachos: la esperada: *¡Apunten... tan sólo apunten!*

Y los guachos lo que hacen es apuntarle a la gente.

Misma que dando tres pasos hacia atrás: reteasustada: teme lo peor: pero a ver...

Excepto el líder furioso que se queda donde mismo.

Y grita algo como esto:

¡Como votantes tenemos el derecho de protesta!

El sargento no responde: ¿Para qué?: ¡no tiene caso!

Simplemente lo que hace es sacar un pistolón y darle un tiro en la pierna a ese líder boquiflojo.

¡Ay, mamá, ya me fregaron!: grita el tal líder cayéndose.

¡Lo herí adrede!: ¿ya lo vieron?: ¡lo herí para que lo curen, pero como debe ser!

Desde atrás surge un gritote que dice: *¡Pinches matones!*

¡Regrésense a Remadrín a curar a este fulano!: ¡es que si no lo hacen pronto se puede morir aquí!

Añade vuelto un cretino el sargento y enseguida camina de un lado a otro sintiéndose un gran fregón.

¡Voy a contar hasta tres para que todos se den la media vuelta y se larguen!: ¡si no lo hacen: disparamos!: ¡así es que pues ya lo saben!: ¡a la una...!

No tiene necesidad el sargento de llegar al número dos siquiera.

La masa como de rayo se regresa a Remadrín: es decir: casi en aína: corriendo aterrorizada.

Al herido se lo llevan entre dos: luego entre tres.

Siendo lo único a la zaga del conjunto que ya va: lejos: cada vez más lejos.

Conclusión: no hubo matanza.

A la masa nada más era cosa de ponerle un buen susto y arreglado.

Menuda revelación. ¡Lástima que no fue dada a quien debió recibirla en el momento oportuno y más lastimoso era que no fuese revelable –ni a modo de asesoría, ni a modo de sugestión– a ese mismo, al bies, de menos!, ¿y si lo hiciera el cacique, quiérase inméritamente, nada más como puntada?, ¿mañana?, ¿ese mismo día?

¡No!

El acre gobernador (ejem) no estilaba como otros mandamases de su rango lo estilan y hasta lo tienen como ley en sus estados, contar con un amplio grupo de asesores en los rangos que no dominan del todo. Y es que él se las da de ducho, sabelotodo de sobra, a tal grado que no acepta ni siquiera un comentario casi dicho como chanza; de modo que lo mejor...

Visos de paralelismo entre el sueño del cacique y lo que (como se vio) le contaría por teléfono el lunes: de madrugada (el próximo, se deduce): su asesor número uno (porque él sí estilaba eso) en Remadrín con respecto al herido (¿se recuerda?), aquel que fue trasladado al hospital de San Chema: de molde o que ni pintado, y que en su momento fue útil para amedrentar la enjundia: apenas deseo: de los muchos inconformes y que... Bueno, el paralelo se adelanta de travieso nomás por ligar maniobras acorde con sus efectos: resultones, para bien. La premonición de un sueño y su enlace retardado...

Por lo pronto don Romeo no desayunó esa vez. A las seis de la mañana le tocaron a su puerta y al abrirla: lo esperado: el trípode con los guisos: mas la entrada: ¡no!, o sea que: una sesgada disculpa por mor de atenuar: dijérase: con una mueca chuequísima: el rechazo: ¿era un buen modo?... En principio: ¡sí!, y no así: al final: lo que ocurrió: el portazo innecesario (inconsciente, indiferente), en virtud de que el cacique quería vestirse cuanto antes para ir de nuevo a montar al para él no desgraciado *d-u-e-n-d-e-c-i-t-o,* aunque... ¿si Duende?

Tanteos por ocio elusivo.

Vil modo de engrandecerse a sabiendas que en la finca él era considerado –incluso por el caballo–, de entre todos los alcaldes el de mayor jerarquía.

¿Incluso por el caballo?

Capítulo tres

Tanto los abandonos como los retornos ¿dan lo mismo?: tienen una semejanza tan sutil por ser quizás como círculos maltrechos, e incompletos de resultas, que, empero, vistos de pronto dan el relumbrón de un trance incorregible y, por ende, dizque ya definitivo. Lo que amenaza con irse por lo común no se va y lo que por un agravio o por un simple capricho se va lejos ¿para siempre?, vuelve siempre, vuelve absurdo e inclusive peor que antes. Pero aquello que se va de a deveras, y de pronto, puede ser que se engrandezca o tal vez hasta renazca, sin embargo, ha de volver a ser sustancia, la misma, la de acá: allá: cual río arriba, que jamás se hubiese ido, como no se fue el donjuán: el otro, ¡sí!: ¿se recuerda?: el de la esquina: gustoso: muy sentado fume y fume, ¿larga había sido su espera?... Ya el ejemplo, ya el encuadre, ya la esquina, ya el aún. Si desde allí aquel silbido de un fulano equis: ambiguo, tras la ilusión amorosa que volvía, tomaba forma, pero por el lado opuesto. Enorme iluminación a chispa y chispa cual trama de una vanidad que no: la de Cecilia: ¿Por qué?: si ella ni gozaba de eso y por lo cual no iba ahora a sospechar que era Vénulo el autor de ese silbido, y si lo fuera: ¡caray!, no lo creía tan cobarde para no acercarse a ella y decirle...

¡Oh, intuición!... Adivínese ¿de quién?

Si todo tuvo su origen en la tienda hacía un par de horas, en agraz –cabe decirlo–: donde un juego de miradas: dundo-apurón-azaroso, hubo de darse: sin éxito, de suyo, como resaca: ¿tendría que volver a darse entre aquel donjuán tan agrio y ella que lo aborrecía? Si antes, por accidente, hubo algo, pero insulso: adviértase la razón: tantos pretextos encima; menos ahora, por lo visto... Colmo de colmos: el riesgo, en virtud de que Cecilia regresaba de la plaza: cabizbaja, y la sorpresa: la tienda abierta a esas horas: las nueve o ¿las nueve y media?, y Trinidad aún durmiendo con la luz prendida: ¡allí!: tras el mostrador: ¡igual!... Al dejo. Expuesto. Increíble su apatía: nueva, radiante. Eso nunca había ocurrido y he allí el quid de la flojera ya como bruto anticipo de lo que de ahí en delante podía acaso repetirse: ¿Casi a diario?, ¡ojalá no!

Mientras tanto otro *fiuuu-fiuuú* proveniente de... ¡Al carajo!... Pero... (lo que amenaza con irse por lo común no se va)... (lo que por simple capricho)... (la sustancia: cual río arriba)... (el regreso: peor que antes: ¡el suyo!, tal conexión, que no el de sus hijos luego)... Así, en aína, oprobiosa, recobró su sensatez e ignoró la flor chachera: Cecilia: su miedo a cuestas, su prudencia discernible más en modos que en palabras: sus dedos haciendo changos; sus cejas: formas de intriga –confusión en un principio por no saber si en verdad aquella era la tienda y por lo tanto SU CASA más atrás: cija o maraña o hechizo sin proporción–: dos, tres pasos y de pronto otros dos muy taconeados y a ver si... y: ¡nada!: lo mismo... Ya no hallazgo, ya no pérdida... Tienda horrible, fantasmal: como para actuar con tiento. Y hacia atrás sus pensamientos. Conjeturas: en redondo... La verdad que nunca antes Trinidad se había dormido sin tener la precaución de cerrar la susodicha puerta de la tienda antes de ir apagando las luces: cinco en total: amarillas: para luego irse a la cama. Se sigue lo consecuente a partir del desconcierto de Cecilia: atisbadora... Pudiera ser de resultas que lo hubiese atolondrado la diarreica presunción de Vénulo Villarreal o fingió atolondramiento para que aquél se saliera, o tal vez... ¿Estaba muerto? Tal extremo: ni pensarlo... O fue el maldito muymuy quien lo dejó hipnotizado. A saber...

A fuerza de sujeciones por retrasar la procura de darle un buen zarandeo a su... aún no: quiérase pues: ex profeso a contracurso, porque Cecilia deseaba oír ruidos, cuales fuesen, y lo que oyó fue: ¡carajo!: otro *fiuuu-fiuuú* trabucado, más persuasivo y gracioso, por sonarle más afónico, cual vahído discordante, confundido con las colas del ululato placero... E interferencia e influjo a Cecilia le sirvieron para darse más valor...

Sin embargo, otros *fiuuu-fiuuú* que fuesen más musicales, a ver si incluso más cerca...

Llana esperanza indirecta porque respondió el silencio como atoro: largo, recio, más que como pertinencia.

Antojo de grado en grado...

Es que un requiebro ¡de postre!: le daría a hurto el alivio acorde con la dulzura para intentar un llamado callandito y a intervalos, pero no, ya no hubo nada.

De todos modos Cecilia se le acercó a su marido para susurrarle esto:

–Trinidad... Mi amor... Despierta... –y le silbó una tonada que no le salió muy bien. Ergo: insistió con palabras–. Soy Cecilia... Tu mujer... Ya regresé de la plaza.

Capítulo cuatro

Arrancón inexplicable. Camioneta. Polvareda. Tarde que tarda: se afirma. Y perrada tras las llantas.

Entre rojo y amarillo: cruel matiz: polvo que nubla. Sucio entorno y entrevisto e indeseado tal decurso; presentido, mal que bien, lo que no tiene remedio. Mientras tanto: expectación. Lividez ¿por cuánto tiempo?

Verlo... o no: decrecimiento: el mueble que se emborrona... Verlo desaparecer: la criada y sus presupuestos, sus falacias aritméticas se formulan en preguntas cuyas respuestas quizás mañana ya no hagan falta.

Olga Judith tiene ganas de gritar, pero se calla. Sin un quinto la dejó don Juan Filoteo González. Y aunque tiene un guardadito: que rascándole: mas ¿cómo?: con Trinidad: presionándola... ¿cuánto la presionaría? Tenía que ser maga a fuerzas.

Magos los dos, si a esas vamos: en sus trabajos: si al doble, y además con sus ingenios por delante y afanosos... Prerrogativa ¿fehaciente?

Los ladridos ¿todavía? Uno que otro: descompuesto: porque adrede, o como sea, la camioneta se afana.

Trinidad viene pandeado, cerveceado, deteniéndose: al parecer las paredes son esponjas que lo invitan a recargarse o, si no, son resortes o recalzos que con suavidad lo empujan para que llegue a su casa y se tope con la nueva: en el refrigerador, y también en la alacena, queda muy poca comida y no hay con qué comprar más.

¡¡¿¿Qué??!!, ¿deveras?

Pero eso ya ocurrirá...

Por lo pronto ha de estirarse el regodeo de mirar: ebrios colores caídos: por ahí la incierta huida. Ese adiós, ese descaro: Trinidad no lo sospecha y tampoco ha de creerlo si lo sabe, siendo que: su aprecio por el dinero, parte a parte, insuficiente, inconstante: como es, da sentido a su destrampe, del cual es culpable el padre, quien a sabiendas fue centro-fuente espuria-desazón: y lo fue por apatía; es aún, a fin de cuentas, aunque ahora sea ruptura, cansancio cuyo solaz será afán de confesarse a campo abierto y a diario.

Víctima que quiere ahondar en su dolor solamente para complicarlo más. Culpable que quiere ser más culpable en su amargura, su coraje contenido: ¿hijo o padre?, ¿cuál de cuál? Total dos fragilidades y al final malentendidos tras un lazo que se rompe.

Pero antes...

Volvamos a remitirnos al despatarre del hijo en la acera o al desdén desde un mareo que a la postre le permitirá decir casi como no queriendo: *Ahí va mi papá... de nuevo... a refugiarse... en su rancho.* Y así Trinidad podrá dormirse el tiempo que quiera. El regreso (dos regresos) a la casa (¿a medianoche?) Sueño contra indecisión, tristeza contra desborde y... Por lo pronto, dicho sea, el aire libre es benigno.

Un sueño acariciador, el del hijo, aunque tal vez... Alguien lo despertará. Ojalá que sea la criada quien lo sacuda y le diga que en el refrigerador, y también en la alacena, queda muy poca comida y hay que comprar de a poquito, lo necesario nomás. O a menos que sus procuras, sus ingenios... Lo sabido.

Entonces, a contracurso, lo anterior se torna irreal porque el notición semeja un tinazo de agua helada.

Pero ¡¡basta!!

Otrosí: lo estrepitoso... Veamos, porque conviene, a Juan Filoteo González entrando a su nueva casa entre ufano y temeroso de saber que sus motivos han sido los más correctos, tanto así que a lo mejor nunca habrá de arrepentirse. Por lo pronto a sus asuntos: relajarse, descansar, y luego llamar al mozo e informarle lo siguiente:

—He decidido venirme a radicar a mi rancho... Y de una vez te lo digo: ¡no me importa tu opinión!

Tomemos cierta distancia de los hechos de esa vez, pues conviene calibrarlos como si fueran falacias si no incompletas, sí cándidas, sí ensoñadoras por densas, aun pareciendo ligeras.

La paz es lo que se impone acá en el rancho, por mientras...

Luego de soltar su entrampe don Juan Filoteo González viró con sosa ilusión hacia su lado derecho: ventana —vista hacia el campo, y como remate ambiguo un par de cerros pelones—: por ahí cruzó un marrano, cruzó también un chanate, y como orla desmedida tras aquel pequeño encuadre, las hojas de un sicomoro que se veían cual recortes de follaje melancólico, se movieron con el aire en señal de bienvenida. Celebración instantánea y reposo espiritual. Reposo tan insinuado como el humo de un cigarro que se antoja y, sin pensarlo, aquel viudo se buscó en pantalón y camisa —y hay que ver con qué impaciencia— su cajetilla, y pues no, no la encontró, ¡qué problema!

Por la acción asaz grotesca, vista con suata malicia por el mozo y por un perro recostado en un tapete, de manera natural salió a flote el fundamento del cual luego surgirían los muchos inconvenientes que resultan de vivir en un lugar tan aparte. *¿Cómo se me fue a olvidar un detalle como éste?*, balbuceó el entristecido ya de por sí, ya intranquilo, y ahora de plano inconexo del entorno placentero, pero a medias, porque... Nimia prueba como empiezo o indirecto pormenor que después se volvería gigantesco, insoportable, al grado de ¡NO FUMAR!, aguantarse... pero ¿cómo? Y he aquí que: el problema de estar lejos, sobre todo de las tiendas, no cruzó por su cabeza. Pormenor que Mario Pérez no tenía por qué sacarlo como adelanto miedoso, debido a que su patrón siempre traía sus despensas justas para unos dos días: dos, tres bolsas de mandado mismas que, como se infiere, eran harta cantidad imposible de agotarla en tal plazo porque allí don Juan Filoteo González se dedicaba a matar, entre otras cosas menudas, a animales y comérselos. De modo que en cuanto a carne: en el refrigerador: atasque sobrentendido, pero cigarros quién sabe si tuviera en la alacena; al respecto, sin embargo, Mario Pérez, aferrado, ninguna clara advertencia sino mudez estudiosa, y obediente y tesonera, en virtud de la dureza de aquel hombre que a ojos vistos estaba desesperado, como nunca –ergo el adagio–: no lo calentaba el sol, ¿sí?, y así: solamente lo miró como diciendo: *Allá usted*. Pero la orden vendría, no tardó ni dos minutos:

–Quiero que vayas a Piélagos a comprarme unos cigarros. Puedes irte a pie o en burro, como gustes, pero ve.

Capítulo cinco

En espera del diagnóstico de aquel herido en cuestión Crisóstomo caminaba de un lado a otro en la calle fume y fume y sin hablar con el par de policías que lo miraban muy serios.

Afuera del hospital.

Sí o no, o posiblemente el «sí» fuera hasta mañana, o acaso se iba a frustrar la buena acción de curarlo cual se debe, por decir: poniéndolo en buenas manos.

Diez minutos, once, doce: el conteo mental: suputo, como progresión errada de avatares que se vuelven vibra odiosa, a más ruidosa, como para imaginar –y justo en esos momentos– lo que ocurría en Remadrín: de donde hacía más de una hora había salido Crisóstomo con el herido muriéndose. Otrosí: trece, catorce, quince, dieciséis minutos: el alargue impredecible, las miradas al reloj, y entiéndase, por lo mismo, el fatídico acelere de chupadas de cigarro y el caminar tatahuilo de Crisóstomo sudando a causa de la ilación de los plausibles siniestros... A saber qué pasaría, y por mientras: conjeturas... Sígase que no importaba a qué hospital habría ido, o si lo hubo hecho en mueble acompañado por... equis... o si no salió del pueblo, o si en verdad al herido lo curaban o ¿qué más? Largo etcétera y pretexto suficientemente válido por no haber noticias claras sobre el caso respectivo para que se suscitaran más rimbombos, más revuelos de la masa, más insultos, e inclusive: choques, tiros, muertos, ¡oh!: incendio a final de cuentas y humareda redentora... Idílico muerterío cual efecto en rojo y negro de una batalla total... Era bueno verlo así para manejar la culpa e inclusive sepultarla. A su vez, Crisóstomo imaginaba una escena que a su juicio resultaría convincente. Si el moribundo viviese podría exhibirlo en la plaza para que los ex votantes viesen la tal curación, el altruismo eficaz y el repudio a la violencia como premisa política del gobierno ahora en turno. Una muestra como aquélla daría pie para un discurso lucidor habida cuenta de otro aspecto por demás transparente en el sentido de que el robo de las urnas fue un acto de bandoleros y no un chanchullo estratégico planeado por el gobierno. Pero si no fuera así...

Después de ocho minutos por fortuna apareció el doctorcito diciendo que el herido estaba vivo, aunque debía de guardar reposo durante una noche, chanza dos, máximo tres, según evolucionara el proceso siempre lento de la cicatrización. Sépase que no hubo «hurras» ni aspavientos en lo alto de parte del doctorcito, ya que estaba acostumbrado a trabajar con los cuerpos como si fueran menudo o moronga que se lava.

Un arreglo duradero. A saber...

Por supuesto, como norma, ¡fuera sentimentalismos!

La frialdad de esa noticia, buena a secas, en principio, no entusiasmó para nada a Crisóstomo Cantú. Es que le hubiera gustado llevárselo nuevecito, y sonriente, dada la revelación ulterior, ¡apabullante!, paradójica también. Así, por empiezo hubo un consuelo de por sí más obvio que suficiente: *La bala no se incrustó. Fue un rozón, mas fue profundo, pero afortunadamente...* Y hasta ahí el pirinolazo como argumento a favor para el acarreo deseado. La puntilla vino al cabo dicha con alevosía: *...Cojeará por largo tiempo. Necesitará muletas... Nos llevó unos seis minutos controlarle la hemorragia.* ¿Tanto?... Se han de atisbar los equívocos. *Aún nos falta inyectarle nueva sangre de su tipo y coserlo bien a bien. Pero por lo pronto está sano y salvo, aunque...* Detalles tan sin embargo debieron de exasperar a Crisóstomo Cantú que pese a pese mostrábase más impávido que un búho: respiraba, se aguantaba, se infló al tope oyendo de oquis hasta que no quiso más y dio un cortón diciendo esto: *Quiero verlo... Me preocupa... Quiero darle muchos ánimos y quiero darle dinero...* No obstante, dos fuertes impedimentos sugerían serenidad: dizque estaba anestesiado y dizque la curación duraría más de una hora... –oportuno es un deslinde que se incruste suavemente a modo de reflexión en este asunto de marras; deslinde que por inocuo sirva para aminorar los riesgos y los entrampes y permita aventurar algo como lo que sigue: NADA AFECTA A UN INOCENTE. La cuita más dolorosa es una suerte de droga semejante a la anestesia pero que apazguata el doble, y de ahí nacen supuestos que se antojan siempre en flor, sin embargo, a última hora, son pétalos que se tronchan, son colores que se pierden, pero son al fin y al cabo colores que aun esfumados perviven en otra parte, como pervive la magia...– Entonces la terquedad: *Quiero verlo, como sea* –por ende: la prepotencia: más fácil, más natural–. *¡Quiero verlo de una vez!... Le voy a decir dos cosas...* Usando su investidura, al fin alas señoriales de influyentismo villano, el segundón se aprestó a enfilarse como galgo por el largo corredor; y lo hizo bastante mal: exhibiendo su neurosis a base de peroratas. Gran revuelo en la Cruz Roja, por lo mismo, por el tono, modo fuera de lugar, y a esas horas...

El doctorcito no tuvo más remedio que decirle que hasta el fondo se encontraba... La tenebra incidental... Despropósito a propósito de sentencia y despedida dado que el bato en mención debía irse cuanto antes, con el herido o sin él, a Remadrín para ver, o acaso que le contaran, en lo que había terminado el relajo opositor... Tanta pérdida de tiempo: corregirla: con dinero, y estaba a punto de hacer el papelón de su vida. Rumbo a la sala de urgencias el doctorcito a la zaga del burócrata encrespado: dos, tres pasos y, no obstante, repitiendo con voz tata lo ya obvio por demás: *Un día, mí-ni-mo, un paciente de-be de guar-dar re-po-so sin salir del hos-pi-tal.* Cuatro pasos y el reclaco: *No debe sa-lir... ¡En-tien-de!*, y de nuevo cuatro veces frases cortas dirigidas a orate indetenible: inocente, por supuesto, pues al parecer las frases las oía como chasquidos de algo que sonaba lejos...

Y a seguirle...

En el mejor de los casos un inocente vislumbra las tragedias de este mundo como una triste ocurrencia si no de Dios, sí del Diablo, o de los dos que, borrachos, hacen un pacto «por mientras» si no a lo tonto, sí rápido, en un sitio indefinido; y hasta se sienten amigos, pero no, o ¿qué decir?... De seguro han de entender que lo bueno es bueno y malo, o al revés, o mejor no, y por ende... (Traslademos el dilema al ejemplo referido: son puras rastras de formas; mímica complementada con palabras al garete.) De hecho, pues, no hubo ninguna sorpresa de Crisóstomo Cantú al ver descuajeringado sobre una plancha ataluda al paciente como un rey a quien lo rodeaban cuatro enfermeras laboriosas cuyos cuerpazos ideales no parecían de enfermeras... Allá él y su inconsciencia.

Entonces, de sopetón, sin saber si lo escuchaba el aún anestesiado, el burócrata soltó su amarga resolución:

–Nosotros tenemos que irnos y tú te vas a quedar hasta que te den de alta... Yo no lo hubiera querido, pero, bueno, ¡ya ni qué! Pero... estando como ahora estás no sé qué voy a decirle a la masa alebrestada cuando vuelva a Remadrín... –las enfermeras ideales y el doctorcito a la zaga se enteraron sin querer de un suceso horripilante, político, y por lo tanto, sinvergüenza como siempre, y contimás si hay como hubo un herido como ése, aun cuando, por fortuna, sólo era uno y por lo mismo no había pasado a mayores... La conjetura cuajó: si se alude parte a parte y en forma retrospectiva la adivinanza primera–. No sé si baste decirles a quienes quieran oírme que estás fuera de peligro... Digo: allá, como tú sabes... No sé si me creerán... Pero lo que te pasó sí se lo voy a contar al alcalde por teléfono...–ninguna reacción sutil, ni una ceja levantada, ni una mueca descompuesta: para el aún anestesiado las palabras del burócrata tal vez se oían como un zumbo en un túnel cuyo fondo era de humo renegrido. A saber... Ruido mendaz, y afanoso, entre siluetas que engordan y adelgazan en un tris. Vil discurso inoperante. Las acciones (una de ellas: el regreso... a toda velocidad) eran lo que convenía dado el suato panorama oloroso a cloroformo. Pronta acción cual si acabara un capítulo de engorros donde, para redondearlo, aún faltara por lo menos una absurda vaguedad...

¿Qué palabra?, ¿qué remate?, ¿qué detalle saludable?

Pensamientos, conexiones...

La inocencia tergiversa: el ardor es mediatinta de una idea que ni siquiera ha de escurrirse o fijarse en la mente de quien lucha por no cometer torpezas y menos si se está a punto. Por lo pronto quede en duda que el ardor es sugestivo mientras que el impulso fragua, topa y medra y determina lo que sólo fue intención. De ahí entonces, ciertamente, en la sala hubo intercambio de miradas demandantes y una intriga dada al cálculo de una palabra de más: ¿Nadie la iba a decir? Mudez férrea y episódica, contrastante y paradójica con el tictac de un reloj de pared que de reojo las enfermeras veían. Agria mudez minutera, hasta que...

Por mero desasosiego hubo un tic como trasunto: la mano en el corazón: Crisóstomo se dio cuenta de la prisa que tenía, es decir: escamoteo: la bolsa de la chaqueta: la interior donde también se encontraban los cigarros: palpar, saber, procurar: un registro simplemente. Tentativa accidental. Era su mano derecha; la izquierda en el pantalón (y luego los movimientos): billetiza por doquier: los fajos que se robó repartidos en las bolsas –siete en total– espaciosas.

Corrupto el cuerpo vestido.

Maniobra igual allá afuera: ligerísimo contraste de aquel par de policías que sintiéndose muy libres o sospechando que así era, metíanse en sus bolsas manos: en sí mismos: despaciosos: para sacarse los fajos que Crisóstomo les dio antes de salir de allá –el servicio, ya se sabe– (los traían en la chamarra, pero no se les notaba), y así con repaso y todo contar de uno por uno los billetes de una vez: ¡al aire libre el descaro!

Enfrente del hospital –ubicado en una orilla despoblada de San Chema– comenzaba una llanura extendida hasta un final de parpadeos luminosos adornando un trazo de oro tan largo como quisiera la vista en la oscuridad: Pompocha, pues, ¡ojalá!, como fiesta que prospera a distancia impunemente, como engaño que pretende ser verdad y no consigue acercarse un poco más, algo al menos para que ellos se animaran a correr... Otrora en grande las luces, la ciudad, la tentación, ¿qué esperaban?, ¿qué temían? Era la oportunidad, luegoluego, sin pensarlo, como lo hicieron los otros, los primeros –¿se recuerda?– que cargaron al herido. Y estos acá, sin testigos, aunque temblando de miedo, ¡sí!, pues sí, y por eso mismo hubieron de aprovechar para hacer mugres recuentos a base de bisbiseos en cosa de tres minutos...

Lo más cercano a lo irreal es lo que debió de ser... Ser incluso más riesgoso, como fue posiblemente para aquéllos, dicho sea, por los muchos libramientos... Téngase como remate el ejército acechante, amén de gente, de voces, y de cuanto más, ¡caray! Oscura tregua a sabiendas que los vieron escapar (asegún) la mujer que daba órdenes y las cuatro curanderas llegadas poco después; cuatro avisadas por alguien que se sumó a las mironas: una incógnita empeorada, un fantasma seguidor, ¡sepa Dios!

Sin embargo, a vote y bole lo difícil hecho fácil, mucho más si se compara con la idónea ubicación de este par atormentado, no sin agregar por colmo sus dos fajos de billetes. Suficiente cantidad para irse a la frontera y eludir sendas tensiones en las cuales podría haber, a modo de figureo, sangre, culpa, pesadilla: quiérase cual remolino de huesos a la deriva tras de ojos que recriminan viendo para siempre fijo a sus acres asesinos. Cruel visión abarcadora desde un más allá en tinieblas; línea aciaga que se ensancha y hace gravitar negruras donde sólo han de escucharse las ráfagas de balazos. En cambio la luz: el fin: del otro lado: al alcance...

Pompocha, para empezar.

Riesgo mínimo, improbable, que tan sólo consistía en dar los primeros pasos...

Lo práctico: la inferencia: se atenía a la rapidez, pues era visto que nadie los andaría persiguiendo, y más si andaban armados, y a esas horas, ¡sea por Dios! Pero a toda consecuencia se añade tarde o temprano un pormenor momentáneo, indirecto ya de suyo y acaso más decisivo que el plan entrevisto y visto y revisto hasta el hartazgo...

Los policías, antes bien, observaron en redor si había alguien que los viera.

Nadie afuera, pero...

Había como diez ventanas del hospital encendidas. Las recorrieron y: ¡oh!: en una de ellas estaba un hombre viendo hacia acá, con el cuerno del teléfono pegado en boca y oreja fingía hablar –¿monologar?– y sin quitarles la vista. Una idea, más que otra cosa, pero creíble por mientras. Dispararle sería burdo; alejarse ¿para qué? No era ocioso deducir que el hombre estaba llamando a la policía local. Así que con toda calma diéronle los policías la espalda al mirón en lo alto sintiéndose avergonzados por traer tanto dinero. Enseguida caminaron cae que no cae dos, tres pasos para guardarse los fajos en donde mismo: discretos. Luego se voltearon mal: rápido como pandorgas, pero dizque con pudor, y nerviosos, firmes ¡ya!, a la espera de... El hombre que los veía había desaparecido. Un alivio (de contado), más aun si aquello fue en la semioscuridad...

¿En la semioscuridad?...

¡Ah!, vino el alivio final (el que les pudo servir para respirar a gusto): nadie pudo haber notado lo que traían entre manos.

Se sabe que un rompimiento viene cuando no se espera. Es sorpresivo y si no de todos modos parece. De modo que si se espera debe de ser para bien, como ocurrió con Crisóstomo visto por los policías –la noticia ¿cuál sería?–: quienes experimentaban muchos estados de ánimo: miedo, flojera, deseo, y sus tres combinaciones, además de discreción y pudor y conveniencia que también podían mezclarse sin que pasara algo bueno: con ellos: que se quedaron en las mismas: y más lelos, y no tanto para el otro que salía muy saleroso por la puerta principal del hospital de San Chema; a la zaga el doctorcito: plática y plática ambos: y por ahí las risillas y el adiós que se alargaba: todo por lo acontecido: el acuerdo: ¡con dinero! (de eso luego se hablará unas líneas más abajo). Es que lo que viene a cuento es la sorpresa a raíz de una frase de Crisóstomo cuando vio a los policías a distancia como estatuas: *¡¡Vámonos a Remadrín!!*, les gritó con voz gallona y por eso mismo aquéllos no lo pudieron creer. ¿Tan de prisa? Bueno, ¡ya!... Ni modo de decir: *¡¡No!!*... Bueno, pues, ya qué remedio... Es que pensaron también que su patrón eventual se iba a tardar por lo menos media hora discutiendo o tal vez un poco más.

De tantos estados de ánimo y sus mezclas azarosas sólo vale destacar el efecto que trajeron: el franco arrepentimiento de ese par atormentado por no haberse decidido a agarrar monte y saberse tan lejos de estos problemas de matar, cuidar, dolerse: miedo, flojera, más miedo, más cinismo, y a la postre más reborujo en la mente. En contraste, muy a fuerzas, la algarabía de Crisóstomo: su platiquismo: ¿por qué?... ¿y por qué sus carcajadas?

Capítulo seis

El solo hecho de zafar seis billetes de un fajo atado con ligas no obsta para que salgan unos treinta de un tirón y se rieguen por el piso como si fueran confeti. ¡Lástima!, pero así fue. Acto festivo fue el hecho de ver un vuelo coloro, y más aún la caída (figureo, fascinación) en un lugar que pues no. Acto vergonzoso, al cabo, que alegró a las enfermeras mucho más que al doctorcito, menos a: *¡Por favor... no los levanten!*, clamó Crisóstomo, rápido. Freno a la voracidad: bastó ver las agachadas de las cuatro laboriosas cuando... Baste ligar la intención con la ejecución final para dar con el meollo. El aún anestesiado seguiría así durante un rato, amén del atontamiento posterior que dura más. Luego: debía de permanecer en la Cruz Roja dos días. Necesitaba dinero para irse a Remadrín, en un taxi, si es que había –San Chema, se sobrentiende, es pueblo bicicletero, y burrero y caballero–, o pagándole a un fulano que la hiciera de chofer una buena cantidad.

Nomás eso como empiezo, ahora: los seis billetes de cien –todos los que había en el piso tenían valor similar– eran más que recompensa, premio ¿al mérito rebelde?: por tan infeliz percance, casi compra de conciencia o algo por el estilo. Mas la intención del burócrata era entregarle el dinero al mero-mero de allí –eran las mejores manos– para que él a su vez se lo entregara al herido, un encargo, aunque: *El director de la clínica nunca viene por las noches*, pertinente aclaración por parte del doctorcito, entonces...

La tensión, mientras: ¿qué hacer? Cuando algo se inmoviliza suele estallar una chispa. La escena –las ligazones– todos viéndose: un minuto: y apenas tres movimientos que casi no parecían. Repasos en correntía de Crisóstomo queriendo, digamos que en primer término, y ¡no!, y ¡sí!, hasta, quizás... Pero ¡ojo!: al ver la tal regazón se le ocurrió algo político, sería un remate triunfal, y lo explicó brevemente, pero con bastante sal, es decir, con leperadas.

Por cierto no viene al caso reproducirlas aquí. Sólo baste mencionar que abundaron más los «putos» que el verdulerío común; lo importante es la sustancia tan espuria como mágica, tan de efecto insospechado, e inasible, desde luego (ejem): Se trataba de un acuerdo con dinero por delante para ir a la segura, acá en secreto, en caliente, y en partes proporcionales repartirlo entre enfermeras, camilleros, ¿paramédicos?, total: el personal que intervino de un modo u otro en la cura... Tal vez un poquillo menos a la gente de intendencia (la limpieza vale mucho). Por supuesto el doctorcito sería quien se llevaría la tajada principal. Tenía que tocarle a todos los de allí y en consecuencia antes de darles el pago por no revolver los caldos debían hacer juramentos, con la señal de la cruz. Cumplido el paso obligado (que se jurara también por una virgen o un santo) entregaría el doctorcito las sumas correspondientes. A saber si era confiable: pero: no perdió tiempo el burócrata en especificaciones de más, menos, cuánto, a quién, sólo dijo (resignado): *No me gustaría que hubiera ni discusiones ni agarres. El doctorcito sabrá qué sumas les corresponden. Yo nomás pongo los fajos y hago las sugerencias, así que el paso siguiente...* Los avisos susurrados a la junta de emergencia. Ires, veníres: traquidos. Tan ufano el liderazgo de Crisóstomo Cantú. En menos de diez minutos la sala de operaciones se convirtió en pelotera *¡Si-leain-ciiie!, por Diieees, ¡si-lein-ciiie!*, con desafines tipludos el doctorcito clamó: estaba retenervioso. El aún anestesiado seguía en su enredo de formas: un sueño en blanco envidiable, sin lenguaje, sin sonido; ni para cuándo pensara que en torno a él se iba a... Así, entonces, ¡al asunto!: que una vez cosido y todo, sano –etcétera– el fulano fuera llevado a la plaza de Remadrín como un héroe, esto es: en ambulancia. No obstante la condición era que desde San Chema hasta el mero Remadrín se prendiera la sirena. El chillaje en un principio alarmaría al populacho, luego lo entusiasmaría. Masa, de nuevo, quizás... Bueno, caben aquí más etcéteras tras la gloriosa sorpresa de ver bajar con muletas al otrora balaceado (asegún), pero que no, por lo visto, que fue un rozón nada más: aclararlo, enfatizarlo. La mentira exuberante debía imponerse cuanto antes, decirla con frenesí, pero ¿quién?, el doctorcito, o mejor: ¿una enfermera?, ¡claro!, la del cuerpo más ideal. Esa sería la puntilla que consolara a la masa frustrada por el chanchullo.

Por lo general las repercusiones surgidas a partir de un hecho político son siempre largas de explicar. No las explicó Crisóstomo. Se guardaba el último as, tanto así que ni siquiera se lo mostraría al alcalde. Era simple mesmedad el no prodigarse más cuando parecía inminente que alguien le preguntara (de los de allí podría ser el doctorcito, y después...) no sólo la causa en sí –que aún no estaba muy clara– sino el alcance final de una acción tan benemérita.

Por ejemplo: ¿de dónde tanto billete?

Ya vendrían las evasivas, al respecto, dado el caso, o el recule pertinente.

¿Y qué diablos ganaría con darle dinero a todos?, otro ejemplo, otra pregunta casi extrema e improbable.

La astucia no es palabrera sino... Sépase que hubo un silencio como resaca obligada tras la explicación al vuelo –y hay que insistir: ¡no muy clara!– acerca de la ambulancia, la sirena, y el encargo de que se echara un discurso una de las enfermeras. El colmo era el atiborre de personal en la sala y: ni tardo ni perezoso surgió puntual el apito. Se deduce el arrebato tras la orden del burócrata: ¡al ataque!, ¡a recoger! El dinero fue entregado para su repartición a... Crisóstomo se sacó de sus bolsas cuatro fajos, cantidad que fue entregada al doctorcito en mención –trasunto de indicaciones con el índice derecho en constante movimiento: ¡a él!, ¡a él!–, además de la marmaja pisoteada: ¿quién quisiera?: porque rotos resultaron unos dos o tres billetes. Dineral de todos modos en las manos de un purista o algo así como un crisol de ansiedades y prodigios que pese a su beneficio prevalecía como enigma.

¿Una trampa? Al margen las suciedades por más negras que parezcan y que seguirían iguales, seguirían, serían también un precedente grosero en la historia casi virgen de esa Cruz Roja ejemplar.

Sin embargo, con el dinero en sus manos el doctorcito alzó el pecho; valentón, aunque chaparro, crecidito por lo mismo. Querría inflarse y asustar para decir con donaire lo que le vino a la mente, pero aun con su osadía no pudo evitar los gallos al principio y al final de lo que dijo a la postre (ergo):

–Yo creeeiiio que nadie de aquí sabe haiblar, sin tropezarse, ante una masa de gente que quizás ande enojada... Nosotros sí cumpliremos con llevar a ese paciente en la ambulancia y también con la sirena prendida, pero ¿hablar? Yo creo que si nos preguntan les diremos que es usted quien dará la explicaaaiciiieeeón.

–No está mal... mmm..., y hasta es más: ¡está muy bien!

Con esto, de alguna forma, la mitad, la parte más transparente de la treta hecha al vapor, casi estaba concluida, faltaba lo peliagudo: las acciones en aína, y desde luego al instante una boba aclaración, misma que hizo el doctorcito:

–¿Es necesaaairooou que yooou y una de laaais enfermeeeiras –sus gallos, para acabarla, se oían cada vez más chachos, más agudos y molestos– vayaaaimoous a Remadreeeín para...?

–¡Sí!, pues sí... mmm... el chiste es que ustedes vayan.

Por lo tanto, ahora sí, el chirigote del resto: sonrisudo e inductivo, a modo de falso alivio. Desfile en el corredor, o mejor, apuración, la cual era encabezada por Crisóstomo Cantú. El doctorcito a la zaga –quedó el total en sus manos, ¡increíble!, porque: contra su pecho, apretado, lo llevaba en acurruque como se lleva a un bebito; al fin bondad o dilema: fajos para repartir y allá él si no cumplía–, más atrás el personal entre que extrañado y no. Es que el agradecimiento no del todo era espontáneo. Es que: ¡claro!, hubo imán, hubo artificio: despedida al aire libre: ¿exitosa?: podría ser: aunque: de todos modos fingida: sólo adioses con las manos: sin porras, hurras, o aplausos; pantomima inexpresiva: ¡nada más!, siendo que el mucho dinero de seguro provenía de una corrupción gigante. Ergo: he aquí lo que se intuía de manera general: ¿cuántos fajos traía el hombre escondidos en su ropa? Montonales ¿impensados...? Queda abierta la pregunta y sólo resta añadir lo que dedujo el burócrata para sí, como una treta, cuando despidió al montón con sus manos en lo alto apretándolas, no mucho, y moviendo el apretón a la manera de un líder que agradece los afectos (pensamientos semiheroicos): *Solo he triunfado en San Chema... Pero es poco todavía... ¡Uy!, mi buena acción aún no cuaja...* Mientras: ya su mente iba volando hacia el mero Remadrín. Así: la escena de los adioses tardaría en desvanecerse.

Luces. Chispas. Formas. Claves. Y aparición entrevista de personas que reclaman: los familiares allá. La consabida impostura: *¿Dónde está nuestro pariente?*, *¿está bien?* Las preguntas pertinentes como premisa de otras quizás más desesperadas. Gatuperio de respuestas: para todo: hilo, ¡más hilo!, e incluso si no estuvieran los parientes apostados enfrente de la alcaldía, había que ir a buscarlos. Hilo: allá. Y aquí el cortón.

–¡Vámonos a Remadrín!

Capítulo siete

Los policías y su atufo, su visión enrarecida, tremendista por irreal. Irreales los carcajeos que escucharon cuando vieron despedirse a (obligado recomienzo a partir de una falacia: burlas contra ellos, quizás, monstruosas, incontrolables, en abrupta resonancia, por haber permanecido piense y piense en si se iban, y comiéndose las uñas, mientras tanto, con dolor... Lo malo es que se quedaron. Pareciera que esperaban un permiso de sus jefes, los de hasta allá, por escrito, para no tener problemas, o la venia de...): ¿Crisóstomo?, ¿el doctorcito?, sombras precarias, y rasgos: semialumbradas sus caras, por ahí algún aspaviento: eran ellos ¿o no eran?

–¡Vámonos a Remadrín!

Bastó esa frase y entonces curioso fue darse cuenta que en la puerta principal del hospital en mención había una bola de gente donde nadie se atrevía a decir cualquier palabra o dar un paso de más. El doctorcito sí lo hizo, pero ¡ojo!: como lo hizo fue distinto a como lo vieron ellos: la primera vez, ¿se entiende? Como apretaba el dinero contra su pecho no hizo sino mover la cabeza: nada más y nada menos. Así el adiós de palabra, sin ademán, ¡imposible! En cambio...

Manos de adiós en lo alto: de la bola: lentitudes: porque: mientras se metían los tres Crisóstomo dijo algo: un favor, un balbuceo: QUE LES TRAJERAN ALCOHOL. Apestaba la guayina como nunca había apestado. Olor a sangre podrida en el asiento trasero. Rociamiento incidental. Por favor. No hubo problema. Una de las enfermeras fue, vino trayendo un frasco: parecía una bendición, y terminado el favor se integró de nueva cuenta a la bola turulata. Y ahora sí...

Exagerado arrancón.

El viaje de todos modos sería nauseabundo y turbio: con las ventanas abiertas: feo, veloz, insoportable. Cuando entraron a las curvas –las que hay, y muy engañosas, esas de El Puerto de El Parche–, Crisóstomo decidió orillar su mueble un rato. Traía la panza revuelta –aunque eso es puro decir, puesto que no había comido–, en cambio los policías, aguantadores de todo, ni siquiera se atrevieron a preguntarle el porqué. Ellos no andaban mareados. Su desconcierto inicial convirtióse en desespero para terminar en ascua, quiérase relajación muy a medias al sentirse, incluso más que Crisóstomo, indecisos, inhibidos, o con ganas de otra cosa; por ejemplo: podían matar a ese jefe para robarle el dinero y huir sabiéndose ricos, pero... siendo casi angelicales su obligación consistía en aligerar sus modos: la mudez, como principio, y luego las sonrisillas. Sin embargo, ¡vaya asunto!, orillarse a esas alturas. El regreso a Remadrín: por etapas: ¿cuántas más? Finalmente se bajaron. Estrecha y con un declive la orilla seleccionada: donde: cosa de unos metros: abajo se hallaba un río cuyo sonido gozoso pareciera un largo ahogo: ¡glup!, ¡glup!, ¡glup!, ¡ahwooog!: final, y enseguida el recomienzo. Por ende lo imaginario. Querían llegar hasta ahí los tres de un salto, o mejor, cogiéndose de las manos uno seguido del otro. Despacio: tanteando piedras o deslaves o... Sendos cálculos inútiles porque no lo iban a hacer. Lo más conveniente era quedarse en la mera orilla: frágil límite por donde podían alejarse un poco –casi como equilibristas– para no oler el alcohol. Todo lo cual se desprende de lo dicho por Crisóstomo hacía apenas un momento, es decir, justo cuando la guayina hubo librado tres curvas:

–No aguanto este revoltijo. Hay que esperar a que salga la peste para seguir, y por eso creo prudente que me pare de una vez... Dejaremos la guayina con las puertas y ventanas abiertas de par en par –tal como animal metálico: dentro de unos segundos: la figura cual gablete de una noche problemática; más bien insecto monstruoso: orillado, mas no mucho, porque: tal como ocurrió después: mitad en la carretera y mitad en: una llanta de adelante quedó al borde del declive. Empero, volvamos a lo anterior en virtud de que Crisóstomo hizo una pausa, pensó, tenía que hallar un pretexto convincente y...–. Como soy el que maneja si me mareo es muy probable que me salga del camino.

El encuadre es, ahora sí, al aire libre, al momento que se alejaban los tres por, ya se sabe, la orilla, tiento a tiento, y en ringlera, unos metros nada más.

Así: nuevo remate (pretexto): a bien de hallar más trasfondo a su ganosa ocurrencia Crisóstomo soltó esto:

–Yo no quiero vomitar... Luego que la pestilencia sea un poco más soportable cruzaremos más tranquilos esta maraña de curvas. Es que, bueno... Como a unos cinco kilómetros, ya sobre camino recto, hay un lugar que conozco: una taquería muy buena... No sé si hago bien o mal, pero prefiero comer varias órdenes de tacos al fin de que se acomode lo revuelto que hay adentro... No me explico qué pasó... Cierto: no he comido desde ayer. Me imagino que el alcohol hizo que se me subiera casicasi hasta la boca lo que había en los intestinos...

Alto, al cabo, y ahora sí, refrescándose los tres. Tiempo de echarse un cigarro.

No tardaron en salir entre esbozos tartamudos diferencias y rodeos que de no ponerles freno... La lógica servilista debía tener mucha cola: porque: se estaban desesperando los policías ¡con razón! Ya querían llegar al pueblo. Los iban a regañar por tanta demora absurda: y eso mismo argumentaron entre fumada y fumada. A lo que: Crisóstomo: portentoso, ¡claro!: les ofreció otros dos fajos:

Antes:

–Yo quiero que me acompañen, además, el del problema soy yo.

–Pero...

–Nada, si ustedes quieren comer ya saben que los invito, si no quieren ¡allá ustedes!, pero por acompañarme ya se ganaron más lana.

Torpe como era de manos el burócrata ejemplar enseñó lo que traía, por los sonidos en serie, igualitos, es decir, sólo en parte siendo que: al abrirse la chamarra fallidos los tentaleos dado que se le cayeron cinco fajos, mas bien seis, y automático accionar: los recogió como pudo en la semioscuridad mientras los otros trataban de mirar y de entender. Movimientos sudorosos, efectivos en el suelo acor con la rapidez. Dos fajos más entregados. Otra leve corrupción. El arreglo tuvo empiezo cuando a la luz de la luna relucieron los billetes.

Sin embargo, la demora.

Reblandecida la noche tras su relieve estrellado: techumbre al fin que se amolda en las puntas de los cerros y hace levantar los ánimos de tres grandes fumadores que negocian y disfrutan esperando a ver si ya: la guayina ¿despejada? De hecho, antes, a cada cinco minutos Crisóstomo se acercaba y triste y esperanzado regresaba adonde ellos con la misma cantaleta: *Huele todavía muy feo, pero menos que hace rato.* Por lo tanto, los tres sólo por deslinde, imaginaban su huida. Traían dinero de sobra: era la oportunidad. Crisóstomo lo pensaba: ¿por qué no?, pero ¡el engorro!, tenía que hablarle al alcalde por teléfono esa noche: la consigna: machacada: como remate exitoso. Los policías lo pensaban, pero, su motivo era tan bruto como bruta su visión, ergo: se lo tenían que plantear a su jefe superior, o siquiera: ¿cómo hacérselo saber? ¡Zonzos!, ¡obvio!, o qué decir: miedososinteligentes, y no se diga Crisóstomo. Unánime la ocurrencia: muda, liosa, y aún más: incompleta cual mugrero en sus cabezas cuadradas.

En este mismo sentido la redondez no sería una forma muy distinta: ¡ah!: porque es cerrazón también. De ahí que: téngase como salida correderos por doquier, cada quien sin ton ni son, por impulso, por destrampe, por distintas direcciones, de igual modo que el olisco: hacia un allá ¿imaginario? Pero el afán de resultas desvanecido de plano tras el arrepentimiento de los tres que prefirieron hacerse las ilusiones... Al cabo domesticados, comodinos, y por tanto, seguir siendo como eran, sin atisbar en la suerte. Preferible el «porque sí» de la obediencia y el miedo.

¡Vaya, pues!, la mejor razón de todas es el simple «porque sí».

Pasados veinte minutos se treparon en el mueble. Del tufo quedó un aroma inclusive algo sensual, excitante, suficiente para ansiar sobradamente una montaña de tacos y un río infinito de soda. ¡Sí!, primero pensar en eso y luego en los degeneres del chanchullo electoral.

Capítulo ocho

En burro, a gusto, fue y vino Mario Pérez de la Horra. Tres paquetes de cigarros comprados en Salimiento: pueblo más cercano al rancho que Piélagos, Pulemania, Metedores o San Chema (no se cuenta Remadrín, porque estaba tras los cerros sólo en relación al rancho. Además, era un lugar prohibido. Así que allí no, de plano, y no se darán detalles porque es desviarse bastante). La cosa es que en Salimiento tenía el peón varios amigos. Cierto: no se entretuvo con ellos, la ocasión no era propicia, sino más bien le bastó con saludarlos de lejos, preguntarles cómo estaban, nada más. Fueron dos los que encontró en la calle: adiós, adiós; y el regreso luegoluego: un trayecto conocido; durante casi cuatro años: viaje lento, tempranero, buscado por distracción e intención más que amorosa; boba, ilusa, aunque muy firme; regresaba por las tardes enllegando oscureciendo a ese rancho tan aparte donde además de él vivían ocho vacas, seis marranos, veinte chivas, un borrego, el burro ese que él montaba, y una cantidad de arañas impensada siendo que: por lo común, en promedio, él aplastaba gustoso cuatro diarias y además un alacrán por semana, de los güeros casi siempre; agréguense cucarachas y zancudos noche y día, veinte y veinte más o menos, una víbora mensual y hormigas las que quisiera. Matar era más que nada una hazaña cotidiana, amén de una diversión para un fantasma como él (así sentíase a sabiendas), siendo un acre solitario en un desierto ¿sin fin?... A saber... Un modelo edificante: vida-emblema: a cuentagotas, casi como un diosecito, por no hablar más de la cuenta. ¡Puro reborujo mudo!, ¿ejemplar?, ¿para quién diantres? ¡Bah!, su vida no era un problema difícil de resolver... Aparte de su patrón, nada más en Salimiento trataba con las personas. Pueblillo esperanzador, y el regreso: contimás. Sea: diez kilómetros de ida y once y medio de regreso. Y se reitera el regreso porque servía como afán o palurdo pasatiempo. Otrosí: el motivo de lo largo de lo último descrito es que el peón hacía un desvío. Quería pasar por un rancho llamado El Merecimiento para echarle una mirada a una huerca de veinte años que le llenaba los ojos. Decirle adiós por lo menos con las manos levantadas (aspavientos pretenciosos) y ojalá que ella también lo saludara de lejos. Si así fuera entonces ¡órale!, figurársela encuerada contentísimadulcísima entre sus brazos lampiños, y así continuar el viaje pensando en el casamiento y en los hijos y en los besos... ¡Ojalá!, pero si no, a seguir con sus tareas.

Capítulo nueve

–¿Lo intentamos?

La sospecha, el albedrío, en suspenso innecesario. Se estaba volviendo oscuro lo que pudiese valer como despeje o indicio de una clarificación.

–i¿Qué?!, no me vayan a decir que aún no los reconocen.

–Por mi parte, así está bien... No es que no los reconozca, pero... ¿Qué ganamos con hablarles?

–Mmm... Puede ser que nos vigilen.

Los anteojudos comiendo. Siniestros los tres debido a que no se habían quitado los anteojos para el sol (de noche no tenía caso). Siniestros porque también especulaban tonteras en voz baja y agachados. Sus caras casi rozaban el jardín que había en los tacos.

–A mí se me hace muy raro que estén en el restaurante dos policías bien armados, igualitos a los que hay en Remadrín vigilando. ¿O a poco no son iguales?

–Me parece que el señor, el que no porta cachucha, es empleado del gobierno. No me acuerdo bien a bien si lo miré en la alcaldía de Remadrín o en alguna oficina de gobierno en Pompocha o en Brinquillo; de seguro es militar, o a lo mejor me confundo.

–Qué militar ni qué nada, es burócrata de pueblo. Es el que nos recibió, ¿no se acuerdan?

–Sería bueno preguntarle qué hace aquí y con guardaespaldas uniformados y todo.

–Se me hace que mejor no... Si vinieron a comer y justo a este lugar es porque seguramente nos siguieron desde lejos... ¡Sí!, cuando salimos del pueblo con las urnas y también cuando quemamos los votos en el monte y...

–Pero ¿cómo se te ocurre?, n-ombre, yo no lo puedo creer... Si están aquí no es por eso...

–Pues más vale que lo creas, porque, y piénsalo despacio, tal vez le dieron otra orden... Que se fueran tras nosotros nomás para comprobar que quemáramos las urnas, y más que nada los votos.

–¿Nos siguieron hasta el monte?

–Puede ser...

–Pero ¿cómo?, si teníamos vigilantes.

–Pero ya no los tenemos...

¡Claro!, una vez hecha la quema vino la disgregación. Obviedad: de todos modos: la sospecha regresiva, inútil por secundaria, en vista de:

–¿Por qué no les preguntamos?, al fin que son de los nuestros.

–Pero qué tal si no son y nos caen en la movida y...

–Bueno, también traemos pistolas –quien hablaba se tocó una de las que traía: un cariño por inercia, y enseguida: corrección: pues simuló, según él, un dizque ajuste (¡qué bárbaro!) al pantalón de mezclilla: con dos dedos (miramira)–, y traemos metralletas en la guayina ¿qué no? –después enchuecó su boca–. Si respingan respingamos, pero a punta de balazos.

Ya lo macho candoroso tan a flor de piel: ¡oh, flor!: para quitarle los pétalos a tiro y tiro ¿deveras?

–No creo que sea para tanto.

–Lo peor que puede pasar es que nos manden al diablo, pero sin perder la calma.

–Yo no me fío de esos tipos.

Con esto último dicho un pétalo, por lo menos, se desprendió sin querer.

–Yo tampoco, pero hay modos.

–Eso sí.

Seguían cuchicheando inciertos. Su regodeo como postre.

–¡Mira cuánto están comiendo!, traían hambre los malditos.

Para regodeos hay otros. Imagínense el entronque con la ancha carretera. Sea cualquiera es una imagen vespertina, casi nula, ¡era!, a propósito: fue: pudo haber algún testigo: un coyote o una liebre, jamás alguna persona, y si la hubo poco importa, siendo que: no tendría por qué pensar que aquello era (por lógica) uno de los corolarios de un chanchullo electoral. Eso deshila el supuesto, porque: vámonos por partes: primero hay que imaginar lo sucedido un poco antes: van los muebles por la brecha, enfilados, no muy recio, mismos que han de separarse cuando lleguen a... Es que si se van dos juntos pueden despertar sospechas... ¿Cada mueble por su lado?... Hubo acuerdo tiempo ha, se supone, y sin embargo, los mentados anteojudos tienen antojo de tacos e invitan a otros iguales, pero que son vigilantes. ¡Vaya!, entonces, ¡venga otra vez!: van los muebles por la brecha, esto es, un camino irregular de cascajos puntiagudos casi puestos a propósito para que haya ponchaduras; no hubo eso, se supone; y el trasunto, como fue: de un mueble a otro se gritan, insisten los de adelante en la ida a la taquiza y los de atrás que se niegan: ¿cuántas veces? Después: en el entronque hay adioses con manos y con pitidos. Tiene que esperar un mueble a que se vayan los otros en virtud de lo acordado: NO PUEDEN IRSE DOS JUNTOS EN LA MISMA DIRECCIÓN. Punto señero o detalle o suspicacia que sobra por ser vaguedad o norma a saber si establecida por... ¿por ahí andaba la cosa?

258

–Se me ocurre algo muy charro. Como el mentado burócrata tenía un hambre del carajo, puso un pretexto de peso para salir a comer. Los policías son pantalla. Son dos guardias de mentiras que le sirven justamente para encubrir su capricho.

No se desprende, ¡se troncha!: un segundo pétalo, ¡ay!, el tercero y los que siguen deberán ser arrancados por ellos mismos: ¡con furia!, pero sin dárselas: ¡no!: de machos o cosas de esas.

–Esa idea no es muy errada, pero quiero pensar mal porque no me huele bien lo que miro y lo que huelo. Es demasiado importante lo hecho por nosotros tres y los otros cuidadores. Para el caso la maldad no es cosa de contar chiles. Entonces: no hay duda que nos siguieron estos que están aquí enfrente. Otros ojos a distancia tenían que ver nuestra acción, nomás para comprobar si hacíamos o no hacíamos bien lo que hicimos en el monte.

–Mmm... ¿No querrán ejecutarnos?

–Puede ser, aunque: podemos adelantarnos.

–Por lo pronto, ni nos miran. Se hacen los disimulados para darnos la sorpresa.

–Es bien fácil. Hay que tener todo el tiempo la mano sobre la funda. Cualquier movimiento en falso: una volteada de cara o una mano que tantea por ahí por la cintura, pues ya están.

–Si vamos a disparar hay que hacerlo a la cabeza, no a la panza ni a las piernas. De otro modo, nos madrugan.

–Pinches güeyes...

–Oigan, ya se están yendo muy lejos. Si así fuera, al entrar al restaurante lo primero que habrían hecho sería apuntarnos y listo, diciéndonos de pasada: «¡manos arriba, cabrones!»

–Eso sí, porque ya adentro, a ver a cómo nos toca.

–A lo mejor no hay tal cosa. Pero no quiero confiarme y, por tanto, no me aparto de la idea de que nos vienen siguiendo...

–Nos siguieron de pe a pa, nomás para comprobar...

–¿Y qué importa? –interrumpió uno de ellos; cualquier tono más arriba, aunque: sin rebasar el registro del hasta ahora cuchicheo: operoso todavía–. No hemos hecho algo distinto. Hemos cumplido una orden, ¿no es así?

–¡Sí!, sí es cierto... Claramente el general don Emilio Torreblanca nos dijo que nos robáramos las urnas de Remadrín como a eso de las cinco... Que quemáramos los votos en el monte siempre y cuando fuera lejos de los ojos de la gente. Y para hacer lo que hicimos, antes, ¡claro!, debíamos asegurarnos de que en los alrededores no hubiera ranchos ni pueblos, ni siquiera algún jacal, inclusive, lejos de las carreteras...

–Y la acción debía ser rápida...

–Y lo fue...

Flor mocha tirada al suelo. Le faltaban cinco pétalos de «no» y «sí» para llegar a... Porque parece mentira la verdad nunca se sabe... La mentira se retuerce, va hacia atrás, como ellos fueron, a base de darle hilo a su cuchicheo enjambrado. ¡Puro recapitular!: enllegando hasta las máscaras, las que usaron cuando el robo, mismas que (¿mentira o verdad a medias?): al calor de los supuestos quepa algo que está pendiente. Se empieza por otro lado, y hasta es más, por donde debió empezar este rollo trompicoso. El arranque de tres muebles, en hilera, ¿a poco así?, quedando atrás el revuelo de una multitud frustrada. Sin embargo, dado el caso, lo importante fue el arranque sinvergüenza, terrorífico. Muebles cual zumbos de abejas amargas cuanto triunfales. Pronto el efecto menudo: cosa de desasimiento: ni modo que a los ladrones les gustara mantenerse, luego de salir del pueblo, como incógnitos ingenuos largo rato por si acaso... ¡Bah!, serían de todas maneras. Ahora bien, se imaginan su sentir con esas máscaras negras puestas aún en despoblado, imagínense el sudor y la desesperación, ¿por qué un sufrimiento de oquis? Entonces: la conjetura: esos anteojos de sol sirvieron de sustitutos... Y así hacer la quemazón, y así saberse extrañísimos durante veinticuatro horas: como mínimo, siquiera.

–Ya no hay por qué tener dudas. Hemos cumplido una orden, así que...

Pero otro volvió a lo real como si diera un gran salto al presente, al cometido. Lo mejor era hallar modo y así atisbo de salida: la vista por él: propincua:

–¿Quién de nosotros será el primero que pregunte?

Cierto: la mirada del encargado del lugar, Félix Arturo Corcuera –hubo un tosco rechinido de silla contra mosaico, un deseoso movimiento de uno de los anteojudos–, quería registrarlo todo. Escrutinio abarcador por olfato inveterado. Sea: empezaba a oler a pólvora. ¡Sí!, el regodeo pudoroso, precedente (y sostenido): daba para esa intuición... Y a punto el acercamiento... Fascinación sugestiva de angustia que ha de romperse; sería alivio al fin y al cabo y tan sólo dependía de la plausible respuesta, sobre todo del burócrata: concentrado por lo pronto en su montaña de tacos, ya mocha, ya sin jardín.

De hecho, la expectación, algo como vibra áspera, también descuajeringada; asimismo, para colmo: sólo por órdiga o ascua las chancludillas acá: esas seis retrocediendo, por si las dudas, discretas: tras una señal de Félix, misma que hizo con sus dedos y sus cejas a la vez... Ya sabían... aunque... Ellas mismas por su cuenta se encogieron. Burdos pasos. Caras duras.

El encargado se puso muy cerca de donde estaba su 22 escondida en un cajón donde había además un sacabuche, una hulera y dos machetes. A Dios gracias, en principio, dominó la lentitud, la cual fue mengua sabrosa de incertidumbres y ardores. La plática, por lo tanto, fue amigable: por sesgada, queriendo ser zorra a fuerzas. Suerte de sondeos inciertos tratándose de personas cuyos actos mal que bien no eran de suyo distintos. Había alianza a fin de cuentas, osadía sobrentendida, cinismo en flor que es apenas una virtud aparente debido a que aún no llega a significar gran cosa: digamos: sabiduría, probidad, atemperancia, fuerzas que son el modelo de contundencia y afán.

Sin importarles siquiera, ni mucho menos desearlo como mera truculencia, chancludillas y encargado se enteraron –serían oscuros testigos– del chanchullo electoral –ya podían autonombrarse gente clave en ese enredo–. Sutilezas en aumento. Media hora, un poco más: lapso durante el cual reinó cierto lustre tenebroso, no tanto por las ideas, sino por las actitudes. Juego de empeños, reservas, entrecejos descarados, lo que en conjunto sería juego de arrepentimientos. Además, durante el lapso susodicho no llegó siquiera un cliente: rompedor, desapegado; un trailero por lo menos: conocido o no o quien fuera, siendo que por lo común llegan pasadas las diez; de dos en dos van llegando mientras no amanezca: siendo: que de noche es antojable no sólo cenar, bailar, sino... Pareciera que aquel ámbito estuviese destinado a una revelación. Seis elementos a prueba y sólo uno al parecer era quien debía de darla: ¿quién? Balbuceos de pe a pa: ¿cuándo?, ¿entonces?... Problemas de acercamiento: y nomás sea por ahora en relación a las seis chancludillas apartadas, ¡más aparte el encargado! Agréguese un dato extra: ni siquiera la rockola había recibido veintes y he aquí que el silencio a modo tenía como contraparte un regodeo agazapado, mismo que no sufriría ninguna transformación. ¡Sí!, el tono subió al principio, pero luego...

Enterarse ¿para qué? Félix Arturo Corcuera tenía que pasarle al costo lo oído en el restaurante a su afamado patrón: Abel Lupicinio Rosas; y así el alumbre, la tregua, de lo que bien semejaba un comienzo anunciador de un final cuya largueza sería tema para un sueño repetido de mil modos a saber por cuántas noches: pesadillas desde luego: acor con la voluntad de atenuarlas: ¡ojalá!: inventándoles salidas victoriosas, caprichosas: donde, bueno, compongamos de otro modo: el encargado sabía del historial de Crisóstomo, su cambiante y siempre absurda (tosca, al fin) y reprobable y acre lambisconería. Crisóstomo allí ¿por qué?, mismo al que reconoció por que no traía sombrero, ninguna sombra mediante, sino, bueno, la cosa es que –por lo visto– no volvería a presentarse –lo supo en cinco minutos– una ocasión como ésa.

Ahora, sobre el asunto en cuestión, acaso valga la pena reconstruir el descaro de Crisóstomo Cantú. Su mareo contra su hambre: total obnubilación y, en efecto, entró donde no debía. Un despiste reducido a un antojo y listo y ¡vámonos!; sin embargo: ¡todo en contra!, sin querer, casi a propósito, como un empuje diabólico hacia un antro salvador. Expansión por peteneras: festiva: a medias: ¿incierta?, buscada como solaz y: en teoría tan sólo era una etapa accidental, quizás la buena, la última: contratiempo no muy largo; aunque en realidad: ¡qué incómodo!, pues pasó lo que pasó cuando no debió pasar. Y se explica fácilmente con un turbio contrapunto, el más obvio, si se ve: en Remadrín los burócratas ya se hacían muchas preguntas. Y he aquí el punto de partida: la tardanza de Crisóstomo.

Al margen las deducciones –su revuelo inenarrable– de aquéllos (tan inclusive): tan erradas y tan posmas... Entonces cambia el enfoque: ¡sí!, por parte del encargado hubo –no lo vieron los demás porque simuló lavar trastos plagados de grasa, amén de salsa y repollo: tres acaso: batallosos, y mientras el sonadero del chorro áspero del grifo; sea: debajo del mostrador– una frotada de manos.

Desde luego el encargado hacía mucha pantomima, pero al bies, tras largas pausas, y rápido cuando sí. Dependiendo de los dedos que él doblara: dos o tres, o uno, o cuatro, si cuando los cinco un puño levantado, tembloroso, con su enérgico bajón. Mas si vamos a un ejemplo: con los nudillos de frente el puño visto por ellas significaba una orden más tajante que las otras: ¡nada de coqueterías! ¿Sí? ¡Nada de coqueterías! La señal: entendederas; pero esa vez no la hizo el encargado y sí en cambio hizo otra: la contraria: de tres dedos: como garfios en lo alto, tras lo cual (ya se supone): resbalosas, sonrisudas, meneadoras, sandungueras... Las chancludillas captaron no sólo ésa si un resto: desde un principio: ¡oh, prodigio! –hay que imaginar también la rapidez y, de paso, la increíble precisión de señales en segundos y, de paso, la bajada de la mano: o: ¡el disimulo!, sin que ni uno de los clientes notara alguna rareza de dengues: de refilón. Sin embargo, lo notorio fue cuando dos chancludillas obedientes, correlonas, acudieron al llamado de... Acuerdo en el mostrador (dedúzcanse los susurros) (las dos eran obviamente las mejores, las más jóvenes, de El Firmamento, es decir: dos güerudas piernudotas, bastante acinturaditas, y con escotes que ¡uy!, chaparronas pero... mmm...):

Échenle unos quince veintes a la rockola ahora mismo... aquí tienen las mone-das –desproporcionada entrega: en el acto: por sorpresa: a una le dio un puñito de trece mientras que a la otra: chanza de dos selecciones: ¡ya ni qué!: aunque: ¡ojo!: no hubo ningún retintín–... *Pongan música bailable, pero a muy bajo volumen... Paseen caderas y hombros y finjan que están deseosas de llevarse cada una a dos hombres a la cama... Por lo menos, si se puede, llévense uno cada quien... Llévense a los policías, pues son los más estorbosos...* Obediencia: ya se iban: cuando: otra seña... Freno y vuelta. Cierto: la orden más importante aún no había sido dicha: *Cuando recojan o sirvan platos o sodas sean lentas, no se vengan luegoluego... Traten de oír lo que dicen, y cuando ya se hayan ido esos tipos misteriosos, me cuen-tan lo que escucharon... Se lo pido de favor... Pero lo exijo tal cual, poco y bueno, pero exacto... No quiero que agreguen cobas salidas de su cosecha.* Retirada con meneos de dos ufanas pimpantes. En directo a la rockola casicasi de puntitas (ay tú-tú, dizque muymuy, miramira ¿parpadean-tes?). Delicadas, pese a pese, mucho más: quiéranse frescas, inten-tando por lo menos deshacer el artificio y sentirse naturales. ¿Sí o no, o cómo pues? La suavidad como treta en pos de un reojo en serio de uno de los barrabases, y el antojo así nomás: animal-atrabancado. La óptima sugestión dependiente de un viraje que a ver si ya: ¡sea por Dios!: siendo el mínimo conecte si no flechazo sí pauta para un ende-rezamiento y para una invitación por parte de... Sin embargo, no ocu-rrió. Adrede, entonces, lo falso de un andar tardo y alado: dizque, pero, ¡uh!, imposible. Las otras muy mal sentadas, enseñando con descaro lo rojo de su calzón, se limitaban a ver el bochornoso espec-táculo. Apenas se sonreían: de lado: ni se notaba.

El fracaso del meneo de caderas, por lo visto...

Los barrabases estaban enfrascados, garruñosos, en su omiso plati-quismo. Lo bueno era que sus voces iban subiendo de tono. Exalta-ciones aún en corto reconcentradas. Se antojaba un rompimiento...

Y de pronto, como zumbo, la música cumbanchera, suavemente y desde el fondo...

Capítulo diez

Ay de aquel que no habla a solas ni siquiera a campo abierto.

Ay de aquel que se emborracha con sus principios morales y les da vueltas y vueltas y les sigue dando vueltas y no se ríe de sus vuel-tas.

Ay de aquel que se confiesa diciendo puras mentiras... Bueno... a ése... por ser un caso tan típico, valga defenderlo en parte; ¡sí!, a modo de apostrofar su delirio y reciclarlo. Y es que a partir de esa glosa surge una nueva pregunta: ¿es menester confesarse con toda sinceridad?

Eso era lo que anhelaba don Juan Filoteo González. Pero ¿por dónde empezar? Además, por el momento, temía que lo descubriera Mario Pérez de la Horra grite y grite como zonzo. Lo imaginaba enllegando en lo oscuro: iluminado el emplasto: no digamos que muy bien: de él sobre el burro: esto es: por la luna, si es que había, y si no: nubes-estorbo, y el emplasto, por lo tanto: ya no emplasto, sino acecho, siendo la composición de peón y burro una idea turbia que también por ser oscura llega haciendo algo de ruido.

Ergo: situando lo dicho: la noche se encanijó porque ningún resplandor ni de estrellas ni de luna: si en haberes: ¿nada pues?... Por inferencia: otrosí: el haber de nubes posmas encubría ya el sortilegio de alguna revelación. Y la lucidez ¿entonces? Don Juan Filoteo González preveía un desplazamiento en lo alto, pero ¿cuándo? Incluso llegó a creer que el peón ya había regresado, y gritarle ¿tenía caso?, y ni modo de invitarlo a hacer lo mismo que él...

Por antojo.

Por consuelo.

Ay de aquel que se confiesa diciendo puras verdades.

La verdad que la tardanza del peón era exasperante para el viudo, quien de pronto gritó con todas sus fuerzas: *¡Oigo ruidos!... ¡¿Ya llegaste?!... ¡¿Ya trajiste mis cigarros?!* Pero ninguna respuesta.

Ay de aquel que no se atreve a confesar cualquier cosa, no un pecado, no una culpa, sino aquello que lo hace enteramente feliz.

Y el viudo no se atrevía.

Y ahora ¡venga lo real!... De buenas a primeras (ejem) don Juan Filoteo González sintió muchísima hambre. Así que, cual corrigiendo del reflejo estimativo, en lugar de soltar prenda a los vientos a tolondro lo que hizo fue dirigirse –como si pisara huevos– a su casita ranchera a guisarse unas chuletas de marrano entomatadas.

Sin embargo...

Justo cuando dio tres pasos el resplandor lo detuvo: La luna: su asomo en sí: sendo pespunte que amaga, y pese a su hambre: su aguante. La importancia como anuncio, o al revés, pero mejor... Lo visto por él: de bulto: los animales atónitos... Hacia ellos se dirigió... Su neurosis –en despeje– ya no tuvo fluidez. Muchos ojos dirigidos adonde el acercamiento: más grande, más tenebroso, y el miedo contra el instinto, por igual: alerta al sesgo: tanteo-inmediatez proclive a la inminencia crucial de sentir el par de ojos fulgurantes de su amo: cual si fuesen receptáculos de una tristeza que apenas... Si pronto el acercamiento adonde estaban los chivos: suyos, como suyo era lo que podía confesarles. De todos escoger uno y... *¿Sabes que te tengo envidia?* El chivo escogido violo: quiérase con pena ajena. ¿Reto o conmiseración? Los demás ojos: esquivos. Animales resentidos por un desaire tan burro. *Tú no sufres como yo, y si gozas no lo sientes como contraste siquiera, o efecto de algo, supongo, pues para ti no hay extremos, ni tampoco...* –el vejete hizo una pausa porque oyó ruidos tras él, a distancia, crujos leves. Invitación al viraje como por acto reflejo, pero el jalón, la energía, díjerase la fijeza interesada del chivo por oír tales ideas (¡una exigencia truquera!, o más bien, exhalación: palabras en armonía sin más lógica que esa), empujaron al vejete a seguir hablando bajo, casi como susurrado (y así la alianza locuaz de dos seres subconscientes)–... *Como te iba diciendo, tú no tienes que rendirle cuentas ni al diablo ni a Dios, ni a nadie que te las pida... ¿Dije ya algo en tal sentido?... No me acuerdo, pero, bueno, por carecer de lenguaje, digo, un lenguaje como el mío, tienes una gran ventaja: no presupones patrañas, no antepones...* Se acrecentaban los ruidos, cascos contra o a favor de una mejor disyuntiva. Y traición: humana al fin, como quiera que se vea. Y por lo que toca al chivo: rompió el contacto sin más, en virtud de tan palmario arbitrio de chapucero. La evidencia, ¡ea!, replanteada, ¡sí!, traquidos, y una voz, a más ladina y gustosa, tipludilla de por sí, y más motivo sería un exceso fantasioso, por lo cual con lentitud el vejete volteó y vio eso que tanto añoraba.

Capítulo once

–Ustedes vienen de Remadrín, ¿no es así?

–No, ve-ve-venimos de San Che-che-chema –respondió tato: cual debe, como era: por mieditis: el burócrata huidizo, más sin dejar de mirar su soda: lo puro negro.

–Bueno, pero trabajan en Remadrín, digo, usted... Los señores policías son, o al menos eso supongo, de los que envió el comandante Maximiliano Oropeza.

–Pues no sé a qué se re-re-refiere.

–¡Vamos!, no se haga el discreto.

–¡Sí!, hombre... Hoy fueron las elecciones en Remadrín, en su pueblo.

—Así es, pe-pe-pero ¿qué tie-tie-tiene?

¡Atención!, un dato en claro para aquellos anteojudos... Se adivina cuál ¿o no?

—Por lo que veo hay que empezar diciendo lo principal, nosotros, ¿qué no se acuerda?, fuimos quienes nos robamos las urnas y las quemamos, je, quemamos todos los votos.

—Que-que-quemaron ¿qué?, cua-cuándo fue.

—No me salga con que ahora ya se le olvidó el asunto... ¡Venimos de realizar la quemazón en el monte!

—Es-es-este, pues... No sa-sa-sabía lo de la quema...

Miramientos: ¿enseguida?; si a las caras, mejor no; si a los lados, ¡tanto peor!; techo o suelo: horripilancia. Y el entorno se apretaba membranoso cual pegoste, pausa, entonces, y reojos parpadeantes: uno que otro: del burócrata que aún seguía con la vista fija en su soda —estupefacto— como si en lo negro hallara el refugio o la demora de sus dudas: a saber... Mientras que los policías bien querrían soltar un silbo: destemplado, insuficiente: en señal de disimulo. Y el volumen de las voces: de subida, de salida, y oh menuda profusión de pasmos y maravillas en caliente todo el tiempo. Una airosa impertinencia cuyo vuelo fue a parar a oídos del encargado, amén de las chancludillas, sobre todo de esas dos que se paseaban bien divas, mismas que fueron frenadas cuando pusieron la música:

—¡Por favor no le echen veintes a ese chingado aparato!, ¿no ven que estamos hablando? —distracción. Recompostura, aunque: no sin ocultar su enfado el que habló volvióse presto para retomar la plática— ...Perdón, pero... —¡sí!, era el de la voz cantante, el anteojudo más gordo, quien...—. ¿En qué estábamos?, ¿a ver?... ¡Ah, sí!... ¿Cómo que no lo sabía?... ¡Válgame Dios!, mmm... Por lo que veo me parece que no nos tiene confianza... ¡Mire!, no le demos tantas vueltas, ¿eh?, pues somos del mismo bando, ¿o qué no?... Además, somos amigos.

—Yo-yo tengo co-co-conocimiento del robo, pe-pe-pero de la quema no.

—Por principio, no se me ponga nervioso... La cosa no es para tanto... No hay problema ni lo habrá... ¿Sí?, ¿de acuerdo?... Ahora vayamos por partes... Usted es ni más ni menos el mero representante del alcalde don Romeo, ¿estoy bien?...

—¡Sí!, de acue-cuerdo.

Más datos y más despeje.

—Pero, oiga, por favor, no tartamudee, no tema... Tranquilo, pues, calmadito, que nada le va a pasar.

—Es que yo-yo-yo soy tar-ta-ta-tamudo.

–¡Sí!, es verdad –adujo otro–. Me di cuenta esta mañana.

–¿Y a poco es de nacimiento?

–E-e-ese es mi tris-tris-triste pro-pro-problema –le hacía de más, desde luego, por pillada de frescales, y contimás como táctica para exhibir y a su vez solapar su descontento. Dicho sea: su mema tartamudez le servía como recurso tantas veces como ahora cuando su teatralidad parecía tan natural que era difícil captarla como eso y disfrutarla como lo estaban haciendo no sólo los anteojudos sino sus acompañantes. Actuación sobresaliente esta vez, y por lo pronto... Otras veces al contrario: sus desbarres molestaban, ciertamente cuando adrede, por hartazgo o por recreo, alargaba hasta diez veces preposiciones y artículos, ya no se nombren epítetos ni sustantivos ni adverbios estirados mucho más (¿veinte veces?, ¿veinticinco?), al grado de la ignominia o de la exasperación.

–Pues no sé cómo es que ocupa un puesto tan elevado hablando como usted habla.

En efecto, ahora sí, la respuesta de Crisóstomo cabal relució chafada. De lo antes referido hubo ejemplificación, la cual, pues... ¡No tiene caso escribirla!, basta con imaginarla a partir de cualquier sílaba que se repita a lo largo de casi medio minuto. Empero los anteojudos mostrábanse inalterables.

¿Qué?

Ante eso más coraje y por tanto más frialdad: concentrarse en la comida, lo primero, por supuesto, y jamás verles las caras. Con la mirada perdida en la cubierta de lámina de la mesa que tenía por todas partes pintadas las letras de Cocacola, Crisóstomo pidió otra orden de tacos con gran aplomo, ergo: sin tartamudear. Regazón: se evidenció. ¡Empero los anteojudos mostráronse inalterables!

¿Todavía?

Ni una pregunta al respecto.

A estas alturas del caso ya nada más él zampaba.

Su gula como estrategia.

Se aprovecha tal escollo para colar en agraz otra moción parecida, esto es, la intencional añagaza del burócrata en mención era por demás abstrusa: caerles gordo cuanto antes: por un lado, y por el otro: su afanar –resultoncito– pretendía imponer a modo un perfil de hombre que tiene «un no sé qué» pero «¡uy!». Doble intención salerosa, o mejor: medio que no y luego sí conservar cierta distancia y cierto aire de misterio; un «ay tu-tú», una importancia tan sobrada, como a punto, todo lo cual venía a ser actitud aconsejable para cualquier aspirante a trepador colmilludo. Servil sólo con aquellos que en verdad lo merecían. Fúchila con lo de abajo. Y al revés con lo de arriba: garantía de probidad; prestancia a carta cabal, manejable y entendida entre soltura y control y entusiasmo y desconfianza; añádanse sutilezas que irían desde los modales hasta el modo de vestir. De esto último se aduce que el suyo ¡ni para cuándo!... Antes bien, contra sus gajes, andaba desguachipado.

Pero aquí tales ardides no servían para un carajo.

Cortar por lo sano, entonces, y salirse de ese antro sin dar una explicación. ¡A Remadrín!: mira y tregua, pero con tiento, eso sí, aunque... ¿dentro de cuántos minutos?

Mientras tanto el regodeo: preguntas sobre lo mismo y respuestas alargadas. Un toma y daca incesante aún con toda la carga de lo tato ponderado. Entonces, vayamos hasta el remate.

–Bueno, ¡lástima!, ¡qué diantres!... El que usted sea tartamudo ha de ser un sufrimiento para el cual no hay medicinas ni doctores que hagan algo... (Nótese la profusión por mor de incidir adrede sobre lo recalentado.) Pero, óigame nomás, y después diga sí o no... ¿No se acuerda que pactamos con usted y una mujer lo del robo de las urnas?... (Crisóstomo, desde luego, sabía de la quemazón, pero fingía no saberlo; la desconfianza, por lógica, para ir ganando terreno y así atisbar la salida. Modo de torear de hinojos –lucimientos ¿para qué?– a un fantasma, que no a un toro, y ante un público cuán más complaciente y delirante. ¡No!, pues no, y al cabo la parquedad antes que la desconfianza. Lo mismo: para ir ganando terreno.) Me imagino que ella es la asesora principal de don Romeo, o algo así, y usted su dedo chiquito, ¿eh?; compóngame si la riego... ¡Vamos!, el pacto fue esta mañana: cosa de unos diez minutos... ¿No se acuerda del papel que yo mismo le enseñé?... ¿Recuerda lo que decía?

–¡Sí!, me acue-cue-cue-cue-cue-cue-cue-cue... (se sobrentiende el etcétera.)

–¡Uf!, lo firmaba nada menos que el señor gobernador. La orden era muy clara.

El «sí» y el «no» como pinchos, al fin y al cabo incisivos, y más o menos profundas las sajías: los desengaños.

Necias, mañosas respuestas, a saber si timoratas... pero con el ingrediente de un desenfreno chillón, contimás sonsonetudo, y ante el cual pues no había de otra que silenciarlo de tajo con una nueva pregunta. Juego al fin, mugre pureza sin derrotero, en tinieblas, y abstracción que no promete ¿cimas-simas?, ¿ningún centro?

En vista del simulacro, no agotador, sin embargo, porque en verdad no cansaba más que ya se sabe a quién: al mismísimo Crisóstomo, él, que en un momento dado, quiso sacarse unos fajos, le quedaban unos seis. Con tal de que se callaran corromperlos aún más. No más preguntas ni informes. Por ende: el ofrecimiento: ¡descarado!: mejor no, porque ya estaba por irse. Aparte: esos seis serían su triunfo. Jugarreta de diablillo consciente de no querer robarse otros fajos más.

Valiosa su providencia y... Se antoja otro cometido... Situémonos nuevamente en la ingrata profusión (regodeo sin peteneras) hasta el punto culminante, es decir, cuando Crisóstomo agregó dos ideas de oquis.

Los machaqueos ya se saben: que si se acordaba o no... y luego:

–A ver, a ver, no se haga... ¿No se acuerda del papel?... ¿O a poco no sabe leer?

–Sí sé le-le-le-le-le-le-le-le-le-leer (calcúlense tres segundos) y le-le-le-le-le-le-le-le-leo ra-ra-ra-ra-ra-ra-ra-ra-ra-ra-ra-ra-ra-rápido (calcúlense diez u once), sí me acue-cue-cue-cue-cue-cue-cue-cue-cue-cue-cue-cue-cue-cue-cue-cue-cuerdo de la or-or-or-or-or-or-or-or-or-or-or-or-or-or-or-or-orden (¿quince segundos exactos?).

Muestra casi por desánimo, aunque: la rabia escondida aún: los anteojudos impávidos. Su ansiedad podía con eso y con machaqueos que incluso duraran hasta media hora, pero los policías no. Uno de ellos hizo mímica. Veamos: con discreción (lo primero) le picó un brazo a Crisóstomo, mismo quien veía en los tacos un reborujo monstruoso y artístico al mismo tiempo: la salsa como una mancha que coronaba a la col. La col era un armatoste con innúmeras fisuras donde había goteos sin cuento. Quién sabe lo que serían las dos o tres rebanadas de cebolla y de tomate, pero el burócrata absorto quería encontrarles el chiste, su presencia aparatosa en mitad del laberinto debía de ser capital y... El policía señalando con dos dedos su muñeca. Mínimamente el remedo: el reloj: ya la tardanza: en concreto: verla al sesgo; eso lo hizo en el momento que el burócrata perplejo alzó apenas su mirada...

Vale aquí tomar distancia. Vale recapitular. Lentitud: que no, que sí: por mor de amistoso encuentro. De por medio había dos mesas entre los tres y los tres. Vaga diferenciación: y una nueva afinidad restringida a la sorpresa de ver lo increíble allí y por ser de ese tamaño rellenarlo con preguntas: ¿sí? De unos el pasmo y acaso el sudor al acercarse; de otros el empacho en serio: como intermedio forzoso. Zozobra y aceptación: ¿logro?: todavía quién sabe: porque el volumen subía. Fue una línea horizontal que de pronto: ¡ibah!: ya no era. Se convirtió en tarambana: curvas tantas como círculos y todo por explotar...

Antes, o bueno, después: cuando hubo el acercamiento, dígase la impertinencia tras la seca aceptación casi dada como dar un mendrugo, porque sí, a tres ciegos anteojudos: ¡sí pues!... está bien... no importa... QUE SI SE PODÍAN JUNTAR DOS MESAS PARA... se entiende... ¡sí!... ¿cómo no?... ¡órale!... bueno... de acuerdo... Deducciones medio lógicas derivadas de una chanza, y luego parte por parte la grandiosa concesión: porque: la dizque plática ufana, amistosa, planteadora, degeneró de a deveras. El volumen: causa y fin: llegó a un tope no deseable. ¿Y luego qué pasaría? Por lo pronto en tal nivel vino un desfile de nombres.

A saber...

Las referencias fugaces proferidas en desorden fueron tomando de quedo hilazón escandalosa y al cabo cuerpo de anécdota en boca de aquellos tres que se tocaban las gafas amenazando quitárselas. No amago sino muestreo tan rápido como torpe para llamar la atención sin perder la compostura. Sea: a uno se le vio una ceja con un parche bollollete donde terminan los vellos; aunque: siendo apenas chipotito el colocado al extremo de esa cabeza monís, se ocultaba por completo tras... Tenían forma de pantalla los susodichos anteojos que casi parecían máscaras; cubrían pómulos, tabique y algo así como tres dedos de sus frentes comprimidas. Cierto: no eran personas de fiar. Así otro, más febril, destapóse prestamente en nervioso sube y baja para enseñar con descaro (y cuéntense tres segundos) la rojura de su ojo ¡cual plasta miltomatosa! Parecía efecto de droga que rehincha tenuidades, pero: eso se contradecía con el moretón de abajo: grandotote y circular: lucidor como apalusco estando a punto de pus. De todos modos ¡horror!, tanto que: como respuesta: hasta se ruborizaron los policías monigotes. Crisóstomo, en cambio, aparte, en lo suyo pero atento a la crasa información dada en forma de preguntas; listo para el «no» y el «sí» o el «de acuerdo» o el «mmm» acres: ensayados mentalmente para sacarlos al tiro con tatez mucho más lerda y además desafinada; y agache a contracorriente y por pura conveniencia: apurándole deveras, sin disfrute, a la zampada, más concentrado que antes a fin de no ver lo peor. Si de por sí ya era feo mirarlos hasta de reojo... Luego la coronación: un navajazo en un pómulo marca diablo por lo rojo y la costra repujada: grosería sin parangón del último exhibidor; raya hundida vista a modo (diez segundos repulsivos), tanto que los policías pusieron cara de órdiga, de señoras persignadas, de esas que no saben qué cuando oyen de repente, y casi letra por letra, una gruesa peladez.

Pero tal exhibición no pasaba, si se quiere, de ser caricaturesca, si tan sólo se compara con la áspera tremolina de los tres en contrapunto. En fuga el jijeo pazguato –¡ojalá!– porque devino lo que no debió decirse: los secretos de maniobra empezando, al fin ya qué, por los deseos soberanos del acre gobernador. No un argumento expansivo sino dos o tres ideas cuyo remate sería algo como lo siguiente: PASARA LO QUE PASARA NO GANARÍA NI DE CHISTE LA MALDITA OPOSICIÓN. Dato al filo de un siniestro que a la postre debería enterrarse para siempre, o darle un giro triunfal para que así fuera historia contada de boca en boca como un favor sin igual a tanta gente pacífica... Mientras tanto la sentencia: tal como punta de lanza. De ahí los zangoloteos, pormenores a raudales, de bajada: lo más pronto: ejército, burocracia, jerarquía por jerarquía, muy a tiempo y con la mira de hacer modificaciones pertinentes o más finas. Se contemplaban también los contratos de servicios de civiles: cuantos fueran. Tantas jugosas ofertas para no decir que no. Insana intimidación de sí o sí y pues ¡ni modo! Los pagos vendrían después. Ergo: salieron a relucir nombres de alcaldes, gendarmes, generales, secretarios, sargentos y hasta –por si fuera poco– de personajes anónimos (dizque: porque así parecen), o sea: sin cargo oficial.

Trenzamiento pian-pianito la anécdota que se engorda. Hilos que en busca de nudos –pretensión inoportuna– no los encuentran y aún siguen, seguirían los devaneos, surgirían datos de más, por frenesí o por capricho, hasta no imponer ensartes: a propósito ¿quizás?, y no obstante proseguir como fuera, por rebane, pero por la misma vía.

Capítulo doce

Quede como referencia la profusión de elementos soltados sin ton ni son, aunque con ciertos ensartes útiles para saber en dónde acabaría todo. Queden al margen, por tanto, los «sí» y los «no» y asimismo la sordera de Crisóstomo para no sacar forzado lo que sabía hasta de más. Téngase sólo el repunte de infelices tiquismiquis y zorreces al garete, siendo que en la plática hubo cosas sin rumbo como éstas: «¿usted conoce al sargento Joel Gastón Mendizábal y al general Uriel Vela y a un tal Elogio Gudiño?», «¿sabe usted qué liga tienen?», además: «¿usted sabe que su jefe, el alcalde don Romeo, se va a ir a la chingada después de las votaciones?»... «¿qué razón nos puede dar del alcalde de San Chema, que tuvo la valentía de rehusarse a ir a la finca, siendo que el gobernador le insistió más de tres veces y fue hasta la cuarta vez cuando el alcalde aceptó?», «¿usted sabe esas historias?», «¿por qué no quiere contárnoslas y de paso corregirnos?»... Pero la mejor de todas: «¿usted qué carajos hace en un lugar como éste?» Fue el remate, por supuesto... De ahí que: cinco muestras, cinco ambiguas, más horrendas que mañosas como para huir, digamos: sumiéndole a la guayina la bota y no saber más. Resultaría redundante ir desglosando el rosario de otras tantas bien filosas dichas para intimidar. Meros impulsos trinantes fáciles de disuadir con alguna frase corta, un remedo, una guapeza: pero: darles ligeras respuestas, con aplomo, categóricas, sería ensalmo impertinente de Crisóstomo Cantú. Así: ¡que se quedaran en ascuas!

Así exánime Crisóstomo, y movido por un vértigo que ahora se estaba inventando, firme mirando el entorno, de paso a los anteojudos, con un desprecio rayano en desespero y dolencia, y acaso una compunción sólo útil para esbozar su elaborado pretexto con una seña discreta y poniéndose de pie (los policías lo imitaron), tembloroso por exhausto terminó diciendo esto:

–He tra-tra-tragado de-demasiado –su decir a estas alturas fue bastante menos tato– y me es-estoy sintiendo ma-mal. De modo que me voy a i-i-ir... Pues ahí nos ve-vemos des-después.

Capítulo trece

–¿Y a qué horas va a regresar Crisóstomo a Remadrín? –pregunta ramificada. Tópica pero aún suave la desarticulación. Quiéranse grados de drama tras las muchas inquietudes. Se ha de empezar por lo máximo: los parientes del herido en la alcaldía: los más próximos, humildemente, digamos, dulcificando su espera con rezos, siempre en susurros, para que Dios dispusiera si se llevaba a su reino a su Manuel Zeferino, ¡ojalá no!, y por lo mismo que hubiese informes ¡ya pues! No obstante, se desprendía de uno de ellos la pregunta, la de antes: repetida: más despacio –cual deslinde: por si acaso: a ver si ya–: cada cinco minutos, pero ¡iguas!: y por tanto parecía la tardanza una artimaña para que los ex votantes no siguieran insistiendo en el fraude electoral y en cambio sí protestaran por no saber durante horas en dónde estaba el herido, ni si se había muerto o ¿qué?

Más que trastrueque refuerzo del enojo opositor: ya dos razones de peso: las habidas a las claras, sin añadir una previa: la ausencia de don Romeo, siendo que no había quien diera la cara (la explicación) como debería de darla. Por haber nomás quedaba la violencia delirante. Cada caso: una razón: de más: frenesí al revés: tope, desastre y fastidio: lo que conviene, por cierto, al poder, como se entienda, y si no de todos modos convendrá: porque es mejor la nobleza del debate que la rebeldía y sus causas.

Verdad global imposible, verdad que no llegaría... El cinismo: impedimento: fantasía que se prodiga...

Y la impotencia ¿hasta dónde?, ¿cuándo se convertiría en desánimo y retiro?

La sumisión por hartazgo; la sumisión ¡desarmada!, ¿pero hasta qué horas, carajo?

La sumisión: el recurso –arma: al fin: conocimiento–: de parte de los parientes que estaban muertos de miedo. Se aclara la sutileza: por órdenes de Sanjuana bajo custodia acá ellos tras la juntura de cuerpos de azules apuntadores ceñudos aún durante horas en la misma posición, como si fueran de palo. Los parientes: dos fulanos, resignados, chinchumidos, que a todo decían que sí, y seis fulanas fachosas, bigotoncitas, cajetas, malhabladas pero tiernas, porque siempre cabizbajas cuchicheaban de lo peor, y dos perros corrientísimos: ladradores «con razón», y un huerquillo de cinco años que jugaba hablando solo con un yo-yo ineficaz: porque no bajaba bien y porque al subir ¡pues no! –el enredo a la mitad–, no regresaba a la mano. Ergo, pues: privilegiados parientes que apenas se distinguían tras de lo que se dijo antes: la juntura, las fisuras, por donde –¡con nerviosismo!–: no sabían si estar de pie o sentarse en los peldaños de la puerta principal. Puerta que se hubo cerrado desde hacía como dos horas para que el hombre ponchudo, el de cara de marrano, pudiera hablar a sus anchas sin ser visto por... (ya los cuatro observadores se habían ido de ese pueblo). O bien, si lo prefería, desconectara los cables del sistema telefónico; o bien, por seguridad, lo instalara en otro sitio. De las dos buenas opciones ninguna fue la adecuada pues siguió donde había estado, y únicamente ¡la puerta!, aunque... la cerrazón podía ser por motivos mucho más –¿qué decir?–: perversos, raros u obvios. Aunque, bueno... vayamos un poco atrás: sea que: el aviso a los parientes ocurrió cuando ya no; o mejor: llegaron a la alcaldía cuando el herido ya no; y apartados por apaño –Sanjuana previó el contagio: que la masa resentida les trasmitiera su ardor: lógico: dada la acción del disparo, el sangrerío incontrolable y después la incertidumbre...–, privilegiados, entonces; pero salta la pregunta: ¿tenía caso que vinieran las mujeres y los perros y el niño con su juguete?

La respuesta está en el aire... todavía.

El problema principal fueron los mentados perros. Por órdenes de Sanjuana se les amarró de un poste –mecateados por azules: batallosa la maniobra, pero ¡al fin! Los parientes por tal hecho no protestaron siquiera porque era más importante preguntar por el herido (protesta melodramática, y de suyo interrogante: fórmula que atrae de a tiro más y más misericordia). Sanjuana fue la encargada de endulzarles los oídos: chulas mentiras piadosas como exhorto tras la espera: calma... calma... y mientras tanto: los ladridos de los perros–. Estirones, desespero: de los perros: con razón, por ende: ¡poste maldito! Poste –monstruo– de concreto, el único que había enfrente de la alcaldía: ¿sin motivo?: blancuzco, horrendo, poroso, pero huelga mencionar que eventualmente se usaba de asta-bandera nomás, como esa vez: tenía caso. Sépase la trascendencia. Tenía caso ver ondear en lo alto de Remadrín al buitre azul devorando, encima de unos chaparros, a un tlacuache zamacuco. Símbolo (ejem) maniqueo en tan histórica fecha. En un poste: ¡vaya idea! Poste que no era de luz, ni tampoco de teléfono, ni monumento y sí falo o caprichito oficial, municipal: mejor dicho: puntada de don Romeo a saber por qué razón. ¡Pues allí!, como se dijo, el amarre y la neurosis de los perros que ladraban sin parar: ¿habráse visto?: superando contimás, en cuanto a guasanga y grita, a los mismos ex votantes.

¿Cómo no?, porque... Justo hacia la medianoche semidesierta la plaza. Persistían algunos gritos: aislados: cada vez más: como chasquidos difusos. Es que muchos ex votantes ya habían resuelto qué hacer.

Sin embargo, los ladridos...

Capítulo catorce

En cuatro horas y fracción la comitiva del Partido de la Dignidad resolvió llevar a efecto una marcha de protesta cuyo destino sería Brinquillo primeramente; Mágico después, quizás, siendo extremo e improbable el tener que ir hasta allá. Eso implicaba juntar huestes de distintos lados –de Capila, ¡claro está!– y un planeo mucho más lento, más en frío y asaz frustrante, pues obviaba las consultas con líderes regionales; había siete en el estado (incluido Evelio Anguiano) y no todos se aventaban.

Cuestión de procedimiento.

Se supone que no es tan fácil organizar algo así, porque se piensa, de hecho, por delante y para colmo en comidas, en cansancio, y en renuncias en cadena, antes que en el cometido de hacer lo que debe hacerse... Y así la tremenda cuerda: no hacia abajo ni hacia arriba, ni siquiera horizontal, sino para hacerse bolas: a la vista un reborujo donde bien podían mezclarse pencas alucinaciones con fundamentos de peso, o viceversa también: quiéranse los jugueteos conceptuales, ¡oprobiosos!, con los delirios que cuajan en pureza racional.

Otrosí: las diferencias entre lo bueno y lo malo son, serán, seguirán siendo imprecisas y roceras en tanto no haya surgido alguna palabra tope. Por fortuna apareció toda vez que transcurrieron cuarenta y cinco minutos de discusión anodina.

Una hebra luminosa la palabra *infraestructura*; palabra con resonancia, misma que saltó de pronto, deteniéndose en lo alto.

Encima de las demás la maldita, la perversa *in-fra-es-truc-tu-ra*: ¡pues sí!, la cual nomás aparece y es pura aproximación, en virtud de que desinfla cuanto empeño, cuanto alcance.

Ilusiones. Grandes metas. Victorias al por mayor. Lo que fuera en tal sentido sería demasiado insulso porque no es de «enchílame otra» caminar de ida y vuelta casi como cuatrocientos kilómetros a disgusto. Zapatos, comida, ahínco, dinero para transporte (eso no estaba de más) y una serie de pruritos habidos y por haber que mejor es no saber si... No había por qué consultar a los altos estrategas del estado de Capila. Para liderazgo: ¡este! Plena muestra de pujanza. Sería el ejemplo a seguir porque se hubo aprovechado la ocasión del heroísmo: Evelio Anguiano: puntero: saboreando sus ideas conforme las exponía y...

Gran debate, se supone...

Asuntos: los previsibles. Todos los que hay en redor de una marcha de protesta.

El líder en su papel: otrora teatralidad: muy tragicómicamente... La esperanza. La promesa. Los vaivenes del deseo y su remoto favor. ¡A là vista! Ergo ¡en caliente! Pero antes los pormenores: los cinco más importantes, y después sobre la marcha...

Volvió todo a su nivel. No sin recalcar pruritos, también se habló, pero al sesgo, de la pronta confección de pancartas y de mantas: ¡con cuidado!, pero en friega; la rojura de las letras no debería de escurrirse ni un centímetro siquiera.

Dígase, como remate, que la tonga de minucias provocaron despero; al bies renuncias plausibles, chitones en vista de: prohibitivos los lonches hechos con carne de puerco y las gorditas de harina (cada quién su solución); vedadas las bicicletas y no se diga los burros, y vedado el devaneo: ¡sí!, que si alguien en plena marcha de pronto mejor ya no: ni un paso más: por desidia, o porque conceptos tales como «insurrección», «motín», «alboroto» o «alzamiento» terminaran siendo apenas «curiosidad» o «dilema» y no alcanzaran siquiera los primeros diez kilómetros: y hacia atrás el entusiasmo: pasos: huida oportuna; o porque pudiera ser que un fulano delicado no soportara el solazo más de una hora, o mucho menos, contimás si caminaba por el puro pavimento y por ende el calorón lo ponía de mal humor, pues le hinchaba los juanetes; o que durante la tal marcha no hubiese una provisión de caguamas ni de sodas bien heladas, ¡claro está!, para animarse a seguir; o sin más que alguien de pronto se quedara como estatua, pelele-laxo-mirón: sin decir una palabra, y luego discretamente se apartara: por ejemplo: de la bola para echarse a su manera una dizque pestañita a la sombra de un huizache y que en vista del cansancio se convirtiera a la postre en ganosa pestañota... ¡asco!, en fin: todos los que no quisieran sufrir por sufrir, digamos, los sufrimientos normales, que de una vez se apartaran. De resultas, al vapor, se declaró como norma que los flojos, los cobardes, y de paso los hipócritas, no cuadraban ni de chiste en un encomio tan... ¡uy!: monumental, justiciero, trascendente y... Aquí cabe un largo etcétera que tal vez pueda llegar hasta las puertas del cielo.

Pero ¿cuántos habrían de ir?

Por medio de portavoces designados al azar se hizo extensiva en la plaza la idea marchista, simpática, y acorde con el engalle opositor tras la burla consabida del gobierno... ¡Una más!... ¡Ninguna más!

Del resto de los partidos se esperaba una respuesta afirmativaentusiasta; pero si nadie se unía por temor a represalias, sólo los simpatizantes y los miembros del Partido de la Dignidad irían sin medir las consecuencias.

La marcha, en última instancia, podían realizarla pocos. Quince ya estaban seguros; luego se agregaron treinta, y así en éxtasis rebelde se sumaron ciento diez en cosa de media hora.

Como faltaban dos días para el comienzo temprano (mismos que se estipularon a fin de afinar detalles), se esperaba más del doble: unas trescientas personas o inclusive cuatrocientas.

Ergo: en cuarenta y ocho horas sólo habría una junta urgente (mañana de mañanita, esto es, a las siete y media, allá por el Ojo de Agua), en la cual, mediante acuerdo, se promoverían acciones para hacer proselitismo.

Forma y fondo convenientes; la mira: el convencimiento...

No había tiempo para andar tocando de puerta en puerta, sino, bueno, eso se vería mañana... Aunque: modo suave: como empiezo.

¿Como empiezo? –¡desde ya!–. De hecho téngase el carácter del agravio opositor: compromiso, terquedad, apetito de justicia, ganas de triunfo a raudales, y conceptos que tuvieran una altura similar: esas serían las consignas.

Nada de entretenimientos: que escondites apacibles (y ¡órale!, pues qué más da); que parajes casi mágicos; que sombritas deliciosas para una buena sentada: ¡¡¡nooooo... de plano!!! Esas bellas tentaciones serían macabras para ellos, mugrosas e indefinidas como imágenes fugaces de película ranchera más rayada que un sarape y además en blanco y negro... ¿Algo así?... O inclusive, para bien, sin deplorar figureos, tal vez pudieran servir como un amable acicate para seguir con donaire sólo viéndolos de reojo.

Seguir con la frente en alto.

(¿Eeeeeh?)

Seguir, seguir y seguir para demostrarle al mundo que estaban en pie de lucha.

Sexto periodo

Capítulo uno

A unos cuatrocientos metros del Puente Internacional de Pencas Mudas, Capila, se encuentra (ejem) –de este lado– un parque recreativo, justo en el límite de una apretura del Río Caro, cuyo ensanche no llega a los seis metros. No importa el número de volantines, sube y bajas y resbaladeros distribuidos en un espacio no mayor que el de una plaza de pueblo: calcúlense mil metros, y de las atracciones cuéntense acaso tres de cada una, amén de un laberinto de fierro: desolado: porque raro es el niño que se trepa hasta arriba y más raro el adulto que lo deja hacer eso.

Y he aquí que: sirva todo lo anterior para llegar a una clave: la excepción son los columpios: el número se triplica: nueve, diez, pónganle once. Son columpios estratégicos colocados a dos metros de las aguas del Río Caro para... Desde el puente es facilísimo ver balancearse y volar a hombres, mujeres: día y noche, pero también es bien fácil evitarlo si se quiere: ¿se querrá quitar de allí los columpios?, ¿cuándo, pues? No es difícil, pero... Nadie hace nada al respecto, ni los aduaneros gringos lo sugieren, cuando menos, ni los de acá lo han de hacer mientras no se les presione... Aunque, bueno, a lo mejor un día de estos, ¡ojalá!, pero...

¡Ojo!

Eso sería una opción.

Otra más conocida, e igual de descarada, es la siguiente, o sea –y he aquí que la distancia es casi igual–: a cuatrocientos metros más o menos, pero del lado opuesto del susodicho puente, digamos, hacia el este, se encuentran los *polleros*. Habrá que describirlos en una sola frase. Ergo (al menos los de aquí): son batos cuya fama se basa en la pasada en llantas de tractor de ilegales futuros a quienes se les cobra un dólar solamente para que no se mojen. *¡Camón!, mai felou contriman, dats is so veri incrédibl. Yu quen tu irn guans living jir so gud.* Larguísimo el asunto y aun así incompleto: penosa la tarea del acarreo constante, y contimás perversa y arriesgada.

El trato con los *polleros*.

Eso lo supo Egrencito al llegar a la frontera para hacer prontos sondeos deslindando pormenores: margen de riesgo: lo menos: entre una opción y la otra. Tal como se lo contaron en la Central de Autobuses de hecho hizo el recorrido. Observó con parsimonia. Estuvo en el dizque parque recreativo para niños donde ¿cuáles?: no había ni uno, pero sí seis, siete adultos –en principio, desde luego *forguards or breizens or imprudents, and dei resolut for ol–*, quienes sólo merodeaban los columpios estratégicos: cerca, ¡al tiro!: cada vez: más y más midiendo al tiento metros mentales y a ver... Dos fueron los atrevidos. Egrencito, desde lejos –bajo la sombra mezquina de un pirul joven que estaba casi a la entrada del parque–, los vio balancearse a un tiempo y volar casi perplejos. Su caída fue de pie; su escabullida: arrastrada: bajo la malla de alambre, por un como recoveco. Y los otros, animosos, en vías de empujarlos, pero...

La desidia puede ser un sentimiento cruzado. Es un afán que se estrella contra un enigma y se abate, pero sigue todavía como rastra demoniaca. Los lados de la frontera y el agua que besa y besa las dos orillas –enmedio–: digamos que hay que librar tal perversión cuanto antes, que sea conquista: ¡ojalá!: sobre todo de aquí a allá. Recapacitó Egrencito, no le gustó tal relance porque no quería volar.

Egrencito: su pasado, y el límite rompedor: justo aquí: la novedad: contra la ida hacia atrás; fue, por cierto, poco a poco, y de hecho se retiró para ir con los *polleros*. Tal como se lo contaron en la Central de Autobuses, ellos estaban en acto a unos cuatrocientos metros del Puente Internacional de Pencas Mu... ¡basta, pues!, y mientras tanto su historial: pardo o grisáceo: repleto desde su empiezo de necesidad y media (genérica la noción): ¡miles!, es decir: raudales: en el seco panorama de su vida ya hecha garras: *jis grand and biuriful sorrou meibi quen bi lirl stil.* ¡Qué lástima darse cuenta! y así seguir repensando en su historial sude y sude bajo el solazo asesino. Eran las dos de la tarde. ¿Una soda?... Más al rato. Mientras tanto soportar como un Cristo aquel viacrucis. Tremendismo a cada paso. Pues fue lo que fue, de suyo, y no había hacia dónde hacerse, porque: cruzara o no la frontera, lo negro de su conciencia lo perseguiría con fe, hasta el fin, y aun después: hasta el mismísimo infierno, y ¿cómo solucionarlo? Aguantándose... Quisiera... Preso en el estiramiento de una tensión hasta, o contra, o en un límite impreciso que se tardaría en romper. Consecuencia postergable: alimentada (y muy mal) por un cinismo que no, que quizás de cabo a rabo fuese pura ingenuidad o abstracción que desmerece porque juega al desconcierto. Lo contrario sería entonces poner orden mal que bien a sus ideas descompuestas.

Cinismo ingenuo: ¿qué tal? Más bien suena a confusión, y más si por vanidad no se le diera la gana de arrepentirse, postrarse, y que los dedos sociales deveras lo condenaran, por canijo, por ladino, señalándolo en abstracto.

¡Oh!, pues sí, pero, digamos, ya estando en la correntía: *Oh mai man, bi querful güit di engreid persons:* a lo que: por mucha ira –o llámese desahogo–, que haya de las multitudes: la culpa también espera, tanto como la indulgencia.

La gente es perdonavidas: a la larga, aunque...

Porque sí, de todos modos, lo real eran sus pecados: asesino (para siempre) de Crisóstomo Cantú, y al respecto, como treta, se pudieran pretextar sendos amagos en serie cuya largueza excitó su nerviosismo a favor de aprovechar: por ejemplo: el más pequeño descuido de su verdugo en potencia. Mochín con cara de ángel que a lo mejor negociando hasta podía convencerlo que lo tirara en el monte, pero vivo, sin dinero, ¿a la deriva? categórico el dolor construido con palabras. Las palabras de anticipo: esas, las suyas, que a modo rumiaban su pensamiento: en lo bajo: mesmamente: sin calor, y sin embargo: dilatadofastidiado.

Otrosí: principio y fin: sendos límites severos, donde acaso la extensión no tuviese refalseos ni resol de colorido, ni sosa linealidad, y sí, en cambio, fuese corta, e inclusive más angosta: como un río que pulsa adrede cuanto brillo en sembradío: apariencia intermitente: ¡lujo de la fluidez!: los hechos sobresalientes: decantados: ¡ojalá!, pero ¿cuándo si no ahora?... Y esa vez, al caminar, se alargaba su dolor entre un estira y afloja. Dicho sea: su pensamiento: doloroso: *asupesar,* iba y venía a contrapelo de la farsa al melodrama tentaleando a ver si acaso... y cuando sudaba harto y tenía sed y no quiso por lo pronto beber algo, detenerse dos minutos para... surgió el revés esperado: la comedia del alivio, como frescura fugaz. Dos ideas para empezar...

Había sido recadero.

Tenía novia en Remadrín.

Entonces, ahora sí... Lo uno ayudó a lo otro y entre lo uno y lo otro se interpuso el corre y corre. Los avisos oportunos: darlos a quienes debía. Fue un modelo de eficacia que no se repetirá.

(Son las aproximaciones las que hacen el simulacro.)

Pero tal cual no es posible ninguna repetición...

¡Ah, pues sí!, ¡quién lo dijera!: convención sanfranciscana: enfermísima, y no obstante, política y campanuda, por recurrir todo el tiempo a un modelo absoluto. Y ¡ojo!, porque, dado el caso, el modelo es Egrencito. Su regreso a troche y moche y por lo mismo de prisa: sin razón: pero fue así que barajó sus edades a lo largo de los años. Catorce, quince: no importan, y menos los precedentes –empezando por los nueve– en que no hubo grandes cambios; esto es –y remachemos «la comedia del alivio»–: sus gustos como que no, y sus disgustos también.

¿Feliz en su medianía? A saber... Bueno, en lo suyo cotidiano hasta que: a los dieciséis cumplidos...

Antes una aclaración: no hay en este mundo infame comedia que dure tanto ni se enturbie ni se aguante si no hay –cual debe de ser– humoradas transgresoras y un sinnúmero de equívocos que vayan de lo ridículo a la sofisticación. En aras de que se cumpla la comedia tal cual es, es mejor apresurar las acciones como sea y ponerle donde sea un falso final feliz.

Telón pues, y a volar todos.

Se rescata la tibieza o la dizque insinuación de la alegría de vivir.

Sin embargo, no era el caso de Egrencito ni de chiste, pues le dolía hasta en los huesos haber dejado la escuela; sin estudiar ¿qué esperaba?... Destacaba ese dolor entre otros que por acopio recaían en su pobreza: incisión ya de por sí: la raíz ennegrecida y sus débiles potencias: y de ahí ¿florecimientos?, o ¿disparos?, o ¿qué más?...

De tantas repercusiones los disparos significan, dado el caso, mucho más, porque son las intentonas por desprenderse a la brava de lo que a las claras es una mancha o un gran «pero» para siempre indisolubles.

Insana obnubilación como hipótesis de un sueño en que de pronto aparece una figura a cercén, y Egrencito vagamente la recordó y la asoció con su temor: ¡bien fundado!: de que lo andaban buscando para surtirlo a balazos. Primero un baile grosero al dispararle a los pies y luego la despachada; entonces, como en tinieblas, aparecía la figura de una catanga sin toldo: ostentosa, ribeteada, de donde –¿quién lo creyera?– al unísono salían cien disparos hacia el cielo de flechas que en su caída regresaban hacia él: a clavársele: quizás: cual lluvia perseguidora que lo obligara a correr.

Su pobreza: correría.

Correr, correr y correr, como norma de por vida, e ideal su trabajo de antes de recadero sudado.

Pero a eso renunció: decisión aparatosa: la tal carta desgarrada, donde, para bien o para mal, machacó cada palabra cual si pagara un pecado... La carta: cara, crucial, sobreleída, no obstante, por el alcalde energúmeno.

Consecuencia: ya se sabe, y he aquí que caminaba sin mensaje, para colmo... Téngase que es chirigote lo excesivo de un revés, pues resulta que el mensaje ¿a él se lo iban a dar?... Lo esperaba, lo quería.

Y fue entonces que avistó en el río a una muñidiza.

Pese a andar hecho un guiñapo, por la hambreada y la sudada –y aparte la resistencia de beber antes de... ¡no!–: primero acercarse a tientas...

Rumbo a la curiosidad: *los poulleirues ondergraund, for di bisnes: in di river...* Y así pues deformaciones tan elásticas, tan gachas: lo que ya le habían contado y con detalles de sobra en la Central de Autobuses: *los poulleirues... ¡o mai god!* Lo que estaba por oír: *¿espanglich o texmex?* Prosopopeya lejana, todavía, pero no tanto.

Y cuando tuvo a un *pollero* (lo supuso) frente a él, no esperó ningún mensaje, sino que se adelantó:

–¿Cuanto cuesta la pasada flotadora a Gringolandia en la llanta de tractor?

–Cuesta un dólar, más propina.

–¿Y la propina es de un dólar?

–Si tú quieres, pues... *o quei.*

–Bueno, déjeme pensarlo... Al ratito me decido.

(Golpe a golpe, pianpianito –y sin que se diera cuenta– a los dieciséis cumplidos entró en la fascinación. Días más, días menos, digamos, experimentó en su cuerpo y en su mente sobresaltos radicalmente distintos a las manidas sosainas que rubricaban su ánimo siempre en estado de esplín, tal como si fuese un hongo. Versóse pues su viveza, perfilada ya de suyo, en ir descubriendo a modo chispa tras chispa en los hechos y también en sus visiones, a sabiendas, desde luego, que su suerte cambiaría cuando menos lo pensara. Y así fue... Una vez tocó una puerta y: revelación inequívoca; antes de dar su recado hubo un cruce de miradas con una huerca preciosa: la que le abrió: conexión, si se quiere: alegoría, y sonrisas como adorno de un regusto progresivo: de ambos: repaso y repaso, y sin habla que sirviera. Entonces amorolor, o el amor por el olor... Y de ahí para adelante las visitas por las tardes: simulacro de otra cosa. Y despúes las escapadas sin permiso de los padres y contimás agarrados de las manos corre y corre hasta... El noviazgo había empezado con unas cuantas palabras. Noviazgo que olía a jabones, es decir, la variedad en reborujo de aromas, más o menos, pero más: al fin encantoenseñanza: tras las mezclas misteriosas, y así muchos besamientos: más los hilos llevaderos hacia un infierno en ascenso, enllegando sin problemas a un cielo harto colorado, donde, como si flotaran, hubo sí... ¿no?... poco a poco... algunos calzonamientos, ergo: ya: tres calzoneadas, y hasta ahí porque el deseo debería prevalecer... Una cuarta calzoneada ocurrió –lerda ¡caray!: con manos tarantulosas– en una orilla del pueblo, atrasito de unas milpas, bajo el cobijo lluvioso de un anochecer a rayos. Batidero. Enlodamiento: largo: muy entretenido. ¿Y cuándo algún pelamiento? Nomás hubo uno en el monte: locamente, dicho sea, en una como hondonada: y la suavidad en punto buscando coronación; mientras frágiles amarres, larguísimos figureos de encueres prenda por prenda, y así más y más sabores dale que dale hasta que... ¡lo inolvidable!... Júzguese cuasiperfecto porque no hubo premio alguno, o sea un retoño después, como siempre es de esperarse, sino –¡vaya, por demás!–: nomás las puras movidas, tantas como lo afigura hoy el color del recuerdo... El amor dejado: ¡un ascua!, y más lejos quedaría si ahora cruzaba el río. Egrencito repensando cual si volviese al esplín o a enconcharse entristecido –aunque: tras los acontecimientos en alud precipitados, bueno, mejor llamémosle *Egrén* porque ya era un asesino–: duda contra sortilegio y torbellino sin freno, y además, como resabio, el vago chisporroteo de la imagen ¡extasiada! Un rostro perseguidor aquel de la noviecita y su boca llamadora nomás diciendo su nombre: *Egrén... Egrén... Egrencito...* Luego ¡cuántos calificativos!: *Lindo... Precioso... Adorado...* y más dulzuras como esas que él juzgaba verdaderas.)

Pero estando donde estaba: ahora: para acabarla: era, más que novio triste de una novia melancólica, asesino de Crisóstomo. Sello incómodo, mendaz. Y: al margen la horripilancia para él pues de resultas el crimen fue necesario. Aunque... La culpa era el correlato de un castigo que si bien podría no ser sino idea o deseo que se prolonga y al cabo se desvanece, quedando así establecido que en principio para nadie sería fácil encontrarlo y capturarlo y, por ende: transcurridos ya tres días del siniestro en La Malhaya aún le sobraba tiempo para hacer cálculos obvios. Porque: de ahí a que se dieran cuenta de dónde andaba y aparte: si vivo, si muerto: dónde... hacia el norte (muy probable), pero hacia el sur (¿podría ser?); si estaba enmedio del mar: nadando, remando o qué, y mientras las vacaciones –sin problemas– ¡dinerosas!, hasta de una semana de este lado, todavía, neciamente en Pencas Mudas: jocundo: Egrén: bizbirondo: como nunca lo había sido, dándole vuelo a la hilacha en los *naigclubs* chupe y chupe y baile y baile y así de plano en la guala entre alcohol y volantines grite y grite reteagusto en compañía de mujeres bastante experimentadas en eso para empezar... Eficacias a favor de una dizque restricción: un afán turbio a cercén por conservar la pureza de un degenere hasta el tope, que no es, a final de cuentas, sino alegría desmedida. Hasta podía contratar a dos o tres guardaespaldas, eso sí, muy bien armados (sólo durante una semana), para hacer lo que quisiera...

Pero no era para tanto.

Tantísima papeliza y monedas en las bolsas de su pantalón *ter-lenka*, merecida, dado el caso, y misma que se tocaba como para acariciarse, tan despacio como apenas: pesadumbre por deslinde, y en cambio por dignidad el tentaleo era a sabiendas de que ya era poderoso de este lado ¡por lo pronto!, y del otro ¿por qué no?

Victoria o ascua en el límite: sensación desdibujada cuyas líneas tan sólo eran horizontales, difusas, y no obstante inverosímiles. No la aventura, no el ansia: sino... Viaje a tientas hacia donde un resguardo era factible, se atisbaba como un centro: último e indispensable: fresco oasis anchuroso, porque, cierto, hay que advertirlo: del otro lado sería más hermano de su hermana, la que vivía en San Antonio.

Allá, entonces, su delirio...

Mientras tanto lo pendiente. Esto es: a contracurso: cual emplasto membranoso cruzóle una idea grisácea, digamos que en apariencia; grisácea por conjetura, pero: tornábase de repente en negruzca, negra ya, y otra vez, por conjetura, roja casi hasta el final.

Visto, empero, tal emplasto como espelunca en el suelo, o algo así como un repuje transitivo de colores desdichados que no era ni sustancia ni tintura, ni prodigio que, de pronto, se le antojara tocar: a Egrén –por curiosidad: llevado: ¡no!: meras ganas–: sino sólo presentirlo; ¡verlo como lo veía!: magia a fuerzas, contimás paradoja inextricable que guardaría en su memoria como un rebote macabro. Desde el suelo el brinco cafre enllegando a sus adentros. Asociación expansiva que aún pudiera contraerse: a modo: justo al instante que Egrén alzara la vista para contemplar de nuevo la tarea de los *polleros*, la agitada muñidiza, en contraste con su zote zozobra malencarada, siendo que al ver hacia el río: la llanta yendo y viniendo, con personas o sin ellas, en su mente se estiraban decursos que a bote y vole sufrían un apagamiento, se adelgazaban quizás, se interrumpían casi adrede... Y el emplasto continuaba ¿en dirección hacia el norte?

Oh mai frend, mai ólgüeis cáuarli, luc aut for, bi querful, yes, its culd bi tu teic seriousli, and is beder dan yu put el sombrerou de rancherou y órale pues güei tu go. En tan deshuesado idioma la tan probable latencia, aciaga por contingente.

Algo por vivir a fuerzas, pero después, muy después...

Ahora, como un capricho, el emplasto eran las huestes del alcalde don Romeo: tras sortear suposiciones: andándolas pese a pese, ni siquiera a la mitad: diez recules, diez intentos, y la búsqueda, deveras: ¡qué dilema tan zorrero! Otrosí: el emplasto acaso se tardaría en ensanchar: tantos puntos fronterizos. *Egrencito... ¡¿a l-a d-e-r-i-v-a?!...* Ahora que: si las huestes susodichas no lograban capturarlo, seguro, como desquite, arremeterían primero contra sus progenitores y luego contra... (¡cruz!, ¡cruz!... ¡no!, ¡no!, ¡por Dios!... ¡por favor!... su novia ¡no!...); y para el caso Egrén tenía que rezar durante muchísimas horas; penitencia a contracurso cuando la disipación, cuando el viaje ¿sin retorno? Lo demás: imaginarlo: macabras despachaderas; novia y padres pagarían con sus vidas la bajeza de alguien que nomás mató para que no lo mataran. El respeto, dicho sea, sugería algo similar y: aún las repercusiones, a saber si... Contra tíos y primos no, menos contra sus hermanos, dos todavía eran bebitos, y menos contra la otra, la mayor, tan fantasmal, tan lejana y tan quitada de la pena todavía, aunque... bueno... no era tan inconsecuente el hecho de que estuviera avisada del siniestro.

¿Ya?

Es que... mmm... la cosa era peliaguda... Egrén, la mera verdad, no sabía si continuar o regresarse cuanto antes a Remadrín por su novia.

¿Al rescate?, ¿para qué?

La amenaza del alcalde quedaba sobrentendida.

Y aparte, para acabarla, Dios sabría qué hacer con todo.

Así que Egrén, decidido, se incorporó cual recalzo que lo empujara al garete y enfilóse con prestancia hacia donde los *polleros*. Puesta su mano derecha como si fuese visera de cachucha de beisbol, al tanteo anduvo buscando a aquél con quien había hablado... Lo avistó en la otra orilla, alzando su brazo libre le hizo señas por demás. No hubo correspondencia. ¿Sería él?, ¡sí!, desde luego, pues traía un chonguito curro atado con una liga, y era gordo relumbroso, se le notaba el ombligo desde acá, ¡por Dios que sí! En torno a él revoloteaban tres chaparros ilegales. Ademanes. Discusión. Y acá Egrén como pandorga: ridículos ademanes; inútil su desespero, inútil saltar incluso, todo inútil porque nadie: la indiferencia, la duda: tal vez lo mejor sería acercarse hasta la orilla o darse la media vuelta: ningún grito, y mientras tanto: dificultades y tregua, derrota y agachamiento. Mapa en su mente: porción: lo que restaba de Mágico: unos pasos hacia el norte: ¿veinte acaso? Y el amor tan indeciso por su tierra: el patriotismo, hasta que antes: minutos en blanco: estático Egrén, y cursi, ya que: ¡vaya!: fue notado cabizbajo, parecía que hasta lloraba y eso provocaba risas en movimiento: discretas: unas más largas que otras: distantes, pero seguidas. Luego ocurrió lo esperado. Ademanes otra vez y:

–Entonces ¿qué?... ¿No te animas?

–Perdón... Sí... Me destanteó... Son dos dólares ¿verdad?

–¡Sí!, eso es.

–¿Y si paso y me arrepiento, usted me devolvería en la llanta de tractor?

–*Of cors*, carnal, *bac eguén*, pero entonces ya serían tres dólares como mínimo.

–Y si luego estando acá me quisiera regresar ¿me saldría mucho más caro?

–Mira, carnal, *tate* quieto... No *tes* jugando conmigo. Si tú quieres la pasada, pues *o quei*, ¡vámonos ya!; y si no tan-tan, *go on*, ¡vete a volar de una vez!

–Le tengo miedo a la migra... Dicen que es muy golpeadora.

–Pues saca tus papelitos y *forgeret* el problema.

–Es que... Entiéndame... Usted sabe... No es tan fácil decidirse... A lo mejor luego vuelvo...

Y Egrén se dio media vuelta mucho antes de que muriera la tarde acá de este lado, porque del otro quién sabe.

Capítulo dos

–Les advertí claramente los riesgos que correrían y creo que no me entendieron. Son testarudos, son tontos. Se les meten las ideas y se hacen pelotas solos.

–Bueno, cada quien piensa distinto.

–Pero ellos piensan igual. Así es la tal babosada que llaman «ideología». Los uniforman a todos, digo, en lo que se refiere a las ideas uniformes, que aparte son de unos cuantos, de un partido, o mejor dicho, partidillo sin futuro, derrotado para siempre.

–Mmm... Con el robo de las urnas a lo mejor crece en grande. Es que por la indignación...

–¡Vaya, pues!, ¿tú también caes en la trampa?... ¡Uh!, no te hagas las ilusiones...

–Yo creo que de aquí en delante tendrán más chanza de inflarse los diferentes partidos, sobre todo el de mis hijos, porque es el más protestante... Aunque, ¡claro!, no es tan fácil, pero sí, de alguna forma, la inflación será quedito.

–Más tardarán en inflarse que en desinflarse de a tiro... ¡Mira!, analiza nomás, no es cuestión de conveniencia como lo es en el partido que pertenece al gobierno. Aquí es dizque «ideología» disfrazada, según esto, de empuje y de dignidad, si es que esas zonzas posturas pudieran tener disfraz; n-ombre, no creo, pero, bueno... Es que lo que está en el fondo es puro resentimiento. Ahora vámonos por partes, y por tanto, óyelo bien, los tienen u-ni-for-ma-dos, te lo vuelvo a repetir: les lavan harto el ce-re-bro con unas dos o tres ideas: muy redondas, muy pastosas, y desde luego atractivas, pero no dejan de ser como unas calcomanías tijereteadas, pegadas en las mentes que ellos quieren, y para eso tienen ojo.

–Pero ¿a quiénes te refieres?

–Las ideas son del partido, de los líderes ¡mujer!

–Pero son ideas modernas... Además ¿no se te hace que los tiempos están cambiando bastante?

–Ideas modernas o no, las mañas sí son muy viejas. Ahora bien, mis hijos no son mañosos, y en cuanto a ideas, pues ¡qué va!, ellos nunca las exprimen, nunca dudan si son buenas, si son malas, si son nobles de a deveras, o si son en parte buenas, pero en la práctica no; ¡total que no hallan salidas!... ¡Puro círculo vicioso!

–Es que todavía son jóvenes.

–A mí eso no me convence. Son tontos antes que jóvenes.

–Pero... bueno... Son así.

–Entiendo, ¡claro!, y ¡qué diantres!... La cosa es que no hacen caso... Cuando quise hacerles ver sus errores en política, ya ves lo que me pasó.

–Pues a mí me huele mal todo eso de la marcha... Y siendo mujer ya sabes que cuando una presiente algo, digo algo medio lioso, le entra una duda bien fea, y lo peor es que no hay nadie que se la pueda quitar.

–¿Y por qué dudas o qué?

–¿No te acuerdas, Trinidad?... Te lo dije hace ratito.

–Cierto, ¿sí?... pero mejor, vuélvemelo a repetir...

–En la plaza batallé para estar enfrente de ellos; les rogué que se salieran de la bola y por respuesta me mandaron al carajo... Ahí me nació la duda.

–Tú tranquila, por favor... Ellos se tendrán que dar el frentazo que merecen. Yo casi puedo apostarte que nada les va a pasar, digo, nada preocupante.

–Mmm... No sé... No sé, deveras, pues yo sigo con la duda...

–Despreocúpate, mujer... Yo ya me despreocupé.

–¿Tú ya te despreocupaste?

–Bueno... Está bien... Creo entender que todo el asunto es mío, o aclárame si sí o no.

–¡Sí!, mi amor, ahora es tu turno.

–Pues mira tú qué chistosa, a ver, a ver, quiero oírte... Dime tú cómo le hago para que entren en razón.

–Es muy fácil. Ve a buscarlos a su casa. Todavía faltan dos días para que empiece la marcha.

–Seguro me golpearán, ¡date cuenta!... O si no me escupirán... O si no: ve tú a saber.

–Pues juégatela y ya está... Si no resulta, ni modo...

–De acuerdo, ¡sí!, pero...

–¡Son tus hijos, Trinidad!... Y en todo caso, además, demuéstrame tu coraje, ¿o no tienes pantalones?... ¿Te acuerdas lo que dijiste cuando hablaste por micrófono en nuestras bodas de plata?, ¿eh?... Pues ahora ponte de ejemplo. Demuéstrame que eres hombre y demuéstraselo a ellos... Demuéstranos de una vez el cariño que nos tienes.

–¡Vaya, vaya, je, qué va!, ahora sí me la volteaste... ¡¿mira tú?! Pero, por Dios, ¿de dónde carajos sacas que no soy hombre, ni padre, ni...? ¡Uh!... ¡Pues sí lo soy y ahora mismo te lo voy a demostrar! Por lo pronto, lo primero, porque bien sabes que soy el que manda en esta casa, así que: ¡desde ahora te prohíbo que escuches radionovelas!, ¿cómo la ves desde ahí?

–¿Y eso qué tiene que ver?

–En dichas radionovelas ninguna de esas personas se lleva como nosotros. Todos quieren ser mandones; en fin, son problemas de ciudad, de gente que se la pasa haciendo, sin hacer bien, un friego de experimentos: en el trato, en las ideas, y quién sabe en qué patrañas: todas, ¡sí!, dizque modernas, y geniales, según esto, ¡y nadie consigue nada sino que se hace más bolas!... Por eso fíjate bien en el daño que...

–Pero, ¡escúchame, por Dios!...

–¡Espérate que termine!... El daño nunca se nota. En esas radionovelas se la pasan repelando también para vender mucho...

–Es que... lo que yo quiero decirte...

–Es que si no se pelean ninguna ama de casa va a seguir pegada al radio... Porque ya se dieron cuenta que si dan puras noticias cansarán a las señoras, pues las noticias son pencas y la música también...

–Trinidad, ¡¿qué estás diciendo?!, yo no quiero discutir, sino...

–A diario desde la tienda oigo los gritos que pegan, y a veces sus argumentos. ¿A poco crees que estoy sordo?

–Pero...

–A mí me da impresión que ese mentado aparato es casi como un bebito que llora, que hace berrinches, porque supone que está con su mamá durante horas para...

–¡¡¡Trinidad, no seas cobarde!!!, ¡¿por qué te sales del tema?!

–Ahora me juzgas cobarde, ¡ah!, me estás faltando al respeto, y eso sí no lo tolero... Voy a sacar un martillo para romper de una vez ese aparato cagado.

–Si el radio tiene la culpa de tu cobardía ¡pues rómpelo!

–¡¡¡¿Qué?!!!, ¿¿¿qué dices???

–El radio no te hará nada, no te golpeará, no puede... No te escupirá tampoco... Así que ¡ándale, pues!

–¿¿¿Pero qué me estás diciendo???

–Per-dó-na-me, Trinidad, pero...

–Pues para que te lo sepas, no dudo que el aparato pueda golpear y escupir... Esas locas invenciones son casi como demonios peludos y destructivos. No dudo que si le doy un martillazo bien dado, pueda explotar como bomba. Ya se han dado varios casos.

–¿Sí?, ¿deveras?... Pero ¿tú como lo sabes?

–Vénulo me lo contó.

Una seudofantasía: seudomañosa también...

–¡Ah!, Vénulo, ¿qué caray?... ¿Cómo se me fue a olvidar que es casi como tu padre, como tu guía espiritual?... Y además... Está bien... ¿Para qué digo?... Pero, bueno, ¿y qué es lo que te contó tu clientezote adorado?

–No te burles, por favor...

–¡No!, al contrario, me interesa lo que dice tu ídolo favorito.

–Conste, ¿eh?

–¡Síguele!, ¡ándale!, te escucho.

–¡Sí!, que radios y licuadoras, y aparatos como ésos, incluidos los teléfonos y también los abanicos, tienen bombas escondidas. Basta con que uno se caiga o alguien adrede le dé un fregazo y ¡oh, tragedia!: pudiera explotar de plano cualquier casa, hasta un palacio, como ocurrió allá por África, y también... ¿por dónde más?... No me acuerdo, pero sí, son varios nombres muy raros que sólo Vénulo sabe... En este caso nosotros –¡imagínate nomás!– volaríamos en pedazos; volaríamos en cachitos junto con otros cachitos de adobes, muebles, comida... Pero ¡vamos!, no lo quiero imaginar...

Una seudofantasía: seudomañosa también... Por el tono infantiloide con que Trinidad hablaba...

–¿Y él cómo diablos lo sabe?

–Él viajó en su juventud por muchas partes del mundo.

–Pero si yo lo conozco desde que tenía veinte años, somos de la misma edad. Además, por lo que sé, él nunca sale de aquí, ni siquiera a Pulemania, ¡fíjate bien!: NI SI-QUIE-RA. Entonces ¿dijiste África? Mmm... Dudo que conozca Rungüis, o Pompocha, o Pencas Mudas.

–Sus viajes los hizo antes, digo, antes de llegar aquí... Acuérdate que nació en un pueblo lejanísimo... ¿Dónde?, a ver... ¡Pues sí!, mujer... Nació en Chispa, Nuevo Airón.

Por el tono infantiloide con que Trinidad hablaba ¿cómo no se iba a notar su recule tan de lado?, o mejor: como un bulto gordinflón, pero lleno de agujeros, su tal fantasmagoría parecía estar enfilada hacia un cantil cuyo fondo no obstante se divisaba esponjoso, blando pues, e invitador, aunque negro; y ahora bien, dado el trayecto, téngase la inclinación, la lentitud, el desgaste... Y téngase la prudencia, como útil contraparte (porque): no le costó gran trabajo a Cecilia reprimirse durante casi media hora oyendo los disparates de su esposo, mismo que, por cobardía, le endilgaba cuanta cosa a Vénulo Villarreal.

Por las justificaciones tan falsas como churreras, incidía la afectación en Trinidad al revés. La inocencia como trampa. La abstracción a contrapelo. El chanceo por valimiento. Cosa de credulidad: ¿Cecilia deseaba nuevas? Algo, poco, ¡sí!, de suyo: más detalles por lo menos para hacer el peripé, la seráfica, y aparte para quedarse de plano como en la guala: alelada, con sus cejas de esperanza y sus mejillas tullidas (teatral, pero obvia también), en estado casi de órdiga: además, para acabarla, con su boca semiabierta esperando que le entrara una mosca y se saliera –o sea la primera duda y ¡el asco de todos modos!–. Y es que tragarse completa esa historia enloquecida de bombas: ¡sin explotar!, tampoco le causaría indigestión sino miedo, acaso el indispensable para ya no hacer preguntas ni huir ni bajar la vista. Cierto: sería extrema esa actitud; por lo pronto, dicho sea, la zonza argumentación no estaba siquiera a medias: ergo: no era menester forzarla... Preguntas para después... El chiste era que su esposo se quedara sin palabras. Y ocurrió: vino el cansancio luego de quince minutos.

Sus miradas, su silencio.

Se estiraban los segundos.

Vino entonces como tumbo la resaca del fastidio:

–Está bien, quiero creerte. Supongamos que en el radio hay una bomba escondida y que dándole un porrazo estallaría y todo eso: nosotros y lo demás, ¿sí?... Supongamos que es verdad, porque lo asegura Vénulo, que la idea de poner bombas hasta en una pluma atómica es parte de la estrategia de algunos países ricos para acabar con los pobres, que son la gran mayoría... Supongamos, porque sí, que la sobrepoblación necesita una rebaja de millones y millones y son los países pobres los que deberán pagar con sus vidas la conquista, de a poquito, del equilibrio social, sólo para que este mundo dure siquiera cien años, o chanza doscientos más... Bueno, en fin, quiero pensar que es correcta la predicción de tu ídolo, ¿sí?, ¿de acuerdo?

–¡Sí!, de acuerdo.

–Mmm... Ahora vamos a lo feo... Yo sólo quiero saber si en verdad eres capaz de aporrear lo que tú mismo me compraste hace quince años, ¿eh?... ¿Te sentirías muy a gusto si nosotros a lo menso voláramos en pedazos? Y además hay otro aspecto: nuestro radio ya es viejito, o sea: ¿de cuándo acá los países andan escondiendo bombas?, y todavía, para colmo: si Vénulo anduvo en África hace muchísimos años ¿desde entonces a la fecha esos mentados países se la pasan...?

–¡Sí!, desde entonces, ¡pues sí!

–Digo, las bombas... ¿Entiendes?

–Carajo, ¡sí!, ya te dije...

–Entonces... ¿Por qué me compraste el radio?

–Vénulo me lo contó hace apenas cuatro días.

–¡¿Cuatro días?!... ¿Y por qué tanto secreto?

–Te lo estoy diciendo ahora, todavía tenemos tiempo para deshacernos de él.

–Estuvimos quince años en peligro de explosión y hasta hace cuatro días tú lo sabes y aun así te lo guardas a propósito... ¡Pinche mula!, sabías que yo estaba en riesgo...

–¡Ay mujer!... Cualquiera comete errores... Un olvido es un olvido... Lo bueno es que ya lo sabes.

–Trinidad... ¡Háblame claro!... Ya no me quieres, ¿verdad?

–Sí te quiero, ¡uh!, ¡sí te quiero!

–Pero ¿para qué me quieres?, ¿para que vuele en pedazos?

–¡No!... ¿Cómo crees?... ¡Ni de chiste!

–Pues ¿qué te pasa?, ¡caray!... ¡Mira hasta dónde has llegado!... ¿Quieres que muramos juntos?

–Este...

–¡Anda!, dime la verdad... Inventaste ese pretexto para sacarle la vuelta a lo que sí es importante: nuestros hijos, ¡ojo!, ¡entiende!,

¡nues-tros hi-jos!, ¿te das cuenta?... Lo inventaste, reconócelo; o también, a lo mejor, tuviste una pesadilla de esas que sueles tener —según me lo has confesado— cuando te echas tus siestonas en calzoncillos ¿sí o no?... Dime la verdad, ¡por Dios!...

—Este... Mira... ¿Pues qué quieres que te diga?

¿La resaca del fastidio?... Por colmo la pretensión de poner punto final a una plática sin rumbo; ambos, si bien lo deseaban, sólo que la diferencia era un doble jaque absurdo, fácil de eludir, o ¿no?, habiendo enseguida opción de contrajuego operoso a favor de Trinidad. De hallar la respuesta justa y el plan de ataque más rápido, se impondría de nueva cuenta a su querida señora. Mientras, empero, el análisis. Pesadez contra ironía, y encima la incertidumbre de ambos a contracorriente. Crasa forma de silencio —sin ceños, sin tics, sin muecas—: siendo irónico el primero que osara expresar lo mínimo, inclusive si lo hiciese con aplomo y seriedad. Y he aquí:

—Ya no finjas, ya no te hagas... Dime que es pura invención lo de las bombas, lo de África... Dime que no quieres ir a buscar a nuestros hijos...

Suplicante chapucera. A la ironía le faltaba un relleno más jugoso; al menos durante esa vez, siendo hueca se exhibía como un fruto reluciente que invita a darle un mordisco. Trinidad: su burdo afán, tenía el pretexto a la vista, pero no, mejor después.

—Mira, mira, ¡qué misterio!... ¿Sabes que con tu silencio me estás dando la razón?

No más acorralamiento... Aunque... Sin definir su estrategia Trinidad se sintió ufano para darle vuelo en grande a una ocurrencia tristísima, bufa más que zamacuca, y ñoña de cabo a rabo:

—No lo inventé, ¿cómo crees? Si quieres mañana mismo vamos al monte y verás...

—¡¿Cómo?!

—¡Sí!, nos llevaremos el radio para tirarle pedradas, ya verás que explotará. ¡Vamos!, ¡órale!... Claro está que tomaremos las debidas providencias. Si lo vamos a apedrear hay que tirarle las piedras desde unos cincuenta metros.

—¿Sí?

—Yo incluso pienso que más; para ir a la segura no estarían mal unos cien...

Enniñecida la cara de Cecilia se prendió: color entre rojo bayo y verduzco y rosa gualdo: ¿guinda acaso?, y el cambiazo al amarillo leonado luego de unos segundos. También las cejas que puso: pungidas como dos flechas querrían estar lo más cerca de su fleco de churruingo. Y su cutis arrebol: morenez tras morenez tirando a caqui y a grana. Y su boca como un cuelgue, cual pingajo endurecido. Dureza de sensación tras un imán y una incógnita: porque avanzó hacia su esposo: ¿atraída?: eso quería. Lentitud tanto de pasos como: en el rabillo de un ojo, el derecho, apareció –como suele suceder– la nonata lagrimita, que es a veces bien tramposa; y el abrazo amenazante, pero oportuno el rubor: delantero, sensitivo. Sea que la delicadeza agorzoma, lastra, cansa, cuando el nerviosismo cunde y las palabras se enredan. Freno así al problema en puerta: dado el abrazo por fin y el besito por ahí... Fue besada la mandíbula de Trinidad largamente. Después leve, cosquillento, un mechón de la señora recargado en el cachete sin rasurar del marido. Chacho empalague el apriete que al cabo se convirtió en arrullo duradero. En ambos se reordenaban las preguntas, las respuestas, a más las resoluciones, como si se acompasaran; hasta que:

–Deveras... ¿No lo inventaste?

–¡No!, deveras... ¿Cómo crees?... Si quieres vamos al monte.

Y siguió todo tal cual.

Juntáronse los segundos: más, menos: ensanche a modo, y el minuto no se dio sino como cifra inútil. No creció la lagrimita de Cecilia, hay que decirlo, pero sí, entre figureos, el espíritu del juego.

–¿Se lo puedo preguntar a tu ídolo favorito?

–Pregúntaselo si quieres. Pero si se lo preguntas a mí me daría coraje. Es señal de desconfianza.

–Está bien, vamos al monte, ¡vamos a apedrear el radio! –vino el despegue cual quite banderizo y oportuno. Huida de algo quemante, empero a corta distancia: donde: ¡alto!, en rigor, por demás, y ahora sí la perspectiva escogida, preferible, siendo que habría mal que bien un renuevo en sus miradas; de modo que ya empezaba entre guiños y visajes, medio afables, medio apaches, y en aras del compromiso, un pareo alivianador. Si explota ¡pues ya ni modo! Yo hago mi sacrificio: ¡no oiré radionovelas, te lo juro, hasta que muera! Al contrario, ahora sí, vieras que me daría gusto ver cómo explota la bomba y si es cierto que será tan fuerte como lo has dicho... ¿Sí?... ¡Fíjate en lo que dijiste!... Mmm, entonces ya estamos puestos... El truene compensará el número de capítulos que no oiré nunca más. Pero después del estruendo nos regresamos en friega y tú irás directamente a la casa de mis hijos para que con toda calma, ¡sin pucheros ni rabietas!, ojo, ¿eh?, los convenzas de no entrarle a la marcha de...

–¡Espérate... por favor!

–¡Ándale, mi amor!, ¡entiende! Yo jalo adonde tú quieras, pero tú también prométeme que irás, que hablarás con ellos. Hazlo por amor a Dios, y a nosotros, de pasada...

–Lo intentaré, confía en mí... Mmm, o sea que mañana haremos dos cosas muy peliagudas. Lo malo de hacer las dos es que podemos tardarnos.

–Puede ser que todo ocurra en menos de una hora.

–El comercio es muy celoso... Bien sabes que no me gusta, y bajo ningún pretexto, cerrar la tien...

–Al menos por la mañana la cerramos ¿te parece? Aunque... Si nos llevara un día entero hacer lo que hemos planeado ¡yo creo que valdrá la pena!

–Pero decías que después...

–Después tú irás a la casa de mis hijos ¿está bien?

–¡Uuff!, mujer... Es que no sé dónde viven.

–Yo te puedo acompañar. Cuando estemos a una cuadra de la casa ya para mí será fácil señalarte dónde está. Se distingue a simple vista; tiene un enjarre grumoso y está pintada de azul, tiene un techo copetón de tirillas de carrizo. No es común, como has de ver. No encontrarás otra igual en la cuadra donde viven... ¡Llama mucho la atención!... Bueno, la cosa es echarle ganas.

–Es que...

–Te lo repito, mi amor. Cuando estemos a una cuadra de distancia, o poco menos, yo te digo dónde está y tú te arrancas y llegas.

–¡Uuuuffff!, pues sí, lo voy a hacer... –un segundo resoplido, más librador, como fue, no le sirvió a Trinidad ni siquiera de consuelo.

Capítulo tres

A continuación la chispa.

El personaje es –recuérdese– aquel que llegó a pensar en un momento de hastío: *¿Por qué diablos no fui rico?... ¿Por qué?... ¡¿Por qué?!... ¿Po-po-por qué?* Y en retobona escalada: *¿Qué diablos tengo que hacer metido en berenjenales en los que sólo debiera meterse la gente pobre?... ¿Por qué, Dios mío, qué hi-hi-hice yo?* Clímax a contracorriente de reflexiones pacatas. Cierto: ante los cuestionamientos de aquellos tres anteojudos: la redundante porfía, casi como penitencia. Ergo: en eso estaba pensando el personaje en cuestión cuando vino la enchilada:

–¡Sal!, ¡por favor!... ¡Quiero sal! –tan así su desespero–. ¡Auxilio!, ¡tráiganla pronto!, –de hecho sabía que se iba a enchilar, pero ¡dale! con la salsa.

Antes: le trajeron tres salseras, las mismas que se acabó... Y después: le trajo un puño de sal la chancludilla más güera.

Aquí vale detenerse, pues lo real cunde y trastoca a lo puro imaginario.

Inútil es intentar verse de lejos si no es con nostalgia de por medio y con buen margen de tiempo para flojear meditando. Lo quejoso no funciona, y menos cuando hay empacho, y enchile para acabarla. Retórica inmediatista son los «ayes» cuyos tonos en agudo duran poco; pocos hay raucos o bajos, y pese a ser como son, tras la cura se convierten en chapurreo sin sentido, hasta que desaparecen. Pero en torno a los lamentos conceptuales de raíz –llamémosles, dado el caso, «desazones pijoteras»–: ¡ah!, no progresan, no se abaten, se zarandean sin cesar, sin que haya siquiera un rato de columpio bajo el sol; diafanidad: ¡no!, y por ende: traspuesto a erre que erre, venga un refilón de más, ya sólo como desgaste: ... *Debo de reconocer que soy pobre y ¡pues ni modo!... Pero, claro, ¡yo tengo mis ambiciones!, y nada más por tenerlas debo meterme día a día en hartos berenjenales... Salir avante ya sea a la buena o a la mala... ¡Sí!, mejor en vez de quejarme, debo desear como nadie, y sin más contemplaciones ser cínico y paparrucho... Mmm... es mi subida a la cima, la única cima que importa, la del po-po-poder y el di-di-dinero...* Contra eso lo apremiante: de un solo empuje ingirió un puño de sal y, luego, tras el saboreo astringente, vino al sesgo una aprensión, macabra por añascada.

Véase esto:

Hasta ese momento Crisóstomo Cantú se percató que el lugar adonde estaba pertenecía nada menos que a Abel Lupicinio Rosas, enemigo número uno de don Romeo, y por supuesto, suyo también tiempo ha. Ergo: había un peligro naciente, o mejor, por la mema porrería de aquellos tres anteojudos –lo que trajeron a cuento– habría ensanches imparables... No descartaba el burócrata que Abel Lupicinio Rosas fuese informado cuanto antes y él aparte lo enredara, contimás a conveniencia, para difundirlo en grande, enfatizando con creces la quemazón en el monte de los votos recabados; aunque, de hacerlo... Por ingenuo boquiflojo –lo que no era hasta la fecha–, ya podía considerarse como difunto seguro; traíalo entre ojos Crisóstomo, mucho más que don Romeo. Por ganas: todas, e incluso, más que un ajuste de cuentas, descargarle su pistola a tan zote personaje sería entrar de un solo salto al estrellato político; su hazaña, su pretensión: con la venia del alcalde, pero... El zafe: por desconcierto: del burócrata: ocurrió:

–¡Por favor... quie-quie-quiero la cuenta!

Miedo al triunfo: mientras tanto, o simple susto, digamos, porque: le hizo foco malamente una escena que en sus sueños se repetía de mil modos; lo invariable, sin embargo, era el arrodillamiento de don Abel y su lloro; cara húmeda: ¡deveras!; voz grotesca, chinchumida, retechistosa pidiéndole que no lo fuese a matar, y él, no obstante, se lo echaba mirando al cielo –extasiado–; la complicidad de Dios podía ser el movimiento afanoso de las nubes...

–¡¡¡No!!!– gritó, fue un «no» inconsciente, infeliz–. ¡Me urge irme de aquí!... ¡Tráiganme pronto la cuenta!

Ya de pie, tras un respingo, sobrio a fuerzas, decidido, y viendo a los policías como si viera a sus hijos, añadió casi temblando:

–¡Va-va-vámonos a Remadrín!

Los anteojudos: atónitos. El desdén de aquel burócrata les llegó hasta mero adentro. Las chancludillas: ilusas: aún tenían la esperanza de complacer a esos clientes, mismos que estaban quizás como en estado de gracia; pues ¡qué rancios!, si se ve; debido a que ni siquiera durante ese largo rato hubo un discreto intercambio de miradas con alguno.

El nerviosismo mayor era el del hombre restante: el encargado de allí, que vio venir a Crisóstomo con pasos altisonantes de botas contra mosaico.

–Me permite un mo-mo-momentito... Quiero decirle una cosa, pero no quie-quie-quiero que me oigan... Va-va-vámonos a la trastienda.

Al oído –toda vez del horrendo acercamiento– la sugerencia: la cual: no tenía más que acatar Félix Arturo Corcuera.

Del resto fue la sorpresa al verlos escabullirse. Sorpresa porque Crisóstomo tomó del brazo al empleado, como si fuese su novio. Travesura muy aparte: por mugre suposición: en lo oscuro ¿por qué o qué?... Los manoseos, las caricias, antes palabras de amor, ¿o alguna verdad de peso? En lo oscuro la sentencia; aunque... Suele el morbo gentilicio tocar la orilla más negra, no sin rascarle, si puede, a lo que hubiese detrás. Del resto la sensación: ganchos por la retaguardia: vista, sentida más bien, y tan falsa como un truco de mago torpe de manos. Otrosí: siendo cual es: la verdad no se imagina, no es etcétera y etcétera, sino radiancia que escuece, y para no ir más allá, situémonos en el ascua, pongámonos donde están Crisóstomo y el empleado:

–Mire, señor, preste oreja... Usted es ni más ni menos que el testigo principal de todo lo que se dijo cuando estábamos comiendo... Si algo se llega a saber sobre la quema de votos, la culpa la tendrá usted, y usted tiene que pagarla, es decir, ¿cómo decirle para que no sea tan crudo?... Este... Uno de los míos o yo le meterá tres balazos en la panza, para empezar nada más, luego otro en la garganta; el quinto será en los güevos y el último en la cabeza para mandarlo al infierno junto con sus mujerzuelas, porque ellas también la pagan... mmm... de otra forma, desde luego... basta con darles –¡por putas!– una buena cachetada y despacharlas después con un balazo bien puesto, mmm, colocado entre ojo y ojo... Es decir, sería como asesinar a una hilera de muñecas: ¡pum!, ¡pum!, ¡tras!, ¡pum!, ¡tras!, ¡pum!, ¡pum!, y quemarlas en montón.

Estilacho criminal de burócrata ejemplar que de paso le endilgaba la tatez, y el bulto encima del horror, como se entienda, al que llevaba las riendas de El Firmamento tiempo ha, quien:

–Pero... Señor... Es que... Bue-bueno... Esos señores de anteojos son los que an-andan de chis-chismosos.

–Ellos ya no pertenecen a este mundo, ¿se da cuenta? Y lo que tengan que hacer, deben hacerlo ya ahorita. No creo que pasen de un día de estar vivos y, hasta es más, pudiera ser mucho menos...

–¿Y también yo puedo darme por muer-muerto i-i-igualito que ellos?

–Entiéndame, por favor. Yo soy bueno por las buenas... –no tartamudeó Crisóstomo; ya era mucho hacerle al teatro: mal: como fue: asaz forzado, excediéndose a propósito, sobre todo estando a modo enmedio de unas penumbras tan macabras como flojas, y a solas con un fulano; amén de usar una voz sensual, por amago y trama, que por tarda infunde miedo–. Mejor cállese la boca y así no tendrá problemas.

–Es que... ¡Uy!... Mmm...

–Nada... Entienda... Por favor... Que nada le va a pasar si no se pasa de listo... Ande, pues, ahora salgamos de aquí.

La salida: indiferente: no del brazo como antes. A la vista otros colores. Crisóstomo por delante. Ante –¡oh!– una muñidiza de estatuas apercibidas: anteojudos-chancludillas-policías viéndolo a él; su donaire: como nunca: frente en lo alto, y para colmo: guanguez en sus movimientos de brazos que, por falsía, o alerta sin causa alguna, daban la nota cabal de su zote fantochada. En sí: por dentro lo amargo, como vuelta adonde mismo: el trasunto persistente que de continuo incidía cuando estaba en un aprieto: *¿Por qué diablos no fui* *ri...* (el lirismo quejumbroso como en pausas sofrenado): *co?... ¿Por qué?... ¡¿Por qué?!... ¡¿Por qué?!... ¿Po-po-por...* Episodio que de un tajo... *(qué?...)* deja el asegún pendiente, para, en cambio, reafirmar lo real, o sea: lo imperioso: *Soy pobre, pero fraudero, es decir —y me lo digo día a día—: ¡yo no quiero ser honrado!... ¡Yo quiero ser bien corrupto!...* ¿Secreto profesional? A saber si... Y en concreto: la aplicación de una vez: la cuenta: ¡al diablo!, olvidarla. Un cuentón que a lo mejor podía valer medio fajo, o uno entero, o sepa Dios... ¿Cuántas montañas de tacos?... No había tiempo para hacer con los dedos sendos cálculos, ¡y menos para pagar!, así que por suspicacia de a tiro volvió a lo tato, y cual gimoteo pirrungo, soltó la frase de marras:

–¡Va-va-vámonos a Remadrín!

Capítulo cuatro

Al día siguiente de haber sido amenazado de muerte Félix Arturo Corcuera no se aguantó y por lo mismo llamó a reunión a su recua de chancludillas poco antes de la hora de la comida para en un tris informarles lo que les iba a pasar. En orden, como se estila, eran primero las damas; sin más lo feo de una vez: un balazo entre ojo y ojo a cada una: *¡Cómo! ¡Qué! ¡¿Deveras?! ¡Oh!:* y en hilera: cual muñecas: *¿Por qué así?* MUÑECAS ASESINADAS. De suyo ellas se miraron como diciendo: *¿Qué hicimos?;* no se atrevía el encargado a decirles el motivo, pero a fuerza de enguizqueos por parte de ellas –¡pues sí!–: lo fue soltando de a poco.

En segundo lugar: él... Del uno al cinco dedeados cada uno de los balazos –su mano derecha en lo alto–, fatua mímica auxiliar, útil para el dramatismo de una descripción pausada, expuesta, pero en lo bajo, con toda fidelidad.

Un tercer cuestionamiento –acaso el más importante–: ¿cuál alternativa había? En el acto precisar la óptima: no era fácil; sin embargo, como ensalmo, se aventuró una jangada: levantarse con estrellas para salir en agraz. Y a partir de esa premisa lo demás sería tranquilo; por ejemplo: el escrúpulo y el celo: sin regodeos, calibrarlos, y así ponerlos en fuga, o a lo que debieran dar, para que el remordimiento no creciera en demasía. Disculpa soliviantada el solo hecho de huir. Cuestión de buenaventura donde el «ahi se va» tendría un significado enorme, tremendo, tanto o mejor que el manido e inexacto «deber ser» ¡en general!

Huir pues. Mera puntada. El requisito, no obstante, era avisarle al patrón. Vacaciones, ¡ojalá!

Razones: las que sobraran. Sobraban de menos cuatro, y la más larga sería la relacionada al morbo: su frescura y su amargura engullidas de por sí, pero sin lengua de más ni huerez sentimental; sí con ironía pazguata, sí a distancia, sí a la sorda; no lo inmóvil problemático, no, porque, si bien se ve, resultaba más difícil reprimirse de por vida un chisme de ese tamaño.

No obstante, se sopesaron los abecé naturales de un análisis al vuelo enllegando a devaneos donde el acopio de pros –y no se cuenten los contras– se hacía desgraciadamente a partir de una atadura: estando en El Firmamento, e incluso estando en Capila, de sus bocas no saldría lo de la dichosa quema. Después de casi tres horas de intentonas y desánimos, decidieron casi a un tiempo algo demasiado extremo: RENUNCIA EN MASA: ¡pues sí!... Obvio: se tomó como elemento el desplante asustadizo de aquellos tres anteojudos, quienes ya pertenecían al mundo de los difuntos: a-s-e-g-ú-n, aunque... No iban a checar el dato. De ahí la prerrogativa como síntoma de enlace: de los rumbos: el más práctico: ¿irse hacia el lado noreste?, o mejor: ¿siempre y cuando fuese lejos del estado de Capila? Suspenso, miras, registros: tantos más o tantos menos para embeberse en volteones cayendo en cuenta a la postre que no sería vil engorro el hecho de abandonar El Firmamento mañana, chanza pasado mañana, pero eso sí: ni un día más, como al final lo acordaron.

Su viaje rumbo al infierno: mmm... Las chancludillas estaban retebonitas aún: jovencitas (¡ay: cositas!), ergo: delicadecitas, antojables, o sea que: no les costaría trabajo colocarse en un burdel incluso más elegante –y más culto ¿por qué no?– en una ciudad difícil; además se jalarían a... Es que en un momento dado Félix Arturo Corcuera casi llorando les dijo: *Prefiero quedarme pobre que morir asesinado.* Su criterio en decadencia, y sólo por el desánimo, en contraste, desde luego, con el de las chancludillas, mismas que no descartaban casarse con señorones: refinados, pintipuestos, bigotoncitos fifí, trajeadísimos: ¡oh, sí!, caballerosos por suaves y expertos por envolventes y...

De todo ello se desprende una imagen volandera: un montonal de billetes en el aire cual si enjambre, cual si molienda perpetua.

Entonces, a contracurso, es posible asegurar que por angas o por mangas la prostitución da frutos, mismos que estando maduros aún pueden reverdecer. Es un viaje a la semilla con pasión angelical.

Güei tu go ¿de nueva cuenta?... Viento que viene del norte como insinuación mendaz de un habla que se modula –pese a pese: erróneamente– con los sonidos de acá... En la línea la consigna: *güei tu go*: cual retahíla, y de allí en busca de orillas invisibles, las que hubiere... Necio eco que por chorrero es rastra de un «deber ser» convertido en chirigota; es un «dale y dale» entonces: lo mismo al jale de día que al destrampe por la noche: ¡hasta el tope!, sin parar: *for al cheic and curtnis acchen, and inclusiv for di drim, or di dip slip, or di dróusinis*, y a puro «trancapalanca» el *güei tu go* es de resultas una frase puntualísima, un rebane, una apostilla o una manera de empuje para empeorar y empeorar... ¿Sí?... Téngase que tal consigna con saña hubo taladrado la cabeza molondrona de Egrén: el vago por mientras, a fuerzas, como se sabe.

Y ahora esto:

De sus andanzas callejeras por Pencas Mudas, Capila, Egrén sólo rescató sus diversiones nocturnas. Cierto es que la mala suerte bajo los rayos del sol acosábalo al extremo de atolondrarlo o, si no, al menos le enmorecía sus ímpetus de paseante: y entre frenesí y esplín vino el enmorecimiento.

Tras sus idas y venidas sin provecho: ¡al aire libre!: diríase que el calorón lo obligó a encontrar arrimo en tiendas y restaurantes, también en cines y bares, aunque tan sólo en aquellos cuyo frescor derivaba, y casi en un cien por ciento, del aire acondicionado; y se obvia la ilación: la temperatura idónea de veinte grados centígrados lo hacía sentir cual refifí progresista y afanoso, al igual que la clientela atascada en tales sitios.

Entonces lo consabido:

Metióse Egrén sin saberlo en la espiral consumista y fue que le rindió honores a la chatarra gabacha. Presto a atorarle al *fast fud*, se sintió muy *yea yea*, y así se engordinflonó. Seis kilos en cuatro días: hartazón, y para el caso, a la birlonga, iracundo, atrajo hacia sí lo furris: ropa diabla, cuanta fuera, y holgada por todas partes, para darle correntía al frescor artificial.

Empero por el simple hecho de estar cambiando de aires más de diez veces al día, su recobro inmediatista se convirtió en paranoia. Al cabo de una semana de andar al tingo lilingo, Egrén vio en cada persona si no a un perseguidor, sí al menos a un pitoflero que correría hecho la mocha a avisarle a los buscones, venidos de Remadrín, dónde andaba o a dónde iba, y como pista segura: el hotelito de paso –ubicado mero enfrente de la Central de Autobuses–, en el que Egrén Gaitán de Anda –ya dado el nombre completo– se hospedaba, y por lo mismo: cada cual tenía aprendido santo y seña en relación a edad, estado civil, estatura, rasgos físicos y quién sabe qué historial de perversiones sin cuento.

Deplorable fantasía, por demás alrevesada, fruto de la paranoia de un asesino aprendiz, quien no obstante con tres copas de *güisqui* o de ron añejo conseguía minimizarla al tiempo que imaginaba, entre resol y espejismo, la escena de su pasada ilegal a Gringolandia: volando tras aventarse de algún columpio estratégico, o a sus anchas arranado en la llanta de tractor.

¿Cuándo pues?

Noche a noche la invención: cuestarriba: tiento a tiento, y después cual chiribitas de follón: en desdibujo: cuestabajo hasta extinguirse.

Sin embargo: el replanteo. Más que ver la tirantez del momento decisivo, quería verse proyectado como una imagen huyente; verse desde acá y en fuga desdoblarse para siempre, siendo, por supuesto, él mismo; él que nunca había salido de Remadrín ni siquiera hasta donde está La Ronca, supo que su corredero fue a la postre un circunloquio, justo en redondel estrecho. Por lo mismo ahora dudaba si salir de Pencas Mudas o... Es que el límite crucial... De este lado era asesino... ¿Y del otro?, ¿santo?, ¿ángel?, ¿o alguien común y corriente?... *Di laif in di borderland: jis forsful and jis temteichens...* A lo que ha de agregarse –como purga cotidiana– otros chascos y atareos *and anoders risc op güerds, or op said daun, or bacgüerds*, y así, de una vez por todas, sabiéndose Egrén aparte, medio beodo y visionario, entonces sí, MESMAMENTE, se relajó apachurrándose. Quería darle desde abajo más vuelo a sus vaguedades.

Y entre recules y afanes sus afectos se amoldaron.

Su refugio en los *naitclubs*.

Su amor miserabilísimo por la vida fronteriza.

Sus turisteos, sus delirios, sus desvelos y extravíos cual si a la buena cayera en un abismo encantado; o tal vez su moridero: de por vida: porque sí; o tal vez su salvación si cruzara al otro lado.

Capítulo seis

Hay dos preguntas capciosas que circulan muy de extranjis en los ámbitos domésticos donde se escucha la radio. Son deveras tan infaustas que dado su planteamiento no exigen una respuesta ni concreta ni pomposa. De hecho, escapan al azar por los miles de aparatos para luego convertirse en hablilla irresponsable: tarda, al fin, y harto proclive al chanceo de medio pelo en quienes no entienden bien ni los «porqués» ni los «cómos», aunque sí los «asegunes»... Dizque es CONCIENTIZACIÓN... ¡Oh programas pretenciosos! Modos de a tiro peleles, ideados por un buen Juan, que entre las radionovelas intenta dizque influir en esas mentalidades para las cuales de plano «matar el tiempo» es sinónimo de atiborrarse a lo bestia de fantasías desgraciadas: ¡a diario por las mañanas!; por las tardes mucho menos, y por las noches ¡ya no!; siendo entonces que el «¡ya basta!» es tosco desasosiego o meramente un quehacer demasiado afilauñas.

¡Pobre efecto minutero!

Las susodichas preguntas Cecilia se las grabó a fuerza de oírlas harto.

(Hubo otras, se supone; y he aquí el truco de Cecilia: la bajada de volumen; cálculo: cinco minutos; y de nuevo, como alivio, la subida precavida. Al cabo la musiquita del empiezo evidenciada con la voz del locutor que palabra por palabra invita a los radioescuchas de la siguiente manera: *Ahora... Un... Capítulo... Más... De...* Y con eso es suficiente para que Cecilia sepa que debe darle dos giros a la peonza del volumen.)

La primera pregunta es –el locutor es el mismo– mucho menos mentecata y mucho menos abstracta y, por tanto, más corta que la segunda: la cual –aunque Cecilia la sabe–: al parecer le falta alguna preposición, acaso algún adjetivo... ¡Pues vengan ya como sean! La primera (ejem) es esta: *¿Cómo... llega... a... plenitud... la... integración... esencial... de... una... pareja... moderna...?* A saber. Depende. Bueno... Lo moderno es complicado. Y la segunda pregunta: difusa, como se dijo, o rara por incompleta: *¿Cómo... habría... de... consumarse... una... relación... de... años... sobre... todo... ante... la influencia... que... ejercen... ahora... los... medios...* (justo aquí es donde Cecilia tanteaba en dos adjetivos: ¿masivos?, ¿masosos?, ¿cuál?) *... de... comunicación...* (¿sí?) *y... a... partir... concretamente...* (¿por qué así: concretamente?) *de... la... crisis... de... valores... que... todos... los... magiquenses... padecemos... hoy... en... día...?* Crisis de valores: ¡vaya! Los medios han de contarse del uno al diez ¿por lo menos? Y hablar de consumación... Bueno... ¿Qué con las bodas de plata? Sí y no, o a la mitad, aunque... Reconcomios, por deslinde, más aún si se expresaban en cada oportunidad; así que todo a sabiendas, porque: siendo elástica la tregua, la que ofrecía el locutor, y en virtud de que el programa de pe a pa fue concebido como un experimento, contimás si se trataba de un solaz educativo, y por ende, intelectual, los receptores harían valoraciones, descartes, depuraciones, si bien, realizadas sin piedad, tomándose como mínimo unos veinte días de plazo, máximo un mes para enviar las respuestas a un apartado postal –que Cecilia no apuntó–: allá en Sobrinas, Capila. Asimismo, se exigía argumentación coherente. No la frase resultona, lanzada como evasiva, sino tres que se ligaran, pero apretándose fuerte. Más requisitos aún: por favor: letra de molde; lo óptimo sería a máquina, lo cual era un desaliento, en rigor: para Cecilia, debido a que ella ¡pues no! En Remadrín, por ejemplo, o más bien en la alcaldía, de esas máquinas ruidosas –nótese al bies que Cecilia al respecto adivinaba– había tres, faltando aún por saber si...

¡Al carajo las respuestas!

Aunque, bueno, sin querer, de un modo u otro el soflamo ya estaba prendido en ella: tiempo ha, y de grado en grado. Y el efecto por venir... La maldita recurrencia, abridora de por sí, sin dejar de ser estigma que pudiera compartirse. Ciertamente una señora radionovelera al máximo, misma que Cecilia a veces veía en la iglesia rezando, algo una vez mencionó: relativo a las preguntas, casualmente casi idénticas a las que ella había escuchado. Téngase *la plenitud, la integración esencial y la crisis de valores*, pero dada la pelea de conceptos tan ¡en globo!, retirándose hizo esbozo de que en la radio día a día los locutores de plano se estaban volviendo locos... De eso a nada cualquier cosa: mirrunga e insuficiente.

De ahí en fuera otras hablillas derivadas de lo mismo, retorcidas por el tronco, que a juzgar por el volteón dan de frente con aquello que chispea de todastodas: *una... pareja... moderna...* Sus pingües significados, pero... en Remadrín ¿hay algunas?, y si no ¿ya las habrá?

De grado en grado Cecilia se sumía en intermitencias tronantes e intempestivas por el uso incidental de esas preguntas chulísimas, sin que la aprehensión colmara por entero su afanar.

Pero se dio la ocasión.

Cuando Cecilia llegó de la plaza, cabizbaja, retachada por sus hijos como cualquier perra vieja, y cuando vio que la tienda estaba abierta y, también, cuando los sacudimientos a Trinidad no sirvieron: ¡ah!; entonces al re lo peor: sendas crisis de valores; volcada la confusión; la modernidad al margen; la plenitud del problema, porque: medio cuerpo recostado sobre el mostrador durmiendo. También la otra mitad: en el sueño, desde luego... ¿Cuántas horas de sentón en la silla de costumbre?... Por la malsana insistencia de Cecilia en despertarlo se fue frustrando de a tiro. Quizás no estaba de sobra deducir que su marido ya estaba en el otro mundo... Pero su esperanza ¿qué?... ¿Desmayado?, ¿agonizante?... Interrogaciones ¡no! Acción presta –pero ¿cómo?–, se alegró por un instante porque lo oyó respirar. Sin embargo, por desvío: *la muerte tocando puertas*: la gradación presentida tan sólo porque sus hijos la mandaron de regreso para encontrarse con esto: un bulto viviente, bombo, y aquí y allá las tenebras.

Cambio de actitud, entonces, de método, en consecuencia.

Tras agarrar harto aire Cecilia empezó a sentir que se llenaba de vida y su encomio era distinto al que usó por desespero. *Plenitud... Integración.* Las sacudidas ya no; ni golpecitos ni gritos, ni pellizcos: ¡mucho menos! A lo que: las hormigueantes cosquillas a veces son efectivas. Ponen a prueba los nervios porque son como caricias que a la postre son violentas, casi al doble de violentas que una jalada de mechas o un porrazo en la cabeza con martillo o algo así, o inclusive un cedronazo de agua helada en plena jeta. Es decir que la violencia surte efecto cuando está disfrazada de otra cosa.

Pues no lo pensó dos veces y ¡a la carga!, y: el cosquilleo por doquier...

Trinidad se despertó.

Se despertó: dizque sí: muy a medias porque aún: *¡Quíuuuboleee!*... *¡¿Qué pasaaa?!*... *¡Oh!*... *¡No estén chingando, carajooo!*... Tan así como rebumbio que no puede articularse, y análogo a la desidia... Pues, contimás, a seguirle... Mayor la aceleración del cosquilleo, más uñoso. Y el efecto tremebundo, dijérase, inusitado, en virtud de: *¡¿Qué?!*... *¡¿Qué pasa?!*... *¡¿Dónde?!*... *¡¿Cómo?!*... *¡Oh!*... *¡¿Carajo?!* Por fin los ojos abiertos de Trinidad otra vez. Ojos que buscaban algo: en redor: pues la señora: juguetona se escondía; sonrisuda: ¿para qué?: la ocasión no era propicia. Luego la voz como intrusa: *Ya regresé de la plaza...* Pero ¿dónde? A lo mejor... A los lados: ¡no!, y entonces: *Dejaste la tienda abierta. A ti eso nunca te pasa. A lo mejor te robaron y tú ni cuenta te diste...* La voz, la de siempre, ¿dónde? Por tan diabla jugarreta la señora –se deduce– obligaba a su marido a despertarse deveras. No era grato recobrarse y buscar por dónde ¡ya! *Encuéntrame, si me quieres...* Burla suave, querendona (*la integración esencial de la pareja moderna*), pero burla que inquietaba al recién despabilado a saber si por dilema de congraciarse en un tris, o tomársela tranquila, con quien tanto había gozado tantas cosas y ahora bien: la extrañeza en sí: al despunte: piqueteando las ideas a favor de su querencia... Por amor y por despeje: obvio es que la buscaría... No debiera estar muy lejos, aunque, por sus movimientos, el abarrotero: ¡torpe! Segundos de excitación mal que bien y: la sorpresa: la encontró semiagachada, pero del lado de afuera: del mostrador, es decir, donde se ponían los clientes.

Así Cecilia triunfal, al sentir que era notada por su esposo aún en la guala, incorporóse sin ganas, y sentenció muy fraudera, cual si tomara revancha: *Mmm ¿no que no te preocupabas? Yo también me preo-cupé porque no fue nada fácil despertarte y confundirte... Quería ver si eras capaz de buscarme sin reclamos, como lo haces casi siempre que me llamas y yo vengo...* La cosa parecía irreal: ¿cómo le hizo la señora para escon-derse tan rápido?, ¿corrió?, ¿saltó?, ¿cómo le hizo?, ¿acaso revoloteó? Dejémoslo así mejor, que la magia es una cumbre a la que sólo una vez se ha de llegar sin problemas, ya las otras son con truco de cabo a rabo probado. Ergo: se dispuso Trinidad a ayudarla a incorporarse... Afuera sonaron pasos tan secos, fuertes, continuos: como de botas de cuero. La resonancia crecía y una voz, muy de pasada, pronunció algo como esto: *Adiós, mi amor... Te ves bien.* Tono conocido ¿sí?... ¿De quién diablos?... ¡Un fantasma!... Atónitos se quedaron los esposos: sus miradas: conexión: dicha naciente para despejar horrores de ¿quién?, ¿cómo?, y los etcéteras que se irían en espiral. Con que cerra-ran la puerta todo se resolvería. Por inercia Trinidad –como dos horas, o antes, debió hacerlo y ¡a la cama!– fue a cerrarla precavido. Ni siquiera se asomó sino... Tras poner ganchete y tranca se talló sus ojos harto, como si con tal acción ahuyentara las tenebras del sueño y de la vigilia. Cecilia quiso entender algo que iba por ahí, aunque no pre-cisamente... Por eso es que aventuró un exhorto a ver si acaso:

–¡Anda, apúrate, mi amor! Quiero darte de cenar... ¡Anda, vámo-nos de aquí! ¡Ahorita te cuento todo lo que me pasó en la plaza!

Capítulo siete

La relación de los hechos fue fugaz de todos modos. Lo del radio fue el efecto de una CRISIS DE VALORES.

Capítulo ocho

Conclusión: ¡RENUNCIA EN MASA!, pues si no el bocabajeo que sufrirían de resultas por parte de su patrón sería al triple de humi-llante, y además acicalado con amenazas de muerte. Sin embargo, en tal sentido, toda vez que se ahitaron, y con el credo en la boca, consecuencias horrorosas, una de las chancludillas propuso algo que a las claras era mucho más extremo: *¿Qué tal si no le avisamos?* y para mayor refuerzo: *¿qué sería muy problemático desaparecer de aquí, pintarnos como unas ratas, para que cuando el patrón caiga en cuenta que no estamos, no tenga modo de hallarnos?* Se estudió la disyuntiva porque no sonaba mal, pero el desmenuce fue más confuso que el horror y más tétrico que un ruido persistente y progresivo en un corredor oscuro. No obstante, habría que abundar en lo oscuro y nada más.

«Muerte», «amenaza», ¡caray! Un trasunto inenarrable por más vueltas que le dieran, pero... Al margen de dilogías, enguiscadas tan adrede, no había para dónde hacerse, ya que hicieran lo que hicieran, las dos malditas palabras los seguirían hasta el fin. También agréguese esto: atravesada la ética en todos estos asuntos lo recomendable era mantenerse siempre firmes y así evitar regazones. Así que, dicho lo dicho, la puntilla argumental, vasta e inteligentuda, no obstante debía de darla Félix Arturo Corcuera, quien airoso sentenció: *¡Juguémonosla de plano!*, *¡escapémonos y ya!* Y por tanto el desenlace hubo de ser fidedigno al entrampe muñidizo.

Pasaron justos dos días de la reunión cuando: ¡sí!: en masa fue la salida de El Firmamento: temprano.

Capítulo nueve

Temprano doraba el sol el despertar de las calles. Cargando el pesado radio Trinidad cae que no cae salió junto con su esposa en dirección hacia el llano que estaba en la orilla sur. Llano inmenso, beisbolero, donde en forma simultánea se efectuaban cuatro juegos los sábados: muy temprano, al igual que los domingos. La duración bien podía prolongarse durante horas siendo el tope cuando el sol se metiera tras los cerros.

Beisbol de niños: sin guantes, y con pelota de hule; sin bates, sin gorras pues, con bases que a veces eran de trapo y otras de adobe o de piedra o... Dos juegos así: larguísimos. También beisbol quinceañero: con leños, sin guantes: ergo: con pelota de hule ¡duro!, y más chica y más difícil de cachar a mano limpia. El cachuchismo cual regla inviolable, por principio, y además la sutileza de bases acojinadas: otra regla, peripuesta, la más rara, si se ve; pero la más importante era que si no había ampayer atrás de *jom* que cantara *estraics* o bolas o *auts* o *seivs* o demás cuestiones, simplemente no jugaban. Era el juego más distante. El más cercano, por tanto: un beisbol hecho y derecho, de gente mayor de edad, o sea desde dieciocho años: cumplidos y demostrados con acta de nacimiento, hasta... Sólo había dos cincuentones: bateadores emergentes, casi siempre, y efectivos: uno era ni más ni menos que Vénulo Villarreal y otro era un señor llamado Obdulio Cirilo Bello.

Pues hasta allá desde acá (la casa de Trinidad) serían como dos kilómetros, y la carga: una humorada, contimás el apedreo, desahogo, en sí, chancero: que bien podía prolongarse hasta que el sol estuviese justo arriba, en línea recta, abrasando sus cabezas.

No hablaban, no se miraban, mientras tanto, los esposos; cada paso: un rehundimiento: en su obsesión: a propósito.

Ahora que vistos de lejos...

Es raro que entre semana la gente de Remadrín pise el llano amaneciendo. La coloración del sol allí encuentra su matiz y sólo con las acciones beisboleras se destiñe; mas no así con el vadeo de vacas, chivas, borregos, ni de personas que lo usen como trocha o vericueto para acortar un trayecto.

Llano cual cuero curtido donde no había ni siquiera pelaje de culantrillos, ni hierbas cucas ni trulas, ni achicorias ni ortiguillas; piedras: sólo unos balastos, peladillas de cascajo, y algunas lascas y chinas. Ruidos: ¡no!, ni por asomo; ni hormigas: ¡lo más insólito! Tierra yesca; parte a parte: revivible, sin embargo, si ocurriera una hecatombe o un millón de personas lo apisaran a la vez; pero dos pobres ilusos; dos, sin miedo, encaprichados; su ir contra el vocerío...

Contra el discreteo incisivo reforzándose al vapor.

Es que el radio y ¡a esa hora!, y más porque los esposos ya iban entrando en el llano. Cosa de incredulidad, despacia, como un adagio, y por ende el seguimiento de unos cuantos bullebulle para ver el espectáculo, pero a prudente distancia.

Capítulo diez

Un distingo nebuloso. Había un mesero lejano, carniseco, enchalecado, hacia el fondo de la pista. Gran cantidad de parejas bailongueaban corriditas, de tal modo que las vistas entre Egrén y el susodicho eran –fueron: durante un rato– menudo relampagueo, serie de visos que, empero, acabó por reafirmar tal contacto incitativo. Ayudaron los luzazos, y más si se toma en cuenta que dominaba el ambiente del *naitclub* la medialuz. Medialuz indispensable para darle un matiz íntimo, y perverso, de vencida, a cuanto allí sucediera. El distingo: por lo pronto, como suceso indirecto entre dos seres distantes.

Luego de semana y media de vacacionar a solas, por fin Egrén admitía que tanta magnificencia se le iba a revirar. Proyectó el cambio de suerte desde que salió a la calle rotoso a más no poder (adrede bien despeinado), no obstante con la intención de ir a atacarse de alcoholes al *naitclub* más elegante de Pencas Mudas, Capila. El nombre se lo dijeron en un café tipo Vips: El Centelleo se llamaba; le dieron la dirección: estaba en la zona roja. Se fue en taxi fume y fume.

Los lugares exclusivos son nidos adonde acuden personas que se asemejan. Ha de ir siempre por delante la calidad de las fachas acorde con la solvencia y el aspecto ponderoso de quien pretende lo máximo. Y aunque eso es lugar común, basta darle un revolteo al concepto y ahora sí: lo imperante en estos casos debe ser la parejura; asimismo se destaca –aunque a cencerros tapados– el olor con la lindeza o el decoro con la gracia, como sellos distintivos de la buena educación con que cuente tal o cual.

Breviario o no lo anterior es premisa inverosímil para decir que enllegando a El Centelleo, el, al parecer, mendigo, y por ende, malhechor, ya el rechazo de por sí se planteaba a pocos lances. Y se dio el encaramiento. Rechazarlo fue tan obvio como obvia, por inútil, fue la intentona de Egrén por convencer a los guardias con argumentos rancheros, o por debajo también ofreciéndoles «mordidas» hasta de doscientos pesos. De otro modo ¿cómo hacerle?, ¿cómo sensibilizarlos? De resultas: feamente lo botaron con amagos de macanas en lo alto dos policías del lugar.

Los rechazos continuaron.

Al fin y al cabo: «rebotes» –de rango en rango, digamos, menosmenos-¡mucho menos!–: todos fueron humillantes; y harto Egrén de su aventura quiso en un momento dado regresarse a su hotelucho a ver la tele y dormirse. Allí habría que consolarse deleitándose tristísimo con escenas pornográficas de esas gringas que proyectan a la una de la mañana en dos canales de acá. Lo pensó pero ¡qué chasco! Dos últimas intentonas y... La tercera fue la buena.

Egrén jamás había estado en alguna zona roja. No sabía si eran iguales o si era igual la exigencia en cuanto a presentación. Por lo pronto su fracaso. Los lugares exclusivos: su enseñanza: hoy: a las claras, para que de ahí en delante... Ya mañana a lo mejor Egrén vendría más ufano: resuelta su derechura y neto su fingimiento, es decir: ajeno ¡al tope!, tanto que hasta pareciese propio: pues, de plano egipcio, y para ello le bastaba con vaciarse unos tres frascos de loción con tal minucia que hasta le oliera el fundillo a lavanda durante días. Lo que sí que ya enredado en tan maniacos escrúpulos, el paso a seguir sería este: tras preguntar en las tiendas sobre la óptima elegancia, la preconcebida al menos en Pencas Mudas, Capila, se compraría una chaqueta cazadora de vicuña y unos pantalones bombos color entre alimonado y caqui palo amarillo y unas botas cuya piel fuese de serpiente mamba, y hasta ahí con el atuendo; terminando por peinarse largamente a fin de hacerse un copete de tarzán al estilo Fierrorey; todavía el efecto chic: el registro de su voz: medio ronco y medio lento; y de pilón, por si acaso, lo que algunos juzgan clave: la sonrisita: «¡uy!»: ladeada. Pero lo anterior no pasa de ser ficción postrimera, condicionada a un «a ver» ficticio al doble o al triple.

De modo que retomando el pirueteo tan a izquierdas, el despeinado en mención fue a parar, ya con desánimo, a un *naitclub* más bien rascuache. Se llamaba Poco a Poco. Allí el dinero valía más que el lenguaje o la facha; último intento, se sabe... Mas cuando Egrén encaró a los guardias del lugar, lo hizo semiderrotado; motivo para el rebane de dos zorros intuitivos, quienes entre guasa y guasa con aplomo le exigieron que les mostrara de menos seis billetes de cien pesos. De uno en uno fue sacándolos: tenía que ser obediente. Le dio uno a cada quien. Bigotones, patilludos, eran dos fulanos altos que usaban pistola al cinto y pito colgado al cuello. Luego se acercó uno más, de igual pinta, ergo, pedinche. Total tres billetes dados, cuatro, si se considera el que soltó estando adentro: dióselo a un señor chaparro, uno con saco azul fiesta y en dorado sendos vivos adrede retechillones, o sea el acomodador: *Cáigase con cien, mi buen... Je, si su deseo es que le dé alguna de las tres mesas desocupadas que están al ladito de la pista, pues...* Si estaba adentro: ¡ya qué!, y...

Se dejó llevar Egrén. Solo, raro, ¡despeinado!, de estilacho mariguano, llamó mucho la atención; pero él andaba en las nubes, o mejor: tal vez andaba a la busca de un problema al dos por tres: porque sí: y: sus perseguidores ¿dónde?

Solo, al lado de la pista, y así la amarga evidencia: bruto, fuereño, tipejo, y a más enborracheciéndose: ¡ah! Error de errores y etcétera... Vil síntoma que, si bien, repuntaba a todas luces e incidía en otro más tétrico; a saber las consecuencias... Nadie iba a la zona roja tan expuesto, tan ridículo, dedúzcase: billetudo, y al antojo de, quizás... En un antro tan de a tiro: meseros y prostitutas, y no se diga rufianes que en bola son más hampones, podían dejársele ir, asaltarlo y, en rigor, golpearlo hasta atolondrarlo, y ¿por qué no?: de una vez: soltarle el tiro de gracia, e ir a arrojar su cadáver al río Caro, en despoblado, porque es la mugre costumbre de unos años para acá; mas el «qué», el «cómo» y el «dónde» del crimen: ¿cuál proceder? Sondeo tardo: consabido, a fin de a poco ir enfriando el clima de la tragedia; entonces sondeo echadizo, siendo lo justo esto último; entonces no, no había tal, debido a que se trataba de una víctima fuereña o un don nadie como tantos que de repente se esfuman. Pero estando en un infierno como en el que se metió, llamado –¡glup!–: Poco a Poco –¿sí?: po-co a po... co, je, ¡qué cosa!, po-co a... y uuú-ju-le ¿qué tal si no?–, Egrén prefería seguir incoloro: a más: inane, si acaso hundiéndose a ciegas para tatemarse a gusto en las llamas –dizque llamas– de un dizque placer tremendo.

Gozo tras la suerte echada: de revés: por necedad. Allí debería encontrar ¿a cuántos perseguidores? Mientras tanto una espiral hacia arriba y hacia abajo... A trueque el placer mediante los hilos de la bebida: más, más como si fuera agua el güisqui o el ron añejo. Ya ni siquiera pedía, antes bien le preguntaba su mesero: ¿Quiere otro?, y el «sí»: endeble: por respuesta.

Automático, alargado, cada vez más, sin saber: el «sí» de Egrén: nebuloso. Lo que le daban, por ende: en vez de güisqui: mezcal, y en vez de ron a saber qué diantres de revoltura. ¡Sí!, dado su encarreramiento después de una hora y media.

Dos horas, tres... Viaje en círculos.

¿Y para qué los distingos?

De por sí otras sensaciones –manos, caricias de paso– le resultaban irreales. Su despeine ya tenía un sentido delator. Así el acomodo suave: casicasi, casi no: por parte de (se deduce)... Como cinco prostitutas le repitieron lo mismo: ¿Por qué tan solo, mi amor?... ¿No quieres que te acompañe?... Comprometido el viraje: sus «no» desde luego eran largos y agrios, o sea que: a su entender no ofendían; no, mientras no retumbaran. Y no obstante los asomos de peligro: ¿por ahí?... ¡¡¡No!!!, pero el cambio, dicho sea, secamente habría de darse: una de las prostitutas, quizás la más colmilluda, vino con otra propuesta:

–¿No quieres bailar conmigo?

–Este... ¡No!... Es que me voy a caer.

–Yo te ayudo, te detengo... Yo te agarro. Vas a ver.

–¡No, noo, señora, que noo!... Yo tengo novia, ¿me entiende?

–Pero ella no está presente.

–Pues para mí sí lo está... Y ya le dije que no, yo no bailo con usted.

–Pero ¿por qué no, mi amor?

–Es que usted tiene la cara pintarrajeada de ¡a ma-dre!... Mi novia no lo usa así... Se ve usted como esas brujas horrorosas que aparecen en las revistas de monos.

Se alejó la prostituta mascullando tonterías. Mofa en grande carcajeada: luego de dar cinco pasos. Chisme, al cabo, y conversión: coro esquinero de risas, más rauco que mujeril. Risas que por el acopio de parejas bailadoras (taconeos sobre la pista) y el volumen de la cumbia (cinco músicos tilicos dale y dale a coro agudo, amén de sus tembleques) se diluyeron, o bien, fueron, aunque muy al sesgo, percusión desarreglada: burda: apenas: detallito: suficiente: para que Egrén por inercia se riera de tal desplante. A lo mejor quería oírse y de paso asesinar con su risa aquella trápala que en lo bajo le estorbaba.

Logro absurdo y aplastón: fue como un quitapesares la silla: blanda yacija: y a la par que el apacigüe fue la escansión de la música: envolvente nota a nota. Pero... ¿seguir bebiendo como antes?... Eso parecía imposible. La reanudación, entonces, nerviosa ya, tanto así, que Egrén pronto fue notado. Los muchos ojos atónitos de ese infierno iban contra él.

Sentimiento de terror en avance circular, mismo que se explica así:

Cuando un fulano de tal no cuenta con la experiencia o el *bacgraund* de un alcohólico y, sobre todo (ejem), cuando ha llegado a la cima de la embriaguez esponjosa, se puede dar por seguro que empiece a ver desdibujos y coloreos por doquier que luego se harán corpóreos, tendrán garras y colmillos para atacarlo y mascarlo a fin de hacerlo gritar. Pero ante tal amenaza Egrén prefirió cerrar sus ojos durante un minuto y: lamentable fue el mareo, figureo de diez atisbos tan fugaces como luidos, por lo cual mejor –¡ni modo!– entreabrió a fuerzas su vista y: la pañuza de repente y el mesero: estatua: apenas: sonriente: apenas: ¿irreal? Coincidencia a la deriva. Era ¿espía?, ¿perseguidor? Un distingo entreverado, real: porque nomás dio un paso y los cuerpos de la cumbia lo taparon, aunque no; era o no era parte a parte la figura intermitente, la mirada y su objetivo: Egrén: instantes de acecho, y luego el acercamiento lentísimo, terrorífico... El mesero se abrió paso por enmedio de la pista: sin charola, sin pistola, mas con las manos crispadas, manitas de dominguillo, y la sorpresa tal cual en su gesto de pelele; ambos: pues: títeres tiesos: frente a frente y sin embargo mudos aún como esperando a que su amo saltimbanqui les moviera la quijada y una mano al mismo tiempo.

Por lo pronto valga aquí la empatía que hubo entre ellos tras su reconocimiento. Eran caras conocidas. Preguntas, respuestas: ¿cuántas? Nada más las que sirvieron (no pasó de un cuarto de hora el coloquio a contrapelo con sus muchos intervalos). Sus nombres, sus procedencias, como premisa o preámbulo. El mesero se llamaba Conrado Lúa y el borracho Egrén Gaitán: y ahora sí: en un santiamén se ataron dos cabos porque ¡caray!: ¿se vieron alguna vez?... En Remadrín, de seguro... Con tres frases, cuatro acaso, se dijeron sus oficios, que esto y lo otro, y ¡sí!, pues sí. Ergo: la nueva premisa: pertinente, si se ve: ni Egrén era el perseguido, ni el perseguidor o espía: Conrado: ni para cuándo. Entonces el pacto ya: la premisa categórica: quedaron de verse un jueves como a la una de la tarde en el cafecito furris del hotel La Circunstancia donde se hospedaba Egrén; ¿jueves?, el próximo... Bueno... Es que apenas era lunes... De oreja a oreja el acuerdo; antes las informaciones en aneaje rapidísimo, ¡pues vaya la confiancita supitaña de los dos! Al principio, sin embargo, se presentaron a gritos. Se sobrentienden dos, tres; se sobrentiende la mímica: la de los acercamientos, pues el fondo musical no les permitió otros modos, digamos, algo propincuos, más de quedo: titubeantes: como ambos habrían querido.

Pero... si hemos de irnos de una vez al acuerdo que hubo entre ambos: fija la hora, fijo el sitio, ya nomás falta agregar que Egrén medio recobrado, medio sobrio todavía, pagó la cuenta y se fue. El resto es derivativo: si llegó pronto a su hotel, imagínense, por ende, el dineral que gastó.

Lo bueno de todo esto es que Egrén no tuvo cruda...

A la mañana del jueves (al mediodía era la cita) añádanse casi enteros el día martes y el día miércoles en la cama –¡porque sí!–, a fin de darle cancheo a una flojera tal vez más conceptuosa que insana. Altibajos de emoción por mor de un dolor florido que Egrén religiosamente se impuso como castigo. Asesino ya enfilado hacia otros asesinatos: idea heroica a todas luces, o si no... ¡Claro que sí!: sangre a mares en sus sueños: para siempre: y a partir de unas visiones demasiado ¡a la barata! Descuajeringado pues el acurruque dichoso para ponerse a girar sobre un mañana, digamos, en tinieblas ya de plano, acorde con ese ayer tan preciso, tan tronante, tan suyo: cada vez más.

Y el trámite como hechizo: de Egrén: tardo, recurrente: prender y apagar la tele: mágico escape a colores, no logrando que la angustia se transformara en solaz. Las escenas pornográficas, vistas a la medianoche tampoco fueron despegue; sí excitación lagrimeada –abismal, cayendo apenas– por la ausencia de la novia, ¿cómo no se le ocurrió

313

traérsela a la frontera? Ya nomás falta agregar un trasunto obligatorio: ni las idas y venidas en aína y, ¡tan de juro!, para proveerse de víveres; los suficientes, si bien, de acuerdo a sus encerronas, empujáronlo a la errancia por la ciudad como antes.

Otrosí: tamañamente la obvia comparación... Por la distancia y su anchura entre paisano y paisano, que no por efecto opuesto, de otro modo la tristeza también le llegó a Conrado, no obstante hubo de cumplir con su deber ¡a la trágala! De hecho, nunca le gustó eso de andar de mesero; pero la necesidad... Necesidad revolteada tras el encuentro y el chasco. Revolteada la esperanza de su retorno –¡ojalá!– a Remadrín, por supuesto, pasando por La Escondida y también por Pulemania. ¡Ah!, la hora de la hora: la cita donde tal vez le hallaría molde a un anhelo todavía muy «en veremos».

Capítulo once

–¡Por favor... No sea usted malo... Llévenos a Remadrín!
–¡Llévenos porque nos tienen amenazados de muerte!
–¡Sólo don Romeo y usted pueden salvarnos la vida!

La amenaza ¿sería otra? Andanada palabrera como último recurso: cuerda de los anteojudos suficientemente larga para blandirla en volandas sin que sonara siquiera, ya que: caso omiso de Crisóstomo: en contraste, aunque muy leve, con la consideración de aquel par de policías: sus miramientos solícitos: manos sobre sus pistolas –cariñitos, por lo pronto–: empero teniendo ganas de sacarlas luegoluego y apuntarles a la cara a... La salida no muy rápida de El Firmamento, es decir, tres adelante a unos pasos de los otros tres rogones.

–¡Estamos a su merced!... ¡Haremos lo que usted quiera, pero sáquenos de aquí!

De subida la porfía haciendo hincapié en lo mismo: que la amenaza de muerte, que la sacada de allí, que la protección y entonces: tres gatos y ¡con anteojos! Sublime su servilismo. Pero la boca cerrada de Crisóstomo Cantú solamente se entreabría para emitir unos «ayes» no de lamento: ¡qué va!, sino de enfado burlón.

–¡Ande!... ¡Respóndanos algo!

No muy lejos la guayina: y enllegando: lo difícil. Se deduce la maniobra: difícil introducir la llave oyendo las súplicas. Instantes de titubeo. De entre el hato no cuantioso de llaves, sierpas y claucas no halló rápido Crisóstomo la buena, la de la puerta, que era también del motor, y por eso medio a fuerzas le dio por primera vez la cara a los anteojudos. Supina su tolerancia ante el notorio rezago de quienes ya gritoneaban casi al doble e, inclusive, con táctica prendidísima, más patética y certera: recalando en el meollo de algo que se habían guardado para sacarlo al final. De sus mangas, dicho sea, sacaron uno por uno sus tres ases relucientes:

–¡Al alcalde don Romeo lo matarán en la finca! ¡Sí, aquella donde está él completamente indefenso!

–¡Eso le oímos decir al señor gobernador!

–¡Los alcaldes que allá están serán cómplices del crimen!

–¡Pero eso sucederá dentro de una semana!

–¡Aún es tiempo de salvarlo!

–¡Si usted quiere más detalles llévenos a Remadrín! ¡Denos protección y entonces le decimos lo que quiera, porque sabemos bastante!

De haberlo sabido antes... ¡Notición!: alegría diurna siendo ya la medianoche, o acaso faltaba... ¿cuánto?... Miró su reloj de mano: Crisóstomo por lo pronto: disimulo necesario: en virtud de su estupor, además –y he aquí lo ingrato–: su sonrisa favorable: mohína: empero ladeada, lado oscuro: trazos vistos de un resplandor de escalones hacia el poder ¿desde ahí?, ¡vaya salto sin impulso!, sensación a erre que erre no para prefigurar la fría escena de la muerte: ¡tan lejana!: del alcalde, sino... bueno, de algún modo... mejor prever el ensanche de una idea añeja tan suya (entrecejo del burócrata) que pronto ya no sería...

–¡¡¿¿Sí oyó lo que le dijimos??!!

Por supuesto que lo oyó y tuvo el «sí» que salirle largo como un culebrón. Se le enchinaba la piel por un motivo bien loco: viejo anhelo hoy ¿rapidísimo? A rehílo rapidísimo su monólogo de marras: *Si se echan al alcalde ¡yo seré su susti-tituto! Yo que nací en un jacal llegaré hasta la al-alcaldía como espuma ¡ojalá sí!... Como el mío no hay mu-muchos casos. Al fin que la historia absuelve hasta al más de-de-generado... ¿Será común y corriente mi caso, o no, o sí, o inclusive más extraño, más suertu-tudo, y por lo mismo tal vez único e irre-rrepetible?... Bueno, mmm... Empezaré como alcalde para llegar por lo me-menos, si mis cálculos no fallan, en tres años, cuatro máximo, a gobernador, y lue-luego...* Acción: de una vez: ¡la llave!: la halló pronto, la metió, metióse enseguida él a la aún semiapestosa guayina (había que lavarla enllegando a Remadrín) al tiempo que los berrinches de aquellos tres alarmistas por su grave progresión semejaban un concierto de grillos alebrestados, casi en guerra con lo oscuro; mezcla: de por sí: brutal, incidencia impositiva: ergo:

premura, y por tanto: apuró a los policías con señas como diciéndoles: «¡Ándeles!, ¡métanse, zonzos!»: Crisóstomo a punto de: pero ninguna palabra, y en cambio sí el tosco arranque de motor cuando lo hicieron: ellos: en friega, o sea que: ellos que siendo tan raros, fantoches llenos de tics, se sacaron sus pistolas nada más por si las dudas.

Ya adentro se las metieron.

–¡Vámonos!

Se fueron pues.

La corretiza infructuosa y el griterío tras el mueble de aquellos tres anteojudos que todavía palabreaban algunas frases como estas:

–¡¡¡Al alcalde don Romeo lo golpearon en la cara: aaanoooche, según suuupiiimooos!!!

–¡¡¡Y trae anteojos oscuros como nooosooootrooos traeeemooos!!!

–¡¡¡Lo amenazaron de muerte como a nooosooootrooos taaambieeén!!!

–¡¡¡Los anteojos son la prueba de que lo vaaan aaa maaataaar!!!

–¡¡¡Frénese, por Dioooos, eeentieeendaaa!!!

–¡¡¡Nos dijeron que también a usted lo vaaan aaa maaataaar!!!

–¡¡¡Oíganos!!!, ¡¡¡párese!!!, ¡¡¡eeeey!!!, ¡¡¡lléeeveeenooos aaa Reeemaaaaaa...!!!

Cada vez mayor distancia. Las luces rojas traseras de la guayina ¿no?... ¿sí?... Cabal desaparición. Curva allá, regreso acá. Regreso visto con lástima desde El Firmamento por: Félix Arturo Corcuera les dijo a sus chancludillas que se fueran de inmediato a la galera de atrás, puesto que corrían peligro. Que mañana habría reunión... Dios mediante... Si es que no ocurría algo trágico. Una de las chancludillas le recomendó venirse adonde ellas iban a ir. Pero él no... Que no... ¡Carajo! «¡Váyanse!, ¡escóndanse!, ¡entiendan!» Que él de frente: adusto, o sea: adusta su atroz espera. Atónito: de una pieza; o atónito desgarrándose. Incólume en apariencia; o ¿quién sabe?: al fin y al cabo: si a la hora de la verdad huyera como sus... Estaba solo, lo supo: oyó el chanclerío apartarse. Entonces boca cerrada. Por inducción su estrategia. Sus gestos perdonavidas, contimás sus ojos tristes que si pudieran mirar de arribabajo a los tres: aquellos que ya venían justo hacia él: retadores. Actitud irreversible. Dócil pero responsable hasta el último momento. Responsable tembloroso o valentón que no obstante trae un nudo en la garganta como hueso de durazno: atravesado, molesto, porque le crece a medida que se acercan cuchicheando: menos, ¡sí!, bastante menos, y ¡oh pavor!: los anteojudos: que lúdicos se despojan de sus gafas y...

¿Vendrán a pagar la cuenta?

Del encargado de allí: la actitud –como se dijo– irreversible, deveras. Postura apantalladora, tanto que los tres desviáronse, agachones, pero ágiles... Es posible que el motivo fuese otro harto distinto. No la cuenta, se supone; no el amago, el freno, el ascua; no el miedo o el infortunio de enfrentarse a una apariencia, acaso a un ente monstruoso, durísimo, aunque chaparro; no obstante, de quedo inflándose con el aura: cual hechizo: que en sendos trazos de fuego bien pudiese provenir del fondo de El Firmamento. Redor, plenitud y sello: en la puerta: cuadratura: gigantesca sugerencia de una luz que a lo mejor devoraría los colores, los pocos de un lustre gualdo, alargado: contimás: a la buena de alcanzar a poco la carretera, a poco el cerro de enfrente, emborronándolos: ¡casi!, reinventándolos despacio.

Muy al sesgo los golpeados vieron la imagen ¡tamaña!: señorona de un señor que mudo los ahuyentaba. Choque aparte: sugestivo: rastra apenas: abridora; crasos momentos de vida: la flor negra, siempre póstuma, hecha para deshojarla; las últimas vibraciones antes de que los mataran. ¿Extensión?... la que sirviera; cada segundo un hallazgo. Y a saber lo que faltaba...

Distinto, pues, ¿su motivo?

Ciertamente se desviaron acaso un poco aturdidos... Habrían llegado a un acuerdo porque sin decir palabra se treparon en su mueble. La cuenta: ¡al diablo!, y su huida... Arrancón intempestivo.

Rumbo al norte, rumbo opuesto al que tomó la guayina. Rumbo visto por el hombre: desde la puerta... ¡Su alivio!, siendo que al cálculo hizo, tras la desaparición del mueble y sus ruidos traques, sus primeros movimientos, si pequeños por nerviosos o si tímidos por lerdos... Esto es: con su mano se limpió el sudor de sus mejillas, de su frente, de su boca, y enseguida se dispuso a cerrar de par en par las puertas de El Firmamento.

Séptimo periodo

Capítulo uno

Sirva este empiezo para traer a cuento el asesinato de los tres anteojudos.

Desde el momento mismo del trepe en su mueble para huir de aquel antro luminoso –como fuera, pero pronto–, los susodichos, ahítos, se arrancaron rece y rece «padre nuestros» incompletos, o mejor dicho: a lo loco, y de pronto «ave marías», ésas sí de cabo a rabo, como nunca lo habían hecho andando en estos trajines y: lo malo se presentó: no llevaban ni siquiera diez kilómetros de huida rumbo al norte cuando: ¡asco!: que les sale amenazante: con metralletas y lámparas: una recua algo en desorden de unos veinticinco guachos regenteada –he aquí el dato que es preciso enfatizar– por un coronel que en tal operativo (ejem) usó el seudónimo de Dámaso Pintor, siendo su nombre de pila Jerónimo Pinto Llamas. Ahora que: por mor de las suspicacias, tan comunes y corrientes en asuntos de milicia, tal nombre, como retruécano, le hubo de ser sugerido al coronel en mención por un estratega equis, de esos que están muy cercanos al señor gobernador.

Enseguida se describen los detalles del siniestro en unas cuarenta líneas. Pero si le descontamos las debidas conjeturas la información esencial se reduce a la mitad, más o menos, ¿poco más?...

Dicho lo cual ahora sí se describe lo anunciado: téngase que El Firmamento estuvo bajo custodia, a distancia: ¡la adecuada! Las salidas carreteras: al pendiente: norte o sur: por ser de hecho las únicas; aunque... Desde la quema de votos hubo velas y rondines durables, pero no obvios. Oportuno es advertir que hacia el sur había otra recua de guachos para lo mismo. La cantidad ¿misma?, ¿sí?: veintitantos, ¿poco menos?, y el mandón: un coronel: y por igual con seudónimo... Seudónimo que no usó. De cualquier modo no había esperanzas de escapada para aquellos anteojudos, pues hicieran lo que hicieran no podrían llegar muy lejos, y así les fue sentenciado desde... A partir de la humareda sus vidas no alcanzarían siquiera veinticuatro horas. Para prueba un reconcomio: máscaras sustituibles por gafas de esas que sirven para hacerle frente al sol, luego del burdo marcaje hecho como dos días antes del día de las elecciones: moretones, rajaduras, como adornos repugnantes de seis ojos: otrosí: dos verdes, cuatro cafés. Lo que ellos desconocían era el segundo capítulo: su muerte: la que intuyeron cuando estaban en el antro. Por deslinde natural: maniobra de tapadillo relativamente absurda... Bueno, pues... La troca fue interceptada al salir del curverío que hay en el Puerto del Parche. En un camión del ejército los ya tres pobres llorones fueron llevados al sitio donde efectuaron la quema. Allí los ajusticiaron. A la buena de los vientos los cadáveres: ¡sin sábanas!: dispuestos para el festín de los buitres o también para delicia o halago de enterradores casuales. Tras concluir su trabajo, y sobre todo después, en un lapso de tres horas, cuando ya la avanzadilla (recua o tropa o lo que sea) hubo llegado a Brinquillo, sentadísimo y ufano y teniendo a sus espaldas a tres guachos de confianza, ahora sí que el coronel volvió a llamarse como antes: porque éste: usando su nombre auténtico: se comunicó por radio con el otro coronel, quien al escuchar la clave matemática esperada, relativa nada menos que al despacho de anteojudos, volvió a llamarse en el monte como antes se llamaba. De resultas, si se ve, las suspicacias sobraron: ¡pero es que siempre se exceden!, y si no pues no son tales y... Aquí, empero, fueron chasco, menuda espina purista, abstrusa por burocrática ¿pues quién diablos tantearía minucias tan «sin embargo»? Lo importante viene ahora; sea que el encomio inicial se retoma de una vez y para ello es necesario hacer el desplazamiento... ¡Hasta la finca!: la liga: la consecuencia: la hijez de tanta obviedad tan suata por ser macabra, debido a que don Romeo sintió, cuando iba a caballo, cada uno de los disparos: fueron como diecinueve contra aquellos anteojudos que ya se estarán quemando llore y llore en el infierno.

Capítulo dos

A través del vidrio trasero de la cabina vista al sesgo la cajuela; sábanas ensangrentadas cubriendo, o bien, pasteleando al revoltijo de muertos. Por uno de los compinches visto lo resplandeciente. El sol, atrás, juguetón, evidenciando un blancor así nomás flotador; frágil: por cierto: casual, y al descobijo: quizás: cruces de formas: suplicio; si nómada escurridero, si acomodo a somormujo, mínimo, casi incorpóreo... Apócrifa, de por sí, la sonrisa de los muertos: acaso más dibujada, a propósito, ¡deveras!; o una mano o una pierna que de pronto se movieran; o de plano: ¡con descaro!: un cambio de posición, o algo así: especulaciones, y...

Vista al sesgo la cajuela por el compinche que iba sentado en la orilla opuesta al chofer –quien, volanteando a dos manos, mentalmente repetíase: *Mi obligación es mentir... Mentir con categoría... Mi obliga...* amargo y torpe el etcétera–: visto lo que a su entender –cuando se hiciera el muestreo ante nuevos demandantes– podía convertirse en circo: rascuache, como se dijo, siendo que ya en La Azulosa fue espectáculo chanflón, villano, en esencia, esto es: nadie podía presumir de haber visto, ¡ni en sus sueños!, algo medio parecido...

Mugre espectáculo único –colmo de impresión tal cual– con mil detalles a cuestas, y por eso inenarrable...

Por lo mismo, contimás, todo esto ha de verse al sesgo –como lo hizo el compinche– para digerirlo rápido. Otrosí: con descontento se retoma lo incivil de aquella compensación ideada desde lo alto. La matanza a conveniencia, luego, como encubrimiento de un hecho tan renegrido, el reparto de cadáveres en lapso determinado, o casi, y de todos modos no flexible ni siquiera al diez o al quince por ciento. Dundo favor, si se ve, injusto por carretero.

De suyo era el abecé de aquella orden militar. La camioneta no iba a meterse –digamos que monte adentro– a los ranchos aledaños. Esos caminos de tierra, los de Capila en concreto, son bastante pozuditos, y las llantas... ¡ah, pues sí!, ¿dónde hay vulcanizadoras? Sin embargo, en tales sitios lo más seguro es que hubiese al menos media docena de deudos aún en la guala, súmense acaso otros más, pero réstese el total por lo dicho y ordenado.

Contra lo campante y práctico la asquerosidad viajera. Entonces, por apetencia: no la amenaza, sí el hecho, debido a la flotación, más, más patente, ya a punto: sábanas por desprenderse; la recompensa sería verlas remontar el vuelo. Meras formas pinturreadas con sangre heroica: ¡al garete!; empero; todavía no... ¡No!: mientras uno mirara hacia atrás como esperando a que ocurriera el milagro: grotesco, y también abstruso.

Volteóse el compinche pues, quería ver la derechura del camino que moría en las faldas de unos cerros. A la vista... Ningún rancho, sólo un ejército estático de huizaches vigilando. Tiempo para un plan ideal. Pero ¡oh desilusión!: los dos compinches de en medio iban contándose chistes, y el chofer absorto, adusto: su cara de huitlacoche maduraba de perfil, haciéndose perfil trágico: de anciano que dice cosas, pero siempre a la mitad; sea que si bien balbuceaba algo bastante siniestro, hacia el final parecía que se estaba arrepintiendo.

¡Al diablo los carcajientos! Ñoña su cretina excusa: un regate asaz oscuro –salpimentado de chistes tontísimos a propósito–, cuyo objeto era atenuar –¿sería eso justamente?– sus terrores, sus temblores, ergo: su animosidad. Y el salto hasta la otra orilla: el chofer: su imagen tosca: en su regazo el micrófono; seguro que lo usaría mucho antes de entrar a un rancho, de esos que hay en el desierto –acaso hallazgo al azar, casi como travesura–: con no más de cinco casas, de esas de adobe que hay...

La tensión de orilla a orilla sin un «¡hasta aquí!» de nadie.

Y al cabo de unos minutos algo pasó en la cajuela...

Al descubierto el pastel de muertos... ¡Qué problemón!

Por el espejo retrovisor el chofer vio cuatro sábanas volando rumbo a las nubes... El milagro ¡de reversa!... No dijo nada al respecto. Lo que hizo fue sintomático: dado su estremecimiento, bajó la velocidad. Era oportuno orillarse... El mueble, el ladeo rugiente.

Ninguno de los compinches osó mirar hacia atrás.

Capítulo tres

Hacia atrás los policías viendo el retén militar. Ellos sí, pero Crisóstomo: chafirete complacido, su interés: el lustre horrendo de las luces escarbando en lo oscuro mal que bien; farolas ¿para qué eran?: ojos pues, cabe decirlo, grandes y acres, ¡y buscones!: los de la guayina en ruta atisbando tiento a tiento las nulas proximidades: Remadrín... todavía no, de por medio un trecho: ¿corto?: a saber si adormecido. Mientras tanto la paciencia del chafirete ambicioso. Su astucia ahora sí: ¡al centavo!: le funcionó y ya fue rastra. Rápidamente Crisóstomo libróse de las preguntas más punzantes que le hicieron, nomás diciendo sí o no; sin embargo en las dos últimas dijo algo retechistoso que hizo reír a tres guachos: unos de caras perrunas; tres propincuos, mas no muy, a su ventanilla abierta, casi, o sea, más bien tres cuartos bajado el cristal: y entonces: el aliento de los guachos, repulsivo, insoportable, lo olisqueó con diplomacia. La risa fue lo importante. No dejó de ser extraño ver mandíbulas batientes a causa de dos puntadas. Tal mella iba para largo; por ligazón: correntía, y así bromas en redor entre gorrudos en vela. Y el arranque a contrapelo. Dejo riente, aún contagio, tanto que los policías no pudieron evitar ver cual corro de peleles al retén que se doblaba enderezándose luego. No obstante, la difusión perdediza sugiriendo movimientos casi al re –por demás ¡dale que dale!– su fijeza proseguía... Se dio cuenta el chafirete y: *¡Ya olvídense del retén!... ¡Ya voltéense, por favor!*, clamó con vivo desgarro cuando tomaba una curva.

(Las imágenes dejadas son, en efecto, accidentes. Se vuelven punto: y aparte: parece que tienen aura. Y cuando se recuperan, son como un «prende y apaga» que lucha por alejarse... Lejanía e inclinación: ¡ah!... Y obligado el salto brusco, siempre a ciegas, siempre ledo...)

Capítulo cuatro

El salto hacia lo puntual: el alivio por delante: no incendiaron la alcaldía los airados inconformes. Ya no hubo ningún disparo: ni de piedras ni de balas (se obvian las direcciones), sólo ráfagas de insultos... Insultos que todavía, uno que otro: menos, menos... ¡Menos a la medianoche!: si acaso frases lejanas: mero albureo que los vientos podían traer o llevar. En suma: no hubo desastre; pues ¡qué bueno... por lo pronto!, ¡qué bueno que la nobleza –TAN QUERIDA– de la gente se mantuviera tal cual –TAN DIGNA, TAN RESIGNADA– por lo menos –bueno fuera– cada vez que hubiese chanza de votar como se debe, es decir, tranquilamente!

Capítulo cinco

Temprano doraba el sol el despertar de la tierra... Sin embargo tal primor se elude porque es, digamos, amorosísimo y tenue. Lo justo aquí es lo objetivo: la entrada en los pormenores, es decir, esos aspectos que pudiesen ser, si bien, más de apuro y proporción, así que –no el matiz harto bermejo de los tintes que se ensanchan; no el encuadre colorido en tela sobre la gleba cuyos límites se eclipsan a causa: ¡ay!: de las pátinas y los resoles postreros, sino...–: crasa contabilidad: dos por cabeza fue el número de las valijas sacadas. Eran seis las chancludillas, por lo tanto: doce cargas: durante –bueno– treinta metros: más o menos; sude y sude: por lo mismo: así iban las chancludillas rumbo a... De El Firmamento a la orilla de la carretera había más o menos... Aunque... Antes todas por igual hicieron su primer alto –para secarse el sudor– cuando llevaban apenas cinco metros recorridos. Son inexactos los cálculos, y más si se consideran centímetros y milímetros.

Además, hay un detalle: no entran al conteo final las bolsas de mano de ellas.

Ellas –entiéndase quiénes, pues las bolsas nada más tuvieron su campaneo–: las que al pasarse su mano sobre la frente y jalar aire hasta el tope, digamos, casi al mismo tiempo, ¡casi!, no osaron voltear a ver siquiera durante un segundo El Firmamento y su fondo: aquellos extraordinarios cerros pardos y clivosos. Cotidiana perspectiva: ática, y por ende tónica... Ya imagen para el olvido... No obstante, quien sí la vio fue... (En la contabilidad siempre cabe una excepción. Hasta ahora se han manejado –mejor dicho: se han impuesto– solamente cifras pares. Se dijo de dos valijas por cabeza; doce: en suma; la mitad: seis chancludillas; treinta metros; y ahora sí: la excepción fue hasta el final: cinco metros recorridos. Sutileza. Aunque... En la contabilidad se acostumbra redondear los guarismos fraccionarios. ¡Y hay inercia en el pareo! Esta lógica obedece a un descarte de rigor: ¡nada de aproximaciones! Pero ¡atención!: no se borran; se eluden únicamente. De hecho, hay margen porcentual, un lastre sobrentendido. Pero, bueno, ¡ya está bien!... Vayamos a la excepción... Otrosí: la verdadera: es la que viene enseguida...) Félix Arturo Corcuera: mirón durante un minuto; absorto, pero realista, y rompedor: por lo mismo. Hombre él: número uno, así es que non (¡non!, o sea...). Se explica que siendo el último en salir de El Firmamento no debió ser por capricho; él debía dejar cerrado aquel antro excepcional. Agréguese otro detalle: él puje y puje arrastró cinco valijas pesadas por el piso de mosaico del restaurante espacioso (¡cinco!, o sea...). También quedóse a la saga porque tenía algo secreto que efectuar antes de irse.

Por lo pronto véase el cuadro: veleidad de garigoles: en madera: reluciente. Puertas cerradas: por ende. Y en el suelo: al aire libre: aquellas cinco valijas.

Se recalca el abandono. El hombre se había esfumado.

Duradero el cuadro en sombras: hosco derroche coloro: oculto, en principio: azul; índigo azul a distancia, sin embargo: amenazante. Un prodigio para verse; luego, ¡sí!, siendo que antes: conforme iban avanzando los minutos despertaba. Plural pinturreo queriendo: más, más, y al cabo el desveno. De algún modo fue atracción. De manera inevitable al fin una chancludilla volteó a ver tal perspectiva: mínima, pero colmada, y por igual: angustiante: nerviosa ella lanzó un grito: *¡No está Félix!... ¡¿Dónde está?!... ¡¿A dónde carajos fue?!* Voltearon las otras cinco. Ya todas habían llegado a la orilla pretendida; por eso sin miedo vieron sólo aquello y ¡oh sorpresa!

Sin ser difícil notarlo –cuestión de moverse un poco: de siete a dieciséis pasos: hacia la izquierda nomás–, ni una de ellas quiso ver el escabulle del hombre. Un caminar muy suputo hacia el cuarto más distante, aquel en el que dormían la cocinera y su hija.

Téngase pues el desprecio, mismo que se ha de glosar unas líneas más abajo. Pero algo se matiza: de una vez: por premio al mérito. Es un contrahaz nada amable. Sin embargo se adelanta lo acordado de rigor en la tal reunión postrer (detallito a flor de estufa): a esas divas del guiso y el enjuague de los platos no se les invitaría a emitir una opinión respecto a la fuga en masa. Y ahora sí el pendiente pues: ¡ojalá estuviesen súpitas a esa hora de la mañana, y a su estilo: abrazo concho!... Ronquidos acompasados: ¿comprobarlos?: era el riesgo...

Dar con la verdad: ¡qué lata! Preferible hacer repasos palomeando situaciones que la memoria trastoca hasta hacerlas pasatiempo. Félix Arturo Corcuera de hecho las trastocó. Fue un paulatino revés... Una historia en espirales precipitándose a poco desde mucho tiempo ha; cruenta de principio a fin. Razón para detenerse un minuto, poco más; vista hacia el fondo: a propósito... Se colaban los recuerdos por un embudo enllegando al horizonte cerril, el de allá: pálido, bayo. Estampa ¿recuperada? Al cabo la borrazón y el ánimo que se afana, por lo que el escrutador, momentáneo de por sí, apuró entonces sus pasos...

Otrosí, como deslinde: téngase por miramiento lo que luego fue, digamos, un mérito alrevesado... A la cocinera y su hija no se les consideró para la fuga temprana en virtud de que aquel antro no hizo fama en la región ni por su putez bailona ni por su: ¡uy!: dizque elegancia, sino, a ver... La clave no podía ser la belleza chancludilla: de esas seis no, ni de otras: unas que hubo y se escaparon; fueron cuatro: casi enanas: cuatro que urdieron un plan para darle sexo al máximo a ese que iba caminando; cuatro: a un tiempo –encuere a oscuras–: que jamás habían juntado dos camas para hacer grande todo el peliculerío de piernas, lenguas y pelos; cuatro que condicionaron sus jineteos contentísimos a que él se echara, sin pausas, seis botellas de mezcal. La propuesta surtió efecto, aunque: Félix Arturo Corcuera bien pandeado se quedó, laxo, en otra dimensión, y esas cuatro luego-luego se vistieron y se fueron; tal vez agarraron monte porque ningún autobús pasa, ni hacia el norte ni hacia el sur, a las tres de la mañana; a lo mejor no fue así, pero etcétera y etcétera... Y vámonos de reversa para dar con lo inicial. Antes todavía un detalle relativo a lo bonito y a sus recreos echadizos: ni esas que agarraron monte ni las pencas chancludillas: las seis restantes mironas que estaban a punto de irse –pero por la carretera, sin gritárselo al ausente–, eran de esas melenudas que aparecen en las fotos de calendario peladas y sonriéndole a la vida: ¡no, pues no! Tanto unas como otras eran nada más huerquillas veintiañeras, pizpiretas, caminonas muy de estudio: paseando cadera y hombros, empero buscando adrede sus perfiles y soslayos; de eso último relucían de grado en grado sus aires, que no sus dulces misterios, mismos que se descubrían: ya al respiro, ya de frente: sus caras aceitunadas de mil y una caricias, y sus bocas-golosina, y su habla de do-re-mi, y aparte, viendo hacia abajo... Si antaño sus cuerpos fueron curvilíneos, cocacolos, a esas alturas ya estaban casicasi barrilitos, por lo menos dos así: por falta de meneo diario; y los otros: pepsicolos, por malcomidos y fonjes... De grado en grado: en rodeo, de hecho, apenas subidor, luego de dos, tres despejes se va llegando al concepto que allá arriba no quedó ni siquiera a la mitad... Falta un último jalón para... Félix Arturo Corcuera: su manejo de la caja; su tutela algo flexible, mas con el empaque idóneo para afrontar –no mezquino, no figurón, sí entrador– los vaivenes y discrímenes que un antro así experimenta, pues... Sea lo que sea es tarea oculta, si se le liga a la fama. Y conste que El Firmamento a nadie sirvió de *ring* para el boxeo camionero o rancheril: ¡nunca!, incluso: que manazos, botellazos, menos balazos –que un susto–: uno aislado por ahí: ¡no!, nada más puro deleite... ¿Y la fama en tal sentido?... Sólo se liga a la fama el deleite, por principio, y con eso avanza el gane, porque: aun cuando haya altibajos, si son mínimos ¿importan?

«En veremos» todavía el dormitar de las divas: las fealdades en apriete...

Por un ventanillo: ¿sí?: hacia adentro, pero al bies: la ojeada pronta, y lo neto: xanas leonas mollejonas ¿con sus ojos entreabiertos?

Ahora que el mejor ardid: dar el cabeceo hacia atrás cual tic forzoso a dos tiempos. Así lo debió pensar Félix Arturo Corcuera para hacerlo ¿cuántas veces?, no dejando que al final se le viera la nariz, no la punta boludona, ni eso, apenas, y no obstante: la insistencia: a ver si... Con decir que el acechante era amo de una nariz casi de hueso de mango. Parecía una incrustación hecha por algún cachano.

De todos modos lo cierto: difícilmente notorias doña Umbría y su hija Primor. Se entiende que desde afuera, por el ventanillo: y izas!; mas con la zonza estrategia del mirón, pues, contimenos; es que si estaba nervioso, si tenía que hacer de plano movimientos tan convulsos... ¡Bah!

Y remachando lo de antes todavía hay un dato aparte: Félix Arturo Corcuera sabía de otro impedimento: aquel cuartucho en penumbras, cuya vista se orientaba hacia el lado noroeste, por alcance oblicuo apenas, durante unas cinco o seis horas agenciábase una vírgula de luz –a modo de hilete– deveras tan pobretona que necesitaba ayuda: un par de focos eléctricos: uno desnudo y en cuelgue, y otro encima de una mesa: rucia lámpara florosa. Se supone que la hija o la madre, o ambas pues, estuviesen durante un rato ¡SI NO, NO! Si no puro lujo inútil... De otro modo, dicho sea: como esa vez: de mañana... mmm... A ver si seguían durmiendo... Y el consuelo, afuera, acá... Sí dormían, ¡claro que sí!

El acechante, por ende, no necesitó acercarse; le faltaban más o menos unos siete u ocho pasos y el ritmo de los ronquidos, de xanas leonas rugientes: en continuo contrapunto, lo despachó de regreso.

De regreso, apenas ya, quedóse la fama atrás en ambiguo claroscuro; quedáronse las artistas de los tacos con jardín: orgullo de El Firmamento, siendo que: la belleza de ese hacer debía seguir de por vida, pero en el mismo lugar, dándole satisfacciones a Abel Lupicinio Rosas... Y con eso, como lacre, lo demás sería, digamos, mera escoria renovable.

Capítulo seis

En el último cuarto de la alcaldía, el más próximo al aprisco más tableado y más hediondo, insoportablemente faltosa y dada a las prontitudes, Sanjuana se daba besos con su donjuán de dos metros.

Bienaventurada sea una mujer como ella que aprovecha al cien por ciento su poderío momentáneo.

Sin embargo, bien a bien: ¿cuál poderío momentáneo?... Mejor deschongue en agraz, porque: la del peinado de torre, luego de no haberse impuesto a la masa enardecida –de hecho, suputo el efecto, de una manera buscado: sin micrófono: ¡pues sí!, se infiere su voz en chille, no alcanzadora de nadie; ni para qué conmoverse–, se engancharon y tensaron gozo y ardor en sus ojos. Y he aquí su primera orden: que se cerrara la puerta principal de la alcaldía para ni de chiste abrirla sino hasta minutos antes de las ocho y media a-eme.

Véase pues la resultancia: afuera los policías, los todavía apuntadores, empero harto fastidiados de apuntar: al frente: a qué: si disolvíase la masa. Afuera los familiares del herido: preguntones, en ascuas se quedarían atrapados en tres frases, las últimas que les dijo Sanjuana con voz tipluda: *¡No se vayan, por favor!... El que se fue al hospital viene al rato, van a ver... Cuando él llegue yo les hablo...* Ellos dizque resguardados atrás de los policías; su despatarre en el suelo; su espera así mientras tanto y: para estas alturas nadie iba a tomarlos en cuenta; acaso sí: siempre y cuando el herido hubiese muerto, y ayayay: moneda al aire; es que teniendo ya un mártir...

En pugna el mártir: cual símbolo, contra aquella buena acción de Crisóstomo Cantú: cual mañoso encubrimiento.

Pero al grano lo siguiente, lo que a la ya poderosa se le ocurrió de inmediato: dado su gozo y su ardor, en malcontento enredijo, corrió a todos los burócratas, con excepción del donjuán y de tres amigas suyas que la hacían de mandaderas, curanderas, asegún, dispuestas a cualquier cosa, esas de antes, ¿se recuerda? Además, el del radio se quedó, a él no podía correrlo. El resto: ¡fuera!, ¡a dormir! El inicio de labores: mañana a la hora de siempre.

La salida por atrás, por los apriscos hediondos; así entreabierta una puerta, así a favor de los pánicos; entonces; pasito o quedo el desfile de uno en uno hacia lo oscuro en verdad de un callejón bien guijado. No tan lerda, sin embargo, fue la fuga burocrática... Dicho sea, por redondear: fue como a eso de las once.

Por esa puerta, a su vez, la entrada de la guayina, pero... ¿eso ocurriría más tarde? Tiempo de oro mientras tanto para los besos sin tregua. Besamientos como escudo oponiéndose a los gritos de tanto orate inconforme, en dispersión, en oleadas, empero sonoros y ácidos.

Que oficial el correrío: adentro... ¡Claro que sí! Un irse con ansiedad justo hasta el último cuarto, mas no irse prendiendo focos, ahorrar luz –falsa estrategia–: por mor de una política cuyo fuerte era el desdén hacia lo que sucediera en la plaza y en las calles.

Y el deschongue de Sanjuana habría de sobrevenir tras –sin pérdida de tiempo–: lo oficinesco expulsado. La urgencia: ¡ya!: el accionar. Prendedores: unos veinte: metidos de sopetón en una bolsa de mano para: el desplome de su torre de cabellos en estire para jalarse sin más a su donjuán: aunque antes: hubo de lanzar un «¡Eeeeey!»: tan largo como un chiflido.

Sensacional obediencia: hete aquí que el de dos metros se arrimó en un dos por tres. Y con eso, por lo pronto, se ha de convenir en algo que por novedoso y chulo debió asombrar al donjuán: tal despeine provocó que su sangre de galán, cual si fuese flujo eléctrico, subiese y bajase en friega, diez veces en un instante: ¡oh excitación blanca en serio!, y en tinieblas: mucho más. Sombras y asombro, si bien, permutándose en aína hasta lograr un empozo. Es que vista la evidencia: la ambigua ferocidad, una luchadora ¡al tiro!, leonada, por si las dudas; vista como una amenaza por un donjuán que de plano ya se iba sintiendo víctima de saliveos sin parar, ¡vaya que si no!, y también: un como alumno empujado así nomás al estudio de altibajos instantáneos.

Donjuán: dócil, se supone –el jalón sobrevendría–: lo llevaría de la mano aquella politiquera, misma que antes lanzó una orden: ¿la última?, al trío de amigas que atentas, las: en manojo: a unos metros de donde estaba la... Bueno... El encargo por igual: las tres debían vigilar la entrada de la guayina. Siempre era por atrás, ¿sí?, y esa vez con más razón. Atrás, al pendiente, entonces, del ruido triturador de llantas contra los guijos. Improbable por ideal sería un largo claxonazo, fuerza es admitir que no, por ende la cercanía a la puerta fue un recalco y... de otro modo su reacción: sus gritos como una alarma. *Así que no habrá problema para que yo las escuche... Y otra cosa, por favor: no quiero que palabreen en voz alta desde ahora; no vayan a prender focos, pues yo no los prenderé...* En acto, más que ominosos, los prontos desplazamientos de sombras encaminadas hacia una dirección. Por delante las mujeres y a la zaga, aunque no muy, el avance calculado de Sanjuana con su espectro: un parecer a capricho: espectro altísimo pues: hecho para reanimarlo, acaso vivificarlo; y a poco lo reanimaba ya con aprietes, con besos, todo instantáneo e incómodo.

Cómodo al fin en el cuarto lo deseado como entrampe, y allí: de pie: al dale y dale, pero –digámoslo con desprecio–: aviesamente lo tardo de un cachondeo a contrapelo. No la posibilidad recóndita de algún catre –en ese cuarto había uno: arrinconado, y por ende: cosa de dar unos pasos–, sino el agarre oficial, tenso, adrede, no durable... ¡No!, porque al cabo los gritos.

Siete minutos de amor.

Rompimiento, alarma, nervio, a causa de la guayina que llegó a vuelta de rueda. El donjuán: ¿por dónde irse?... Que se fuera a los apriscos: jilito, si podía hacerlo; luego: que se saltara la barda. Sugerencia de Sanjuana, sea que fue amorosa orden; y el acato: más aún: efectivo, esto es: indiscutible la huida del grandote mascullando: *¡Qué lástima que llegaron los que no debían llegar!* Y se cerró el episodio con el salto del donjuán: por allá, quién sabe cómo.

Podría ser lugar común eso de prender un foco para que un nuevo episodio tuviese un feliz comienzo. Tras el salto oído apenas –costalazo consecuente–, Sanjuana a tiempo prendió uno que tenía a su alcance. El efecto fue crucial: acercamiento de dos: encuentro mediante pasos y: viéronse con extrañeza esos dos: los consentidos del alcalde don Romeo.

En el susodicho cuarto los informes de cada uno. La felicidad aquí al menos fue platicada, sólo así podía ser plena, pues se iba modificando. También para que el efecto fuese nomás de contento, los informes debían ser como un alimento frío dado en puras cucharadas: colmos para atragantarse, y descripción vertical; arrufos o ratoneos: unos cuantos a la postre, con enojos de por medio. Se supone que para ambos: ¡con apuro los encomios! Tal prurito: sensitivo: pero además con objeto y en aras de otros encomios de mañana en adelante. En el catre sentadísimos aquellos dos consentidos. Foco espiritual: el único, de suyo: calentador, con alumbre azafranado. Aunque... Una distancia prudente –por respeto, mientras tanto–: siendo casi ley entre ambos. Y otra fue la consecuencia: a medida que avanzaban en su prisa palabrera calentábanse sus ánimos; luego habría de dilatarse lo básico zonzamente. Pugna de arbitrariedades: Sanjuana contradiciendo; Crisóstomo enderezando; y el alargue por demás.

El contrapunto en el patio: la fresca desobediencia de las tres embarradoras, dizque amigas de Sanjuana, quienes, sin más, ahora sí: para efectos de un sonsaque los vistazos bien a bien. Entonces su acción primera: prendió un foco cada una al igual que su patrona. Así, también por influjo, hubo un ligero contraste con lo que se hablaba adentro: en el cuarto: medio a hurto. Chismosas las tres amigas, a base de cuchicheos daban a lo gacho informes: con retuerces muy de antojo, hueros a más no poder... Los policías escuchando. Esos dos recién llegados tan sólo querían pedirles unos tres cedrones de agua, trapos: los más, y jabón: de ese en polvo unas dos bolsas, y si hubiese en la alcaldía dos botellas de amoniaco, o un poco de acetileno... Lo que era mucho pedir... Pero, bueno, con esas sustancias fétidas la limpia de la guayina sería en menos de media hora.

Otro contraste allá afuera: de oídas el noticón les llegó a los familiares del herido: ergo: ¡al ataque! Es que el regreso del mueble, obvia entonces su inquietud y, por tanto, su dentera; a lo que: tras su respigo: automático: al unísono: todos fueron a tocar la puerta de la alcaldía: la principal, es decir: sin largueza sus toquidos en la madera de haya: durísima: y sin embargo: duro y duro, y lo más duro fue que tres apuntadores –fastidiados, pero alertas– les frustraron la intención. Manso su decir e idéntico a los decires de antes: que no se desesperaran, que su aguante debería ser máximo de unas dos horas: más: ¡sí!, y ¡ni modo!, aunque, bueno, podría ser que en menos tiempo les vinieran a informar sobre... No hubo contraste en la plaza. Si horas antes el acuerdo –la marcha a la capital, más todo lo que implicaba– fue objeto de ¡ajúas!, aplausos y otros vítores fanáticos, no totalmente, eso sí, la masa ya no fue masa; a saber lo que sería... Retirada ¿en alebreste?... Macilenta dispersión... Muñidizas por doquier...

Más bien habrían de quedarse en el aire los insultos a expensas de que una racha los juntara de una vez para darles feliz rumbo, el correcto: ¿cuál?, depende... Meta: el patio: tan siquiera: adonde la resonancia...

Suerte de llegar o no.

(Pero si nos atenemos a lo que sucedía en el patio hacia la medianoche...)

Un poco antes no pasó de ser churrete de zumbos y así nomás «en veremos» los insultos ¡ni dolían!

(Bueno, pues... Pero si nos atenemos al efecto que produjo el tal churrete de zumbos en aquellas tres amigas...)

Lo mismo a la medianoche: mero rumor, zumberío, e incidencia contrastante con el tope que Bonita Turrubiates, Sinforosa Chavarría y Siempreviva Cabrera les pusieron de vencida a esos recién llegados: nada de cedrones de agua, ni trapos, ni lo demás, sin permiso de Sanjuana. No podían interrumpirla con una disculpa así, tan de a tiro pidientera.

Los insultos, por lo tanto, eran –si vale decirlo– cual musiquilla ambiental.

La limpia de la guayina: ¡vaya que si era un asunto que deberían postergar con rabia los policías!

(¡Claro!, pero, lejos de contraponerse a tan crasa negativa, los policías entendieron que se trataba de un juego. Entendieron además que aquellas tres, por lo visto, eran gentuza chismosa, y uno de ellos se atrevió a lanzarles un, digamos, buscapiés muy inocente.)

Cambio de procedimiento:

–A ver, por favor, señoritas... ¿Alguna de ustedes podría decirnos adónde se fueron los dos policías que ayudaron a cargar al herido? –el susodicho trataba de ser bastante educado–. ¿No sé si ustedes se acuerden?

La más chaparra y chismosa, la de los gestos más changos, dando sólo un paso al frente, le contestó con aplomo:

–Antes dígame una cosa... ¿Qué pasó con el herido?, ¿ya se murió?, ¿o cómo está?

Sobre este asunto los otros: los en el catre sentados, daban sus puntos de vista... Estaban por concluir lo que tanto les costó:

–Ni siquiera es un favor, ¡entiéndelo!... Yo creo que es tu obligación hablar con los familiares... Ellos te esperan afuera.

–Les traigo buenas noticias... Está vivo su pariente y sanará en unos días... Pero como no lo traje...

Siendo el revolteo posible, posible es que se le exhiba como tema de añagazas. De hecho: tal cual ¡venga pues!:

Por fin la más regordeta –fue Siempreviva Cabrera– respondió lo principal (quepa aquí un detalle nimio: ya se habían dicho sus nombres, empero las retenciones...):

–Se escaparon por allá... ¿Ven aquella barda blanca?... ¿Sí?... Pues de un salto la libraron... De ahí en fuera no sé nada...

–Cierto es que no han regresado... –añadió otra y no obstante: de las que restaban: ¿cuál?, ¿si Bonita o Sinforosa?

Y algo más dicho a lo tato, como en ladeo, por si acaso... ¿una inminente certeza?:

–¡Se pe-pelaron por el mon-monte!

Luego el remate empeorado:

–¡A lo mejor están muertos!

Capítulo siete

–No es que yo quiera correrlo, pero para mí este asunto ya no tiene más que dar...

–Señor, nomás un deta...

–Es que todo está muy claro... ¿Quieren que se los repita?... Entiendan que en unos días, pónganle una semana, traerán sano a su pariente en ambulancia ruidosa, ¿eh? El servicio es completísimo, ¿o no les parece a ustedes? Ahora que si quieren verlo, ya les entregué su fajo bien tupido de billetes... Y luego cuando amanezca... mmm... ¡Vamos!, ¿quién soy yo para informarles que hay un autobús foráneo que los lleva hasta San Chema?... Creo que es el de las siete... Pueden ir si ustedes gustan...

–Pero señor, nomás óiganos...

–¡No!, la guayina no se alquila... Ya hicimos lo que nos toca... Pero si a ustedes les urge, busquen muebles, ¡idénse prisa! Hay varios en Remadrín, aunque... mmm... Quiero ver que los consigan, sobre todo a estas horas...

—Pero señor, por favor...

—Este gobierno ha cumplido con su labor de servicio... Y con esto, de pasada, quiero poner nuevamente el dedo sobre la llaga. ¡No fue cosa de nosotros lo del robo de las urnas!; si a su pariente lo hirieron, fue un error, fue un accidente, y un gobierno como este es tan sabio y tan benévolo que no le cuesta trabajo reconocer sus errores... Y ténganlo muy presente, al menos por el momento ¡yo funjo aquí como alcalde!, y miren lo que dispuse, ¿eh?, soy noble y humanitario...

—Pero señor, nomás déjenos decirle algo...

—Bueno, pues, ¿cuál es el «pero»?

—Estamos agradecidos con su labor de servicio y también con el dinero que...

—Ahórrense los cumplidos... ¿Yo qué les puedo decir?... Las gracias no hay por qué darlas... Es nuestro estilo político el servir a nuestro pueblo, pero aquí yo por delante, porque fue mi decisión... Y ahora ¡váyanse y adiós!, que tienen mucho que hacer...

Una ida airosa no fue, tampoco al cae que no cae. Que veleidad, liviandad, mera mudanza quizás... No es prudente hacer de tajo alguna figuración. No obstante, queda un «a ver»... Por lírico no es exacto un recobro al dos por tres, sí cabe un albur empático, que es también un asegún... Se quisiera lo siguiente: rebanadas de sandía: en general: tales bocas, y se incluye desde luego la del alcalde interino, ¿sí? Al final: rayas y rayas, bocas rígidas y agrias, siendo que la incertidumbre dominaba todavía... ¿Ni lo anterior ni esto último?

¡Cuántos estados de ánimo en menos de un minuto!

A saber...

Y la absurda paradoja, porque:

Al quedarse a solas Crisóstomo Cantú, sentado en la tan codiciada silla municipal, y en tinieblas: para bien, a modo de hacer recuentos antes de hablarle al alcalde por el teléfono gris, cierto, primero habría de saber que no estaba tan lejano ese día, para él histórico, de su relevo inminente. Luego: CRISÓSTOMO CANTÚ GARZA, ALCALDE DE REMADRÍN... En grandes letras doradas y ¡oh chispeo en serio chispeando! No como un sueño infantil, ¡no!, sino como remar lento sude y sude hasta la orilla: la inmediata, pues, la obvia. De ahí el sueño, entonces sí, en espirales gloriosas hacia una cumbre con nieve, la más alta... ¿Y el desplome?, ja-ja-ja... Un desplome, ¡uh!, ¡ni pensarlo!

No redondas todavía, y punzantes en su mente, aquellas «buenas acciones» hechas por voluntad propia. Ya popular (asegún) la ocurrencia de llevar al herido hasta San Chema; mas no podía confundir el despacho de dinero: fajos a diestra y siniestra, siendo corrupción al bies, pero... De aquellas «buenas acciones» nada sabría don Romeo por boca de él por lo menos; por el contrario, si bien, se las debía de soltar al acre gobernador cuando hablara a Remadrín; el timbrazo milagroso: de seguro amaneciendo, ¡ojalá fuese en la tarde!: y así la oportunidad para lucirse deveras. El reconcomio: al garete: de Pío Bermúdez: quizás, ya que: si no estuviera de acuerdo, entonces el interino sería capaz de prestarse para hacer otros servicios: los supremos, de una vez. Por ejemplo: podía matar al herido un poco más adelante, o a dos o tres encumbrados capilenses: ¿por qué no?, o ¡a cualquier líder político!: logro para saborearlo... Matón, pero inteligente, a cambio de...

¿No era por ahí el asunto?

Entonces ¿por dónde era?

Dejémoslo especulando en sus impudicias tipo para ir a lo de antes: Crisóstomo a última hora fue operoso –¡y concluyente!– sin hacer mucha alharaca.

Otrosí: valor de más: su gran naturalidad de actorazo burocrático: porque: en apariencia vencido Crisóstomo resultó ciertamente categórico al despachar a su casa a Sanjuana –ella: humildita: a lo zorro: desde luego– y de paso a sus amigas. De hecho, por si fuera poco, no tuvo necesidad de argumentación de más, le bastó su voz de siempre, su tono medio apagado, pero sin tartamudear, y su dedo tembloroso casi señalando el rumbo. Aparte los policías: ese par de acompañantes lavaría nomás por dentro la guayina con pura agua extraída de una noria que estaba por los apriscos; no amoniaco, no jabón, sólo mediante barreos y talleos como escarbando para hallar el lustre a fuerzas antes que rayara el alba. Al encargado del radio lo obligó a desconectarlo: que se saliera también, ¡vaya osadía *no chistada*!, ni esa que debió de ser ni las de antes: se supone, todas en cambio sí fueron devociones en lo bajo a las que habrían de sumarse las de los apuntadores: su carga última y al triple cual bizarra remisión demasiado a contrapelo, esto es: no importando que no hubiese en la plaza casi nadie, entiéndase que a esas horas, la orden fue que deberían –en idéntica postura hasta pasado mañana– permanecer... ¿en relevos?... ¡Desde luego que en relevos!: un sargento caradura hizo aquella sugerencia –misma que aceptó Crisóstomo– no como un contrataque, más bien como una manera de cumplir con eficacia, pero descansadamente...

De por sí, como remache al cabo de sus esquives, él se encargó de informarles a todos sus inferiores que se quedaría al pendiente en la alcaldía sin dormir, que no se le molestara si no era por un asunto de verdad extraordinario. Buena espina de mandón y escrúpulo pedantísimo. Sin embargo, tal picor volvióse disco rayado al canturrearlo diez veces, la undécima fue para él; de viva voz lo primero (silabeándolo a sus anchas al entrar en la oficina): *Tra-ta-ré de no dor-mir...*, cavilando lo restante por ser sanático e íntimo: *A mí lo que me interesa es que llame el mero-mero... Voy a ponerme a sus órdenes... Aunque me dé mucho sueño trataré de estar despierto... No saldré de la alcaldía hasta que el gobernador me lo ordene por teléfono... Yo tengo que contestarle, no Sanjuana, ¡qué esperanzas!, tampoco ha de ser alguno de esos tantos que vinieron... Y hasta es más, para acabarla: no saldré de esta oficina mientras no esté don Romeo...* Su etcétera: en altibajos. Plan de cabeceos: de a poco: para luego: por supuesto, luego de hablar por teléfono: lo que le había prometido en tal fecha a don Romeo, fuera a la hora que fuera. Y sus nervios, por lo pronto... Es que se estaba tardando.

La silla municipal era un sillón giratorio.

Capítulo ocho

Nau: el encuentro anunciado en el cafecito furris del hotel La Circunstancia: a la una de la tarde: *guan ocloc, in midldei*, ¿a poco así está bien dicho?, si no es correcto, sí en cambio lo cierto es que ya el reloj, en el *miqui maus* colgante en la pared ubicada a la derecha de Egrén, marcaba la una y cuarto. Con o sin tal disyuntiva el enfoque es el siguiente: a la mesa Egrén sentado y comiéndose un *pich melba* con ansiedad de hallador: pese a sus reojos constantes no avistaba a su paisano. Desolación en la entrada, y adentro ¡ya ni se diga! Si Egrén como único cliente. Conrado Lúa ¿sería el otro? Es que se estaba tardando. Por lo mismo se completa lo que importa destacar: platicona en la cocina la mesera regordeta y el cajero bien absorto armando un rompecabezas en una mesa vacía. Reconfortante la nieve mientras tanto para el cliente. Cuando se la terminara entonces sí ¡a preocuparse!

Se tenía que preocupar a causa del plan siniestro que gravitaba en su mente: Egrén: después: ¿qué pedir?... Se le antojó un vaso de agua. La mesera se lo trajo y casi por accidente le hizo un cariñito apenas: en la nuca: por si acaso... Pero la mente de Egrén se situaba en Remadrín: allá su novia llorando. Lloradero de sus padres, ¿incluso de sus amigos? De Enguerrando: carcajadas. Figueos sin ton ni son, cuales

335

fueran, sin embargo, él no quería por lo pronto pelamientos con mujeres.

Se equivocó la mesera. Le sorprendió la frialdad de aquel guapísimo cliente y fue entonces cuando dedujo que la nieve, ergo: su efecto...

Para tanteos los de Egrén (tretas en cuadros y en círculos) al saberse un asesino hambriento de balacear –si demente, por inercia (se imaginaba un chubasco, pero de sangre en vez de agua)– a alguien que una multitud quisiera echárselo rápido: nadie más que don Romeo: el cacique sin igual y...

Ahora sí que enderezado su plan ya tenía un pretexto, con aparataje a modo, para hablar con su paisano. Pasaban de la una y media, *ocloc*, o ¡sepa la bola! ¡Sí!, su objetivo, sin más: se le atravesó el cacique. ¡Uf!, veíalo arrodillado y pidiéndole perdón, pero pum, pum, pum y cuas y pues ¡ni modo!, ¡caray! Y del plan: lo principal: jalarse a Conrado Lúa a Remadrín –si no ¡cuerda!–, mismo que podía servirle de ayudante y de testigo; le ofrecería una fortuna a cambio de sus servicios; cualquier cosa de anticipo. Todo estaba en que llegara.

Capítulo nueve

Félix Arturo Corcuera se tardaba demasiado.

Se tardaba el autobús: el de las siete: ¿por qué?

Las chancludillas: igual: sin posible iniciativa: inmóviles esperando, ahora que: según sus apreciaciones, a esas horas todavía no había pasado ni un mueble... El ruido de los motores, también los de correntía: fruto de velocidades de camiones, autobuses, carros, trocas o tractores, solían oírse a distancia a primera hora, y constantes... Pero esa vez: la rareza: ¡en ninguna dirección!, la cual, por inverosímil, las empujaba a pensar en mil y una zonceras.

Con lo dicho antes se llega a una información sucinta: *el autobús de las siete siempre venía hasta el copete.*

No obstante en tal ocasión ya pasaban de las ocho...

Y algo más:

El autobús de las siete no trae clima artificial, pues es de segunda clase...

Pero aún falta el remate:

El autobús de las siete avanza párese y párese como si lo hiciera adrede; nomás con que le hagan señas desde donde sea al chofer y nomás con que las vea...

De lo anterior se desprende una tosca acusación: ¡EL GOBIERNO ES EL CULPABLE! ¡Sí!, al menos en el desierto no deberían existir muebles de segunda clase.

Y en tren de consecuciones habría de imponerse el «mientras» al «acaso» pero no a los cálculos al vuelo... Diez minutos más o menos: lapso para que llegara Félix Arturo Corcuera, cargara con sus maletas, se dirigiera hasta acá. Las chancludillas: atónitas: antes de lo que esperaban –cinco minutos, y allá–: llegó bastante embebido en quién sabe qué patrañas o reflexiones color, porque no volteó, no quiso. Luego una de ellas al verlo reprochóle su tardanza mediante un grito mordaz, él entonces con cautela miró hacia la carretera al tiempo que se llevaba su dedo índice a la boca: *Sssht*, silencio, acato, pues. Aunque... de las seis ni una entendía lo que le estaba pasando.

De pronto, cual si un mollote le picara el espinazo, desde la puerta del antro las saludó victorioso con aspavientos de más.

Si en tren de impresiones: ¡ojo!: ante lo que vieron ellas. Se trataba de un rejuego de increpación zaheridora. ¿Qué?, entonces, o a fin de cuentas ¿requería de su asistencia?, al parecer, pero no, y lo cierto, mientras tanto, era la teatralidad: seis aparentes estatuas contra un títere tílico.

El motivo se intuía: dos de ellas, como acertijo, lo proyectaban incluso como un superfluo arrequives, menester a erre que erre en virtud de que aquel títere había llegado embebido del fondo de El Firmamento... Doña Umbría y su hija Primor, las verdaderas artistas: en el fondo... ¿cuál noticia?

Vino la comprobación:

El enjunque maletero fue cargado por el títere sin gran trabajo hasta: donde: y su imperfecta reseña, más fina que resultona:

–¡No hay problema!... ¡Están roncando!

Por inferencia la liga de las cuatro que restaban hacia lo en verdad artístico que intacto habría de quedarse. Dos días antes la reunión: de la cual aquellas dos: si excluidas o si a salvo, sin embargo: sus asomos –¿cuántos fueron?– a distancia; desde la blanca cocina podían haber sospechado de la treta, pero ellas, prudentísimas de más, no externaban opiniones; su tema vital, se sabe: su gran arte culinario, y de eso sí eran hablinches, tenían, como siempre ocurre, el síndrome corrector de profesorcitas doctas.

Pues que doctas se apartaran, y ahora ¿qué?...

Otra mudez acechante: en total: ansiosa, absorta. Nueve vistas hacia el sur...

Nada... El autobús... ¡Ni un alma! Tampoco los renunciantes se decidían –por la carga– a encaminarse hacia el norte, y su paciencia: una ley, y de suyo: un cumplimiento.

Cuando transcurrió media hora vieron algo: i¿sombrerudos?! Corro enorme: más y más: que venía haciendo alboroto. Se imponían en lo más alto mantas, pancartas: con letras: gordas, rojas, por doquier, y en temple de griterío –armonioso, fascinante– ganaba en sierpes los grados de una altura regular buen número de invectivas contra el gobierno y sus trampas. Registro a coro: oprobioso; diversidad de estribillos en voces altas y bajas, cual si hubiesen ensayado los sombrerudos durante horas hasta alcanzar un empate entre cuadratura y ritmo, acorde con los silencios y los chasquidos que hacían.

(La marcha de protesta, ejem, no dejaba pasar a una ringlera de muebles erróneamente capitaneada por el autobús –el de las siete– cuyos pitidos burrones daban la pauta –iay, la nota!– para otros en rebaja: los de atrás: sea: a puro enlabio: sonaban mucho más crueles, por chachalacos y agudos.)

Dos conciertos: de repente: enllegando con esfuerzo a la orilla: por decir: de El Firmamento, y por ende: quiérase un divisadero entumido, intimidado: el grupo pecaminoso –un tilico en compañía de seis divas melenudas; machorro y sultán: iqué envidia!, de refilón nada más, dado el carácter rebelde de la marcha de protesta. Y por distingo, ahora bien, de ese grupo los marchistas ni siquiera habían notado las maletas en el suelo, sino los cuerpos surgiendo de un emplasto asaz pupoño, icuerpos: casi en nudo espectros!– donde, en friega, cada quien formulábase preguntas.

«En veremos» todavía las respuestas y, por ende, las certidumbres a medias...

Conforme el acercamiento se hacía más formal la furia.

Pero...

Por ser tan cruenta la marcha es mejor verla a destiempo como una tacha borrosa. Referencia, y suspicacias, y ahora sí: de entre las tantas consignas han de quedar las palabras disparadas con razón, mismas que regresarán tan limpias como al principio: «votos», «desvergüenza», «fraude»... De entre las frases lanzadas se han de extraer para mal los sonidos más constantes. La importancia se intercambia. Palabronas cuyo efecto ha de alejarse a medida que las gaste: ia la barata!: el corro a base de ira –tirria con dosis de sorna, desespero a cuentagotas–; si así sucede serán bagazos sobre el asfalto, o escupitajos al frente: iah!...

Y volviendo...

Al frente, por el momento, sólo está el grupo en mención, el cual ya conoce al menos la causa o la presupone: lo de la quema de votos.

Por lógica lo siguiente: si a contracurso el silencio, si pretextarlo cuanto antes, Félix Arturo Corcuera llamó a una nueva reunión: allí, instantánea, obligada.

La obediencia chancludilla.

Obvia recomendación: que ninguna de las seis fuera a soltar lo sabido y padecido, ¿de acuerdo?, pues si no ya de una vez podían sentir que emigraban hacia lo calenturiento de una eternidad trasera: ¡el infierno!: hacia el origen; no al cielo: cosa futura: sus almas enne-grecidas con alegría de trasfondo, y su encono, como era, por jovial: enmascarado, no merecía por lo pronto un retache tan así. Lo propi-cio era fugarse, pero con vida, y en paz, hacia los grandes burdeles fronterizos, refulgentes, y de acuerdo, pues, y entonces: ver con fre-nesí y sapiencia la película frenética. ¡Claro!, solamente un episodio, no el climático-infeliz, sino el más neutro, y también: ellos un poco sonrientes fingiendo ser comprensivos como para demostrar sus senti-mientos virtuales en favor de los que están quizás hasta mero abajo. Pero luego siendo colmo: en una equis circunstancia: se tenía que destensar el mentado fingimiento. Fue hipocresía, en todo caso, o quiebra del dramatismo: por la desesperación de quienes ya querían irse. Suceso, al fin: vago afán; siempre escena de película: ¿memora-ble?, ¡desde luego!... Y venga lo que ocurrió:

Pintarrajeadas, exóticas: bien llamativas, por tanto, ni una de las chancludillas, contimenos su machorro, olvidarían que dos hombres de los que iban en la marcha (Salomón se llamaba uno y el otro ¿Papi?, ¿Papito?, ¿Papías?, o quién sabe cómo) les rogaron que se unieran a... Y una de ellas respondió:

–¡Por su culpa el autobús se retrasó más de una hora!... ¡Oríllense, por favor!, ¡no es suya la carretera!

–¡Dejen que pasen los muebles! –agregó otra enfurecida.

Y otra más acompletó:

–¿Quién diablos se les va a unir si están estorbando el paso!

Al quedarse rezagado el tal par de invitadores prefirió mejor correr, no sin que antes uno de ellos las despidiera gritándoles:

–¡Pinches putas gobiernistas!

La palabra «gobiernista» se la adjudicaron ¿ellas?... Y por desglose y al tiento... ¡Pues sí!, ¡de plano!, ¡ni modo!, y eso fue lo memorable.

Otrosí: como residuo: se incrustan dos pormenores con sus deta-lles al bies:

El siguiente: el inmediato: el autobús pite y pite venía al tope como siempre, y el retaque, sin embargo, soportó un embarre más. Perpetrada la anarquía por la marcha de protesta, otra que fuese menor, y trasera, no afectaba, aun siendo más descarada; así que por malcontento no se orilló el autobús; y alto: sin aviso: tardo. Con extrema lentitud el chofer acomodó aquel cuantioso equipaje. Reacomodo –mejor dicho–: visto por las chancludillas; huecos o espacios: los mínimos: los de la panza de acero del mueble medio tartano (en tal labor auxilió Félix Arturo Corcuera): y ¡oh pitadero faltoso!: sinfonía desagradable: memorable tanto o más que el trayecto de una legua –casicasi en perlesía– hecho a paso de tortuga.

En aumento los pitidos hasta que (con pestilencia y sofoco el pasaje hacía pucheros, pues viajaba apretujado como lata de sardinas. Ventaja: los tentaleos... ¿Terminarían en Pompocha? Ya adentro las chancludillas; era inmoral, por travieso, el disfrute barrabás: por ahí carnitas ricas para tocar con cariño y ¡ni modo de que no!): memorable sensación esa de ver una masa de personas orillarse hacia uno y otro lados como plastas de potaje. Raya enmedio: carretera: dientes de peine los muebles: traquidos al por mayor, y la rabia de las plastas obligadas a ceder...

Fue acaso más memorable la correntía cual renuevo del autobús ahora sí uniforme en su despeje. Incluso hasta parecía un buitre que en pleno vuelo en la punta de su pico llevara un jirón sangriento: carne fresca hurtada al diablo.

La carne de la matanza, esa posibilidad...

Festín fue y por mucho tiempo. Festín de buitres y guachos y de todos los que aplauden los antojos del gobierno.

Capítulo diez

¿Sin futuro El Firmamento? Arránquese aquí una página, la última de una historia inconclusa como todas, sea pues el repunte trágico que ni sirve de alegato ni es errónea salvación de una fama que pretende ser ejemplo duradero. Acaso sí sea el festín de lo que ha de repetirse y será de todos modos lastre o escoria sublimes. Entonces he aquí el resumen:

Abel Lupicinio Rosas supo de la huida en masa después de una semana. Alguien le dio la noticia y él mismo se apersonó en aquel famoso antro. Exhaustiva indagación la suya paso por paso. De atisbos y de sorpresas queda una cifra inexacta, amén de una mugre pena: la del dueño que iba haciéndose preguntas sin ton ni son; muchas más debió de hacerse cuando al final se topó con la cocinera y su hija: balaceadas en su lecho. El férreo y eterno abrazo: su fama, así, inamovible, y no obstante perdediza.

Cuadro último abandonado.

No hubo entierro: ¿para qué?

Y no hubo renovación...

Desde entonces a la fecha El Firmamento está en ruinas.

Capítulo once

Llegó el paisano a la cita con una hora de retraso. Mil disculpas ¿por delante?: si en potencia: presupuestas, porque no pudo aventar más que dos extravagantes y una tercera incompleta; porque: delantero Egrén paróse. Pidió la cuenta enojado. Ya en la calle le explicó a Conrado Lúa la causa, que por decirla al chaschas resultó medio confusa.

Se deslindan contratiempos.

Paso apurón de por sí, y adelanto medianero: ¡cierto!: de lo que iban a hablar...

¡Vamos!, de lo que iban a hablar cabía hacer la ordenación de un proyecto venturoso; venturoso en apariencia, sobre todo en sus inicios, partiendo de una propuesta que debía comprometerlos, por ser harto delicada.

(Egrén la hubo concebido tras ver ayer seis películas en la tele de colores, no muy buenas, ni muy tontas, pero cuajadas de sangre.)

Y ahora sí la ingrata prisa: en la calle transitaba poca gente a esa hora. Calorón: a todo dar, y ellos dos quesos fundidos; aunque también, a su modo, como dos diablos sabuesos tratando de hallar un sitio donde hubiese mucho ruido para que Egrén se explayara sin temor ni menoscabo. Si con el borlote en firme: su plan sería a contracurso, pero... ¿en lo bajo explayarse?, ¿por qué con el ruido encima?: Conrado Lúa contrariado sacó a relucir sus dudas, quería tal vez empalmar desvaríos con apetencias; a él más bien le interesaba saber cómo había llegado Egrén hasta Pencas Mudas viniendo de Remadrín, su aventura y sus efectos, descritos *grosso modo*, haciendo posible al cabo el cotejo de motivos de migración para ver en qué se desemejaban. Pero ¡ni pío!: por respuesta: del que, por disimulado, mejor volteó hacia las nubes; más luego tras presionarlo Conrado Lúa obtuvo algo. El calorón influyó: fuego contra la sandez de Egrén que algo enfadado le dijo que hablarían de eso Dios mediante en dos días más. De inmediato: lo expansivo, puesto que hubo de chispear el «¡¿cómo?!» –¿dificultoso?– del oídor que ahora sí arremetió de a deveras: que era un reborujo posmo, absurdo y desordenado; que el plan era inentendible. Y el «¿qué?» y el «¡no!» categóricos de Egrén salieron al paso, quien arguyó de vencida un posterior desmenuce: tranquilo y a trago y trago, y que para conseguirlo sería bueno refugiarse en un sitio tipo Vips... El aire acondicionado... *Di cuestion is veri eslou: in midldei: bot of cors.* Sin embargo: *¡Plis!, ¡plis!, ¡jelp!, ¡nat mor mirach!... Its confius... Bicos is iluchon onli...* El sitio lo vio Conrado. Faltaba sólo una cuadra que podía ser extenuante caminarla bajo el peso del solazo criminal y contimás a sabiendas que lo expansivo del «¡¿cómo?!» se revertía hacia el comienzo: la decisión de salirse de aquel cafecito furris: ¿cómo es que era problemático quedarse en un sitio así? Tal necedad de revés conseguía más necedad, pero Egrén la disolvió un poco a regañadientes. A pujo y pujo y aliento redundó en lo peligroso que debiera resultar ser oídos de pe a pa por dos personas que no. No tenían por qué saber nada acerca del proyecto el cajero y la mesera: ¡ah!; y enseguida la frescura: entraron al restaurante.

Ruidero: nueva presión: para irse acostumbrando. Hasta el fondo los mandaron. Es que había mucho retaque. Fue ganancia para ellos. ¡Sí!, aunque... En principio el tal ruidero no iba a ser del todo estable. Tuvo que sobrevenir el oleaje y lo notaron Conrado y Egrén a un tiempo.

Di cuestion is veri eslou, and anfiling for dobl entri... ¿And juat tu du in dis moment?

Cuestarriba su paciencia. Antes debían ordenar tres Cocacolas cada uno.

–A mí me quitan la sed las malteadas y el café –declaró Conrado Lúa.

–¿Las malteadas?... ¿y qué es eso?

–Es como un revoltijo, sólo que hecho con máquina. Por acá le dicen *malt*, es la palabra en inglés y es para darse paquete. Con que tú les digas quedo: *Ai güent a malt,* como se oye, te entenderán sin problemas.

–¿Y eso qué quiere decir?

–Bueno, este... que quieres una malteada.

–Pues mejor así la pido, porque como dices tú para que lo diga yo, ¡uy!, para mí es dificilísimo.

–¡Sí!, te entiendo. Pero ensayar el inglés te conviene... ¡Es conveniente!

–Mmm... ya vendrán las ensayadas cuando tenga que ensayarlas...
Y ahora explícame nomás lo que me ibas a explicar... Lo de la malteada, a ver...

–¡Ah!, pues sí... El revoltijo lo hacen con azúcar, huevo y leche, y
de la fruta que quieras, bueno... este... no hay de todas, desde luego;
la típica es la de fresa, también hay de chocolate, que no es fruta,
pero... bueno... Cuando te empujes las cocas tú pide una y ya verás...

–Nomás por tu descripción se me está antojando una –y ahora el
sofreno cabal: reconcomio a conveniencia–. Mmm... pero nomás una
cosa, ¡óyeme!, si yo te pregunto algo no te extiendas demasiado.

Con su empaque de asesino, natural habría de serle sentirse adalid
o líder, y hasta en su tono mordaz se asumía muy a cercén. Conrado
hacíase chiquito tan sólo por exhibir sus artes de trasnochado. Llevadero lo que fuese: dejo-correa-alargue-aguante y: definidos sus papeles
lo evidente se adivina: de «tú» hablábanse: muy compas, jalándose
hacia una orilla de mesmedad y zozobra donde jilitos y tibios ni
Egrén aún se decidía a describir su proyecto ni Conrado a preguntarle
al respecto cualquier cosa si buscando algún matiz: el más fino por
ambiguo o el más chispeante por feo.

Mientras tanto: ¡el rompimiento!: el trámite de la entrega... Las
Cocacolas... ¡Qué bueno!

El trámite debió ser para uno desespero y para otro respiro.

La mesera era una huerca uniformada ¡de a tiro!, tan chulosa como
fría. Política empresarial denotada por los dos. La modernidad del
trato que podía ser más moderna, se entiende que más cejuda, pero
así quedaba bien.

¡Venga la orden de malteadas!: y anotadora la huerca: su pluma
atómica en friega en papeleta pirrunga; como norma su perfil, por
decir: medio de espaldas: ella adrede: diamantina, detallito que cor-
taba de tajo los donjuaneos de un posible cliente cuco.

A ella al igual que a las otras uniformadas naranjas llamémosles
«negocieras»; llamémosle «mercantil» a esa amabilidad que venía, iba,
venía, para hacer del restaurante un hormiguero encantado. De suyo:
el tema en concreto: incivil la inmediatez de dos pueblerinos libres y
tan opados de fe en aquel sitio fifí, porque ¡vaya qué maneras!, ¡qué
refrescantes empujes fueron esos ríos de coca enllegando hasta sus
tripas!

Ahora que si bien se ve... Por ser rancheros y pobres creían Conrado y Egrén que estaban bebiendo a gusto en quién sabe qué cantina, pues los brutos eructaban con tan desmedido énfasis que parecían rebuznar.

En rebrillo las miradas contra ellos: como filos. Sobrentendida la crítica, la vecinal, sobre todo; se obviaban los disimulos de aquellos que en lerdo agache se obligaban de una vez a concentrarse en sus temas.

Si es que Egrén: el lado fino del proyecto: si buscarlo... De Conrado el entrecejo nada más por desespero: suya debía ser entonces la iniciativa, aunque, ¡uf!: ¿por dónde habría de empezar? Por... ¡la más gorda certidumbre! Ciertamente sopesado el regaño venidero, y Conrado pese a pese, cual muñeco de ventrílocuo, aventuró una pregunta:

–¿Por qué estás en Pencas Mudas?

–Mmm... Primero dímelo tú –la suficiencia de Egrén retorciéndose hasta abajo. Largueza de expectativa que no obstante, y sin querer, le daba oportunidad de explayarse de mil modos...

–Bueno, ¿te acuerdas de don Abel, el del molino de trigo?

–¿Quién?

–Abel Lupicinio Rosas.

–¡Sí!, pero no lo conozco... O sea, conozco nomás el nombre y que es multimillonario... ¡Ah!, y que vive en Pulemania.

–Pues yo trabajé con él desde que era chamaco. ¡Por su culpa no estudié!... También trabajó mi padre, durante años, y mi madre le lavó su ropa también durante años... Nos explotó el desgraciado. Fuimos pobres ¡por su culpa!... Y ahora déjame decirte en qué me ocupó el cabrón... este... Yo anduve de mensajero.

–¿Mensajero?, miramira igual que yo...

–Bueno, este... No sé cómo se le diga al que anda del tingo al tango nomás recogiendo chismes.

–¡Pues yo qué voy a saber!... Pero, en fin, cuéntame nomás lo último... Hace rato te advertí que no fueras a extenderte.

–Este... La cosa es que un día de tantos don Abel, ¡por sus pistolas!, con insultos me corrió... Por eso es que estoy aquí, mi idea es irme al otro lado... ¿Y tú por qué estás aquí?

–Antes dime lo que falta... ¿Cómo es que estás de mesero en un burdel del zumbido?

La suerte que tiene un loco la envidian muy a la sorda quienes suponen que son bastante inteligentudos, chuchas cuereras, o bien, de esa gente que se peina bien padre con brillantina. Suerte de encontrar mujer. Suerte de ser mantenido por una de esas fulanas que contestan calenturas si hay dinero por delante. Cincuentona, melenuda: de esas que suelen tener a un jovencito de amante cual si tuviesen a un perro educado para el sexo. Si Conrado Lúa cayó en la zona roja un día fue porque no pudo caer, como quería, en Gringolandia. Pasar de ilegal

¿por qué?, porque de legal tal vez cuando ahorrara buenas sumas: ¿en un año o por ahí?... El trabajo de mesero era nomás de pantalla para que no se aburriera, sin embargo las propinas se las tenía que pasar a su ama protectora...

Se resume la respuesta dada por aquel suertudo, se interpreta, se desjuga, y sólo queda tal cual lo dicho por él al último: *Tengo una vida sexual que muchos envidiarían, inclusive hasta los gringos... ¡No soy común y corriente aunque sólo sea mesero!* Contundente presunción: útil para arremeter con la pregunta primera:

–Bueno, pues... Ahora te toca a ti contarme cómo llegaste, ¿eh?... ¿Por qué estás en Pencas Mudas?

–Este... ¡Claro!... Digo... Este...

Para fortuna de Egrén apareció la mesera con las malteadas de fresa. Preciosa oportunidad para lanzarle una flor a manera de desvío:

–¿Por qué el retraso, mi amor?... Debiste traer la orden hace más de diez minutos... Pero no es tan importante... Entiendo que eso les pasa a las muchachas bonitas como tú que eres la más... este... o sea: la reina del restaurante.

Sin ver al floreador ella nada más se concretó a soltar una zalema:

–Aquí les dejo su nota... Si algo más se les ofrece...

Ya no terminó la frase, pues huyó oronda meneando sus caderas deliciosas. Y contimás el picón, el deseo también meneado de Egrén: su reto, por ende, pues siguióla con su vista... hasta... Y el regusto de Conrado al arremeter: ¡pues sí!: con más ganas: ¡desde luego!:

–¿Por qué estás en Pencas Mudas?... Ahora te toca a ti.

–Este... Bueno... Deja nomás que me beba lo que tú me aconsejaste y te sue-suelto lo que trai-traigo.

Capítulo doce

Antes de haber presentido y sentido a la distancia el rosario de disparos contra aquellos anteojudos a don Romeo Pomar se le aparecieron en sus sueños: nada más: dos o tres encuadres tétricos y uno de ésos fue cambiante, ya que parecía película de esas que al cabo se queman y la quema desde luego aparece en la pantalla: un momento: sensación: porque se prenden las luces cual si fuera un despertar. Despertó el cacique pues, a la hora de la hora, justo cuando acontecía la matazón en el monte. Eran los manifestantes: la dispersión-corredero tras las ráfagas de balas. Don Romeo se lamentó no del hecho, en sí, sabido, hasta en forma matemática, sino de no haber andado a esa hora a trote y trote arriba de *Duen-de-ci-to* para no sentirlo tanto o sencillamente, pues, no tener que despertarse. Es que por la envergadura de aquel acto sin igual, ya no pudo conciliar el sueño y mejor vistióse y se salió de su cuarto y ¿qué hacer?: dada su culpa...

Calculando, repensando, bueno, mmm...

Es que en un momento dado se le ocurrió que debía zambullirse –pero en cueros– en la alberca rebrillosa: la de aguas medicinales: donde –¡sí!–: sendo resplandor lunar como nunca: blanco: o sea... Pues no lo pensó dos veces y que se encuera: tristísimo: al aire libre: ¡oh albur!: nadar a la medianoche y... Ya dentro del mundo acuático ¿la inminente borrazón de tanto acopio de culpas?... Más o menos, dicho sea: suata escoria espiritual diseminada en la alberca, asegún: ya raro alivio: mezcla de arrepentimiento e inanidad suavizándose... Cierto: bien pudo él evitar el siniestro horripilante, pero ganó su ambición traducida en obediencia, la cual pues ni le servía porque... Etcétera... La renuncia... Y se le salió una lágrima, pero no dos: eso no, debido a que –truco, al fin–: cuando amagó con salirse una segunda el cacique metió brazos y cabeza en el agua y de resultas la lágrima se contuvo. Fórmula hallada: ¡pues sí!: porque en total esa noche fueron dieciséis amagos de salidero y tal cual la sumergida instantánea, por lo que ya sólo queda añadir un pormenor: don Romeo permaneció en la alberca no nadando sino a ratos –muy a ratos, casi no: cualquier cosa de braceo; lo demás en lo bajito: sentado e ideando cuánto–, así en la guala, por ende, hasta no ver movimiento de servidumbre, hasta entonces: a las seis de la mañana; mas como estaba prendido de quién sabe qué rareza, no tuvo la precaución de vestirse toda vez que hubo salido del agua; así que se fue encuerado corre y corre a su recámara... Si fue notado: ¡¿ya qué?!... Y el pormenor indirecto a modo de empezar bien lo que luego vendría a ser una insólita jornada: ¡tal peladez de viejito no se les podía escapar a las criadas que barrían el portal de punta a punta!... ¡Sí!: una ráfaga encuerada se les cruzó ¿o fue ilusión?... ¡No, qué va!, fue realidad por un mínimo descuido. A ojos vistos hacia el este estaba descuachipada la ropa del huidor en la orilla de la alberca y dos criadas se aprestaron a recogerla y llevársela. No podían equivocarse de recámara y de huésped. Encaminadas con tiento una aseguró que era el que montaba a caballo. Las conexiones entonces de la otra al ce por be:

Los desayunos aparte...

La recámara más amplia de todas las que había allí...

El más viejo de los siete alcaldes vacacionistas... Su rapidez, sin embargo, en cuanto al por qué había huido y al por qué así: descarado.

Conforme iban acercándose las criadas meditabundas la sorpresa se pintaba de violeta más y más. Mas se impuso el colorado: cuando: la puerta abierta y el hombre yendo de un lado hacia otro, pero en cueros todavía, adentro de su recámara. Ergo: al mirarlas vino a ellas con ademanes en lo alto.

–¡Qué bueno que la trajeron!... ¡Yo ya iba a ir por ella!... Perdón que me les presente desnudo como me ven, pero es que todo fue rápido y... Mejor dejen de mirarme y váyanse adonde estaban.

Se retiraron las criadas intercambiando risillas, mismas que eran contrapunto de la risa del cacique.

Capítulo trece

Coronada de burbujas la malteada en reducción. Mundo fresa despacioso, líquido, pero también ornamental, sugestivo, y cambiante en la medida que la boca bebedora de Egrén lo iba consumiendo río arriba por el popote mientras sus ojos bailones atisbaban en comienzos: ¡artificios!, finalmente: los residuos de... ¡adelantos!: lo mejor, y por lo tanto sacar uno y...

–Necesito una pistola –de sopetón la propuesta dicha en tono susurrante por quien tras haber concluido de empanzarse la malteada sacó un erupto ruidoso, incómodo en demasía para los clientes-vecinos, quienes soltaron sus «¡isssht!», mas sin llegar a mayores.

–¿Cómo?

–Necesito una pistola... ¿Tú la podrás conseguir?

Visualizando escondrijos, chiribitiles y tollos (su mente lo transportaba), entre pañuzas Conrado, como si pisara huevos, adentrábase de a poco, y ¡zas!: tronando sus dedos dio con el quid, asegún...

–Creo que tiene una guardada la mujer que me mantiene... No sé si esté en el cajón donde yo la vi una vez y no sé si tenga balas... Pero ¿para qué la quieres?

–Desde hace unas dos semanas traigo una idea en la cabeza que tal vez a ti te guste.

Si mediante zarandajas de proximidad y chasco ni el preguntón acertaba ni el otro le daba pistas, diose, en efecto, un rejuego de charadas casicasi, y un «a ver... a ver... ya mero», hasta que vino el sofreno.

347

–Por favor no estés jugando. ¿Por qué tanto zarandeo para soltarme siquiera la mitad de lo que traes?, ¿o no me quieres decir aunque sea sólo el principio de tu...?

–¡No te voy a decir nada si no me traes la pistola!

–¡Uta!, ¿y qué tal si no la traigo?... Suponte que no la encuentre, ¿qué me pasa?, a ver, aclárame...

–Pues me iré por lo más simple: que ya no cuento contigo. Y entonces «adiós», y punto: la buscaré por mi lado... Pero, mira, yo no quiero, mmm... y óyeme lo que te digo: yo creo que a ti te conviene conseguirme la pistola. Si tú entras en mi proyecto tu vida será distinta, desde luego, para bien. Todo depende de ti.

–¿Sí?, ¿deveras?, ¿cómo es eso?... ¿qué tan distinta será?

Y esquivando a conveniencia Egrén planteó lo siguiente:

–Antes de que te responda, primero dime si vives a gusto como ahora vives.

El «¡no!» pronto de Conrado sirvióle como premisa para que se desahogara mediante una imparable perorata quejumbrosa (larguísima y tartamuda) de la cual Egrén sacó, apuntando mentalmente, unos cuantos elementos a bien de frenar –¡con bases!– lo que amagaba con ser un cuadro melodramático y...

–¡Espérate, ya no sigas!... De todo lo que me has dicho saco nada más tres datos útiles para animarte a que te vengas conmigo... este... bueno... Tú ya no quieres vivir de padrote allá en la zona, pero te da mucho miedo escaparte así nomás, porque te podría matar la puta que te protege o uno de los del congal, ¿sí?... ¿eh?... bueno... vamos al siguiente dato... Si lograras escaparte no te irías al otro lado, porque sin dinero ¿cómo?... ¿o no es así?, o... ¿vamos bien?... Correcto... Ya llegamos a lo último... Tú quisieras regresar a Pulemania algún día porque es la opción más segura y más barata de todas, pero temes que te maten si te vas y lo que pienso...

–Antes, ¡águila!, porque... La mujer que me mantiene desde un principio me dijo que si me iba de su lado llamaría a la policía. Dizque según ella tiene varios amigos metidos en la Judicial y entonces no tardarían en hallarme y matarme luegoluego...

–Pues ya es tiempo de que te hallen, porque no estás a su lado...

–Yo tengo que regresar antes de las cinco y media de la tarde cuando mucho; si me paso de esa hora me estoy jugando la vida porque... bueno... ¿quieres que te lo repita?

Egrén rió de buena gana por parecerle sobrada tal invención alarmista que incluso por la pavura del sinsilico paisano hasta parecía un «apenas» anunciador de supuestos mucho más exagerados. Pero el freno vino a tiempo, y luego... El tema de la osadía como reto indispensable para un hombre-miniatura que por no tener afanes ya se estaba carcomiendo, o lo estaban, esto es, a rateo haciendo más mugre. Así el jalón o el empuje por parte de Egrén con creces. Argumentos en agraz: los suyos: si progresivos, reforzados con dinero para animar a un escéptico que parecía tomar aire nomás de ver casi al tacto –para él: chula carnada– un rollito billetoso como anticipo, depende: si trajera la pistola, de menos con cuatro balas, y entonces: dueño de aquello: juramento por delante de Egrén haciendo la cruz en lo alto, o sea que: ¡órale!

La artera necesidad.

La condición: la pistola.

Y ¡a jugársela!... ¡Total!

Pues *oquei*: venga el remate. Menudencias que ahitaron el trámite resultante: pedir la cuenta (un engorro: por la demora ex profeso de la huerca piropeada), y así lo propio enseguida: pagar y ganar la calle: lo que hicieron como autómatas, más los tics y más las muecas naturales, dicho sea: lo que deviene en tensión y en procura entremezcladas, porque: irrumpir y zafarse para ambos debía de ser: duda, tregua, emplazamiento: cuya anchura en cada cual ¿sería acaso manejable como trámite nomás?, ¿o tan sólo como lapso minutero a la deriva?, ¿o algo para acompletar?... Ya pasaban de las cuatro: todavía no era muy tarde, por lo que le daba tiempo a Conrado de irvenir *tu go bac and fort and cuicli*, y un acuerdo bajo el sol, el último: pertinente: se verían de nueva cuenta como a las seis de la tarde –*or tu bi bac, or ritorn, bot güidaut tu anser bac*– en el cafecito furris del hotel La Circunstancia... ¿Por qué allí? (diálogo al vuelo)... Es que sería mucho arriesgue andar con una pistola en la calle y por lo tanto Egrén la podía meter en su cuarto de inmediato, y la recomendación:

–¡Haz lo que tienes que hacer, pero sin pizca de miedo!... Cuando traigas la pistola yo te contaré mi plan.

Adelantos, sin embargo, fue lo que exigió Conrado antes de iniciar, en serio, su hazañería en tiempo récord y sorteando cuánto riesgo: ¡con fe!: de todas maneras. Ante lo cual para Egrén no había de otra que soltar algunas migas, ¡qué lata!, porque con dejo de enfado y tato pudo insinuarlas: *Nos iremos a-ho-ra mis-mo a Re-ma-drín y a ver cómo... Tengo una cuen-ta pen-dien-te que luego te la di-ré... Quiero sacar de ese pue-blo a mi no-via y a mis pa-dres...* Con eso la incitación para que se fuera raudo Conrado adonde debía, pero el encuadre, por mientras: cociéndose como quesos encima de una banqueta –y no habiendo a esa hora trajinar más que de algunos despistados cabizbajos– los paisanos palabreaban sin el menor disimulo, inclusive hasta creían que sus siniestras procuras al paso serían captadas como rebanes o chistes. Para fortuna de ellos pasaban taxis vacíos, así que: de todos modos: por antojo alzar la mano, ambos lo hicieron a un tiempo, mas por urgencia lo hizo Conrado y: *Lléveme a la zona roja...* ¿en pos de una nueva vida para siempre adonde mismo, o en pos, a trancapalanca, de un rollito billetoso?

Capítulo catorce

Un rollito billetoso: la limosna de anticipio; después ¿más?, ¿cuánto?, si bien. A lo que... Para riquezas, en serio... Antes se aclara un detalle: no se cuente por ahora la de don Romeo Pomar, su espíritu rateril, amén de su mala fe, él los querría siluetear como volutas de humo, y que el olvido social las tuviese como rémora, así en abstracto durante años; incluso como pregunta, enorme, cada vez más, misma que no merecía ningún tipo de evasiva, y cual fuere la respuesta, favorable de revés, sería estrago pese a pese. Su riqueza: un artilugio con chisporroteo falaz al igual que muchos otros nacidos de la política: madre puta que fornica con sus hijos lindamente a bien de dejarlos secos... Seca: ninguna riqueza... A las claras, real entonces, y nada más por hacerse escalón por escalón, el reflejo dineroso habría de hallar un decurso santísimo de pe a pa, y no obstante: de perfil, y por ende: inconfundible, el único en la región: el perfil de guajolote de... –se puede adivinar–: el tristísimo señor, aquel padre miniatura, ése, isí!: con su colora pero tosca expectativa; perfil de nariz corcheta y papada cual colgajo: tal «ello» de arribabajo, ahora deseoso, intranquilo. Es que de un momento a otro llegaría el que andaba en burro: Mario Pérez de la Horra: ¿con los cigarros?, a ver... Lo bueno fue que llegó y... Don Juan Filoteo González violo, sonrióse en lo oscuro. Desesperado el encuentro. Los cigarros. Lo más pronto.

Humo en la sala del rancho: después: ya: por inferencia; humocúspide, si bien: plasta de un sensible ardor para ir recapitulando; antes: lo que hubo fue dundo: regaño por la tardanza; de resultas el esplín de ambos gordamente exhaustos, y así la paz en el rancho estaba todavía a medias; cosas de encariñamientos: dos pendientes duraderos, de modo que su retiro, siendo tan sólo un ladeo, no sería color de rosa.

Sentadísimo el ricacho, su tristeza arrellanada...

350

Luego del vicioso hartazgo de cigarro tras cigarro...

En efecto, don Juan Filoteo González resolvió que al día siguiente iría a su casa de Remadrín a traerse los retratos enmarcados de su esposa ya difunta, también se traería en la troca aquellas tres cajas fuertes retacadas de... ¡tesoros!, dejándole, por supuesto, un cuantioso porcentaje a su hijo Trinidad.

El llamado desde el cielo de, quizás... por intermedio del humo: un fantasma bocabajo: cúspide ambigua en el techo: oscuro presentimiento o sugestión candorosa isidramente al tanteo: en cuadrivio: ¿de bajada? Exhorto: ¡iya!, sortilegio, y a manera de avalancha los ruidos del otro mundo. Así: mañana el respingo. Ida y despedida rápidas y al cabo la redondez de un plan que tiempo ha fraguó.

En su haber lo más preciado: acá, pronto, cual renuevo, para sentirse feliz... Dizque acaso ¿de por vida?... Sin embargo, por arrobas reacomodos al vapor: ¿cuándo?, ¿cómo?, y al final una idea de trasnochado: venturosa, por desgano: don Juan Filoteo González pensó que la mejor hora para ir a Remadrín era la una de la tarde para encontrar a la criada, mas no a su hijo maldiciente, porque toparse con él podría resultarle horrendo, ¡ojalá no!, y lo siguiente: sentado, casi durmiéndose, como si se deslizara a modo de caracol hacia un fosco sumidero, se puso a rezar en friega; completó dos padrenuestros, no así dos avemarías. Súpito, en sí, nidio y zote, a más descuajeringado en el sillón y roncando acompletaba trasuntos. Aún en sus dedos tenía un cigarro a la mitad (postrer humillo fantasma), mismo que el peón le quitó para fumárselo él.

Brusco apachurre en el suelo: sea que con estilo el peón pateó luego –o mejor dicho, salió ¿o entró?: por la puerta: cadáver: afuera: ¡gol!– la colilla: triunfo ¡iya! Luego el peón se acomidió a traer una frazada: se la puso (con estilo) a su contrito patrón.

Capítulo quince

En ese clima crítico de sol y ventolera a mitad del desierto la camioneta se orilló de pronto. Carreteril la línea: recta e ¿interminable?, tal sensación: ahí: unánime y crucial para esos pobres diablos. Aquel alto fue, incluso, un despropósito... Tan a gusto que iban, tan risiones... Pero, bueno, los chistes para luego porque momentos antes las sábanas sangrientas habían volado lejos ¡hacia atrás!, sin embargo: ¿qué tanto? No tan lejos... ¿Quién sabe?... Probablemente no. Deseosos los compinches de hecho podían sin más encarrerarse para ir a recogerlas adivinando ¿el rumbo?... Inútil el intento tras mirar su reloj: cálculos del chofer, enhorabuena: su decisión, entonces: *Para no perder tiempo debemos de pararnos solamente en los pueblos.* Todavía por refuerzo, pero ya en la cabina y tras echar a andar la camioneta, por parte del chofer hubo otra explicación a modo de apostilla. Fue un referente acorde con la peste –si ya en punto de ahogo, insoportable: *¡whooaaoowjg!,* si resbalosa casi, si en pútridas resacas de guácalas y pujos, pese a la ventolera que como contrapunto estaba obrando– y sobre todo la descomposición antes de los cadáveres que de ellos; ergo: de ellos: sus náuseas, y además: sus regurgitaciones; todo ello por venir; y al respecto un problema: el sobrellevamiento del asco durante horas: ¡ah!, entonces, para el caso: ¿dónde comprar pastillas? Téngase el trabajal: fáciles las bajadas, en cambio las subidas de cadáveres: téngase el reacomodo: ¿cuántas veces? Silencio repensado de los otros; lo que le permitió al jefe incidental agregar un detalle: de suyo el calorón se descontaba, tolerarlo, si bien, estaba visto, pero... El silencio tal cual: como respuesta. Propicio el argumento mientras no hubiese algo que desarticulara las órdenes de arriba: las del enchamarado, ¿se recuerda?

Y ese «algo» apareció: dizque debían de llegar a Remadrín ese día...

Propicio el cambio de tono tras el respingo compinche, genérico y redundante en actitudes alertas, porque: ¡ya casi daban las doce!

Créase por lo tanto esto: el chofer traía reloj, ¡sí, deveras!, y ahora bien: sirva el reloj de elemento para redondear lo que hizo el chofer muy a sabiendas de que sería una zorrez: sutil: por despachadera, dado el oleaje de «chines» contra él, supuestamente, viendo primero hacia arriba un, acaso, albur, por mientras, si un discrimen evidente, y viendo de reojo la hora, a capricho se bajó de la camioneta, o sea:

–¡Bájense ustedes también!

Desconcierto entrecejado de los otros que lo hicieron, y el chofer: acto seguido: indicando con un dedo: más desplante ¿todavía?

–¡Por favor, vean hacia arriba!

Obediencia y, para colmo, en el cielo el movimiento de unos puntos suspensivos... Margen de error, si se ve, en la figura antes dicha, más aún si se presupone que esos puntos a la postre: ¡uy!: siendo negros en lo alto, de bajada, a lo mejor, se harían más negros, más grandes. Comentarios transitivos ante la revelación para los cuatro a la vez. Rondín de buitres, ¡horror!, de manera que la urgencia de llegar a Remadrín estaba justificada.

Paso al sondeo del chofer.

Valórense o desvalórense los efectos inmediatos: si se ha de especificar nada más lo que concierne a los buitres cuando huelen carne muerta en su redor... A lo que: sería ingenuo asegurar que esos mugres pajarracos se fuesen a detener sólo porque estaban ellos. Y el problemón, desde luego: no tenían con qué frustrar el ataque venidero. Pistolas: ¡no!, por lo pronto... y lo demás: putativo: gases tóxicos, huleras, flechas, bombas, nada de eso; pero uno de los compinches dedujo que con las sábanas, otras nuevas que compraran, ¡vaya!... y agréguese lo más óptimo: ojalá se las vendieran en el próximo villorrio, ¡vaya!, ¡vaya!, no sonaba mal la idea... Y el «sí» unánime se dio.

Antes, como es de saberse, el arrancón pedorrero.

Un poco antes todavía viendo hacia arriba los cuatro con júbilo comprobaron que los puntos suspensivos se movían, ¡sí!, pero no aumentaban de tamaño. Por ende: el descenso en fila a buena luz hipótetico y endenantes el deseo que hipotético quedara.

Y he aquí que se cierra un círculo.

Toda vez que avanzaron unos cuantos kilómetros un caserío blancuzco se les vino a imponer. Se quisiera lejana la causa del resol, y también se quisiera que estando en el desierto el vislumbre poblado no fuese una mentira. Empero ellos querían llegar lo antes posible y lo manifestaban con sal y afán de lepes que a hurto sienten la entrada a una irrealidad (¿realidad impostada?), o así lo considera quien maneja porque al tanteo calcula un kilómetro y medio para estar, ahora sí, adonde... pero ¡véase!: disminución de avance y búsqueda de orilla. Alto: de nueva cuenta, siendo que decidió mandar a dos compinches para que consiguieran unas sábanas limpias: diez, de menos: ¿de acuerdo? Se quisiera también que el susodicho no intentara pitar si es que hubiese tardanza de esos dos. El micrófono: ¡nunca!, por inferencia: su uso: exclusivo –antes bien–: como fugacidad, ¿pues cómo?, ¿en fuga?, ¿sí? Secreto del chofer; la evidencia después. Así que el desespero debía solucionarlo, en caso de tardanza, mediante otra orden. Al último compinche lo obligaría a correr... La pérdida de tiempo tras ¡venir! con el aviso encima... Que se trajera en friega a los otros, o sea: redondez de anticipo, pero sin mencionarla.

Tramo de a pie.

¡Apuración!

Y el accionar.

¡A la fuerza!

En tanto que la causa de este sabio irigote la sacó a relucir el chofer luego de: primero el freno y: bástole una lindeza precautoria:

–Si con la camioneta me acerco al caserío, se alarmará la gente nada más de notar lo que traemos. La distancia es la justa, así es que vayan.

Y no hubo ni un respingo.

De hecho, pues, lo consabido: primero la lentitud... Y tras de dar poco más de unos veinticinco pasos el chofer gritóles: *¡Ándenle!, ¡apúrense!, ¡píquenle!*, con lo cual los mandaderos que se echan a correr; bien chistosos, eso sí, porque daba la impresión de que estaban compitiendo en carrera de cien metros, en un evento rascuache de esos que a veces promueven los alcaldes nada más para su cuco rebane. Antes el chofer le dio a uno varios billetes para la compra en aína con la recomendación de que se fijara bien si estaban limpias las sábanas. El otro, testigo al viso, tan sólo comprobaría.

Paso a la acción entrevista en el caserío blancuzco, aunque, si se intuye tal secuela, mejor narrar el recreo: el de los dos que esperaban. Trama de dos percepciones en cadencias pachorrudas, o para ser más exactos: una siguiendo a la otra, porque (véase): sin avisarle al chofer el último compinche con lentitud de asno abrió la puerta como disimulando, pero ¿qué? Su intención: si no diabla, sí fue para sentirse un poco en libertad. Quería bajarse de la camioneta a fin de que los vientos lo cruzaran; lo hizo, y ahora bien: en ondas la frescura. Fijo el cuerpo y los brazos a manera de alas rompiendo la corriente. Irritado aleteo de colibrí: ¿habríase visto antes? Por lo pronto el chofer lo observaba perplejo, casi cual si dijera: *¿Y a éste qué le pasa?*; empero lo veía con mucha envidia, y al cabo lo emuló. Transcurrido un minuto: al aire libre, pues, dos fulanos alados mueve y mueve los brazos, en rehilete: ¡un dundo pasatiempo!, sin decirse palabra. También ambos miraban hacia el cielo: alternativamente; y su comprobación: los puntos suspensivos persiguiéndose allá querrían hacer un círculo perfecto; cierto es que por momentos, y en el mismo nivel, lo hacían, aunque el efecto en el desierto: luido, o bien lo más seguro: antepuesta quizás la ilusión óptica adrede provocada por los buitres, o ¿no?, o ¿un poco?, o... Mejor bajar la vista. Pero entonces lo peor: a las espaldas de esos dos fulanos vivaz la pestilencia, de grado en grado, horrenda, empujadora, como si los cadáveres a coro les gritaran: *¡Vámonos ya, o entiérrenos, cabrones!;* e incluso un figureo mucho más tétrico: que acaso los cadáveres –nomás por previsión– ni por error querrían ser harto picoteados y luego consumidos por los buitres. Y ante esa sensación, de suyo, a troche y moche, lo que hacían los fulanos era dar unos pasos para no verlos ya, y al mismo tiempo gozar la ventolera tal como la gozaban los huerquillos de rancho. Brazadas todavía de cada cual, y se apartaban quedo uno del otro –¡más!– sin apartarse mucho. Mientras tanto pasaron veinticinco minutos: los comprobó el chofer en su reloj de pulso.

¡A la vista!: pequeños monigotes, ¿eran o no?, y después... Estaban de regreso los otros dos compinches: sin las sábanas: ¡uy!: fallido intento. Fue en sofoco su informe: jito y zonzo, como si devolvieran la papilla. Que no hubo compra, pues; que a ver si eso ocurría más adelante; aunque también, por cierto: que la gente ranchera no era dada ni a dar ni a vender sábanas, porque de dónde diez u otra cantidad, ni una, incluso, mugrosa, pero ¡ojalá que sí!: tras la insistencia... Dependiendo quizás... No obstante los compinches no iban a decirles a equis campesinos para qué las querían... de cualquier modo: ¡no!... Por ende: precisiones, y siendo así la calma sobrevino. De lo absurdo ocurrido dadas las precisiones cual si fuesen resaca de una oleada de súplicas... Que a unos doce kilómetros (ejem), y enfilándose hacia el norte, había una localidad como cuatro o cinco veces más grande que La Leyenda, tal era el nombre capcioso de aquel rancho visitado. Visita que se redujo a seis preguntas y ¡órale!, ¡a correr hecho la mocha!, por eso de las sospechas... Las respuestas discursivas, si con pelos y señales, así que: visita a una sola casa habitada por un niño, un viejito ya pasita y una señora cenceña: tres modos mangoneadores para una burda ilación reiterada hasta el hartazgo... Seis: en total: oprobiosas... Seis: no vivaces siquiera, sino para darse cuenta de la otrora mesmedad advertida de raíz: *No había tiempo que perder,* quedando así una minucia, ya nomás de correntía tal como repunte al bies: en lugar de ir preguntando en otras casas si acaso tenían diez sábanas limpias para: una... mmm... buena transacción, mejor la localidad: ¡la otra!: su nombre: ¿cuál?, doble jaque intempestivo, dado que a los dos compinches se les olvidó de plano, y con tan mema omisión este episodio de fiascos aquí deberá... ¿cerrarse?

¡Vaya!, aún faltaba lo bueno...

Las debidas conjeturas del chofer al aire libre y tatemándose a gusto bajo el solazo sabroso para atisbar en la lógica de su apuración sin más e ir directo al fin buscado. Prendidez oportunísima –antes que agobio indolente o ligereza inclusive– útil para aventurar un supuesto a la barata... y a ver qué otros supuestos.

–Yo creo que debemos irnos a Remadrín sin escalas, y sin sábanas... ¿de acuerdo? –los silencios en redor otorgaban el permiso para que él agregara algo más... ¡más categórico!–. Es que me pica un problema... Bueno, mi temor tiene su base: yo ya preveo un linchamiento en uno de estos poblados. Digo, ¡no nos vayan a fregar!, ¿eh?

De entre esos silencios acres a poco surgió una risa, en lo bajo, despectiva, y una voz somera y plácida.

–Pero ¿cómo?, ¿qué ocurrencias?... Nos advirtieron, ¿te acuerdas?, que estábamos vigilados... Si algo nos llega a pasar (algo feo, se sobrentiende) los guachos intervendrán.

Así las secundaciones:

–¡Nos protegen!, ¡nos vigilan!... ¿O qué ya se te olvidó?

–Somos gente del gobierno... ¡Estamos asegurados!

–También, por si fuera poco, al concluir este jale nos darán, ¿qué no te acuerdas?, una buena recompensa.

–¡Sí!... ¡Seremos millonarios!

–¿Millonarios?, ¡miramira!... No creo que sea para tanto...

–Bueno, ¡claro!, es un decir... Digo: ya nunca seremos pobres...

–Eso quién sabe si no...

Y...

Tras lo oído en dimisiorias ahora sí que de los otros no había indicio de aprensión, por lo que el chofer resuelto, quiérase a partir de arbitrios en reborujo propincuos a una sarta de verdades tan casuales como frescas, determinó en tono rauco:

–A lo que voy es a esto... Para evitarnos problemas sólo habremos de pararnos en Remadrín y ¡ya estuvo! Por los pueblos y los ranchos que pasemos hay que hacerlo a toda velocidad... Bueno, ¡sí!, no me respinguen... Ya sé que de eso me encargo... Pero ahora sí voy a esto: usaremos el micrófono con todo el aparataje para decirle a la gente que se vaya a Remadrín, que estaremos por allá como a las tres de la tarde, y sólo una cosa más relativa a...

Emocionado el chofer quiso seguirse de largo para tantear en detalles facilísimos por obvios, pero se impuso la urgencia como freno y como válvula para endenantes moverse: treparse: ¡ya!: a la cabina: todos: con la misma idea: y la llave y el pedal y así la carrepalanca y el *cloch* y de nueva cuenta...

Capítulo dieciséis

Por recomposición vertiginosa la siguiente figura ha de entenderse como el suspiro de alguien que debe presentar la inminencia de un cambio frenético y ¿¡algente!?, de por sí sensitivo: ya un parteaguas íntimo, donde –como rejuego– suspiro, gozo y tregua se hacen intercambiables para recomenzar... Y sin embargo es incierta aún la procura de ser alguien distinto debido a que aún faltan algunos contratiempos; hazañas, por decir: a ritmo de película... y la primera es esta: por lo pronto: lo-llevaban-en-taxi-hacia-un-infierno-puto... *oquei*: ¡a toda máquina!... ¿Se adivina el ejemplo?... Si no: pues he aquí... Para Conrado Lúa lo anterior de su vida era algo semejante a una masa de nubes. Al fin: escurrimiento; llovizna, si se quiere: ni delgada ni tenue, pero sí pertinaz...

Reborujo ¿insufrible?: lo anterior... ¡DE SU VIDA!: hecha de servidumbres sin porvenir ni júbilo... entretanto... Su nueva servidumbre, sin embargo: otra masa de nubes ¿a saber?... Maldita masa horrenda, negruzca todo el tiempo: la posma referencia: ¿cambiarla?, pero ¿cómo?... Y lo que son las cosas: lo llevaban en taxi hacia una acción difusa con una rapidez que él nunca antes había experimentado.

De todos modos iba mascullando deseos, planes o pasos a seguir, si cada vez más bajos sus bisbiseos simplistas porque nada redondo traía en mente, y ambicioso aun así y encomendado a Dios porque rezaba a fuerzas: mal, retemal, o sea: porque inventaba rezos y al inventarlos iba emborronando aquella inmensa zona donde la borrachera y la molienda de patas para arriba, bajo penumbras acres, se hacían una hilazón: tejido cruento, ¡enredo!, y sepa qué falsías en desdibujo...

Mientras: la idea de la muerte...
¿Burlarla o encobijarla?
Ay: la muerte tan cachonda
Tan cobijienta deveras
Tan monstruosa, ay, tan coqueta
Tan pobrecita, ay, tan leve...

Capítulo diecisiete

La serie de presentimientos que acosaron a don Juan Filoteo González aquella mañana cuando se zampaba un desayuno frugal de tortillas duras y una rebanada de melón chino y té de raíz de maromo dieron al traste con su plan de ir a Remadrín porque no era conveniente y a saber por qué.

Pero luego de una semana tampoco fue conveniente.

Pasaron dos semanas y tampoco.

Tres semanas... y no.

Un mes y... veamos: se la pasaba sentado en su sillón favorito, es decir: el único, viendo el mismo encuadre de paisaje a través de la ventana distante que le quedaba de frente, sintiéndose orondo, ¡claro!, por ser ya a su edad tan ilustre sedentario.

A todo esto debe añadirse que lloraba muchísimo, dormía muchísimo, y comía lo menos posible. Daba, eso sí, pero con muchísima flojera, alguna que otra orden al peón –al único, pues–, quien sí era, en cambio, muy trabajador.

Capítulo dieciocho

El taxi llegó a la zona roja cuando la joroba de la tarde, media rojiza o medio que no, se amoldaba a las casas para hacerlas nostálgicas o algo así: ¿remotas?, ¿borrosas?: o por lo menos algo que hiciera suponer que todo estaba triste a esa hora y quién sabe por qué. Lo cierto es que el taxi entró a vuelta de rueda como si tanteara la sensación antes dicha y la fuese triturando adrede contra la tierra... Bueno, ¡sí!, pero lo cierto también es que nunca ningún taxi entraba lento a ese infierno como si entrara a un panteón, ¡y menos a esa hora!...

¿Todos entraban triunfales con derrapón previsible y polvareda detrás?... El otro extremo: ¡tampoco!...

Otra cosa cierta (ejem) es que el taxi se estacionó lejos del cabaretucho donde la hacía de mesero el cliente ese, tan extraño: por balbuciente a lo bestia y por andar en la guala viendo por la ventanilla todo lo que iba pasando hasta que: el freno definitivo y la orden emotiva. Luego ya por ilación la inferencia del taxista, por lo oído: su sonrisa; que él esperara media hora, como máximo, y también: que permaneciera adentro del taxi, por si las dudas. De todos modos el pago se efectuaría en ese lapso. Otrosí, y en relación al plan de Conrado Lúa, dizque él iba a regresar a Pencas Mudas, o sea, deducible el lapso, entonces, y por igual deducible la paciencia del taxista. Para mayor precisión: que fuera el rumbo más corto al hotel La Circunstancia; ¿cómo?... El regreso más de rato; ¿al hotel... qué?... ¡Sí!, el que estaba justo enfrente de la Central de Autobuses. Pero antes esto que viene...

Media vuelta: rompimiento: suficiencia categórica de Conrado al caminar. Su sobriedad, mal que bien, en virtud de que sabíase –y de ahí para adelante–: si rey, si héroe, si mula; si adusto a final de cuentas; pero estando al aire libre –y visto por unos cuantos–, lo que hizo fue endulzar su semblante, pero a fuerzas.

Independiente la entrada a lo que era su aposento, y al introducirse al mismo: ¡bah!: tuvo más tranquilidad, más: a cada paso dado, porque, para su sorpresa, al chaschas se percató que la mujer cincuentona cantaba desentonada, y bajo la regadera, un corrido fronterizo. Y el detalle milagroso: la sordera, por lo pronto, de la encueratriz bañándose; puerta cerrada y vapores casi en tela que escapaban por debajo de: ¡caray!: sutil el suelo, por ende. Los pies de Conrado a punto. Ese avance a tientas: ¡ya! Mínimos ruidos, ¡y gana!, en directo hacia la cómoda. El tino allí: ¡ojalá sí! El recuerdo despejándose... minutera asociación, menos-menos: segundera, por la urgencia de... y ¡oh!... En el segundo cajón: pues abrirlo poco a poco para encontrar la pistola y... encontróla intacta: igual, negra como era: preciosa, y de inmediato cogióla no sin comprobar de paso que en el cargador hubiera por lo menos cuatro balas; había tres, ¡chin!, pero, bueno...

El corrido fronterizo continuaba a todo vuelo, sólo que algo solapado entre vapores aún.

¿Dónde meter la pistola? Conrado tenía colgada en el pequeño ropero una chamara, la única, que no se iba a poner... Si a causa del calorón todo resultaba incómodo. Quería irse ligerito y siendo así dónde más. Y un chispazo al tiro: fácil: debido precisamente a que viendo de reojo hacia su lado derecho halló una bolsa de plástico: la cogió, estaba a su alcance, metro y medio más o menos, encima de un sillón. Vacía: ¡qué bueno!: era azul. Un tono azul casi garzo, tirando a cerúleo mate, tono óptimo de seguro para que no se notara el tal contenido negro. Comprobación: ciertamente: con la metida y así: luegoluego debía actuar. Sin embargo, presintiendo que la puerta se abriría, ya con la pistola adentro puso encima del sillón la bolsa cual si pusiera con gran cuidado una bolsa, pero de huevos, o sea... Por su instantánea mieditis: luego él, cual si recalzo, enderezó su figura. Téngase el encuadre pues, el logro erecto ante:

Como al principio de un *chou*: el despacioso meneo, más aún por la cadencia de un ritmo que se hacía lento, e inclusive deducibles los vapores por delante como alarde al fin y al cabo a bien de que apareciera peladísima, gordísima, pero aun así sabrosona la mentada cincuentona, y el saludo persuasivo:

–¡Ah!, eres tú... Por fin llegaste... Nomás déjame secarme y ya verás lo que sigue... por lo pronto, ya lo sabes: vete quitando la ropa y acuéstate en el camastro.

Acelere...

¡Otro episodio!

Instante prodigioso: ése: justo: el del ruido, el de la puerta, ¡sí!, que de nuevo cerrada era como el disparo de salida para un corredor (o corredores) en una competencia. Y ésta era competencia contra él mismo: ¿sí?... Y presto Conrado y ¡órale!, ¡a correr! Y sin maletas, ¡ni modo!, correr, ¡correr!... ¡tras el futuro!: fresca figuración: ¡su nueva vida! Pero el alto: oportuno; colmo, entonces, porque... Desde adentro la voz sensual de aquélla le frustró la intentona:

–¿Y qué tal Pencas Mudas?... ¿Hallaste a tu paisano?... Cuéntame qué te cuenta...

Como respuesta un «sí» y un «este» amorosísimos que aun siendo sonoros no escuchó la pelada. Entonces por inercia la rastra de lo de antes; quiérase una porfía en el mismo sentido, aunque si bien: a poco ya en bajón:

–¿Qué no me oyes, mi amor?... ¿No me vas a decir para qué te quería?... ¿Qué tantas nuevas trae?

La cumbre del momento: la escapada. Si almacenar mucho aire para ¡darle!, y el terror de revés: trancapalanca. Si el encarreramiento venturoso.

Ya despúes los sofocos, si en hálito campante, contimás, dicho sea, a medias terminal, una dizque ganancia que de algún modo se le habría de oponer mientras no abandonara Pencas Mudas. Autómata Conrado: con la bolsa de plástico en su mano derecha: cual gamo, o comadreja, o caballo de alzada.

Trayecto de un minuto, un poco más, acaso, para llegar jadeante adonde sí.

Dentro del taxi, al fin, desesperada la orden de Conrado. Y arrancón-polvareda: una nube que daba para pensar de más: si algunos cuantos viendo y ¿qué pasó?

Peliculesca fuga.

Directo hacia el hotel La Circunstancia. Por la ruta más corta (¡por favor!). Mas lo operoso era evitar detenerse. Pasarse los semáforos... ¡Correcto!; eso si se pudiera... ¡Ojalá sí!

Le trasmitió Conrado su temor al taxista, pues debido al meneo tan en aína, por lógica secuela previsible, seguro que habría acoso en un momento más y a lo mejor distante tal como en las películas, mas no por mucho tiempo, ¡ojalá no! Ergo: por peteneras: la trama emocional, forzada como tantas: de esas que son alarde en tanto churro gringo. Recurrencia y registro de un cinero como lo era ese zonzo pulemeño estando en Pencas Mudas, quien iba, cuando iba, al cine –y con permiso de... (se sobrentiende)–, una vez por semana, y siempre a una función, las había allí, que empezara puntual a las tres de la tarde. Recurrencia: otrosí: ahora acalorada; lo manido: por ende: para traerlo a cuento, pero sin corregirlo: si tiros de pistola y si cantidad de hoyos en el mueble; perforaciones pues, unas seis solamente en el vidrio trasero.

Lo que bien pudo ocurrir... Pero no... Por imposible... O mejor... Jalada de los pelos la impostura de imágenes que de suyo Conrado no podría deslindar durante el raudo trayecto. Así que por lo mismo se sacó unos billetes: a tiempo el anticipo, y por lo bajo, entregado al taxista, quien: ¡venga a nos tu reino! (nerviosismo, sudores), mano derecha: presta; mano animal, también, atrapando a su presa.

Se trataba meramente de un porcentaje que habría de completarse justo cuando llegaran al hotel. De ahí entonces el repunte como progresión ideal del taxista algún día de estos. Trama para platicarla botaneando allá en... a ver... Imaginemos la escena de sábado por la noche: en la sala de su casa (un huevito, desde luego) oyendo cumbias y polkas en compañía de unos compas: ¿con dominó de por medio y cervezas y cigarros? Preguntas: las suficientes, y cuádruples las respuestas al exagerarlas harto para hacerlas de emoción, las mismas que escantilladas desde luego estarían lejos de lo real, de su trasfondo, siendo, no obstante, pretexto para el careo aproximado, pero ameno complemento: por encima: todo el tiempo: del ahorcamiento de mulas al compás del chunta-chunta de guitarra y acordeón.

Un despeje impredecible que se hubo de incrustar en lo que iba de trayecto: futuro contra pasado así nomás porque sí; pero en presente, si bien, valga la corazonada de revés que el cliente ése concibió como película, algo que posiblemente estuvo a un tris de ocurrir. Veámoslo cuadro por cuadro:

Abre la puerta Conrado, ve a la mujer: hay sonrisas. Y tras el acercamiento: él hipócrita, ella ansiosa: hay un abrazo que no: porque él evita el apriete. Lo evita porque se zafa y ve con amor la cómoda: es la meta, entonces va... Cae en cuenta la mujer y fúrica lo previene. Pero Conrado al sacar la pistola le dispara: desplome en cámara lenta: en el cachondo camastro, y el enfoque horripilante: dos hilos de sangre quedan suspendidos en el aire, porque eso de que la sangre corra por la piel, ¡pues no!, contimenos por el suelo. Se aprovecha el simbolismo de dos hilos que se escurren retorciéndose a capricho para que no se comparen con dos hilos de a deveras; la nada espera: lejana, porque el vacío ya se nota. Y es precioso por abstruso el crimen peliculesco. Dos balazos nada más en la frente de la vieja. Dos hoyos en las orillas y los chorros como lágrimas: hilos rojos: ¡corte ahí! Lo de más es lo de menos: ¿otra prefiguración?... ¡claro!, y véase: la cincuentona ahora viaja rapidísima en el aire; un viaje de arribabajo: ¡oh, caída hacia el infierno!; viaje en cueros ¿fantasioso? Viaje el de él, pero hacia el taxi: con la pistola en la mano: humeante, irreal de por sí, adrede y... conectando... Se descarta de una vez LA PINCHE BOLSA DE PLÁSTICO, porque, bueno, es un antojo que no aparezca –NI MADRES– en ese crimen ideal; y tal cual es lo que sigue a fin de que no se altere lo que sucedió en verdad... Valga mencionar de paso que el taxi estaba llegando al hotel La Circunstancia... Y una conclusión feliz: la peripecia fue un éxito, puesto que Conrado Lúa no utilizó la pistola. Así que: ninguna gota de sangre salpicada contra sí... ¿Ya después se mancharía?... Se adjudicaría el honor trascendental de matar –¡ojalá que a quemarropa!– a... Es lo que iba a saber.

Capítulo diecinueve

La tristeza. La rebaja. La inacción. La abulia al tope y: pues sí: Mario Pérez de la Horra no pudo aguantarse más y una mañana nublada se le acercó a su patrón para decirle unas cosas:

–¿Por qué no va a Remadrín? Ya ha pasado más de un mes y no sale usted del rancho aun cuando quiere salir, según me dijo enllegando hace casi seis semanas... Dizque deseaba traerse unas cajas y unas fotos que le urgían o algo así... Y lo que veo es que está usted duerme y duerme o piense y piense y hasta lo he visto llorar varias veces, pues ¿qué es eso?... Y lo malo es que tampoco le da por hacerle al jale, ¿eh?... ¿No cree que eso le hace daño?

–¡Epa, tú!, ¡qué descarado!... ¡No te metas con mi vida!

–Se lo digo por su bien... No creo que sea muy correcto pasársela dando órdenes, aplastado como ésta y tristeando casi siempre.

–¡Cállate!, o si no te corro...

–¡Pues córrame de una vez! Yo estoy joven todavía y...

–No es que yo quiera hacer eso, pero tampoco me insultes.

–Lo que le dije es bien cierto y hasta puedo repetírselo... Aunque, bueno... no es el caso ponerme de consejero, pero lo que creo es que usted debe ir sin más ni más a traerse su pendiente. Ya verá que con traérselo agarrará nuevos aires... ¿Qué tanto miedo le da o qué le impide treparse a su mueble y darle marcha para ir a ver a su hijo?

–El maldito no ha venido... Lo he esperado y... ¡ni sus luces!... Ahora... mmm... ya caigo en cuenta, creo que no conoce el rancho... Pues ni hablar, tengo que ir...

–Decídase de una vez. Podría hacerlo ahora mismo.

–Ahora no; mañana iré... Es que no sé qué me pasa, pero veo cosas muy negras que están sucediendo allá.

–¡Anímese!, no sea necio. Serán unas vacaciones. ¡Quédese unos cuatro días con su hijo y reconcíliese!... Yo aquí me encargo de todo, como siempre me he encargado.

La urgencia del peón era otra: quería ver a la muchacha, la que lo traía de un hilo. Con tanto tiempo de sobra podía invitarla a pasear en su burro por el campo. A lo mejor la besaba atrasito de unas milpas y... ¿el casamiento?, tal vez... Pero mejor paso a paso.

–Tienes razón, debo ir... Aunque esperaré que se haga el mediodía y luegoluego... Y cuando vuelva: ¡ni modo!: trabajaremos bastante... ¡Hasta te voy a servir de ejemplo para que sepas!

Capítulo veinte

A toda prisa entró el ex padrote al cafecito furris. De mogollón, de atrabanque: cayéndose casicasi, y entonces lo inesperado: su asombro contra el asombro de la mesera jamona: dos levantadas de cejas a la vez, pero a distancia. Y la causa: la de él, descaradamente lívida, porque no halló a su paisano, mientras que la de ella fue un tanto cuanto más obvia debido a que soltó un *aaaaay* y luego cuatro palabras: *¡Cálmese!, ¿qué tanta prisa?* No obstante, el detenimiento de él: obediente: quizás, al tropezarse con: ¡no!: ya merito el costalazo, pero lo bueno del caso fue que alcanzó a sujetarse de una silla como pudo: con tres dedos ¡nada más!, no soltando, por fortuna, la bolsa con la pistola.

Ahora que: medio minuto bastóle a Conrado para relajarse: no del todo: es cierto: pero al poner sus manos sobre la mesa en que puso también la bolsa –al centro, como si se tratara de un florero, según la apreciación de la jamona–, dedujo que su hazaña en la zona roja había durado poco más de media hora, o sea: mucho antes de la cita con Egrén, quien, de seguro, aún estaba en su cuarto: ¿durmiendo a gusto una siesta?... Y la espera, mientras tanto... ¡Pero para qué esperar!

Decidido por lo mismo y de nuevo en atrabanque, Conrado se dirigió adonde creía que estaba la recepción del hotel. Aunque: por los puros nervios –¡vaya su zoncera al límite!–: el muy suato había dejado la bolsa con la pistola en la mesa: cual florero... No en la mesa la encontró cuando regresó por ella. Sólo un minuto de susto. Por fortuna la jamona fue prudente al recogerla y guardarla de inmediato en el último cajón de un escritorio metálico arrumbado en una pieza de atrás junto a la cocina, según dio la explicación ella, pues, sin para qué; siendo así que el para qué, el-temido-con-razón, de ese ni jota, ¡a Dios gracias! Entonces el ex padrote dedujo de nueva cuenta que la mesera gordinflas no había visto el contenido, pues se limitó a entregarle tal cual la bolsa, por ende, sin hacer ni un comentario acerca de la pistola. Se deduce que ni el peso del artefacto metálico la destanteó: ¿era pazguata?

Más bien ella sabedora –por inferencia indirecta–; si el chantaje a su favor, o si sólo a conveniencia: testigo con ¿argumentos?; un asegún ¿potencial? Y él con un ascua naciente; si su despeje más tarde: una incómoda verdad; verdad o chisme cabales; aunque, bueno... si hubiese habido regaño de ella mediante una mueca descompuesta o algo así, mal que bien él se habría ido tranquilísimo y sonriente.

Ahora bien, veamos esto...

A fin de hacer a un lado la penosa ristra de balbuceos, con pelotillas de saliva, que el ex padrote le soltó en plena jeta al recepcionista, se infiere la discusión por mor del impedimento de subir las escaleras para ir a tocarle al cuarto a su paisano: ¡le urgía!; número: ¿cuál? (por favor); un doscientos veintitantos que gritado (repetido: en aumento cada sílaba) sí fue claro, y memorable: si con sólo machacarlo... Machacar la petición, pese a la vil negativa... Hasta que... El doblegamiento... Mas el logro del pedinche se debió al hastío del dizque responsable del hotel: quien detrás del mostrador estaba viendo en la tele un churrazo rancheril de amor, tiros y caballos y: *Oquei, go on*, ¡sí!, caray: *¡adelante!, ¡dese prisa!, pero no se quede allá más de media hora, ¿entendido?!* Ni respondió el ex padrote y ¡¿patas para qué eran!? Sendo ahorro de saliva para soltárselo a Egrén. Entonces adentro allá: los dos: haciendo sus planes. Comprobación de la carga: detallista el huésped, obvio, al revisar –si sacándolas y metiéndolas de nuevo– cada una de –sin embargo–: cuatro balas no eran muchas: una era de desperdicio para probar la pistola: en el monte, desde luego, ya cerca de Remadrín, mientras que las tres restantes serían más que suficientes para un buen asesinato.

La treta consistía (ejem) en despacharse a don Romeo Pomar y el llegue ideal: ciertamente: por la espalda, tiento a tiento: en la noche y en la calle, eso era lo más seguro. Y aun cuando sus guardaespaldas estorbaran: atinarle: desde lejos, o si no: a ver cómo lo mataban.

La corrección oportuna: Egrén: el disparador; Conrado: el cómplice, ¿sí?... Pertinente la pregunta del ahora sí dizque ¡¿qué?!:

–Antes de seguir planeando nomás quiero que me digas si es necesario que te haga compañía como me pides, o nomás dime una cosa, y respóndemela rápido: ¿para qué te sirvo yo en todo este mangoneo?

Para evitar de una vez cualesquier topa tolondros es preciso ir hacia atrás a modo de regresar con menos carga al presente. Quiérase que el abecé empiece con el hallazgo; el encuentro, esto es: cara a cara luego de: ya el busque y busque los números estaba haciéndole ruido al buscón: ansioso a más... Hasta que... Nulas nomás por guitonas las cuatro primeras frases dichas, si quedo, por ellos al toma y daca, si tatas, cuando Egrén tras los toquidos abrió la puerta: despacio. Tardanza hubo, todavía, y como buscada adrede, del ex padrote: nervioso: para animarse a pasar al cuarto sin tanto dengue o sin que soltara al tiro la advertencia enfurruñada que le hizo el recepcionista. Sólo media hora –¿eh?–: con fea vibra proveniente de allá abajo –¿eh?–: y pues *de acuerdo*: no la iban a rebasar; por lo cual: adentro: esto: la necesidad de irse a su tierra cuanto antes. Dundo devaneo al respecto, en virtud de que no estaban enterados a qué horas y hasta dónde había corridas rumbo al sur, si fuera pronto: a Pompocha, por ejemplo, o a Sobrinas, de perdida, porque corrida directa a Remadrín: ¡ni de chiste!, y el trasbordo a fuerzas ¡uf! Pero antes otro plan: uno asaz premeditado por Egrén con saña y maña: escaparse del hotel sin pagar y para ello no debería de salirse con maletas en la mano. Fácil, aunque la osadía... Tal ahorro no era tal. El monto del hospedaje se lo daría al ex padrote por su colaboración. *¡Pues dámelo de una vez!*, clamó el susodicho: fresco; presto él como presto el otro que sacó la billetiza para calcular mejor. Seis por dos: ceros aparte: noches, dinero: esas cuentas. La redondez del total en unos cuantos segundos puesta en la mano del cómplice que todavía no era eso, sino... Egrén se lo explicaría... Los billetes de anticipo metióselos hechos rollo en la bolsa izquierda –rápido– del pantalón y animoso el ex padrote, ahora sí, lanzó la pregunta clave: la del plan, y a ver qué diablos.

Como se podrá notar, se ha hecho todo un recorrido para enllegando de tajo al tema de la pistola, su revisión antes dicha, Egrén describiera al grano –si telegráficamente– el asesinato: allá. Se completa lo de arriba a partir de la pregunta que hubo quedado en suspenso: esa hecha por el «cómplice»... ¿Cómplice?, ¿por qué razón?, ¿qué tan necesario?, a ver... Pero como Egrén tardó en responderle, o digamos, un simple «sí» no bastaba, el cómplice arremetió (reflexivo, algo sabihondo), y he aquí su afirmación:

–Yo creo que para matar a don Romeo o a quien sea no necesitas de mí. Te será mucho más cómodo hacerlo solo, a tu antojo.

–Es que es tu oportuidad de regresar sin problemas a Pulemania, ¿no crees?... Traemos una pistola y unas balas, ¡date cuenta!, eso nos protegerá... ¿O piensas seguir viviendo de padrote allá en la zona?

–Ya no puedo regresar... Además, deja te digo que la vieja del burdel a lo mejor ha de andar desesperada buscándome y tal vez a estas horas, o si no un poco más tarde, podría andar de fisgadora en la Central de Autobuses.

–¿Lo hará tan pronto?, ¿deveras?

¡Ya con eso es suficiente!, porque (ejem): la muestra de incertidumbres y propósitos en juego no tuvo gran zigzagueo. En directo, amén de haber (que lindezas, que pruritos, pero sin tantos bemoles) unas cuantas frases más. Fallida coquetería o remilgos a la llana del «cómplice» a convencer, que convencido quedó. Se impuso lo positivo: el asesinato: ¡ajúa!, e irse pronto: sin maletas.

El lastre rematador redundaba en la riqueza que obtendría Conrado Lúa luego de hacer otra acción incluso más presurosa que la anterior: la asesina, con su emplasto corrosivo. Egrén sacaría a sus padres y a su novia de ese pueblo... ¿Tanto dinero traía?... ¡Sí!, en efecto (o mentirota, para no desentonar con su procura triunfal ante su ¡oh necio testigo!)... Fue el que le robó –recuérdese– a Crisóstomo Cantú, su víctima en La Malhaya. Además, dizque tenía otro monto allá en su casa: muchisísimo, deveras, al que debiera agregarse lo juntado por sus padres. De modo que: ¡gran caudal!, tanto –y que se sobrentienda–, tantísimo –y que se aprecie–, como para decidirse a efectuar, a la de ¡ya!, la fuga en mención, o sea: con su familia bien lejos, por ejemplo: a San Antonio, adonde vivía su hermana; pero en dicha fuga: ¡claro!: sería incluida su novia, y su cómplice, es decir: la tímida invitación hecha a él –por adelantado–; o si no nomás dinero: mayúsculo porcentaje; y el adiós: por tal motivo: seco el agradecimiento.

Considerable el trasunto para un prolongado análisis. Una opción de más, por ende, que en puridad o a contagio el cómplice abordaría teniendo horas por delante, días enteros, por supuesto, y a saber si sí o si ¿qué?... A la fuga familiar: ¿unirse?, ¡vaya dilema!

Resistencia no durable querría Egrén de ese indeciso a fin de evitar el pago de completez: el pendiente, e invocaba sepa a quién para que soltara el «sí» nada más en relación a la tal fuga de marras. Un «sí» tibio o contundente, pero dicho un poco antes de abandonar aquel cuarto en el cual se quedaría la ropa que Egrén compró, además de las bicocas metidas en la maleta: esta última también en Pencas Mudas comprada. Todo, sin embargo, al dejo, y el «porqué» a sabiendas de: ¡qué idea tan alrevesada la de no pagar la cuenta! Si en eso: esto: a rajatabla: *¡Vámonos!, que se hace tarde,* la orden, como sugerencia, la dio quien no debía darla: Conrado salió primero y Egrén esperando el «sí». El «sí», ¡no!, por el momento; muy después, en consecuencia. *¿Oíste lo que te dije?... ¡Apúrate y cierra el cuarto!:* El cómplice: impositivo; estaba retenervioso; por eso apuraba a... El otro tuvo una idea, justo al salirse del cuarto, dejando la llave adentro...

¡Ojo!, pues, con lo que sigue...

A modo de persuadirlo, o para que se sintiera al cien por ciento seguro de hacer lo que estaba haciendo, Egrén le entregó a su cómplice la bolsa con la pistola.

–Llévala tú, es lo mejor.

Bajaron las escaleras. Conrado iba más campante que el otro: un poco a la zaga: con temores de repente. De ambos: al parejo: luego: pasos jilos, niquitosos: al pasar por donde estaba el recepcionista viendo su churrazo rancheril. El ni los vio: ¿para qué? En cambio sí la jamona desde el café: inquieta: al sesgo: varios ángulos buscaba. Y su deducción rascuache, por rápida y prepotente (aunque sí reveladora de otro asunto nebuloso: la bolsa que hubo guardado y entregado así tal cual; y la pistola, por ende... nada, pues, ni qué sospecha... Su curiosidad no era tan extrema o detallista y eso, en este caso, al menos, ¡fue un milagro de a deveras!), por morbosa, mejor dicho –regresando, conectando–, le hizo suponer de paso que los mentados fulanos habían subido a encerrarse en un cuarto bien oscuro para hacer sus cochinadas... ¡Jotos!, sin lugar a dudas... Desilusión putañera: la de ella: por lo tanto.

De pronto la luz externa, declinante de la tarde, como adorno callejero, para ellos fue novedad. Nueva vida así nomás, ya trama de apuraciones sin temor de que a la zaga los vinieran persiguiendo quienes ellos suponían, por ende, avantes, orondos, uno seguido del otro, cruzaron la calle y ¡listo!: como dos buenos muchachos conscientes de su guapura.

En la Central de Autobuses *anoder raund for di güiners: nau, ¿oquei?: dey veri arogants.* Algo acaso inexplicable: ¿la grandeza del inmueble o el olor de esa grandeza?: motivólos a buscar de inmediato las corridas a Pompocha o a Sobrinas. Craso impulso, pero, veamos: más bien Conrado sintiéndose jefe o líder, o héroe: casi, sólo por saber al bies del poderío que le daba la bolsa con la pistola, le exigió a Egrén dos billetes de cincuenta: *¡Órale!, ¡apúrate!* –lujo de hablar en voz alta siendo mandón momentáneo–, dizque iba él por los boletos, ¡pero era mucho dinero!, y sin embargo: su voz, y Egrén tan dócil: ¿qué tal?

Aplastado el asesino en una banca cualquiera vio cómo se iba alejando su cómplice a la taquilla: saleroso, ¡y con razón!, no obstante que andaba sucio porque no se había bañado –acaso en una semana– ni puesto camisa limpia.

Válida por su ufanez tan impostada a lo penco: su ida, ¡ay!, tan «sin embargo», en la que haciendo memoria se acordó de la mujer: la cincuentona agobiada, su nobleza de revés: amorosamente rara, porque lo hubo mantenido, y él: ¡traidor!: a fin de cuentas, pero el «¡¿y qué?!» por delante, tratándose de pecados en correntía de uno y de otro, pues contra el vil reborujo de placeres sin cesar la humareda y las cenizas no compasivas, no ingratas, no el rescoldo todavía: ardiente, vivo, amarillo, como para que ella anduviera buscándolo en la Central. De tajo eso el seudohéroe lo tuvo que descartar. Pero si no fuese así, allí mismo él la mataba ante la vista de cuántos.

Rescoldo: ¡sí!: y a rehílo: su vivencia en Pencas Mudas que en recuadros, por decir, Conrado quiso entrever. Al rescate sólo el cine en inglés: neta adicción, tremendistas cien escenas incrustadas en sus sueños, las que tal vez nunca más como fueron serían ya. En cambio el inglés sabido: olvidarlo, por faltoso, porque mascándolo a medias no tenía ningún sabor como tampoco teníalo la ceniza en modo alguno. De lo demás: ¡al carajo!: la riada sentimental, por hacerse deducible al mermarse a poco y ser hálito añejo nomás.

De Egrén, que estaba aplastado: parecidas recurrencias, y al fin ¿qué recuperar? La televisión nocturna, el restaurante coloro, aquel tipo Vips y ¡ya! No las tiendas: lo comprado: cuanta cosa que dejó en el cuarto y su valor: probable es que fuera el doble del monto del hospedaje, pero ¿para qué acordarse?

Con boletos en la mano regresó Conrado Lúa adonde Egrén cabeceaba; que una pronta sacudida porque ya tenían que irse. En diez minutos salía su autobús rumbo a Pompocha. Y ¡ánimo!, caray, si en pos, ya que de ahí en adelante...

No está mal ver en penumbras la última escena de huida. Despachado un campo inmenso hacia atrás dale que dale: película secundaria por la ventanilla: rauda, que ellos no estaban mirando, es que nomás se subieron al autobús ¡y a dormir! Conrado traía en sus brazos la bolsa con la pistola, la apretaba, subconciente, contra sí: sensible apriete. Era su hija, mientras tanto, su parabién, su poder.

Octavo periodo

Capítulo uno

Da flojera abordar la lentitud de una situación como la que enseguida se trae a cuento y da mucha más flojera describir los treinta o treinta y un detalles engrosados por quien aún pretendía hacerlos mucho más lentos o que fuesen de una vez cincuenta, sesenta incluso, o más detalles acaso, pero el límite: ¿hasta cuántos?, y volviendo, desde luego, al conteo: mejor así: de recorrido llevaban como unos trescientos metros; no habían salido del pueblo los esposos, pero casi, porque, obvio: nomás con que recorrieran tres largas cuadras ¡y ya!; ahora que (por lo general la gente de Remadrín es bastante lenta. Se toma todo el tiempo del mundo –¡claro!, es una figuración– para hacer cualquier cosa –¡ojo!–: la que sea, como si en el cielo de allí estuviese escrito un consejo –o algo por el estilo– que el común lleva a la práctica: NO HAY PARA QUÉ ACELERARSE SI NADIE ANDA ACELERADO): tampoco (ejem) el dundo haragán tenía prisa por iniciar el conteo de los treinta y un detalles engrosados, o cincuenta o... ¡eso pues!... ¿Cuando entraran en el llano?... ¡Sí, hasta entonces! (desde luego hay excepciones en Remadrín: gente urgida; sin embargo, por desgracia, es difícil detectarla). Trinidad quería ingeniárselas para engrosar los detalles ya previstos por él mismo al menos en cuanto a número, aunque todavía no tanto y, por ende, le importaba un cacahuate cargar el radio y ser lento, y he aquí: ¡ya!: el quid del caso... este... bueno... quería que por cada metro en el llano caminado encontrara un buen pretexto de tardanza y ¿lo encontró?... Mejor vayamos de prisa a la acción más importante porque da mucha flojera describir tanto detalle.

¡Desde qué ángulo ha de verse el apedreo contra el radio de los esposos que estaban a cien metros de distancia, o poco menos, quizás, al sur de...?, ¿ya se adivina?... En el llano, a hora temprana... El apedreo contra el radio visto por los bullebulle, quienes estaban situados a cien metros de distancia, o poco más, tal vez: ¿mucho?: ciento vein-titantos metros, pero al norte de: ¿ahora sí? Al centro aquel aparato al cual quizás los esposos en dos horas le atinaran. Y la paciencia mirona: por estrategia: lejana, más aún si se toma en cuenta el dizque consejo escrito: NO HAY PARA QUE ACELERARSE... Quepa aquí justo el etcétera para meter otro asunto... En tanto monotonía o «tediosa diversión» optaron tres bullebulle por retirarse: ¡caray!: mudos: repiense y repiense... Por quedarse todo a medias y también porque el solazo ya les quemaba sus choyas, tres se fueron cabizbajos, disgregados, solita-rios, y entre ellos sólo había uno que conocía al matrimonio tiempo ha y casi de cerca, como un ángel de la guarda. Pero: antes de decir su nombre cuéntense sus atributos: profeta, viajero, viudo, mantenido de sus hijos, inteligente, asegún, y además –si no es bastante– gran batea-dor emergente, y ¿alguna cosita extra?... Es que eso de bullebulle no lo hacía feliz, no ahí. Lo demás era su orgullo. Un frenesí fantasioso que sólo se potenciaba ante Trinidad, y a veces –aunque no como él quería– ante la que le gustaba, ergo: su anhelo coloro: Cecilia: su amor irreal. A Vénulo Villarreal también se le ha de añadir otra secuela a favor: discreción-tacto-sosiego antes que cinismo en vilo. ¿Enfado o buenaventura? Baste decir que esa vez se hartó de estar por estar. Inclusive por momentos reprimió con entrecejos sus deseos de enca-minarse hacia donde estaba el radio y sobrado de impudicia tomarse la libertad de cargarlo con un brazo y sofrenar con el otro –pañuelo blanco en lo alto sacudiéndolo en bationdas– los disparos a distancia de Cecilia y Trinidad; y así gritarles diez veces: *¡No hagan eso, por favor!* ¿Cómo hacerles entender que aquello era una locura? Aunque su pru-dencia: previa, consejera, ensalmadora: no tenía caso jugar dos juegos, ¡no!, por lo pronto, porque ¡al tiro! los esposos se enfadarían –¡Y DE A MADRE!– y ¡mangos!: que acatarían su monición, de resultas, y por tanto su retiro: a contrapelo ¡pues sí!: para poder explicarse tal pasa-tiempo en el llano, ya no como una extrañeza igual a tantas que ocu-rren, sino como horrenda burla beisbolera al fin y al cabo.

Por eso mismo en el acto a Vénulo hay que aplaudirle su decisión de alejarse... Acto seguido: en su contra: se refundiría en su casa y allí caprichosamente se tomaría unos seis litros de café «Marino» o de esos corrientísimos que venden en los pueblos del desierto. Maratón de treinta tazas sin parar y ¿qué?, y ¡adrede! Tal hilazón de café se la bebía porque sí y ese buen procedimiento surgió un día de su cose-cha para aclarar confusiones en avalancha y entonces: descentrada su nostalgia tras su arribo no muy lúcido; nostalgia de dos minutos por-que luego decidió enfilarse hacia la estufa para...

Si por angas o por mangas recomposición ¡al fin!: lo que Vénulo sabía del origen de Cecilia fue por boca de una doña. Tía en primera línea de ella; de él en tercera línea. Pero aspectos de ese tipo aquí se hacen a un lado, puesto que a nadie le importan los parentescos lejanos, ¡vamos!, ni en los registros civiles. Entonces, para ir al grano, mandemos a la fregada a la tal doña, por mientras... Perdón, pero es que ¡caray!... Bueno... ya estaba listo el café.

Tímidos habrían de ser los cinco primeros sorbos. Con el sexto hubo ganado posición y reconcomio para ir sorbiendo de a poco esa hilazón sabrosísima, contimás con el calor. Y el hombre verdolagón se puso muy inspirado; evocó, cual si cantara, a su querida Cecilia: *¡Mi amor!... ¡Pedazo de mi alma!... ¡Alegría de mis ideas!... ¡Cariño para mis ojos!... ¡Dime nomás una cosa y dímela aquí en secreto!... A ver, a ver, yo te escucho... ¡¿Dime por qué tiras piedras!?... ¡¿Por qué lo haces en el llano donde se juega beisbol?!... ¡¿Y por qué de esa distancia contra ese chingado radio?!* Y largo rato así estuvo hablando con las paredes.

Indirecta referencia sensación tras sensación, porque había algo muy atrás: lodo viejo, estragamiento, ¿o polvo por sacudir?

Veamos:

Cuando Cecilia llegó a Remadrín: jovencita: echóle Vénulo un lazo: *¡Adiós..., cosita preciosa!* Empero ella, apuradísima, obnubilada pasó sin percatarse de aquél, de su voz casi pipiola. Y desde entonces la potra: tregua, sino, engorro, anhelo: impacto sólo de él: iluminación equívoca, ¡sí!, porque la vio compungida bajarse del autobús y aun así su belleza era algo indescriptible.

Ya bien se puede asentar la premisa revolteada: lejos el enfoque: a fuerzas, y sórdida la secuencia, de modo que... Retomemos... A la casa de la tía llegó la muchacha un día, desde Arras, y bien triste; el motivo fue la muerte de su santísimo padre, a quien ella había cuidado durante más de cuatro años. Dedúzcase, por despeje, la agonía en cámara lenta. Complejos padecimientos, mismos que siendo visibles empeoraban lo ya peor: cada vez más y, no obstante, hubo augurios positivos. Un doctorcito de allá decía que iba mejorando y otro que era centavero: ¡claro!: su estrategia era observar un panorama muy negro, por lo cual: a hilo y rehílo tan jalonados diagnósticos sólo obviaban un malogro: afanares a toda hora... Se anticipa que la madre apenas hacía seis años se había ido para siempre a esconderse tras los muebles, contimás tras las cortinas de esa casa a media luz. De cierto modo es verdad que la dizque ausencia aquella hubo de causar dolor, ¡ay!, e incertidumbre, y es que su risa, su voz, sus lloriqueos tan groseros, a la postre sólo fueron medio de ahogo pachucho:

residuo de un retintín; pero añoranza: ¿por qué? Habida cuenta que aquélla se asumió como fantasma, y jugaba, la muy mula, a estar presente a su modo, nada más para asustar... Ahora que siendo Cecilia hija única: ¡qué lata!: un trabajal se le vino como alud intempestivo cuando ella estaba, digamos, en plena edad de los bailes... ¡Imagínense el calvario! Y basten nomás dos datos: lavar ropa ajena: en pausas, no en su casa, sino... Lo segundo es lo fregado: sendas sus idasvenidas en virtud de que su padre estaba siempre tendido, sin fuerza alguna siquiera para levantar un brazo, no se diga una cuchara, un tenedor, un popote, y menos aún servirse la medicina obligada. Luego, pues, su frustración tras la imposibilidad de sentarse, si a capricho: ¿cómo?, y tampoco –¡hay que creerlo!– podía flexionarse un poco, por mínima rebeldía; ¿y qué tal si se parara?... ¡uh!, ¡ni en sueños!... pues ¡qué gacho!... Querría correr rumbo al baño al fin de hacer, cual se debe, sus cosas cómodamente... Pero en su casa: cagado: ¡asco!: blandengue, intranquilo, y por lo mismo anhelando, empero ya estando en esto: ¿qué diantres podría anhelar? Ser o ¿no ser?: y mejor –por sentir que no era nadie, o quizás mero bagazo de Dios o del diablo mismo–: su griterío solitario cual ristra de aullidos graves de coyote en el desierto. Pero es que tenía razón. Larga razón atajada, sofrenada por el ascua de sentir ingenuamente que de algún modo podría aliviarse, bien quisiera, en un santiamén, e incluso, con las energías de antaño: recuperadas, idénticas. Y bastaba nada más con un chasquido a distancia, nomás con que oyera apenas la llegada de Cecilia: ¡oh desarrugue emotivo!; menudencia: al sesgo: ¿aleve?, ¡no!, por cuanto que ya de súbito: subidores dos, tres pasos: cuatro, cinco, seis y: ¡órale!: tochos los siguientes siete; presencia, entonces, o sea: ¡ojalá fuera el arribo del milagro salvador! Por ende adrede y desde antes sus cacorrítmicos chillos por cosa de ánimo pío; mas de nuevo lo manido: burda atención enfermera: lo más rápida posible, porque se tenía que ir Cecilia en unos minutos a seguir tállele y tállele...

Si en cuanto a desasimiento lo normal –debe inferirse– eran tales altibajos sujetos a la cuantía de jale en las otras casas contra la cuantía de horas de custodia (y atareo), pues un deshauciado exige a la par mimos y plática: a su gusto, o sea que ¡siempre!

Sea que después de cuatro años el afecto sí afectó. Siendo poco fue más poco: cada vez tiempos más cortos, al grado de digerir –no sin haber de por medio un friego de «¡ayes!» y enojos del ya monstruo agonizante– cabronadas diariamente; aunque desafecto: ¡nunca!, sino: pongamos muy por encima «las entradas de dinero» para entender lo que sigue... Tongas de ropa ¡bien posmas!, otrosí: a tallar de más: la hija llena de lágrimas por hacer lo inmerecido. Cuantía, si bien, remugrosa, por mor de aclarar lo cruento: ¡vaya!, por darle más a los jales hubo un bajón de Cecilia; perdió el ritmo, sin querer...

Lo perdió, ciertamente...

Sin que ella lo notara...

¡Uf!

El argumento exhibido por Cecilia ante su tía tuvo como remate un malcontento de la recién llegada, pero no bienvenida, por supuesto, la cual trocó su tristeza por una suata indolencia. Fue –¡horror!– un escupitajo contra el agua de guayaba, agua a la mitad ya puerca, misma que le hubo servido la tía en un vaso de peltre. Fue un brindis de mala suerte.

Pero por considerarlo un faltoso despropósito, de buena gana la tía ríose como ríen: a cachos, sin escalas musicales: los viejillos chinchumidos que al hacerlo lo hacen mal, pues parece que se asfixian. Mas luego del traca-traca la del rostro carantoño sentenció con gran aplomo:

–¡No importa!... ¡Tú ni te fijes!... Mejor sígueme contando... Si al rato quieres más agua, agarra otro vaso y ¡sírvete!

Dada la primera orden, y más tras lo sucedido, la sobrina titubeaba.

–¡Anda! –repitió la ruca–, conmigo ni te disculpes, y tampoco tengas miedo... Jamás he sido fijada en tan zonzas pequeñeces... Entiendo que fue accidente y ¡ya está!

Empujada se sintió Cecilia: ¡a saber si había caído en un ardid por el hecho de haber revelado asuntos que a lo mejor...! Es que, de suyo, la tía la hacía sentirse en confianza y por tal motivo (ejem) se dispuso a tomar no precisamente agua de guayaba, sino agua natural. En efecto, había una jarra llena, a su alcance, en una como coqueta o mesa de noche; ahora que: tomando lo anterior en perspectiva podía considerarse una «sutil artimaña» de la sobrina y... ¡Momento!... La cosa es que no cuajó... No iba a cuajar y, ahora sí, por propia voluntad la recién llegada bebió hasta la última gota de la jarra, o sea: tres litros que la obligaron a ir al baño a galope: casi, y chueca. Y lela allí se entretuvo: propensa a más no poder al misticismo gozoso, esto es, a los desvaríos: en un tono medio sepia; caqui, entonces: de pe a pa; y a propósito esa vez, con tal de no contar más.

Capítulo dos

Despertar en casa ajena con el repunte de formas insinuadamente reales, y tamañas poco a poco. La luz del amanecer. La habitación: concreción. Contrapunto: Néstor Bores (el líder que había venido desde Trevita hasta acá). Por lo pronto: sus lagañas: hijas de sus sueños ñoños: si limpiárselas cuanto antes.

¡Ya!

Casa de –he aquí el reto a su memoria...– Ciro ¿Efrén?, ¿Joel?, ¿Abel?, y entonces todo el chispazo: Ciro Abel Docurro Piña, nombre que lo remitió a la acción pendiente ayer; si el apuro como síntesis: la comitiva que iría hasta Pulemania a pie para hablar con –se supone– un enemigo de empaque del gobierno: liga ¡a tiempo!, lo sabido por chirleo: la camioneta que vino retacada de cadáveres le pertenecía a ese tal. A humo de pajas su ayuda: mediata por regresiva, enllegando, por demás, a topa tolondro: en seco: al fulano aparecido como un fantasma diurno en la plaza: ayer: ¡portento!; pero su nombre... Si Carlos, si Camilo, si... ¡caray!... Un anónimo entre anónimos que se convirtió de súbito en la figura central... Bueno, si hubiera sido al principio... El ahorro de saliva. Pero, en fin... Fue un mesías con varias claves: Pulemania: el derrotero: por delante, y por deslinde: toda la benevolencia en círculos reductivos hasta dar con el señor propiciador, mas ¿su nombre?... Si Lamberto, si Lisandro, si... ¡qué lástima!, y no obstante: lo mejor vendría en una hora: cuestión de tener paciencia para despejar incógnitas.

Y ahora sí en tiempo presente la inmediatez casi entera de la luz que ha de buscar un enfoque –¡ojalá pronto!– a favor de Néstor Bores. Perverso el primer fulgor en tela sobre un sillón ya algo murrio y zarandeado. Fulgor cual glosa que realza y un poco después propone a esa suerte de criatura, propiedad de Néstor Bores, que no es sino su aparato de sonido, ¿se recuerda? (en la moldura de asiento del sillón tal cual se encuentra), y es un posmo reborujo de bocina, estrapalucios, cables, cerebro, micrófono: si un total de ardites zotes que presuponen viveza; de modo que el entusiasmo del líder es repentino... Si un ensayo impertinente como tentación muchacha: despertar a esa familia con micrófono en la mano: una arenga harto chancera, que zigzaguente discurre...

Sin embargo, calma... calma... porque ya no falta mucho para que se oigan las voces, las pisadas, e inclusive, no descarta Néstor Bores que en menos de diez minutos venga a tocarle la puerta Ciro Abel Docurro Piña.

374

Transcurrieron diez minutos y, en efecto –antes, si bien–: los toquidos, por arrobas, y al cabo la invitación:

–¡Véngase a desayunar!

–Voy, ¡ya voy!... Ahora no le puedo abrir... Pero ¿me oye?, ¿sí o no?

–¡Cómo no lo voy a oír!

–¿Puede usted decirme qué hay? Digo, pues, de desayuno... Yo nada más le pregunto... –inquiere y luego aventura malicioso el dizque líder, tras la puerta todavía: pudibundo e indurado, porque así se da paquete.

–Hay unas lenguas lampreadas de marrano con pipián y con baño de tamujas de guapilla y chitilía, y aparte, si lo desea, un copeteo tomatoso.

Capítulo tres

Entretenimiento necio de un poco más de media hora: sentadísima en la taza del excusado Cecilia dizque haciéndose sabihonda, o si no seudofilósofa, pues temía de todastodas que su plan fuera a fallarle... Para el caso se adelanta que le falló sólo a medias, en virtud de que la tía también a medias falló; plan contra plan: vaguedad, ya que todo empate es vago, pero a favor de esa iguala valga afrontar un deslinde: se retoma el excusado, la posición hacedora: el típico agache a fuerzas de Cecilia batallando, y he aquí entonces el concepto antitético y grosero: HACER DEL BAÑO ES UN TRIUNFO, MÁS QUE UNA NECESIDAD, ¿o a lo mejor es preciso ver tal triunfo –si se puede– un poco más desde abajo?... ¡No!, no es menester retorcerse. ¿Para qué el contorsionismo después de una batalla y sobre todo de un triunfo? Nomás hay que imaginar la posición en agache de Cecilia puje y puje, y con eso es suficiente, aunque... Si Vénulo alguna vez tuviese oportunidad de contemplar a su amada en semejante postura ¿decrecería su delirio?... Depende... Quién sabe... ¡Vaya!... Pues no acepta el idealismo contundencias de este tipo, y si entra en juego el realismo habrá entonces jaloneo entre lo malo y lo bueno y al cabo habrá de exigir más discreción al respecto y...

Las disculpas son realistas, y el perdón ¿por consiguiente?

Se ha llegado a un punto clave que debe sonar bien guarro, porque veamos si no: como quiera que se pongan –en la taza, desde luego–, lo quieran o no lo quieran las mujeres serán siempre las reinas del excusado: ¡porque tienen que sentarse!, y allí en su trono ordinario serán reinas o si no serán lo que quieran ser.

Vayamos ahora a la tía que estando afuera del baño se estaba desesperando por tan buscada tardanza de su sobrina: ¿asegún?, y: ¡Apúrate!, ¿qué tanto haces? Frase real, planeada incluso, era una extrapolación «en veremos» solamente, pero ocurrió lo esperado y ahora sí en acción los planes. El de Cecilia, por ende, consistía en no contestarle. Boca dura, sin murmullos, queriendo apretarse más, ex profeso, se supone, ya retadora Cecilia, y el enfado de la tía luego de un par de minutos porque sin más la insultó, refiriéndose en concreto a lo que consideraba una porfía excrementicia: ¡Cómo cagas!, ¡ya ni chingas! Empero se arrepintió de haber soltado algo así y poniéndose muy dulce quiso arreglar lo anterior diciendo cosas como ésta: Yo sólo quiero que salgas para que sigas contándome lo que me estabas contando. No se debe descartar que en los siglos venideros haya una filosofía que se ocupe de este asunto: TRATADO DE LAS VERDADES Y LAS MENTIRAS POSIBLES QUE SE TEJEN EN EL BAÑO. ¿Hasta ahí llegó Cecilia a base de terquedad?... Sus conexiones remotas, ominosas, tan al bies, con la biblioteca de Arras a la que fue alguna vez, ¡una!, ¡sí!, en la que leyó títulos a tutiplén y entre las filas de lomos hubo uno que decía: «tratado de...», y hasta ahí; no se acordó de lo otro, de la subordinación larguísima y, por lo tanto: ella la podía inventar a su antojo y de repente... Pero volviendo al problema presentado en esa casa: ella no quería contarle tan en detalle a su tía los porqués, cómos y cuándos de anécdotas en cadena: todo lo que redundó en tomar la decisión de venirse a Remadrín.

Debe destacarse entonces que hubo una ristra de ruegos por parte de la anfitriona. Si contra eso los pujidos haciéndose eco en el baño: como única respuesta. Es que en su plan: al final: Cecilia consideró un fingido sufrimiento, amén de un solaz por mientras: ver en el suelo dibujos, si garigoles apócrifos, pues garigoles había en su mente y ¿en la taza? Sus formas de pensamiento: vagas concatenaciones con... Pero es que ella no obró durante aquella media hora que ya estaba rebasada. Orinó, en cambio, y a gusto, aunque la sana descarga –y entiéndase que es un cálculo– le llevó un minuto y medio, y eso fue al mero principio.

Luego: cuando Cecilia salió muy pimpante de su encierro, por mor de un falso rebusco, la tía lo primero que hizo fue ofrecerle harta comida, a fin de que su alojada tuviese al re un buen pretexto para hacerse, en consecuencia, la sabihonda, si quería, y ¡claro!: con propiedad, o narradora a sus anchas, perdida entre maravillas. Mas la treta de la tía no tuvo un alcance brujo, debido a que su sobrina no era ninguna gordinflas ni andaba al pío o al antojo.

\ ## Capítulo cuatro

El empeño precedente cuaja aquí sobremanera nomás por aperramiento y para roer tres huesos; dicho así, veamos esto (ejem): agarroso el olor de las lenguas lampreadas y en su momento el jalón para irse al comedor: el líder –se especifica– como de rayo se fue –y algo más cabe aquí mismo–: aún a medio arreglar: ergo: a la mesa: dispuesto, sin embargo: solo y su alma... Por eso es que aprovechó para acabar de peinarse su copete de tarzán.

Mas su compañía: de espaldas: si acaso fuese algo así: ¿una esposa cocinera?, quien, dadas las proporciones amplísimas de la casa, bien se pudiera decir que estaba algo lejana. Debe agregarse por tanto que entre aquélla y él había más o menos quince metros.

Y entonces ¿ya el primer hueso?... ¿Cómo diablos saludarla?, ¿hasta que ella se volteara?

Si por mientras: reto y tregua, aunque...

De por sí sentadísimo, con tenedor en ristre: presencia no exigente, sin embargo y: para no incomodarse: ¿cuál desvío?... Lo siguiente que hizo fue entrecerrar sus ojos y levantar sus cejas. Luego: haciéndose ilusiones respiraba sonoro con ansia de glotón.

No obstante, Néstor Bores hubo de percibir que ese ambiente casero era de una tiesura si no macabra al menos sí de atarse bien un dedo, por lo esquivo: insultante, o porque allí de plano era imposible que hubiese algún lenguaje superior al que usaba, a sus anchas, el señor de la casa; para corroborarlo el líder simplemente soltó sus «buenos días»; lo adivinó, se obvió: nulo eco en la cocina; y al doble su insistencia, es decir, con estire: *Buenoooos díaaaas... Buenoooos díaaaas...* Nada, ni así; y de nuevo, ahora con gran apito: *¡Buuuueeeenoooos díiiiaaaas!... ¡¿Cóooomoooo eeeestaaaá?!* Y eco apenas audible, pero sí. Ergo: la concreción en la cocina: dominaba de fondo el color gris: donde: aún estaba de espalda la chonguda y tocina ama de casa, tal como una estudiosa –queriéndose halladora– haciendo sus prodigios. Trasunto comprensible, pero, bueno, el zamacuco líder tenía que demostrar su fe y su reciedumbre, y su intentona de conversación, adrede, por supuesto, mediante un comentario que por ser de cumplido, flor al vuelo, resultó retezonzo, pues la respuesta: ¡nunca!

Cuestarriba el empeño todavía ¿buscando levedad?; deveras: ¿cómo hacerle? Es que aquella tiesura tal vez habría de verla de otro modo; en cierne, acaso, echándose la culpa. Entonces ya de juro pensar algo como esto: «Al menos para mí el día comenzó mal; creo que me levanté con el pie izquierdo». Y lo supo de a tiro, puesto que lo creyó. Obvio segundo hueso: creencia y desazón, mas no para apurar venenos lentos sino para llenarse poco a poco, y siempre con aguante de motivos dulzones, cursis pues. Empero ¿cómo hacerle? A ver, a ver si... Se dejaría llevar por la necesidad, que es arte de animales para sobrevivir pese a lo peor, y es modelo grosero para el hombre; y así, en definitiva, no le dio más revuelo al mecateo sin fin de causa-efecto y ¡al diablo!, ¡al margen!, ¡así!, y entonces lo instintivo, ducho y cuco: sobre las lenguas ¡ya!: desesperado... Pero ¿tampoco eso?

La paciencia: mejor, que es suerte de raíz, porque: como ya desde ayer le ladraba el estómago y como aquel olor podía ablandar durezas, el líder prefirió pensar en Pulemania, la cita emocionante con... si Lupillo, si Luis, si Lucio, ¡uf!... ¡Al ricachón sacarle mucha lana!; antes: el seguimiento, y pormenorizando cada punto, sin caer en polémicas gratuitas con los que componían la comitiva. Pero aquello pendiente, por demás, sobre todo en virtud de lo inmediato: ningún estratagema y por lo tanto la prontitud: ¡allí!: más tentadora; tentador, contimás, y no por desvarío, el acontecimiento culinario; faltarían diez minutos cuando mucho... Que aquella novedad: para él, nomás por nula opción... Es que a diario comía tortillas con frijoles.

A la chita callando se agregaron los dos hijos mayores: de once y de ocho años. En la silla perica el padre colocó al bebito de dos. Y no hubo «buenos días» ni por error. Sin ganas, antes bien, el señor de la casa soltó un simple «¿qué tal?». Si nomás por desgaste otro «¿qué tal?», y menos expresivo del huésped: extrañado. Otrosí: un mal comienzo, dadas las circunstancias. De por sí Néstor Bores olvidó su aparato. Con tan sólo acordarse: fue y se lo trajo en friega. Es que sin él –la ordinariez ¡qué absurda!–: era como quedarse sin personalidad.

Téngase la tardanza de las lenguas. Pareciera que aquella ama de casa, más que estar cocinando, estuviese metida en un laboratorio, bastante ensimismada, intentando hacer química: ¡de plano!: al descubrir sustancias que conchabadas luego en un pingüe coctel resultaran dañinas a la postre. Que al cien por ciento absorta la chonguda, pero fuera del mundo, ¡muy afuera!, sin tiempo; y desde un más allá la curva de revés: ¿ella regresaría? Es que tenía que hacerlo más de rato, acaso nada más para caer en cuenta que en este mundo, o bien, en Remadrín, el tiempo sí importaba, sobraba, mejor dicho: así lo pensó el líder, que estaba urgido de ir a darse un baño, aunque atreverse a eso... craso error... Más mala educación sería decir: «Ya vuelvo», teniendo que explicarle a esa familia las causas de su olvido tempranero: su no baño, ¡carajo!, pero su corrección, su «ya vuelvo», su urgencia, cosa de un cuarto de hora su irvenir... Lo real fue que no fue: quedóse donde mismo bastante avergonzado, pero juicioso o mustio, con gestos agridulces.

Se infiere el pormenor circunstancial viéndolo por el lado más mugroso, y ejemplar, desde luego, en este caso... Sumamente cochino el líder desde ¿cuándo?: apestaba a fundillo autobuseado, y valga este sentir: apestaba también a ideología antigüita, válida todavía por ser preclara. Preclaro, o como sea, pero dispuesto a hablar con voz sensual: el líder maloliente –¡no se olvide!–. Entonces lo primero: lo oproso: en el suelo, a su lado, colocó la bocina, y todo lo demás en su regazo. Pobres piernas: ¿quién sabe?; pobres manos, entonces, para poder partir correctamente las lenguas: ¿tendría caso? Eso no le importaba al líder de Trevita; aunque... al no importarle eso él cobraba importancia: a su pesar... Importóle, si bien, a los hijos mayores. Lo veían de reojo. Rarísimo el fulano. Categorías de juicio infantiloide. Niños endilgadores. Sus glosas en aína bisbiseadas. Mismamente, de pronto, se impuso la impresión del niño de once años: a él le parecía de todastodas que el tal huésped había salido un rato de una de esas revistas de monos que se alquilan en varios estanquillos de Remadrín, esto es, regresaría al papel tarde o temprano, sería otra vez dibujo. Si en menor grado más asociaciones; figureos luego; luego algún mentís, y al final una tocha coincidencia, hela aquí, fue fortuita: al igual que su padre ese fulano se asemejaba a un diablo con las cejas en arco.

Por su parte el bebito se echó a llorar sin más. Es que siendo tan suya su congoja, tan desde adentro pues, pudiera interpretarse como un memo berrinche; empero –tremendos lagrimones sin querer–: a éste, por el momento, le urgía su biberón caramayolo: su vicio primerizo. Ahora que: si hemos de ver al bies esta rabieta, bueno (ejem), caben las vaguedades, porque: de por sí es enfadoso todo ente suplicante y mucho más si llora, si no da explicaciones; pero si hemos de ver dicha rabieta con todo y su trasfondo, es posible inferir que el lloro es un lenguaje sumamente eficaz, es suma de argumentos y es concreción puntual, y es por eso una orden, como lo fue esa vez, así que... Transcurrido un minuto por fin que se voltea la doña cocinera algo enojada, ¿acaso?, y fue a traer el biberón: en friega. Notábanse en su cara las huellas de unos golpes: de ayer: a lo mejor... Un par de inflamaciones: violetas: luídas sombras, y otras dos amarillas algo gualdas.

La conexión segura del líder de Trevita: ¿cómo ocultar las tundas propinadas por el ya monstruo esposo, que por ser bien galán, o pese a pese, con cara más o menos de «un no sé qué» ¡perverso!, daba hasta la impresión de ser un serafín? Sin duda su maldad tan rancheril tenía que demostrarla día tras día, porque si no: su culpa: abarcadora... Culpable él –no había duda– de esa tunda, y para comprobarlo Néstor Bores proyectó así nomás que hubiese una evidencia. Se cumplió su deseo tal cual con esto:

–¡Ya sírvele las lenguas al señooor!, ¡pero apúrate, puuueees... pinche gorda tan penca y tan güeeevooonaaa!

Vil imperio doméstico: sorpresa: ¿en dónde había caído el líder maloliente?

Tensión estomacal: aún sin probar bocado: Néstor Bores perplejo mirando su aparato. No dijo una palabra, por lo pronto, y no hizo ningún ruido.

Sin embargo: el efecto... Le estaba picoteando una dolencia.

Aunque...

Para recuperarse de esa impresión tan guarra, el líder de Trevita, con sus dotes de brujo: según él, vibras le iba a mandar, si de continuo, a todo su aparato digestivo. Es que por deducción u ordenamiento hubo de comprobar que tales lenguas sólo eran para él, y por la vanagloria del señor de la casa y por lo que a voleo pudiese acontecer, le convenía comérselas con ansia... Por decoro político, asegún, fingió que le gustaban, y su lisonja al canto: cumplidora: *Están muy suavecitas... muy sabrosas.* Menuda mentirota que devino en sandez expresada en jijeos muy en lo bajo de señora, señor e hijos mayores, mismos que se apagaron toda vez que un carcajeo bien padre, ronquísimo inclusive, entró por una puerta para salir por otra: fue ¿el viento... reforzado?, refuerzo fue también –o contraparte– el carcajeo bien loco del señor de la casa, quien como un actorazo de la Época de Oro dio a entender que la causa de su risa diabólica era lo valedor de su bebito calmo: señalándolo harto con dos dedos, o sea: amago de dos dedos a pique y pique y no: pero con un ritmazo que, bueno, habría que verlo... Pero el bebito: ¿qué?, la causa: ¿cuál?; a saber si tal vez al echarse de un solo y largo trago su leche calentita, cumplía a carta cabal con su papel de malo.

Sería por lo que estaba presenciando o por pasarse: ¡glup!: pedazos tras pedazos de lengua sin mascar, el líder de Trevita hacía gestos graciosos cuyo efecto en los niños: sus jijeos, sus agaches... Cayó en cuenta ¡ahora sí!... Y a contrapelo entonces un deslinde oportuno: para no parecer un payaso que come con asco, y rapidísimo, habló, tocó, tanteó muy a lo vago cinco puntos cruciales en relación al modo más propicio para llevar a cabo una segunda marcha de protesta. Prudente Ciro Abel Docurro Piña le permitió explayarse sin rechazar con gestos tan inútiles tretas. Es que él tenía otro plan, uno turbio que ideó antes de dormirse, y no lo iba a sacar, no tenía caso, menos ante los niños, ¿para qué? De modo que fingió docilidad –*de visu*, ¡claro!– mediante cuchareos sin ton ni son, atinándole a veces a la plepa de huevos con chorizo picoso. Es que estaba seguro de que medianamente habría un volteo cuando ambos estuvieran allá en la plaza de armas frente a la comitiva. Plan contra plan a la hora de la hora, sobre todo en virtud de haber tanteado al líder como a un cheché que pierde muchos ripios. No debería por ende costarle gran trabajo ponerle condiciones, cuestionarlo también, y a ver qué y a ver cómo, y por lo pronto una orden y a ver si algún respingo:

–¡Acábese las lenguas porque ya se hace tarde!, ¡pero acábese todas!... Recuerde que de aquí hasta Pulemania son cuarenta kilómetros de ida y de regreso... Si nos vamos a pie hay que irnos bien comidos... Así que ¡éntrele!, ¡apúrese!... Lo espero a que termine máximo un cuarto de hora.

Faltaban cuatro lenguas y ¡al ataque!, ¡ni modo!, ni una palabra más ni tampoco un respingo y por lo mismo el líder denteando sin regusto, más bien enrojecido como si deglutiera pedazos de baqueta, pedazotes: adentro, e hipo asaz expresivo. Teatro para los niños tales maneras burras y altivez maliciosa del todavía anfitrión.

Tras la orden comprobado lo intuido: tanta docilidad ¿sólo por cortesía? Fin, pues, tan a deshora. Ya llegarían –y mal– las lenguas de marrano a la panza del líder. Entonces, a otra cosa: fin de aquel espectáculo ¡con hipo!, y ahora sí: ¡*Váaaamoooonoooos!* La salida. Pero antes: los niños: mudos, lindos. La señora, villana, se mantuvo de espaldas. Así sobraba el «gracias» y el «de nada», más aún el «con permiso», pero no el «hasta luego», siendo que era posible otra lata más tarde... La merienda o la cena, a lo mejor...

–¡Hasta luego, señora!

Comedimiento acaso natural o acaso a la bartola, dado que (juzgue usted): a punto de emprender la caminata, situado en la salida, con aparato en mano (conjunto embarazoso: una bocina de regular tamaño –más o menos de una circunferencia de unos veinte centímetros– junto con el cerebro de sonido, más los cables colgantes) el dizque brujo esperó la respuesta, a cosa hecha, viendo hacia el interior de aquella casa. Final adivinado sólo por lo que obtuvo: un de por sí rechazo subjetivo, irónico quizás, de parte de la gorda cocinera que volteó corajuda y sacóle la lengua, ¡qué maneras!, y un hijo la emuló, ¿sería el mayor? Dos saques contra él y de él un «¡ah!» además de un atisbo, porque el líder supuso, y a riesgo de un desbarre, que allí no había un engendro ya hombrecito, ciudadano por ley, en edad de... Para no hacerse bolas Néstor Bores, poco después, yendo a ritmo parejo hombro con hombro con Ciro Abel rumbo a la plaza de armas, quiso buscar la plática:

–Perdone mi inquietud, ¿usted no tiene hijos en edad de votar?, digo, de entre la gente que desapareció ¿no hay un hijo de usted?

–¡No!

–¿Entonces por qué anda en estos laberintos?

–Es que soy muy sensible... Soy bastante humanista... Ahora que aprovechando lo grave del asunto, yo tengo otros motivos de protesta y la ocasión es buena para mí.

–¡Ah, vaya!, creo que ya conecté... Pero acláreme ahora una segunda duda, ¿está usted a favor o en contra del gobierno?

–¡¿Pues qué no se da cuenta?!... Soy un opositor, aunque muy a mi modo, digo, sólo por el momento estoy en contra. Me dolió la matanza y todavía me duelen los desaparecidos; es que presiento que no aparecerán.

Siguieron las preguntas: en vano: siete: zonzas, como si Néstor Bores intentara meterse por un túnel oscuro y lleno de problemas, ya que sólo regates consiguió, y al último, en concreto, algo feo como esto: *Yo cumplí con usted. Ahora a ver quién lo hospeda y le da de comer.* Si desconcierto hubo, también malicia al cabo: pero a lo buscavidas, sobrado reto así, revancha para luego por parte de: al líder de Trevita se le vino a la mente –deslinde ahí oportuno– que justo ayer los de la comitiva se estuvieron peleando por hospedarlo y ¡sopas!: ¿a dónde fue a parar?, a casa de un frescales, capaz de dar volteones como el que ya había dado... Tomando de lo de antes un viso en correntía, una de las preguntas que le hizo Néstor Bores a Ciro Abel fue ésta: por qué si él vivía bien, en una casa a todo tren, vistosa, andaba armando bulla... Reincidencia indirecta sobre algo ya a las claras deparado. No obstante, por respuesta: ¿qué ha de significar que al que pregunta le pongan una cara de chino pizcuintío y enseguida una mueca colgante y para colmo le digan lo ya dicho, pero bien silabeado: *me do-lió la ma-tan-za y to-da-vía me due-len los de-sa-pa-re-ci-dos?* Trasuntos de recule asaz sofisticados, como cucos, por ende, serían sus desenlaces, y con eso –¡ni modo!– el líder de Trevita ya no quiso insistir. Entonces, para sí, se fue por lo más fácil: el rigor silencioso de una conjetura... Aunque, bueno, ¿quién sabe?, pero he aquí que: se trataba sin más de un infiltrado o de ¿¡un oportunista?!, y la prueba evidente: el puño izquierdo del ex convidador amagaba subir crispado a más.

Debía empezar al bies la lista negra: apenas con un nombre: Ciro Abel: el primero, faltando aún observar que más haría... Tacha mental de Néstor Bores: pronta: sólo por el volteón del ya ahora oportunista...

Los de la comitiva: puntuales: fume y fume, sin pestañar: allá –considerantes–: en un extremo de la plaza de armas: que se dejan venir porque notaron el rezago del líder de Trevita respecto a Ciro Abel. Lo peor no era el rezago sino: ¡uf!: tan inepto de plano el espectáculo medio al cae que no cae... La carga embarazosa: visible el cablerío en cuelgue: en demasía, y potencial un tropezón: ¡qué horror!: pues se vendrían al suelo: bocina, líder, cerebro de sonido, siendo que para el ascua del conjunto: ¡al fuereño sudado no le ayudaba el otro!... ¡Y a la carga!, ¡pues sí!... Donde no debió ser diose el auxilio después de dos minutos: justo frente a un corrillo de azules circunspectos; por lo cual sin decir una palabra el líder de Trevita alzó su índice izquierdo y temblando de miedo señaló un derrotero. Si en orden el avance rumbo a... El punto de reunión aún era impreciso.

Por sentido común fue la obediencia, mas no así la procura providente para tomar distancia del peligro, porque la comitiva entró en desorden nomás dando diez pasos. Súmense cuatro pasos de regreso: los que dio Ciro Abel para unirse al conjunto, pero también para prender la mecha y de resultas, ¡claro!, las muchas opiniones, preguntas, discrepancias: de todos... Sucio efecto... Si para beneficio de los diez personajes: por encima la calma: propuesta por el líder. Tarea de él: la armonía, incluso a contracurso; tarea harto relativa por cuanto relativo fue su logro. Los puntos a seguir: ¡sí!, pero allá: que fuera a unas dos cuadras de la plaza de armas y, ¡obvio!, al aire libre.

Tranquilidad: ¿completa?: tras encontrar la esquina que escogieron ¿los diez? Respiro general: posiblemente... La susodicha esquina (ejem) estaba a cuatro cuadras de la susodicha (ejem)... Lo que el líder quería era apartarse pronto de la plaza, esto es: donde no hubiese gente, salvo los diez, once: contando al líder, o sea (ejem): que fueran despachados de inmediato los puntos a seguir. Y así ocurrió y (tercer y último hueso, ¿se recuerda?): el líder de Trevita incorporó un dilema: que dónde estaba el dizque ex empleado del hombre ricachón de Pulemania, ¿estaba en Remadrín?... Se sabe la respuesta: nadie lo había hospedado y nadie tenía idea del rumbo que tomó. Error de errores: ¡vaya de qué modo!, porque sin él –su nombre: Cayetano,

Cirilo, Casimiro; nadie se lo aprendió– qué caso tenía ir a entrevistarse con un señor muymuy, muy a saber, y más aún pedirle un friego de favores... ¿cuánto conseguirían?, ¡nada!, ¿nada?, o...

La resaca, por tanto: facilita: ante una ola de dudas como ésa: una sola respuesta, propuesta, mejor dicho: Ciro Abel dijo: *¡Váaaamoooonoooos!*, y excepto Néstor Bores el resto lo apoyó. Contra la terquedad de un timorato el encaminamiento a toda prisa en el que también iban los cables, la bocina, y eso no podía ser. De modo que teniendo todavía entre sus brazos el cerebro, se entiende: el del sonido, el líder de Trevita le dio alcance al conjunto.

Capítulo cinco

En la Estación de Autobuses de Pompocha, en una banca de esas larguísimas que hay para los pasajeros, estaba bien dormido, es decir: acostado: Conrado Lúa: ¡pues sí!: el mismo que antes tuvo como unos cinco nombres que empezaban con «ce», pero nunca el correcto, y del cual nadie supo a dónde se había ido; aunque... ¿nadie, deveras?; bueno, nada más Néstor Bores, Ciro Abel, y los otros reunidos para ir a Pulemania, que incluso ya se habían encaminado; pero además de ellos... ¿nadie más?; bueno, si hay que reacomodar... Cuando medio tristón Trinidad regresaba a Remadrín, en sí medio tristón por no haber encontrado en la cueva a sus hijos –¿se recuerda?–, hubo un cruce, ¡oh misterio!, cruce carreteril, pero cruce orillado: la cara inolvidable del que iba rumbo al norte, a Pulemania... mmm... pero ¿el nombre correcto? Si eso le preguntaran a Trinidad: ¡pues no!, pero la cara sí; eso mismo diría Cecilia, desde luego, porque estuvo en la plaza cuando el fulano dijo lo que dijo y, por ende: la cara sí, ¡por rara!, pero el nombre, caray; alguien del pueblo debería acordarse, pero...

Conrado Lúa: dormido –en eso estábamos–; sin embargo: un detalle: no traía entre sus manos lo que sí había traído en Pencas Mudas y a lo largo del viaje hasta: poco antes de llegar a Pompocha hubo esto: porque él roncaba en serio como burro en ayunas, Egrén, muy despacito, le fue zafando aquello... ¿se recuerda?... Es que corría el peligro de que se le cayera y entonces el disparo y entonces... ¡ya ni hablar!... Fue buena decisión –y por muchas razones– la que por precavido tomó Egrén.

La bolsa con la pistola: de Pompocha en adelante: Egrén debería portar, entre otras muchas razones por una sola y crucial, pero antes hay que ver esto:

–¡¿Queeeé?!... ¡¿Ya llegamos a Pompocha?! –fue lo primero que dijo el ex padrote al sentir un codazo en sus costillas: las flotantes: elegidas por Egrén muy a propósito para ver si resorteaba al despertarse y hablaba como en efecto lo hizo porque en efecto: Pompocha, la Estación: allí el trasbordo: de noche ¿sí?, todo un lío, fin de apenas medio viaje, y lo peor: lo que añadió el recién despabilado–: ¡Ay, caray!, ahora sí que... ¿en dónde está la...?

–¡Sssssssht!, ¡por Dios!, ¡no pasa nada!, ¡no digas esa zoncera!... Yo traigo lo que tú buscas.

–¡Ay, qué bueno que la traigas!, ¡yo ya me estaba asustando!

Capítulo seis

–Yo no entiendo qué carajos... Tenemos casi cuatro horas de estarle tirando piedras al radio y no le atinamos. Desde esta distancia, al menos, yo por más que agarro vuelo mis lanzamientos no llegan ni siquiera a la mitad –cien metros, un poco menos. Desde el principio la treta ideada por Trinidad tuvo labia de arrodeo, lo que a él le fue bastante útil para situar a su esposa adonde, aunque se esforzara, jamás pudiera atinarle, ni por aproximación, al aparato ¿explosivo? Fue para él un tanto fácil inferir que ella, de suyo, no contaba con un brazo de pícher de triple «a»; y él deliberadamente, aun cuando sus lanzamientos tuviesen el potencial de llegar, ¡y rebasar!, el tal objeto en mención, prefería tirar desviado y durante horas y horas–. Lo mejor es irnos ya a buscar a nuestros hijos.

–¿No quieres ver la explosión? –tenaz y sin altibajos la postura del marido que repitió lo antes dicho como unas veinte veces a lo largo de ese lapso, lo mismo que eso último: «lo mejor es irnos ya...»: repetido por la esposa igual número de veces, tanto que ya parecía letanía propiciatoria para desencadenar zotes, lentas discusiones, de las que salía triunfante: ¿quién?, si no por la insistencia de seguir como seguían.

Ahora que: cambiando de ángulo: entre más tiempo pasaba menos pedradas había (espaciamientos entonces), y en cambio más ademanes entre ellos, en lo alto: ¿alegatos?: másmásimás!: sin futuro, desde luego, y más reverberación, más desdibujo, más tregua. Sin embargo ocurrió algo, justo al cabo de seis horas: antes de que se perdieran las siluetas de ella y él, ella rompió el espejismo al salir hecha la mocha, alcanzándola el marido, pero no para frenarla.

Fue un regreso enrarecido –visto por los bullebulle: sólo tres aguantadores–, silencioso: ¿era lo idóneo? Lo visto: el rebasamiento: los bullebulle: ¿fantasmas? Los esposos caminaban sin mirar hacia los lados, más bien iban cabizbajos. Por fin ya entraban al pueblo.

Ordinariez: de vencida, nada más por añadir el detalle que hace falta: no osaron ni ella ni él un viraje de reojo para ver, distinguir mal –¿perdido en el espejismo?– su radio enmedio del llano.

Capítulo siete

Despierto Conrado Lúa. Su modorra, sin embargo, no tuvo gran duración. En Pompocha fue a orinar donde alguna vez lo hizo. Segunda oportunidad, y el cambiazo: ¡saludable!: porque el chisguete fue rápido, con remate, sin embargo, de nueve gotas difíciles, y lo demás ya se sabe: su acomodo en una banca donde se quedó bien súpito. Y ahora: ¡a lo que procede!, tomémoslo como dato y que venga o vaya así: mediante (ejem) una propina de dos pesos como mínimo, dada al jefe de taquilla, y la compra del boleto de alguna de las corridas que salen amaneciendo, entre las seis y las siete, cualquiera puede quedarse a dormir durante una noche en las bancas disponibles: si es que hay, si no en el suelo.

El servicio de hospedaje en la Estación de Autobuses estriba en el atiborre.

Ahora veamos a Egrén que aún no concilia el sueño. Anda de un lado hacia otro con la bolsa en balancín. ¡No!, pues no, ¡qué pendejada! Es que con un choque mínimo y el disparo... a ver por dónde.

Cuantía de acostados siempre. Bancas llenas. Suelo siempre. Hay un reguero de cuerpos casi a diario y sobre todo de unos meses para acá, como suele suceder cuando la crisis prospera.

Que el albur del balancín. Tal yerro debe notarlo Egrén en cualquier momento... Tres, cuatro, cinco minutos, y el apriete harto celoso. Brazo contra pecho: ¡no! Mayor naturalidad. La bolsa inmóvil, si bien, pero en cuelgue todavía.

Aquí lo que hay simplemente es un negocio bien noble.

Anda Egrén saltando cuerpos: dormidos la mayoría en... Lo que se debe decir es que el mosaico es lo ideal porque se conserva fresco. No obstante, el ahora saltón quisiera hallar como mínimo unas catorce veredas para no causar molestias, sin embargo sí las causa. Cada vez que toca, pisa o apachurra a un equis súpito: «perdón», y de nueva cuenta en lo suyo, que es complejo y: «perdón, no lo quise hacer», o más hipócrita, incluso: «nunca volverá a pasar»... Es la una de la mañana.

Un negociazo redondo ideado por, se supone, un empresario de cepa, de esos gordos con visión que fuman como chacuacos.

Los que andaban entrampados en Pencas Mudas, Capila, llegaron a la Estación a las nueve de la noche. En la sala había a raudales ventiladores de techo: lo que ayudó a la modorra de Conrado –contimás– para seguir en la guala. Fue deveras venturoso el letrero que halló Egrén: todo un cuento relativo al servicio de hospedaje con sus reglas en desorden entremetidas y absurdas. Empero la baratura resultaba invitadora.

A uno de esos empresarios inmorales como hay tantos (pero que se creen apóstoles del progreso a la de ¡ya!), se le tenía que ocurrir sacarle en definitiva todo el provecho posible a ese espacio formidable de unos cien metros cuadrados.

De acuerdo al procedimiento que se debería seguir, Egrén compró los boletos con destino a Remadrín y afanoso y suficiente le dio propina de más al tal jefe de taquilla.

Si al respecto un argumento comercial de pe a pa: LA VIDA ES SUEÑO Y NEGOCIO. Negociazo, al fin, legal (no hay ninguno de este tipo en Pompocha: tan de oferta), porque viajen o no viajen, pero paguen al chaschas los futuros acostados sus cuotas correspondientes, ya con eso.

Todo cubierto: una ganga. No tenían que andar buscando hoteles siendo de noche. De modo que en una banca Conrado Lúa continuó su sueño trancapalanca, mientras que Egrén fue a buscar unos tacos callejeros.

Ganga a diario, se supone, pero hay cupo limitado: quinientos cuerpos: gran tufo –cuando llega a suceder– ruido continuo también y policías oficiales haciendo «issssssht!» todo el tiempo en esa suerte de hotel para gente pobrecita... Aún falta mencionar a los que arriban de noche y trasbordan muy temprano.

Regresó Egrén rebosante echando eructos larguísimos, plenos de satisfacción. Estridencia abarcadora que despertó a dos gordinflas: detallito baladí: ¿ellos querrían imitar al fulano rugidor?... Tentativa para un sueño, pues volviéronse a dormir; en tanto: el despierto: orondo, sintiéndose ¿delicado? Hasta podía endurecerse su exquisitez inflexible, porque (véase la minucia): par de dedos en las asas: equilibrio, descariño, albur y frialdad deveras.

Por estrategia sesuda –modo de captar clientela para el hotel nada más–: la última corrida sale a las nueve de la noche... No hay excepción los domingos, tampoco los días festivos... Todo negocio es servicio, como quiera que se vea, pero éste es mucho más.

Con suma tranquilidad, ya podrán los pensamientos de Egrén –si él lo quiere así– viajar hasta Remadrín.

De la cuantía de acostados el control lo lleva el jefe de taquilla, pero hay dos, son dos turnos de ocho horas. ¿Carencia de burocracia? Tampoco es cosa de hormigas. Y he aquí unos pormenores: de cinco de la mañana hasta las tres de la tarde el trabajo del primero, jefe a medias, por decir, pues no tiene tanto peso como el otro: su relevo: que trabaja hasta la once; justo entonces es cuando entran cinco policías al quite y a uno de ellos se le entrega un papel tamaño carta en donde se especifica la cifra escrita con pluma de los que van a dormirse. El papel debe tener la fecha del día hasta arriba y dos espacios abajo el nombre de la ciudad y estado al que pertenece; luego, siguiendo el descenso, lo que debe aparecer hasta abajo y, además, cargado al lado derecho, es bastante reparón, es un escrúpulo dulce de modernidad: apenas, o es nada más por joder a quien funja como jefe; y una precisión aquí: sólo el que se desempeña de tres a once –¡gana más, sí, que el primero!, ¡por la joda!, se deduce– es responsable absoluto de la reseña en mención: de él al calce (mmm... sutilezas): su firma, su erre efe jota y su domicilio actual, amén de su(s) nombre(s): ¡ojo!: y de sus dos apellidos, amén también de, si bien: no está demás que el garante ponga a diario –bueno, ¡claro!, aunque sea una nimiedad, es de suyo importantísima, pues son puntos a favor para algún posible ascenso– su fecha de nacimiento, y abajito, ya, ¡así!, ya, la abreviatura simpática de VISTO BUENO (vo.bo.), ¿eh?, porque se ve muy bonita, porque es adorno postrer; y otra precisión –¡qué le hace!–: todo debe estar escrito con pluma fuente, en principio, y óptima letra de molde, en altas y bajas, ¿sí?; y una última precisión: que no haya recargue alguno o escurrimiento de tinta, ni una mancha por ahí, ni... En fin –¿qué joda, verdad?–: que la hoja tamaño carta sea un ejemplo día con día de una limpieza sin mácula.

En cierto momento a Egrén un policía se le acerca. Son las tres de la mañana y él es el único cliente que aún está en pie y hace ruido con sus ires y venires.

Hacia las exactitudes se ha de arribar punto a punto. Veamos ahora el aspecto o el correctivo final: toda vez que el jefe de taquilla –con frialdad hay que decirlo– ha entregado al policía en jefe la hoja impoluta y se retira a su casa, la sala se cierra. Nadie, en efecto, se supone, por ningún motivo puede entrar, aunque sí puede salir. No obstante, ¡uy!, los policías son corruptos, tal como deben de ser.

–¡Ya duérmase, por favor!... ¡Aplástese por ahí!

–Es que el sueño se me fue.

–Pues aplástese nomás.

–Está bien, pero no sé... dormirme... ¿cómo?... este... a ver... aunque... bueno... Yo quisiera nada más hacerle una pregunta.

–¿Cuál o qué?

–¿Por qué hay tantos acostados?

–Mmm... ¿Le importa mucho saberlo?

–Tengo la curiosidad.

–Pues me extraña su pregunta, dado que usted está aquí.

–Pero no vivo en Pompocha; digo, somos dos los que llegamos de Pencas Mudas, Capila. Es trasbordo, digo, este... Saldremos de aquí a las siete.

–Como todos los de aquí, a esa hora, desde luego, y también como nosotros, los que somos policías.

–Está bien, ¡sí!... Ya lo veo.

–¿Entonces qué le preocupa?

–No, bueno, quiero decir... Mi pregunta es también otra, este... ¿Toda esta gente trasborda?

–¡Ah!, ahora sí ya estamos bien... Mire, es fácil. El servicio de hospedaje, si es que usted leyó el letrero, funciona para...

–Es que eso ya lo sé.

–Entonces ¿por qué pregunta?... ¡Ande, duérmase, mejor!

–Pero, deme chanza... ¡aquiétese!... este... ¿y a poco está retacado todos los días como ahora?

–Casi siempre, aunque varía. Lo que sí es que nunca hay menos de cien de esos pobrecitos, y se incluyen las personas que trasbordan como usted.

Si a fuer de más quisicosas de orden administrativo se cita otro prurito: por cada propina dada, la cuota correspondiente al dueño de ese negocio, dicha en pesos y centavos, es de uno noventa y cinco. Y un reconcomio al respecto: existe otra relación: diaria, pues, y batallosa, y por igual, ya se sabe, que hace el jefe de taquilla. Un documento maestro que sirve para el cotejo de la cifra real de clientes con el total obtenido.

–Por lo visto es un negocio que puede durar bastante.

–Ante todo es un servicio para la comunidad.

Entre empresario y gobierno hay un acuerdo legal, a derechas respetado, sin acotación alguna ni reformas caprichosas, desde hace como cinco años.

–¿Y la gente que trasborda a qué lugares se va y de qué lugares viene?

–¡Uy!... ¿qué le puedo decir?

–Pues dígame lo que sepa.

Justo a las tres de la tarde es cuando empieza la venta de boletos de trasbordo o servicio de hospedaje.

–De los ranchos, sobre todo, viene muchísima gente que va, si nomás tanteo, a Fierrorrey o a Brinquillo, aunque gran parte se va a Villa Dunas, Liraido, Pencas Mudas, o por ahi... a la frontera, ¿me entiende?

–Mmm... ya veo... Sobre todo de los ranchos.

–Bueno, espere... hay algo más... En los últimos tres días ha llegado mucha gente de Remadrín, según sé.

–¿De Remadrín?... A ver, ¡cuénteme!

–Llegan familias enteras... Según dicen: hay problemas, dizque problemas grandísimos. Pues por eso huye la gente.

–¿Y qué tipo de problemas?

–Yo nomás lo sé de oídas... No sé la razón de fondo...

–Algo más que usted me diga... Es que yo voy para allá.

–Mire, señor, por favor... No me gusta hablar de más... No acostumbro platicar con los clientes que aquí duermen... Así es que con su permiso... Y por favor ¡ya apacígüese!

La cortante retirada del policía tras sembrar una incógnita mayúscula y el cuadrivio a tutiplén de contrasentidos acres: para enracimarse más. Ominoso ánimo así: el de Egrén: por empezar nuevamente desde cero, y conforme el uno-dos, el tres-cuatro, el cinco-seis, la pistola iba adquiriendo vida propia a tal extremo de poderse disparar por sí sola con la mira de salirse de la bolsa e ir a dar justo a la mano del hoy amo alucinado, quien le dio ese derrotero: ¿ideal?, todavía «en veremos».

Noveno periodo

Capítulo uno

Una placa de luz de arribabajo partía en dos una estancia desgraciada. Papías de un lado y Salomón del otro, atraídos a poco por el imán-ranura que nacía entre cortinas, habrían de ir, mirar lo que había afuera. Téngase su tardanza traducida en temor. Sin embargo llegaron, y el relumbre de empiezo: tal vez cosa de ajuste, porque luego, tras su arduo acomodo de una cabeza arriba y la otra abajo en la tal delgadez, el distingo exterior los desilusionó. En una esquina toda enadobada se encontraban sus padres como dándose ánimos. Ya traído al presente lo visto, casi luido: de pronto el padre se desprende y da apenas cuatro pasos. Se dirige hacia acá ¿adonde las cabezas?, pero se frena y vira para que su señora le diga que está bien, que continúe, y entonces, para colmo, todo lo subsiguiente es puro amago: no un paso más, pero si un grito a medias: «¡Papíiiii...!», y no, mejor un paso atrás; entonces la intentona, pero con voz más fuerte: «¡Salooo...!», y no, tampoco, ¡diantres!, porque no; mas pensándolo bien, mejor arrepentirse y volver a la esquina: cabizbajo, vencido. Que la esposa lo abrace cual si lo cobijara será la escena póstuma: infeliz.

Los hermanos, por ende –no hijos nunca más, y menos tras lo visto–, se retiran dolidos. Han de irse al traspatio a buscar cualquier sombra. Harán tiempo ex profeso hasta que aquéllos... ¿cuándo? El abrazo en la esquina es tregua o despropósito. Una inmovilidad nutrida por decires que al viso se plantean, pero que por temor no se acompletan; ¿las acompletarán los bullebulle?: son cuatro nada más a estas alturas –distanciados, mirones y aún reunidos– los que siendo hasta lo último fieles y procurantes querrán adivinar lo que el viento, asegún, regala y arrebata; ciertas insinuaciones, menudos balbuceos: si contra la dureza de un sol que pretendiera petrificarlo todo.

Así trascurrirá más de media hora. Se depura el abrazo, se endurece. Poco antes, sin embargo, como que no queriendo los cuatro bullebulle se disgregan. No hay por qué mirar más lo que no es espectáculo. Si poco antes lo fue cuando esposa y esposo con lujo de ademanes discutían qué lindezas, más aún porque estaban sentados cual si nada en una acera ardiente. Si durante media hora: ¡vaya aguante! Luego su caminar: aguante cuestarriba. Pero tras el abrazo de vencida: gemidos y palabras y algún pormenor extra... Pues para qué saber cosas de más... Entonces la ruptura... Como si al retirarse los mirones dejaran para siempre inamovible lo que no tenía caso seguir viendo.

¿Qué se habrá consumido luego de casi una hora de estar bajo la sombra de una higuera? Les ha llegado el turno a los hermanos que irán a ver si todavía el abrazo, si todavía: también... comprobación, o sea: partida en dos la estancia por la placa de luz. Y avanza cada cual por donde lo hizo (a poco) hacia aquella ranura-delgadez. De nuevo el acomodo de cabezas: una arriba de la otra, y el distingo se vuelve novedad: es que sólo la esquina enadobada: más colora y más posma: contra el sol asesino; pero los padres no, y menos el abrazo. De suyo, las cabezas, con estires inútiles, querrán ver si en los límites de su vista a lo lejos pudiesen distinguir la retirada de sus padres tomados de la mano, pero el resol lo impide y, por lo tanto, la última escena se hace corrosiva: se ha de azulear la esquina casi adrede si ellos siguen mirándola.

Capítulo dos

Farolón Egrén a fuerzas tras imaginar de pronto que por propia voluntad la pistola se salía de la bolsa y... mejor no. Mejor digámoslo así: farolón Egrén a fuerzas, con filustre de por medio.

Si por temor de que alguien le quitara la pistola Egrén no durmió las horas que faltaban de esa noche.

¿Cómo?

Despatarradoaplastado en el suelo como un lepe que al cabo de andar brincando se desploma harto medroso, ya con mirada de insomne fija en un fanal de neón, le dio por armar historias a la sazón infelices sobre su novia y sus padres, en ese orden, tan de oquis, que se los imaginaba como imaginó una vez a los desaparecidos tras la marcha de protesta: muertos, pero al aire libre: en el monte, ya calacas, luego de haber sido gula o grandioso piripao de buitres y de gusanos. Y es que en tanto él no estuviera de regreso en Remadrín, novia y padres y ¿alguien más?: podrían ser –en cuanto a crimen– la obra cumbre del alcalde. Lo malo es que otra obra cumbre le haría sombra para siempre. Ese mentado cacique se iría derecho al infierno con todo y sus tres balazos. ¡Ah!, cosa de ir sumando mientes a causa de un desvelo: Egrén se estaba prendiendo.

La ventaja del insomnio es que es muy revelador.

Fácil presa: él, del cacique, si llegara a Remadrín en pleno día cual si nada. Otrosí, por asegunes, aún faltaba imaginar el resto del desenlace: ¡lo esposarían de inmediato! De lo demás: ¿qué decir?... Pareciera que endenantes, siglos atrás inclusive, Dios hubiese decidido que Egrén viviera en la cárcel para que en la oscuridad se fuera haciendo un filósofo de por vida enfurruñado, masturbándose con creces, mal comido, mal vestido, cochinísimo también. Pero la chispa cual timbre: el demonio entraba al quite en el momento oportuno y ¡oh, cambiazo!, ¡qué advertencia!: el asombro de improviso visto al cabo de revés en la más simple minucia: los boletos no servían, la compra fue por presión y el apuro –a cruz y raya– de suyo obraba en su contra; sin embargo: ¿comprar otros?... El problema no era el precio sino la incomodidad de permanecer durante horas en una ciudad tan fea...

Farolón Egrén a fuerzas, aplastado, a contracurso, hizo un repaso husmeador: cuello de jirafa pues y paseo de su cabeza: a bien de reconocer si entre tanta gente echada había alguien conocido, alguno de Remadrín, para pedirle más datos, y nadie, ¡no!, por desgracia. Eso debió hacerlo antes, cuando anduvo salte y salte, pero... De ahí en fuera repensó en su plan original: su llegada sigilosa a Remadrín por la noche, sin embargo ¿qué tan noche? Sabía que a las once en punto se iba la luz en el pueblo. La oscuridad: favorable, pero aun así cómo hacerle. La madrugada: ¿qué era?: siendo que de todos modos su arribo sería espectral, más no para dirigirse a la casa de sus padres; inútiles los toquidos en la puerta a manotazos ya que sus progenitores estaban muertos adentro –bastóle creerlo así–, o porque ellos también creíanlo muerto, y de pronto, ¡caray!: la tamaña sorpresota: resucitado él tocándoles. De modo que la otra opción: ir directo a la caseta telefónica a tocar; de seguro allí vivía Enguerrando: él abriría: ergo, pues, de sopetón, Egrén debíale exigir hospedaje para dos con la pistola apuntándole. Si acaso se resistiera: ¡pum!: el crimen en la puerta: lo cual sería un gran error, puesto que Egrén le tendría que echar la culpa a Conrado –fue por eso que lo trajo–. Empero no había manera de culpar a su ayudante. Que las huellas digitales para ver quién de los dos tras venir la policía... Por lo tanto el desenlace: de cárcel, muerte, o ¿qué más?, descartarlo de una vez... Por lo mismo, y desde luego al rectificar tal treta, cuando se trata de asuntos que son comprometedores, siempre con buenas maneras hay más chanza de triunfar. Entonces casi llorando –si a eso pudiera llamarse «modo fino», dado el caso–: la petición: por favor. Cierto es que la disyuntiva entre hospedarlos o no, o porque sí, o mejor dicho: a sabiendas que Enguerrando no pondría ningún obstáculo, o porque así lo creía Egrén sólo como ideal de trámite, sería por cualquier motivo una decisión riesgosa, vil prueba para un empleado pipiolo de arribabajo, aunque luego, por deslinde, no sería tan problemático amadrigar a dos hombres chaparritos, casi enanos, máximo por dos semanas, ¿dos semanas?!, ¡¿tanto tiempo?!... No obstante, su figureo a capricho exagerado, amén de estar convencido de su hazaña siempre y cuando –lo supuso– usara buenas maneras, Egrén se reacomodó. Faltaban casi dos horas para que dieran las cinco y: feliz, ya en correntía, tuvo otra revelación, una, neta, harto servible para no hacerle más cambios a su plan original; porque teniendo en su haber los boletos para el viaje lo siguiente le sería pan comido a fuer de tientos; en sí el momento oportuno, por ende el sobrado aplomo para de una vez usar tan sólo buenas maneras... Grave, lastimero el tono ante ¿un adusto chofer?... Que al ce por be el susodicho oyera el ruego: azorado: creyendo que se trataba de una puntual sugerencia en el sentido de hacer una parada de más. No debía ser complicado meter freno en La Caricia, siendo que si el autobús rancheaba como rancheaba... pues etcétera y ¡ya estuvo!: por delante el optimismo de Egrén para no enredarse en pormenores tan suatos.

Ahora que: tras el acopio de procuras a granel: lógico era que el insomne se desperfilara un poco. Su desengaño empezó cuando viendo a la distancia a su ayudante dormido dedujera que su ayuda no le sería indispensable; ergo: dejarlo tal cual... ¡No!, pues no, ¡ni para cuándo!, en virtud de que un matón debe tener un guardián que le cubra las espaldas y...

Se inserta lo vagaroso en medio del entresueño: datos, atisbos sesgados... La Caricia es un lugar que está como a diez kilómetros de Remadrín si se va por la vía del tren: esto es: no usando la carretera que pasa por Salimiento y que es la única, por cierto, en dirección hacia el sur; tal rodeo ¿para qué diablos?: porque: ordenando procuras: la perdedera de tiempo en La Caricia: ¡estratégica!... Mejor allá que en Pompocha... Lo insólito del lugar es que cuenta entre otras cosas con un río de aguas tranquilas y un paraje bien tupido de palmeras y nogales... Egrén se podía dormir tirado sobre el zacate.

En La Caricia hay un puesto donde se venden botanas de esas que empachan y doblan, y hay, por si acaso se ofrece, columpios y sube y bajas, a lo que debe agregarse un alto resbaladero y dos mesas de ping pong y una cancha de cemento para jugar volibol al tuya-mía nada más, porque no hay red o algo así. Como se podrá apreciar La Caricia es un rincón un tanto sofisticado: a saber cuál sea la cuota de estancia por todo un día, porque mes tras mes la aumentan. Lo admirable es que se trata de un negocio archirredondo establecido tiempo ha, destinado, por supuesto, sólo para esas personas de las llamadas «pudientes», ¿y qué decir al respecto?... Egrén se sentía pudiente.

Uno de tantos oasis hallados en el desierto, mas ese hubo de llenar, para que fuera una idea, una ilusión de solaz que Egrén juzgó oportunísima antes del mugre episodio justiciero-criminal. Y se aclara algo muy pavo: la mayoría de la gente llega a diario a La Caricia en muebles aparatosos; se supone que no tanta como la que se apelota viernes-sábados-domingos, pero lo importante es esto: que alguien llegue de otro modo: a pie, en burro, en bicicleta: es rareza que se nota... Y por el plan en amarre: habrían de llegar a pie Egrén y Conrado: ¿sí?: ¿ahora mismo o cuándo entonces?

La cosa es que ambos nadaran durante horas en el río para luego comer lento, y echar siesta en el zacate largamente: por lo menos –¡ojalá!– el que se había desvelado. También tiempo suficiente para analizar los pasos que deberían de seguir toda vez que abandonaran La Caricia a medianoche, o a saber si aquel lugar lo cerraban más temprano y... En la llanura ¿qué diablos?... Pero de no ser lo peor: su ida a pie con toda calma a la luz de las estrellas. Yendo por la vía del tren la distancia a Remadrín, saliendo de La Caricia, era de unos diez kilómetros. Eso se dijo allá arriba, así que la redondez...

Todo, empero, estaba expuesto a cambios de última hora, pero algo que ni de chiste podría sufrir algún cambio, era que Egrén le prestara a Conrado la pistola.

Capítulo tres

Jíu-gríu, jíu-gríu, jíu-gru... «De modo que estoy en Remadrín», pensó Cecilia al oír las someras gradaciones del chirrido de los grillos... *jíu-gríu, jíu-gru, gríu-jíu, gríu-jíu...* Tendida en un camastrón sin tráfago de retumbos ni meneo al cae que no cae: duro pues, ergo: severo de resultas el mirar –por una cuasiaspillera: siete estrellas como máximo, por ahí la Cygnus-Sirrah, cual tesoro sideral desde niña suyo a hurtode aquella recién llegada que ya no deseaba serlo. Un reborujo de hastío con pizcas de fe a tolondro fue la rastra acumulada de Cecilia durante el día para arribar a la noche –la primera en casa ajena– donde el sueño la venció a las primeras de cambio. Nunca antes tal derrota sin ordenar algo apenas para mañana: un afán. Nada delantero pues, aunque sí el deslinde al viso del sin igual episodio que vivió en el excusado, ¡fuera, pronto!, pero luego... Su nueva vida quizás mañana: y ¿cómo?, y ¿a qué horas?, teniendo antes, sin desearlo, un larguísimo preámbulo: *jíu-gríu, gríu-gru, gríu-jíu, jíu-gru...* nidio arrullo subconsciente para tramar por lo menos tres deseos de tapadillo que se habrán de diluir cuando de nuevo Cecilia abra sus ojos y ¡¿qué?!

Antes hemos de situar a la tía y su pasatiempo favorito día con día: darle duro a sus tejidos: purezas acumuladas: puesto que eran invendibles por mucho que relucieran; a esto debe agregarse un tiquismiquis a modo: al morir tiempo ha su esposo le dejó una buena herencia, y como no tuvo hijos, ¡venga para acá el disfrute!, pero envidioso, furtivo.

Que ahora sí por engarce lo de ocultis del comienzo: que el ánimo de Cecilia para una nueva vida: ¡a la carga!: tempranito, porque debía de buscar sus jales: y a ver de a ¿cómo?, en virtud de su experiencia en eso de la lavada y la planchada de ropa. No tardó ni cuatro días en hallar como seis clientes; aunque... mmm... ganaba cualquier bicoca. Remadrín era tan pobre y ¿qué hacer para rehacer?... No consiguió más dinero. Ahora que, por desatore, contaba con el apoyo pichicato de su tía: camastrón duro y comida a cucharas: ración rala; un beneficio, no obstante, si se le ve de travieso: pocas eran sus visitas al quehacer del excusado, y en tanto sueños y lastres una idea se le fue inflando: regresarse a Arras un día, si propincuo tal empuje, pero ¿cuándo ya querría? Si una vez muerto su padre ella decidió en un tris ahuecar el ala, o sea: dejando todo al garete. Si en Remadrín refugiarse. Que una tía allá: no tan vieja ni tampoco tan enferma: estaba requetesola, si tan solo acompañada por el chirrido nocturno de los grillos en cuantía: típico de aquel lugar. Se lo habían dicho sus padres. Que pesuda, pero triste, porque ni criadas tenía; a lo que, si ha de inferirse, la señora (pobre rica) se estaba escarabajeando.

Y por mor de hallar las claves mesmamente de raíz a bien de inventarse un temple, mediante una impostura simplista pero insensible Cecilia pudo olvidar toda su vida pasada; engreída a cambio, y maga, se quiso definitiva.

Lo demás: capitulitos progresivamente amenos. Remadrín: esos verdores: apreciados por Cecilia con una nueva inocencia. De ella: su albedrío y merced: gozo en ciernes casi siempre. Sus salidas. Sus regresos. Sus manos ya tenían callos tras tallar lo que tallaba... Con el tiempo (cuatro meses) pudo ahorrar para comprarse harta ropa dibujera: ¡sus ganas de embellecerse! Por igual se prometió sonreírles de perfil a los hombres por si acaso.

Y Trinidad la notó, la donjuaneó alguna vez, varias veces a propósito... Y ella no... Estaba ocupada: el trabajo: su deber. Empero lo caricioso conceptual, sin roce alguno, fruto de tantos encuentros: relsos diálogos fugaces y oníricos circunloquios donde la atracción flotaba: jalando: a poco: terqueando.

Pronto el recuadro imborrable a toda hora presente y pronto ya redondeada la cara de Trinidad para endilgarle un sabor. Nada brusco, sin embargo, lo que debiera seguir. Que el apriete de Cecilia: compacto de arribabajo, y el tema de la conquista: como un lento deletreo que debería de costar el trabajo que costaba esculpir piedra diabasa o traquita u obsidiana.

Del amor: sus consecuencias: pian pianito y logro pleno. Mas de la tía picajosa sólo falta dar un dato: su nombre era un poco largo, se llamaba, ¿han de creerlo?: Juana de mi Corazón Dávila Viuda de Nieto.

Capítulo cuatro

Ciertamente a Trinidad nunca le gustó el beisbol, ¿para qué se encachuchaban? Y si la idea ha de enfilarse, bien se pudiera decir que en general los deportes en los cuales se requiere un estado de salud óptimo de cabo a rabo –amén de la completez anímica de antemano– para el aguante sin queja tras un esfuerzo excesivo, no atrajeron su atención. Es que el maldito cigarro. A la edad de once años pudo darle el golpe a uno y de ahí para adelante. Desde entonces cual rejuego de una afanosa vagancia: el humo, ya cosa suya, hacia adentro y hacia afuera: y más por ser de testera su ansiedad: trancapalanca: acorde con sus andanzas... Aunque, bueno, en tal sentido, se refuerza otro atributo: sépase que por ser vago era de boca florida, mas no tenía un repertorio de sandeces efectistas sino gran facilidad para la mezcla de enlabios que calaban de inmediato, pues su ingenio por impúdico, era harto desenfadado. No obstante, era previsor, porque repelía el tuteo, logrando así escabullirse, como trucha de agua dulce, de polémicas baratas; aunque, si se daba el caso, también era habilidoso para el descontón sin más al golpear certeramente en los bajos de quien fuera, es decir, justo en las partes más nobles del cuerpo humano. Así eludía los purismos peleoneros, ¿arbitrarios?, como bien pudieran ser los bailongos potrancones en torno a equis contrincantes... Nada de que *raund* de estudio a favor de un arte pingo, ni técnicas de defensa ni fintas al diez por diez, todo lo cual se trocaba en un desate verbal, pues a fuerza de enguizqueos le gustaba aprovechar el poder que había en su lengua, sus rebanes humorísticos, sus pataratas osadas, cuyos efectos zaherían para luego redundar en la pura conveniencia. Así nacieron sus dotes de futuro comerciante. Pero el ajuste de cuentas por aquellos descontones físicos como verbales... Una tarde que venía ya de regreso a su casa –había ganado tres mesas de carambola a tres bandas y sin choque de por medio–, en un callizo terroso lo acorralaron de pronto, lo golpearon sin piedad cuatro de los perdedores –de continuo: clientes fijos– nada más en el billar: *Esto es lo que te mereces por burlarte de nosotros, porque sabes que nos ganas,* le ladró uno: enchilado, y para darle remate, a modo de colocarle adornos inolvidables, le escupieron en la cara como cinco o seis gargajos y se fueron victoriosos dejándolo así nomás tirado como piltrafa.

Capítulo cinco

Piltrafa: ¿quién? ¡Notición!
Trinidad, ¿quién lo creyera?
Cecilia llegó a auxiliarlo. Desde lejos lo notó. Era su oportunidad.
¿Adornos inolvidables? Magma de saliva y sangre en la cara juvenil de aquel fiestero sin par. De contado a él le hacían falta unos anteojos oscuros, o también, si se pudiera, una máscara de tigre para atenuar su fealdad. Mero antojo subconsciente de Cecilia al acercarse, fue su primera impresión. Tirado estaba, y quejoso, hecho un monstruo por la friega su príncipe azul: ¡qué horror! De raíz la sufridera amorosa y subidora. Estaban predestinados ambos ¿a partir de ahí?... En tal caso no servía ningún caprichito estético ni un escrúpulo de gusto. Enseguida el menester no fue –obvio– una repulsa, sino que por el apuro: crasa imposibilidad en el callizo terroso; en cambio el morbo: ¡ah, pues sí!: desde lejos unos cuantos (sólo en el lado poniente) observaban nada más. Estatuaria muñidiza. Entonces la auxiliadora gritó con todas sus fuerzas: *¡Alcohol!... ¡Alcohol!... ¡Por favor!... ¡Traigan alcohol!... ¡No se tarden!...* Apuro o desinterés tras el alcance del grito... Urgía sensibilidad, pero... ¿qué hacer?, mientras tanto...

Como empiezo la ternura laboriosa al tiemble y tiemble... Vino de rato un respiro profundísimo de ella ante aquél: semiinconsciente: a causa del asco: ¡no!, eso era lo que sobraba, sino respiro forzado... Es que ella hubo de prever la ardua maniobra y, aparte, siendo un caso tan extremo antes que efecto primario la náusea debía de ser todo un concepto de aguante tan amplio que permitiera obrar sin mayor problema: Así que: con toda delicadeza Cecilia se fue aplastando sobre la tierra, de hinojos, para poner la cabeza del hombre que ella deseaba sobre su regazo, o sea: la piedad: como recurso, piedad, a modo, y tan chula, más amorosa inclusive que un beso de pelotita en ocasión tan difícil. Otro recurso al vapor: una luenga pañoleta: esa que ella traía al cuello anudada muy apenas –la ocurrencia: utilidad; la lenta limpia: suavísima–: quitósela, y ahora sí: valerosa entróle pues, dizque muy creativa –¡a ver!–: porque venida a las mientes se le estaba afigurando que le inventaba otro rostro, desde luego que mejor, a su príncipe ranchero.

Ella mantenía sus ojos abiertos, casi cuadrados, para ver lo elemental: la saliva estaba encima de la sangre que manaba por debajo a borbotones, mas la limpia... ya se sabe: su repulsa iba en aumento...

Transcurrido un cuarto de hora Trinidad seguía en las mismas: flor tras flor de pañoleta cual abstracción de entresueño.

Transcurrida media hora la cara de aquel fiestero ¡por fin sin la plasta de antes! En cambio la pañoleta –he allí el magma desplazado–: había que arrojarla lejos. ¡Fúchila!: lo hizo Cecilia como si se deshiciera de una mucosidad demasiado pegosteosa... Plasta: ya: lo que había sido su querencia favorita; símbolo inservible empero: cierto, ergo: claro indicio; y entre símbolo y querencia el arrojo inolvidable. Era como deshacerse de un pasado sufridor para dar paso a un presente tan lento que en el futuro seguiría siendo, de hecho, como estaba siendo entonces y por lo mismo el recuerdo arrancaría desde ahí.

Y seguía manando sangre y el alcohol que no llegaba...

Otro grito, ya a destiempo, de ella: en ascuas, misma que –y en tal postura– presentía una iniciación: *¡Traigan alcohol y algodón!... ¡Traigan las dos cosas pronto!...* Más nutrida a estas alturas la estatuaria muñidiza (esa del lado poniente) para la que, por arrobas, le estaba quedando claro no la indulgencia de aquélla sino su amor proficiente por ese donjuán sin rumbo. De todos modos la escena era sobrecogedora: más y más y pese a pese: que valía la pena verla con renovada extrañeza desde lejos, desde luego, por ser –valga la figura– el efecto de revés de algún número de circo –quiérase a un equilibrista que cometió un gran error–; número que acabaría cuando el herido muriera.

Transcurridos diez minutos, luego de la media hora, Trinidad entreabrió un ojo: el menos miltomatoso. Empero, casi a la inversa el susto contra el dolor de ella: y presto su alzamiento de cabeza: era entendible: a lo que: resignación –tras un balbuceo chorroso– del herido que al vencerse abrió al tiro su mirada: fija, espantosa: pues sí: contra o a favor de ella, que oyó algo como esto:

–¿Y tú quién e-res?... ¿Qué pa-sa?... ¿Qué ha-go a...?

–Soy Cecilia ¿no te acuerdas?

–Sí... Sssiií... Pe-ro...

–¿A poco ya no te acuerdas de las pláticas tan rápidas que hemos estado teniendo cada vez que nos miramos?

–Bue-no... Cla-ro... Pero es que...

–Yo vi cómo te golpearon... Quiero curarte... Estás mal... Te dejaron mal herido...

Declaración sin ambages; se pudiera interpretar como un «cumplido» lanzado al vacío, si imperativo, no obstante que fuera dicho nada más por completez. Aunque... dada la ternura en grande, vino el clima del amor con su fehaciente envoltura: en calores trabajada: desde ahí para adelante hasta (quiéranse los arrumacos perseguidores de besos): no tardó mucho en llegar el enlace consabido (del cual se ha hablado bastante y se hablará un poco más), pero lo urgente del caso... Mejor digámoslo así: no iba a ser larga la plática en virtud de que el alcohol, agréguese el algodón y de paso las personas ¡ni para cuándo llegaran!

Para una cura paciente: posma y melsa y cuidadosa: tal como debe de ser, tenía que haber otro sitio: cosa de ir doblando esquinas: hacia arriba: ¿sería así?, siendo de hecho laborioso el traslado, si pujante, como si la auxiliadora y el herido se encontraran al pie de un médano abrupto, mismo que habrían de escalar: a poco: por la dolencia entramada con el miedo de perder el equilibrio, y lo peor... ¡ni imaginarlo!

Lastimera como el agua que se encharca de repente debía ser la petición; tal cual la hubo adivinado Cecilia un poco después: débil, en pausas, refleja, casi a cálamo currente, tan crepitante e igual a como la imaginó, tanto así que al escucharla no hizo más que enternecerse.

Antes la amorosidad en zazoso discreteo fue el sabor que hacía más falta. Sabor que le concedió gran confianza a Trinidad para pedir cortesmente lo que sabía de antemano que no le iba a ser negado:

–Ce-ci-lia... Si tú me quie-res... –¡qué atrabancado, deveras! Doliente y toda la cosa, pero donjuaneó brusquísimo.

–Yo te quiero... Me interesas... Este... Bueno... Desde que te conocí –¿resbalosa?; era el momento; si no ¿cuándo?; si no ¡nunca!

–Yo tam-bién... Je... Pe-ro...

–Pero ¿qué?

–Por fa-vor... Llé-va-me a ca-sa...

–Claro que voy a llevarte... Mmm... Es un honor para mí –resbalón hasta los pies; digamos «lambisconeo». Otrosí: su enmienda a tiempo, suata, demasiado suata–. Ojalá no peses mucho.

¿Honor? ¿Lambisconería? ¡Bah!, de resultas: la acción... A placer fue esa faena que aún no era pañuelera. ¿Arte por analizar?

Antes bien quepa la friega de suyo considerada y el no tan neto altruismo. Quepa pues la tentativa del efecto ante la causa. Tentativa de ponerle adjetivos al deseo y quitárselos de tajo al amor y al sufrimiento...

–Voy a a-po-yar–me en tu hom-bro... Si te las-ti-mo me di-ces...

–Yo no creo que me lastimes... Al contrario, me emocionas... Ya sabes que es un honor...

–Ho-nor... ¡Ay!... Ho-nor ¿por qué?

–Tal vez no sea la palabra... Pero... Creo que es mejor platicar cuando estemos en tu casa...

Antes la ridiculez de los torpes palanqueos; los tres o cuatro desplomes y los tres o cuatro esfuerzos de levantón problemático... Y el efecto a la distancia: la muñidiza se fue; terminaba el espectáculo.

El trayecto a fin de cuentas sería largo y doloroso. Un trayecto en blanco y negro.

Capítulo seis

Recto el tramo carretero por donde iba aquel mueble no a mucha velocidad. Trasuntos en la cabina o tretas para atar cabos.

¿Así?

A ver...

Que el amago de los buitres fue el primer punto traído a discusión, se supone.

O también...

Si a cordel su dominio no obstante panorámico a bien de preferir siempre el exceso: por su glotonería sin parangón. Por instinto su acecho: planeo dizque furtivo, y tras seleccionar... También por su mirada ultraprecisa cualquier carne al garete sería festín para ellos; fiesta, pues, señorial: según la cantidad... Pues ¡vaya qué ocasión tan formidable!: ésta: en la cual la pompa estaba al tope. Era un cerro en platón de carne recién muerta sin desparramo alguno. Por ende el movimiento de continuo era de todastodas lo más recomendable (siendo el chofer quien lo puntualizó). Así el rondín perseguidor y en línea nunca se acercaría. Si la amenaza ahí, si milagrosamente se mantenía en lo alto como irreal amenaza, aunque por cuánto tiempo... Entonces no se explica que el chofer intentara darle grosor de más a su argumento. Al redondear su apuro (a cuajo y cuajo) hacía que los reparos de sus tres ayudantes se fueran achicando. A prórrata, si bien, muy al principio: las desaprobaciones. Súmense por lo menos unas veinte –y todas conectadas a... ¿qué hacía el enchamarrado mientras tanto y qué sus tropas en redor, por dónde?–: las habidas, o más, agréguense unas ocho como máximo, cuando se tocó el tema de los buitres, porque: si es que estaban tan próximas las tropas adonde circulaba el mueble pasteleado ¿por qué no disparaban contra esos pajarracos?... Luego se tocó el tema de las sábanas, al cual nadie le dio más de una vuelta y menos a otro asunto que por colado fue casi prohibitivo. Y es que la recompensa por tan bruto servicio no era para volverse de buenas a primeras en gordos millonarios, sino para obtener quizá frases a la mitad: meras catas y acucias, unas cuantas monedas de bolo de padrino, y un «gracias» y después un «hasta luego», si no es que algunos tiros contra sus panzas, ¿no?... Y es que no era invención, ni colmo, y sí premisa de viles presupuestos... Si los guachos habían matado a tantos, cuatro más no serían gran cantidad (puntualizó el chofer, ya por divagación o vuelo lírico). Delirio refutado a la mitad, se sabe, pero con nuevos planes; como ejemplo he aquí uno: ¿qué tal si huyeran de una buena vez?, ¿correría por el monte cada quien por su lado?

Por medio de una imagen corrosiva se adelanta la huida de sentón en el mueble y se hila de paso la decisión unánime. Dado el desplazamiento, entonces lo que sigue: veamos la carretera como la vio el chofer: hay una línea recta y una curva al final. Al terminar la curva empieza un caserío. No se sabe si es rancho, aldea, o villorrio, o si apenas comienza una ciudad... Pareciera Caranchos. Si es así se supone que a unos cuantos kilómetros están los Altos Fuegos y enseguida Pompocha. Si es así ya no hay pierde porque el chofer conoce atajos por ahí o brechas de desvío bastante pozuditas para llegar directo a Pulemania. Lo malo, por lo tanto: no evitará librar el caserío y: se aproxima y: no sabe si frenarse o así sobre la marcha prender el aparato: probar, probólo ¡ya!: ruidazal de chinadas y estridencias, si a las claras al cabo: ... *Probando, sí, pro-ban-do...* Logro durante el avance. Sonoro potencial: ese mismo que antes lo llevaba a sus pies... Sin embargo, llevábalo esa vez cual si fuese un niñito en su regazo; el ayudante que iba junto a él allí se lo dejó y en su mano derecha le colocó el micrófono. Senda incomodidad para la hablada. Resoplidos primero. Nunca antes el chofer había hecho uso de algo como eso. Ergo: la referencia por engarce: el modo visto alguna vez por él, si nomás de travieso, pero sí: ... *Probando, sí, pro-ban-do*... Luego sus ganas mismas, si en vilo lo esencial, estracto al fin: tal vez: mentalmente el ensayo de lo que iba a decir... Con el acercamiento la imagen se contrae, se nimba, se corroe –y él a la par–: ¿se desperfilaría?... Por lo pronto lo invaden los horrores, puesto que lo de atrás, por interpolación, asciende a un primer plano: ¡casi al re!: cadáveres a punto de exhibirse. Si no hay, habrá mirones: conminados, aposta, más por la incitación de la amplitud de voz que por lo que se informa: ¿sí?, ¿se intuye?, pero sea cualquier cosa o no lo sea, conviene acelerar. Cruce relampagueante en pinturreo fugaz y voz en altibajo: perdediza...

¡Sí!: en un momento dado hubo como una suerte de apretura: el silencio total en la cabina. Cada vez los minutos con más filo: duración cuyo fin: la duda reforzada o el despeje de bulto y –cierto–: estuvieron a un tris de renunciar, tan mal que lo plantearon nomás los ayudantes: balbucientes conatos en menos de un minuto, no obstante: su esperanza como vaguío final: si en Remadrín dejaran el pastel de cadáveres: tal vez: misión cumplida, a medias, pero, bueno: sobrarían los pretextos. Y un haz de luz postrera, ¡venga el anhelo! Afán para captarlo y redondearlo, ya ledos, de soslayo; siendo que era mejor terminar como fuera lo empezado de modo tan ideoso. No así que por sospechas en agraz, se supieran cobardes, correlones, incluso fantasmales, o también antihéroes colmilludos.

Capítulo siete

Como flor que se entreabre nació el amor tras la cura. Tan fácil fue el primer beso y hasta sellado con sangre: en la casa del herido, en claroscuro –no largo–, pero inmundo por obsceno. Nótese pues el dilema de la mujer amorosa: la boca de coliflor de Trinidad: contra... ¡No!... Placer incómodo ¿y qué? Un logro para Cecilia porque de ahí en adelante... La boca de Trinidad cicatrizándose a modo: besos parcos, por lo mismo, durante casi dos semanas. Lapso de tiempo cabal para que se articulara un lenguaje de señales con simbología de más. Dos semanas –¿importaban?– de meliflua evolución. Sumas, tanteos, de un noviazgo que viéndolo de concierto como historia ya en burujo halló ruta por ensalmo en aquellos paseos mudos por las tardes, casi a diario, donde, ¡sí! –júzguense ideales–: sus miradas platicaban; sus manos también querían, al unirse, platicar, y sus abrazos, aparte, mejorando, amacizándose: hasta que... Llegó el beso prolongado que por ser tan verdadero redundó plausiblemente en el pelamiento de ambos y en un (su) acueste glorioso acompañado con cumbias: el radio a todo volumen. Amor, ¡sí!: la fe y su embrollo. Fidelidad. Comunión. Pero... Cecilia se embarazó. Mmm... ¡Pues a casarse, caray!... La meta que estaba aún lejos más que meta fue anticipo de un destino arremetiendo para seguirse de largo a toda velocidad. En ambos ya el desenredo: ¡a toda velocidad!: con su amor ya encaminado...

¿Y la cuantía de la herencia?... Potencial a rajatabla...

El futuro: ¡un alegato!: aunque no para una merma a lo zaino en cuanto a entrega: la suya tan germinal, y después muy por encima: el dinero –a flote: en sí– con creciente espumareda. Considérese, por ende, que una de las cajas fuertes estaba abierta tiempo ha, mucho antes del rehílo del tal noviazgo en mención. Si congrua así la exigencia para un empiezo seguro y con mañana seguro. Freno al enloquecimiento respecto a (cordura absurda): las otras cajas abrirlas cuando no quedara de otra. No obstante, el sobral, si bien –el tenido peso a peso–, les serviría para hacer una gran boda y aparte abrir una tienda: ¡pronto!... Lo de la tienda fue idea de Cecilia, quien, lagarta, previó un amarre maestro: su esposo en casa: ¡PRODIGIO! Tentativa, mientras tanto, y enseguida suficiencia de argumentos de relance. En tal sentido chispeó un refrán dicho al azar por Cecilia que encuadraba una virtual contundencia:

> QUIEN TENGA TIENDA
> QUE LA ATIENDA
> Y SI NO...

Complétese lo que falta, pero el meollo, de por sí: la esclavitud, el esfuerzo, la paciencia, por demás, porque si no: ... QUE LA VENDA. Pero bastaba observar de otro modo esos empeños: la nobleza del comercio –una bienaventuranza a cuentagotas: plausible– les evitaría caer en la desesperación de abrir tal vez a destiempo las otras dos cajas fuertes y prodigarse y... ¡De acuerdo! En lo que era la sala de aquella casa heredada: ¡claro!: dicho espacio era el idóneo para poner el negocio; si de una vez –¿por qué no?–: puesta en funciones e incluso con horario de seis horas. Al atardecer el cierre para que ellos por las noches se dieran tiempo de sobra para: ningún baile les falló. De no haber los suficientes en Remadrín, es decir: uno, dos, ¿tres?: por semana, entonces (fue la recuperación de Cecilia a tutiplén; lo que no hubo bailado por hacerla de enfermera con su padre agonizante, en tres meses, de corrido, llegó a un colmo inconvincente como un drama que se infla. Se obvia la privación: la pesadez de una panza –sendos pataleos por dentro– fue de vencida el desveno que la sacó del peligro. No brincar, no desvelarse y otras tantas negativas cuyo resabio tal vez evitaría malestares de esos que conllevan ascos difíciles de curar): quiéranse adrede y a rehílo las muchas fiestas en casa de Trinidad, y aunque un poco, suya de alguna manera; él de hecho con su *futura*, hoy ¿prometida?, y tantan... Hoy cual relumbre antepuesto ante la ola de críticas: en amago apenas: cruel; pues se añade de pasada una ñoñez muy de molde: el anuncio de la boda reiteradamente dicho en cada oportunidad, así para el beneplácito de la decencia pueblera y... Cecilia se fue a vivir con Trinidad (¡atención!: tras celebrarse su boda, por el civil, por la iglesia, y después... ¿ya se adivina?... Lo mero bueno hasta el tope –con muchos «clics» mientras tanto: que luego se convirtieron en placas en blanco y negro; en sí rimero adquirido, sin estricta selección, por Trinidad cierto día–: chula locura bailona, pues todo el pueblo esa vez fue invitado al gran fandango. Lo malo es que sólo cupo un mínimo porcentaje prietamente en el traspatio): o sea lo propio-correcto-machucho-reglamentado, no antes, porque ¡caray!, y añádase, si se quiere, todo cuanto ayude a darle más amplitud y más peso a lo que bien se podría considerar como emplasto de una conducta decente.

Capítulo ocho

A toda velocidad el mueble hubo de cruzar el exiguo caserío.

Primer cruce con procura de entrampe, por si las dudas... Las consecuencias previstas –mas luego de la habladera–, mas no muy porque el chofer las intentó redondear en menos de un minuto, y ahora sí el experimento: el uso del aparato: el micrófono, en concreto, para que de todos modos el informe se escuchara en altibajos bien luidos: dada la velocidad. Es que yendo despacito los mirones tendrían tiempo de contemplar a sus anchas el montonal de cadáveres: y horror y sospecha en falso: ¿tantos muertos?, ¿qué pasó?, ¿los habían asesinado los que iban en la cabina? Obviedad de sopetón. No la sana entendedera para deducir al vuelo aquello ideal-imposible, tan al sesgo a estas alturas, para en efecto gritar muchos «¡vivas!» a porrillo por el favorzazo aquel de unos locos serviciales y el blablablá resultante. Por ende es mejor poner por escrito la soflama, esa dizque noticiosa: que los de ese lugarcillo no pudieron oír bien: *Hubo una explosión bien fea kilómetros más atrás... Recogimos a los muertos... Vean el montón que traemos... Es cuantioso, ¿no es así?, pues pastelea la cajuela... Si ustedes quieren mirarlos con todo detenimiento tienen que ir a Remadrín, porque allá los mostraremos... No es conveniente pararnos en cada rancho que entremos porque es pérdida de tiempo... Además estos difuntos ya están rancios... Es decir... No queremos que se pudran... Entonces, pues, ¡repetimos!... ¡Para que los reconozcan tienen que ir a Remadrín!... ¡Lo sentimos de verdad!... ¡Pero es por puro respeto a los muertos que traemos!... ¡No está lejos Remadrín!... ¡Vayan!, ¡órale!, ¡acomídanse!... ¡Estaremos por allá como a las tres de la tarde!...* En oleaje irregular, rondanero, o como a tragos, la dicción fue chaleo ingrato de voz piquita, de plano. Fueron ocho cuando mucho los pobres lelos mirones. A saber cuál habría sido su impresión en general y cuáles sus deshilachos. Los ocho se restregaron sus ojos casi a conteste al ver desaparecer el mueble con su habladera...

De otro modo, o desde otro ángulo, el chancero y tonto logro del chofer que más delante encontró una desviación, no la supuesta sabida que llegaba a Pulemania al cabo de cien volteones y de otros tantos entronques útiles para enliar todos los rumbos adrede, acaso porque el desierto aún no ofrecía más solaz que la pura vastedad, ¿qué otro laberinto idéntico, la otra desviación hallada? Pues a ver a dónde irían... No tan lejos, no tan cerca, no para internarse a ciegas en un misterio geográfico: trecho de imán jalador que pudiera conducirlos a una selva reteverde o a un bosque lleno de nieve... Eso sí que sería turbio y más trayendo repleta la cajuela de cadáveres, siendo extremo desatino e inclusive payasada suponer paisajes de esos, más aún porque el chofer conocía bastantes cerros de por ahí y más delante, aunque tan delante no; sí del radio abarcador de lo creído por él como círculo central del estado de Capila: unos ochenta kilómetros en cualesquier direcciones donde los veinte o veintiún cerros u oteros adustos, aprendidos de memoria, dado su rigor agreste de formas, portes, grosores y tamaños no muy grandes, más los picachos en sí, en dúo, o en trío, o en cuarteto, más el requiebro de faldas y el acomodo de crestas, podían ser auxiliadores mientras no se les perdiera de vista en ningún momento, porque cerros por ahí: ¿cuántos más o cuántos menos?, y la cosa era avanzar sin mieditis ni flojitis para irlos reconociendo tras buscarles un buen lado... De hallar uno:

pronto, o dos: cerros o lados: ¡que va!: el chofer se orientaría entorilándose a modo hasta el mero Remadrín.

Ya con eso el volanteo acorde con los retumbos tiento a tiento comenzó y al cabo siguió de largo por aquel camino malo.

Una desviación ¿riesgosa?

Se trataba de una recta cuyo final en un cerro como que se enflaquecía para emborronarse luego. Fastidioso habría de ser recorrer todo ese tramo ¡como de veinte kilómetros!, más aún porque el solazo parecía regocijarse al molestar a esos cuatro, quemándoles inclusive sus esmeros, sus deseos, no manifiestos, por ende, ya que la mudez devino en franco atolondramiento.

Pero eso no duró mucho, debido a que los compinches como tanteando un adagio cuestionaron a su jefe: ¿por qué el desvío así nomás?... ¡Era pésimo el camino!... De haber una ponchadura de llanta ya ni pensar en lo que sobrevendría: la llanta de refacción estaba ni más ni menos que bajo el pastel de muertos, lo mismo el gato y la estrella. De modo que a bajar bultos ensangrentados: ¡qué lata!, y subirlos rapidísimo luego de: pero lo peor: rapidísimo avanzar, a riesgo de: ojalá no: ¿qué tal otra ponchadura?

Por respuesta tres razones: *No hay que atraer jodideces porque pueden ocurrir...* –la primera, la energética, a la que aún le faltaba un ribete chiripero– *Hay que pensar en que todo nos saldrá a pedir de boca.* Y en cuanto a lo que serían la segunda y la tercera... Para el caso daba igual distinguirlas cabalmente, habida cuenta que habría nada más dos rebanadas dentro de lo que soltó el chofer cual tararira imparable por ganoso; así que, por peteneras, se destaca lo esencial: eludidas, según cálculo, unas veinte rancherías, cuatro pueblos bien poblados y una ciudad tan compleja como es Pompocha, Capila, el chofer no hablaría tanto; tanto a través de esa cosa: el micrófono, es decir: ¿a poco no era molesto sostener con una mano un objeto que de plano hasta parecía...?, ¡caray!... ¿Qué pudiera parecer?... ¡Y ponérselo en la boca!, y el nerviosismo y demás; a lo que debía añadirse lo realmente problemático: repetir la información usando nomás dos frases para enseguida invitar a ¿cuántos?: a Remadrín, aunque sólo en los lugares donde hubiese por lo menos unas seis o siete casas; ¿qué tanto por agregar o quitarle a la noticia? Además –aprovechando–, en verdad no tenía caso presentar como espectáculo único e irrepetible el pastel ensangrentado de cadáveres: ¡pues no! Además, no era negocio y sí posibilidad de chacota o linchamiento; eso lo habían atisbado –¿se recuerda?– en La Azulosa. Correcciones al respecto: las que pudiese haber debían ser cortas, pues, de hecho, propiciarían muchas más. Y lo que sí, de una vez: todas ya por reducción tendrían como consecuencia un solo y firme prurito: evitarse más engorros.

Sin embargo, los resabios naturales tras lo expuesto...

Baste referir la suerte que el chofer y sus compinches habían tenido al usar la carretera vacía. Ningún mueble: aún: ni por cruce ni por rebase: ¡increíble!... (si ellos supieran la treta: lo que el ejército hizo: el estratégico cierre de ese tramo carretero... Una orden muy de arriba). Gastándose la amenaza, pero no con lentitud, sino: bastaba con que pasara cualquier mueble y ¡la patraña!: rumor-reguero: fantástico, tras observar el pastel... Todavía el chorreo y las gotas póstumas de sus temores: ¡LA VIGILANCIA EN REDOR!: guachos dispersos ¿por dónde?: siguiendo la trayectoria del mueble hasta que llegara a Remadrín, asegún. La cuestión por el momento era saber desde dónde, ¿cuántas cimas convenientes habiendo tan pocos cerros?, ¿de qué altura serían vistos con catalejos?, o sea: si el chofer y sus compinches avistaran a los guachos aprovecharían cuanto antes el susodicho micrófono y la bocina en un llano que siendo tan parejito sería ideal para el alargue de un sonido como ese para llamarlos y ¿luego? ¡Bah!... pudiera ser un error tan menudo atrevimiento, pues no estaba contemplado en ningún plan militar un disparate tan suato, ¿y cuál sería el desenlace o para qué imaginarlo?...

Mejor fue lo sucedido justo durante el devaneo alargado del chofer... Se puede decir así: como el camino de tierra metro a metro se iba haciendo más y más accidentado, el bamboleo de aquel mueble se hacía cada vez más brusco y por lo tanto los muertos colocados hasta arriba estando muévese y muévese parecían resucitar... Y lo que ahora sí ¡qué lástima!: de repente un costalazo, mismo que muy de travieso fue visto por un compinche, uno que venía bobeando por el ventano zaguero: ¡con un morbo!... Antes su cuello torcióse más y más: ¡lo más que pudo!: como queriendo apartarse de aquellas divagaciones, mas su impresión, de resultas, reforzóla con un «¡aaaaaaah!» y enseguida con dos frases:

–¡Un cadáver se cayó!... ¡Hay que ir a recogerlo!

–¿Recogerlo?... Mmm... ¿Para qué? –interrumpido el chofer, justo lo que no quería, respondió casi sonriendo y sin dejar de mirar lo que faltaba de recta. En cambio los otros sí: pésima comprobación al intentar revirarse: incómodamente: apenas, pues sus reojos nada más alcanzaron a notar el sutil desacomodo de los muertos de hasta arriba, que no al cadáver caído: para colmo emborronado por la pingüe polvareda que iba levantando el mueble.

–Es un muerto... No seas gacho... Merece nuestro respeto... ¡Nada te cuesta frenar! –contraatacó el que había visto lo que los otros no vieron.

–Que se lo coman los buitres –repuso, haciéndose guaje, el chofer, quien todavía seguía mirando la recta, y añadió, por si las dudas–, nos viene bien a nosotros que se caigan por aquí los cadáveres que están encima de los demás... Y quiero ir más allá... Les hacemos un favor a los buitres que nos siguen... Tendrán su banquete atrás... Este, bueno, espero que ya con esto no nos sigan durante un rato.

–Eso es cierto –dijo otro, el más flojo, desde luego.

–¡Sí! –continuó el que faltaba–. ¡Imagínense traer en la cajuela a unos buitres come y come en plena marcha!

–Bueno, está bien, no hay problema... Nomás déjame decirte una cosa y allá tú, no olvides que nos vigilan muchos guachos desde lejos. Traen de esos aparatos que se ponen en los ojos para ver a gran distancia...

–¡Pues me vale pura madre que nos vean o no nos vean! –replicó ahora sí enojado el chofer, y además dijo–: ¡Yo lo que quiero es llegar a Remadrín en una hora!

–Es que si no obedecemos...

–¡Pues ya desobedecimos al venirnos por aquí!

El chofer y su cinismo casi de color de rosa: floreciente y ¡alarmante!, chalado ya, se deduce (rosa, entonces, nauseabundo), porque al evitar meterse en problemas durante el viaje el muy zonzo se metía en uno más espantoso: el desacato de a tiro de algo que estaba planeado al taz a taz desde arriba y... ¡diantres!: la consecuencia... ¡nada más de imaginarla!

Es que con esa actitud sus compinches bien podrían abandonarlo a su suerte al bajarse de aquel mueble y echarse a correr sin más. Tentativa al rojo vivo, real, chispeante, persuasiva, pero nomás tentativa, porque los tres ya no hablaron, ni hicieron el menor ruido, como si con su silencio dijeran estar dispuestos a seguirle, pese a pese...

Y...

No eran tantas ni estaban tan pobladas las rancherías que cruzó el mueble en aquel enredo de caminos terregosos. Tampoco hubo ponchaduras de llanta para fortuna primero de los cadáveres y luego de los compinches, aunque sí para desgracia del chofer que todo el tiempo se la pasó mascullando un soliloquio suputo tocante a lo que diría enllegando a Remadrín al enfrentarse a la gente. Cierto que durante el trayecto donde no había pavimento hubo el doble de ladridos de perros perseguidores que exclamaciones de gente, mejor dicho, de mujeres, porque de hombres casi no, salvo en una ranchería donde un par de sombrerudos: machete en mano, y osados, retaron a grite y grite al mueble y sus tripulantes a frenarse, pero ¡mangos!... Y de ahí en fuera los cruces no fueron tan polvorientos... si a media velocidad: nada más la suficiente para convertir al mueble en objeto inalcanzable.

Lo malo ocurrió después.

Hubo angustia en la cabina cuando el chofer: confundido: tomó un camino hacia el sur, y otro al este, y otro al norte, y otro al oeste y así: estaba envuelto en un círculo, hasta eso no muy grande, pero que por repasarlo se hizo ensayo innecesario, y los compinches: ¡pues ¿quihúbole?!: sus protestas susurradas, buenas para que el chofer tomara un casi camino de chivas en dirección: ¿más o menos?: hacia el suroeste, quizás, mismo que lo conectó con una recta anchurosa desde la cual se veía no muy lejos ¿Pulemania?... La comprobación, ¡caray!, tras el despacioso atisbo: todavía proximidad, porque: ¿no era Pulemania?, o sea... ¿Cómo le hizo el chofer para saber que arribaban al pueblo de Metedores?

De una vez se especifica que Metedores es más grande (ejem) que Remadrín.

Se especifica, asimismo, que siendo –y nada de mofas– uno de los municipios más formales de Capila, no hubo necesidad de una quemazón de votos, porque: ganó quien debió ganar, y por amplia mayoría, el candidato oficial del partido: ergo: ganón. De modo que el nerviosismo del chofer y sus compinches, pingüe dilema en aumento: ¿cómo cruzar el poblado? Riesgo: la velocidad. Había topes por doquier. Niños. Escuelas primarias. La salida alborotada a esa hora: a lo mejor... Dar por cierto que era así: ¡niñoserías en su punto!, y por ende el «¡váaamooonooos!» asesino del chofer.

Si el micrófono, de nuevo.

Sería la novena vez.

Lánguida reiteración, sólo que a poco, e incluso, cortando todas las frases.

Fantástica horripilancia e hilazón de un alarido que daba vueltas y vueltas para convertirse en rastra con rejuego hacia el final, rastra en ondas que al nutrirse de los «¡ayes!» que antes fueron: muchos: en olla, y muy jijos, a la postre redondeó vibras y ecos de más; vibras ya atrás y adelante, pese a que la camioneta atravesó aquel poblado cual rayo níveo o aguja que perforara en un tris una espesa y fosca sombra.

Fragmentos audibles: ¿cómo?: en demasía: chinos, luidos, dado que no era tan fácil conducir y palabrear y, por lo tanto: ¡control!: sin el más mínimo esquive, y acelere: contimás. Los topes: los cinco o seis: golpes y brincos y ¡ajúa!, no freno, pero ¡qué suerte!, pues ni un muerto se cayó ni hubo atropellos, ¡ajúa! Rebotes a bote y vole divertidísimos: ¡sí!, no se hable de reacomodos de cadáveres: en friega. Espectáculo ¿circense?: para reír a la brava; reír que nunca ocurrió. Es que, ¡claro!, las personas de ese pueblo ensimismado, que si honesto, que si tieso –sin ofender, de antemano– eran bastante aburridas; por el contrario: miedosas, circunspectas de raíz, implorantes como nadie, y quién sabe qué adusteces sostenidas en un límite trépido cabronamente... ¡Pues qué bueno que aquel mueble salió rápido de allí!

Si el trayecto carretero: si con grados de solaz: si como firme desliz: si como falso placer. Aunque... las vibras aún gravitando.

De la cantidad de frases cortadas tan a propósito nomás hubo una completa que se dijo unas seis veces: *En Remadrín estaremos como a las tres de la tarde*. Frase que sólo en algunos se gravó con prendidez como indicio de lo peor.

Yendo de prisa aquel mueble en directo a Remadrín, otro mueble le dio alcance: salió desde Metedores. Señas de un chofer a otro. Lo que tanto se temía: los cuatro y su torva idea: razón de más, cuadratura, previa a fuerzas, ¿se recuerda? Y en acto tan repentino vista al frente del chofer, mas no de los tres compinches: mudos e inquietos volteando, mientras que el otro: sus cálculos: tres revires cuando menos y segundos de tardanza para evitar desconciertos... Paralelo el suceder en plena marcha y por ende similar velocidad: cuéntense leves zigzag y nerviosas derechuras... Tan craso emparejamiento: dos carriles ocupados; por fortuna no venía un mueble de allá hacia acá. Y el chofer, el conocido, gustoso parando oreja; otrosí: el quid peliagudo: laterales todo el tiempo habrían de ser, y ¡ni modo!, los gritos a tutiplén contra el ventoleo onduloso y el ruido de los motores. Más intentos de aquel lado, si por ansiedad y lógica: tomando en cuenta el alcance, ¿si el rebase posterior? El tramo recto ayudaba, hasta que en fragmentos luidos...

–¡Per-do-ne la in-te-rrup...! –pausa– lle-ga-rá us... –¡caray!, otra zonza pausa– a Re-ma-drín a las... –¡uf!; no obstante, trancapalanca, el chofer iba entendiendo–. ¿Me lo pue-de a-se-gu-rar?

–¡A las tres!, ¡fíjese bien!, ¡más o menos a esa hora creo que estaremos entrando a Remadrín, Dios mediante!... ¡Por favor, cooorraaa laaa voooz!

–¡E-so ha-ré...! ¡Pier-da cui-da...! –nueva pausa, no importante–. En-ton-ces lue-go nos ve...

Y aceleró y rebasó al mueble de los cadáveres. En menos de tres segundos –porque tomó sin problemas una curva asaz torcida– ni siquiera por encima el chofer y sus compinches distinguieron las redilas... ¡Por supuesto que no fue una ingrata ilusión óptica!

Luego...

Por sus curvas engañosas, unas treinta en culebreo, en la región se ha hecho célebre la garganta repedriza que cuenta con siete nombres, pero los más conocidos son cuatro y los cuatro son, la verdad, bastante extraños, pero no por sonar feo, sino por largos nomás. De modo que véase esto: al tan chulísimo punto primero lo bautizaron con el nombre inmerecido de: Cañón de las Quebrazones; vino al cabo otro bautizo: Tajo de los Sonaderos; el que más se nombra es este: Puerto Covacho del Diablo, otros le dicen: del Parche, son los menos, por desgracia; pero el más largo hélo aquí: Real Portillo Estranguadero de las Ánimas en Pena. Y hay tres nombres más, de más, los cuales: ¡ni para qué!, pero, si se aprecia bien, por ser estos los usuales son los que de refilón sugieren horror en serio. Y es cuestión de hacerle frente, a sabiendas, sobre todo, de cuanto viene pasando en el mentado cañón. No hay duda que son –y han sido– tales nombres el estigma de negrura –hay que entenderlo– propiciador de siniestros desde mucho tiempo ha... Allí se han suscitado choques bien recios de muebles, muertes, entonces, bien brutas, ¿acaso espectaculares? Súmense las volcaduras: ha de ser gacho observar a un mueble dando maromas; e inclusive, en demasía, tal entorno invita al crimen, porque siendo repedrizo y con fárrago de formas tiene aura criminal.

Lo de más es lo de menos: cierto imán para los sustos, ya tensiones, por lo tanto: ya largueza de revés, si pánico de pe a pa como el que sintió el chofer: sabedor, aunque en vaguío, de la triste fama aquella; no así los tristes compinches que ignoraban eso y más.

De ese macabro cañón salir cuanto antes: ¡peligro!; aunque encima la pericia del chofer se considera: un empate sostenido entre rapidez y cálculo. Y es que entre más se tardara... Sumió el acelerador.

Intuyendo el dramatismo los compinches empezaron a contar, pero en susurros, algunos chistes babosos. No hubo freno por lo pronto del chofer respecto a eso, sino que en el acelere entendió que por los nervios de los cuatro de concierto cualquier hablada sería una suerte de plegaria. Vivo, armónico, entre tanto, el volanteo del chofer, y él absorto, mas seguro, entre ánimo y escansión, casi a cada tres segundos miraba hacia las alturas. Nube de buitres no vista, sí sentida, sí inminente, y él buscando un adelanto de negritud, cualquier sesgo, lo cual nunca, por lo visto. Vista sí: por los compinches: por el ventano zaguero. Burdo descenso agresivo hasta quedar justo encima: roces –¿picoteos quizás?–: emotivamente pánicos. ¡Oh, negror revoloteando! –y aún los chistes si a poco–: porque por el movimiento terreno tan curveador, contimás: tan acucioso: la fijeza: el objetivo: la comida parecía una burla del destino. Nervios de nube en suspenso por no poder descargarse. Empero, hubo un picotazo... Perdón, otra vez, o sea: hubo cuatro no bien dados, y automático el clamor de uno de los compinches: *¡Ya nos llegaron los buitres!* Mas la procura negruzca que seguidora seguía curveadora igual que el mueble. Mientras tanto la actitud de los mirones (ejem): tengámosla como algo que es un extra y nada más: ergo: sus ojos ¡al tiro!, parecían, de tan abiertos, obscenos faroles rojos. Sus cuerpos: peleles: ¡ya! Su tiesura, entre otras cosas, pretendíase... ¿conceptual?

Relajación conceptual la del chofer: casicasi, pues no era divertimiento el librar curvas y curvas. Inclusive parecía que entre más curvas libraba el mueble (emborrachecido) más curvas se iban haciendo.

Y los chistes ¿todavía?: sueltas frases arbitrarias que al cabo se convirtieron en angustias al vapor. Zote desesperación...

Ahora bien, si eso es lo grave: con más bases se concreta que la desesperación se delinea siempre y cuando (así lo hizo el chofer) haya permuta inmediata. Una idea que nunca acaba de ser redonda y ¡ni hablar!, cobra forma en otra idea, y si es futura, mejor (el chofer se proyectó: su quehacer en Remadrín –senda procura inicial–: *Tengo que mentir, ¡caray!... Mentir con categoría para que conforme hable se vaya haciendo redonda la verdad de la mentira*).

Por no saber bien a bien cuántos minutos faltaban para salir de ese enredo, rezos en lugar de chistes de los turbados compinches que miraban lo de atrás como una diablura al tope. De repente un costalazo, otro, pero posmo al doble. Y de ahí para delante más enfáticos los rezos siendo que los rezadores creían oír casi a coro las voces de los cadáveres diciendo: *¡Tápenos!, ¡tápenos!* Al caído lo notaron, pero otra maldita curva ex profeso lo borró, otrosí: un problema menos, pues no lo recogerían.

Ninguna onomatopeya de los que estaban volteados proferida como aviso porque sus rezos: ¡horror!: eran ya tormento en pleno, resonante en la cabina, y otro costalazo, ¡uy!, cayó otro flaco cadáver, pero ahora del lado opuesto de la angosta carretera; quedó sobre el pavimento. Y así la fiesta de curvas y de caídas a los lados: ¿muchos muertos perderían más delante el equilibrio? De suyo, a contracorriente: desalojo victorioso dada la velocidad, y sobre todo en virtud de que los buitres tendrían un banquetazo a sus anchas y ya sin necesidad de andar de perseguidores.

Así entonces el despeje, porque lo en guilla ocurrido, mediante curvas y curvas, significaba el anuncio de que el mueble iba saliendo de aquel cañón endiablado.

Décimo periodo

Capítulo uno

Ha caído algo parecido a un telón que no encubre, empero, todo lo que se acomoda detrás para escenas futuras o inclusive para asuntos que debieron exhibirse desde hace quién sabe cuánto (¿cien páginas o doscientas?), pero que no hubo manera de acomodarlos, o bien, justificarlos, o sea: esta especie de telón deja traslucir montajes alusivos vagamente a lo que podría faltar y que es mediante acciones como irán apareciendo. Por ahora se comienza con algo muy indirecto, pero que redundará en escenificaciones demudadas por las luces o las sombras que al mezclarse le den juego más o menos a los tantos movimientos de los tantos personajes, en caso de que haya eso que le llaman «actuación». Por lo pronto venga aquí un vacío propiciatorio y un ensamble de rarezas cuyas formas: ¿para qué?, toda vez que alguien ordena en voz baja y a la oreja: «Arriba el telón, ya pues». Sin embargo, tras la orden surge esta larga pregunta: ¿será necesario alzarlo si lo que viene enseguida es el «declaracionismo» de... ¿eh?, ¡uf!, mismo que es extemporáneo, siendo que apenas se da a conocer en la prensa, luego de haber transcurrido cuatro meses y fracción de la famosa matanza? Además ¿qué importa lo que se opine de las elecciones si...?

Debe dejarse asentado (ejem) que el susodicho «declaracionismo» de los ex candidatos a la gobernatura de Capila no fue ni agudo ni chistoso, y sí muy revelador de lo que será el futuro democrático de allí, tomando en cuenta a los hombres que lo impulsan y difunden.

Se empieza con la opinión de Noé Armando Sigüenza *(sinvergüenza,* como algunos ociosos y también algunos marrulleros –de los que nunca faltan– acá a la sorda le dicen), ex candidato a gobernador por el Partido de la Renovación Nacional, quien, por cierto, fue el menos dolido de cuantos gallos resultaron derrotados en las tan, o no tan, controvertidas elecciones recientes:

–La democracia en nuestro país está apenas –y esto se puede considerar ya un logro– en vías de perfeccionamiento. Es como escalar una montaña con nieve en la cúspide, altísima pues, y nosotros tenemos apenas un pie en las faldas: de esa montaña, ¡por supuesto!; o para usar el lenguaje corriente de nuestro pueblo: ¡ESTAMOS EN PAÑALES!, esto es, la ciudadanía (ejem)... Pero ahí la llevamos, digo, la subida es trabajosa.

No obstante (si la curiosidad es deveras tan incisiva como para rastrear todavía más, localizando, ergo, en las notas informativas más veladas, dígase «indirectas», que aparecen en algunos periódicos, ¡sí!, por ahí, «entre líneas»), otras fuentes más fidedignas, o más indiscretas, aseguran que en la privacidad de su hogar Noé Armando Sigüenza confesó lo siguiente:

–Reconozco, desde luego, que, al margen de la derrota, mi candidatura me ha servido, entre otras cosas, para incrementar ciertas relaciones públicas, las cuales, si se les ve como conquistas, serán benéficas para mi partido.

De lo anterior es posible desprender una aparente minucia, porque, si se le mira con tiento, hay que ponerle comillas a esa tal palabra «ciertas», y he aquí la gatería: si es veraz esa noticia ¿qué se podrá deducir?... Que, bueno, allá el candidato y su alma, y de paso, de una vez, su ideología descarada.

Entonces sirva lo expuesto para ir directamente al meollo de este lío que los más altos jerarcas no lo ven como meollo, sino como escoria mínima, tan «sin embargo» en sí misma, y de suyo prescindible. Y una pregunta obligada, una sobre la matanza: ¿merecería una respuesta de Noé Armando Sigüenza? La pregunta se la hizo un periodista ¡¿pendejo?!

(¿Cuál matanza?)

(¡Sí!, ¡la única!)

(¿Cuál, pues?... Deveras no sé.)

(Esa marcha de protesta que a balazos reprimió el ejército en el monte, de la cual, según se dice, sólo una cuarta parte de la gente opositora fue asesinada en pleno acto, en tanto que el resto huyó, o está desaparecido.)

(Pero eso ¿quién lo dice?)

La mesmedad del rejuego: signos de interrogación a expensas de esa pregunta obligada cuando se hizo a cada cual, asegún, y cada cual respondió... ¡ah!... desfile de coincidencias: al respecto, un tanto esquivo... Circo «declaracionista» que no llegó a ningún lado... Enredo de los mil judas que enredaron aún más los torpes ex candidatos. Y el desenredo posible... Se empieza, como se ha hecho, con Noé Armando Sigüenza, quien puesto en jaque de pronto, se hizo pato a su manera: concretándose a decir:

–¡Ah!... No tengo informe de ese hecho, así que ¿para qué hablar?... La mesura recomienda silencio y doble mesura cuando no se sabe de algo.

¿Cuál es la doble mesura? Aunque no sea lo más justo, bien se podría deducir que consiste nada más en poner cara de palo, como la puso –se obvia– ese cuco ex candidato. ¿Y los otros al respecto?... Baste imaginar escenas de periodistas haciendo dicha pregunta obligada. La excepción, por peteneras, le corresponde a Uriel Trueba, el egregio ex candidato del Partido de los Pobres, o sea, el de la Dignidad, léase, por tanto, entre líneas, su osada declaración:

–Hay dos hechos lamentables: la violencia del ejército y el ingenuo proceder de los que hicieron la marcha. Ahora bien, basta inferir que la vanguardia ideológica es imposible que llegue, como debiera llegar, a tanta zona rural y en el momento oportuno. Toda desesperación, y más siendo colectiva, nunca, y aquí lo enfatizo, podrá estar fundamentada en teorías superficiales de esas que surgen, digamos, al cuarto para las doce. Inclusive, dado el caso, si hubiese una nueva marcha de protesta a estas alturas, siempre y cuando, desde luego, fuese multitudinaria y enjundiosa, pero lúcida, para reprobar con creces los fraudes electorales, una marcha que llegara hasta Brinquillo, Capila, yo estaría dispuesto en serio a encabezarla con brío para darle orden y modo. Cierto, ¡claro!, tan sólo falta que llegue tan siquiera a dos kilómetros de Brinquillo y por supuesto yo mandándola traer... Con esto quiero decir que en política no hay milagros ni extravagancias, por lo que dadas las cosas como se han venido dando: ¡no nos cruzamos de brazos!... Mi partido tiene urgencias más cruciales, ¡más virtuales!, a las que ya está abocándose.

Una de tantas lecturas se hizo en Pompocha, Capila, ¿ya se adivina por quiénes?... ¡Sí!, Egrén y Conrado –¿qué?–. Los presentimientos saltan casi siempre como chispas en un instante de insidia. De ahí que se dilucide: Egrén y Conrado, entonces, optaron por no viajar. Se quedaron un día más en Pompocha: pinches güeyes; pero ya no dormirían en la Estación de Autobuses sino en un hotel rascuache. Tan sólo hay que recordar que Egrén no durmió ni una hora y tal vez al mediodía anduviera como zombi. Dedúzcase, por lo tanto, que era zote apresurarse para ir a La Caricia. Y perfilando el sentido de lo urgente por hacer: esa vez: si de una vez: su plan criminal ¡tan prieto!: así, al cabo: ¿tan al grano?, requería de todos modos de un abecé dele-tre-a-do. Pero antes: pies de gallo: al azar: por recomienzo. Es que desde muy temprano acudieron a un café tipo Vips mismo que siendo como es: harto ruidoso: les sería ideal para hablar todo el tiempo que quisieran y además sin ser oídos.

Y antes de entrar al café: ¡alto!, a tiempo. Previsión. La pistola-personaje seguía siendo un gran problema, y cada vez sería más, aun cuando la trajeran metida –¿medio encubierta?– en la tal bolsa de plástico... ¡No!, no duraría el disimulo y... Sin decir una palabra Egrén reculó a sabiendas que Conrado entendería, pero ¿que debía entender?

No entendió Conrado el modo. Entonces Egrén: ¡gestudo!: acercósele a la oreja para decirle una frase: *Necesitamos comprar un maletín de inmediato para meter la pistola. ¿Ya?*

Lento, ¡uf!, y más que lento, acalorado, se ha de presuponer el recorrido por calles y callejuelas. A causa del pavimento: a ellos después de una hora se les hincharon los pies. Conrado anduvo quejándose, pero sus quejas de plano, por reiteradas e ilusas, se fueron haciendo a poco un músico desgarriate, porque Egrén cada vez más: regañón, aunque paciente, y sufriendo como el otro de lo mismo le daba ánimos, consejos: unos dizque formidables, que más bien parecían fórmulas de sopetón aprendidas, deformadas por la friega del calor que: una de dos: o les daba hartos motivos para que zotes se rieran, o los hacía delirar azonzándolos en serio... Bueno, pues –y no es exageración–, sin buscar una sombrita, sin pararse, sin mirarse, nomás cerraron el pico durante unos quince minutos y la tienda apareció.

Fueron seis cuadras no en línea el trayecto de regreso a ese café tipo Vips que no les pesó como antes porque si no qué amargura.

Fueron seis cuadras de compras.

Además del maletín, de iracundo color vino, veamos este enlistado de gasto seudoautomático:

Unos seis u ocho chicles.

Dos raspados de limón.

Un llavero pizcuintío con las letras en relieve de Pompocha, y en repuje muy mal hecho su escudillo dizque de armas, ya que: ¡júzguese!: cuchamente se trataba de una mal formada equis por dos de esas escopetas conejeras antiquísimas.

Dos bolsitas de chamoy: duraznos deshidratados cuyo efecto aciduloso hizo que ambos pusieran cara de niñotes chípiles.

Lo bueno es que hallaron nieve para su consolación. Seis conos: tres cada quien.

Lo último que compraron fue un periódico local. Derivativas razones de solaz y, sobre todo, en el café tipo Vips: donde a gusto: con el clima artificial: leer algo: ¿encabezados? De hecho así lo había querido Conrado desde que iba –¿se recuerda?– a Pencas Mudas. Aquella vez no se pudo, por la prisa de orinar... Y por lo que toca a Egrén: contra su ácido desvelo deseaba darle un repaso a los cines de Pompocha. A ver si había una gringada de esas de persecuciones y balazos por doquier... Una función por la tarde.

Ya en el café antes que nada la prístina operación de localizar cuanto antes un esconce donde... ¡suerte!, ¡sí, señor!... Había una mesa esquinera: ocuparla, y enseguida: medio dizque mosca muerta y a fe suya algo ladeado: Egrén se dirigió al baño. Para que nadie lo viera debía meterse a un retrete de los cinco que había en ristra, liñamente, al parecer, los cinco desocupados. Y en uno de ellos: sin más: de la bolsa al maletín la pistola, y contimás: la zorrez de un alebreste: dunda farsa de pujidos durante unos cinco minutos.

Mientras tanto allá Conrado dando la orden obligada: *Dos cafés para empezar, pero ¡aprisa!, ¡a-pri-sa!, ¿entiende?* En el acto, por supuesto, tras el chasco afirmativo de la mesera huerquilla. *Y déjeme dos menús, y ¡córrale!, por favor...* Mugre venganza tardía. Es que así la habían tratado cuando anduvo en esos trotes en el burdel fronterizo.

Llegó Egrén. Misión cumplida. Suspicacias: ¿cuándo?... ¿ya? Si el reemplazo: su actitud. No es exacto si se dice que caminaba: ¡uy!: eréctil. No en vaivén –¿o sí algo apenas?– su maletín de viajero: lucidor, elegantioso: Si enllegando: ¡a ver los cines!

Pasado medio minuto: los cafés: allí: obediencia. Faltaba sólo ordenar lo del trague de ambos: ¿qué?... ¿Tenían hambre o no tenían?... Después, un poco después: *Más al rato la llamamos...* Que si hubo un altercado entre ellos: ¡sí!, en efecto: mismo que ha de reducirse a propuestas infelices: ¿cines?, ¡no!; ¿paseos?, ¡tampoco!; entonces a ver si esto: ¿rentar un cuarto de hotel para ver televisión y dormirse y...?

El plan criminal: después. Cosa de unos minutos. ¡Vaya pues con la permuta demasiado antojadiza de papeles!, ¡vaya hojeo! Fue Conrado quien leyóle en voz baja a Egrén lo dicho: ¡declaracionismo en vilo! Egrén atento escuchábalo con fingida cortesía. Van los ejemplos salteados:

Martín Escamilla Sierra, ex candidato a gobernador por el Partido Anticorrupto, al emitir su opinión acerca de las tan –o no tan– controvertidas elecciones recientes, trató de darle, si no redondez, sí ángulos, a una linda utopía:

–En efecto, no nos favoreció el voto de las mayorías, y ante esa realidad ¿pues qué le vamos a hacer?... Ya será para otra vez... Aunque, bueno, me pregunto: ¿cuándo será esa «otra vez»?, ¿eh?... Por lo cual yo me respondo con lo que vengo pensando desde un tiempo para acá... Mi partido ganará cuando la ética y la dignidad patrióticas de la ciudadanía avancen sobre un terreno no movedizo, no frágil; hasta entonces, Dios mediante, seremos esa vanguardia que en el fondo las personas vienen deseando y, lo malo: es que por ser tan incrédulas aún no lo manifiestan en las urnas con firmeza.

Luego el acre periodista ensartóle la pregunta obligada: ¡turbadora!, a lo que:

–No me haga esas preguntas, pues la violencia me irrita... Sin embargo me parece que es la típica reacción de esa clase de personas que no está bien educada... Y ahora póngame atención: el aspecto educativo, al menos en este estado, está más que por los suelos, ¡en el fango!, ¡en la inmundicia!; y que de una vez se sepa: cuando sea gobernador cualquiera de mi partido, le dará más prioridad a la educación que, incluso, a las fuentes de trabajo, debido a que cuando es burro un pueblo trabajador tiende a ser muy peleonero.

La interrupción más de rato por parte de la huerquilla: tímida y enrojecida: *Disculpen que los moleste, pero el gerente me dijo que si ustedes no consumen un poquito de comida, no podrán permanecer en el café más de una hora... Pueden pedir, por lo menos, dos pedazos de pastel: uno para cada quien.* ¿Tragar pastel a esa hora?... ¿Qué más daba?, ¿por qué no?... ¡Sí!, pero el sabor ¿cuál era?... Dichos como tarabilla varios sabores, los cuales: de chocolate, membrillo, arrope, vainilla, fresa, coco, nuez, ciruela pasa...

Mmm... De chocolate los dos.

El telón se ha levantado dejando ver a dos entes absortos y come y come pastel como si quisieran acabárselo en un tris. Hay una mesa en la cual hay dos tazas de café y un *colach* periodiquero que parece casa en ruinas, pero en pie aún, y molesta para los clientes mirones que en la escena son diez caras dibujadas: todas recriminadoras. Pero... Olvidémonos del teatro para dar paso a lo real... Una vez que han terminado de consumir sus pasteles, quien estaba de lector hojea de nuevo el periódico mientras que el otro: paciente, lo observa y de pronto: ¡vaya!: como andaba desvelado ya cabecea sin saberlo.

Fulgencio Tirado Eguía, el acaso más fuerte ex candidato a gobernador por parte del Partido del Progreso, tanto más o casi igual de fuerte que el ex candidato del Partido de la Dignidad, por lo visto, y referido, se abstuvo de meterse en berenjenales al responderle a la prensa algo como lo siguiente: *Estamos en la batalla y seguiremos en ella.* Pero cuando le encajaron la susodicha pregunta: *Les quiero recomendar* que a mí jamás me pregunten sobre cosas que yo llamo «ardides de periodistas»... Entiéndanlo de una vez: ¡yo no me guío por rumores! Y ahora sí venga el ganón: Abundio Alcántara Nuñez, el triunfal ex candidato del Partido Triunfalista, quien: fotografías a raudales y una opinión categórica: *Ganamos una batalla, pero faltan como mil. ¿Que* otra más por el estilo? De lo mucho que soltó se entresaca algo esencial, aunque con choncho apalusco: *Pronto daré a conocer (ejem) cuál será durante los próximos seis años de mi gestión mi programa de trabajo. Eso haré oportunamente cuando ya entre en funciones... Sin embargo, de algún modo: ¡ya iniciamos la primera de mil batallas futuras!* Y acerca de la matanza: un requiebro casi artístico: si acá: chitón, callandito: que sean los opositores los que opinen si es que opinan. Ahora que: por desapego (todo esto se deduce): vil anuncio de mil dádivas a periodistas que aspiran a ser dueños por lo menos de una casa construida en una buena colonia, y asimismo a contracurso el fervor: ya la montea, pero con vastos cimientos. Quiérase el limbo al través: subconciente, por principio, desde ahí ha de comenzar la fantasía que se embona pieza a pieza de continuo. Y de refilón se añade algo que sí fue leído: *Le daré más preferencia a las clases marginadas... No los voy a defraudar...* Se asienta lo deducible: luz detrás como repuje para envolver todo un símbolo. Luz de frente que encandila, pero llena lo que hay... Y otro refrán, por si acaso, que el paisanaje conoce... mmm... de antemano una disculpa, pues siendo lugar común el titubeo es necesario: «más vale (este) malo por (es-te) conocido, que bueno (es-te) por conocer».

Egrén ya estaba bien súpito. Conrado lo sacudió despertándolo, no obstante, con gritotes en la oreja. Y el con rabia despertado: modorro pagó la cuenta. Adiós pues: cae que no cae salieron los dos del brazo como zotes borrachitos. Por precaución: muy despacio: Conrado le quitó a Egrén el maletín en la calle. Tal como estaba la cosa no había de otra que rentar un cuarto de hotel cuanto antes.

A expensas de la modorra abarcadora de Egrén dilucídense los trámites que redundarán sin más en un grosero artificio: una escena perendengue será ver a Egrén bien súpito sobre un camastro antiquísimo, en el cual Conrado esté sentado casi en el borde viendo la televisión.

Capítulo dos

De una vez se adelanta que el presente capítulo es bastante doloroso, pero sólo si se le aborda desde lo que muchos llaman «sana consideración» y otros más sensibleros suelen llamar «densidad de sentimiento» o «sentimiento profundo», sin faltar los que le llamen –excediéndose en alardes– «rugosidad sensitiva». Empero si se le ve un tanto con desapego, advirtiendo que se trata de un trasunto conveniente a los fines exclusivos del ex anfitrión –¡recuérdese!– Ciro Abel Docurro Piña, lo que sigue se verá como una zorrez sin tacha, porque le salió de perlas al mentado, cuyo nombre, desde ahora en adelante, será Ciro Abel nomás. Así que el ángulo queda a elección de quien leyere este enredo que, no obstante, ya empieza a desenredarse, y que inclusive –notándolo– se empezó a desenredar cuando (¡ojo!): el plan que la comitiva le propondría en un par de horas al señor de Pulemania lo iban ya dilucidando sobre su apurada marcha los diez –¿gachos?– integrantes: al respecto hay que decir que cinco puntos al menos parecían ya redondeados cuando el líder de Trevita (once: con él, ¡por supuesto!) –respirón, porque se ahogaba, dada su insana fatiga, más aún si se considera que él cargó el aparataje hasta donde le dio alcance al grupo en vilo, esto es, antes de salir del pueblo– gritó, a manera de orden: *¡Ayúdenme, por favor!*, y se acomidieron dos, y sólo falta añadir que unos cuantos lugareños esparcidos a lo largo del recorrido en mención –otrosí ¿tan «comitivo»?– le fueron deseando suerte y también pronto regreso. La causa era conocida a flor de agua, si se quiere, desde ayer cuando hubo acuerdo en que habría segunda marcha, mas ¿la búsqueda de apoyo?... He allí el quid así, así.

Los cinco puntos son éstos:

El transporte, por principio: ¿con tres trocas de redilas?

Un punto número dos fue también el referente al transporte, pero ¡véase!: fue punto de negación: no deberían aceptar que el señor de Pulemania les facilitara un tráiler, pues no era recomendable que la gente demandante viajara sin respirar, ergo: encerrada y a oscuras.

Luego: ¿cuántos tanques se echarían los choferes asignados? Se entiende que eran tres trocas, y en tal sentido el dinero ¿quién lo debería traer? Para suscribir el punto número tres simplemente enlisténse gasolina, aceites y lubricantes, más todo lo relativo a prever descomposturas que ojalá no, pero, bueno...

El punto número cuatro: dinero para comida. Se podía considerar que iban a ir doscientas gentes. Aunque: eso deberían tratarlo de quedo cuando estuviesen justo enfrente del ricacho. Lo mismo el último punto: dinero para los gastos: esos extras impensados que siempre han de presentarse y solucionarse y...

Se callaron de inmediato los diez que iban en ¿pos?: cuando el líder de Trevita les dio alcance casi ahogándose. Es que Ciro Abel soltó un zorruno y largo «¡issssht!» al oír la voz sofoca de (sintomática obediencia, más aún con el apoyo de los reojos oportunos de aquellos nueve restantes): ya integrado Néstor Bores notó la mudez y el ímpetu de los de la comitiva, al uno-dos reforzados por un taconeo uniforme. Sin embargo –aprovechando el avance en parejura–, no está mal abrir aquí un paréntesis que sirva de enlace o acotación, antes de entrarle a lo dicho por el líder de Trevita (había otro plan subterráneo de Ciro Abel cuyo empiezo fue a la hora del desayuno: cuando las lenguas lampreadas: aquel zampe en atragante: la efectiva indigestión del ex huésped, pero ¿cuándo?... ¿faltarían treinta minutos?): *De una vez quiero decirles que hay que ponernos de acuerdo sobre los puntos del plan que debemos de plantearle al señor de Pulemania... Para eso es necesario detenernos un momento, porque hablar sobre la marcha no me parece adecuado...* Ya el pueblo quedóse atrás; volteando el líder lo supo y... *Tal vez cuando caminemos unos seis, siete kilómetros, nos convendrá detenernos...* Nadie dijo «¡sí!» o «de acuerdo», pero el líder entendió que con la mudez y el ir uniforme y sin rebaja, el grupo le respondía de manera afirmativa.

Cierto, pues, ¿cuántos kilómetros?, porque durante por lo menos unos tres nadie dijo algo relativo a meter freno o hacer algún comentario de esos que rompen la inercia o le dan más correntía; con lo cual la suficiencia del avance iba ensanchándose, o así lo supuso el líder al considerar que incluso cada quien se estaba haciendo grandes ideas de planteo. Aunque ahondando en tal sentido, mas sin llegar hasta el fondo, vale decir, muy al viso, que en un noventa por ciento el líder se equivocó, porque: solo Ciro Abel pensaba, mas no en los planteos supuestos, sino en el freno obligado a causa del reborujo en la panza de su ex huésped (vil plan de síntomas acres: paso a paso por desgaste) y también en otra opción: se acordó de un primo suyo que era chofer de autobús; todavía estaba en activo, por lo cual podía rentar su mueble para la marcha –quiérase el nombre correcto: sería «manifestación»–. Por lo demás: simples trámites, tras una buena colecta en Remadrín y en los ranchos de implicación demandante por los desaparecidos. De hecho, Ciro Abel pensaba que no era tan necesario tratar de obtener apoyo del señor de Pulemania.

Ahora viene, tal como se prometió, el aspecto doloroso, que a saber si lo fue tanto. Y, en efecto, antes de que la llamada «densidad de sentimiento» sea el tenor impositivo para leer estas líneas, búsquense ángulos irónicos, e incluso búsquense ángulos coléricos, si se quiere, para atisbar de revés en lo conveniente que era para quienes componían la mentada comitiva deshacerse de un farsante metido a líder y ¡vaya!: ¡qué demostración tan zonza! Y es que cuando la vergüenza triunfa como debe ser se le llama de otro modo: «heroísmo» o «dignidad», o algo por el estilo. Todo eso se recicló en la mente zarandeada de Ciro Abel desde ayer. Y por fin a ver si sí: su vil, pero honroso plan, pues de hecho no dudaba que recibiría el apoyo de los demás caminantes.

Ergo: como a los cinco kilómetros de trayecto Néstor Bores se llevó su mano izquierda a la panza y la sobó haciendo unos cinco círculos. La ternura de su tiento contrastaba con sus gestos de dolor que eran bastantes, por lo cual no hubo de otra: con palabras quejumbrosas ordenó a la comitiva hacer un alto forzado. *Yo creo que me hicieron daño las cinco lenguas lampreadas*, le dijo a ¿quién que lo oyera? *No debí desayunar tan rápido como lo hice*. Ciro Abel se sonreía al ver la lenta orillada de tan débil personaje. ¡Sí!, como que agarraba monte doblándose el pobrecito: *Al rato me recupero...* Pero soltó sin querer la bocina y el micrófono. Diez mirones acechantes, cada vez más a distancia por los pasos del doliente hacia un refugio que no, miraban la triste escena ya con filos de encandile, porque el sol de frente: ¿adrede?... A esa hora no pasaban muebles por la carretera.

Y el marraneo visceral con sus ruidos protestantes.

Y al cien por ciento la ira de los de la comitiva, más aún crasa, o ¿roñosa?, al oír lo que ordenó aquel líder dado al traste: *Hasta que me recupere será cuando continuemos* (¿un malcontento alargado?, o qué decir: ¿durante un rato que duraría más de una hora?). *A ver qué se les ocurre... ¡Ah!, nada más una cosa... ¡No prendan el aparato!* Favor: ¡no!, sino jolgorio, porque no les importaba a los de la comitiva ponerse a hablar-vacilar con el micrófono: ¡újule!, pues los escuchas serían... Al traste los menoscabos de cada cual en suspenso tras la imposibilidad de curar a su ¿adalid?, y ¡a seguirle!, siendo que (véase lo ingrato): faltaban quince kilómetros de camino y de solazo, y la cuota: sufridora: más y más amarillenta y más altos prolongados.

Contimás: por sus enojos, por no tomar todavía una posición concreta.

Ya enanos presentimientos. Si por ahí la ocurrencia de que podían regresar a Remadrín... ¡Ni de chiste!, pues serían tema gracioso de hablillas y devaneos, de suyo salpimentados con cien calificativos ¡a escoger a la barata! Que fulleros, zonzos, pencos, tochos, pavos y demás...

Que el turno de Ciro Abel... Ya a placer: en diez minutos. Antes su preparación... Luego (ejem): como si fuera de plano gallina recién comprada se abrió paso, es un decir. Enseguida: siguió igual, pero ya

–¿cómo asentarlo?–: con aplomo conminó a los de la comitiva para irse un poco más lejos. Introducción en el monte. Y la insana corrección detrás de una nopalera: el acuerdo a contrapelo. Que la indigestión del líder no debería ser problema para ellos, ¿eh?, y por tanto: *¿Por qué no hemos de mandar a este líder al carajo y nosotros continuamos por donde la carretera?* Tentativa necesaria, con ganas de que fuese orden.

Más precisión todavía luego de algunos sentires, debido a que a lo mejor el renuevo sería lento estirándose inclusive hasta casi anochecer (cálculo con mala leche), para que la comitiva se obligara mientras tanto a estar pide y pide *rait*, o a parar –¿qué duda habría?– a la fuerza a un autobús: un bloqueo: MUY-MUY... ¡Jugársela!

Entonces:

–¿Cómo nos zafamos de él?

–Lo bueno es que es un fuereño.

–A mí se me hace que el bato es, o díganme si no, puro jarabe de pico.

–¡Sí lo es!, y aparte es de esos frauderos que andan meneando a la gente de los pueblos para ver si sacan algo, y si lo sacan se pintan.

–¡Eso!, ¡eso!, justo eso: un fulano entremetido, un vago, un bueno pa-nada que ha venido a alborotarnos.

Y como puntual refuerzo de esa noción: en despeje: a las claras otro ejemplo, aunque algo viejo y ¡horrendo!, que se trajo a colación. Cuando vino a Remadrín un peludo autonombrado «Emisario de Dios Padre». Le bastó con tirar labia durante toda una mañana para atraer como imán a un buen número de ingenuos. Lo bueno fue que el fulano luegoluego enseñó el cobre, porque entre tantas revistas y panfletos de cruzada de su liosa doctrina –tonga traída en, acaso, un macuto o un saquete: para venta: el saque, o sea, en un «moisés» el total del vaciamiento y pues ¡oh!: el inigualable error–, sacó unas cuatro revistas –mismas que arriba quedaron– de güeras despampanantes en ensarte con fulanos en pelotas: ¡qué indecencia! Aquellos empinaderos provocaron: ¡con razón!: tanta cólera y tan gacha que la gente harto ofendida lo despachó en corretiza hasta la orilla del pueblo y con lluvia apedreadora. A saber –aún no se sabe– si en el monte aquel fraudero murió o no, o hasta, inclusive, tuvo tiempo de curarse el tupidero de heridas. A lo que: misma aplicación ¿ahora?... ¡Sí!, pero ante la amenaza, modo en aína, si bien, para al cabo recibir la indulgencia de los cielos. Fue entonces que de regreso (zaguera la comitiva): si como actor enojado pronto Ciro Abel al frente (su prueba de liderazgo): tomando aire especuló por lo menos en tres frases de despecho: y la escogida: ¡venga! (¿sería la mejor?):

–¡No lo vamos a curar!, ¡tampoco nos interesa! ¡Así que le recomiendo que se largue por el monte antes que nosotros mismos lo larguemos a pedradas!

–Pero ¿cómo me hacen eso?... Ahorita me recupero y nos seguimos de frente... Mi malestar no es tan grave.

–¡Todo lo que hemos planeado está saliendo muy mal!, ¡por su culpa nada más!

–Deveras que me sorprenden... Me vine desde Trevita con muy buenas intenciones. Y como usted mismo anoche me dio tan buen hospedaje, pues yo creía que...

–¡¡Pues lárguese!!, ¡¡o lo apredreamos!!

De hinojos sobre la tierra Néstor Bores vio que algunos se agacharon y cogieron por lo menos una piedra con el único propósito de ser *píchers* contra él. La contención: sin embargo, mas los pasos: uno... ¡uf!, el segundo con más fe, ya el tercero ¡CON RETARDO!: figureo de horror a punto: a más palpitante: a menos: el silencio y sus segundos. Vil nerviosismo en vaivén y de pronto un lanzamiento cual amago –yerro adrede: la piedra hacia otro blanco–: empero, de todos modos asaz intimidatorio. Y otra pedrada que sí: el blanco fue el antebrazo del fuereño que gritó:

–¡Aaay!... ¡¿Qué pasa?!... ¡No disparen!... –la incorporación del ¿cómo?: adjetivos a escoger: fraudero, vago, fuereño, frescales, ido, faltoso: cualquiera, excepto el del líder (el que le correspondía), quien de pie seguía dicaz, poco también: menos, menos, más del lado personero, o un vencido, mejor dicho, que aún resiste y acecha–. ¡Haré lo que ustedes digan!, ¡aunque si me dieran chanza de...! –Y ¡sopas!, pero en la cara, justo en uno de los pómulos... Y otros ¡sopas!: que dolían de modo algo diferente: cuatro contra el aparato.

La incredulidad aún. La retirada: grotesca, casi-casi por instinto. Y hay que agregar a propósito la horizontal terquedad de:

–¡Miren lo que están haciendo!... ¿Qué les cuesta platicar para ponernos de acuerdo?

Desvío del ardor: GROSERO. La culpa pudiera ser, en principio, material. Al aparato –¡ni modo!– a patadas y pedradas lo fueron desconchinflando.

–Está bien, ya me jodieron. Pero sepan de una vez que estoy dispuesto a ponerme a sus órdenes si quieren.

–¡Piérdase!... ¡Lárguese!... ¡Cállese!

–Es que no puedo callarme... Yo creo que es bastante injusto lo que hacen conmigo ustedes... Yo que no les he faltado al respeto, ¡miren!, ¡véanme!... ¿Merezco que me lastimen?

Trasunto de hijez o efecto: inflexible por lo mismo... ¿La gente qué pensaría?, ¡sí!, ¿esa de la comitiva?... Ya habíanse atado los cabos cuando el acuerdo se dio a unos veinte o veintiún metros del ahora sufridor. Los empujes del solazo: otrosí: la quema en serio acorde con la demora, amén del cruento fastidio que inducía de muchos modos a una fascinación idiota por instintiva y: obvio: ni un paso hacia atrás, sino el rodeo y la amenaza:

–¡¡Si no se calla la boca a pedradas lo matamos!! –sentencia que a Ciro Abel ya le urgía soltar con énfasis.

–¡¡No me maten, por favor!!... ¡¡Déjenme ir, si les estorbo!!... ¡¡Yo soy padre de familia y quiero seguir viviendo!!...

–¡¡Cállese!!, ¡¡cáaalleeeseee!!... ¡¡Ssshhhttt!!

–¡¡¿¿Cómo quieren que me calle si no puedo defenderme más que hablando, suplicándoles...??!!... este... bueno... van a ver... ¡¡Nomás les digo una cosa... yo no le he hecho mal a nadie!!... ¡¡Así es que déjenme ir!!... ¡¡No olviden que los respe...!!

Piedras: torrente sañudo. Téngase que estando cerca de aquel fulano aún joven (todavía con ilusiones de progreso y esas cosas) los de aquella comitiva encontraban el gran blanco en la monís cabecilla: ¡y a darle!, ¡a abrirla a pedradas!: heroismo entelerido: si todos los tiradores podían decir que atinaban cual si fuesen de repente *píchers* de ligas mayores... Del crimen testigo el sol, por abarcarlo y llevárselo.

(¿Y ahora qué hacer con el muerto?)

(Nada, pues. Mejor: ¡al diablo!)

(Que cristiana sepultura...)

(¡No!, ¡qué horror!, ¡qué complicado! Además –lo advirtió alguien–, en primer lugar faltaba –ya no un féretro corriente–: un miserable costal. Luego lo cargante en serio: tenían que echarse un rosario y nadie sabía ni pío. Y en tercer lugar lo peor: estaban perdiendo el tiempo...)

Total: ¡NI UNA LAGRIMITA!, ni una persignada rápida, porque ellos establecieron, mediante cortos susurros, que el fuereño a lo mejor era un santo: ¡y milagroso!: por hacerles con su muerte el grandísimo milagro de no ser jamás estorbo de sus afanes de lucha. De ahí entonces la eficacia de su protesta, ahora sí, trascendente, o más aún, mucho más organizada.

Y así, en ascenso acucioso, el alma de Néstor Bores debía irse derecho al cielo. En cambio: su cuerpo santo... ¡Ah!, de seguro que los buitres, devotos a su manera, se encargarían de zampárselo y ojalá fuera en un tris.

Excusas: todas, y aparte no estaba mal incluir, ya como autoimposición, la fe inocente y febril, si no cáustica o roñosa, sí ceñida a un desapego, no obstante en pos de un apego a la sustancia de un drama ya en vías de hacerse tragedia con aires de redención; de tal modo que, endenantes, el éxito de raíz, para al fin llevar a cabo una gran segunda marcha...

(¿Marcha?)

(¡Oh, sí, manifestación!)

Eso debían resolverlo al llegar a Pulemania. ¿O antes, pensándolo bien? Media vuelta: por lo pronto: retomar la carretera. Tretas: propuestas al bies: tímidas para empezar. Y pese a la intensidad del solazo criminal un foco hubo de prenderse en la mente del, si bien, líder nomás por relevo; foco intermitente, o sea: merodeo de todos modos, no obstante que Ciro Abel, a prórrata conectando maquinaciones e intentos, se acordó a topa tolondro de su amigo chafirete, el cual vivía en Metedores... Una opción, júzguese extrema, mas no para desecharla.

Capítulo tres

–Por ahí, pasadas las doce de la noche, nosotros estábamos cenando en un restaurante carretero... interrupción: por pregunta: ¡Sí!, a esa hora nos dio hambre, y sé que no es lo normal, pero, bueno... La cenaduría estaba hacia la orilla norte de un lugar cuyo nombre... A ver si me acuerdo bien... No sé si se llama El Libre Quehacer, o El Quehacer, a secas, pero es algo en tal sentido... (Mentir con categoría: y ¡cuidado!, por lo mismo: no se valen titubeos, porque entonces lo teatral se convierte en regazón.) La cosa es que de repente oímos... ¡no un coheterío!, sino, este... Como a los cinco minutos todos caímos en cuenta que era un tiroteo parejo que duró... este... No quisiera exagerar si les digo que duró como unos quince minutos... (¡Suéltate!, ¡vete derecho!, no titubees, no hagas pausas.) Luego, un poco ya más ralo, o que diga: ya no hubo tiroteo, sino disparos aislados, y cada vez más lejanos, pero que nosotros aún alcanzamos a escuchar durante casi media hora... (Haz la historia más creíble: métele algo de rejuego, problemitas, cierto entrampe... para hacerla más dramática.) Bueno, ejem, con toda calma esperamos a que ya no se escuchara ni un solo tiro y yo dije: «¡Vamos a ver qué pasó!», y los que aquí me acompañan respondieron: «¡Vamos, pues!», y nos fuimos, pero antes... Si ustedes me lo permiten, no está de más aclararles que sin contarnos los cuatro ni el dueño del restaurante ni la que nos atendía, nadie más se apareció. Luego, lo más peliagudo: por lo oído a medianoche deben de considerar el susto que nos llevamos. Estaba el dueño parado, pero lejos de nosotros: ojos y orejas de zorro, es una figuración, porque al ver que nos paramos vino a cobrarnos la cuenta junto con la chancludilla, una huerca no mayor de trece años cuando mucho... interrupción: por enfado. ¡Sí!, está bien... Total que ninguno de ellos quiso venir con nosotros, ¡claro!, de lo contrario tenían que cerrar el restaurante; y ahora sí: salimos en nuestro mueble y pronto localizamos lo pretendido, es decir: ¡qué sorpresa hallar lo hallado!: un reguero de cadáveres encima del pavimento. Ahora imagínense ustedes la impresión que nos llevamos al ver a tantas personas balaceadas y sangrientas a la luz de las estrellas. Hasta parecía panteón, y peor, porque no había tumbas y porque tampoco vimos por lo menos a un herido moribundo por ahí, o a alguien que pidiera auxilio o siquiera a un sangriento arrastrándose en silencio. Total: nadie vino y ¡chin!: nadie que nos informara, y ¡uy!, nuestra impresión fue tremenda, tanto así que no quisimos ver si había un luzazo lejos: el de alguna camioneta que se estuviera acercando, menos una luz nerviosa, por saltarina, esto es: luz de linterna de mano enllegando hasta nosotros. ¡Nada!, ni antes ni después, y eso fue mejor al fin. Por eso mismo ahora sí me adelanto de una vez: en dos horas y fracción, o sea el tiempo que estuvimos maniobrando sin parar, no pasaron por ahí ni muebles ni motonetas, ni animales, ¡nada, pues!... (Orden, un poco más de orden... No te andes adelantando porque te expones a que alguien te interrumpa para hacerte alguna pregunta tonta...) Pues lo primero que hicimos fue contar y calcular si el número de cadáveres tendría cupo en la cajuela, sobre todo calculando el peso y la rapidez para un buen desplazamiento, no sólo por carretera sino... ¿eh?... Ustedes mejor que nadie saben que en esta región hay más caminos de tierra que... (Estás a un tris de regarla... Di mentiras, pero ¡aguas!) ¡Sí!, deben de tomar en cuenta el acomodo de muertos, pues no traemos redilas. Con esto ya queda claro que entre todos decidimos hacerla de voluntarios, ¡voluntarios a lo macho!, y llevarnos un buen número de cadáveres a... bueno, ¡ojalá que fueran todos!... interrupción duradera: por la lluvia de preguntas...

Capítulo cuatro

Casi hongo, casi blondo: el efecto polvoriento, tras el arrancón del mueble, indirectamente obviaba la valentía a buen pasar, cuando no la excitación, de Juan Filoteo González. En cambio, hay que ver lo otro: lo quedado: mano en lo alto: un presunto adiós, si hipócrita, en virtud de una ruptura ¿temporal?, pero ¿qué tanto?... Lo que el peón buscó y logró: tras la ausencia del patrón él podía darse una vuelta en burro —ya le hacía falta— por el rancho, no distante, donde estaba su primor: la huerquillagolosina: posibilidad de novia; tenía que hacerle la lucha, no le aunque y a ver si ya y...

Ruptura indeliberada: magma de una sugestión aún no plena, aún no colora, pero sí con figureos donde el ansia ya insinuaba trazos de ida rapidísima, pese al curverío mediante, pero con regreso en pausas: sinsabor tras sinsabor: ¿corrigiéndolos quizás?... Eso de una buena vez, siendo, de hecho, que aquel viudo se impuso una mueca hosca que mantuvo inalterable a lo largo de unos doce o unos trece kilómetros: ergo: el trecho terragoso, porque nomás enllegando a la carretera: ¡horror!, tuvo un desate de gestos angustiosos, remordidos, pues se dejó sorprender por sospechas terroríficas relativas a que su hijo, más retador, más bocón —e inclusive hasta amagándolo con soltarle un buen fregazo—, le reclamaría su ausencia y su insolente pachorra. Si con eso las escenas de revuelque: imaginarias, provocaban zigzagueos en su avance carretero, a tal grado que de pronto el mueble casi se iba en línea recta a un cantil, no tan hondo ni macabro, mas sí con bajura umbría...

Reacción: volantazo crítico, lo que devino en respiro: ya suyo por cuanto pudo percatarse que sus miedos lo empujaban en directo hacia una escena soñada casi a diario allá en su rancho —un declive hacia un eclipse—, y no hacia algo más deseable: lo feliz-prometedor, plausible por reconquista: el reencuentro de hijopadre, con su rastra de perdones. Además, Olga Judith ayudaría a que se diera —con apechugue, inclusive, y lindezas palabreras— por ser el nudo central de todo ese mecateo.

Cuando faltaba un kilómetro para entrar a Remadrín, hubo un gesto de esperanza en la cara de quien era mientras tanto un chafirete no tan ducho ni tan penco en eso de sumir bota y hallarle modo al volante. Destreza en la lentitud, por ende: en el desarrugue conseguido de relance. Pero el tal gesto azaroso fue una suerte de antifaz que se esfumó o, si se quiere, se hizo múltiple, ¿de plano?, conforme iba avanzando por la calle principal. Acceso a vuelta de rueda como un tanteo de matices que en la cara del señor, sin aparecer del todo, hacían acto de presencia: un instante, casi no, y ¡a volar!: de todos modos. Lo bueno fue que al frenarse frente a su querida casa, volvió el gesto esperanzado, el mejor –¡gesto campeón!–, y con él: ¡ay!, saleroso, entró sin pedir permiso –la puerta estaba entreabierta– adonde –paso a pasito–: por la ringlera de cuartos tan de sobra conocida... Mas sépase lo fregado: a Juan Filoteo González no le sirvió su mudez, tampoco le resultó haber entrado a hurtadillas. Sus taconeos de repente: los tres o cuatro que dio al dirigirse a la sala –traquidos inevitables– delatáronlo ante...

Trinidad no tuvo tiempo de suspender la maniobra que para chacha desgracia atestiguaba la criada: ella de hinojos: ¡qué va!, ella fue la del «¡pssst, mira!», pero el otro ni volteó: pues estaba entretenido tratando de perforar una de las cajas fuertes. Soplete de soldadura, amén de cautín eléctrico y autógeno pistolete con transformador a base de electrodos inducibles, era el equipo maestro con que Trinidad lograba la incisión a alta frecuencia. Ya la raja en demasía, pero faltaban de menos unas seis o siete más para que fuese boquete y por ahí meter manos y sacar la billetiza.

–¿Qué diablos quieren robarme?... ¿Van a abrir mis cajas fuertes? –clamó el padre hecho un ovillo.

–Este... no... bueno... este... ¡sí!... es que déjame explicarte –quiso cortar Trinidad sin saber cómo o por dónde.

–¿Y tú le estás ayudando?... ¡pinche viejaaa chinchumidaaaa!... ¡Y yo que confiaba en ti! –ahora le hablaba de tú (por despreciable ratera) a esa señora que antes le mereció un gran respeto.

Ella no quiso terciar, por lo que haciendo un desplante: prefirió cerrar sus ojos sin decir una palabra y enseguida se tapó con su falda la cabeza... ¡Ea!, se le veían las piernas todas guangas de viejilla.

–¿¡Saben qué?!... ¡¡Róooooobeeeeenseeeee tooooodooooo!!... ¡Yoooooo meeee voooooy aaaaa laaaaa freeeeegaaaaadaaaaa!

Y se dio la media vuelta el de por sí padrecito miniatura sufridor, pero antes de dar un paso vio en torno lo que buscaba, o por lo que había venido: en la sala aún figuraba, sin mínimo desarreglo, el diorama de las fotos de su inolvidable esposa, la que a sus anchas vivía en la patria celestial, mas sólo un resabio de ella, en la pequeñez terrena, allí: al tanto: mesmedad, que de tan leve era justa: en el redor de la sala: santa –¿diabla?–: membranosa, ¿o qué más merecedor de escupitajos o mugre?

Con un largo «¡aaaaah!» enloquecido el padre se echó a correr por la ringlera de cuartos hasta esfumarse, ¡¿sí, pues?!, en su mueble,

¡¿cómo, pues?!: emblema: la polvareda. Pero antes otra impresión: Trinidad y Olga Judith lo siguieron callandito como si en su correntía cada vez se fuera haciendo más mirruño-mirrunguillo: animalillo gruñón.

No así cuando trepó al mueble: inflado endriago que estalla adentro de la cabina y ya no es más que aparato que ha de rodar y rodar...

Pingüe la alucinación de aquellos, medio encorvados, raterillos alevosos.

Lo sobrante es de revés: sutilezas a manera de apostilla desgraciada, por la frialdad del trasunto: porque: ciertamente Trinidad, por más que anduvo buscando equipos de soldadura para hacer rajas y rajas (claro que no iba a esgrimir, ni por regusto o gallofa: a ningún solicitado, su motivo tan de ocultis), nomás no pudo encontrar a uno que le prestara uno. Fue Olga Judith, de vencida, quien consiguió a última hora no sólo cualquier equipo, sino el más sofisticado que había en todo Remadrín.

Capítulo cinco

Apenas –o ya era el colmo– don Romeo iba a completar un mes de estancia en la finca y nadie de su familia –ni siquiera su señora: una mujer bien poquita– le había hablado por teléfono. De una lista no muy larga de posible parentela por albur de palomeo se han de ennumerar hermanos, primos hermanos, y al último: primos en segunda línea. Y se empieza por lo obvio, que por ser descarte no es más que mera referencia: sus tres hijos ya casados: dos varones y una hembra: no vivían en Remadrín. Hacía años se habían ido, lejísimos, eso sí, mas no fuera del país; y aunque mantenían contacto permanente con sus viejos, por aquello de las dádivas: posmas sumas de dinero más o menos bimestrales, no era el caso que le hablaran para joderlo a una ¿finca?: y a un ¿número telefónico?: no fácil de averiguar, menos aún porque el cacique a tiempo les advirtió que debido a los problemas emanados del entrampe electoral y demás, acorde con la inminencia de su posible renuncia: obligada, desde luego, no era prudente mandarles, ya no digamos billetes con tres ceros como siempre, ¡nada!, ni un mísero quinto, ¡no!, inclusive, en todo el año, contado a partir de julio. Si tocante a sus hermanos: tenía dos, quienes vivían en su rancho cada cual; latifundios, por supuesto, no muy distantes del pueblo, pero ambos abandonados unas diez horas después de ocurrido el robo de urnas. De la demás parentela se puede decir lo mismo: hubo urgencia de estampida, aunque en diferentes horas, la cosa es que transcurrido un par de días luego de: ¿quién quedó?... ¿nomás la esposa?, entonces: ¡nadie!, ¿de acuerdo?, siendo que ella, ¡pobrecita!, refundida en su casona que rodeaban hartos guachos, parecía encogerse a poco por pasársela rezando homilías, jaculatorias, rosarios, triduos, novenas, maitines y letanías, aunque sí comiendo frutas con chilito y con limón y Cocacolas a chorros. Empero su pesadumbre no sería del todo grave si su marido viniese a desencogerla un poco, pero como se tardaba, de seguro la señora se convertiría en pelota enllegando a lo crucial de que en un momento dado ya no pudiera encogerse y ¿sus rezos?, ¿sus enchiles?... Pensar feo no viene al caso, porque el alcalde interino, por medio de un recadero, mandaba decirle a diario que acudiera a la alcaldía, que el teléfono y tras él la voz rauca de su esposo, que a través de los hoyitos y luego mediante cables: kilómetros y kilómetros; pero ella: incrédula, esquiva, se limitaba a soltar –machacona, y con tonito de niña fifí, ¡uy!, o cheché– el cancionil ritornelo:

–Yo no hablaré por hablar... Yo lo que quiero es que traigan a mi Romeo en carne y hueso.

Se da paso de una vez al encastre concerniente al ardid tramado a hurto por el mandamás supremo del estado de Capila veinticuatro horas después del robo de urnas, esto es, por ahí al atardecer: cuando se comunicó por el teléfono gris con Crisóstomo Cantú. No fue larga la orden dada. En resumen: su capricho (durable como un capricho de político mugroso): al burócrata ejemplar nombrólo alcalde interino, y ¡oh!: la alegría manifiesta del susodicho gritando: *¡Ajúa!, ¡ayayay!, ¡lo logré!* Él gobernador oyó por el teléfono eso y frenó el zonzo desborde: *¡Apláquese, por favor, porque si no lo castigo!* Así la continuación palabrera desde allá, sólo para redondear un proceder de altos vuelos. Téngase que por razones de rango y modos repúblicos, a partir de ahí en delante el recién nombrado alcalde no tenía por qué estar dándole informaciones a diario al vejete allá en la finca, no por teléfono, pues, como lo hizo largamente justo la noche anterior. Un gastazo innecesario. Y el remate de la orden: que Crisóstomo Cantú permaneciera encerrado en la alcaldía unas semanas: el tope: dos meses: máximo, esto es, cuando a Remadrín regresara don Romeo. Bruto el cuelgue a la distancia y en la alcaldía ¡viva enjundia! Saltarín cual lepe títere, queriendo hacerse bien grande, el que fuera un gran burócrata, con sus «ajúas» hechos eco, y sus saltos hechos punta, ya sentíase en su derecho de ser imaginativo, pero sentado: ¡pues sí!, para que lo asesorara su prudencia más de rato.

Ahora bien, vamos a adelantar un poco el tiempo, como si efectuáramos un viaje apócrifo, pero sólo con la mira de ver a vuelo de pájaro la retahíla de sucesos acaecida en la finca, y de manera particular, lo que le vino ocurriendo al cacique fastidiado... Luego de casi completar cuatro semanas de estancia en aquel, ya no edén, sino prisión, los alcaldes se cansaron de jugar dominó y cartas. Su paciencia llegó al límite tras la espera de mujeres: las guerudas prometidas por... El acre gobernador se ausentó de un tiempo a acá. No había noticias de él ni siquiera por teléfono. Y la promesa, caray... Degenere de ilusiones. Contimás porque las criadas tampoco estaban dispuestas para bailongos, rebanes y moliendas entre muchos en la tal salasalón, como sí ocurrió una vez: un miércoles en la noche, cuando no estuvo presente el acre gobernador ni, bueno, ya se deduce, el metódico cacique. De ahí en fuera: ¡prohibido!: desde arriba vino la orden para esas campesinotas, bien comidas y algo chulas, cuyas labores, empero, eran otras muy distintas. Un ejemplo en tal sentido, entresacado al azar de una docena cachonda de ejemplos equivalentes:

–Entonces ¿qué?, ¿no te vienes a mi cuarto a darle un rato?

–¡No!, discúlpeme deveras. El señor gobernador nos dijo que eso ya no... Ni bailes ni laberintos.

–Pero ¿a poco él va a saberlo?

–Nos tienen bien controladas... Y a ustedes también, ¡por Dios!

–A ver... cuéntame... ¿qué pasa?

–Si ustedes desobedecen, y de pasada nosotras, ¡a todos nos correrán!

Otrosí: lo reductivo: sarta de prohibiciones: los alcaldes sin opción de aventarse tan siquiera... Mejor pongámoslo así: Cocacolas nada más, cervezas no, menos vino. No les surtirían cigarros. Desvelos: sólo en su cuarto, pero sin armar borlote. Ergo: en la salasalón podían estar, si querían, hasta las nueve pe eme. El teléfono: tampoco: para hablar a sus lugares. Tampoco recibirían llamadas, si fuera el caso. Agréguense los horarios de las tres comidas diarias: mas chocantes, más estrictos: quien no llegara puntual: ¡ah!... Debiera ser bien latoso aguantarse el hambre a veces, aun cuando fuese el aguante tan sólo durante unas horas, más tratándose de gente de ese rango: tan fachosa... Dicho lo cual de algún modo ya estamos cerrando el círculo: ¿viaje apócrifo: incorrecto?... Resumen real: ¡en aína!, faltando unos leves trazos que se aluden con... depende... En las últimas semanas buena cantidad de guachos se distribuyó en la finca. Casi cada recoveco bajo control: casi estaba. De modo que el tedio a fuerzas... ¿Qué el dominó, de vencida? La alberca: ¿un solaz: entonces? Allí

podían jugar *voli*, mas si la pelota –¡oh, no!– se les llegara a ponchar...
otra: ¡nunca!... Y el hastío... ¿Que salirse de la finca?... Nadie tuvo la
ocurrencia de intentar algo como eso, salvo don Romeo Pomar...

Una vez andando al trote en su *Duen-de-ci-to* fue.

Su petición: imposible. Los guachos se rieron de él.

Sin embargo: su insistencia...

Y el inaudito despeje, o el desplome de una plasta tras lo que un
guacho le dijo:

–Si usted con ese animal, o inclusive usted a pie trata de salir de
aquí, entre yo y mis compañeros le vaciaremos las balas que hay en
nuestras metralletas.

Mudez. Media vuelta. Pena: al trote y a contracurso. Prisión: dizque edén a ratos; de resultas: impotencia... tómese como impostura a
bien de encontrarle molde a un enfado gigantesco. Y contimás la rebaja para no traer a cuento las dos o tres intentonas: sus idas a la
caseta nada más a preguntar –eso ya no, por supuesto– si le había
hablado su esposa o un pariente, pero ¡vamos!: las negativas tajantes
de aquel velador sexual –que por cierto no prestaba sus revistas pornográficas: quiérase la orden al bies: desde arriba hasta esa estancia. Si
el tal antojo por tedio–: y con eso el «¿para qué?»: impetuoso se
anchuraba.

De otro modo ¿cómo hacerle para no enfadarse tanto? Si dejándose asaltar por lo puro imaginario: jaloneos y presupuestos pocos
más o pocos menos hacia un pasado de albricias a rehílo de compa-
ranzas con su presente precario en el cual estaba inserta la amenaza
de renuncia que a las claras ya no era sino una oportunidad de especular con proyectos ¿en los Estados Unidos? Recuento de posesiones:
fácil ennumeración: así lo hizo don Romeo una vez durante un paseo
tempranero a trote lento a caballo: una vez más: ¿vender todo toda
vez que llegara cabizbajo a su pueblito adorado?, pero cuáles compradores sobre todo de sus ranchos... ¡Ah!: negociar con Pío Bermúdez: venta total a buen precio a cambio de su renuncia...

Si nomás fueran los ranchos... Pero... había uno abandonado...
por desidia y ¡por terror!... uno que no visitaba desde... Se acordó de
ese –¿por qué?– como a las tres de la tarde, cuando el sol ya tatemaba
las planicies de la finca...

Se acordó más de la compra demencial en la alcaldía que del
ancho territorio: pobrísimo: apenas vivo: por la vida que tenían unas
tristes vacas flacas: vistas por él: su impresión: en su primera visita.
Antes visto el propietario: uno que llegó bien pálido y con los ojos
llorosos a pedirle de favor: billetes: cualquier bicoca: por un terreno

¿antojable?, dizque rancho, o por ahí... Ni pensarlo, ¿para qué?, y el ¡sí!: enfático, entusiasta. Por lo que de una chamarra de mezclilla deslavada don Juan Filoteo González se sacó las escrituras y se las dio a don Romeo como darle una chufeta caliente que al recibirla: ¡ay!, deveras, sí quemaba: chacha la figuración, pero el alivio: las firmas; trámite que bien a bien no era tal, sino minucia de unas rayas medio chuecas entre un lío de hojas con letras... Y listo el cambio de dueño porque en efecto, caray, ¿pues cómo no aprovechar una ganga tan de a tiro hecha por un hombre absurdo a cambio de unos billetes que en montón no acompletaban ni siquiera un fajo de esos que él guardaba en una hucha de oficina, ergo: la suya? Pero el señor no chistó al recibir el dinero. Su nombre era: a ver... a ver... Pero ¿cómo no?, ¡de plano!... Era un rico lugareño... ¿don Juan Filoteo González?, con quien nunca había hecho planes, aunque esa vez: ¿zonza ancheta? El asombro del alcalde fue al final («adiós» y «adiós») de la dizque transacción: al ver cómo se alejaba –más o menos corre y corre– el ricacho entristecido.

Otros asombros ¿después?...

No quiso acordarse don Romeo (ejem) del siguiente episodio, puesto que le dolía: aún: ¡sí!: e incluso hasta ese momento aún no tenía claro, bueno, mmm... primero la causa de esa extraña compraventa y luego, ¡uf!, el zopenco desenlace... Pero a fuerzas se acordó porque a caballo trotando –el enésimo paseo por la susodicha finca– él se sentía un sufridor como el ricacho en mención. Cierto que no tan extremo, ¡no!, o sea, porque... mmm, de acuerdo a lo que pasó... La primera visita del alcalde al rancho recién comprado fue una mañana de mayo: bien bonita, la verdad. Se aclara que antes don Juan Filoteo González, esto es, el mismo día de las firmas, de las prisas y el dinero, le hizo un croquis muy mal hecho para llegar al tal punto: no demasiado distante de, bueno, la cosa es que llegó allá en menos de media hora, y lo visto: ¡oh impresión!: el ricacho vendedor, el urgido, el baratero, estaba muerto, es decir, de un nogal se había colgado para darse mataliri y ya no saber de nada. Con el viento campaneaba o al menos parecía así. ¡Qué grotesca ilusión óptica!... ¿O era espejismo virtual? Tallóse entonces los ojos don Romeo para ver bien y enseguida se bajó de su mueble para ir a cerciorarse si el muerto era el ricacho o ¿quién más?, ¿un parecido?... No había nadie en aquel sitio más que el macabro colgado, ya adorno, ¿sí?, solo eso, porque comida antojable para buitres, quizás no, o: ¿sería tan dificultoso comérselo como estaba?... Si yaciera bocarriba en la tierra ¡qué delicia!... Oscura imaginería de don Romeo despejada al momento de notar que, en efecto, sí era el hombre que le había vendido el rancho. Entonces el grito inepto de ese asustado: ahora sí: *!¿Queeé nooo haaay nadieee eeen esteee ranchooo?!... ¡Respóooondanmeee, pooor favooor!...* Esperó medio minuto a que alguien le respondiera y más fuerte repitió lo gritado, y más temblón. Pero como sólo el viento le respondió a su manera, don Romeo mejor se fue de inmediato a Remadrín en su guayina, la cual: levantó una polvareda del tamaño de una nube... Y también para bloquear un recuerdo tan amargo le piconeó las costillas a su caballo y adiós.

Capítulo seis

Para que haya un desglose lo más vertical posible, más abajo se presenta un enlistado selecto –el rigor ya se verá– del torrente de preguntas hecho a quien, muy de travieso, queriéndose adelantar, respondió por responder, pero mirando hacia el cielo o hacia el suelo, buena táctica, evitando así tateces o titubeos o inconstancias de ojos sosteniendo ojos entre quien pregunta algo y el otro que no responde, pero que tampoco debe hacer virajes miedosos para no sentirse mal. Adviértase de una vez la no inclusión (pues fue pingüe) de preguntas casi niñas ni de sendas quisicosas machaconas que desviaron la buena fe de unos cuantos. Más abajo todavía aparecerá otra lista de las respuestas que dio el chofer no con malicia, pero sí con suficiencia, y asimismo considérese el tamaño del embuste, si fue de categoría o si nomás faramalla sólo por salir del paso.

Y he aquí otra advertencia nomás que relacionada con los pruritos del gusto –cuéntese aparte el engorro o el refocile postrer–, depende de cada quien, según su ánimo y procura, que en este caso es jugar juzgando, de acuerdo al tono, las últimas intenciones del que respondió forzado. Porque de hecho quien le entre podrá ser varios enlaces con trazos imaginarios, o usando tinta, es decir: si la lógica funciona, a una pregunta x cuál debe ser la respuesta que le ha de tocar y ¡listo! Aunque, bueno, hay algo incierto, es una mugre minucia lo que falta y sin embargo no hay remilgo en exhibir el márgen de error normal que tiene cualquier asunto, ya que, ¡sépase!, en aras de conseguir cabal verticalidad, de pronto algo se retuerce y luego se cae en cuenta que se ha dicho cuanta cosa, pero no la clave en sí (mil disculpas de antemano). La clave es un pormenor sin el cual no es posible dar comienzo a este solaz. ¡Y échenle ojo a este detalle!: LAS

RESPUESTAS TIENEN NÚMERO, PERO LAS PREGUNTAS NO. Y ahora ha de hacer las conexiones y como le sea más fácil, si en papel aparte o no, o en este mismo papel, ¿pues qué fregados importa que lo rayen como quieran?, ¿eh?, ¿o no?... Hecha las aclaraciones ¡se les desea buena suerte a los que deseen entrarle!

Enlistado de preguntas:

–¿Los muertos que recogieron fueron todos los que había?

–¿Cuántos días llevan mostrando lo que traen en la cajuela?

–¿A qué lugares han ido y cuál es la cifra exacta de los muertos entregados a sus deudos o amistades tras su reconocimiento, ya sea por alguna prenda, o un lunar, o...? –la pregunta fue larguísima en cuanto a enumeraciones.

–¿A qué lugares irán?

–En caso de que un cadáver –o pudiera ser que varios– no lo identifique nadie ¿qué tienen en mente hacer?, tirarlo, quemarlo o ¿qué?, o sepultarlo ¿o qué más?

–¿Fueron miembros del ejército todos los disparadores, o no traían uniforme, pero fueron ellos mismos?, ¿u otra gente que quién sabe?

–¿Qué tanto sabían ustedes de la marcha de protesta?, digo ¿por qué vinieron a acá?

–¿No saben si fue el actual alcalde de Remadrín el que ordenó la matanza o fue alguien de más arriba?

–Hace rato usted nos dijo que no vieron ningún mueble pasar por la carretera, ¿sí?... Ahora dígame una cosa ¿no sabe si el cierre lo hizo el ejército nomás?, y también otro detalle: ¿a poco en sus recorridos no han visto a ningún soldado?

–¿Es suya la camioneta?

–¿Deveras son voluntarios?

–¿No vieron correr a nadie? Es que hay desaparecidos. La mayoría, según creo. O mejor: ¿no suponen dónde están?

–¿Ustedes están de acuerdo con lo que hizo el gobierno?

–Díganos si pertenecen a algún partido político, y si no ¿qué argüende traen?

–¿Quién les da para sus gastos?, en fin ¿para quién trabajan?

Enlistado de respuestas (sólo de la uno a la cuatro) (y algo más: ¡háganse los entrecruces!):

Respuesta número uno: No vimos correr a nadie, eso hubiéramos querido. *(¡Échale toda la carga!... Es buena oportunidad para que te regodees en el acongojamiento.)* Si así fuera, ¡ni lo duden!, les traeríamos la noticia, y es que deveras ¡qué lástima!... ¡no saben cuánto lo siento!, pero, bueno... Hace rato les conté que nos causó un gran dolor mirar sobre el pavimento, a la luz de las estrellas, el reguero de cadáveres, y más dolor nos causó no hallar a ningún herido para que nos informara. Además tomen en cuenta que todo vino a ocurrir pasada la medianoche. Las luces de nuestro mueble nos permitieron notar la desgracia irremediable, pero sólo en un principio, porque: ¡véanlo como es!, ¡véanlo!, ¡sí!, objetivamente!, o sea, por el lado ingrato, digo, pues, y consideren... ¿Qué tal si durante dos horas mantenemos encendidas las luces de nuestro mueble? Obvio: ¡la batería se descarga!, y entonces sí que es problema ¿pues quién nos pasa corriente?... De modo que fue difícil ver correr por todas partes a tantos e incluso oír sus pisadas por ahí, de cerca no, y no más lejos: eso, ¡uy!, menos, ¡mucho menos! *(¡Ya córtale!... Es suficiente.)* Entonces no, ¡no!, y ¡ni modo!... ¡Deveras lo lamentamos!

Respuesta número dos: Lo que usted dice es muy cierto y eso mismo me pregunto como me lo pregunté al ver por primera vez tantos muertos a mi alcance: ¿por qué no pasa ni un mueble? *(¡Entorílate nomás!... Pero concreta cuanto antes.)* La respuesta que me di, ahora se la repito: es seguro que el ejército cerró esta, digo, esa: carretera principal, ¿pues quién más pudiera ser?... Según sé desde hace mucho: el ejército obedece tal cual una orden de arriba. No es como la policía, medianeja y comodina, que obedece, por decir: a su entender, o sea mal... Y en cuanto a la otra pregunta... ¡No!, pues no, deveras no, y aquí mismo se lo juro... *(¡No jures!... No es para tanto.)* Ni yo ni mis compañeros hemos visto, ¡ni de lejos!, siquiera a un solo soldado.

(NOTA: Si usted quisiera rayar estos papeles de libro, también póngale palabras. No es una figuración el que las letras de molde añoren de vez en cuando alguna caligrafía... Y si sí es figuración, de todos modos escriba lo que le venga a la mente; y si lo borra, allá usted.)

Respuesta número tres: De aquí luego nos iremos a Piélagos y a los ranchos que están cerca de ese punto. También tenemos pensado ir hasta el pueblo de El Lampo y tal vez hasta La Estaca. *(¡No te extiendas, por favor, ni aclares lo inaclarable!)* Eso por lo que respecta a los pueblos nada más, pero si menciono ranchos... mmm... si quiere saco la lista que he venido acompletando... ¿la saco?... ¿valdrá la pena?...

¿verdad que no?... Usted me entiende... Luego, entrados, ya lo veo, si me pregunta por qué... ¿para qué más recorridos? Bueno, mmm... lo respondí hace un momento y repetir lo que dije, ¡uh!... Andamos medio apurados ¡no lo olvide!... Hay muchos muertos... ¡Y la pestilencia aumenta!

Respuesta número cuatro: Me la pone muy difícil, pero, ¡vamos!, lo más fácil de pensar es que fue alguien poderoso. *(¡Suena a entrampe la pregunta... Te quieren quitar la máscara y no saben que traes otra, y otra debajo de esa... Remata tu desconcierto como lo hace un ignorante: hazte humildito, chiquito, y si todavía sospechan, muéstrales de buena fe tus sentimientos más grandes, para que sólo te vean como un ejemplo a seguir... Pórtate como lo que eres: un «voluntario» sin mancha.)* Pero puntualizo esto: si yo supiera su nombre y su puesto en el gobierno, no la haría de voluntario, tampoco mis compañeros, sino todo lo contrario: yo, siendo como me ven, andaría de revoltoso en los pueblos de Capila dándole cuerda a la gente para irnos a la guerra o hacer presión cuando menos para que el mismo gobierno ajusticiara al culpable. *(¡Ojo!... ¡Vete con más calma!)* Ahora que, volviendo al punto, o sea a nuestro desconcierto cuando estábamos cenando y fuimos de buena fe hasta el lugar de los hechos... este, bueno... Si decidimos hacer todo este merequetengue fue porque también pensamos que entre los muertos tal vez podría haber algún pariente, nuestro ¡claro!, o un amigo, y comprobamos que no *(¡Cuidado con enredarte!)*, parientes no, amigos no, y con esto: ¿qué decir?... Si fuéramos envidiosos sólo habríamos rescatado a los nuestros y hasta ahí, pero somos humanistas, ¡ardorosos voluntarios!, nuestra labor se concreta a la entrega de cadáveres, ¿lo entienden o no lo entienden?... Como ven, no es un negocio... Inclusive no descarto que los soldados nos maten y enseguida nos revuelvan con el montón, total ¿qué?, cuatro muertos más ¿son número? Y como veo algunas caras incrédulas todavía, pues de plano, si a esas vamos... mmm... no es mala idea abandonar aquí mismo esta labor y que otros nos releven... *(Te enliaste a lo tarugo. Dijiste más de la cuenta, pero allá tú y tus afanes.)* Así que si alguien de ustedes se avienta ¡pues adelante!, le doy las llaves del mueble, ¿eh?, ¿qué tal?... Lo de más es lo de menos, ya nos pondríamos de acuerdo dónde y cuándo nos veríamos para la devolución. Y todavía voy más lejos, si me devolviera el mueble bien lavado y con el tanque repleto de gasolina, sepa que yo le daría una buena recompensa, en billetes, desde luego.

(NOTA: El resto de las respuestas se dará más adelante porque hay que comprender el esfuerzo del chofer que no hallaba la manera de zafarse del son-

440

deo como lo hubiera deseado. De modo que: ¡respiremos!, los que podemos hacerlo, porque él no, por entrampado, y la culpa es de él nomás... Y en cuanto a los entrecruces: si usted quisiera rayar varias páginas del libro, ¡hágalo si se le antoja! Pero tenga en cuenta esto: ¿cómo le hará con las rayas yendo al revés en el libro, a sabiendas que son muchas las respuestas todavía que deberán conectarse con las preguntas planteadas en desorden, a propósito?... Recuerde usted que es un juego que como tal se desecha o se toma muy en serio.)

Capítulo siete

Que dónde esconder al muerto... ¡Híjole!, pero veamos: muchos puntos a ojos vistos en redor: no tan distantes, ¡y qué problema, deveras!... Tras escoger el ideal, de manera democrática (la democracia es muy lenta), se prolongó el alegato más de dos horas y media, mismas a las que se agregan otras dos horas y media, es decir, el lapso empleado por (ejem): los de la comitiva –¿sí?, ¿ya?–: que se turnaron la carga, incluido Ciro Abel.

Y al respecto se detalla: más que enterrarlo –lo cual sin palas ¡pues no!–: los de la comitiva lo cubrieron con piedras y hierbas, de tal manera que no quedara al descubierto ni siquiera un bucle mínimo, o la punta de algún dedo, o la punta de un zapato.

El sitio: una rinconera hasta el fondo de un cañón.

Como se les hizo tarde ya ni para qué intentar un arribo anochecido a Pulemania, esto es: ¡a deshora!, y por lo tanto...

Que dónde debían dormirse... Vieron un punto de fronda (huizachera invitadora) en la falda de una loma... Lógica su tentación... Pero a su lado derecho vieron un pirul adunco: ¿protector?: ¡¿más cobijiento?!, sólo que estaba ubicado sin recargo en una falda, quiérase en el entresijo de un bajío que casi no, aunque en notoria planicie...

De resultas: dos extremos; dos imanes y, por ende, la democracia otra vez de un alegato extenuante, hasta que la mayoría al cabo de una hora decidió que dormirían bajo aquella huizachera, punto primero –¡delicia!– ese ¡revisto!, ¡ay!, deseado, pero no el único: ¡puf! Y así se obvian las mitades; porque descartando al muerto la comitiva quedó en diez hombres: cifra par, de la cual durante una hora, casi, pues, segundos luego: cinco contra cinco: airados (batalloso mecateo), siendo el jalón decisivo de un bando a otro Ciro Abel, quien ya estando acomodado, al igual que los demás, en la tierra: a oscuras ya, quiso ser líder de nuevo, momentáneo, hasta eso, y sí: para decirle a

441

sus ¿qué?: subordinados ¿acaso?: que debían perfeccionar los puntos de su estrategia, a fin de ir más resueltos a planteárselos mañana al señor... benefactor.

Que la apretura final... Obediencia por cansancio o facilismo inaudito. Puros «de acuerdo», «está bien», «ya están redondos los puntos»: inercia repetitiva a causa de los bostezos, y Ciro Abel semblanteado por la luz de las estrellas, se supo líder orondo, por ser quien tenía más bríos para palabrear de más, óbviese su fe nocturna o su resistencia ideal, pues fue el último en dormirse y con sonrisa de triunfo.

Mañana sería otro día.

Capítulo ocho

Hay que prepararle el terreno a Mario Pérez de la Horra para que a su vez él se lo prepare a Trinidad González y a la criada Olga Judith. Hay que ver paso por paso lo que hizo a su regreso don Juan Filoteo González a su rancho, ya vendido. Se advierte que una vez antes había regresado allí: iba por las escrituras y enllegando le extrañó la indecible novedad de no ver presto a su peón saludándole con manos alborotadas en lo alto, pero no tuvo intención de gritar a ver si estaba y no se hizo la pregunta relativa a ese enguizqueo de adivinar por qué aquello: el retiro de quien no, por sus prisas: ¿para qué?, no descartando, otrosí, que el peón se le apareciera por detrás dándole un susto, pero el futuro colgado se fue tras meterse en friega los papeles en su ropa y en ese lapso el peón no: su ausencia: toda, ¡carajo!, y del viudo un asegún: ¿una infeliz patochada?, siendo que él ni para cuándo imaginara que aquél anduviese en su burrito paseándose con su novia.

Igual, pero ahora sí ¿qué?: cuando el segundo regreso del viudo al rancho ¡vendido!, recién su «éxito» y lo malo: ¿la huida definitiva de su peón?: ¿irresponsable? Con toda la rastra aquella agresiva contra sí de ver a su hijo traidor abriendo la caja fuerte y teniendo de su parte a la criada Olga Judith y contimás agregando la huida ¡en burro!, ¡pues sí!, de su peón: ¿su único amigo?, qué vida podría quedarle a un vejete cuyas luchas, ya en resaca, no habían servido de nada... El suicidio: cosa calma, pero buscando también que su cuerpo fuese adorno de todo lo que él amó: su rancho, el campo, ¡el desierto!, crasas ilusiones ópticas donde el rejuego era ensamble de ayeres y porvenires: visto en trazos mal que bien: desmentidos a sí mismos, como el cielo con sus nubes o los cerros circundantes con su azul predestinado: yéndose por un embudo donde al fondo aparecía la cara de su señora, e irse entonces a manera de recuperar ¿qué diablos?

¡Sí!: total: sendo revés: la nada ya aproximándose, y por eso, sin ideal, trasquilimolochamente el viudo buscó un mecate: ¿cuánto tardó en encontrarlo? Minutos que eran como horas: un grosor póstumo, aleve, sorpresivo al taz a taz, y en declive: luminoso, pues al hallar lo buscado: ayayay: el acto ¿irreal?, favorable porque sí, como impulso para hacer el lazo para su cuello; paróse, empero: ¿qué duda? Lo que le urgía era encontrar el árbol final donde él: cual adorno del paisaje, mas contra la bruta luz actuando para escarmiento de las cosas que no cambian... El árbol era el que estaba a la entrada de aquel rancho, el que él sembró alguna vez para que se asemejara a un guardián orondo y firme, alto sí, y con una fronda expresiva en sus alardes de agitación repentina. De allí el cuelgue: adorno frágil: que se le escapa al verdor. Y el trepe por la escalera con el lazo de una vez en el cuello: como fue. Si a su alcance aquel entrampe de madera que él cargó para treparse sin más. Todo había sido tan fácil y tan cómodo hasta que: colocado él en la horqueta, la única habida en el tronco, mediante un penoso agache, porque le dolió la panza y la cintura al hacerlo, se dio el lujo de aventar la escalera ayudadora: ¡cuás!: en el suelo: ¡oh visión!, de tal modo que el adorno siendo él mismo se notara como algo bien natural. Todavía el amarre a nudos de una rama de las bajas, la más fuerte, según cálculo...

Por su acción: sus ideas blancas, aunque con mancha hasta el fondo, dado que él imaginaba el campaneo de su cuerpo tras dejarse ir al vacío y ser ya una cosa más, inerte, pero aún móvil, entre las tantas que había. ¿Cómo no pensar en eso e inclusive sonreírse? Si evitar la carcajada, la ulterior, la de ultratumba, como paso, en sí, estentóreo, hacia otra historia ¿sin tiempo? Pues entonces ¡al vacío!: carcajeándose de a tiro, y lo restante: lo dicho: durable fue el campaneo, mas no el jajajá, ¡pues no!, y así lo macabro: ¿uy?

No durable el campaneo hasta la noche: ¡ni modo!: cuando en su burro llegó Mario Pérez de la Horra. Él no se iba a carcajear al ver el cuelgue en mención. Lo que sí hizo fue gritar, provocando que su burro rebuznara –¿habráse visto?– musical como nunca antes. Luego hubo orquestación: festiva y en redondel: de insectos a tutiplén: posma ambigüedad capciosa ¿acaso celebratoria? Ruidazal al fin y al cabo a la busca –¿innecesaria?– de un filarmoneo macabro, no durable, sin embargo.

El silencio dijo más. Al callarse el peón callóse su redor alebrestado. Y enseguida la espesura de la secuencia ¿en tenebras? El ya novio, por fortuna, se puso a buscar: ¿por dónde?: ¿bajo la luz mortecina de una veladora?, o bien: lo deseable: ergo: imposible: una cachimba de gas que alumbrara con desmayo algún recado final. Lo que sí que su patrón nunca fue escritor de nada, pero al menos unas frases postrimeras: al tanteo: puestas con fervor suicida en papelito de estraza, el que usaban en el rancho para envoltura de carnes: ¿nada de eso, en abandono? Téngase que el buscador: en aína: como andaba: no sabía leer, o sea, pero su novia tal vez, y cómo no el hijo de: mañana el peón tendría que ir a Remadrín a informarle. Dado el tamaño problema: la novia: que se esperara. Los besamientos después. Que no así el papel terrible que ella podría descifrar.

Dos horas de inútil busca. Lapso en el que sí encontró una tonga (la bicoca) de billetes –¡increíble!– dejada por el suicida sobre una tocha mesilla. Tenía encima un tasquil liso acaso para evitar que los billetes volaran. Pero lo que fue bicoca, de suyo: el costo del rancho, para el peón era prodigio y al cogerlo más aún, y en el pantalón metida una fantasía hecha real, interpretada, eso sí, como pago del patrón por tan preciado servicio: de años: pongámosle quince. Ergo: el enloquecimiento de arribabajo peonil y de resultas ricacho: boda, viajes, rancho propio, más lo posmo: todavía: quiérase inimaginable... Por lo pronto un plan a fuerzas: irse en el burro a dormir a la orilla del río Mentas, el ubicado a una legua de Remadrín más o menos: formidable algún recodo con la grata compañía de la música que corre por las aguas cadenciosas: así para darle vuelo a ideas nacientes ahí, acorde con el frescor. Sano frescor cuyos giros alejaban las tenebras ya en cúmulo enmarañadas en la cabeza del peón.

Entonces ¿qué más hacer? Paso hacia la vanidad, o mejor: pasos y monta, siendo innoble el rompimiento al dejar lo que por años no fue meneo prestigioso. Entonces a erre que erre en el burro: ¡arre!: ¡¿qué?!: ¡arre!, y a otra cosa de una vez. La otra cosa era el recodo: uno pensado y, por ende, hermoso de mil maneras: uno al que, con lentitud, llegó, pues valía la pena. Pero otra cosa ¿además? Veamos al nuevo ricacho en la orilla recostado remojándose los pies. Lo atraparía aquel frescor para que él y sus ensueños tuviesen rumbo triunfal mañana por la mañana cuando... Lo ocurrido: ¡oh, cabronada!, de acuerdo a su nueva vida: un cinismo en ciernes, ¡ay!, genial y puto a la vez, dado que el ex peón se fue a pie rumbo a Remadrín, dejando al burro al garete, puesto que pertenecía al mundo de la pobreza. Un desecho evidenciado, útil, contimás, acaso, para a poco ir desechando lo pobretón y sus miras, esto es: recuerdos ¡pendejos!: todos como escurridero, y al final: sacar la flecha de su corazón ¿borracho? de amor: ¡de plano!, y ¡ni modo! Que su noviecita santa: ¡lástima!, pero ¿que hacer? Es que ella pertenecía al ¡MUNDO DE LA POBREZA!, y el nuevo rico, en verdad, de acuerdo a su envergadura lo que deseaba tener era una mujer carnosa buena: una güera irresistible.

Engorro mínimo, pues, el tenerle que avisar al retoño del suicida, ergo: el cuelgue, la sorpresa, y del peón: tan-tan, o sea: el olvido para siempre, pero sin darlo a entender... Su plan: portarse obediente: hasta el último momento: y... La llegada a Remadrín, y el acelere, por tanto, para soltar con dolor... El peón ¿pensaba la frase?

Capítulo nueve

La *Respuesta número cinco* y la *Respuesta número seis* fueron contestadas por el chofer de manera afirmativa y nada más reiterando la esencia de las preguntas: «Sí, la camioneta es mía». Aparatosa mentira dicha sin pensar siquiera en la obvia consecuencia que habría de sobrevenir al cabo de algunas horas. Y: «¡Sí, sí somos voluntarios!» El tono de esta respuesta fue de enfado, desde luego, porque el chofer ya había dicho algo relativo a eso. Ahora bien... mmm, relajémonos, porque... la *Respuesta número siete* (ejem) y la *Respuesta número ocho* fueron contestadas con un «¡no!», pero rotundo, y es que el chofer de por sí, ya estaba evadiendo culpas, o disculpas, o argumentos donde tenía que mentir: de vencida, sin embargo, pero aún siendo creativo, ¡uf!: «¡No!, ¡pues no!, ¡¿qué vamos a estar de acuerdo con lo que hizo el gobierno?! Si así fuera no andaríamos repartiendo tanto muerto». Tal pregunta no fue ducha, ni inquietante, y sí molesta. Y: «¡No!, ¡eso no!, no es por ahí... Nosotros no somos miembros de ni un partido político, ni sabemos a qué juegan ni cuál tiene la razón, ni nada por el estilo... Nosotros únicamente somos favorecedores, voluntarios, humanistas, pero eso ya lo había dicho». Cierto, no eran de ningún partido, pero sí eran del gobierno.

(NOTA: Por ser respuestas, digamos, sacadas como a la fuerza, se metieron en un párrafo la cinco, la seis, la siete, y de vicio, en correntía, la ocho, pero hasta ahí, a fin de hacer evidente que no eran tan de peso, o dizque reveladoras... Entonces si aún prevalece el juego de poner rayas, conectando de revés: ¿cuántas páginas mediantes?, o sea que las rayas sigan, pero con signos de flechas, hasta encontrar las preguntas que deben corresponderles, hay que hacerlo,

si se puede, de tal forma que las rayas no se toquen ¡ni de chiste!, porque si alguna se toca se prestará a confusión.)

Respuesta número nueve: «¡No!, ¡desde luego que no!... Supongo que hay muchos más, pero entiéndanos también... Nosotros nos concretamos a meter la cantidad que cupiera en la cajuela, y sobre todo, eso sí, los que estaban al alcance. (*Aquí puedes darle hilo a tu mentira piadosa... ¡Hazlo!, porque sí conviene.)* Además hay dos problemas, que espero que ustedes capten. No olviden que recogimos a medianoche a los muertos y por lo tanto nos guiamos por el tacto casi siempre, porque mirar a distancia, nos resultaba imposible, por lo oscuro, ésa es la cosa, de ahí que se presentara el segundo y gran problema: teníamos que hacer lo nuestro lo más rápido posible, porque de un momento a otro podía venir el ejército a frustrarnos el empeño... Un tercer problema es éste: como podrán darse cuenta (*¡Ya está bien!... ¡Ya no te alargues!*) la camioneta no trae redilas altas ni bajas, por lo que era inconveniente hacer casi una pirámide o un pastel pachón de muertos, pues corríamos el peligro de que se fueran cayendo, no sólo en la carretera, sino en las brechas de tierra (*Te alargaste y la regaste... Entonces ahora aguántate...)».* (Hubo dos preguntas más, molestísimas, por obvias, emanadas, por supuesto, de ese alargue tan zopenco. Helas aquí, gachamente: «¿se les han caído muertos en su largo trajinar?», y la segunda, caray, que es bastante puntillosa: «¿no creen ustedes que haya todavía muertos tirados por ese rumbo que dicen?».) «¿Eh?, ¿qué?... ¡No!... Yo he manejado despacio para que ningún cadáver se nos caiga y, además, siempre ha venido al pendiente uno de mis ayudantes para ver que eso no ocurra (de los tres: uno, el más noble, y listo, y puntual, por ende, afirmó con la cabeza); y en cuanto a la otra pregunta... Yo supongo que hay algunos tirados aún en el monte, pero, ¡vamos!, seamos cuerdos, el monte es bastante grande y nosotros, ¿eh?, comprenden...»

Suata ramificación a partir de esa respuesta, que activaba en los escuchas comezones, gusanillos y empujes para indagar, yendo allá, por el tal rumbo, pero ¿cómo?, ¿cuánta busca?, ¿cuánto tiempo perderían?, y la cosa es si, en efecto, encontrarían tal o cual cadáver de algún pariente, o al menos un conocido, y... mmm... lo más seguro es que no, por ende se hizo inútil seguir en el mecateo de procuras al respecto... No obstante, se perfiló la urgente necesidad de realizar cuanto antes: o una segunda marcha de protesta, más nutrida, cierto: más organizada, de nuevo a la capital, del estado, se supone, o un reclamo sistemático enfrente de la alcaldía con pancartas a granel, ergo: a diario, sin descanso.

Respuesta número diez: «¡No!, ¡no lo podemos saber! *(¡Cuidado!...* *aquí hay un espique.)* Lo único que supimos dos días antes de ocurrida la horrorosa matazón... Bueno, lo supimos porque vimos que andaban como seis muebles de esos verdes del ejército, ¡y repletos de soldados!, en carreteras y en pueblos circulando, y la pregunta, por tanto, no sólo de nuestra parte, sino de toda la gente que había visto lo que dije, era un simple "¿para qué?", aunque también la respuesta general debió ser simple: "algo feo va a suceder" *(¡Ya no remates, por Dios!).* Por eso es que estoy seguro *(Y dale, ¡ándale!, ¿no entiendes?... ¡Frénate!, porque si no...)* que nada más fue el ejército el matón y punto y ya.»

Respuesta número once: «Hagan cuentas y verán. Nomás piensen en la marcha y desde cuándo partió, ¿eh?, apenas ayer, ¿o no?... Así es que la matazón empezó hoy justamente, pero muy de madrugada *(¡Bravo!... ¡Qué bueno que aquí dijiste la verdad: cruda: como es!... Porque si hubieras mentido, como lo venías haciendo, lo anterior se iba al carajo y no quiero imaginarme el horrendo linchamiento que sufrirían tus ayudantes y tú, nada más por no ser listos).* De modo que, como ven, salvo unas tres rancherías, éste es el primer poblado al que entramos y ¡ojalá!, así lo deseo, ¡todo se resuelva rápido!, porque faltan varios pueblos y...»

Capítulo diez

Es increíble que a la gente de Remadrín y puntos circunvecinos no se le haya ocurrido ir al lugar de los hechos, toda vez que aquel chofer describió la ubicación. Por más señas, dicho sea, a la mitad del camino entre Brinquillo y Pompocha, suputando, de algún modo, uno de los tantos puntos próximos a La Malhaya y: por mor de una exactitud, no sería tan peliagudo localizar lo deseado si en algún mueble local sólo unas cuantas personas hubiesen ido ese día que el chofer llegó y les dio tantos nortes como lo hizo ante el acoso pueblero. Cosa de organización. Pues bastaba la resulta: la ola entusiasta nomás, formada quiérase, incluso, solamente por los deudos, para que algún propietario de camioneta de allí, de los quince que hay, esto es: la prestara sin problemas. Luego: la aproximación, de acuerdo al rumbo ya dado, y el punto de la matanza: ¡ah!: con ver en la carretera algunas manchas de sangre: el freno pues, la bajada y la búsqueda en redor. Pero nadie pensó en eso. Tal vez sería por la inercia, conjugada con la impla del impacto que causó ver un pastel de cadáveres exhibido brutalmente y paseado, para colmo, en la cajuela de un mueble, lo que anegó las ideas, sin excepción, de la gente, dándole sólo tenebras, mas no posibilidades, cuando menos por deslinde, para hallar fórmulas prácticas: dos siquiera, al ce por be.

Y es que en masa nadie piensa porque es cruenta la emoción, misma que se va emplastando hasta agobiarse y ser pelma que a cuajos ha de escurrirse por una suerte de embudo. Mas queda una duda a salvo: ¿habrá alguna actividad en el fondo del abismo?

Remadrín era un abismo o un emplasto que chispeaba: muy apenas –¿para qué?–: en una hondura imprecisa.

Capítulo once

Rauco el apito. Raudo el despeje. Necia la arenga de Ciro Abel. Fue casi al alba la levantada y sin protestas los demás hombres se acomidieron a caminar. Empero dados algunos pasos alguien dijo algo que no gustó:

–Este... Bueno... Yo creo que si nos vamos directo a Pulemania... Este... Bueno... Tal vez lleguemos... Este... ¡Ay!... Pudiera ser que el dueño del molino... Mmm... Bueno... ¿Qué tal que esté dormido todavía?... ¡Sí!... Puede ser... ¿No?... ¿Verdad?

Raucas las mofas casi al unísono, siendo primero zambra de «¡isssht!», de tal manera que el imprudente se fue encogiendo de tal manera que aunque avanzaba iba a la zaga, como a seis metros de los demás.

La carretera pronto fue hallada y entonces rauda la comitiva se fue: ¡EN SILENCIO!: hasta Pulemania y la sorpresa cuando llegó: eran las ocho de la mañana y la aldea toda en actividad, porque el molino: dale que dale, mas por lo mismo el sofreno a tiempo: ciertos pruritos de Ciro Abel relacionados con la estrategia: si acuerdos raudos, pero certeros, y sobre todo lo principal: el no excederse en las peticiones, porque era obvio que siendo vastas no obtendrían nada siquiera básico y por lo tanto sería un fracaso todo ese argüende de irvenir a pie a lo tonto, dizque muy dignos, pero frustrados y luego ¿qué? Rauco el remate –raudo, por ende–, como puntilla, quiérase pues, lo último dicho por el tal líder, que por lo menos durante ese día de cabo a rabo tenía que ser:

–Este... Bueno... Para que no haya problemas yo me encargaré de hablar y ustedes nomás me apoyan. Es que... Este... Bueno... Si hablamos todos lo más seguro es que el dueño del molino nos mande al carajo, ¿eh?, ¿de acuerdo?... Entonces, ya lo saben, desde este momento yo soy quien llevo la voz cantante, ¿eh?... Y a todo esto ¿dónde está el que venía retrasado?

–Se fue atrasando, yo así lo vi...

–Yo de repente volteé hacia atrás y por desgracia ya ni sus luces...

–A mí se me hace que se pintó.

–Se ha de haber ido bastante triste, pero quién sabe si a Remadrín.

–¡Basta!, isssht!... Tampoco nos era tan indispensable... Nos servía... mmm... para hacer bola y punto. Así es que ahora a lo que venimos.

A quienes observaban el desplazamiento del grupillo llegado de sepa dónde, les llamó la atención la uniformidad rítmica de su paso casi marcial. No obstante, el ritmo calloso se descompuso de a tiro cuando los recién llegados se estaban aproximando a... Un hombre les salió al paso y les dijo secamente:

–¿Qué buscan en Pulemania?

–Mire, venimos de Remadrín... Nos gustaría platicar con el dueño del molino.

–¡Esperen aquí un momento!

Diez minutos cuando mucho tardó el hombre en su ida y vuelta. Trajo todo un argumento:

–Está bien... Pueden pasar... Pero antes serán cateados, y no lo tomen a mal, porque...

Reborujiento el porqué: un enlabio doctrinal redundante en una sarta de precauciones bobas que el fulano la llamaba «de rutina», y además, en tanto los tentaleos –cachondez a la birlonga–, el exceso de asegunes no inquietó en ningún momento a los de la comitiva, excepto a uno, ay, que sí tuvo un reflejo pudibundo; mas era otra la razón: es que un fulano: ¿perverso?: le acariciaba nomás la asentadera derecha y...

–¡Epale, tú!, no soy marica. ¡Ya no me toque nomás allí!

Y el desconcierto cual latigazo. ¿Centro de vistas?: la nalga: ¿cuál? Mano apartada de zona noble, y entonces ¿cómo?, si no se vio.

–¡Cáaaaaaallaaaaaaateeeeeee! –gritó como energúmeno Ciro Abel.

Entonces: un tanto desconcertado el hombre que le había salido al paso a la comitiva, en efecto, chapurreante, continuó con su argumento, el cual: puros triquitraques alusivos a una duda que jamás se redondeaba. Y el registro lento: en tanto, sabrosote, por lo mismo. Mas los de la comitiva dejándose y de una vez hasta cerrando los ojos, porque el fin justificaba esa causa y las que fueran. Así el trasunto agarroso, entendido como un mimo que al prolongarse despeja porque ablanda a equis dureza y ofrece quién sabe cuántos despejes sobre lo mismo, concluyó, ¡cuás!, y lo real: una frase dicha al vuelo que se oyó muy de vencida: *¡Qué bueno que nadie trae pistolas, ni pistolones, ni pistolitas siquiera!... ¡Ni armas blancas por ahí!* Y enseguida una orden tocha: *¡Adelante!, ¡pasen, pues!* Dulce el olor jalador de oficina ¿elegantiosa?, donde al fondo estaba el dueño del molino arrellanado en una como poltrona de tafilete charol. Se acercó la comitiva hacia él, pero el chaparrro muymuy, amo de aquel derredor, frenó a tiempo tal empuje.

–A esa distancia está bien... Y ahora sueltan lo que traen.

–Este... Bueno...

–A ver... A ver... Sin que ustedes me lo digan, me imagino que han venido a pedirme algún favor, ¿no es así?

–Este... ¡Sí!

–Entonces soy todo orejas. Nomás les pido una cosa. ¡Háblenme al puro centavo!

Con el rigor que antepuso a las claras el ricacho para entrar en clima y tono y en una línea, de suyo, delicada al cien por ciento que a sobrepujes debía mantenerse inalterable, Ciro Abel soltó el rosario, trabucado, sin embargo, de favores cuyo hilaje: si al principio fue enredoso a la mitad era greña o gatuperio viciado, y no se diga al final: un horror de por sí posmo y a buen tuntún casi obsceno. Pero el ricacho lo oyó con agria serenidad. El jugueteo de sus cejas: apenas sí: algún arqueo. Y sus manos juntas siempre: puestas sobre la barbilla: dedos para el entrecruce, como entrecruce también de miel con hiel, si destellos, en su mirada durísima. Así la espera educada de un colmilludo de cepa. Así sería su impostura: una estatua espectadora, que por no moverse un poco, mucho se habría de nimbar ante sí, por peteneras. Téngase la contundencia papagaya del escucha. Sobrevino como alud el palurdo agotamiento de un pedinche que no pudo más que bajar la mirada dando a entender de algún modo que ponía punto y aparte.

Desajuste: otro acomodo: buscó el ricacho recargo en el espaldar: y no. Se paró pues: y tampoco. Le dio la espalda al conjunto y eso lo animó a sentarse y a emitir ruidos pirrungos hasta que:

–¡Olvídense, por favor! Yo no soy de los que apoyan ese tipo de aventuras. No creo en marchas de protesta ni en nada por el estilo. Es que todo eso es de abajo y lo de abajo requiere muchedumbres si no no. Así que por lo que veo ustedes no juntarán miles y miles ¿verdad? De otro modo es un gastazo infeliz de todastodas, y una cosecha sin flete, ¿sí o no?, ¿verdad que sí?... Ya por ahí me enteré que hubo una matazón. Era lógico pensar que un contingente formado por unas trescientas gentes tuviera un final tan triste, por romántico y fallido. Que ahora una nueva marcha, ¡miren!, y vamos por partes: tal vez ahora no los maten: irán, gritarán, vendrán, y todo como si nada, así es que ¡cámbienle!, ¡búsquenle!, porque esas cosas yo no. Ahora bien, quiero pensar...

Interrupción: un inciso: recurrencia a lo sabido, no sólo por Ciro Abel sino... Abel Lupicinio Rosas, ¡desde luego!, ¿o aclararlo? ¡Sí!, porque él había prestado la camioneta, la única, para transportar cadáveres. Por lo cual: ¡eso!, y su causa. No estuvo mal que lo hiciera el adalid al vapor y...

–¡Yo no presté ningún mueble!, ¿de dónde sacaron eso?

La información por respuesta. Un fulano entremetido en el caos, cuando ocurrió. Había mucha increpación: gente, dudas, y un trasunto que ni se estaba anchurando ni tenía punto de arribo, o sí, de hecho: Pulemania, pero más concretamente...

–¿Un fulano?, ¿un mentiroso?... ¿Cómo diablos se llamaba?

Precisiones: ¡uf!, pues no. Pero un indicio la «ce»: ya el justo empiezo del nombre... Que Cirilo, que Camilo, que Casimiro inclusive... Pero el correcto: a saber... Y el registro del ricacho: su memoria al vuelo: en largo, mas ¿por dónde?, y a sabiendas que eran muchos servidores: antes y ahora, y por lo mismo la urgencia de aterrizaje forzado... Varias pistas, ¡claro estaba!, aunque la mejor ¿cuál era?... Si el atisbo, por ser eso: ¡ea!: cualquiera, y le atinó:

–¡¿Conrado?!, ¡¿Conrado Lúa?!

La afirmación de cabezas de la esquiva comitiva, además, como refuerzo, los dedos apuntadores: mímica con pretensiones: conseguidas siempre y cuando se mantuviese en vaivén y tratando de decir: «¡eso!», ESO, e-s-o, eso...

–Pero si es un loquito, una piltrafa habladora... ¿A poco se lo creyeron?... ¡No, señores!, ¡¡¡les mintió!!!

Leves alzadas de hombros: de unos al menos: ¡qué va! Ante el grueso desparramo de ideas tras ideas formadas: ¿la comitiva hacía teatro?... Mientras tanto, cabizbajo, Abel Lupicinio Rosas masculló unas cuantas frases, las mismas que aquí se ponen:

–¡Ah!, desgraciado zoquete, pronto me las pagará... ¿Qué es eso de confundir a todo un pueblo inocente, o deseoso de justicia?

En suspenso otras ideas: de allá, de acá: redondéandose. Lo malo es que provinieron más de allá, e inacabadas; sea que por el titubeo de Ciro Abel fueron tibias, aun cuando en intención no fuesen harto supinas. De hecho al albur: otrosí: por boca de su adalid, la comitiva presente se ofrecía para «trabajos» de la índole que fueran y con la enorme ventaja de no requerir de paga, esto es (perdón, entonces), no una paga exagerada.

–¡No, señores!, se equivocan. Para eso yo tengo gente. Mis broncas con el gobierno yo las diseño a mi modo, y sé cuándo y sé por dónde... Así es que ya estuvo suave, y ahora ¡píntense!, ¡quítense!

Garabato: ¡al garabato!: a partir de la postura de cada quien con su idea: el ricacho, sus cuatro hombres «de confianza»: vigilantes: mustios, altos, obvios pues, ante... Caricaturesco fue el retiro sufridor de Ciro Abel y los suyos. Al menos por intenciones no quedó nada pendiente; que si a tiempo ocurrió el corte, eso parecía ya escrito, porque véase si no: ante tanta negativa dicha con tanta orondez una insistencia de más, de refilón, casi diabla... Lo diablo a contracorriente sería mucho más en serio. Entonces la comitiva al aire libre sentíase antes que frustrada, digna, no obstante que no avanzaba como antes: tan marcial, pero al sentir en redor las miradas de la gente: ¿tendrían que reformularse?

Ciro Abel: trasero iba. En su cabeza había espacio para acordarse a lo vago del fulano que se fue a Remadrín a soltar su ganosa mentirota... Sí Camilo, todavía, si Cayetano inclusive, quien, empero, no mintió, del todo, cierto, ¡caray!, porque sostuvo, en principio, que el señor de Pulemania se asumía como enemigo del gobierno tiempo ha, y el lastre: las deducciones para llegar a un matiz casicasi al rojo vivo: ¿había mentido el fulano? Magma absurdo: envenenado, para huir de él con brío, y en eso uno de adelante dijo algo si a manera de... ¿rauco su apito?, ¿raudo el sentido?:

–¡Vámonos recio!, que nos conviene... ¡Vámonos todos en autobús!

Adalid útil, después de todo: por entusiasmo: válido y ¿qué?, pues resultaba desesperante irse vencidos y caminando por una orilla carreteril, máxime que ahora las intentonas serían distintas, si acaso había, y así lo amable: ¿la alegre espera?, mas bajo techo: todos, y bien... Que hubo problema porque no todos traían dinero para el pasaje, no era tan caro, pero ¡ni modo!, que unos prestaran, porque enllegando los saldos prontos: pirrungos: ¿no?; de juro: ¡sí!

Ahora que si se habla de... mmm... prestancia: los cuatro hombres, los preferidos de don Abel Lupicinio Rosas: mustios, altos, ésos pues, los tentadores, o mejor: los antes cateadores al ver a la distancia y bajo techo a sus, ¡ay!, tentados por doquier, bueno (ejem)... no hay duda que los extrañarían.

Capítulo doce

–¡Su padre amaneció colgado de un nogal allá en el rancho!

–¡¡¿¿Qué??!!... ¡¡¿¿Cómo??!!... ¡¡Repítelo!!

–Que su padre amaneció colgado de un nogal ¡a-llá en el ran-cho!

–¿Deveras?... ¡Chin!... ¿A poco?... ¡¡¿¿Cuidado con que mientas??!!

–Yo no digo mentiras... Y si vine hasta acá para avisarle es porque es la verdad.

–¿Y no lo descolgaste?

–¡No!, no lo descolgué... Quiero que usted lo vea.

Trinidad se llevó sus manos a la choya y Olga Judith las suyas a la cara. Sus mímicas dolientes, o acaso primerizas, a las que han de añadirse los gestos que pusieron hasta el instante mismo en que el silencio actuó, serían harto entendibles como exageración si la noticia hubiera sido otra; otra no tan patética degenerada en trágica, sino más... ¿qué decir?... una buena noticia. Buena probablemente, para los tres, incluso, luego de la sorpresa. Mientras tanto los gestos queriéndose encontrar: dos azorados sí –mas no tan parecidos– el del peón en la luz, y el de la criada en sombras, más aún el azoro porque el otro: ¿importante?: renunció, se apartó; su pretexto o aviso proferidos de lado justamente al huir: *Enseguida regreso...* Y así los conocidos empleados en lo suyo, cierto que hacía bastante no se veían las caras: tiempo ¿de cuántos meses?, podía ser más de un año, y por esa razón y la otra renegrida entiéndase el conecte. El peón era más nuevo en la familia, pero la diferencia no era tanta: doce años contra quince. De ambos: ¿antigüedad? Dejémoslos mirándose –sendas cejas en lo alto– y vayamos a tientas al traspatio: sentado Trinidad sobre un piedrón: sus manos en la choya: todavía, y un amago de lágrima en su ojo derecho. Se deslinda el izquierdo: por seco: en el sentido de que el lloro en resbale ya había pintado el rumbo en el semidesierto de una enjuta mejilla; que aún no la rasurada –¿más de rato?– y por ende las curvas temblequeando al final... ¿Vasto?: el acre motivo: del que se desprendían unos cuatro, no acres, pero sí más tamaños. El acre era la muerte, siempre inaudita y fea, y después ¿las bellezas?, las de acá: ¿como escoria? Cuatro identificadas por Trinidad, al viso.

La primera belleza: el dineral, ya suyo.

La segunda belleza: las otras cajas fuertes, pero en ellas qué había: ¿puro horror?, ¿puro alivio?

La tercera belleza: la casa, toda suya; y una cuarta belleza sería el rancho ¿remoto?, él no lo conocía. Alguna vez estuvo: allí: pero ¡uh!...

era apenas bebito. Y ahora suyo, caray, pero qué hacer con él: ¿venderlo?... aunque ¿por cuánto?

Bellezas, no problemas, definitivamente. Sin embargo: ¡cuidarlas!, y he aquí el espinadero: algo para pensar tal vez en dos semanas, puesto que la energía, la que tuviese, ya como picazón debía empujarlo hacia la inmediatez, esa fatal, de ir a ver al colgado a fin de descolgarlo y traérselo al pueblo y enterrarlo, no sin que antes el cura hiciera las exequias en una misa póstuma y todo lo demás, floroso y dolorido, incluidas las toscas paletadas que habrían de ser cual pálpitos de amor, amén del epitafio y su repuje gualdo. Empero el ya enechado aún no se decidía. Lo ensombrecía otro estigma mucho más corrosivo cuyo empiezo, si bien, a poco iba adquiriendo una virtual medida, no crucial, pero ácida, y en su avance tal vez un tanto paliativa: su soledad: sin fórmulas ni visos: ¿cómo considerarla? Para ello los recuerdos podían soliviantarlo en aras de algo más que una fe ciega. La sencilla ternura de mirar a su padre, y más allá a su madre, en una acción despacia por mor ya de un reencuentro o por mor de un hechizo eterno y sideral. Y el hijo aún terreno, remotísimo, sabiéndolos, no obstante, a partir de un caudal de escenas ahora inciertas donde a él lo abrazaban, pero él a ellos no. Fugacidad y culpa deletreadas: muy suyas, y por ende, mejor el rompimiento.

Abstrusa soledad potenciadora henchida de dinero y de un sinfín de riesgos como para enconcharse y no saber de nada. Nacientes sus temores, en agraz, porque sí, y odio a su alrededor y envidia de la mala. En ciernes su locura, vista como decurso de maníaca avaricia que quisiera morar dentro de una esfera, no evitando jamás el puntilleo de sañas, y por ende el atisbo de peligros muy próximos le trajo de repente un fuerte escalofrío.

Delirio de tinieblas a plena luz del día o llamado a la acción, mas no la pertinente, porque el huérfano quiso deshacerse de riesgos. Así que vuelto loco se echó a correr y ¡horror!... Y al estar mero enfrente de aquellos dos empleados que platicaban quedo mirándose a los ojos, les dijo que se fueran, pero ¿cómo?:

–¡¿Qué le pasa?!, ¡por Dios!

–¡Cálmese, por favor!

–¡¡Quiero que se me larguen ahora mismo!!

–¡Pero, joven, contrólese!, ¡qué tiene! –atajó Olga Judith.

–¿Quiere que le consiga una pastilla para que se relaje? –de buena gana el peón quiso hallar el remedio.

–¡¡Se me largan hoy mismo, ya lo dije!!... Nomás déjenme darle a cada quien lo que le corresponde.

Y corrió Trinidad directo a su recámara. No tardó en regresar ni diez minutos. Vino con cuatro fajos de billetes, los mismos que apretaba contra el pecho.

–¡Dos para cada quien, por sus servicios!... Es bastante dinero... Si lo cuentan lo sabrán... ¡¡Pero laaargueeenseee yaaa!!... ¡¡Agárrenlos y váaayaaanseee!!

A contrapelo ella llorosa y leal a fuerzas, se resistía y miraba con lástima a su amo tratando de decirle algo sensato. En cambio el peón: feliz: cogió sus fajos y echóse para atrás, dando tres pasos, y sin tratar siquiera de darle algún remache a ese tal desespero, orate al re, pero chuloso al fin, dio media vuelta rápido y ¡adiós! Querría no ser mirado ni por el diablo mismo... ¿Se desapareció?... Perdido, o como fuera, o en sombras: muy aparte, tuvo que agradecerle al Señor de los Cielos por tan bello milagro. En menos de dos días se convirtió en ricacho, ¿o es que lo convirtió el Todopoderoso? Por lo pronto una treta: foco de mil colores recontrafantasioso: viajar-viajar-viajar-viajar: ¡oh, sueño!, hasta volverse otro perdidamente irreal... Pero antes: lo seguro: la urgencia de agenciarse una valija para guardar con celo su riqueza, pero ¿dónde encontrarla?, ¿cómo pues?, ¿cuál podía ser el sitio donde no fuera visto con tanta billetiza?... El diablo juguetón –su turno pravo, avieso– poniendo muchas trampas.

Y la vuelta a lo prieto de una tristeza al tope:

–¡Pero, joven, comprenda!... Yo sé que es dolorosa la muerte de su padre, y más como ocurrió, pero es que yo me siento como de la familia y si me voy no tengo a dónde ir... ¡Estoy sola en el mundo!

–¡Hágale como el peón!, agarre sus dos fajos y échese a caminar y no mire hacia atrás... ¡No se arrepentirá!

–Es que no quiero irme, ¿usted me entiende?

–¡Pues ahora soy dueño de esta casa y yo aquí no la quiero!... ¡¡Tenga, no sea pendeja!!

Llore y llore la vieja cogió sin fe los fajos. No agregó –¿para qué?– ni palabras ni ruidos fielessuatos. Caminó: ¿enriquecida?: hacia la nada, ¡újule! Es que no tenía casa, choza, techo siquiera, o algo por el estilo, aunque si bien... a ver... En tanto caminaba pensó en su amiga Ruth, viejilla chinchumida macabramente sola; y en su otra amiga Juana –¿se recuerda?–, conexión trepidante a erre que erre: la pesuda, la viuda, la tía de, su apellido era Dávila, ¡¿ya pues?! La cosa es que cualquiera de las dos le daría asilo de oquis, pero la pesadumbre en reborujo: senil: de avemarías a hurto y para siempre, ni quién se la quitara.

¡Listo!, quitado el magma embarrador, solo y más a sus anchas tal como a última hora lo vino a decidir, en una esfera inmensa: figuración afable, quiérase de travieso, todavía con un nudo en la garganta y una brasa en la panza Trinidad deambuló mirando en los mosaicos y en la tierra los trazos más o menos: en correntía (¡endenantes!): que algo pudieran delinear acaso en cuanto a los capítulos posibles de su vida pomposa de ahí para: ¿qué arbitrio?: debía estar muy seguro de ser rico hasta el fin si cuidara el dinero atesorado... Riqueza irremediable y asquerosa: ¡pedorra de pe a pa! La solución –¿casual?–: la avariciosa enjundia de saber de una vez que algún día sería pobre y por cualquier motivo: metérsela de plano como cuña en la mente para así manejar con pericia el dolor... y la alegría de paso... Recio ya, por lo pronto... ¡de reversa!... Falsedad que procura ser anhelo sensible, porque al sentirse recio debió reconocer que no quiso a su padre ni a su madre, que lo mimaron tanto hasta volverlo irreal y que ese fue el veneno a fuerzas digerido, y el vómito monstruoso, y la escoria en la boca, savia de escupitajos que hubo de devolverles durante años. Pero lo dado, dado: la mierda del dinero... ¿Si para chiquitearla?...

Pertinente ruptura: su soledad: ¡cabal!, trinante, licenciosa, y todos los ajustes por haber... El primero, por cierto, mediante un reconcomio hecho al vapor... ¡No debió de correr al peón de rancho!, al menos no tan rápido. Es que no sabía cómo tenía que irse hasta allá y descolgar cuanto antes... ¿Cuánto antes?... La espera luminosa. Algo sobrevendría... Una chispa impensada, pues siendo él tan pródigo así tenía que ser... Entonces no fue error correr al peón y tampoco a la criada: ella, que por anciana en cualquier rato, ¡claro!: que cubrirle sin más el funeral, la misa, y el entierro: ¿por qué?; antes las medicinas y los médicos... Que en lo alto la avaricia perenne y rigurosa, como la quintaesencia de lo inteligentudo.

Capítulo trece

La primera parte de la *Respuesta número doce* quedó aclarada en la *Respuesta número once*. Ahora bien, para salirse del entrampe que representaba afrontar la segunda parte de la *doce*, el chofer, al buen tuntún, por lógica soltó un número no mayor de veinticinco y no menor, desde luego, de cuatro, porque si no –téngase la cuadratura no del todo intempestiva– podía despertar sospechas: «Hemos entregado siete». ¿Sería por casualidad la cifra de los caídos?, ¿los cadáveres? –¡recuérdese!–. Lo que fue disertación, más que pregunta ampulosa, el chofer la despachó con más gracia que certeza, y con eso, si se aprecia, él ya se sentía de gane, sin embargo...

(NOTA: *Del total del enlistado selecto de las preguntas, pero puesto a la barata varias páginas atrás, se han dejado hasta el final las respuestas que a cercén requerían de mayor filfa o guáchara o, incluso, imaginación de sobra por parte del cuestionado. Además, hay que advertir que la última pregunta, aunque no fue tan difícil de responder, sí logró –y ya se verá– a tal grado ser punzante, que el chofer no tuvo modo de evitarse un buen rebufe. Empero, no fue durable la tal sacada de quicio, por lo cual con gran salero el chofer salió librado en menos de un par de horas. Así el juego preguntón tuvo un fin cónsono y fresco, no obstante ser contencioso en sus deslindes al sesgo. Y ahora en cuanto a conexiones: ya si usted quiere rayar las páginas de revés... Si no lo hace es porque tiene en su mente las preguntas, o no le importa, o no quiere... Pero si lo hace: !¿ya qué!?)*

Respuesta número trece: «Quiero aclararle un detalle *(¡Cuidado con alterar la lógica del embuste!, sobre todo porque hay algo que aún está nebuloso y podría ser el indicio de un chasco descomunal. Dale por lo pronto gracias al azar, o a Dios, o bueno, a quien a ti se te antoje, respecto a que todavía nadie te haya puesto en jaque con una pega como ésta: ¿por qué si la carretera fue cerrada por los guachos ustedes como si nada cenaban donde cenaron?, ¡aguas!, ¿eh?, ¡pon atención!),* nomás por saber de paso cuál era la procedencia de quienes hacían la marcha de protesta sepa a dónde, antes de subir cadáveres a la cajuela esculcamos al primero, por lo menos, y encontramos que traía una credencial con foto. Si me preguntan de qué, yo no les sabría decir. Pero en esa cartulina había, aparte de los nombres y de los dos apellidos, el domicilio completo de ese primer balaceado. Vimos que era un lugareño de Remadrín y por ende *(Ya te pusiste en el límite de una suata regazón, y por tanto sólo queda desearte que tengas suerte... Es que velo desde acá... !¿Qué tal que a alguien se le ocurra revisar de uno por uno al montonal de cadáveres?!):* claramente así supimos adonde habríamos de ir. Pero creo que aún no respondo la pregunta de pe a pa. Creo que falta lo importante y... este... bueno... *(¡Cuidado con titubear!).* No sabíamos –y eso es obvio– que la marcha de protesta hubiera empezado aquí. Lo cierto es que a este lugar, entre otros de la región, vendríamos, ¡sí!, y por lo mismo, entre más pronto, mejor».

Respuesta número catorce: «Si se diera un caso así, que nadie en ningún lugar identifique a un cadáver *(Si ya «a medias» has librado el escollo más difícil, no te encamotes de oquis en algo para lo cual es necesario hacer gala de imaginación tendiente a darle hilazón y juego a lo que muchos cono-*

cen como «sentido común». *Con esto quiero decirte que busques el equilibrio. No te pases de la raya en cuanto a imaginería, pero tampoco seas parco),* lo que en conjunto acordamos era llevar el cadáver –pero ojalá eso no pase– hasta Pompocha, Capila. Allí, entonces, buscaremos dónde está la Dirección de la Policía local, para que también allí nos digan qué cosa hacer. Nuestro deseo es que el cadáver no sea llevado, digamos, a Brinquillo, o peor aún, a una ciudad que esté lejos de esta región, sería tonto... Con esto quiero decirles que no estaremos conformes si no sabemos el sitio donde el muerto ha de quedar; y si, en cambio, lo sabemos –y ojalá que sea bien pronto–, ya de una vez me adelanto para decirles que yo, y también mis compañeros, estamos comprometidos a informarles a los deudos dónde ha quedado su muerto (*Nada más lo que te falta es el filis donairoso para darle mesmedad a ese tu empeño ¡sin tacha!).* ¡Qué bueno que usted me hizo esa pregunta que es clave para nuestro cometido! Justo es lo que iba a decirle a la gente más de rato. Pero hay algo más aún: eso habremos de decir, sea de viva voz o, incluso, a través de la bocina. Por ende, nuestro servicio de «voluntarios» termina al decirle a un equis deudo dónde debe recoger a su cadáver y cuándo».

Respuesta número quince: «¡¿Qué pregunta, la verdad, tan de a tiro marrullera, y socarrona, caray?! (*Ya te lo dije: ¡contente! Tu papel de «voluntario» ni por error te permite darte el lujo de un rebufe. Es que si no, ¡ni de chiste!, le harás creer a la gente que eres favorecedor... Entonces: ¡águila, pues!, conserva la vertical.*) ¡¿Cómo se atreve a pensar que alguien nos da para gastos?!, ya van como cuatro veces que he repetido lo mismo, pero en diferentes tonos: yo y mis compañeros –¡¿sí?!, ¡¿grábeselo, por favor?!– hacemos este servicio ¡de muy buena voluntad!... ¡No esperamos nada a cambio! (*¡Frénate!, porque con esto ya puedes salir airoso.*) Perdone que le responda de este modo... No es mi estilo... Mas yo creo que deberían agradecer lo que hacemos. No a cualquiera se le ocurre efectuar una labor como esta que ustedes ven... Labor extraña, eso sí, y por eso tanta duda, pero aquí estamos, o sea: ¡con la mejor fe del mundo!».

(NOTA: *El juego de las preguntas que se enlistaron atrás, digo: varias páginas atrás, y de las quince respuestas enlistadas en desorden, por desgracia o por fortuna, llega a su fin y ahora sí las conexiones, si se hacen, con rayas o mentalmente, presuponen apetencia o desdén al cien por ciento. En caso de que usted quiera jugar: ¡rayar!, ¡conectar!, tal como se le invitó al principio de este lío, que por cierto no es tan cuco, no está de más darle un norte: sepa usted que la pregunta aparecida al final del susodicho enlistado, corresponde exacta-*

mente a la última respuesta, la número quince, pues, la agresiva, por pacata,
la que de hecho, si a ésas vamos, no debió enlistarse nunca.)

Capítulo catorce

Marrullería, por respeto.

Ensalmo, por estretegia.

Antojo, por peteneras.

La compraventa del rancho, en aína, como fue, tenía sus lados oscuros −unos: ¿cuántos?: a saber...− que don Romeo a última hora inventó a su conveniencia.

Antes la orden dramática de ir a descolgar al muerto. No obstante, el cacique, a fuerzas, fue en su lujosa guayina al rancho recién comprado, en compañía de siete hombres: todos con pistola al cinto. Claro que él no hubiera ido si por lo menos Crisóstomo, su ayudante principal, conociera la maraña de caminos vecinales para llegar a ese punto.

El descuelgue fue bien fácil. Bastó con que un trepador la hiciera de equilibrista para ejercer la maniobra de desate, sin problemas, y otro estuviese al pendiente del peso que iba a caerle, y ahora sí lo complicado... (antes el torpe acomodo: intentonas de sentón o doblez en la cajuela, mas lo mejor para el muerto era ir tendido, ¿si a gusto?, en el asiento trasero). Les llevó a los siete hombres como tres horas y pico el registro minucioso de aquel rancho casi en pena.

Pero el registro ¿por qué? El colmillo del cacique tenía que mostrarse en pleno en un caso como este. Si la compraventa fue al vapor entonces ¡ojo!, podía ser un acorrale preparado con gran tiento. Balacera intempestiva de afuera hacia adentro, o ¿no?; o que tras de un tollo ambiguo o en uno o dos escondrijos estuviesen al acecho los atacantes y así: ¡manos arriba!, de pronto y... No era sano imaginar cómo sería el desenlace, sino prever la sorpresa.

Que todo a pedir de boca toda vez que los siete hombres revisaron entre escobos y malezas orilladas, pero enormes y con tramas de abastanza a tutiplén, e inclusive hasta debajo de dos catres con encolche y una mesa con mantel y en los mil y un recovecos que posee un espacio así, pero nada, ¡por fortuna!, ni un fulano vuelto ovillo.

Todavía, por no dejar, vino la segunda etapa, que duró como cuatro horas: un registro minucioso del redor próximo al rancho. Lo mismo: cuanta maleza y cuanto escondrijo o tollo, añadiendo, por deslinde, vagos avisoramientos que ofrecían algo: ¿qué tanto?: para empeños que pues no. Lejanías que no invitaban sino a verlas y hasta ahí. Si entretanto las ideas del cacique en el sentido de ir hacia atrás, ¡más atrás!, a bien de hallar el origen de tan rara compraventa. Su ofuscación lastimera, a poco, por el no atisbo razonable, o entendible, de algo en esencia entrampado. Solamente la locura de un loco, además, senil, que a capricho se deshizo de la carga de estar vivo, dejando su derredor vivo a medias, propio en parte: vago, semiabandonado: ya sin ningún animal, pues un día de esfuerzo póstumo don Juan Filoteo González –y esto entre nos se deslinda– realizó unos cuatro viajes por el rumbo de San Chema para tirar en el monte todo aquel animalero: vivo, pero derrengado: flaquerío merecedor de dueños-cacos-casuales: lazos obvios al azar: por ahí tal vez cuanto antes. Para esa tarea demente el peón le hizo compañía: que opiniones de él: ninguna, sólo testigo obligado, aun cuando se le antojara recomendarle a su amo la venta porque sería maravillosa ¿sí o no?, de hecho se lo dijo a tiempo, pero el contratiempo de eso: los postores al chaschas, máxime la baratura: casi regalo suertudo, empero lo secundario: tener que hablar con extraños, previsto el desgaste pues, y no más: «¡isssht!»: sugerencias, y así el silencio cargante para realizar los viajes. De modo que regresando a la espera harto enfadosa del cacique ya en la guala, también en esos momentos regresaban alelados sus secuaces buscadores del uno al siete adonde él, y cada cual con reciclo a partir de la premisa: *Todo en paz, no se preocupe, porque no hay peligro aquí.* Todo, ¡claro!, parecido a esa certeza de empiezo, ergo: los matices furris, todo lo cual tuvo empuje a poco de don Romeo: su cara: ¡qué prendidez!; sus manos libres: más libres al moverse apasionadas, y su determinación de viva voz: suave-alegre: que mañana a primera hora debía de llevarse a cabo una acción no que, digamos, grata, pero sí apremiante: traerse al muerto apestoso aguantándose el olor.

Como el grupo de ayudantes apestaba a mierda agreste, el olisco despedido por el ex amo del rancho no sería siquiera rastra que nauseabundeara a siete personajes en apriete: en la guayina, por ende. Y si en medición de ajobos se habría de ver cuál sería el que a la postre se impuso, se adelanta que ése fue el acomodo del muerto en el asiento trasero. Antes, como ya se sabe, hubo el intento fallido de meterlo en la cajuela, pero allí sólo cabía doblado y apenas sí: ¡mal!: con otro mal encima: es que sería irrespetuoso tratar de modo tan bestia a un personaje sin vida. Antes también el intento de sentarlo ¡con respeto!: como se sienta la gente educada en donde sea: pese a pese erguida siempre, mirona –y adusta siempre– hacia un solo derrotero; pero la estabilidad de esa posición: ¡qué va!: por ser falsa era indeseable, siendo que el cuidado al tope de dos o más ayudantes no les permitía siquiera un mínimo pajareo y en cambio sí era macabro, como entrampe de travieso, sentir que al muerto de pronto se le antojara un recargue en: ¡dos hombros había a los lados!, o inclusive que de pronto se acomodara a sí mismo.

Por desgracia el acomodo tuvo que ser en acolche. Sobre los cinco regazos en hilera de los cinco que apretujados viajaban, atrás sí, ¡pobres, carajo!, no queriendo ver ni al bies ese horror que repartido parecía quintuplicarse al sentirse ellos tan mal. Más aún cuando los saltos tremebundos y seguidos a causa de lo asimétrico de los caminos de tierra –bamboleo: ¡plas!, ¡zas!, ¡purrum!– obligaban a echar manos, las diez, en aína, ansiosas, para que el muerto: ¡a sus anchas!: no se fuera a desplomar. Otrosí: cuéntese aparte la ñaque combinación de hedores sin salidero –nube adentro: densaosada, que hallaba sólo resquicios en las narices de aquellos–, no obstante viniendo abajo los vidrios de la guayina, otrosí: los de las puertas: cuatro pues, cuatro asegunes.

Por ser tan saltón y largo el viaje del rancho al pueblo, enllegando presentían los ayudantes traseros que la siguiente tarea habría de ser más tranquila, pero suponerla: ¿cómo?, si eso no era un gran remedio para el vómito postrer, pues vomitaron los siete al llegar a la alcaldía; y los restos: recogerlos –grosero frijolerío– ¡aprisa!, porque si no... Los burócratas –cual debe– son limpísimos, y aparte: chismosísimos, y entonces: el chisme llegaría a... Don Romeo sin ser modelo de pulcritud sin igual, exigía que la alcaldía no apestara a circo rancio, de esos que traen –¡ya ni friegan!– leones, changos, elefantes, y demás animalero caro, pero insoportable.

El muerto ahora sí dejado mientras tanto en la guayina. Su posición: un recargue –ocurrencia del cacique– en la puerta de la izquierda, mas con el vidrio subido. Ni de sentón ni en acueste: diagonal, por estilacho, de quien fue raro hasta el fin. Dundo rico en el aparte. Antisocial: no por tirria hacia los roces pebleros, sino por mera arisquez: la cual no era ni instrumento para hacer de su mieditis un sistema raro y gordo de conceptos de revés a los tenidos tiempo ha en Remadrín como idóneos para el convivio habitual entre puros semejantes. De hecho, quedaba la duda de si el hijo al quedar huérfano sería la calca de aquél. Tal duda era del cacique. Duda para despejarla en unos cuantos minutos tras la orden que daría. Negociación necesaria y acercamiento sagaz, dijérase: como estar con cien ojos durante un rato... Luego la comprobación.

No había mejor elemento que Crisóstomo Cantú para que fuese a entablar una plática amistosa con el hijo del ahorcado y proponerle despacio, como si lo sedujera –amén de ponerlo al tanto acerca del cuelgue en sí, insólito porque nunca en la historia regional se había visto algo tan loco, más con el antecedente de la rara compraventa–, todo un plan de trama fúnebre rematada con la gloria de un entierro inolvidable.

Varios puntos y deslindes, quiéranse algunas enmiendas para un plan casi maestro. Si el acuerdo estuvo listo en cosa de media hora, no en balde cabe advertir que Crisóstomo fue el ducho o el que le dio un matiz grácil al lío de prerrogativas planteado por el cacique. Ya los perfiles correctos y ya el énfasis de la orden y lo siguiente el apremio: pasos partiendo una plaza y todavía más allá el taconeo llamativo del que ensayaba actitudes de mandamás de una vez.

Se hace el pandeo a conveniencia de un decurso que acabó en un toquido de puerta. Se deslinda por lo mismo la fragorosa porfía nada más de imaginar cuántas veces repitióse el matraqueo de nudillos contra: ¿qué?, ¿por qué?, ¡caray!, ¿o acaso no eran tan fuertes los porrazos?, ¿no se oían? Asegunes relativos tras los efectos oídos como un piar de gorrión entre algunos cuantos más: rondaneros, milagrosos, que le daban amplitud al aire libre cual cauda cruzando por el traspatio. De resultas: armonía, en óptima dimensión, o de acuerdo a la desgana: conceptual al fin y al cabo: de un huérfano que al sentirse rico y avaro a sus anchas, adrede habría de dejar que los mismos pormenores llegaran trancapalanca a un nivel donde lo ignoto y lo práctico –depende– se hiciesen nudo y entonces...

Ronda de rondas lo abstracto: fuga y presencia que escuecen, pero... Hubo un toquido, uno solo, siniestro a más no poder, en la puerta principal de aquella casa heredada, que sí asustó a Trinidad, y ¡ni modo!, ¡qué ruptura!, porque en friega fue hasta allá para saber ¡¿qué demonios?!

Tarde repentina y dura la habida del otro lado: naranja: al abrir la puerta: gris: la figura en contraste del hombre que empezó a hablar tatamente para colmo. Si en repuje gualdo o rucio la perspectiva encuadrada, siendo que cuando el fulano soltó una frase completa todo se normalizó... Tarde normal ¿bien naranja?, como tantas que aletargan la mirada de quien sea que las mire a campo abierto, incluso cuando en lo bajo haya escollos en atasque, por lo cual debe incluirse la tarde, al dejo, por mientras: la del traspatio, esto es: bien naranja solamente en los lindes de los cerros: o sea que el fin de un sabor que no es, porque no fue, como se hubo de pintar cual remate: allá,

y por ende: dulce no, ni un poco amarga, ni... El replique: suave
¿entonces?:

–¿Qué no oyó lo que le di-di-dije?, ¿quiere que se lo re-re-repita?

–Si usted quiere... ¡como quiera!

–Bueno... mmm... su padre se col-col-colgó, este... de un no-no-
nogal a-a-allá en el ran-ran-rancho.

–Es que yo ya sabía eso.

–Pe-pe-pero lo que usted no sa-sa-sabe es que...

–Mire, señor, ¡por favor!... Para mí es desesperante oírlo tartamudear. Si usted, como lo supongo, ha venido a darme informes, ¡hágalo
con claridad!, si no regrese mañana.

Puntilla para Crisóstomo. Su inveterada tatez, tan eficaz por teatral
en los casos problemáticos, allí se le derrumbaba hasta quedar hecha
trizas. Y el intento a contrapelo, ajeno aún, pero suyo, si al taz a taz
por lo menos se escuchara sostenido, o esforzadamente ambiguo:

–Pero lo que usted no sabe es que el alcalde ordenó descolgarlo
de inmediato y traerlo a Remadrín... Su cuerpo está en la alcaldía...
¡Vamos!, si quiere mirarlo.

–A ver... a ver... barajéemela... ¿Cómo es que el alcalde dio con el
rancho de mi padre si se supone que está mero enmedio de un mean-
dro rodeado por dos cabezos, cuatro cerros y dos cuetos, y no tan
cerca de aquí?

–¡Qué bueno que pregunta eso!... Así ya no andamos lejos de lo
que debe saber... Su padre antes de colgarse le vendió el rancho al
alcalde con todo y las escrituras.

–¡¿Eso hizo?!... ¡Pobrecito!... Estaba desesperado, pues quería
morirse pronto para alcanzar en el cielo a mi madre y allá arriba, juntos ya, vivir una eternidad.

–Usted es quien cae en cuenta. Yo sólo sé lo tocante a la compraventa y punto.

–Pero ¿por qué vendió el rancho?... ¡Ah, pillo tan «SIN
EMBARGO»!... Su tristeza lo empujó a cometer, sin saberlo, una burrada
tras otra... ¡Claro!, no me lo quiso heredar, pero ¡bah!, ni lo quería
–Trinidad monologaba zafándose a humo de pajas de la plática por-
tera, tenida como deslinde o como algo aún sin molde ni sustancia
que vaciar–, porque a mí ni me hacía falta... Je... Ni hablamos nunca
al respecto... Además bien que sabía mi opinión sobre su rancho...
Para mí era enfermedad o pendejez retenferma, eso de vivir bien lejos,
tan alejado de todo... Pero allá él y sus tretas y sus...

Vil huérfano irrefrenable, ido, abismado en intrigas que por mañe-
ras no eran sino abrupta prepotencia, intimista y en mala hora, corro-

siva a trago y trago de palabras al garete... Dilema para Crisóstomo que no hallaba cómo hacerle para incrustar su propuesta. Al cabo de unos minutos se topó con un recurso políticamente erróneo: un gritote abarcador de cuanto quedara cerca y se rindiera sin más: el frontis de la casona, por ejemplo: ¿por lo visto?, y el huérfano consternado, y algún árbol por ahí...

La rapidez sin ambages de Crisóstomo Cantú enllegando tropezona al meollo del argumento: zumo soso, empero pingüe, y vivaz, dado su hervor, e idóneo de todastodas si al cabo se considera la indolencia en blanco y negro de un huérfano ensimismado:

–Para que no se moleste, queda a su favor la oferta del proceso funeral. El gobierno da el servicio que usted considere ideal de acuerdo a su estado de ánimo, sólo que debe pagar todo por adelantado.

Nada de velorio insano: plañidero cual se estila y floroso en demasía, puesto que sería a las claras perverso y acre artificio, que más acre y resultón habría de ser a la postre, aunque no chulo por falso ni horripilante por feo. Tal descarte de una vez sugiriólo Trinidad, claro está que a su manera, porque lo que aquí se arguye apenas es un espique trasquilimolocho, o sea: dicho a la burla burlando. Tampoco un último adiós con misa y toda la cosa, menos para oír de pega el sermón del padrecito. Así que otro descarte inclusive más violento. Sí en cambio un ataúd de medio a medio acolchado, ¡desde luego que por dentro!, porque en lo exterior el bronce dominaría los rebrillos, no obstante, la sugerencia de a ver cómo conseguían asas con baño de oro: sutil, ergo: tal rejuego con rebrillos a los lados. Sí que hubiera a pasos gansos un cortejo populoso, más fúnebre que el panteón, mas no propincuo a la tupa hacia adusteces sin mácula, de tal suerte que la gente caminadora pudiese hablar de más, pero ¡ojo!: debiera hacerlo en susurros. Y con eso el presupuesto calculado por Crisóstomo... Un dispendio ¡figurero!, por ser dispendio tramposo, dado que sería imposible conseguir, luego poner, el mentado baño de oro, pero algo parecido, callandito, ¡ay!, y total: que el relumbrón ¿desdijera?... ¡Eso nunca!, entonces: ¡listo!

Sin mímino regateo –¿dónde quedó la avaricia?–, Trinidad corrió hacia adentro regresando con un fajo que osó contar muy de ocultis y recontar ante el hombre del servicio funeral. Todo exacto y ¿hasta luego?: ya lo deseaba Crisóstomo y ¡momento!: había pruritos: necedades-nimiedades, a tal grado que en enfile el huérfano llegó a esto:

–Quiero que el cortejo fúnebre dé comienzo en la alcaldía... De allí al panteón son diez cuadras.

Los muchos «¡sí!» de Crisóstomo al final ya no causaron más efecto que un «¡a ver!» pensado en distintos tonos: todos neutros o sutiles. Por su agobio, a la barata, el único «¡sí!» tronante, le sirvió para correr, con aullido de por medio y ya con el grueso fajo en la mano –así un pellizco: vivaz; sutil corrupción–, feliz rumbo a la alcaldía, no importándole un comino lo que pensara su cliente. Tanto por ciento para él: ¡eso seguro!, y ¡¿qué y qué?!, puesto que elevó la cifra exigida a Trinidad a una altura inmejorable, óptima para el alcalde y para él, ¡uh!, ¿qué decir?... Bastó y sobró con mirar su enjundia al vapor: tan pinga; saltaba como un huerquillo que en la escuela sacó diez.

Capítulo quince

Sígase el cortejo funebre: tras la guayina oficial (carroza, o como se diga) iba don Romeo abrazando al huérfano que trataba de zafársele con ira.

Así también ocurrió cuando el descenso despacio a la morada final del ataúd con su carga: molestísimo apechugue caricioso del alcalde que Trinidad llore y llore –¿para qué enfadarse al tiro con tan puerca autoridad?– soportó valientemente haciéndose miniatura, a imagen y semejanza de su padre cuya alma tal vez remontara el vuelo por ahí a la medianoche.

Capítulo dieciséis

¿Un llamado?, ¿una intuición?

Viene a ser inconveniente que a estas alturas se traiga y se detalle al centavo cada anécdota elegida entre unas cuatro, digamos, un tanto chirigoteras, que el cacique recordaba en sus paseos a caballo. Veinte eran sus propiedades –negocios o no negocios– y en cada cual había historias, unas cuatro por lo menos, donde él intervenía, fuese como personaje principal o secundario, pero siempre, de algún modo, por sus efectos paródicos, mas con trasfondo patético, era modificador, aun cuando no quisiera modificar nada en serio. Sin embargo ¿tenía caso endilgarse el ejercicio de recuperar minucias tras minucias: TRAS ENTRAMPES: para sentirse dichoso de ser un coleccionista de magines a granel, dándose el lujo además de eliminar CON IMPERIO los más largos y enliados? Contaba ahí su memoria potenciada por la angustia –y el tedio ya como lastre– de no poderse salir de la finca durante un rato, bajo promesa cabal de regresar, inclusive, a una hora exacta, esto es: si a alguien se le encomendara cronometrarle la andada. Y aunque así lo hubo propuesto alguna vez por tanteo y no viendo ni de reojo a los guachos que, de suyo, no podían darle la impetra: ¡oh, zopenco reiterado!: lo que obtuvo fue lo mismo de otras veces, pero aparte –dicho sea–: con largueza de estridores repunteando su ocurrencia. Buen concierto carcajiento y hasta eso despedidor para que ya no volviera con una nueva propuesta. Contrahecha su inhibición, de resultas, eficaz, por temer algo deveras ahora sí ya más siniestro, no le quedó a don Romeo más que su imaginería, la cual echada hacia atrás no le era tan atractiva... Repasos a cuentagotas, pero sin magma de ensueño, como si lo ya vivido fuera lo eterno en verdad. Y hacia adelante ¡¿qué diantres?!

¿Un llamado?, ¿una intuición?

Viene a ser muy conveniente que a estas alturas del juego don Romeo caiga sin miedo en una alucinación. Tiento a tiento y casi adrede fue cayendo porque oyó una voz que lo excitaba. Si se la inventó: ¡qué bien!: su tedio sería vencido ¿a cambio de una aventura?... Es que de hecho estaba en ella: EN EL LOMO DEL CABALLO. Entonces la voz ¡¿sinuosa?!: un murmullo por ahí en descenso más y más: altibajos o rebotes hasta que con claridad escuchó cada palabra: *No te arredres, no te frenes, pero ya viola esa ley que te tiene apachurrado y por eso es que te enfadas. ¡Pícale pues las costillas al caballo y vete lejos! A lo mejor saltas trancas y ni quien siquiera note que lo hiciste con donaire y a sabiendas que es temprano para que haya fantasías. Recupera tu coraje, si algo has de recuperar. Verás que no pasa nada.* Buena estrella cuyos rayos, aún al amanecer, cobijaban al cacique en su rauda travesía. Visto el punto luminoso y a toda velocidad: parte a parte, por instantes: muchos no, y ya se supone, fueron más que suficientes para que con valentía don Romeo se entorilara en directo hacia las trancas: las más lejanas ¿quizás? Todavía faltaba un trecho con subidas y bajadas, y la duda: cual desveno, ya se estaba perfilando, pero la voz: ¡dictadora!, le ordenó algo más difícil de acatar sin medias tintas: *¡Dile «Duende» a tu caballo!, sólo así comprobarás que te hicieron una guasa, y las guasas, si se creen, logran ser más efectivas que el consejo más sensato. Si le llamas por su nombre verás que todo será fantástico y emotivo.* Bien armado el disparate, no era sino consecuencia de un deseo en ciernes tenido las veces que había montado a caballo y por lo cual esa vez se redondeaba. Perfilado el ¿disparate? A saber qué tanto no; empero esa voz tipluda en algo se parecía a su lenguaje mandón. Eco de ¿qué?, o ya envoltura para romperla y no oírla, y no obstante ¿obedecer?... ¡Sí!, y de paso, por lo mismo, romper de una vez por todas con un esplín sin remedio, suyo a chorros, fastidioso y... ¡Ándale!, ¡llámale «Duende»!... «En veremos» todavía lo turbio de su intentona tras la posibilidad de ser un jinete heroico, amén de vivir el trance de una fantasía ¡virtual!, que de hecho ya había empezado porque nunca hubo sentido la flotación volandera de un galope casi mágico... Mágico abecé y por ende: ¿qué habría de experimentar si le llamara al caballo, desde luego con cariño, por su...? *No necesitas llamarle con cariño por su nombre. No es cuestión de tono o modo, sino como a ti te salga.* Total que a la bamba pues, o por chiripa o albur el cacique dijo: «¡DUENDE!», y el efecto en correntía: ninguno ¿por el momento?... Entonces tuvo el antojo de un regate venturoso dicho como tarabilla: «¡Duende-duuueeendeee-duen-de-d-u-e-n-d-e!», mas el efecto: ¿no aún?, no inmediato, pero ¡uf!: luego de unos diez segundos el caballo dio un viraje a toda velocidad, mismo que no fue ordenado por don Romeo y ahora sí: la ostensible consecuencia: siéntase la galopada en dirección hacia el este. No tardó mucho el caballo en llegar a una barranca, la única de la finca (la de las negras historias), y cuando estuvo en el borde del no, de hecho, tan macabro ni profundo sumidero, mas sí de plano a discrimen, por lo pedrizo en espera allá abajo: visto al sesgo, la tal bestia enloquecida reparó y tumbó al cacique. Lo bueno fue que cayó del lado de las espinas y ayayay, pero nomás. Escobo recibidor justo opuesto al sumidero. Vengóse ¿conscientemente?: el caballo... ¡por supuesto!... más aún porque se fue dijérase que pimpante, acaso por ser idóneo su ritmo huyente que, bueno, daba a entender a las claras que su orgullo era tan real como el dolor del cacique.

Y la voz ¿qué iba a decir?

En tanto iban transcurriendo los minutos de dolor más de cuatro o cinco veces el cacique hizo el intento de incorporarse y pues no; pudo un poco a rastra y rastra alejarse del entrampe espinoso y ¡ay! y ¡puf!, sólo para darse cuenta que su tobillo derecho parecía estar fracturado.

La grosería de un «sí o no» podía alargar su sentón a saber por cuánto tiempo; cuánto para mejorarse e irse por su propio pie a su cuarto y a sabiendas que nunca más volvería a montar a ese caballo (¡ah!) o cuánto para que alguien lo viniera a socorrer.

Socorro: su espera ¡en sí!: diablo asegún contrariado, porque también la tal voz había huido para siempre.

Vil convencimiento a fuerzas: más suyo, más resignado, contimás porque pasaban los minutos y él tal cual...

Capítulo diecisiete

¡Vaya!, el fulano rezagado (venga a cuento que de pronto decidió esfumarse –adrede– de la suata comitiva) hacía un par de horas: ¡caray!: de pronto, también, y riente, o quiérase que de plano muy quitado de la pena, apareció en el momento en que estaban abordando de uno en uno el autobús los frustrados integrantes de la ya no comitiva. Fue el último que subió. Delante de él, por fortuna, iba el tampoco ya líder Ciro Abel Docurro Piña: quien pagador, eso sí, no advirtió quién venía atrás hasta que el chofer le dijo:

–Falta pagar un boleto.

–¿Cómo? Somos nueve, ¿o no contó? –con tibia contrariedad, pero no volteando aún, memo Ciro Abel repuso, no dando ni un paso más.

Antes hubo pantomima: sólo señas necesarias: la del chofer –exigente– significando a las claras una pregunta como ésta: «¿quién va a pagar tu boleto?», y por respuesta el dedeo del tal fulano zaguero señalándole la espalda al, o sea: veamos lo que pasó:

–El que está detrás de usted dice que usted va a pagarle su boleto, ¿o no es así?

¿Dice?, ¿dijo?, oyóse: ¿cuándo?... Si nomás con que volteara Ciro Abel entonces: ¡chin! Y al hacerlo: ¡obvio!, y veamos:

–¡¿Y ahora tú?!, ¡¿qué haces aquí?!

–Pues ya ves, ¿eh?... Soy el mismo y... ¡Anda, paga mi boleto!... Es que no traigo dinero.

–No te lo voy a pagar porque tú nos traicionaste... ¡Debes regresarte a pie!

–Si no pagas mi boleto voy a decir en el pueblo todo lo que por tu culpa hicimos en el cañón... Y el rompedero también de todo el aparataje... Y lo del líder fuereño que de buena voluntad vino a...

–¡Sssshttt!, ¡por favor!, ¡isht!, ¡por Dios!

Relevo de pantomima como por arte de magia. Cuatro veces Ciro Abel: su índice contra su boca. Tosca fue la oscilación, y hay que advertir, mientras tanto, que el mueble venía: ¡qué va!: como lata de sardinas.

–¡¿Qué no me van a pagar?!– se supone que el chofer estaba a un tris de la toma de un curveo carreteril, culebril: complicadísimo, y por ende su premura como anuncio de un enojo que mejor: ¡uh!, ¡ya ni modo! Por destrabe a contrapelo: puta deducción al re: NO ERA TAN CARO EL BOLETO. Tres moneditas y ya, mismas que a regañadientes sonándolas Ciro Abel quiso dárselas a... ¡no!, ¡momento!: porque... veamos:

—Me las da cuando me salga de estas curvas engañosas.

Lo demás: lastre de lastres...

¡Vaya que en Remadrín dolió saber (ejem) acerca del sinsentido que representaba la simple idea de llevar a cabo una segunda marcha de protesta! Al ir pasando los días, el desánimo ya era parte a parte colectivo, tanto así que los recules ganaban en porcentaje, siendo también porcentaje en aumento de razones para saber a las claras que nada se lograría si la gente reincidiera en ir, pero ¡sepa Dios si hubiese regresos calmos!, y de haberlos: ¡¿cuál efecto hazañoso o a favor?! Y a eso añádase también otro grueso porcentaje de personas que argüían la no creencia siquiera de una ida calma a Brinquillo: si otra matazón, por ende, si cual táctica manida del gobierno en el sentido de advertirle a cuanto iluso que por ahí nomás no, marchas tontas ¡al demonio! Pero a fuerza de enguizqueos, y en gradación de malogros, primero habría que empezar con lo que estaba a la mano, es decir: la comitiva, la que incluso en la caseta de techumbre de carrizo discutió contras y pros sin atisbar en «acasos» más o menos resultones y la que una vez dejada por el autobús ranchero en Remadrín ¡vaya entrampe y desidia de la buena! —no se notó su regreso—, ni siquiera se dignó ir a la plaza a esperar la llegada de la gente —la habida: poca, si bien, pasado ya el mediodía, como debe suponerse: a causa del calorón; sin embargo, suficiente para endilgarse el trabajo de ser la generatriz del rumoreo noticioso que de seguro atraería por la tarde a una gran masa— y todo vino a acabar en pesadez de vencida cuyos efectos no fueron más que de aflicción en círculos durante aquellos días de ascua y de rebaja intranquila. A tacha y tacha: empeoreo, no porque fuese imposible realizar lo antes pensado, sino porque de resultas a nada conduciría una ida y vuelta a Brinquillo solamente por desfogue. Y como no aparecía tanto desaparecido, no los de la comitiva, mas sí gente lugareña optó por hacer plantones enfrente de la alcaldía con mantas y con pancartas y ruidero de matracas, gritos, pitos, corneteo, y por el tiempo que fuera... Procedimiento, si bien, mucho menos efectivo, pero con la anchura diaria —de ahí su perfeccionismo— de ir de renuevo en renuevo en aras de un frenesí acre, pero entretenido.

Tan ideal debió de ser el lastre definitivo porque sólo dependía del ingenio a contracurso de la colectividad. Nuevas consignas e injurias: trasunto acaso venial en pos de ir depurando escribideras en rojo. Por equipos el concurso cotidiano: harto reñido, para ver quién resultaba triunfador durante equis tarde, o mañana –eso variaba– con su frase escrita: ¡a ver! Durante el plantón el concurso y el veredicto allí mismo. Llegaron a ser seis grupos y cada grupo constaba de diez miembros para ser. Que ni uno más ni uno menos. Pero el juego no duró más allá de cuatro meses porque el objeto, en verdad, era otro, por decir: la demanda original: que el gobierno respondiera por los desaparecidos sinceramente, caray, y eso no, ni para cuándo...

Y tampoco en ese lapso algún desaparecido apareció por ahí...

Por lo demás... Otro lastre: pizcuintío: casi impensado. Al cabo de dos semanas de la ida a Pulemania Ciro Abel, retenervioso, fue a casa de «el rezagado» so pretexto de cobrarle, como lo hizo con los otros de la extinta comitiva, el monto, las monedita, del pasaje de autobús. Y el pago: ¡claro que sí!, puesto que era irrisorio. Bajo el sol: afuera pues de la casa de «el buscado» se dio algo como esto:

–¿No le has contado a la gente lo de la muerte del líder?

–¡No, qué voy a andar contando!

–Si se te ocurre decir que entre todos lo matamos, no olvides que yo seré quien te meta unos balazos.

–¿Y por qué yo?, no lo entiendo... Acuérdate que son más los que saben del asunto... ¿No has hablado con los otros que eran de la comitiva?

–No quiero entrar en detalles porque estoy muy ocupado... Tú nomás grábate esto: si algo se llega a saber el culpable serás tú y a ti es a quien mataré.

Ciro Abel dio media vuelta y aprisa se retiró. A saber por qué razón su retiro fue más lejos, pues luego de una semana desapareció del pueblo, dejando allí a su familia. Nunca más se supo de él.

Con respecto a lo del líder de Trevita hay que decir que, en efecto, hubo preguntas, pero no tanta insistencia como era de suponerse, ya que la áspera respuesta: «se fue muy decepcionado de nosotros y del pueblo», dicha con leves variantes por los de la ex comitiva, quedó como una verdad sin más rebaja ni ensanche; siendo que pasado el tiempo cuando alguien halló el cadáver del dizque líder fuereño, no pudo identificarlo. La magistral comilona de los buitres fue a tal punto minuciosa y exquisita, que no hubo por dónde ver quién diablos fue el saboreado. Y en cuanto al aparataje, hecho arrumbo, más que añicos, si alguien lo vio: ¿un campesino?: no sería de Remadrín, porque se quedó en la guala, o en las mismas: que eran... ¡Vaya!, nunca se supo lo real.

Undécimo periodo

Capítulo uno

Si alguien viera en un mapa del estado de Capila, justo en la parte central, la ringlera de puntos geográficos dispuesta de este a oeste, o al revés, según su antojo, notaría la derechura –digámoslo como empiezo– que hay de Pompocha a San Chema. Así luego el seguimiento: Metedores-Pulemania-La Caricia-Remadrín-Piélagos-El Nopal Solo (este último ranchería), más la cadena difusa de una cantidad de puntos –¿veinte?, ¿veinticinco?, ¿treinta?– en extravío cartográfico –donde los pueblos ya no, porque es el desierto en serio– hasta el límite, en escuadra, con el estado vecino, donde se encuentra un villorrio llamado La Madrecita; esto es, si alguien lo viera, podría pintar una raya dividiendo en dos mitades, perfectamente mitades, al estado de Capila... ¿Sí?, bueno... el asunto es el siguiente: esa raya la pintó con un lápiz colorado Hermenegildo Buenrostro sobre un mapa que él mismo hizo, pero que no era oficial, por desgracia, todavía. El trazo lo vio Conrado, que tendido en el zacate junto con aquel cartógrafo entusiasta nada más, prono en fin, medio chicharro, se estaba desconectando de la realidad presente, y de hecho después del trazo se fue mucho a la... mmm... quién sabe si aquello era, al fin y al cabo, algo bueno para él.

Situémonos de una vez en el punto que interesa: La Caricia –¿se recuerda?–: ese punto recreativo al cual planearon llegar Egrén y luego Conrado, este último, desde luego, no convencido del todo, porque más de siete veces arguyó que ir a ese punto era zonzo e, inclusive, a todo ruedo arriesgado, amén de que por sus miras significaba a cercén una pérdida de tiempo. Pero el otro, líder ya, sólo por traer la pistola metida en el maletín, aún estando en Pompocha decidió ir a una tienda a comprar trajes de baño: dos, con flores por doquier... Lo enfadoso fue probarse en un cuartito espejeado por lo menos cuatro tallas para dar con la correcta. Pelamientos contra sí de ambos por separado –de la cintura hacia abajo–, empero tras el hallazgo (poco antes de la probada de las tallas fue que Egrén, con extrema gentileza, le pidió a Conrado Lúa le entregara el maletín donde ¿eh?: adentro el discrimen: lo intimidatorio, o ¿no?, más porque tal petición fue hecha delante de otros: en la susodicha tienda, por ende la entrega rápida del ex padrote, si bien: libróse de un compromiso como si se deshiciera de una fosca horripilancia): guango: un poco, que no forro de apretura estomagante, ambos ya no se quitaron el traje y entonces «¡vámonos!», y Egrén pagó y por lo tanto...

Como a eso de las ocho –la mañana esplendorosa, con unas nubes blanquísimas (montoneras): casi estampas, y un cielo azul que trataba de esconderse tras lo dicho: ya errátil jugueteo aéreo para mirarlo durante horas– el arribo a La Caricia de Egrén, que ya era asesino, y de Conrado, un poco harto, que ya le urgía disparar la pistola contra alguien, no allí, sino, bueno... etcétera, porque... Mejor veámoslo así: toda vez que Egrén pagó dos cuotas de permanencia por un día allí de solaz –acerca del maletín no hubo ninguna pregunta del guardia que había en la entrada, mucho menos revisión–, de inmediato se encueró al aire libre y sin más se echó un clavado en el río. Su ropa sobre el zacate y también el maletín. La tentación de Conrado: frágil, a punto, y entonces se dirigió hacia –¿dudaba?–: aquel olvido coloro le ofrecía un cambio de rumbo. La pistola y el dinero (no el maletín, no la ropa): a sólo unos cuantos pasos. Pero un hombre lo detuvo: un tamañón imponente y con barba bien espesa.

Con disculpas por delante contra el sofreno enojoso de Conrado que deseaba llegar adonde la ropa sobre el zacate, y pues no, se presentó el susodicho: su nombre para empezar: Hermenegildo Buenrostro, y enseguida su deseo de una plática sabrosa con, ¿por qué?, ¡vaya qué antojo!, ¿y si no quería Conrado? El tamañón pretextó que era un hombre solitario con muy buenas intenciones, que nomás le quitaría cosa de unos diez minutos. De resultas: vendedor, más no vendedor común: es que de su maletín, color violeta extrañísimo, extrajo unos tres papeles amarilloanaranjados, pero en rollo –¿por qué así?–: su mercancía como oferta. No obstante, Conrado no, con su cabeza: ¡no!, ¡no!, reforzando el «¡no!»: bien feo: con su voz chachalaquienta, cuatro veces y más fuerte. Y el, por ende, intimidado, tras dar un paso bien dado, llevóse una gran sorpresa: el hombre también lo dio a manera de cerrón para extenderle, de plano, casi enfrente de su cara uno de sus tres papeles.

¡Alto!, de vencida: asombro: el de Conrado al mirar un mapa-enigma, digamos: cafesón: tirando a caqui. Era el mapa del estado de

Capila: ¡maravilla!: salpicado a la barata de puntos, ríos, carreteras, vías de tren y hasta cadenas montañosas y lagunas (las que hubo, por supuesto, allá cuando no había gente): con recalco azul marino, si es que eran eso, y si no... cosa nomás de aclararlo.

De suyo, multicolor el figureo medio irreal, y de ahí el azoro real del que había dicho que no; dunda hipnosis o captura de un incrédulo, asegún, ya jalado hacia el color, más aún porque con regusto, sabedor de su conquista el tamañón fue bajando su papel hasta ponerlo sobre el zacate tal cual viendo cómo el susodicho negador: antes: coqueto, sin apartar del papel sus ojos, casi faroles, se fue bajando también hasta que se recostó para mirar al detalle el dibujo de su estado y todo cuanto había en él geográficamente hablando.

Chicharro hablando con tono como de cura moderno que a las primeras de cambio mete dizque chascarrillos en su arenga doctrinal a bien de quererse hacer un chistoso inolvidable, Hermenegildo Buenrostro explicó que era cartógrafo y que el mapa de Capila era apenas una muestra del caudal de mapas creados a su modo, y por lo mismo, con absoluto albedrío, de ciertas partes del mundo. Aparte de esos gracejos, que al loquito de Conrado jamás lo hicieron reír, el chicharro tamañón dijo que su ilusión máxima era tener una plática en privado: larga y todo, cuanto antes con Pío Bermúdez: el actual gobernador, para venderle el proyecto. ¡Ojalá que él aceptara dándole, sin poner trabas, un montonal de billetes o un cheque con muchos ceros –empezando con un tres y de ahí «vámonos recio» con ceros a la derecha– pero que tuviera fondos! De hecho, el ideal del cartógrafo sólo hallaría redondez cuando el tal gobernador impusiera en las escuelas el mapa de su creación, recién comprado: carísimo, en vez de los que se usaban, inexactos, más bien chuecos. Y sin que el futuro cliente, alelado como estaba, le hiciera pregunta alguna, aseguró el vendedor que no había nadie como él que conociera al dedillo el estado de Capila. Todo en andas metro a metro y kilómetro a kilómetro. Por lo cual la exactitud de lo que estaba vendiendo podía a quien fuera mostrársela siempre y cuando el receloso... o los muchos, mejor dicho, cuantos fueran ¡qué mejor!, tuviesen tiempo de sobra para en andas comprobar, en compañía del cartógrafo, si no era embustera hipótesis, lo que el creador del dibujo tenía por ley innegable.

Aquí cabe hacer un alto. Se hace: ¡sí! (ejem), y hay recule, debido a que el alelado no fue capaz de meterle freno a tiempo al fresco enlabio –pareciera– del chicharro: ya en desate, ya a cercén... Bueno, mmm... si se tratara de un cliente suspicaz, como ha de haber uno o dos –supónganse acaso más, pero sin pasar de seis– en esta región desértica, tendría por lo menos cuatro preguntas, si no es que más, en la punta de su lengua, por ejemplo: ¿cuánto tiempo le llevó al inventor recorrer de punta a punta el estado y si fue a pie, o cómo fue?; y otra: ¿cuántos rumbos recorridos y cuáles las proporciones, por decir: noreste, norte, noroeste, oeste, suroeste, sur, sureste, este y por ende cuántos entrecruzamientos o entronques diéronse, o bien, cuántas aproximaciones?; y otra: ¿cómo midió las distancias?; y otra: ¿a poco subió montañas, cerros, oteros, cabezos, y calculó, por lo tanto, la profundidad exacta de los muchos precipicios, además de la extensión de gargantas y cañones?... Mas al no haber nada de eso no hubo posmo desgarriate. Pero al seguirse de largo Hermenegildo Buenrostro algo dijo en tal sentido justo cuando le soltó el precio a Conrado Lúa, en voz bajita –¿por qué?– de la copia en blanco y negro de su... Véase el candongo chanchullo... Costaba cincuenta pesos... Al mapa debe agregarse un costoso documento (con presunción lo sacó de su extraño maletín el cartógrafo y siguió con su arenga a humos y tufos; dedúzcanse sus «ejem»: copia de un gordo legajo) en el que con gran minucia se describían las distancias de cada pueblo, si bien, los que fuesen municipios, con respecto a su redor: rancherías, aldeas, villorrios, así como municipios, los contiguos, de igual modo. Súmense al tremendo engroso escorias informativas en relación a estadísticas cuya exactitud no habría quién diablos las refutara. Si a fe, pero por rebane, o nada más como adorno, la cantidad de caballos, burros, marranos, borregos, chivos, perros, vacas, toros, gatos (monteses también), coyotes, liebres, venados, e incluso mulos y mulas, que había hasta el año pasado en Capila, y también puentes –de concreto y de madera–, o sitios donde faltaban, y caminos vecinales y atajos no emborronados y altitudes de los pueblos (cabeceras, ya se dijo, de municipios nomás) respecto al nivel del mar y ¡baaastaaa!, ¡issshttt!, ya con eso...

Colmo: los datos a modo: para que ya el vendedor con toda delicadeza dijera el precio y a ver... Doscientos ciencuenta pesos... La exageración ¿valía?... Raudo ordenamiento ¡en sí!: el de Conrado que iluso ya estaba en la fantasía. Posibles viajes y chanzas: ¡¿esa era su nueva vida?! Mil y una tentativas para él que siempre había sido un funámbulo sin fe, y de pronto las distancias y así las suputaciones... Cierto que traía en su bolsa la pechera-camisera, la única con arricés, el dineroso adelanto, en rollo, que Egrén le dio en Pencas Mudas –¡recuérdese!– por ir –luego ya venida–: el crimen a diez kilómetros –¿y si revisara el mapa para ver si esa distancia era la real o cuál era?–; pues sacóse –al fin ¿ya qué?– el adelanto en mención...

Si billete tras billete mucha no fue de resultas la suma, pero no poca, como para no, digamos: le alcanzaba para el pago del mapa y del documento: trescientos pesos ¿verdad?; sobrándole sólo cien: lo que sí es que tales pesos para él eran muchísimos...

Cien para... ¿Cambio de rumbo?

Paróse como resorte Conrado y también lo hizo el cartógrafo chicharro:

–Quiero que me venda el mapa y el montonal de papeles donde vienen las distancias del estado de Capila.

Dando y dando y el cartógrafo ya quería decirle «adiós» cuando: ¡al fin!: lo detuvo una pregunta: tardía la hizo el aún alelado, misma que era liosa: en serio: porque daba para hilos y rehílos a manojos.

Sin embargo, en correntía, o a izquierdas, pues: harto ambigua, la respuesta del cartógrafo a todas luces mostró su trola denegación. Baste atisbar lo esencial de su vil despachadera para que usted como yo deduzcamos la pregunta: si fue larga o regular, porque corta no, de plano:

(Por cosa de reconcomio, no está de más señalar que al momento de pararse el comprador vio de reojo –tres veces de bailongueo de ojos hacia su derecha ¿fueron más que suficientes?– la ropa de Egrén tirada sobre el zacate: tal cual, y asimismo en abandono el maletín, pero ¡águila!, ¿tendría la pistola adentro?... El consuelo de Conrado fue saber que a esa hora y ese día de entre semana no había visitas de holgones, por fortuna, en La Caricia, como para afigurarse una estafa callandito. Y si entonces de ese modo y en aína lo infirió el ya casi comprador, se descentra la sospecha para ir directamente al rezongo al taz a taz anunciado del cartógrafo.)

Cierto es que si cada mapa de ciertas partes del mundo, con presciencia de raíz, milímetro tras milímetro, significando kilómetros, lo dibujó y pinturreó Hermenegildo Buenrostro, se debe a que de igual forma recorrió esos territorios –han de obviarse a fin de cuentas las mil y una direcciones descritas al por mayor en el documento hijuelo– hasta quedar convencido de su óptima aportación –¿más exactitud no habría?–, pero chanza mientras tanto, ¡al re!, y sólo probatura mientras ningún poderoso le comprara su producto.

Aun cuando esa respuesta daba pie para, quizás, un desurdimiento al máximo, sobre todo en el sentido de saber si un poderoso –uno; dos: sería excesivo– le hubo comprado un mapa, dándole cualquier bicoca, pero ya el antecedente, cierto que no dineroso, aunque noble por entero, y de ahí prefigurar cuanto efecto de vencida, ¡no!, porque Conrado Lúa lo que hizo fue sofrenarlo con una pega guitona, dizque urgente, dizque a pelo:

–Antes de que usted se vaya yo quisiera preguntarle cuántos kilómetros hay de Pulemania hasta aquí y desde aquí a Remadrín.

El cartógrafo, enfadado, le dijo que eso constaba en el documento hijuelo. Se lo pidió de favor y enseguida él se tiró, invitando al comprador a que se echara de nuevo sobre el zacate y así: la obediencia sin recelo de Conrado, que de nuevo dizque alelándose al doble fue testigo de la busca entre páginas y páginas. Al cabo dos palomeos con un lápiz colorado: diez kilómetros exactos a Pulemania: de allí, y la misma cantidad desde allí hasta Remadrín. Pero luego usando el mapa en blanco y negro vendido –copia clara, eso ni qué–, Hermenegildo Buenrostro de una vez trazó una raya quiérase que con remarque perforador y colérico: cuatro poros de hundimiento, trazo divisor exacto del estado de Capila; dos mitades, dicho sea, perfectamente mitades, y a partir de La Caricia hacia el este y el oeste.

Que si fue descubrimiento... pues ¡vaya que sí lo fue!, y ¡de juro!, para colmo... Obviedad a contrapelo por el levantón tan lepe de cejas del vendedor, quien como vivo resorte, además: ¡vaya listeza!: porque sin usar sus manos, puesto que ambas sujetaban el papel a ojos vistos, paróse y gritando «¡ajúa!»: se lo entregó al comprador, y tamañón como era se alejó salte que salte como gamo entre hortiguillas y breñales en salpique: lo clásico, ergo: sin fin, que se aprecia en cualquier llano. Cuca es la figuración, debido a que en La Caricia la guata alfombra zacata culminaba en un verdor de soto regocijado: viento ahí: destino-hojeo, allí el tamañón, ya mínimo, se emborronó de repente.

Borradura en conexión con lo que al lado derecho de Conrado ¿sucedía? No fue tardío su reojo, menos aun oportuno –¿reojo en cámara lenta?–; fue sondeo lento ¿de plano?... Veamos lo que ocurrió en cosa de un minuto... Tendido sobre el zacate lelo miraba al suroeste: donde el soto y el despeje aún eran festivo afán. La voz de Egrén, sin embargo, fue lo que le hizo voltear:

–¿Qué hacías?... ¿Qué traes en la mano?

Reacción por necesidad. En friega dobló Conrado su mapa y se lo metió en el bolsillo derecho de su pantalón vaquero. Librado adrede el empalme con el billete de cien metido en la bolsa, la única con arricés, la ya dicha, ni se dignó incorporarse ni contestarle siquiera a Egrén algo como esto: «traigo un papel que compré». En cambio sí se dio cuenta que Egrén se estaba vistiendo aún no estando bien seco, y así, con gran parsimonia, el susodicho cogió el maletín y enseguida soltó algunas conjeturas rematadas con preguntas que tampoco hicieron mella en el tendido-alelado:

–Se me hace que tú has de estar en la guala y no lo entiendo...

¿por qué diablos no respondes?... Algo me estás escondiendo, pero... ¡allá tú y tus secretos!... ¿o qué?, a ver, por favor... ¿no me vas a contestar?... Bueno, yo tengo hambre, ¡vente, echémonos un lonche!... ¿o no te arden las tripas?... En fin, si quieres venir ya sabes que estoy comiendo en el puesto que está allá...

Terco: ¡lelo todavía!, mudo, pero estremecido, Conrado vio cómo Egrén se alejaba: no cual gamo, sino casi tiento a tiento cargando en su mano izquierda el maletín con... Y entonces, ¡en atrabanque!, quiso: logró detenerlo con un apito importuno:

–¡Revisa si el maletín trae adentro la pistola, porque yo no lo cuidé!

–¡Ssshttt, por Dios!, ¡no seas zoquete!– se infiere la pantomima del huyente en el sentido de no despertar sospechas; empero ha de reiterarse que no había holgones a esa hora en La Caricia, esto es: aparte del tamañón: esfumado porque sí, nadie visto cerca o lejos por el que estaba tendido.

La comprobación de Egrén. Su acercamiento de ojos –toda vez que corrió el cierre– en el fondo semioscuro del maletín y ¡el alivio!: allí estaba la pistola. Dedeo de índice derecho nomás para señalar que la tan feliz mesmedad, reforzada, sin embargo, con un gestual sonrisismo. Parte a parte esas etapas: de suyo: medio discretas y útiles para que Egrén continuara su camino y se perdiera entre sombras... ¡Vaya!: ¿él también podía esfumarse?

Conrado se lamentó el no haber cogido a tiempo el maletín, o dedúzcase: el poderío a buen tuntún que estaba tan a su alcance, pero en cambio ya tenía un croquis indicador de lo que en su redondez –y más aún mitad abajo (su pasado: vil desecho), raya colorada en medio (el centro: perforación: La Caricia: adonde a gusto él estaba aún alelado), quedando la otra mitad a su albedrío, al norte, o sea...– ya era de todastodas su futuro promisorio.

Capítulo dos

Pudo haber sido en la noche, o al atardecer, o al mediodía, pero ocurrió a hora temprana, fue una mañana nublada, y lo raro es que, en principio, no hubo asperges o cencío, lluvia menos, y ¿amenazas?: desde luego, pero, veamos...

En la salasalón estaban terminando de desayunar los siete alcaldes y, como era lo común, ya algunos se disponían a echarse su dominada cuando: la nublazón se extremó. Comentarios al respecto no faltaron: de rebote, o inclusive por repliegue, sobre todo en el sentido de prender focos adentro, y es que si no el juego ¿cómo?: en tinieblas ¡imposible! Secundaria la grisura tornóse medio negrura y eso algunos lo estimaron como síntoma siniestro; otros: dos: los más ganosos, y por eso un tanto escépticos, se mofaron de los miedos en ventaja, pero zonzos, expresados en caliente, al tiempo que uno de ellos ya revolvía el ficherío. Uno aparte, el que faltaba, porque aun estando absorto ruidosamente empujándose el menudo de borrego ¡¿qué iba a notar el fenómeno visto por el ventanal?! Entonces cuatro miedosos: estatuas viendo hacia afuera: ya sin balbuceos ni frases.

La medio negrura fue efectiva como tal. Se engarruñaron las nubes hasta engrosar una plasta que al moverse parecía algo así como una aérea y monstruosa indigestión. *¿Irá a llover?*, alguien dijo, duda niña por despeje que mereció de inmediato la amonestación de otro alcalde-estatua molesto: *¡Bah!... no sólo va a llover, sino que caerá un chubasco seguido de un tormentón.* En tanto el acuciamiento de los que estaban sentados esperando la venida de sólo dos jugadores: la cuarteta indispensable: dos equipos, ya estaba uno, para darle al dominó. Pero no atendible, pues, lo de atrás, por ajaspajas, y la esperanza: ¡mediana!, de los dos exasperados fue cuando se levantó el alcalde que eructaba: incivil, por insistente, luego de haber concluido su zampe de pesadez; él, sin mirar hacia afuera, como autómata enfilóse hacia la mesa de juego.

Faltaba uno, ¡sólo uno!, para... mmm... bueno... ¡sí!... Por la amarga novedad del suceso ennegrecido diríase que la cuarteta podía ser ¡¿apocalíptica?! Se exagera el desenlace tras anunciar el suspenso en el que se mantendrían los cuatro que ya no hicieron comentarios durante un rato. Cada segundo agregaba más escozor y más pasmo a lo que como amenaza seguía siendo puridad de reborujo en el cielo: de bajada, mas no al grado de caer en flor, o bien, vaciarse en tierra y después a las rastras sugerir estrechamientos a poco, no permitiendo visiones como las que aún se tenían. Diez minutos y lo mismo: amplio paisaje mendaz: gris y con pespuntes glaucos: los pirules saludando al moverse sin compás y las hierbas en despeine: imitadoras huidizas de los ramajes en friega. Dominaba el escenario un nogal omnipotente: expresivo en demasía; repuje de lo demás a saber por cuánto tiempo, pero al cabo de un minuto el nogal ya reculaba o eso querían las miradas de los alcaldes-estatuas. Sensación-capricho-ensalmo porque ni cencío siquiera que redundara tal vez en algo deveras peor. Mientras tanto acá a la mesa el trío optó, ya de resultas, por

478

el no atractivo juego del beisbol: *bat* cada quien, se dice así en dominó cuando cada jugador suma puntos por su cuenta: nueve juegos: nueve entradas, quien sume menos se impone. De repente hubo chiflones cada cual con un sonido tratándose de imponer: afuera; adentro se oía al golpear contra el cristal: por entero: arribabajo y a los lados y ahora sí: burdo concierto sinfónico aún sin trasfondo de agua. Los cuatro alcaldes-estatuas: ya no: porque al dar nomás un paso hacia adelante intentaron tentaleos de vibras mínimas en lo bajo del cristal y sí: ¡uy!: sintieron varias.

Más chiflos: sonidos-ruidos, y más tramada estridencia, choque tras choque el horror, empero el aguante en firme: del cristal sólo el cimbreo, aunque vacilante: ¡oh!, y el recule de los cuatro y el levantón de los tres que interrumpieron su juego para ver lo que ocurría. Siete atónitos al cabo sin chapurreo de resultas viendo la extensión grisácea y la huida de la plasta que en su reborujo al máximo iba perdiendo negrura.

Pero los chiflos sin tregua...

De pronto en la lejanía apareció un punto móvil. Lo notaron los alcaldes: gestos iguales los suyos al querer que aquello visto tomara forma al instante. Espectro: ¿cuál?: macilento: ritmo viniendo hacia acá y más real a fin de cuantas la silueta de: ¡¿increíble?!: como un Dios venía el caballo, pero sin jinete encima, sin montura orondo «El Duende», heroico, por ¿asesino?

Capítulo tres

Los hechos se resumen así: dos guachos, vestidos de civiles, estuvieron en Remadrín cuando tan a la barata se llevó a cabo el muestreo callejero de cadáveres. No tardaron ni dos horas en darse cuenta a distancia que eran cuatro nada más los locales, en efecto, reconocidos por muchos, y el resto ¿de dónde, pues? Visto entonces lo deseado salieron ambos espías de aquel entrampe ruidoso, a pie, mas no correlones; y el informe: por contacto: recuérdese que muy cerca de Remadrín se apostó un retén de vigilancia, mismo que tenía sargento: siendo él, urgido en serio, quien por radio, uno de pilas, en clave emitió el aviso de lo visto, se supone, a un escucha superior. De allá cerca de Brinquillo otra clave por respuesta traducida más o menos en: *Manténgase en onda X-900-A-21 porque va a venir una orden.* Espera de media hora de oreja contra aparato *y* algo de allá recibido: largo y con hartos incisos: que había un cambio en la estrategia, lo cual hubo de poner en jaque a dicho sargento. Quiérase un «¿¿qué?!»: como jaque, por lo de resultas lioso, porque luego el abecé en acto, ¡sí!, pero el resto... Parte a parte el seguimiento y lo primero helo aquí: fue de noche justo cuando el mueble de los cadáveres salido de Remadrín: *¡Deténgalo!:* fue la orden. Más bien hubo cambio de orden proveniente de Brinquillo por el alto intempestivo que varios guachos en línea, bloqueando la carretera, le pusieron al chofer y, de paso, a sus compinches.

–¡Sí!, ¡sí!, ¡sí, pues!, ¡ya no me quieras fregar! Debo de reconocer que me equivoqué ¡de a madre!, pero puedo corregir lo poco ya corregible, aunque también reconozco que lo hecho-hecho y ¡ni modo! –quejumbroso, y por supuesto bien moscón tal como era, Pío Bermúdez, si en meneo, intentaba disculparse ante su esposa, cosilla, durante una sobremesa que hubo entreambos, larga a fuerzas, luego de una comilona para dos, inverosímil, de carnitas de marrano. Regañona la señora como nunca lo había sido tuvo en jaque al mandamás casi durante un par de horas, y éste: humilde, pizcuintío, dizque en agache deveras pretendía hallar argumentos convincentes y ¡qué va!, los habidos a porrillo eran dignos de un embudo lúbrico, o resbaladizo, como ninguno, y entonces: ¿para qué afanarse más?... Es que la humildad cuando es sobrada a más no poder esconde en agraz, ¡y mal!, un orgullo bien tozudo.

¡Alto!, y a bajarse todos, esto es: los de la cabina, pues la orden consistía en hacer cambio de mueble; ¡¿cómo?!, ¡¿qué?!, luego el ¡¿por qué?!, siendo que exigió el chofer a ruche la explicación... Que un retazo ¿para él?... Véase el mendrugo verbal: vendría un camión enlonado del ejército hasta allí: podía demorarse una hora: trasunto –hasta eso– no grave. En todo caso lo grave sería el engorro predicho de cambiar de un mueble a otro a tanto muerto tan rancio y a la luz de las estrellas, porque... mmm... vale la pena toparse con lo indirecto de la orden tras saber que el chafirete y los suyos recibirían su dinero como pago de un servicio tan de a tiro nauseabundo siempre y cuando ellos, ¡sólo ellos!, se dieran a la tarea de bajar y subir muertos de un mueble a... ¿eh?, ¡qué zoncera!, habiendo bastantes guachos membrudos para ayudar, y no, ¿eh?, sino que viendo... ¡pésimos espectadores!... ¡Pues qué injusticia!, ¿sí o no?

–¡Ya te lo dije diez veces!, no debí dar esa orden de matanza, la regué... Y también estoy consciente de que no debí traer a esos alcaldes idiotas a mi finca, no era el caso, siendo que los muy zopencos estaban más que obligados a afrontar las consecuencias permaneciendo en sus pueblos. De nada vale la excusa de que temí por sus vidas... Yo creo que la oposición se los hubiera bailado... Siendo tan autoritarios, a lo tonto, por supuesto, perdieron la gran influencia que siempre tuvo el gobierno, y que ha seguido teniendo, pero ya no, como ves, en los ocho municipios a los que estoy refiriéndome, de los cuales yo esperaba que salieran ocho marchas rumbo a esta capital, pero hubo sólo una, por fortuna, o ¿qué decir?... ¡En fin!, que me equivoqué al ordenar la matanza –teatral a contracorriente sacando de mil amores toda su basca amargosa, Pío Bermúdez en el fondo no pensaba, sin embargo, que el reborujo en mención, tan con los cinco sentidos planeado, visto y revisto, por seis tenientes: ¡maestros!, y un general, ¡casi brujo!, y él, ¡doctor!, y mandamás, para darle el toque fino, fuese una estupidez de máximas proporciones, sobre todo conociendo los alcances de la gente en cuanto a su rebeldía, pues no quiere armar, digamos, a la bartola revueltas, y menos revoluciones adrede o por calentura. Ésa es la enorme ventaja de vivir en democracia cuando todo el mundo vive en mediana jodidez que a veces no lo parece porque se respira un aire de novedad día con día. Juego ¿para complicarlo? Engaño en busca de engaños hasta que suene a verdad, como esa vez Pío Bermúdez quejándose ante su esposa: generala entre comillas y agradecida por ende. Contimás porque su esposo, en agache pantomimo, ¡pobrecito deplorante!, chiquitito, ¡ay!, mugre-mugre, se daba golpes de pecho al tiempo que con esfuerzos logró que se le salieran dos lágrimas gruesas, lindas: mañosería de un sensible miserable que al sentirlas alzó su cara contrita, pero ella nomás la vio y se mantuvo flemática tal como debió de ser al menos por el momento.

Gran trabajal contemplado: si con suavidad dicaz por los guachos esa noche. Si en otro sitio más amplio el pastel de los cadáveres, mismo que ya no sería: pastel no: por lo enlonado de aquel camión militar. Y el arranque, por lo tanto: otro chofer: más sumiso: ¡y con cachucha!: al igual que los compinches: no tres: sino quince fieles prestos... ¡Imagínense el reparto y con armas de lo peor!... Así la secundación del mueble que al «ahi se va» anduvo por carretera y por brechas exhibiendo –¡qué descuido!– al descubierto a: ¡momento!: como lo que viene ahora es detallado en extremo, lo mejor será contarlo de manera telegráfica, así que: dos muebles; ida hacia... sur... ¿suroeste?; uno: atrás otro: igual ritmo; desvío a dieciséis kilómetros: desde donde hasta: bien noche; tramo: temporal: cerrado; radio: radios: ramillete –según– de órdenes, o sea: floración de una –según–; muy adentro del desierto: el alto: hacer una fosa: hacerla ellos: tardadísimo: chofer y compinches de antes: ¿tres?, ¿habiendo tantos guachos?; desacato a última hora: auxilio: practicidad: suficientes picos, palas; fin: vaciamiento de muertos; otro fin: a pura pala el entierro, pero ¡ojo!: buscando la parejura; no fisgones en redor: a cierta distancia: ¡entiéndase!, ni personas poco más, en redor, más-más allá: segurísimo (¡perdón!). Se pudo hacer el resumen un poco más estractado debido a que en lo de arriba tan sólo se distinguió, aunque ajustándolo al máximo, el accionar de los guachos, más chafirete y compinches: su última labor de marras, para deshacerse pronto del sobral hediondo ya de cadáveres sin dueño. Por desglose deductivo a ese respecto se aclara que la primera orden dada al chofer fue más siniestra... Al chofer, ¡no a los compinches!... Se trataba de una quema inolvidable de cuerpos –para ello habrían de bastar tres litros de gasolina a chupe y chupe sacado del mueble: fácil aveno o encañe con manguerilla– lejos: en un llano donde –como el de la fosa: ¿sí?: la cual fue hecha a lo suputo al diez por quince, esto es: metros de hondura lo más y en parejo el tapamiento con la planura anchurosa– no hubiese atisbos de vida: de personas, ¡claro!, cerca. De ahí que se pueda obviar la tardanza de cinco horas sin descanso, sin problemas. La conclusión: casi al alba. Otro fin: ¿la despedida? ¡Sí!: seca, y el pago ¿dónde? Otra orden: todavía: que incluso con el desvelo por encima amontonándose para hacerse sumidero a la par con el cansancio, ellos deberían de irse de inmediato hasta Brinquillo y presentarse a las once a eme: ¡bien bañaditos!, porque allá el gobernador los recibiría en palacio como héroes que regresaban de una difícil campaña. Cuatro abrazos victoriosos: lujo ¡en sí!, a trancapalanca, suerte de coronación, donde coronas ¡¿pues cuáles?!, y el pago... mmm, bueno, a ver... Se da el salto a lo ocurrido: quién sabe cómo lo hicieron el chofer y sus compinches para llegar olorosos a jabón de almendra y miel, ropa limpia, bien peinados, rasurados: otrosí: sus zapatos relucientes, tacón bajo: lo correcto, y lo dicho: ¡tan feliz!, a lo que debe añadirse un gran brindis: ¡pura chuqui!: coñac francés, ¡uy!, y ¡ay!: pudiendo llenar sus copas cinco veces: ¡oh!, seis, ¿sí? Virtual embriaguez pomposa, pero el pago... sin embargo... ¡ah, caray!... eso taaal veeez... Es que no hubo sino ascenso: al chofer lo uniformó Pío Bermúdez cual fantoche: lo hizo su chofer privado: sueldazovida pimpante. Los compinches fueron jefes de departamentos de áreas relativas a obras públicas. Desde luego que ellos fueron en cuanto a rango y estampa –voz ronca: recomendable– bastante más importantes que el chafirete fifí: sueldazo más prestaciones y viáticos día con día, amén de carrazo y casa con jardín en buena zona y... mmm... por demás mil cosillas de prodigio, ¡ay!, ¡locoloco! Les fue mejor: ¿eh?, ¿sin duda?... ¡Ah!... perdón... yendo hacia atrás quedó pendiente un detalle: el sargento del retén se quedó allí una semana al igual que su brigada, se incluyen los quince guachos de buen grado enterradores del sobral hediondo ya, que regresaron en friega al retén a pasar hambres, porque comida: la mínima. Si por delante el sargento, todos obedientes-gachos esperando una nueva orden. Espera de ¡una semana!, y a otra cosa: ¡sí!, por súplica: radiofónica-pausada: vocecita sargentita, dizque el hambre, de vencida... ¡Ni hablar!: vuelta cuanto antes a Brinquillo a ¡comer mucho!, y los «¡vivas!»: canturreados, saltarines de los guachos... Y nada más, por desglose, un, acaso, pormenor: menudo, pero elocuente: ¡hubo perdón radiofónico!

Le quitaremos la voz quejumbrosa a Pío Bermúdez debido a que una sirvienta, uniformada ejemplar, trajo en bandeja de plata nuevos o segundos postres: grandotas las rebanadas de pastelote orozuz y dos tazotas de gres, mismas que traían al tope el cafecito con leche. Y el entre goloso, mudo, que parecía un intermedio donde tampoco la esposa se dignó ver al cretino al ce por be arrepentido. Castigadora y tragona al terminar hizo un gesto, pero de asco, mas no por el atragante ¡en sí!, sino porque su marido ya empezaba a balbucear: asco por la retahíla amenazante de culpas: tiento a tiento: como empiezo, a bien de atisbos o ¿qué?, pero encontrada la clave le sirvió como fuetazo para un desate sin tregua... Dizque estaba arrepentido del bloqueo carreteril: el tramo harto transitado entre Brinquillo y Pompocha; que la matanza ¿más cómoda?, de esa también ya se dijo. Y enfilando las etapas dijo arrepentirse incluso de esa idea, lírica, al vuelo, de subir varios cadáveres en la cajuela de un mueble a bien de irlos exhibiendo por pueblos y rancherías en camino de regreso a Remadrín y de ahí... La quema: ¡no!, ¡qué lindeza! Entonces la última orden: ¿orate o antojadiza?: magno entierro de los cuerpos en una fosa común. De eso ya de refilón dijo estar arrepentido... Pero la esposa en lo mismo –dura y enojosa mueca–: ningún viso de indulgencia.

Que tras el resabio luido de otros datos por decir... bueno: hubo uno concluyente parte a parte o a la tupa: cuando iba de regreso la tal brigada a Brinquillo, más de dos guachos notaron cadáveres: unos seis: a orillas del pavimento. Si precisando, otrosí, el culebreo carretero, no suena mal si se dice que a cada curva un cadáver: seis y seis, o más preciso: tres cadáveres tirados a la izquierda del camino, mientras que los otros tres... La completez de a deveras se cumple con este dato: tanto unos como otros eran viles esqueletos, pues ya casi no tenían carne de hondura, es decir: nomás alguna pegada a los huesos, cualquier cosa. ¡LOS BUITRES SE ATRAGANTARON! Deducción patidifusa tendiente a ser, inclusive, grullada para olvidar... Y sin embargo ese olvido tuvo su causalidad en la respuesta que dio el sargento cuando un guacho le preguntó lo siguiente:

–¿No vamos a recoger los cadáveres tirados?

–¡No!, ¿qué tienes?, ¿para qué? Si ya vamos tan felices ¿para qué ponernos tristes?... ¡Que se los zampen los buitres porque es regalo de Dios?

Purísima de la Selva, la esposa y primera dama del acre gobernador, por su atareo a buen soltar de arribabajo en labores de altruismo porque sí, no sospechaba siquiera que a raíz de la matanza su marido hubiese ideado tal cantidad de siniestros. Pero a efecto de rebusco en la convivencia de ellos, vale una ida hacia atrás para saber qué pasó... Téngase que ella adrede de un tiempo acá lo esquivaba casi a diario, y de mal modo, dándole a entender, por ende, que no había estado de acuerdo con esa carnicería. Lo peor de todo es que incluso –y también de un tiempo acá– ellos ya no compartían el lecho gobernador. Firme el desdén de la doña: conceptuoso a más y así: la denodada insistencia de Pío Bermúdez queriendo, si bien, tener la gran oportunidad para... mmm... La comilona fue hazaña: donde: ¡sí!: no había más que arrepentirse al decir puras verdades. Un rosario interminable: redundante en pesadez para la escucha enojada. Se le revolvió el estómago y vomitó las carnitas justo al lado de la mesa. ¡A limpiar y a darle un té y una pastilla de esas que se llaman «Sonriseo»!: tres sirvientas correlonas. Lento, demasiado lento, fue el recobro de Purísima, quien frenando a su marido para que ya no soltara más siniestros ni perdones, lo vio con sorna y después le dio la espalda al voltear su silla: contraria a: y él: a modo de darle un cierre al tal revuelo de hechos y de culpas a granel, de vencida dijo esto: *¡Soy pecador!... ¡Soy un diablo!... ¡He matado a mucha gente y no quiero matar más, porque me duele y me agüita!* Su hipocresía fue efectiva porque, en efecto, logró a poco la compasión de la que estaba volteada y que al volverse despacio hacia el susodicho hipócrita le propuso lo siguiente: *Si tú quieres irte al cielo, manda traer de inmediato al obispo de Brinquillo para que hincado durante horas le confieses al dedillo tus fechorías criminales... A ver si aguantas la freiga de cintura y de rodillas... Y de una vez te adelanto que además la penitencia va a ser bien larga y pesada.* Aparte del sufrimiento: si de hinojos: a saber... ¡Qué buena idea desde abajo!: con subida rezadora para un completo arreglo orientado hacia un final donde todo se amarraba, incluso su salvación. Ergo: la imaginaría en desate, pero al bies, de Pío Bermúdez sabiéndose como un ángel poderoso en el cielo eternamente y volando con Purísima –sin problemas– por doquier. Planeo invisible: otrosí: viendo todo tamañito. Así que ¡venga el obispo!: orden sublime, crucial, y el alto jerarca vino como de rayo y lo dicho: la confesión fue de hinojos, pero véase el detallazo: fue en un lugar de la sala donde no estaba alfombrado; fue deveras batalloso el sacamiento de culpas, y larguísimo, ¡pues sí!: porque así tenía que ser, contimás siendo a distancia supervisado por: ¡claro!: la enojona todavía, que a lo largo de dos horas como estatua se mantuvo. Dos horas en las que hubo por lo menos cuatro intentos de conclusión, esto es: los revires timoratos del gobernador: y no: su esposa decía que no –dedo índice oscilante–: que no fuera a levantarse, que faltaba, que siguiera, y ¡¿qué inventarle al obispo?!: mentirero sin dolor de Pío Bermúdez ¡a fuerzas!... Desde otro ángulo: ¡ah!: el deslinde; del tan preclaro profeso su presta misericordia, porque notó de algún modo la presión que la señora ejercía contra su esposo, no le encomendó –y ¡qué bueno!– una dura penitencia: mediana: quince minutos: de hinojos: ¡claro que sí!: con verdadero fervor, y hasta luego, y sin embargo Purísima todavía con reloj supervisando el tiempo de la rezada. Una hora de sufrimiento: lo mínimo, pero ¿hipócrita? Es que la bola de crímenes ¿con fe real emborronarla? De resultas: ayayay: las rodillas después de, ellas fueron pagadoras, y por ende Pío Bermúdez, tras pretextar que tenía montonales de trabajo, caminó cae que no cae hacia, al fin, la cómoda limusina. Recuperación: placer. Empero: el viaje no largo. Y en palacio la frescura renovada y el solaz por espacio de una hora, porque luego los problemas estatales le llegaron en torrente: ¡y al ataque!: a contracurso... ¡Bah!, tener que hacerla de malo sólo por tener que dar soluciones extraurgentes... En un puesto como el suyo la bondad o la desidia eran algo más que estorbo.

Capítulo cuatro

Es difícil imaginar una relación política o de negocios entre Trinidad González y el cacique don Romeo. Los indicios, sin embargo, apenas sí repuntaron a partir de los abrazos reiteradamente falsos que el primero recibió del segundo: fueron nueve. El sitio: un triste recuerdo; el acto: el solemne entierro del ricachón que se ahorcó, mas no solemne del todo por alargarse de más. Cuéntese en primer lugar la gatería: en luengo: inútil, del discurso deletreado del sacerdote traído de San Chema para el caso: parte pues de las exequias no ortodoxas porque eso –si se considera serio– debió hacerse ante la cruz: pero la del templo, o sea: con incienso y monaguillos y campanas –campanillas a duelo doblando y, ¡claro!: sin descarte de plegarias e invocaciones al cielo, amén de la misa póstuma–. Entonces fue por revancha el deletreo: ¡singular!: del sacerdote: ¿tal vez? En todo caso el cacique u Olga Judith que ahí andaba, entremetida nomás, eran los más indicados para decir ante el féretro las palabras del adiós. Pero volvamos al punto. Lo dicho: la relación entre, bueno: de los nueve abrazos dados en siete no hubo palabras del cacique para el huérfano. En cambio en los dos restantes: *Vamos a hacer buenas migas,* el primero: escueto, al tiento: abrazo número seis; luego lo dicho, digamos, a manera de puntilla: abrazo número nueve: *Yo creo que entre tú y yo tenemos mucho que hacer, entre otras cosas: negocios; es cuestión de platicar.* Insinuación embustera, ¡importuna!: por lo pronto.

La porfía sobre lo mismo cuando (ejem): ¡sí!: es difícil imaginar que durante la caminata de regreso a lo, de suyo, siempre común y corriente, toda vez que concluyó el de por sí absurdo entierro: por faltoso, por cansino, la relación entre Trinidad González y don Romeo Pomar comenzara de buen grado tan sólo por lo avenido de un acto ilustre en extremo. Juntos ellos: pero el huérfano sí y no queriendo zafársele: téngase la lentitud conveniente de sus pasos, si al principio la mudez, pero al cabo la propuesta del cacique, la cual fue: *Quiero que mañana vayas a la alcaldía a hablar conmigo. Te espero a las nueve a eme.* ¿Cómo decirle que no? Pasos para repensar. Todavía estaba a seis cuadras la casa del que no dijo si iba a ir, o mejor luego, o para qué, empero... a ver. Mientras tanto la mudez apretando y apretándose como si fuera persona: de repente: mal nacida; no lo fue, porque, veamos: *Tengo un proyecto que a ti, que heredaste una fortuna, te pudiera interesar.* Bien nacida la avaricia vista ya por Trinidad como un ángel de la guarda que desde esa vez sobre él volara haciéndole señas; y, en efecto, el guía invisible, salvo su dedo blanquísimo, un índice apuntador de un tinosinodestino, lo cuidó hasta la ruptura –los «hasta luego» entrampados (muecas en vez de señales)–, porque ya no oyó otra frase del cacique, si es que hubo, mas sí supo que mañana debería de hacerle frente acudiendo a la alcaldía.

Situémonos allá entonces...

Aunque...

Es difícil imaginar que don Romeo convenciera a Trinidad acerca de ese negocio que él usando mil argucias hizo dizque interesante porque... bueno... mmm... el huérfano respondió con una frase apren dida justo la noche anterior, noche en vela: alborotosa; frase indirecta, niñita, pues nada tenía qué ver ni siquiera con un punto de los muchos que el cacique le detalló al ce por be: *Yo no entiendo de política, pero estoy con el gobierno, y contimás con usted*. Ascua y agrado a la vez e incógnitas en aína, tanto así que don Romeo se ladeó, mas su recobro debió entenderlo a tolondro, ya que si deseaba en acto arremeter con más tino, su obligación era hacerle al huérfano una pregunta lo más concreta posible, una, pues, para obtener un sí o un no y a otra cosa; ergo: la hizo, pero ¡uf!: *Yo no entiendo de políticaaaaa, pero estoy con el gobiernooooo, y contimás con usteeeeed*. Loco ya, o se volvió loco el huérfano, o ¿qué agregar? Entonces lo despidió cordialmente don Romeo: ya sabedor de que nunca le propondría: ¡ni de chiste!: negocio alguno y tampoco algún respaldo moral en apoyo a su política. Con adeptos como ése, mejor «gracias» y «adiós güey».

¿Güey?, tal palabra inmerecida Trinidad se la grabó para el resto de sus días, es decir: él era ¿güey? Tal vez, pero en todo caso güey con un ángel de la guarda.

La avaricia ¡protectora!

Es fácil imaginar (ejem) la relación a distancia, buena a secas entre ambos. La cordialidad cuajó en sonrisas timoratas, de pasada nada más, pero en lo inciso, si bien, de un agrado para otro, Trinidad antes que a nadie invitaba a don Romeo a sus fiestas semanales y a su boda: cuando fue, no fue, perdón, el cacique; tampoco fue cuando fueron aquellas bodas de plata, pero ya dimos el salto en el tiempo o ¿qué decir?: lo dimos con desenfado y lo que importa es quedarnos con lo risueño a distancia, los saludos pese a pese, los no reproches y, bueno, seguían las invitaciones de Trinidad de continuo a la vez que las no idas de don Romeo: sistemáticas, como si fuese un trasunto entre locos muy de ocultis: queriéndose calcular. Serie de intentos, rechazos y respetos de por vida: no de locos siendo así, sino de dos pobres güeyes asumidos como tales ya que de resultas véase: ¿uno por qué lo invitaba y el otro por qué no iba?

Eso sí: no se le ocurrió jamás a don Romeo prohibirle a Trinidad hacer fiestas, sobre todo siendo éstas ruidosas a tutiplén, mas no, ¡claro!, trasnochadas. Viva resaca del cálculo por parte de Trinidad y previendo los encrespes de la decencia pueblera. Ahora que: si de «cumplido», el cacique le mandaba al huérfano policías asegún con el objeto de que cuidaran el orden, pero la intención ¿cuál era?: ¿representantes de él?, desde luego, porque ¡ojo!: casi siempre terminaban los tres-cuatro encachuchados integrándose al fandango; eran buenos bailadores, inclusive magistrales, y por eso las muchachas nunca les decían que no cuando uno de ellos –¡oh, sí!: suspiro sobrentendido– nombraba a una: cualquiera.

Claves ¿a otro nivel?, entre...

Las claves para después, si es que hubiese además ¡¿cuántas?! Y el regreso a la ruptura: muecas-en-vez-de-señales: ¿se conecta cuándo entonces? La ruptura fue en la casa del ahora sí solitario, aunque no del todo (¡¡¡puesssnnn!!!), porque de ahí en adelante el dineral heredado sería su gran compañía –sin embargo, la avaricia pro-tec-to-ra: por encima, a modo de un dedo índice–. Y lo primero que hizo fue ir a ver cuánto, o sea: y cómo: su haber ¡no enloquededor!... Rauda contabilidad... Eran cuatrocientos fajos billetosos, gordos, ¡puf!, y ya había gastado tres: uno para el funeral y dos para los sirvientes corridos POR SUS TANATES.

¡Vaya derroche a lo zaino burla burlando contra él! Por ende se dio su tiempo para entrar en más detalles sude y sude por lo mismo... Con ayuda de un cuaderno escolar a medio uso y un lápiz con punta chata bastante sacapunteado, un par de horas y fracción le llevó al pigre inclusero el conteo (o dedeo también) de billetes de mil pesos. ¡Todos de igual cantidad!, pues no descubrió siquiera uno que valiera menos, excepto –y he aquí lo feo–: nada más veintidós fajos eran de billetes viejos, de mil, pero su valor: el actual: ¿averiguarlo?... y a dónde ir: ¡qué complicado!, quizás después, quizás nunca. Entonces, hecha la resta, tenía para parrandear (primero era lo primero) trescientos setenta y ocho fajos que se acabaría en... Si cada fajo constaba de ciento veinte billetes... Bueno, antes tuvo que llamarle la atención la exactitud de esa cifra y sus porqués, que eran: ¡sí!: los del ahorcado, padre miniatura antes. Ergo: para tenerla presente, en una hoja de cuaderno escribió la cifra en grande, o sea: con números grandes: 120, o sea: ¡imagínense!, y como un chale se puso a hacer dizque sus tanteos filosóficos secretos, empezando con lo fácil: del número uno seguía el número dos ¡pues sí!, pero luego el cero ¡¿qué?!: ¿vuelta al punto de partida? Así la dificultad para un segundo tanteo: escribió el número doce, mismo que al verlo bien solo no reflejaba gran cosa, y luego el cero enseguida: ¡ah!, quiso suponer que el trece debía ser de mala suerte, por lo cual la insinuación del doce y el cero juntos atentaban contra el trece propincuamente y entonces era como arrepentirse: pero sin que se notara. De otro modo otro tanteo yendo al revés en los números: el cero y luego el veintiuno, y eso ¿qué?: ¡puro rebane!, porque al seguir combinando Trinidad se hizo pelotas, amén de que sude y sude mejor se dio por vencido.

Cabizbajo contador saliéndose de un abismo numérico que, si

bien, podía acosarlo día y noche para el resto de sus... ¡no!... Sentado sobre el mosaico lo que hizo fue incorporarse. Fue un chispazo su intención de efectuar un recorrido palmo a palmo por la casa: ya suya de todo a todo, mas lo distrajo un detalle: los retratos de su madre por doquier y ella mirándolo desde diferentes ángulos. Sintió el peso fantasmal cuando dio unos cinco pasos: Trinidad, ¡ay!: su redor, y otro chispazo: más brusco: ¿tremebundo disparate sería contar los retratos colgados en las paredes?

Un dilema...

Una aventura...

Un tanteo definitivo...

No sin pensarlo tres veces, en efecto se dispuso a ir contando los retratos y: ¡qué va!: por lo que sigue: horrorizado al final de su osadía cucañera, debido a que halló la clave indirecta de los fajos: la cuantía de los billetes por cada cual coincidente con el número de cuelgues de retratos de su madre, diose pues a la tarea de descuelgue y en sus andas, para colmo, de soslayo vio el cuaderno sobre el piso y el chispeo de aquella cifra: ¡¿maldita?!: creciendo pues... Pues enojado arrancó la hoja y el número horrendos: bola, más que estrujamiento, metida en su pantalón, pero luego el 120 como que empezó a latir: pálpitos o cosquilleos sobre su muslo derecho...

No acomodo, no equilibrio, en principio, y por su bien: portando cuatro retratos enmarcados Trinidad: como un bausán puesto en marcha si a solapo desde ¿dónde?, se echó a correr de repente en dirección al traspatio.

Allá la separación de retratos y de marcos: dos empiezos que a la postre serían como dos pirámides: una casi arquitectónica y otra papelera adonde tiró la cifra: la bola: con sus latidos chispeantes.

Lo demás: idasvenidas y luego la completez de dos pilas, mejor dicho, por su imperfección de formas; si el tan-tan fue tan jadeante lo venidero sería una fiesta para sí; jolgorio huérfano, lírico, obra del diablo quizás y: a brinco y brinco pingueando apisotronó los marcos y los cristales al cabo, hasta volverlos añicos: basura para tirarse...

Enseguida lo sabroso: lo sencillo de un cerillo prendido-echado a la pila de los retratos maternos y de la cifra perdida en la bola que aún latía. Subidora quemazón: hilo de humo como lazo que el padre tal vez jalaba desde el cielo: exasperado, acaso por pretender llevarse a la eternidad las miradas en la tierra de su para siempre esposa, al igual que, por decir: toda la suerte de ángulos habidos y por haber, sobre todo aquella tarde que tenía como testigo a su hijo viendo absorto la ascensión definitiva.

Desencanto: las propelas voladoras al azar: ¿se irían todas?...
¡Ojalá!... Lentamente Trinidad fue virando hacia su izquierda. Allá en
la sala había algo sugestivo, jalador: su corrección terrenal, ardua,
pero luminosa... No obstante, se lamentó de no tener a la criada para
pedirle que fuera a una tienda a comprar ligas.

¿Ligas?

Y él tuvo que ir cuanto antes...

Idavenida enfadosa: no queriendo hablar con nadie viviendo lo
que vivió hacía apenas un momento: un juego entre Dios y el diablo
con tres tramas dislocadas: padre: arriba; madre: ¿dónde?; y el hijo
allí en el traspatio: trenza ¡para destrenzar!, pero dale con los «pésa-
mes» en la calle de la gente incluida, desde luego, la señora regordeta
que despachaba en la tienda.

¿Ligas?: ¡ya!: montón de ligas. Se ocuparía Trinidad en deshacer
tanto fajo. En vez de que los billetes sumaran la cifra aquella, mejor
que sumaran cien cada fajo y por lo tanto las ligas para eso eran...

¿Por qué cien?, ¿cuál simbolismo?

A saber si por los ceros: ¡¡par de tanates canijos y el uno hacién-
doles juego!!

Más terrenal tal recreo...

Al huérfano le llevó algo así como cinco horas armar los dichosos
fajos. Buen augurio, según él; logro diablo su capricho.

Capítulo cinco

No le dieron trabajo a la mujer, no en Remadrín donde ella
anduvo toque y toque de puerta en puerta y no, ¡ya no!, ¡de plano!,
que por su edad... que ese era su problema. Pero si era inservible
nomás por vejestoria, pero ricacha sin querer, en cambio, ricacha de
repente, ¿por qué diablos deseaba Olga Judith seguir siendo sirvienta?
Cosas de necedad remadrinense tenida por un vicio, asegún, sacro-
santo, de endurecerse incluso en el arrastre; cosas que se ahondan mal
y son topo trasfondo de donde ha de surgir la flama atormentada de
algo que cualquier zote considera como saldo a favor y para siempre,
excepto, ya se dijo... su obstinación ¿mendaz?, cierta, por ende, y así
los sinsabores ocultos como estigma o como un «deber ser» a contracurso. Así la realidad: mejor: sin distorsiones. Mejor no esa impresión: ¡ojalá no!... Pero la realidad y sus ladeos: lo que fue a fin de
cuentas...

Veamos lo que pasó:

Olga Judith se fue sin entender –no quiso– la causa del despido: tristísima, eso sí, mas con un fajo gordo de billetes apretado contra su corazón. De hecho, no fue correcto que se hubiese alejado surcando sus arrugas con su llanto. ¿Cómo iba a ser correcto si traía harto dinero y nadie, por lo visto, se lo habría de quitar? En fin, pero allá ella... Luego pidió posada –lo primero– y a lo mejor por vieja no le dio una que ella creía su amiga de verdad. Pero se le ocurrió por suerte ir a pedirle posada a otra amiga que era más antañona que ella y más pazguata: su nombre –¿se recuerda?– bueno, aunque no suene bien digámoslo tal cual: Juana de mi Corazón Dávila viuda de Nieto... A pesar de su afecto, por adarmes, recíproco endenantes –desde que sus jorreces y viudeces desde hace unos veinte años las unió–, ya entre ellas a la fecha había nubes de más; así: sus diferencias de algún modo –sendos puntos de vista incongruos de por sí– ambas las detectaron tiempo ha, empero su amistad aún no se tambaleaba y cuando estuvo a punto: ¡ea!: los toquidos (ambiguo fue el momento dizque de molde ¿sí?): dificultosamente Juana se dirigió –¿quién era?– hacia la puerta. La petición: ¿puntual?: de Olga Judith, por ende, refuerzo habría de ser: o prueba de amistad: cosa de verse. Más o menos amable el «¿cómo no?»: por parte de la lúcula, puesto que la gorrona antes de entrar le hizo esta aclaración: *Tan sólo una semana estaré aquí, ¿se puede?* De refilón se aclara que la recién llegada aún apretaba el fajo de billetes contra, bueno, donde se dijo arriba, lo cual, de todos modos, no llamó la atención de la anfitriona, en virtud de que al tiro le dijo esto: *Yo te daré posada todo el tiempo que quieras, pero nomás dime algo,* y he aquí su gran pregunta zoila, pero inocente: *¿por qué si tienes casa quieres vivir conmigo?* La amargura y el miedo a raíz del despido sirviéronle a la ex criada como justificantes para una larga plática que hubo de continuar allá en la sala donde por largo rato –¿y quién sabe por qué?– contra su corazón mantuvo el fajo, ¡ay!, apretándolo adrede, hasta que la anfitriona, ya a medias informada del cuelgue de don Juan y sus efectos, le dijo que podía guardarlo en un cajón; empero Olga Judith salió con esto: *Cuando sea medianoche iré a mi casa a dejar el dinero.* Que por seguridad lo oscuro: ¿o no?: para la ida-venida, y Juana lela ante eso, no queriendo, por ende, abundar de revés en tal sentido: freno y ofrecimiento, que con toda confianza, que había muchos cajones, sino: la plática incidió sobre los planes que Olga Judith tenía para mañana mismo y de ahí hasta, es decir, si era medio ricacha ¿cuál empuje hasta el fin? Entonces la respuesta brutal, inesperada: hacerla de sirvienta todavía, a ver en qué otra casa, y esto como soporte: *Yo no puedo aplastarme como tú... Si lo hago me muero*. Las nubes entre ambas: puntos de vista opuestos: contraataque de Juana, por lo pronto: *El mucho o poco tiempo que me quede de vida yo me lo he de pasar echada y disfrutando de la naturaleza que veo a diario*, envirotada pues, ricacha pues, soltando la maldita: ya por añadidura: mugre y fresca propuesta, Juana obtuvo un «¡no!»: enfático. Que Olga Judith ¿sirvienta de su amiga?, que eso ni por error, ni de favor: *¿Qué tienes?, ¿mira tú?... ¡Búscate a otra!* Pero esa otra ya estaba trabajando: con ella, y además (lero-lero) era bastante joven y hacendosa, la cual –comprobación mediante– vendría un poco más tarde, como todas las tardes, incluida también la del domingo: ¡siempre! Así que la gorrona –nomás por las mañanas: de tal hora a tal hora– ya no lo sería tanto; mas de nuevo su «¡no!»: más corajudo, dándose de resultas el abecé entrampado de lo que habría de ser al fin y al cabo un conflicto sin rumbo.

Lo demás: los caprichos de Olga Judith: niñitos, de irse, de volver: lo hacía con mucho gusto. Sus ausencias gustosas al principio duraron entre dos y cuatro días (sus reconciliaciones: fugaces, engañosas –viejas discutidoras sin remedio–, ya que su buena fe no era capaz de librar cuanta nube, e inclusive tampoco se afanaban en despejes a medias cuando menos); luego casi a propósito se esfumó una semana, mas no de Remadrín, porque –¿por qué?– andaba por las noches callejeando y si algún despistado osaba hablarle, tal como sucedió dos veces, asegún, ella corría gritando como loca: resultona esa fórmula ¿de ahí para adelante? Luego se ausentó un mes: niñitamente, sabedora, eso sí, sonrisuda a distancia, de: ¡pues sí!: tuvo que ser de a tiro doloroso para la envirotada no saber de su amiga aun cuando obligó a su otra sirvienta a indagar en el pueblo a ver qué diantres pues, empero nadie, ¡uf! –puras habladurías– tenía noticias claras. Juana entonces a modo se puso a idear historias más tristes que fantásticas, y ambos registros mal: ¡en las tinieblas!: feos: y otra fatalidad: por lo poco sabido, sin embargo, ya que la otra sirvienta le trajo el asegún, de refilón, un día: aquello de que aquélla por las noches –lo mismo–: sus callejeos, sus desapariciones, Juana quiso creer que Olga Judith tal vez estaba muerta y se había convertido en un fantasma que tocaba en las puertas de las casas sin ninguna razón. Así quedóse atónita desvelo tras desvelo durante una semana mirando las estrellas con la ilusión (niñota, desde luego) de que entre todas juntas le dijeran algo bueno al respecto: alguna directriz, señal o asomo, pero ¡mangos!, ¡caray!, ¿qué le iban a decir?... Quizás, en todo caso, de arriba otra procura, puesto que hubo un empuje milagroso;

persuasión, endenantes, pero al bies... Ténganse los toquidos en la puerta: de día. Dificultosamente Juana se dirigió –¿quién era?– hacia: ¡sorpresa! Muy fresca Olga Judith de nuevo le pidió... Pues ¡adelante!... Menuda amiga pródiga que con su ausencia, ¡ay!, revolteó el asegún fantasmagórico: sospechas en el pueblo, en las estrellas ¿sí?, y adentro de esa casa; si el afecto mediante: invariable: aún en pie. Por ahí el armazón del reclamo de Juana hecho ya cuando ambas estaban en la sala bebiendo limonada. Sentadísima ¿y qué?, piernas chuecas, abiertas, y rojos sus calzones hasta allá, cínica como nunca Olga Judith: sin habla... Y enredoso el reclamo –ya se dijo– de la anfitriona: fue: en tono infantiloide... Soportando hasta el fin la correntía como un obvio señuelo palabrero, mirona la gorrona, aunque con mueca entristecida ¡falsa!, hubo de arremeter con suficiencia:

–No te voy a decir adonde anduve... Lo importante es que he vuelto y ya no quiero irme... Pero si luego intentas convencerme de que te diga adonde fui a parar y qué fue lo que hice, sea mañana quizás, o dentro de unos días, o ya pasado un mes, debes saber que basta el puro intento para que yo me vaya de esta casa y no vuelvas a verme.

–Te quieres hacer dura y eso yo lo respeto. Entonces ¡despreocúpate!, no te haré, lo prometo, preguntas que te afecten. Y si te afectan todas, ¡dímelo aquí en caliente!, para no hacerte ni una, ¡te lo juro!... Pues lo que me interesa es que te quedes a hacerme compañía... Yo no quiero pelear, no tiene caso; y más porque las dos estamos retenviejas, tal vez yo más enferma que tú, lo reconozco, pero deja decirte que cuando tú no estabas yo estuve redondeando una ilusión que, bueno, me gustaría también saber qué opinas...

–¡Dímela!, si eso quieres...

–¡Cómo me gustaría que las dos nos muriéramos adentro de esta casa y casi al mismo tiempo!

Entendible tapujo por mor de un largo trago que enllegando al estómago se hizo ascua abrasadora, férrida, viva allí, cosquillosa al final: Olga Judith sin habla y con tres gestos que al reiterarse uno detrás de otro parecieran decir, en círculo: «¿qué?», y punto. En tanto la mirada de la otra: ornándola: de paso: un entrecejo –¿aleve?– inquisidor; prudente, sin embargo, hasta que vino esto, de suyo, deletreado, es decir: casicasi: *Me pa-re-ce muy lo-co, pe-ro no es-tá de más i-ma-gi-nar-lo.* Remate valedero, tanto así, que sofrenó la plática inminente dejándola en amago tras convertirla en sarta de ruidajos y gestos reciclados.

Cada quien a su cuarto luego de un cuarto de hora.

493

Transcurrieron tres días donde el silencio quiso proponer, de travieso lográndolo, por ende, un juego de reojos, aunque a cierta distancia. Un juego a la bartola acompañado a veces por una que otra frase de Juana: suelta pues: sin dirección alguna. Baste con mencionar las más rotundas, ergo: las que en tonos distintos reiteró la anfitriona: dos: ¡sí!, tres veces dichas: ¡vengan!: *Si yo muero primero te heredaré mis bienes;* la segunda se antoja el triple de maciza: *Ya estoy a punto de hacer mi testamento ante el notario público de aquí;* y una más de pilón, misma a medias audible, sólo dicha una vez: *No sé... si tenga caso... morir juntas.* Sentencias facilonas, asegún, sin interlocutor. Lucidez de vencida adonde el miedo era ímpetu e incluso, porque sí, sabihondo buscavidas, de juro, contimás, de fantasmas o gente por venir, y Olga Judith: ya no. Punto final. O, je, mejor punto y seguido. Y ¡órale!, y por lo tanto: a hurtadillas salió de aquella casa bruja. Bruja contra ella misma, mismo emplasto. Fue una noche en que no hubo filarmonía de grillos: medianoche estrellada, delicia luminosa. El miedo la empujó. La vieron callejeando ojos que no querían mirarla una vez más: fantasma tocadora de puertas ¿sí o no? Y en efecto, ¡qué va!, lo primero que hizo la horripilante ex criada fue ir en friega a tocarle a su ex patrón.

Furibundos toquidos: muchos, ¡uy!: muchos ecos en torno.

Ventanas encendidas por ahí y por allá a bien de fisgonear la abyecta payasada nomás por importuna.

Interrupción y fuga: ¿cómo le hizo?; al sentirse notada Olga Judith: ya no.

Adentro Trinidad se despertó gritando; mas luego ya farol, pero sin levantarse de su tan torreznero camastro de tres sábanas, se dejó aconsejar por la prudencia y, ¡claro!, siendo que la prudencia se convirtió en fantasma apapachón, aunque un tanto encimoso, se dijo, entrecortado, con pizca de ironía: *A esta hora no le abro ni al Mártir del Calvario.* Lo bueno es que de pronto los toquidos cesaron. ¿Dónde, pues, fue la lucha de fantasmas? ¡Caray!

Haciendo un recuento (ejem) rápido a contracorriente de la no tan larga ausencia de Olga Judith: esto es: fueron meses, casi un año, en que ningún ojo viola de noche tocando puertas como lo hizo durante un tiempo en Remadrín, a propósito, cabe destacar lo otro: referido muy atrás: no pasó ni una semana cuando oportuna llegó... ¿se sabe o hay que decirlo?... ¡Ah!, la venida en autobús desde Arras a vivir: que con su tía chinchumida: Juana de mi... eso, pues. Empero no transcurrieron a lo mucho cuatro meses cuando la fuereña huyó, se casó, como se sabe, pero antes de hacer lo que hizo, le oyó espetar a su tía una frase dicha a nadie, suelta entonces, aunque: ¡lástima!: incompleta, o ¿sin sentido?: *Ya estoy a punto de hacer mi testamento ante...* Bueno, desde luego, y solamente por tacto, no había por qué incomodarla con preguntas al respecto, más aún considerando que la tía ya hablaba a solas sin caer en soliloquios de locura chinchumida, por lo cual era pazguato para la nueva gorrona estar cazando esas frases en apariencia sesgadas, relativas más o menos a procuras improbables. No faltó, de todos modos, la frase ahora sí completa que a Cecilia, sin querer, llegó a inquietar cierta vez: *Si me muero un día de estos te heredaré cuanto tengo sólo a ti, mi consentida.* Ocio se necesitaba para las adivinanzas. Lentitud para el destrence y juicio más lento aún para un trenzamiento empero nunca exacto de por sí. Nociva la entrada idiota en detalles dizque útiles le tendría que resultar a la dichosa sobrina que por doquier ya escuchaba, mas no como contraparte, sendos campaneos de amor, sobre todo tras los largos besamientos que se daba con su novio: ¡oh, deliciosos! –mismos a los que, entre tanto, conviene ponerles nombre: ¿está bien que les llamemos: «blandos ensayos cachondos»?, ¡ay, sí!, pero es que se antoja–. Besamientos muy bien dados: por ejemplo: detrasito –y en cobijo harto morboso de semiencueres nomás– de un follaje copetón de maromos aún verdes –porque en la casa del novio los semiencueres aún no, ni nada por el estilo, no antes de la boda, ¡uy!–. Nociva, ergo: insustancial, y nomás por enfadosa –ya recalando ex profeso en trances de beneficio–, le tendría que resultar la pretensión dislocada de saber si a ella, en efecto, le correspondía la herencia, siendo que la susodicha anhelaba algo más rico: casarse con Trinidad cuanto antes y... quizás... el dinero... mmm... su importancia... por deslinde... mmm... por regate... Y ¡MOMENTO!, de una vez: ¡NO FUE ELLA LA HEREDERA!

Se hila lo sucedido a partir de la procura de la vieja chinchumida. Su osadía, como despeje: quiérase que al aire libre cuando hacía mucho calor. Endenantes repensado lo que iba a dictarle al único –al menos en Remadrín– notario –¿en activo?– público según ella lo afirmó con base en un chisme oído hacía mucho en una fiesta organizada en honor de los ricos lugareños: su esposo –que en paz descanse– era de los figurantes; a ella también la invitó don Romeo Pomar y ¡fue!: pimpante, y muy bien vestida, del brazo de su señor. Fiesta en el patio trasero de la alcaldía y por la tarde. Vino una orquesta de Piélagos: músicos encorbatados, incansables, sin embargo, y rebanosos al máximo por su variedad de ritmos... Quede el emborronamiento de una suave retahíla de risas y de meneos en sepia ya para siempre acorde con la procura: dificultosa, extenuante, dado que esa nueva ida era apenas para Juana su segunda a la alcaldía y por tanto considérese que fue a la una de la tarde. Ni hacer la comparación. Es que se antoja decir lo penúltimo nomás de esa ida fastidiosa y en dos frases campanudas: bañada en sudor llegó Juana de mi Corazón Dávila viuda de Nieto ante aquel notario público, el único, ¿eh?, comprobado, y así bañada en sudor, sin pasarse ni una vez su antebrazo por la frente, dictó –aparte correcciones– de pe a pa su testamento.

La heredera: Olga Judith. Años de propincuo afecto.

Al cabo de muchos años Cecilia llegó a enterarse de que ella no y jajajá, pues le tenían sin cuidado los designios dizque póstumos de esa tía reteantipática que se murió: lero-lero (no fue a su entierro y ¡ajúa!), justo dos semanas antes de su enlace en el altar con... ¡pues sí!... salió ganando: Trinidad: su partidazo: era el único heredero de una fortuna más... este... muy... mucho más... y además...

Tardía, pero inesperada, resultó la aparición de Olga Judith en el pueblo. Sus toquidos en la puerta de su amiga retenoble... Media hora de insistencia y ni quién le diera informes acerca de lo que a poco ella estaba sospechando. Pudiera ser inclusive que sus seniles porrazos ya no fueran retumbones o también que Juana, sorda, estuviese, ¿era seguro?, en las últimas, ¡oh, no!, allá lejos: pobrecita: en su cama ¿delirando?... Auxilio fantasmagórico: a tiempo: a modo de empuje. Puerta de dos hojas: donde: sólo en la hoja derecha la ex criada tocó, aporreó. Entonces toquido en falso, uno, y tambaleo hacia adentro de Olga Judith cuando: obvio: entreabierta la hoja izquierda. Temblando paso a pasito su intromisión en la casa. Miope ella, mas con gafas: unas caras que compró en algún lugar ¿más próspero?!, y su avance fantasmal... Había bastante desorden: ropa en el suelo (¡colach!), varios cajones abiertos, si en figureo de desmayo o queriendo ser desborde de minucias... mero amago... o pinturreo casi real... Más estropicios al cabo y nadie: no Juana ahí, ni siquiera en su camastro: lío engañoso de colores a un tris de entrecruzamientos: virtuales-vivaces colchas, cobijas cuyos dobleces: el colmo sería decir: pastel solemne-macabro, que la intrusa tiró al suelo a tiemble y tiemble y ¡ni madres! Juana estaba dura, horrenda, dizque cómoda en su féretro bajo tierra: deducción. Paso siguiente: salirse de ese admirable colach, admirable en el sentido de que logró impresionar a un seudofantasma diurno, como así se suponía Olga Judith hacía meses, mas sabiéndose, ¡ni modo!, de carne y hueso: de nuevo, y a punto de dar un grito, rumbo a la alcaldía salió aguantándose el deseo de un desfogue indispensable, sobre todo por lo extraño de su avance –consecuencia– correlón: extraordinario, contimás teniendo en cuenta que era una octogenaria y que la veían muchísimos a fe: ¡sí!, atónitosmemos, bajo el solazo asesino, siendo creencia común, e inclúyase cuanto sea móvil: poco o mucho: allí, el pensar que se trataba de un espejismo fugaz: regalo de los mil diablos.

Redención en la alcaldía. Presencia real que antes no: cuando la prisa hacia acá vista por varios burócratas. Entonces el grito real de la presencia senil espetando algo como esto: *¡Yo me llamooo Olga Judiiith y he venidooo a que me informeeen si mi amigaaa que se llamaaa Juanaaa de mi Corazóoon Dávilaaa viudaaa de Nietooo está vivaaa o está muertaaa!* Rauda a fuerzas la obediencia: zote hormiguismo en aína a causa del susto en sí: con pródigo desenlace que redundó luego-luego en el acceso a lo máximo: donde don Romeo Pomar revisaba el testamento de aquella anciana ricacha muerta antier y lo increíble –cuando el alcalde allanó, acompañado por cuatro azules pistola en ristre, la casa de la hoy difunta– es que en el baño la hallaron senta-dísima-doblada sobre la taza de... bueno... ¡claro que no haciendo caca porque estaba retemuerta! El aviso diolo a tiempo la sirvienta vespertina, la pizcuintía jovencita: pobreasustadachonguda; ahora que por hilazón... de bulto se encima, aposta, lo del funeral, la misa, el entierro y antes, ¡sí!, tal como deben de ser, las consabidas exe-quias; pero eso hemos de ignorarlo para volver al asunto de aquella presencia insólita que lenta se aproximaba adonde muy sonrisudo don Romeo la recibió:

–Tome asiento, por favor... ¿no quiere una cocacola?... Es que con este calor... Bueno, ¡vámonos al grano!, porque veo que usted trae prisa, aparte ya me dijeron hace apenas, ¡qué sé yo!, cosa de un par de minutos, que usted llegó enfurecida exigiendo información; pues yo que soy el alcalde se la doy rápidamente: su amiga que en vida tuvo el nombre de, a ver, a ver: Juana de mi... ¡qué caray!, ¿para qué se lo repito si está largo, y además, supongo que usted lo sabe?, enton-ces a lo que voy... mmm... Ella, en efecto, dejó, una herencia en tes-tamento... mmm... para usted, esto es...

–¡Esooo yo no lo sabíaaa...!

–Me alegra que no lo sepa, porque las leyes aquí como que meten cuchara. Ahora me voy a explicar... Cuando una persona muere dejando testamentado el conjunto de sus bienes, la ley precisa al res-pecto que si la beneficiada... usted, pues, en este caso... no se encuen-tra en el momento de la expiración, o sea... como usted estaba ausente, el gobierno en su derecho de depositario póstumo se agencia todos los bienes y no hay discusión legal que le impida hacer...

–¡Por Dios! Yo no vengo a reclamar ni un centavo de la herencia. Lo que a mí me urgía saber era si Juana había muerto, pero eso ya lo sé... En cambio, lo que no sé es adónde la enterraron... Así que en cuanto lo sepa lo que haré es llevarle flores...

–¡Ay, señora!, eso es bien fácil. El gobierno, que soy yo, mientras esté en ejercicio de alcalde de Remadrín, ordenó inmediatamente que a su amiga se le diera sepultura en el panteón: el de aquí, el municipal, puesto que fue en este pueblo donde dejó de existir, para irse al otro mundo; entonces, si lo desea, pongo a su disposición a dos o más policías para que, ¡uh!, ¡¿faltaba más?!, la acompañen al panteón a la hora que usted lo ordene...

–Bueno, ¡sí!, lo ordeno ya, si me hace usted el favor...

Graciosismos de remate cual adornos de cumplido: ñoños, cursis: otrosí: dejando un nuevo sabor en la boca del alcalde. Labios para lengüetearse tantas veces: corrupción: el dinero a manos llenas encontrado en un baúl: enser que fue transportado de inmediato hasta la casa: ¿se deduce de quién era?: vigilante don Romeo del trayecto en su guayina, chofer él: yendo a su lado el baúl con la fortuna: ¡ser humano!, mientras tanto, y nadie que hiciera mosca ni adelante, por supuesto, ni en el asiento trasero. En la casa del cacique otro par de policías haría la carga final.

Triunfo de la ley, ¿deveras?

Todo fue a pedir de boca para un voraz ejemplar que por suertudo no tuvo necesidad de enredarse en chulas explicaciones. Que si la envidia latente en el seno burocrático, entendida, de resultas ¿como crítica de fondo? De don Romeo este despacho –no sin que antes viendo al cielo le agradeciera a Dios Padre el gran favor recibido–: por malas entendederas, cuantas suponía en lo bajo, tuvo ganas de exclamar: ¡chinguen a su madre todos los frustrados criticones!, pero como no lo dijo: diose tres golpes de pecho.

Capítulo seis

Fue una verdadera lástima que el vendedor de mapas hubiese aparecido en La Caricia y desaparecido de allí: ya: como un fantasma diurno. Lástima porque ahora Conrado, estando en ascuas, no tenía a quién decirle con pelos y señales, y que lo aconsejara de la mejor manera, sobre lo que más tarde –pistola de por medio– haría allá en Remadrín y luego en Pulemania, en compañía de Egrén.

Borlote íntimo pues el bien y el mal en alguien que, digamos, tendido bocaarriba cuan chaparrito era, suertudo se sentía por haber sido objeto de una revelación que tal vez retorciera, ¡para bien!, su vida casi a punto de volverse asesina. Y si aquella presencia lo premió con un mapa (asegún, ya que Conrado nunca fue a la escuela) del gigantesco estado de Capila y un documento anexo importantísimo –tantos puntos geográficos para buscar un jale acorde con su espíritu–, se lamentaba en serio, de resultas, de no haber revolteado a conveniencia su propósito incierto. Que haciendo algún paréntesis quizás y justo a la mitad de la soflama del... ¡profeta para él!: ¿¡mesías virtual?!... E imaginó su habla osada, interruptora, a modo de incitarlo a que viniera: *Está bien, no hay problema. Le creo lo que me dice. Le compraré una copia de su mapa y otra del documento auxiliador, pero como usted es medio profeta, o algo por el estilo, según yo, me gustaría plantearle un plan bien feo que entre un fulano y yo traemos entre manos. Quiero contarle todo desde donde yo creo que empezó todo y que usted me aconseje si está bien o está mal. Le pido que me escuche, sin hacerme preguntas, porque es bastante largo, ya verá... Tenga en cuenta, eso sí, que yo soy obediente, y si me dice usted: «no lo hagas, por favor, no te conviene», o si me dice: «hazlo, no seas tonto», yo, ya sabe, es decir, ya se lo dije, haré lo que usted juzgue más bueno para mí... Pues entonces escúcheme, ¿verdad?, porque ahí le va el chorizo...* Duración suputada ¿hasta la tarde? Ténganse los rencores de raíz: el de Egrén y el de él. Historias parte a parte de uno y de otro tocantes al enojo con las futuras víctimas. Pericia para hallar retazos clave y aún así tardanza por godeo o por no hallarlos pronto. Pero tan improbable lo supuesto: ¡lástima, sí, qué lástima!; aunque, bueno... ¡qué tal que de repente apareciera el gigantón profético, sólo porque sintió quién sabe cómo el llamado de...! ¡No! De eso mejor ya nada. Capítulo infeliz porque fue trunco...

Y luego...

El mapa, el documento: dos rollos aplastados bajo su brazo izquierdo. Que si por accidente lo levantara un poco para rascarse algo, dejando en libertad a... los rollos ¿volarían... para acabarla? ¡No!, ¡no!, o sea: inmóvil como estaba –vil condena– debía permanecer, ¡¿achis?!, tampoco, puesto que le bastaba hacer de esos papeles una aflautada delgadez más tensa y buscar de inmediato un par de ligas de hule, a fin de que el apriete no fuera con ninguna de sus manos callosas. Tenía que haber un par en La Caricia. Ligas de esas se encuentran dondequiera: tiradas, a medio uso, y él recordó a capricho haber cogido un par enmedio de algún llano tepetatiento y vasto. Lo que era lo de menos de su delirio en ciernes... Con tal de irse parejo para no hacerse bolas... Pero el revés: lo real...

Cada vez se sentía mucho más solo, o es que también Conrado ni siquiera intentaba entreabrir un solo ojo y de hacerlo: pues ¡híjole!: las proféticas nubes, con ayuda del cielo, podían decirle algo relativo a lo de antes: el bien y el mal en juego, etcétera, los crímenes, pero en lo oscuro ¿qué?

En lo oscuro llameante nada más la tatema resentida a lo largo y lo ancho de esa su chaparrez; al cabo la sospecha apenas sí: como que encaminándose hacia... ¡pues sí!... Egrén en La Caricia, entretenido ¿al fondo?... mmm... no era hora, que ni qué, tal vez por el solazo, de que viniera urgido adonde él para afinar, según acuerdo de ambos, los planes criminales hechos al aventón, de mañanita, en el cuarto de hotel allá en Pompocha. Eran catorce pasos venturosos, pero podían ser once, o diez, o nueve, u ocho, el límite hasta siete... La estricta afinación: la cual: después; o bien: el rompimiento... Efecto retardado sería de cualquier modo enderezarse un poco, abrir los ojos: ¡mucho!... Senda comprobación... Trasunto de una urgencia a expensas de otra ¿falsa?... Pues lo hizo el susodicho para no estar pensando zonceras como esta: que Egrén se hubiera ido –pues traía la pistola– sin despedirse de él; y otra zoncera pronta: ¡qué bueno hubiese sido que desapareciera Egrén de La Caricia en vez del gigantón! Mas lo real a distancia: para colmo: Egrén como si nada jugaba volibol con unos sombrerudos pizcuintíos. Enanez jubilosa en vías de hacerse grande siempre y cuando, caray, siguiera dale y dale.

Godeo otra vez: acueste bocarriba, y cerrando los ojos Conrado se acordó del gigantón. Aunque se sintió solo por estar como estaba, también se supo único –cual un recién nacido, pero ya tamañón, a un tris de incorporarse– porque no era casual que en un lugar así, hecho para recreos y nada más, a él especialmente, cuando no lo esperaba, se le arrimara un hombre cuya mente no era igual que las otras de este mundo, un mesías portador de un nuevo plan de vida, quien le ponía en sus manos un mapa en blanco y negro para que él, si quería, lo recorriera todo sabiendo las distancias en kilómetros y hacia donde el azar se lo jalara: puntos para vivir y trabajar y, ¡claro!: interpretando el *tip*... El mapa: ¿cuál misterio?; en lo oscuro la busca de una clave. Dimensiones. Rigor. Márgenes que se estrechan, contimás en tinieblas a punto de color. ¿Para qué abrir los ojos? Indirecto asegún: a poco entonces. Ya mero o ¿no?: tal vez, y sí, por ende, el tino de Conrado: la buena nueva que el mesías le trajo no podía ser más cosa que no intentar salirse de Capila... Su suerte allí nomás... ¿Le iría mal, por ejemplo, en Gringolandia?, Conrado acomodando... Le iría mal en los puntos que no estuviesen puestos en el mapa en mención... ¡EN SÍ!: pues sí, ¡qué antojo de fulano que hizo de su pereza momentánea un mecateo, digamos, filosófico!, ideal, si a esas vamos, porque incluso hasta el hambre se le fue... Y sí, en efecto, esto: con júbilo arrancando un poco de zacate para luego soltarlo, dio por cierta esa idea a modo de olvidarse de un tema tan así.

Mas la desilusión: la realidad: los crímenes en puerta, ¿decidirse?... Conrado necesitaba a su mesías de inmediato. ¿Si apareciera?, ¿invocarlo?... *Ven, gigantón, por favor* –musitaba inutilmente–, *dame una pista, una idea, para no sentirme mal con lo... este... ¿qué decir?... No es tan fácil para mí ser aliado de un matón, ni mucho menos matar cuando a mí me llegue el turno; entonces ¡ven!, ¡dame órdenes!... ¿Yo debo ser el primero en...?* ¡Horror!, lastre, retroceso de un iluso que conforme repensaba de revés, se iba haciendo más pequeño, más semilla y más macarra, en virtud de que el fantasma tal vez ya no regresara, porque hubo dejado el mapa donde de ocultis estaba acaso la clave exacta, pero encontrarla ¿en aína?... Lo primero: abrir los ojos. Sensación clarividente: las nubes, el cielo atrás: cuando Conrado por fin... Si el fantasma diurno en lo alto, si su voz: destello impune, como antojo de relance... Una palabra siquiera...

Pero el estorbo de Egrén, su aparición sustituta –¿líder?, LIDERAZGO. ¿quién?: ¿el de arriba o el de abajo? De los dos ¿cuál el matón? Por lo pronto la palabra y a ver, pues: ordenamiento... Por ahí andaba la clave de travieso y sin embargo...–: era bastante importuna tal figura gigantesca y más porque le hacía señas como si lo descentrara de una fijación aposta, echadiza de por sí, y luego la frase imbécil:

–¿A poco has estado aquí nada más acalorándote?

–¡Sí!... mmm... pues sí... Como que estoy indeciso...

Indirecta referencia a una intención muy apenas que sólo valía por vaga, porque Egrén no la captó.

–¿Qué diablos quieres decirme?... ¡Anda, mejor ve a bañarte! El agua del río está fresca y eso es bueno para ti.

–No sé si me bañe al rato...

–Entonces cómete un lonche, ¿o qué no vas a comer?

–Estoy pensando en el plan... ¿No quieres que lo afinemos?

–Primero báñate y come. Tenemos tiempo de sobra...

–Al rato... ¡Al rato!... Ya sabes.

–Bueno, como tú prefieras. Nomás te digo una cosa: voy a estar jugando *voli* hasta las seis de la tarde, hora en que cierran aquí. Afuera y más lejecitos podemos hablar del plan.

–Mmm... está bien, pero, oye... ¿No quieres que yo te cuide la pistola mientras juegas?

–¡No!, caray, no te preocupes –ya no tan gigante Egrén, pues se estaba retirando cual un fresco señorón (con su maletín en mano: en suavísimo vaivén), mismo que más a distancia sarcástico acompletó–, ¡conmigo está más segura!

Capítulo siete

Presurosos los alcaldes contagiaron con sus nervios a los de la servidumbre. Umbroso el alejamiento del caballo: transitorio –pinta a trote y trote ¡real!: retrechera: para colmo: pátina en plena mañana- rumbo a las caballerizas. Si todavía el airecito de dignidad meramente del ¡sí Duende!, y sí, de suyo, ¡vil desfacedor de entuertos!, les restalló a dos o tres, porque: de esa acción la otra distante: la consecuencia infeliz: ¡que el alcalde fue tumbado! Y a auxiliarlo ¿quién iría? Seis guachos aparecieron impidiendo todo intento. Antes a la voz de «ya» el griterío los atrajo, contimás al aire libre, pues ni uno de los alcaldes se quedó como pazguato en la tal salasalón, ni los criados: bajo techo, ¡qué esperanzas!, dicho sea, si el contagio fue rondero y su alargue: ¿cuál fue el límite?, más a partir de una frase de entre tantas, en destaque: la que algún guacho avispado captó y entonces, ¡pues sí!: se esperaba el accidente: una posibilidad, y una orden al respecto del acre gobernador. Nadie –se aclaró la orden, dictada desde... se infiere–, salvo dos guachos en moto, de esas motos no comunes que cuentan con sidecar a la derecha: estrechísimo, podía ir a recoger al herido a la barranca; tal punto no adivinable, dado que allí tiempo ha el Duende solía tumbar a... Pues lo primero: ir allí.

La moto luego enllegando adonde la muñidiza como insólito espectáculo en la finca, de por sí, sobre todo por romper con su tozudo runrún ¡con tanta monotonía! Aparición: polvareda, más el afán de saludos: de esos guachos conocidos: manos en la frente: rápidas, y al unísono los cuadres: taconosos, marionetos. Prontitud de ¡davenida, asegún, y ya los guachos, sólo los seis encargados de no permitir escapes de alcaldes, menos protestas, porque de la servidumbre ni se añada una intentona, como si hubo, desde luego, de tres o cuatro munícipes; por lo que empuje hacia adentro del conjunto sin más tregua. Que adentro –¡ojalá que no!– la pudrición tras la espera; truenes de dedos: mejor, mas no muchos porque pronto los alcaldes y los criados vieron por el ventanal de la tal salasalón el regreso del cacique de Remadrín ¡a Dios gracias!, vivo, por venir sentado en el sidecar, esto es: no había brazo –no visible– de guacho: detenedor. Uno atrás y otro adelante en la moto: pues: los guachos, y el herido: independiente.

Alivio tras el cristal y menudas inquietudes de dos alcaldes que en friega: su salida sofrenada. Uno de los vigilantes púsolos al tanto así: *Lo curarán más allá. A lo mejor tarda un poco en venir adonde ustedes.* Frustración: vuelta hacia, bueno: quedaba como aliciente el dominó de parejas con su par de retadoras y el empiezo de dos cucos que ya revolvían las fichas sin decir una palabra.

Salto de unos dos kilómetros hacia donde los quejidos. Tal dato como deslinde. En la finca, ¡sí!, en efecto, había un cuartucho bien limpio y oloroso a cloroformo. Allí era la enfermería. Lo curioso es que ¿doctores?: alguna vez hubo alguno, pero desde un tiempo acá: paramédicos: dos criados, y en la ocasión y por órdenes del acre gobernador: los dos guachos de la moto, quienes, cual debe de ser, se lavaron con jabón (y también ¡con lentitud!), agréguese algo de alcohol, manos-muñecas: ¿qué más?, para atender al herido que mientras tanto quejábase del dolor en su tobillo: el derecho: retehinchado. Fue torcedura nomás, por lo que con una férula, hecha a base de vendajes, (intocable durante un mes el arreglo extravagante; yeso no, por lo pesado, además de que no había, y traerlo de Brinquillo... ¡Ah!, ¿para qué complicar tanto lo tan sin chiste deveras en cuanto a cura primaria?) fue cubierta a vuelta y vuelta; y a vuelta y vuelta, por tanto, el trámite quejumbroso –no pastillas para el caso, calmantes al re: no allí–. De modo que don Romeo bien se podía autonombrar triunfador por estar vivo. «En veremos» la efusión: de por medio dos kilómetros: donde ganaría las palmas no sólo de los alcaldes sino de, veámoslo así: de toda la servidumbre se ha de incluir por contera al peón que le dio el caballo, no sin soltarle el consejo: *Llámele «mi Duendecito»,* y al peón sexual –¿se recuerda?–, el de allá de la caseta telefónica, otrosí: olorosa a puro semen. Palmas para un héroe anciano: vencedor ¿verdad que sí?, no obstante, todos sus «¡ayes!» que durarían cuando menos –ralos, ¡más ralos quizás!– una semana, o ¿diez días?

¡Listo!: don Romeo, y después... Falta la cuña morbosa para acompletar la cura. Vil orden rematadora, dictada risionamente por el teléfono gris. ¡Ojalá se arrepintiera el acre gobernador! De los guachos paramédicos también las risas (¡qué bárbaros!) aunque discretas o en pausas cuando al fin se la soltaron a don Romeo, quien, turbado, osó hacerles la pregunta relativa a si en verdad tan inhumana fue la orden de, ¡caray!, pues no tuvieron cautela al decir de quién venía. Tratábase en consecuencia del uso de dos muletas, pero de la enfermería hasta la salasalón –dos kilómetros, se sabe– don Romeo se habría de ir para que fuera ensayando. Difícil trayecto: ¡ay!: cansancio contra dolores en cadena: ¡oh!: por grullada. No dejado de regreso en sidecar motoneto: por lo tanto: y ya de largo: se prodigaron los guachos paramédicos: ¡qué va! (sutil así el desacato a modo de redondeo truncorisión infeliz): añadiendo a la bartola que si él hubiese muerto tras caerse del caballo, se le enterraría en la finca –aclaraciones aparte: las obvias, tiempo habría luego–, en cueros, para acabarla, entiéndase que sin ropa ni dentro de un ataúd. Al respecto: discreción; nada de qué reclamarle al gobernador: un día, porque si no: ergo: el despacho balaceado a tutiplén ya por parte de: un favor: de los guachos al decirle aquello que no debieron. Entonces: trancapalanca: el epílogo exigido por don Romeo de una vez: lo apócrifo ya a lo sumo: que por qué sin ataúd y sin ropa el dizque entierro. También con la orden el móvil subordinado –¿se cree?–, ya de por sí con recalco: que el laborioso atracón de gusanos por doquier a expensas de su cadáver culminaría –¿por qué no?– en menos de una semana: ya esqueleto como tantos: quiérase irreconocible para quien lo reclamara, y de hecho: para cualquiera: un profanador osado de la tumba que: otro dato: sí tendría una cruz de pitas atadas con cuatro alambres.

Ida hacia lo minucioso si el herido, por zozobra, insistiera en obtener otros datos ¿tendría caso? No más desgaste, no allí y: conjetura incapaz: si todo epílogo es o debe ser sustancioso, la brevedad debe darle la cuota de perfección. Paloma o tacha, depende, y relativo a lo dicho don Romeo Pomar al irse muleteando con quisquilla palomeaba con desgana, mentalmente, por supuesto, aquello que merecía tacharse por ser macabro. Algo que ya había inferido desde que el gobernador le dijo que renunciara. Muerte segura quizás de no hacerlo, sí lo haría –si muerte por accidente desde que montó el caballo asesino casicasi, y la prevención del peón: no ordenada: ¿fue un favor?–, pero no tan de ligero. Así que su alejamiento de los guachos paramédicos rompía ya, al bies cuando menos, con el gobierno estatal; aquellas risas detrás despachándolo: a saber... y el cacique con sus «¡ayes!» a cada paso esforzado queriendo contravenir lo que ya era irremediable. Costosa renuncia pues: ¡ojalá que en Remadrín!, pero otra renuncia acá cuando el herido se dijo que no volvería a montar ese caballo traidor; melindroso, reparón, casi humano por hipócrita; mas lo que seguía: por ende: ¿inmotivado desgaste? Llorar mientras muleteaba: dos lágrimas no eran suma, y soltólas a placer: libertad de esculloneos: dos: lerdos, no muy acordes con el ritmo de sus «¡ayes!»: ocho: en tanto los zigzag recorrieron sus cachetes amelgados-arrugados y después ya no: ya gotas caídas en el zoquete. Lodo: emplasto refalseado: donde apoyar las muletas se estaba dificultando; no tanto porque el rocío anegó apenas la tierra y era cuestión de sortear –otro problema canijo para el herido andariego– los tramos buenos: delgados, si secos: mas no visibles nomás así porque sí. No más lloros, y el milagro –porque tampoco hubo «¡ayes!» del cacique: aguantador, ya indagando, cual se dijo–: cual premio a esa resistencia: el cielo se despejó: un cambiazo luminoso, tanto así que parecía que el sol se hubiese de pronto reventado para bien. Ayuda cósmica o ¿qué?: para un pobre diablo aciago que empero aún no avistaba ningún cuerpo de persona: de allá salida: al garete: es decir: de la mansión: como por arte de magia, y viera en resol, incluso, el cae que no cae –sí o no– muleteado del cacique. ¡No!, y su desgracia creciendo...

Tan precario recorrido. Concisa, de acuerdo a esto, la recompensa de luz.

No «¡ayes!», sino palabras; luego gritos inservibles de don Romeo sabedor de que aún le faltaba mucho.

Del techo de la mansión: el encarame triunfal de la antena de la tele como registro distante: suspendido, porque: cierto: había una enlomada curva que no permitía avistar los trazos de construcción ni la masa del inmueble, por lo que: ¿cuánto de tramo?: para ver coloro aquello adornado con personas.

¡Imagínense la suma de «¡ayes!» en distintos tonos e imagínense, además, los gritos no tan rugientes, todo eso como anticipo de un despeje vencedor de don Romeo que, por fin, no sólo vio la mansión con su antena como lanza: clavada: en reposo pues, mas sin punta aguda arriba, sino lo coloro en masa adornado con personas, ya de hecho semiadorno porque por lo menos cuatro habíanse desensartado del conjunto ornamental –mismo que saludador, pero inmóvil, desde luego: manos en lo alto nomás y con zumbo platicón: en espera, sólo espera–; cuatro los auxiliadores del que muleteaba: ¡pobre!, ya de hecho semipobre porque aquéllos lo cargaron. Recorrido: treinta metros, y enllegando a lo que era el portal donde el floreo: macetas-macetas-potes-tiestos-tiestos-jardineras, cuanta loa por adehala de los siete alcaldes, ¡claro!, siete, ni uno auxiliador, mismos que fueron seguidos por cuanto criado zanguayo palabrero a lo tarugo. Loas en la sombra, si bien, de refilón, si en un credo, dizque, pero no tan válidas para don Romeo que: ¡ay!: quiso desatarse adrede. Sus quejidos lepes, chulos, por tener colchón de brazos y también plausible opción de sentirse otra vez jefe como lo fue tanto tiempo en su querido pueblito. Dar órdenes en ¡¿hamaca?! –¿cuántas?... ¿unas veinticinco?–

Idea no errada, o mejor: palio por mor de un sufrir (caminata solitaria a ritmo de «¡ayes!» o aguante posterior acalorado) inédito para él, palio porque no pidió que lo pusieran en pie sino hasta que un alcalde lo invitó –y a ver si sí– a echarse una dominada. Refuerzo de ayuda entonces: brazos de sobra cuán mimo: meticuloso bajón y apoyo en hombros: ¡que sí!, debido a que don Romeo juró con cruz, boca y beso que de esa vez en delante le entraría a las dominadas tal como le habían entrado los otros cucos alcaldes desde casi su llegada a la finca hacía ya ¿cuánto? Jorguería póstuma ¡en sí!, a favor del ex jinete, quien ante todos también –se han de incluir, criados, criadas, más dos guachos hasta el fondo: en este caso el portal, y el peón sexual que allá andaba como queriendoqueriendo– juró ya no entretenerse –héroe ¿para qué?, ¿ante quién?– en la monta de esa bestia: duende-cito, mi..., ja, ja, dizque duen-de-ci-to, ¡duende!, y que tiznara, ¿chingara? a su madre para siempre. Juramento estranguadero: graciosísimo, feliz: con eso el cortón a modo de una friega acaso pálida, ya que de haber sido negra no sería siquiera friega, tragedia: ¡sí!: muerte y paz: mera angustia volandera la caída en la barranca y tras el impacto abajo el lutoefectodesvío, y el consuelo cabizbajo quiérase de ajenidad por lo menos en la finca; mas como fue escollo en luengo, adivínese el capítulo por venir: ¿qué fue primero? Lo tocante al dominó es lo central: harto grueso, pero que aquí –se anticipa– se condensará, digamos, dándole postín o pisto y algo de falsa apetencia; de ahí entonces el tanteo de los posibles empiezos: uno podría ser que ¡fuera!: criadas, criados, guachos, ergo –la voz amable de ¿quién?–: el peón sexual: procurante: aunque no visto por nadie: se hubo escondido ¿chiquito?; otro empiezo podría ser el auxilio comedido de dos criados cuyos hombros le servirían al cacique (ellos: adentro: los únicos, mientras que el resto: asoleado) para apoyarse: de pie: e ir a la salasalón donde el dominó esperaba, entonces con gran cuidado el acomodo: ¡oh, prurito!: de quien dijo no querer las muletas nunca más, y se aprovecha esto último para dar con otro empiezo: dos órdenes del cacique: una: que de ahí en delante lo auxiliaran en sus andas sólo criadas: las mejores: las más fuertes y bonitas: jovencitas y sonrientes, con deseos de sacrificio, ¡pues qué arrojo de mandón para ordenar cual si nada tanto chuloso primor!, así a la orden aún, faltábale, como es obvio, un remate asaz chispeante: las dos criadas ya escogidas de entre doce allí presentes debían estar a toda hora cerca de los gritos de ése, es decir: cerca del cuarto, y que por lo tanto ellas a ver cómo se ingeniaban para no sentirse mal, dicho lo cual la otra orden de don Romeo fue más fresca: que trajeran cocacolas para los cucos alcaldes y por supuesto bien frías. Por lo demás tentativos serían ¿cuántos?: otros: ¿sí?: empiezos, procuras: de hecho: en un plano ideal, ¡muchísimos!, pero todos desechables porque, bueno, ahora se aclara que lo anterior sucedió, mas su acomodo: ¿se intuye... qué fue lo que siguió de...? Como fuere fuese el preámbulo válido a bien de enfocar el recargue en el sillón (de don Romeo que tahúr: concentrado, entretenido: ni para cuándo volteara a ver lo que había tras él): uno, en lustre, llamativo: el par de muletas: ¡nunca!: él lo ordenó, sentenció; empero alguien puso el par por malora: callandito. Amuleto inadvertido, de resultas, a saber... ¡Venga de una vez por todas el enfoque ya anunciado de lo central de este asunto de dominó durante horas y adviértase que el cacique puso como condición para jugarlo y picarse que hubiese apuestas en serio si no de billetes grandes si de alguna propiedad de cada cual puesta en juego: compromiso por escrito en cualquier papel con firma! El acuerdo: antes: de juro: figuraban ranchos, casas, terrenos, caballos finos, muebles, y uno, un locuaz: ¡increíble!: apostó a una de sus hijas: una ¡ay!: cosita: ¡sí!: veintiañera deliciosa, asegún, y que perdió en una de tantas manos: promesa de cumplimiento, aunque el «¿cuándo?», por supuesto, lo debió de relajar.

Maestro de maestros: ¡achis!, les resultó a los picados don Romeo que hizo pareja con el alcalde de Rungüis: ellos no perdieron e ¡híjole!, pues téngase que jugaron de continuo hasta el hartazgo, ganando: ¡uy!: ¡lo impensado!, y si no ganaron más fue porque nadie: ya no: bostezos: ¡aaauuugggrrrmmm!, ¡a dormir!; que mañana la revancha, y don Romeo: ¡por supuesto!

Valga aquí la aclaración de al menos dos pormenores. Poco antes del vencimiento, si por inercia tramado en lo que luego fue ringla de: esto se dijo aquí ¡encima! –un bostezo dio la pauta–, uno de los retadores supuso que las muletas eran amuleto: ¿o no?: más aún por inadvertido: eficaz: ¿sí?: del cacique, por lo cual el susodicho quitólas: a hurto: escondiólas –ningún ruido, ¡qué gran trámite!– pronto abajo de la mesa de desayunos, comidas –hubo una comida: ¡claro!: interrupción: lapso absorto de cuchicheos en redor, mientras que el cacique absorto, mudo, sin «¡ayes!» siquiera (como tampoco emitió alguno: al viso: ¡qué aguante!: durante la hora de juego antes del desveno, ¡o sea!, ni después ya en correntía), empujábase pechugas de cotucha en salsa de apio con reburujo de colzas y sojas en pedacitos– y cenas –nadie cenó, pese al jalón del olor cuando tres criadas trajeron tres platones retehumeantes–. Pero tras acompletar, justo a espaldas del ganón, el retador su labor de quite: a hurto, y también de escondedera: no lejos, don Romeo llamó a las criadas: las bonitas: al pendiente: a fin de que lo ayudaran en el no muy largo enfile a su cuarto: ¿Y LAS MULETAS?: esas ¡nunca!: se reitera, así que su olvido fue más que lastre, dejo aleve de presuntuoso tahúr despreciador de lo habido, excepto: el par de bonitas, feas luego por sudar: ¡uf!: hasta no el acueste lento en el camastro del viejo: de ellas su salida a saltos a lo fresco: noche: alivio: minutero: contimás: el relente: impregnación, y así al cabo su regreso para quedar cerca de... El segundo pormenor recae en el compañero de juego de don Romeo: el otro alcalde ganón –del municipio de Rungüis–, quien hizo fama de «pésimo» (el más no tahúr, por ende) en la finca durante, bueno, resulta que ya era dueño momentáneo de riquezas que él jamás imaginó obtenerlas en un tris, y perderlas en un... ¡niguas!: mañana también sería pareja de don Romeo. Diole entonces pronto alcance al que con dificultad, apoyado en dos cositas-pobrecitas-sudorosas, se retiraba, se sabe. Y acorde con el avance la soltura de otro afán: lo oído por –un delirio–... y su respuesta: perita:

–Si mañana: ¡ay!: te tuviera de pareja: ¡ay!: ¡qué desgracia!, al menos yo perdería todo lo que: ¡ay!: ya gané... Todo jugador experto en el dominó: ¡ay!: supone que no debe: ¡ay!: repetir pareja al siguiente día, porque seguro: ¡ay!: su suerte se le revira desde lo bueno a lo peor, ¡muy peor!, ¡ay!, y por lo tanto...

Sentencia dicha con «¡ayes!» entendibles, concluyentes, otrosí: más resultones, reforzando algo enigmático que el zonzo procurador, siendo pésimo tahúr, jamás podría imaginar como ley sobrentendida o de ocultis entre cucos, a lo que, por consecuencia: su disculpa seca, gacha, a bien de dignificar su ignorancia, por deslinde, y retirarse gallardo u orondo, pues, triunfador.

Falso final de capítulo sería lo dicho y lo oído: dignidad tras dignidad: presunción rematadora; mas como todo final siempre es falso de algún modo, se añade una acción postrer falsa por impertinente; verdaderas las palabras siempre y cuando no se afanen en ser un albur de axioma: propositivo, asegún, ni intento de silogismo.

La falsedad es venial y algo tiene de ventura equívoca al fin y al cabo cuando de intentos se trata y uno aquí: los pasos dados, luego de un largo, extenuante, acecho ingenuo de ¿quién?; ingenua o falsa la opción, pero pues chingue a su... ¡a ver!: no le importó al peón sexual, pues sigiloso: ¡al ataque!: traía en su mano derecha una bolsa de asas: ergo: campaneando: mas no tanto; no sus toquidos –un colmo– en la puerta del cacique: su cuarto: adentro: distancia de ocho metros como mínimo entre su camastro y: obvio: imposible recorrido.

Así que ¡adelante!: un eco, oído por: quien: discreto: empujó la puerta y fue hasta donde don Romeo acostado bocaabajo violo al sesgo: ¡¿confusión?!: falsedad-ambigüedad, empero lo real: la bolsa: de la que con donosura el peón sexual sacó: ¡órale!: tres revistas pornográficas: regalo como astringente para alguien que no murió a causa de: se supone: el diabólico relincho de el Duende allá en la barranca. Un consuelo anochecido aunado ya a otro consuelo: su triunfo en el dominó. Residuo soñoso o mimo culminante de otros leves cuyo despacho fue el «gracias» y el «de nada» y ahora sí la última imagen: pañosa, vista por el peón sexual antes de salir del cuarto (dejando la puerta abierta): el lerdo hojeo estimulante del cacique, si durable; de ser así habría de ser un desvelo ilustre, ¡real!

Duodécimo periodo

Capítulo uno

En aras de aproximarse a la esencia de un recuento, no ha de estar mal eludir lo anecdótico plausible y sus tres, cuatro deslindes mínimamente tanteados. Así que entrando en materia se retoma un hilo suelto: la boda de: ¿lo suponen?, misma que siendo tan pródiga, al principio, como fue, a la mitad fracasó... La advertencia por delante, ya que (ejem)... Del evento religioso se destaca la abundancia de «clics» como lluvia apócrifa, mientras tanto, porque luego... Luego la compra de fotos sin selección porque sí... Pero antes cabe incrustar una rareza sin par: a la iglesia apersonáronse, digamos que muy discretos, Olga Judith: mal vestida, y el peón ricacho –¿tal vez?, aunque no se le notaba, puesto que se presentó rotoso y bien despeinado y además oliendo a rayos– Mario Pérez de la Horra. Bueno, pues, al acabarse la misa vinieron, como se estila, los abrazos a porrillo: esas felicitaciones, ¡y claro que llegó el turno del peón y la criada: ay Dios! De ellos: abrazos: ¡pues no! La renuencia de la novia de contado se deduce: la limpieza: ese trasunto. Sin embargo, Trinidad por cortesía tuvo a bien presentarle a su mujer esos susodichos entes: *Él fue peón de mi papá en el rancho que te dije...*, pronunció el nombre completo y con deletreo nasal (ni de chiste el noviezote les preguntaría el porqué habían venido a la boda; la rareza era lo que era, así que dejarla intacta sería lo más conveniente). Y enseguida lo esperado: *Ella trabajó durante años en la casa que heredé y se llama... este...* Nomás los primeros nombres: Ol-ga Ju-dith: con temblor... Es que nunca supo cuáles eran sus dos apellidos y la criada no los dijo al momento del saludo: ¡de mano!, ¡ojo!, de ambos, ¡sí!, empero los «mucho gusto» y las ñangas ajaspajas consabidas que se dicen en una ocasión así: *Les deseo muy buena...* eso: dos caras inolvidables, dos nombres inolvidables: para Cecilia, si bien, que tenía buena memoria y era gran fisonomista, tanto que desde esa vez no volvió a ver a esos tales sino hasta... –¿ese recuerda?–: fue figureo o fue verdad cuando los notó sentados a una mesa: equis, lejana; fue sorpresa, por lo tanto, luego de veinticinco años: si aquellas bodas de plata tan señeras, tan, quizás, hechas para el desgarriate ansioso e imaginario de una madre que deseaba conciliar antagonismos: que sus hijos, que su esposo, que en correntía lo que fuera: clientes, azules, ¿políticos?, y... Se desprende otro asegún a partir de esa rareza presentada tan de modo indecoroso o incongruo: nadie supo con certeza si esa criada y ese peón estaban vivos o muertos; sí que desaparecían por largo tiempo: de vicio; sí que aparecían y ya, mas sin platicar con nadie, y de ahí las inferencias generales: ¿perendengues?, si a veces algo macabras: la gente bajo el rumor, pero acorde con sus tretas... Entonces volviendo a lo otro: el asunto de la boda: vayamos hasta el fandango: se destaca en globo esto: si hubo colados repróchenme si caigo en lo que ya es lugar común por lo dicho muchas páginas atrás, pero los hubo y también música en vivo: ¡pues sí!, y tamales, arroz verde, hojarascas, champurrado y cervezas a rabiar, amén de quinientas cocas cuyo éxito, se sabe, no hay quien pueda discutirlo. Empero lo reata, en sí, radicó sólo en dos cosas: un descuido y un hechizo (¿debo reducir al mínimo el informe o trompicarlo?): el descuido es que no hubo una lona protectora, umbráculo, tenderete, quiérase mero cobijo exclusivo o en apriete para la pista de baile y también para los músicos y su bola de aparatos, y el hechizo: ¿lo fue tanto, siendo algo tan consabido?: hubo un tremendo aguacero que frustró el fandango cuando todavía nadie bailaba. Sentados los comensales mojándose aguantadores se tapaban sus cabezas alegando que tal vez amainara el rociamiento: de buena suerte: inaugural: para dos nuevos esposos. Inútil supuesto a poco transformado en infortunio, porque, ¡claro!, de por sí mojábanse los platillos ya en las mesas repartidos, pero eso era lo de menos; no era norma el pipirín para el alegrón global, sí el sofreno de la música y sí el encharque lodoso: no baile acuático mugre con atores por doquier y no remedio vivaz mediante el uso: se explica: de adentro hacia afuera el ritmo: de un tocadiscos prestado, porque en la casa no había. De modo que los retiros cabizbajos ocurrieron. Consuelo adentro tampoco: espera de cuántas horas: soporífera: de pie, y aun así el lodo tal cual porque el sol nada más no: nublazón irremediable hasta mañana quizás, e ¡imagínense la masa retacada y sin bailar!: ofrecimiento ulterior no convincente: ¿ridículo?: no de Trinidad, ¡qué va!, de Cecilia, ¡sí!: zorrilla –ella hubo de sugerir aquello del tocadiscos, que a ver ¿quién?: el prestador, pero ¿quién?: nadie: ¡qué diantres!–, que al sentirse en su derecho de hacer propuestas como ésa ni se pasaba de lista ni todo lo que usted quiera endilgarle a una afanosa que pues etcétera, etcétera (pauta para un primerizo desacuerdo dicho luego: por la noche, de vencida, cuyo empiezo sería –¿o no?– la regañada inaugural de parte de Trinidad a su amadísima esposa por tomarse atribuciones que no le correspondían y por... etcétera, etcétera), en tanto la casa: ¡uf!: se vaciaba: por desgracia: Consuelo: la buena suerte: dizque –pero ¿comprobarla?–: cuando la lluvia deshace toda amenaza de júbilo a causa de equis casorio. Consuelo dicho a porrillo por los que al final se fueron. ¿Consuelo?... Menudo ánimo retorcido al día siguiente... Que el gastazo sin la dicha: colmo de una intimidad por los años de los años, aunque dada ¿a cuentagotas? (¿debo reducir al máximo las escorias de un fracaso que otros juzgan privilegio o victoria para siempre?). Una escoria fue que no hubo luna de miel, o sea: ¿dónde?, lejísimos: ¿para qué?, y cerca: mejor allí (Trinidad no fue viajero, no le encontraba sentido; para él el mundo era un mapa –si acaso fuese algo real– y al respecto ¿qué decir?: arrugable-desechable); otra escoria del casorio fue la busca de un encierro pleno de cachondería, pero en la casa heredada, ya hotelazo para dos. Así pues lo consabido: pelamientos-besamientos en la cama a toda hora y durante una semana. Ríos de semen tras quejidos de éxtasis a todo dar. Tiempo lluvioso también, mas un tremendo aguacero como el de la boda: ¡¿no?! ¡Sí!, en cambio, vino a ocurrir cuando fue la inauguración de la tienda de abarrotes... Y por ende, a contracurso, urge otra voz para el caso... Una voz apasionada: más-¡más!-¡MÁS!-¡MÁAAS!, quiérase: hecha para el mecateo (reducción hecha ¿a lo zaino?, o por azar ¿caprichuda?... El riesgo de ir reduciendo lo que, de hecho, es membranoso, pareciera a fin de cuentas corrosión, pero sin quema, y por tanto inmotivada... Entonces para que siga, no a manera de deshielo, sino con ardor plebeyo, este ganoso recuento, no ha de estar mal que de pronto haya una suerte de ráfaga de voces incidentales que al mezclarse sí reduzcan en gran parte lo harto pingüe, pero que no lo congelen para luego deshielarlo). Por venturoso distingo, una voz sería una trunca, la más: pretendidamente, como la que ahora se esboza: *Bendición del cura: rápida*; otra voz para este asunto podría ser una, digamos, acaso algo despaciosa o algo acumulativa, pero también imprecisa, como ésta que óiganla y júzguenla: «Todavía nadie entiende, aun cuando... mmm... lo deduzca a partir de lo frustrante que debió significarles a Cecilia y Trinidad el que su boda estuviese llena de, antes que de agua, de lodo, o sea: ¡qué mugrero!, el por qué ellos no quisieron invitar a nadie al acto de inauguración de un negocio que, si bien vale decir, por la enorme cantidad de artículos que ofrecía a la sociedad local, se antojaba floreciente y digno de muchas palmas justo cuando...», ¡basta!, etcétera; otra voz podía ser una brusca, o tosca, o bien salvajona, y de tan lépera: egregia, aguántela sólo un rato, o sea: no se desesperen: Pinchurrienta inauguración hecha por un peloncete sacerdote archicorrupto casi como no queriendo; uno de esos, como hay tantos, güeyes lacras asquerosos que ven con signos de pesos a Dios y a su pinche madre, y no se diga a la gente... Es que al puto no le dieron la tajada, bien cabrona, que por debajo exigió, y por eso fue a cagarla, menos mal que nomás él... Hicieron bien los esposos en no invitar a ¡ni madres!, pues casi toda la gente aprovecha la ocasión para fijarse en lo peor y luego hacer mucho pedo con su putete babeo. No hay quién chingados se calle y sobre todo agradezca una invitación decente para ir decentemente, pero no a cagarse pues, ni a puñetearse la verga ni a limpiarse su fundillo con la buena voluntad de..., con eso es suficiente... Ahora bien, si no conviene sortear tan a la barata voces cuyas hilazones han de enredarse sin más a las primeras de cambio ¿habrá otro procedimiento de reducción eficaz, tanto que no lo parezca?... Intentémoslo siquiera y: ¡claro!: con su permiso... Suato empiezo de rutinas de cada quien: deseos-¿moldes?; pruebas: muchas no: renuncias, luego puertas: muchas vistas: entreabiertas, y a distancia... (no está saliendo, así no; símbolos no, aunque reduzcan, es que también amplifican... a ver, otra vez, a ver...). Le costó mucho trabajo a Trinidad la costumbre: horas tras el mostrador: de la mañana a la tarde y a eso de las dos en punto: el intermedio, se sabe... no hay por qué especificar (más o menos... ¡más o menos!... aunque no está mal meter de vez en cuando otra voz, la lépera, por ejemplo)... Se retoma lo costoso de amoldarse a una rutina: Trinidad: de grado en grado, pues casi de uno en uno los clientes: sus compras: mínimas: y casi cada media hora –pinche desgracia pueblera–; vacíos de media hora entonces queriendo decir hastíos. Paciencia. Resignación. Eran los primeros moldes: al alcance: casi obvios. La abulia vencerla a diario: otro molde: ambiguo, frágil, si engañoso por creciente: ¡creciente monstruosidad!: esta última fue y ¡bien pronto!: la dulcísima ganona, porque Trinidad dormíase, sus cabeceos: minuteros, no fatales, por supuesto: método hallado en aína desde casi sus comienzos hasta, bueno, mejor dicho: nunca más jugó billar; método para las siestas –no güevonas, no rasconas– que al ser cada vez más breves: reciclo de diez minutos: fueron más profesionales («ya parece escurridero... no hay progresión, no hay acucia, mucho menos desenfado para soltar cuanto antes datos nuevos, necesarios; sobre todo hay uno: ¡ojo!: que es crucial para entender la abulia tan tropezona del recién matrimoniado; parte de la clave está en la herencia recibida, en concreto: aquellos fajos, los de cien: ¿dónde meterlos?, si Trinidad con soplete profanó una caja fuerte, y Cecilia ¡al tiento!, ¿eh?, crecía en serio la sospecha del ricacho avaricioso... Para ello es mejor que uses la primera voz que usaste: la más trunca, ¿te parece?... hazlo pues y a ver qué pasa»). *Pozo –pocito, más bien– hecho en la sala, perdón, sala antes, tienda casi, hechura en friega, ¡pues sí!, antes de la inauguración. Una mañana nomás como lapso: antes, esto es: a pico y pala: impericia, y el enlace aquí: por ende: aprovechó Trinidad la ausencia de su señora, perdón, él la provocó. Lueguito del desayuno la sugerencia casual: tierna, a modo, dulce, ¡oh, dulce!: que fuera con Leona Cueto: su única amiga en el pueblo* («no, no funciona el recuento... hecho mediante esa voz, se supone: trunca, aleve, pues parece que el informe, reducido a menudencia, fuera dado a machetezos y la pila de retazos sugiriera, para colmo, desorden y más desorden, inclusive pudrición, como si cada retazo fuese cosa prescindible, y toda la pila, ¡puf!, ¡una grandiosa inmundicia!... por lo que mejor volvamos al principio de este asunto, a fin de intentar al sesgo que en una voz se oigan cuatro, cuando menos las mostradas, y alguna otra un tanto lírica, y acaso otra un tanto amarga, pero para ello conviene que aspiremos aire puro –inflamiento al tope: ideal– y lo sol-te-mos... d-e-s-p-a-c-i-o»).

Así: mmmmmmmmssssssssssuuuuuuuuussssssssssmmmmmmmm...

Y así, otra vez: mmmmmmmmmssssssssssuuuuuuuuussssssssssmmmm mmmmm...

Y ahora sí: ya lo que salga...

Debió costarle trabajo a Cecilia el desempeño de exquisita cocinera, excelente ama de casa y amante aprendiz de todo. Devota, ávida, temblona, en cuanto a tórtolo afán, lo que ella terminaría por llamar «sus cargas íntimas» no habría de ser por contera sino una mala premisa de «sus afectos» y aún más de «su ansia de pichoneo», porque ganosa pedía besamientos a toda hora y Trinidad sin reservas ¡pues a complacerla y ¿qué?!, de ahí entonces la extrañeza de la clientela enllegando a la tienda: ¡¿imaginarla?!: temprano o al mediodía o en la tarde esos agarres que de acuerdo a la decencia lugareña: ¡vaya!, ¡vaya!: la locura al rojo vivo cachonda, exhibicionista, extendida los domingos en la plaza: ¡vaya!, ¡vaya!, ¡vaya porque no eran novios de ciudad desvergonzada!, sin embargo: su enseñanza –a ojos vistos, por supuesto: cosa moderna atractiva– rompió y a poco implantó –¡y qué bueno a fin de cuentas!– en las parejas de pollos enamorados –o dizque–, pipicientos todavía, o ya con capacidad de ser fábrica de hijos, esa: ¡ojo!: última moda de agarres mirados: ¡épale!, o sea que ¡ni modo, pues!: ¡llegó la revolución! Plenitud: trancapalanca: de parteaguas: después: contra el aguante, digamos, criticón de equis personas cuyo plácito al respecto se ha de inferir de vencida: lo sexual debió, debía, debería de hacerse siempre en lo oscurito, otrosí: dizque por largo regusto la sabrosura mejor, asegún, de esa manera; ¡dos maneras!, mejor dicho: novedad, revolución, triunfo, empero: un detallito: la no pasada de ropa: fundamento o ¿cortapisa? Valga lo que valió pues y yendo por donde mismo: un parteaguas aquí... bueno, más o menos eso.

Un parteaguas en el sentido de dar más antecedentes en relación a los hábitos que habrían de adquirir los recién casados y que tanto les costó adquirirlos (¿iré bien –quiero saberlo– en mi cata de recuento?, quiero voces, quiero votos) –*¡adelante!, pero vete rápido sobre los hechos;* «no argumentes para nada de refilón, no es condigno»; <u>chíngale como tú creas, aunque yo te recomiendo que hagas de una vez la caca</u>–. De Trinidad la costumbre de colocarse detrás del mostrador durante... (¡chin!, perdón, otra metida... es que eso ya lo había dicho). Pero en cambio en lo que toca a Cecilia: ¿es de creerse?: su aburrimiento en la casa si no vagaba un poquillo día con día a ratos, esto es: se inventó un método fácil: amoroso, pero diablo: con un beso por delante puesto a boca abierta: bien: en la también boca abierta de su ya tendero cónyuge pedíale permiso al cabo para salir, asegún, que a la iglesia ¡oh!, rezadero no efectivo por moscón, o que a ver a Leona Cueto, su única amiga en el pueblo (¿ya lo dije?... ¡Sí!, en efecto, pero de otra manera, sin embargo, hay algo aparte) –*por favor, no te detengas;* «¡síguele!, porque si no...»; <u>¡anda, cabrón, no te rajes!</u>–, ergo: dizque gran maestra: la tal: dizque de costura, y de cocina también; de lo primero aprendiz regularsona, lentona, empero de lo segundo: como cuarenta recetas aprendidas de memoria de unas cincuenta y tantas, lo que redundó a voleo en ancheta variadísima en Trinidad, quien volvióse antojadizo al igual que el esposo de la amiga: un vendedor ambulante en la región nada más, esto es: de salirvenir y así puntual enllegando a la hora de la comida y a la hora de la cena. Ese vendedor un día le ofreció a Cecilia un radio: ganga para aprovecharla, contársela a Trinidad: ella: su ruego lloroso, otro método ¿eficaz?... Fue rauda su persuasión; de acuerdo: la compra-alivio –diole el cónyuge el dinero–, en virtud de que Cecilia ya con el radio prendido se convirtió en una escucha ejemplar en Remadrín, pues redujo sus salidas en un noventa por ciento convirtiéndose a su vez en la óptima, por discreta, ama de casa y demás que deseaba Trinidad. Nueva vida para siempre, nuevo ritmo ¿en consecuencia?...

Este, a ver... Se ha mencionado la discreción como la óptima virtud, o de hecho la más deseable, de cualquier ama de casa, empero no está de más puntualizar lo sutil de este concepto de marras que por lo común se presta a suatos malentendidos. Estando Cecilia absorta con tanta radionovela, ya no iba a hurto a la tienda a distraer a su esposo para besarlo de pronto o platicar un buen rato. Cada quien en su papel, pero el de ella mucho más: hacendosa, más que absorta, si maña con más ardor para irse acostumbrando a escuchar y trabajar. Parejura de niveles: la acechanza y el ahínco sin desvíos ni menoscabos, lo cual preocupó al esposo, porque: los fajos atrás... Aunque sabía cuántos eran no quería tener problemas. No la puntillosa angustia como enredo a la barata conforme pasara el tiempo. Y así entonces, no había de otra, el pozo –pocito, pues– ¿cuándo hacerlo? –¿se conecta?–; él mismo tuvo la idea de sugerirle a Cecilia que fuera con Leona Cueto; le exigió que se aprendiera de memoria más recetas y para ello: su manga ancha: que se tardara lo más. Fue una orden de machaca: figureo quiérase al viso: machaconamente al re por luchar a pujo y pujo contra un sinfín de pigricias que tuvo como remate la ida a medias gruñona de la ya picada escucha a la casa donde, bueno, allá le pidió a su amiga que oyeran: grato favor –porque Leona (aunque no tanto): era bien propensa al pique, y en compañía de Cecilia: cafecito con semitas: triple deleite, por ende–: lo que faltaba de: ¡no!, Leona le contó el final del capítulo del día; luego: ¡qué grato fue para ambas oír lelas de corrido tres capítulos chulosos y plenos de dramatismo, de una hora cada uno de otras tres radionovelas! Mientras tanto a pico y pala en la tienda el pozo –no hondo, regular su anchura en cambio–: hecho por... nerviosamente... dimensión en proporción del mueble trincho de fierro que serviría de bitoque o taperujo pesado. Si todo a rehilo: ideal, como por arte de magia, porque de resultas sépase que no le llevó siquiera tres horas a Trinidad la maniobra que incluyó el escarabadero en sí, el vaciamiento de fajos, la limpia meticulosa: quite de la tierra a un lado puesta en montón: ¿qué decir?: montón sacado con pala y más de rato esparcido en el traspatio cual sal; agréguese que el tendero cerró la tienda antes –¡claro!– de efectuar esa labor y agréguese la empapada del susodicho a raíz de la cuantía de sudores: suya: ¡como nunca!: a causa de su prisa archinerviosa: ideal: si se toma en cuenta que a Trinidad le dio tiempo de bañarse como un rey deveras enjabonado y deveras fresco luego, listo para recibir a su esposa en la postura que ella lo dejó, esto es: el recargue-aburrición sobre el mostrador y aparte la tienda abierta y ¿qué más?... La llegada de ella al cabo y su entusiasta pregunta: *¿Por qué hueles tan bonito?*, lo primero el sonrisismo cual desboque inevitable de él y después su respuesta con chispeo palabreril: *Es que estaba acalorado y cerré la tienda un rato para irme a bañar, mi amor, y recibirte gustoso... ¿o a poco a ti no te da gusto como a mí me da?* Dos o tres palabras de ella, inaudibles, casi truncas, ganó empero, ¡ay!, su sonrisa, cual si con eso buscara hallarle horma a su sorpresa de mujer enamorada, o ama de casa ahora sí discreta o ¿perdonadora?; de otro modo una cosquilla (de mi parte cuando menos, este, digo, o me pregunto ¿cómo diantres pèrfilar lo que bien pudiera ser un gazapo en tenguerengue?... Perdón, pero voy a esto... no sé si valga o no valga poner como puse arriba la pregunta de ella, exacta, seguida de la respuesta de él, exacta, a sabiendas que se trata de un recuento a grandes rasgos?) –*¡síguele, no te detengas!;* «pon lo que quieras poner»; <u>no entres en pinches loqueras de si está bien o está mal lo que ya tienes metido, tú métele más y más porque si no la metida será contra ti y, lo peor... mejor ya ni te lo digo</u>–, o bueno, si no es cosquilla, es comezón repetina o un deseo de rapidez para pasar a otro asunto no sin antes traer a cuento algunas derivaciones o efectos colaterales a raíz de la salida de Cecilia: enfurruñada, y de la hechura del pozo, su oportuno tapamiento: de Trinidad: la estrategia: suavizada con su baño.

¿Efectos colaterales?... ¿Otro modo de abordaje?

Un efecto podía ser el runrún casi normal que deviene de algo incierto, sin embargo la clientela apenas sí procurante no quiso darle desate... ¿No?... No de inmediato (ejem) como siempre pasa, pese a que fueron tres horas de cierre y de atreguados golpes en la puerta. De modo que la tienda siendo nueva: su apertura, su horario: posiblemente idéntico al de las otras tiendas de Remadrín: ¿sería? Sin más explicaciones el misterio por mientras: cosa de preguntarle a Trinidad, si ¿cuándo?, o a Cecilia que andaba con su amiga, pero quién lo supiera... nadie supo... Ni cuando ella volvió: largo trayecto: sola; o mejor dicho: contraponiendo causas por encima de efectos: quienes vieron su andar –regreso por demás casi en tatema– bajo el sol picajoso de la una de la tarde, no fueron clientes de esos mañaneros y, ¡claro!, aporreadores. Total que la señora ni de refilón supo lo ocurrido en... Llegó, como se sabe, adonde no hubo chasco o maravilla... Que el runrún días después: un mes, un año: ¡nunca!, olvido por deslinde: ya santo, ya recóndito.

Así lo derivado un poco antes, aunque por peteneras: porque, bueno, ¡pues sí!: del pozo: ni un efecto, sobre todo debido a que a la postre ya no tendría rejuego tal hechura de ocultis, y más por lo que sigue: menudo parteaguas debió ser el dinero, no el metido total –dos fajos a la mano, pero a saber adonde Trinidad los guardó– en lo que por supuesto sería de ahí en delante, más que treta de avaro, ingenua precaución: sin embargo efectiva a través de los años, a rehílo, si bien, partiendo al fin y al cabo de una luenga premisa que a través de los años no tuvo contraparte: la restricción buscada día con día sin llamarla pobreza ni filosofía humilde o conveniente: ¡no!, no en definitiva, no prodigarse ni antes ni después en gastos a lo loco, puesto que todo (ejem) estaba puesto, normal: hecho y derecho, a menos que ocurriera una catástrofe. Entonces se adelanta: a través de los años el susodicho pozo nunca fue descubierto por Cecilia: ¿ex profeso? –*Adelántate más, pero luego regrésate;* «no hagas desvíos, ya no, en busca de un misterio u otra derivación»; <u>vete en chinga hasta un tope que tú juzgues chingón y de ahí para atrás tienes chance de caer en dos, tres pendejadas que a lo mejor serán para ti importantísimas: putas revelaciones o algo así</u>–. ¡Sí!: en la guala quedóse la señora ex profeso debido a que jamás fue de esas medio putas, creídas y ambiciosas, de por vida inconformes como para hostigar a su marido mañana, tarde y noche, a base de preguntas sobre las cajas fuertes: ¿qué tesoros adentro?, y mientras tanto –¡NO!– ¿cuánta inutilidad? No inquietudes siquiera de travieso en los primeros años. Luego sí, pero la ira del esposo... si de Cecilia un «isssht!», dócil reacción a hurto, no en compañía, si bien, como venganza, de un curioseo muy suyo de incógnito: ¡jamás!... Si endenantes la caja profanada... A saber si ella vio cuántos fajos había (despréndase el filón de indiferencia de ella respecto al pozo: derivativamente, y entonces: ¡ah!: lo obvio: la inanidad virtual)... Lo importante también era lo otro: las dos cajas cerradas: gemelas poderosas: reserva duradera acaso para épocas muy, pero muy, de plano, retemalas; épocas a Dios gracias no tan así de a tiro en veinticinco años y fracción que ya estaban muy próximas a ser, por ende, veintiséis, y por ende qué friega –regresando al principio– debió representar para el abarrotero la llegada a este mundo de sus hijos, no es que no los quisiera, pero: veamos: para un señor que antes fue bien vago y rebelde, qué friega eso de ser padre ejemplar. Y tocante a Papías y Salomón: ellos crecieron, ¿no?, o sea: llenos de miedo, ¡sí!, a causa del estilo tan bragado, ¡carajo!, del tendero iracundo. Quepan –aprovechando– siete derivaciones dizque para llegar al dizque tope, el anunciado: ergo: que habrá de permitir el regreso inmediato, el también dicho arriba, a... bueno, pues, sin embargo: no sé si aquí convenga el planteo de una lista formal, a ver, a ver... –*tú hazla como quieras;* «si vas a enumerar tales derivaciones, ponlas por separado»; <u>tú entorílate y ya no estés chingando</u>–. De acuerdo, así lo haré, y ahora ¡vámonos recio!:

1. Un día de tantos se dijo Trinidad: cuando crezcan mis hijos no les permitiré que entren en mi tienda. Si lo hacen, me los friego... Lo bueno es que me van a tener miedo, el que yo no le tuve a mi papá.

2. Cumplido lo anterior a través de los años, se infiere que Papías y Salomón no supieron del pozo. Ellos por el no acceso y la nunca intentona siquiera callandito: si a medianoche ¡órale!: para agarrar: pongamos: por ejemplo: de niños –¿por qué no?– alguna golosina, y luego ya crecidos: digamos: de quince años, o por ahí, asegún: alguna cajetilla de cigarros. Pero en cambio Cecilia: por prudente o por suata, por respetuosa incluso: como estaba en la guala casi siempre, nunca supo del pozo.

3. Fumando Trinidad como fumaba, una noche de tantas acostado en su cama, queriendo ver dibujos en lo oscuro: ¿en el techo?, sonrisudo se dijo (no lo oyó su señora –mas ¿quién sabe?–, pues roncaba a su lado): mis hijos nada más estudiarán primaria, después ¡a trabajar!... Yo no quiero educarlos como a mí me educaron: siempre fui consentido, vago y flojo. Se hace notar a guisa de recalco que la palabra «flojo» se obligó aquella noche a repetirla como unas quince veces (balbuceo mentecato); de ahí menos las veces de las otras: doce, nomás, y nueve, de vencida, para las dos palabras restantes-desgraciadas: que «vago» y «consentido»: ¡adivínese el número de las repeticiones de acuerdo al orden dado!... ¿se adivinan?, ¿sí o no?... De atrás hacia adelante ¿a lo mejor?... Mejor es figurarse los dibujos: si pequeños o grandes: en lo oscuro: ¿en el techo? –las volutas de humo cooperaron–: a partir de esas tres palabras suatas, desgraciadas: por tanto.

4. Nunca hubo –¿es de creerse?– al menos una plática medio larga y tranquila entre el padre y sus hijos; lo que sí hubo –¡qué va!– fue un sinfín de regaños y consejos airados.

5. Nunca Cecilia tuvo la ocurrencia de sugerirle quedo a su esposo gruñón que platicara con sus dos retoños de cosas de la vida cuyo peso es tremendo, de algún tema sexual –es un ejemplo–: ¿qué hacer o qué no hacer para triunfar en eso?; o del conocimiento (inercias, precisiones, flaquezas o constantes) acerca de la gente malévola o ingrata o simplemente idiota que abunda en esta tierra: ¿qué hacer o qué no hacer con los desconocidos, y con los conocidos, contimás?... Seguro es que Papías y Salomón le tendrían de por vida una inmensa y chulísima gratitud ¿sí o no?, en vez del miedo a cuestas: trabajoso, vibrante, y trocado a las claras en rencor sin igual; y si hemos de ir a ésas ¿de quién era la culpa?... De Cecilia: ¡pues sí!: viéndolo bien... Sea porque fue cobarde, o mejor, de una vez: pizcuntía resacona, o sea porque también ella jamás le sugirió lo dicho justo arriba, ade-

más porque estaba demasiado en la guala o enredada hasta el tope con las radionovelas.

6. Con respecto a sus hijos –se desprende de arriba– nunca hubo un abecé de política simple, favorable, caray, para esos tales, desde que eran bebitos, mucho menos después: ¡qué olvido tan romántico! Por eso es que Cecilia, por cobarde: la pobre, se tomó la molestia de educarlos al viso, casi como en secreto... ¡Y lo hizo retemal, la pobre, por lo mismo!

7. Un día de tantos Trinidad se dijo, luego de soltar fino (boquita pelotita) un largo hilo de humo: ya nomás terminando su primaria –se recompone un poco lo dicho mal que bien (balbuceo mentecato) con fe de trasnochado en el inciso tres– ¡a trabajar!, y entonces ¡al carajo!: Papías y Salomón. Les recomendaré, usando desde luego, a ver si puedo, mi vozarrón de burro, que se pinten de aquí, que hagan su vida aparte, puesto que yo no quiero, lo repito, educarlos tan mal como a mí me educaron... Que mantenidos: ¡tengan!, aquí no; que independientes: sí: me lo agradecerán... Bueno, perdón, tampoco soy tan malo... A lo mejor los corró cuando estén más crecidos, pero no mucho: ¡no!... Lo que sí es que nomás ganando su dinero deberán aportar el setenta por ciento al gasto de esta casa... La arenga para sí dicha en la tienda y el rejuego mental de Trinidad: adrede: al estar contemplando –solitario, aburrido– las cosas de la calle: naderías a favor de un amago quizás fenomenal, coloro, mismo que por lo visto... mejor cerró sus ojos y repitió diez veces esta idea: «el setenta por ciento»: lentamente, si oscuridad o emplasto: huyentes, sugestivos, al grado de imponerse de resultas una idea ventajosa: ¿por qué no he de exigirles el noventa por ciento? Tuvo que repetirse esa pregunta y a fuerzas machacarla más de noventa veces (con esto ha de inferirse la ausencia de clientela durante horas y horas, clientela que llegaba en tromba de repente, siendo eso lo común, para irse de igual modo o casicasi) y sin abrir los ojos (oscuro balbuceo cada vez más monstruoso, macabro contra sí), hasta que vino un cliente: Vénulo Villarreal (él: aparte: llegaba... por ende la amistad, la dizque hubo entre ellos, comenzó desde entonces, es decir: después de una semana que la no tan suertuda tienda –nunca fue próspera– recibió casi en friega la bendición del cura), y lo sacudió un poco, pero fuerte, a fin de despertarlo. Logro, ¡ay!, y sonrisa todavía amodorrada, y saludo, y pregunta de Trinidad: despacia: ¿qué se le –el tuteo vino luego– ofrece ahora? Aquella sacudida fue indicio de confianza.

Capítulo dos

En determinado momento (por escamoteo de humores o lindezas transitorias) al cacique de Remadrín se le antojó rebautizar el rancho –el adquirido en un tris al lunático viejillo que puso fin a su... etcétera– con el nombre –¡qué desbarre!– de El Ahorcado, o si no así, podían ser otros dos nombres que no sonaban tan mal y que además aludían a lo visto –¿se recuerda?– por don Romeo y sus secuaces en su primera visita a la propiedad comprada de la manera redicha: pronta, y por eso neurótica: lo mismo del vendedor que del comprador, ¿o no?, y el desenlace imprevisto: el ricacho, inerte ¡pobre!, se movía –¿quién lo creyera?– como mecate suspenso; entonces helos aquí, El Vaivén o El Campaneo. De los tres ¿cuál nombre a modo?... Debía ser uno sonoro, mucho más que misterioso, dado que el nombre de origen, el puesto en las escrituras, nunca le gustó al cacique. Le parecía una rareza –pues nomás oigan si no: El Nogal Solo de Acátan rara como el ex dueño y respetarla tal cual podía traerle mala suerte, siendo que él siempre la tuvo retebuena –se supone– y así debería tenerla para el resto de sus días. De modo que ¡ni pensarlo!: se decidió a todo escape por el nombre más sutil, el a medias dizque trágico, mas no necesariamente, dado que podía aludir al ventoleo nada más: El Vaivén, ¿qué otros sentidos?, por lo pronto otro fue el cambio, porque otros cambios después: quizás sí... y también: etcétera, ya que de aquello viene algo que es más o menos distinto:

Bueno, antes de ir a lo central conviene, por degresión, dar un dato sintómatico que por zancas o barrancas perfila el pujo o la ardicia del suertudo, dicho sea, o infalible previsor, cacique de Remadrín: nunca quiso ni de chiste invertir mínimamente en el susodicho rancho; lo dejó al albur de Dios, en ruinas: por higa: incluso, y contimás a sabiendas que al terreno –por ser amplio, mas con apego a los márgenes que las leyes del país validaron tiempo ha– sí podía sacarle jugo. Sin embargo se cansó de ofrecerlo como ganga –sin embargo no tan ganga– a la gente más ricacha de la región y pues ¡niguas!: nadie quiso, nadie cuerdo, nadie archinteligentudo como son todos los ricos nada más cuando se trata de inversiones positivas: todas debieran de ser P-O-S-I-T-I-V-A-S y tan-tan, por lo cual ¡no!, ¡nunca!, ¡ya!, y ahora sí ¡al grano!, sin más:

Enllegando a lo central situémonos a voleo en el infierno del juego: lo primero que apostó don Romeo en el dominó ¿se adivina... de resultas?, pero como no perdió ninguna mano el maldito (posma rutina grosera el despeluque increíble, brujeril, alucinante) ni así pudo deshacerse de aquella incomodidad que jamás debió comprar; macabro el rancho al garete hasta en eso: ¡uy!: por desgracia... No obstante, habremos de ver este asunto acre: ¿o coloro?: ya como entrampe acabado... Fueron tres días de solaz de la mañana a la noche. Una pareja por día: la para él dada por Dios a través del disparejo de fichas de acuerdo al número: los primeros que jugaban eran, por regla dictada a saber en qué cantina, los dos números más grandes contra los dos más mirrungos, retando, por consiguiente, los de enmedio: cuatro números, y ¡oh desfile de parejas contra aquella excepcional!: la del día: la victoriosa. Redondeado lo anterior, vamos rápido a lo otro... De no ser ficción por mientras, como fue de todastodas: un mundo de propiedades y dineros prometidos obtendría por inferencia don Romeo en cuanto llegaran los alcaldes a sus pueblos, pero eso ¿cuándo?, ¡caray!... ¿compromiso por escrito?... Entre corruptos ¡qué diantres!: teatro: verdades fantoches: instantáneas, o ¿mentiras?; supina politiquez de promesas en aumento, y a la postre mal que bien mentirotas divertidas... Así que nada formal... Sabroso entretenimiento en una cárcel gigante; sin embargo: él: cumplidor: desde luego: si perdía y: a ver, a ver: un trasunto... ¿si se dejara ganar?... Lo pensó y lo descartó. No había por qué hacerle muecas o carantoñas burlonas de orondo chamarilero a la suerte, siendo que ésta, dicho sea: en sus fundas provenía de un más allá por supuesto demasiado superior al juego de dominó. Entonces... ¡vamos al cierre!:

Tres días de solaz suertudo para el doliente cacique: tahúr por necesidad, se extendió a lo que deveras se antojaba más crucial: aquella lastimadura en su tobillo derecho, a raíz de la caída del caballo –casi humano: por malvado o por errátil, o inclusive por ideoso–, a poco se convirtió en alivio de pe a pa, sobre todo al cuarto día cuando a la finca llegó una dizque comitiva en dos muebles: uyuyuy: uno asaz elegantioso siguiendo a una limusina. Freno y semifila pues. Ruido oído desde acá, e inquietud, luego certeza de los que se dedicaban a ahorcar mulas durante horas. Cuatro hombres que portaban finos sombreros de fieltro: tejanos: y todos pardos se bajaron en aína del carrazo seguidor. En fila entraron sin más enllegando muy adustos a la tal salasalón: que venían por don Romeo para llevarlo cuanto antes a su querido pueblito. ¡Por fin!: Remadrín: ¡y adiós!: a la finca: adiós, adiós.

Capítulo tres

«Conmigo está más segura»: petulante alejamiento el de Egrén al decir eso; frase y andar por igual petulantes por hirientes, si no ino!, si no Conrado, despectivo y con razón, hasta se hubiese reído de tan chuloso asegún; pero la maldita frase lo puso a pensar de más: ia él!: que tras su recueste lerdo y duro en el zacate quiso darle otro repaso a las nubes en acción.

Allá el «cómo» revelado: mensaje de su mesías que en figureo algodonoso le soltaba letra a letra la misma palabra de antes: L-I-D-E-R-A-Z-G-O: ¿contundencia? Por mediana conjetura del alelado a propósito la pistola habría de ser el vehículo seguro para un posible –y ¿quién sabe?– liderazgo entre él y el otro. Su obligación, por lo tanto, era quitársela, pero...

¿Qué otra revelación?

Así pasaron las horas y se hizo tarde: iinfeliz!: atardeciendo nomás. Las nubes: luido engarruñe: tras un tinte inverosímil: delgadez por tranformarse a saber si en un mugrero crepuscular: fatalista, y nada, todavía no, ningún asomo cual tela naranja sobre el zacate de La Caricia, si bien: nulidad dada en minutos: uno a uno: y luego i¿qué?!: justo cuando apareció de regreso Egrén –o sea: bienvenida la pistola– diciéndole al acostado que ya deberían salirse de aquel centro recreativo: ergo: de por sí lo peor: perder el tiempo en el monte, o hacerlo, pues, pasatiempo, mediante la otrora insidia, tan sólo prefigurada en el hotel de Pompocha, de los pasos a seguir. Fue cuando Conrado adujo que de no hallar el ingenio para... véase entonces su dilema revolteado de este modo: ¿cómo diablos convencer a Egrén para que en el monte le prestara la pistola, sin remilgos de su parte, de tal suerte que si no él desistiera, sin más, yéndose por otro rumbo? Su mesías dale que dale, o bien: su interpretación a capricho casi cierta... Por lo pronto el anticipo del que se había entretenido jugando *voli* allá lejos: su pregunta fulminante:

–¿Qué diablos son esos rollos de papel que con tu brazo aplastas contra el zacate?

–iNo te lo voy a decir! –reacción de a tiro encrespada la del ex mesero: gacha: como si hubiese sentido que le daban en el blanco. Por ende se incorporó, no sin que antes se metiera con brusquedad tales rollos bajo su camisa a cuadros ya apestosa a bacalao.

Dedúzcanse los sudores de uno y de otro: ipobrecitos! Es que no se habían bañado ni mucho menos cambiado de ropa por tanta prisa. Y el garlito de una vez, y por mor de una certeza, no para ellos, por supuesto... Comprar –hubieran podido– en Pompocha dos camisas, siquiera dos camisetas, y dos calzones también y ¿quihúbole, siendo así?... A eso debe responderse más o menos de este modo: es que la mera verdad ¿qué se les iba a ocurrir?... Total que fue por las prisas o por la razón que cuadre mesmamente y sea mejor y evite entrar en más lios.

La obediencia vespertina de ambos al abandonar La Caricia cabizbajos: los últimos en salir. Salida con carga encima: vil revoltura mental. Diferencias ardorosas: porque: Egrén, ante la respuesta airada de su compinche, no quiso contratacar. Peleas ¿a esas alturas?... Prudencia, incluso dulzura, por mor de una buena fe quiérase antinatural a fin de hacerle más nudos al plan todavía «en veremos». Por lo que toca a Conrado: su prurito ya entendido como asesoría fantasma, o divina de una vez, por venir desde las nubes: ¡liderazgo!: ¡sí!, de plano: su táctica ¿delicada?, en aras de traer consigo la pistola que él –recuérdese– consiguió ¿con gran trabajo? Muy suya tal valentía que debería utilizar en el monte más de rato, aunque, ¡claro!, de otro modo.

Mudos ellos en retiro. Rufianes: todavía no, y cada uno de sus pasos allanando el sortilegio –macabro a más no poder– de ir acercándose a poco a una noche que sería más oscura que ninguna. Cierto es que les daban ganas de confundirse tan sólo durante unos cuantos minutos: matar, no matar: ¿qué hacer? Su confusión silenciosa y su avanzada ¿hacia dónde? La voz del río: invitadora: cercana: lo más: al este: jalándolos, y ellos: títeres, porque sin decir palabra conectaron sus miradas luego de ver la ribera adonde posiblemente se echarían para: quizás: ahí afinar punto a punto su plan matón que ya mero...

El que levantó su mano, y sus cejas: como apoyo, señalando el sitio idóneo, fue Egrén: obvio, que por ser el dizque jefe o caudillo mientras tanto, fue el primero en dar un paso y el primero al fin y al cabo en empuercarse de tierra cuando como lepe diablo se dio un sentón sonador. Eso Conrado no haría: sino en cuclillas oyente: tal como se puso luego: nalgas sobre los talones: forma de acechanza así.

Del plan: memorizaciones de uno y de otro al cien por ciento: requisito cual preámbulo recalcado siete veces en el hotel de Pompocha; siete veces justo cuando el ruidazo de la tele se colaba juguetón, como trasgo intencional, enmedio de esos recalcos hechos por Egrén con énfasis. Pero de eso ahí otra vez (el ruido de la ventisca no era viso preocupante) antes de... ¿qué fue primero?... Como había tiempo de sobra (partirían a Remadrín siguiendo la vía del tren a las doce de la noche, como lo habían acordado), para el susodicho líder no fue importuno insistir sobre lo que en La Caricia fue importuno de verdad, o agresivo ¿por qué, pues?: que esos papeles en rollo ¿quién se los dio a su compinche?, a ver, y además lo peor: ¿cuál debió ser la razón para que se los metiera bajo de su camisola?, mas la respuesta, la misma:

–¡No te lo voy a decir!

Sin embargo, la insistencia de Egrén: preguntón zopenco: sobre lo que ya de plano significó para el otro la opción: ¡sí!: de liderazgo, o si no ¿cuándo?, y entonces:

–¡Mira!, ya no me preguntes, por favor... No tiene caso... Aunque, bueno, no hay problema... si tú quieres que me saque lo que aquí traigo metido –el compinche señaló su panza de arribabajo–, nomás dame la pistola y tan luego que me saco... Son papeles importantes.

–Acuérdate que yo soy el que planeó todo esto y te pagué un adelanto para que tú me ayudaras.

–¡Sí!, pero yo fui quien te trajo la pistola y fue difícil. Tú no arriesgaste el pellejo y por lo tanto no entiendes todo lo que yo pasé... Por poco me dan un tiro.

–Quedamos en otra cosa.

–¡Sí!, pero también acuérdate que me diste la pistola y luego me la quitaste cuando me quedé dormido en el autobús ¿o no?, y luego me la pediste al momento de probarnos tallas y tallas, ¿te acuerdas?

–Yo ya sé lo que es matar y por eso es conveniente que yo traiga la pistola.

–Tú dámela y te la presto... Es lo mismo a fin de cuentas.

–No sé por qué ahora neceas... Supongo que alguien te dio esos mentados papeles y por eso es que cambiaste de parecer luegoluego.

–Para que no estés fregando de una vez te digo algo que ojalá te cuadre bien: si no me das la pistola renuncio a ser tu ayudante y de aquí agarro mi rumbo.

–¡No me puedes hacer eso!

–Pues ya te lo dije y lo hago si no me das la pistola.

–No te irás, porque si no aquí mismo te despacho ¡con un tiro!, ¿te das cuenta?

–¡Mátame!, si es lo que quieres... ¿Ya ves por qué te pedí la pistola hace un ratito?... Bueno, me voy... no hay remedio...

–¡No te vayas!, ¡no seas tonto!

–¡Me voy!, ya no hay vuelta de hoja... pero no me iré ni corriendo ni gritando... No lo haré, no te preocupes... Además nadie sabrá de tu crimen valentón, así que haz lo que debes... Creo que tendrás mucho tiempo para matarme de espaldas.

Conrado se encaminó rumbo a la luz que moría tras los cerros del oeste. Resignación paso a paso retadora, sin embargo, de la línea sutilísima entre la vida que huye y la muerte, que esperando, se quisiera avorazar, o también fragilidad segundera: ¡más y más!: hacia aquella línea crítica, misma que de no romperse habría de ser acicate para errar con frenesí –y Conrado ya en camino– por los pueblos y los ranchos del estado de Capila; errar, extraviarse, y ser propincua heroicidad trabajosamente fiel al designio de las nubes. Pero ¿la aciaga ruptura?...

Sin pararse Egrén sacó del maletín la pistola y apuntóle tembloroso a la nuca de Conrado. La luz: su juego de filos: tarde o molde en perspectiva, y descentrada, por ende, la puntería del matón, quien indeciso pensaba –ya como lastre de alivio– en los papeles en rollo: quitárselos a su víctima para luego descubrir ¿algún insólito indicio?

Téngase el temblor supino de una mano sosteniendo la pistola apuntadora hacia una nuca que no, y un gatillo que tampoco. Nuca, espalda: un solo tiro, porque dos sería un equívoco. Desperdicio, más que orgullo, más que honor alrevesado, más aún porque su plan él debería acompletarlo tras librarse de un traidor que –¿por qué no lo previó?– no valía ni un cacahuate.

Sin embargo, cada vez la nuca más imprecisa, más pequeña en desdibujo.

Más inane la pistola y contimás el gatillo.

Más la bala a punto: ansiosa: queriendo, sólo queriendo...

Mas la curva de la tierra podía ser también traidora, de hecho ya lo estaba siendo... Es que el cuerpo del huyente: ¡a la mitad!... logro ¿irreal?

La nuca: el punto huidizo: pequeñez: ¡más pequeñez!: en la mira ¿todavía? –la nuca no, cualquier punto, ya como ficción infame–: hasta desaparecer...

Capítulo cuatro

No habría aspavientos de júbilo a causa de la ganancia y tampoco variedad de carantoñas al bies, cero ironías del cacique, ni siquiera una faltosa, una de diablo guasón: a lo zaino, dicho sea: tras haber despelucado a los dizque jugadores, más zoquetes que novicios, en un jueguito tan tocho como lo era el dominó. No habría sino compostura de gentil perdonavidas que simplemente se aleja sin mirar hacia los lados. Táctica de alta política sería el fu ni fa a tolondro que don Romeo para sí endenantes concibió, debido a que al cuarto día –otra táctica furtiva de tahúr harto fogueado– no iba a darles chanza alguna a los ávidos de torna porque, en efecto, pues sí, podría perder lo ganado. Sin embargo, su ganancia de a deveras: trascendente: fue que vinieran por él para llevárselo: ¡ajúa!: a su adorado pueblito, en tanto que al resto no; mas el suspenso rompióse cuando en agache mañoso uno, un cariacontecido, el alcalde de Sobrinas, hizo lo que no debía: preguntar por preguntar –clásico riegue buscón, barrabás y satanás, casicasi juvenil: *¿Y por qué nosotros no?*, dando pauta a la ringlera de otras preguntas más memas que hacia el final ya no fueron sino planteamientos serios, legítimos, razonables, etcétera... mmm... pues qué lindos, porque no hubo –no la había– una respuesta-diluvio que aplacara seis angustias: por parte de los cuatro hombres (sombrerudos siempre adustos), y nada más cumplidores de jalarse a don Romeo. De ellos: los yerros: sus modos, puesto que sí les faltó algo de teatralidad para un desfogue más cálido de evasivas convincentes, pese al filón entrevisto en todo ese reborujo acerca de que nomás las respuestas en manojo las tenía el gobernador, pero ¡iniguas!: no vendría a la finca a darles cuerda de ilusión tras ilusión a esos seis que a saber cuándo regresarían a sus pueblos.

No habría de faltar siquiera una semana: ¿tal vez?... Los seis lo consideraron a manera de apapacho, sólo por darse entre sí sendos ánimos ¿tristones?

Alegre: en cambio: a sus anchas, ahora sí como un orate estaba el que se iba a ir, pues tenía de todastodas razones muy bien fundadas para hacerles a los otros –con maña de lepe chipil– variedad de carantoñas y aspavientos con las manos, a la altura de su ombligo, reteobscenos-mugres-feos, ayayay, como decir: «¡qué viva yo, pinches güeyes!», empero sólo hizo uno insultantemagistral, debido a que lo apuraron los cuatro hombres (sombrerudos) para que «¡ándele!», sin más, se trajera su equipaje, y entonces sí adiós, adiós y todo el dengue postrer; dengue de diablo cojuelo, mientras tanto, al darse prisa y así darle mucho boato a su desgracia sin par. Lo increíble, sin embargo, fue que el «ay sí lastimado» en fuga al re huyó a su cuarto, renqueando: ¡sí!, pero a ritmo de mono revisteril, esto es: cual si dejara tres líneas de humo pintadas: detrás: pauta vista casicasi; y lo increíble también fue que regresó meneándose, zambo –¡créanlo!– y colorado, dizque a causa de la carga (papelón visto con lástima por dos criadas que acudieron a auxiliarlo de inmediato); papelón: el de él: dado que en su idavenida no hizo ni quince minutos; más papelón, más hipócrita, al darles, con aspavientos, su adiós a los seis alcaldes, y con airón elocuente deletreado de este modo: *¡Aaaaadiiiiióoooos, quéeeeedeeeeenseeeee cooooon Diiiiioooooos!,* no sin antes: perspicaz: soltarles con todo el pecho la siguiente frasesota (la cual habría de dejar al doble de turulatos a esos seis que ya encogidos como que se hacían pirrungos): *¡¡¡No olviden escriturarme las propiedades que ustedes apostaron en el juego!!!* ¿Turulatos?, ¡vaya exceso!... no tan así y contimenos si se ha de considerar que la exigencia final, dicha a modo de floreo, no tuvo una duración de tres segundos siquiera. Extravío contra recobro, porque, para darle enganche desde un lado más a hurto –el nuestro, si cabe aquí–, se podría considerar algún tanteo de revés; entonces veámoslo al viso: a causa de la efusión de tan jubiloso diablo, pertinente por demás era que aquéllos creyeran, como a tiempo lo creyeron, que el asunto de la apuesta casi por arte de magia llegaría a saberlo: ¡uy!: el acre gobernador, empero el consuelo en trance o en cuchicheos difundido entre ellos, es decir: ¿cuántos perfiles debieron haber –¡a ver!– en menos de un minuto? Su consuelo consistía en que por ecos o envisques ellos debieran saber que el acre gobernador, por el teléfono gris, muy pronto le iba a pedir la renuncia a don Romeo, de tal suerte que volviendo a la trágala infeliz dicha por el susodicho, a ellos no les dolería esa huida tan a tiempo. *¡¡¡Los espero en Remadrín con todas sus escrituras!!!* Jalón casi: perro casi: de dos de los cuatro hombres. Sin embargo, otra puntilla de don Romeo: huyente, ¿irreal? (es que su cuerpo blandengue: al fin medio derechura sostenida de los brazos de, ¡caray!: sus pies a rastras, y su cabeza volteada en truene dificultoso de tres cuartos, poco más): *¡¡¡El que me apostó a su hija y la perdió, no hay problema!!!, ¡¡¡yo no soy degenerado!!!, ¡¡¡pero, eso sí, que me dé algo a cambio: sustancioso, algo que vaalgaa laaa pe...!!!,* lo último no se oyó: lejanía derivativa, a poco ambiguo chasquido... Que al alza allá adentro el tino de los seis: su conjetura, cual trama de otros alivios: mero empiezo, mero atisbo. Nada, por fortuna, ¿¡ajúa!?, se perdió en el dominó; ficción en charco sin olas tantas apuestas en chorro, y punto y aparte al cabo, porque debían de seguirle: vicio allí, novicio entonces, vicio a modo de escarmiento ¡y al diablo la perfección, la exquisitez vencedora, implacable de aquel diablo que gracias a Dios se fue vergonzosamente hablinche!

Luego la consecución allá afuera ¿fue o no fue vista por la servidumbre?... Cierto es que los seis alcaldes, dada su degradación en el juego y todavía por su encierro ¿indefinido?, no iban a ponerse a ver... Mas del resto: su vislumbre: por doquier guachos y criadas, más criados: que eran los menos: desde distintas distancias: alertas: quien sí, quien algo: leve: aleve: vio, si bien, aquello que hacia el final se hizo espejismo pospuesto, irritante por metálico. Vistas que en su mayoría salían, empero, si apenas, desde el lado claroscuro, o quiérase más trasero del portal, justo hacia donde fue –y digámoslo con tirria– el «depósito bien tosco» del cacique en aquel mueble (limusina hedionda a mezcla de achicorias con hibiscos, o sea floroso y cargante el dulzor casi en asperges)... Fue como si se tratara de un bulto de harina rancia, más aún si se toma en cuenta el arrastre irrespetuoso desde la salasalón, pasando por el portal, hasta donde él protestó (a un tris de... ¡la puerta abierta!): *¡Ya no me arrastren, cabrones!, ¡respeten mi investidura!* Y por reacción –¿cuál respeto?–: un «¡súbase!» y un envite por la espalda a cuatro manos, amén del seco portazo. Eso final visto mal, pero oído retebién por... a distancia... y después el arrancónpolvareda.

Nube muymuy de dos muebles ¿o escorzo de algo mejor? Y si adentro del carrazo (el de adelante y sus brillos acentuando ¿algo siniestro?, otro episodio ¿más fiero?) el de por sí tosco lujo destanteó al quiérase bulto, como sería don Romeo, al menos durante ese viaje de tres horas rumbo a su, a lo mejor, salvación (tenía que desearla a fuerzas), ya no se diga la facha del chafirete: colora: empezando por lo alto: la cabeza con cachucha de policía, pero ¡ojo!: color amarillo ¡rucio!, y bajando: puras rayas cafesonas, tostadonas, sobre un blancor albugíneo: saco igual que pantalón, terminando el uniforme en zapatotes charol con betún rojo carmín: todo visto de soslayo, dado que iba en el asiento delantero el que por tonto no miró que el tal carrazo abandonaba la finca, seguido de... ¿se registra? (detrás de la limusina: menos ancho y menos largo: venía un carro gris plomizo –con los cuatro sombrerudos: tejanos, elegantiosos–: seguidor, espía, por ende, hasta el mero Remadrín, de –y he aquí un detalle que bien podría ser, ¿o no?, un error imperdonable... A saber por qué ninguno de los cuatro sombrerudos se vino en la limusina–). Entonces, a contracurso, vámonos aproximando a lo que de todastodas acaparó la atención de quien debería sentirse feliz por haber salido de una cárcel anchurosa, no obstante, el mugre desvío, el suyo, tan puritano, visión, ¡ay!, tan reparona de minucias ¡tan minucias!: las rayas del uniforme y la cachucha amarilla de, así la zopenca urgencia por lanzarle un buscapiés, y enseguida uno tras otro, al chafirete al respecto... Mejor plantéemoslo así –tal como se lo planteó cual táctica persuasiva el tan límpido cacique–: en principio, y sin ambages, sólo emitió un parecer: *Esa ropa es de la que usan los jotos requetejotos cuando van a sus quermeses nada más para escuchar muchos fiufiús de otros jotos que quisieran ser como ellos,* parecer que no distrajo a quien manejaba a gusto mirando la carretera. Vino entonces la pregunta: buscapiés número dos: tímida aproximación... ¡y no!, de nuevo, ¿por qué?... Y sobrevino un alud de interrogantes de plano incipiente pese a pese... ¡pero!... Del chofer, ya intimidado, devino como sofreno una frase que –verán– no sonó muy respirona:

–El señor gobernador me prohibió platicar con usted durante este viaje.

Entendido, a conveniencia, el sofreno del chofer como indicio favorable de lo que quizás sería una larguísima plática, don Romeo por muchos lados se la pasó a pique y pique: cosquillas contra el orgullo (valga la figuración), hasta picar donde sí: puntual piquete heridor o buscapiés efectivo (antes, si cabe decirlo, fueron como treinta y cinco kilómetros de silencio por parte de, o mejor dicho: ¡qué aguante!, ¡qué sumisión!), porque luego de rebanes, equívocos y procuras a tutiplén vino algo sencillito como esto:

–¿Y tú ya sabes quién soy?

–Mmm... ¿como no voy a saberlo? –ignorante, ¡eso sí no! Por dignidad el chofer ya no tuvo más remedio que contestarle con brío a un pícaro que, asegún, con sus memos buscapiés intentaba rebajarlo a vil zoquete modorro–, usted es ni más ni menos que el famosísimo alcalde de Remadrín, ¿no es así?

–¡Mira!, ¡qué enterado estás!

–¿Y usted ya sabe quién soy?

–¡No!, la verdad, no lo sé, no me imagino quién seas.

Desacato: adrede, ¿a punto?, de quien debería callar... ¡Pero!... Es que yendo a solas él con alguien tan importante en todo ese reborujo como lo era don Romeo y además lujosamente: par de reyes, ¿por qué no?, en tan anchuroso mueble con aire acondicionado, a menos que la conciencia le remordiera al chofer... Mmm... Es que pensándolo bien ¡ni a medias el desacato hacia el todopoderoso del estado de Capila, que al estar ausente no era más que abstracción comedida!... Por lo cual si no había límite o el límite tan sólo era un hilacho medio guango y medio frágil, amén de ser para ambos casi invisibilidad y del todo a la deriva ¡pues al carajo los miedos!: el chofer lo decidió... Mas su baba, o sopa ¿a poco?, soltarla ¿cómo?... Requería de perspicacia, de agudeza, o de algo así, siendo riesgo a fin de cuentas.

–¡Yo soy Máximo Santoyo!, el chofer que transportó al montonal de cadáveres en un mueble sin redilas... Me imagino que usted sabe de ese asunto más que yo, y lo raro, en todo caso, es que no me conocía más que de nombre, supongo... Pero ¡vaya!, ¡vaya!, ¡uf!, ¡¿cómo se voltean las cosas?!... resulta que ahora lo llevo a su pueblo: ¡vivo!, ¿eh?, y a todo lujo, caray... yo que llevé a puros muertos al pueblo adonde usted manda... ¿qué me lo iba a imaginar?

–A ver, explícame bien... Dices que me llevas vivo... ¿Acaso tú sabes algo?... digo, algo en relación a que me den matarili... ¿Acaso el gobernador anda queriendo matarme?

–Este, mire, hay muchas cosas, pero ¿cómo le diré?... Yo sólo soy un empleado que cumple órdenes y ya... tal vez después llegue a ser oreja y tal vez, ¿quién sabe?, uno de esos secretarios, de los altos, copetones, y tal vez gobernador, y si puedo todavía llegar un poco más lejos, pues... nomás... mmm... con que...

–Bueno, entiendo tus deseos, pero dime si algo sabes respecto a que alguien me quiera eliminar de una vez –y en eso volteó hacia atrás: miedoso contrasentido; el mueble con los cuatro hombres: otrosí: la imantación, o más bien casi una pega sintomática o matrera, más: porque dándole recio el chofer sumiendo abajo, ninguna separación, menos un desprendimiento–, digo, porque me doy cuenta que el mueble de atrás nos sigue casi como si de acá lo jaláramos ¿o no?; y es que preveo que de pronto se nos pueda adelantar y nos dé un cerrón y luego a ti te ordenen desviarte. Me temo que buscarán algún lugar tras los cerros, solitario de verdad, y por ende ya sabido, para balacearme a gusto.

–¡Vaya!, ¡vaya con usted!, ¡vaya que se imaginó su muerte en pleno desierto, igualita a tantas muertes que usted, nomás por sus... güueee-vooos... ordena contra fulanos que le estorban!, ¿no es así? –tramo engañoso de curvas aparecido: ¿al azar?: o en tan neta circunstancia, o inclusive por deslinde acucioso de meneos forzados tan a la llana–. Entienda que sobre usted se saben bastantes cosas: en Brinquillo, desde luego, y también en varios pueblos; cosas bien feas, bien canijas, que hasta yo, como ya ve, conozco sin que jamás ande indagando a lo zonzo ni por ahí o por allá; o sea que el chisme anda suelto y quién sabe a dónde llegue.

–Pero... ¿me van a matar antes de que llegue al pueblo?... ¡por favor, dímelo pronto!, que ya me está entrando el miedo...

–La orden que recibimos, tanto yo como los cuatro que nos siguen en su mueble, fue llevarlo sano y salvo a Remadrín el día de hoy... Fue orden del gobernador... Entonces ¡ni se preocupe!... Y si le dije hace rato algo acerca de esta ida, fue nomás porque llevé hace poco a Remadrín el montonal de cadáveres, y que yo, por otra parte –habiéndose acostumbrado el chafirete a mentir como mintió (¿se recuerda?)

¡con categoría!, ¡con fe!, y el contagio cual salpique por instinto: inevitable (si nada más con traer sus revuelos ardorosos a la hora de la hora), se le hizo vicio inconciente; sin embargo, dando el salto hacia acá: adonde: ¡pues sí!: contra el curveo la pericia también para bien sondear sobre lo cierto nomás, pero que no parecía por tanto tingolilingo: neto: ergo: sí, ¡sí!, o sea: ¡deveras por Dios que sí!–, de una vez se lo confieso, no quiero volverlo a hacer.

–Manéjate solamente con lo que sea verdadero.. Te lo pido aquí sentado y tranquilo como estoy... Quiero saber si después me matarán o ¡qué diantres!... Quiero saber dónde y cuándo.

Tardanza ahora sí nerviosa de una respuesta: ¡ojalá!: prudentísima y precisa, que en principio sólo fue insustancial, medianera, por los muchos balbuceos del chafirete inseguro, quien con sus «este» a manojos y sus frases incompletas empezó a turbarse en serio, más aún porque se obligó a soltar a la barata varios «mmm», «caray», «si bien», «pues», «uf», «o sea» de continuo y mientras tanto en lo bajo una neta opción surgíale: quiérase como incentivo para un descargo quizás del tamaño de sus ansias por ser lo que nunca ¿fue?: cabal, honesto, engreído, egoísta-inteligente, santo-airoso, santo-hablinche y ¿qué más de lo que nunca...?, pero ya sin más enlabios ni marrullerías ni tretas de segundón desconfiado. Verdadera la tenebra concebida por regate ya como raíz corriente, resultona, predecible para alguien al que le urgía volcarse sobre lo cierto, mas de no hacerlo: ¿qué logro?; habría de ser traicionero de ¡sí mismo!... ¿como siempre? Entonces los tiquismiquis de verdades a retazos, sobre todo porque había por fin agarrado recta, de esas rectas carreteras que abundan en el desierto, por decir: casi infinitas, por no decir: demenciales:

–A usted no lo matarán a balazos, como piensa, aunque eso también depende de lo que decida usted...

–¡¡¿¿Quéee??!!

–Es que a usted lo matarán, pero de otra manera... este... mmm...

–¡¡¿¿Cóoomooo??!!, ¡¡¿¿cuuuáaandooo??!!... ¡a ver!, ¡ya síguele! (volcarse sobre lo cierto, siempre que lo cierto aguante).

–Voy a explicarle primero algo que... mmm... este... bueno... en lo alto se discute si pedirle o no pedirle su renuncia más delante, y la cosa es que... ahí le va... ¡le echarán a usted la culpa de la matanza en el monte!

–¡¡Pero yo no la ordené!!

–De acuerdo, pero ahora óigame... si usted no quiere asumirse como el mero responsable de la ya, por lo que sé, medio famosa matanza, entonces lo matarán, ¡y bien feo!, se lo aseguro; lo harán sufrir, ¡ya verá!... En cambio con su renuncia y su huida al otro lado, nomás por ese motivo se asume como culpable y es mejor que escoja eso, porque, bueno, usted, o sea, estará bastante lejos disfrutando de la vida y hasta, incluso, hablando inglés.

–¡Pues qué pinche gobernante es Pío Bermúdez, qué méndigo!

–El se lavará las manos cuando luego junte a muchos periodistas del estado a fin de que ellos difundan la tremenda mentirota.

–Pero... ¿qué tanto dirá?

–Que según los resultados de las investigaciones, usted, nomás por antojo, ordenó la tal matanza y no hubo más remedio que expulsarlo del estado, y de una vez del país... Así ya con suficiencia el gobernador dirá que una acción tan sanguinaria, como la que ordenó usted, jamás volverá a ocurrir, sobre todo en un país que es bastante democrático.

–Bueno, ¡carajo!, lo entiendo... allá él y su conciencia y la suerte de sus hijos y de su chingada madre... aunque de acuerdo a la ley, procede que me encarcelen toda vez que a mí me obliguen a declararme culpable de...

–¡Perdón!, pero ¡ay, señor!, ¿a poco le gustaría vivir metido en la cárcel para el resto de sus días?... La decisión es muy sabia... Véalo un poco más de cerca, o más de lejos, si quiere... En el fondo, como ve, no hay culpables y, por tanto, todo ha de seguir tal cual.

–Es que la ley como opción... digo: ¡existe!... aunque sea abstracta... y se maneje, ¡ni modo!, casi siempre a conveniencia... ¿¡cómo no voy a saberlo, si soy también mandamás?

–Hasta ahí no llego yo –verdadera la tenebra concebida por regate... cabal, honesto, engreído... ni marrullerías ni tretas de segundón desconfiado–, agradezca que le informe sobre lo que punto a punto los de arriba consideran como lo más importante.

–¡Claro!, ¡sí!, te lo agradezco, y de una vez te lo digo: enllegando a Remadrín te daré una recompensa, o dádiva, o lo que sea, desde luego que ¡en billetes! y... ¡bastante sustanciosa!, pues me llama la atención el que me hayas informado sobre algo que, según yo, iba por otro camino.

–Nomás le advierto una cosa –volcarse sobre lo cierto para enseguida amasarlo y tal vez amacizarlo–. ¡No me tome usted por guaje!, ya que fue el gobernador quien me encargó desde ayer decirle lo que le dije.

–¿¡Ah, sí?!, ¡vaya!... ¿Y por qué muy al principio no querías decirme nada?

–Es que esperaba estar lejos de la finca y de Brinquillo...

534

–¿Eso te recomendó también el gobernador?

–¡No!, eso no, pero ¿qué importa?... Sea como sea usted ya sabe lo que le espera y ya está.

Vuelta a la mudez temblona de don Romeo: ya en aplaste, luego de la tempestad del informe que él extrajo con preguntas alusivas a –si bien, por peteneras, pudo hacer en dos segundos la maligna conexión con lo que casi al principio de su estancia allá en la finca le sugirió Pío Bermúdez, en privado, en largo, o sea: su renuncia, que él pues no, muchas veces su «¡no!» enfático, y entonces por tal berrinche merecía un castigo enérgico que aquella vez, sin embargo, ni de refilón siquiera esbozó el gobernador, pero que una tarde de esas de andas en el Duendecito, a don Romeo le cruzó de juro y que por estar en la guala, como estaba, no quiso, porque no pudo, darle toda la importancia. Y ahora la conexión renuncia-muerte y ¡momento!: mejor irse por lo fácil, lo creíble, lo evidente, sacando una conjetura asaz tranquilizadora: para sí: cual sugestión: *Si el informe del chofer es deveras verdadero, ahora sé que Pío Bermúdez no se atreverá a matarme... ¡Sí, pues sí!... de eso ni hablar... porque si el cabrón me mata ya no tendrá a dónde hacerse, será él a ojos vistos el único responsable de la matanza en el monte... Así es que tengo razón en no darle mi renuncia a las primeras de cambio... ¡Que le cueste al desgraciado!... ¡Vaya que le costará!... Ahora tendrá que sacarme a rastras de la alcaldía, porque pues ya hallé la clave: ¡no renunciaré a mi puesto!* Con eso vino el recobro de don Romeo que siguió, aunque sin muecas ganosas, en aplaste, pero digno, pese a su descompostura de cuerpo semicaído: piernas y brazos cual ramas de árbol fláccido, tristón, sin embargo, favorable para echarse una cejita, de esas que allá en Remadrín se echaba a diario y adrede. Fastidio para el chofer, repentino, dicho sea, porque viendo de reojo ese amago de desplome no deseable por no darle aire a la fatalidad –¿qué iban a pensar los hombres, los de atrás: perseguidores, al no ver a don Romeo, pero en cambio sí al chofer?–, de inmediato, a contrapelo, le hizo una horrenda pregunta, con la mira nada más de tratar a toda costa de hacerle tantita plática:

–¿No quiere usted que le cuente qué hicimos con los cadáveres?... Me refiero a los cadáveres sin dueño en ninguna parte, que fueron la mayoría...

–¡Todo eso ya lo sé!... Pío Bermúdez nos lo dijo en la finca, en su momento; así que... bueno... le ruego... no se tome la molestia de repetírmelo, ¿eh? –¡mentira!, ¡no lo sabía!; tampoco querría saberlo, contimenos de vencida, cuando el espectro del sueño batallaba con cerrarle primero un ojo y luego otro.

Y el chofer arremetió:

–¿A poco también ya sabe lo que el ejército hizo con los que supuestamente son los desaparecidos?, digo, no todos, algunos...

–¡No!, no, mmm, ¡chin!... eso sí que no lo sé, pero cuénteme, si quiere...

Cualquier chanza es cortesía, nobleza a prueba: indolente, porque es flema resignada, no interés a humo de pajas tan sólo por darle opción a una dizque descarga que en ese caso de marras, al menos en su planeo, se oía como chillo al tope de chachalaca atorada, de continuo en estridule... Es que la voz del chofer... Es que cómo soportarla... Tics lentos por el esfuerzo del aguangado cacique o insinuación de parábola, dibujillo apenas sí, de subida, ¡ay!, infructuosa, para taparse –¡que no!– con sus manos las orejas. Tics no vistos ni de reojo por el que se prodigaba mirando la carretera mediante enlaces al vuelo de ideas sin pies ni cabeza que al cabo sí tenían cuerpo, pero mocho, horripilante. Y el emplasto: un sinsentido: en hincha a poco: grosero, que lo mejor, si a esas vamos, es encontrarle hilazón para luego resumirlo. Paso siguiente es aislar la voz ñanga del chofer, imponiendo una versión que ha de subvertir, de paso, la cantidad de inflexiones sin «para qué» y desde luego tropezonas a cercén. Luego se interpreta al sesgo la chuqui de ese trasunto, y de una vez: ¡al ataque!: varios guachos persiguieron por doquier a correlones como si cazaran liebres: esa noche nada más; de oído yendo hacia un bulto: mínimo ruido entre cactos, ergo: el desate de balas en ráfaga óptima, ¡sí!, hasta oír el costalazo, o dos o tres, y a seguirle... Muchos yendo tras muchísimos en desbandada grillera, adivinanza en lo oscuro; empero: poca ganancia, y se extracta todavía su consecuente labor: por sobre cualquier prurito sus prisas a todo tren por espacio de dos horas: tiempo límite y así: el trabajo de juntura de muertos en un punto equis, muy cerca de los camiones para el acarreo postrer que sucedió y run-run-run: hacia el oeste el desvío por una brecha bien gacha, pozudísima de plano, lejos, detrás de unos cerros, hacer la fosa común, otra: adonde ni una gente –y eso por deducción– fuese mirona noctívaga. Pero la gran cantidad de correlones: ¿quién sabe?: llegarían a salvo ¿cuántos? No se han tenido noticias de alguien que haya aparecido en algún punto geográfico del estado de Capila, pero las habladurías señalan puntos ficticios: que hacia el sur o que hacia el norte, fuera incluso del país, mas lo que sí es de ida al baño es que se encuentren nadando en los mares de este u oeste y de ahí otras fantasías adonde la realidad es poquita y es inútil. Plétora de glosa incierta hecha a base de asegunes que tan sólo por escrúpulo el chofer metióle freno porque también esperaba preguntas a ese respecto, ni una hubo: ¿no hacían falta?: y sí comentos al bies, de vencida, frases truncas, menos, menos cada vez, de parte de, se supone, en duermevela el cacique, mismo que se limitaba a decirle, por ejemplo: *¡Cállate!, ya no le sigas,* referencia en cuanto al chillo, estridules en aína, de los cuales por secuela a erre que erre en lo bajo hacían colmo, porque, bueno, podían contarse las veces de los «¡isssht!» imperceptibles, mas no contra la reseña de los últimos cadáveres, sino... y he aquí la otra manera: un tono algo más tajante, por decir: algo como esto: es seguro que los desaparecidos (ejem) no aparecerán en Capila. Por tal motivo se asienta: acá serán estantiguas, largos quejidos en vuelo, después sombras afiladas. Más gruesa su voz, más rauca, para que a su vez engorden las sombras hasta, inclusive, convertirse por contera en plastas inofensivas. Mas por fortuna el silencio: real: del chofer que reojo veía al cacique, sin más, deslizándose y: *¡Levántese!, ¡recupérese!* ¿Habló el ruido del motor?, ¿o fue el ruido soflamero del aire acondicionado? En su sueño de vencida don Romeo se preguntaba tanto una cosa como otra, mas sin saber qué carajos quiso decirle el chofer con esa voz que él oyó como de papel de estaño en arrugue repentino.

Sugerencia, ¿orden?, ¿rebane?

Estentórea arremetida de quien estaba temiendo que los de atrás no avistaran ni siquiera el medio cuerpo del pobrecito señor: *¡Leeeváaanteeeseee!, ¡reeecuuupéeereeeseee!,* bruto, precavido al doble, de una vez póngase al triple porque le tembló su voz sin que el gritón lo deseara, por ende nomás no pudo añadir un «por favor» largo y dulce y, al respecto: ¿sería más recomendable incitarlo con dulzura?... Lo pensó, pero también supuso que ese recurso le sería útil más de rato, pues su angustia mientras tanto a solfa y recontrasolfa le endilgaba más temblor, tanto así que imaginó algo mucho más extremo: dicho sea: la anomalía: vista o ¿no?: entre vidrios: mal: ¿la ausencia de don Romeo?... ¡ah!, de todos modos lo incierto haría que el chofer de atrás, arengado por los otros, decidiera darle alcance poniéndosele al parejo: dos carriles ocupados por espacio de un kilómetro o en tanto la duración de la pregunta concreta y la respuesta ¿en etapas?: cosa probable y así, dándole más tatahuila a otros suatos presupuestos, el de uniforme no hallaba qué decirle al que se fue deslizando sin querer hasta el suelo tapetoso del mueblón: como si nada... ¿Gritarle de nueva cuenta?... Una última intentona, pero con voz de marrana: quejosa, o endemoniada, dizque a causa de un martirio, y si aún no reaccionaba el vejete ¡entonces sí!: con luces intermitentes, las traseras granaígneas, el chofer haría señales –también con un brazo al aire– de que se iba a orillar, sin embargo, por lo pronto: *¡Leeeeeváaaaanteeeeese-eeee!, ¡reeeeecuuuuupéeeeereeeeeseeeee!,* rugidero aparatoso no del motor sino: a ver: vil regreso adonde antes, porque el cacique asustado despertóse, ¡ea!, y dijo algo, alguna mala palabra, para enseguida buscar acomodo en el sillón: con pesadumbre de más, siendo que pidió disculpas a base de balbuceos.

La postrer tranquilidad se tradujo en reconquista del chafirete nomás: no costosa, mas sí tocha, por ambigüa: ambigüo quidam: por mor de un rompecabezas ilógico de raíz. Reconquista de su hablar a modo de sorteo al vuelo y nada más con la mira de no aburrirse entretanto. Agrio perico inspirado, libre así, ya que teniendo por escucha a un vejestorio todavía medio modorro, quiso reciclar su historia a partir de la matanza para avanzar con regusto sobrevolando la riada de peripecias sin cuenta, como fue –como se sabe– su viaje en la camioneta con el montón pestilente...

Kilómetros de ¿episodios?

Habló y habló y ¡qué hilazón a la barata entramada! No obstante que en un principio a cordel la carretera como que le sugería la forma de atar los hechos, tratándose, sobre todo, de un recuento tan fragoso, él necio se solazaba en su prendidez tolondra porque ¡niguas que le haría caso a un decurso lineal! Así también, para colmo, tampoco se le ocurrió mirar mientras profería al cacique por temor a un atropello de ideas, sin embargo, el susodicho, sentadísimo y erguido, de repente cabeceaba y...

Tenía en mente el chafirete llegar justo a la pregunta inicial de don Romeo –¿se recuerda?–: sin respuesta –por táctica callandita mientras no estuviese lejos, ergo: a salvo de la finca–, pregunta quintaesenciada aquella tan indirecta acerca del uniforme: la explicación tremebunda: los porqués yendo hacia atrás, si antes la elipsis maltrecha de incidencias por ensalmo que tardaría más o menos como una hora en darle espira: en desorden, y lo real: tardóse tres cuartos de hora, concluyendo –así lo ideó– en el viboreo de curvas que hay en las cumbres clivosas de La Malhaya al soltar un enlabio como éste: *El señor gobernador me mostró siete modelos de uniforme para mí* –curva cerrada, engañosa, y mudez pasitamente para luego, ya al desgaire, proferir algo que, bueno, nunca debió, la verdad–... *Yo no quería uniformarme, pero don Pío me obligó, incluso bajo amenaza de encarcelarme si no* –vino una curva bien fea: de prolongación de a tiro extenuante a la derecha, lo cual permitió al chofer echarle un largo vistazo al cacique y ¡oh, sorpresa!, erguido, o medio, digamos, a poco se recargó en la puerta y ya roncaba muy apenas, pero sí, de modo que no tenía ningún caso acompletar cuanto le estaba diciendo, sin embargo: a ver, a ver–... *¡Deeespiiiéeerteeeseee!, ¡reeecuuupéeereeeseee!,* por respuesta otros ronquidos, pero mucho más sonoros, por parte de... ¡pues qué lata!... entonces ya ni insistir, porque mientras don Romeo siguiera tal cual: sentado, lo demás –¿sanseacabó?– sería puro tole-tole. No obstante: el radio: ¿prenderlo?: que fuese a todo volumen: una cumbia rascua-chenta: ¡sí!, y el chafirete sin más buscándola con la peonza hasta hallarla y sin embargo...

Ronquidos más estridentes.

¡Oh!

¡Pues sí!

Bajarle pues y... ronquidos más musicales, mismos que hasta daba gusto escucharlos durante horas...

Decimotercer periodo

Capítulo uno

¿Importa?: los fantasmas se parecen. Se parece, en este caso, Dora Ríos a Olga Judith por andar tocando puertas en la noche ¿por rebane?... Quiérase que por joder, porque si alguien les abre cualesquiera han de esfumarse, o al menos que adrede una desee entramparse de más para confundir de sobra a quien le haga la plática, o la intente pian-pianito como la intentó Cecilia la vez que estando indefensa en su casa, ¡ay!, ¿por qué lo hizo?, si ella endenantes supiera la estrategia de revés de esos fantasmas burlones, ¡ah!: burla burlando el efecto: la sentencia canallesca, tal como ocurrió: ¡pues sí!: dizque a la platicadora le caería la maldición si no quería platicar como antes: largo rato...

Pero de las dos ¿quién fue?: Dora Ríos u ¿Olga Judith? Menuda combinación en suspenso todavía, siendo que su parecido (deslíndese a Mario Pérez de la Horra, por supuesto), y contimás en la noche, daba igual, por igualito, quien fuera, o ¿no?, o de vencida al retomar por asperges la pérfida semejanza el distingo se limita a dos épocas distantes que el azar enlaza y cuela: primero fue Olga Judith, entonces fue la causante, y a su pesar, sin embargo, su perfecta imitadora a destiempo apareció, y eso sirve para esto: la premisa es bien que mal el cómo fue que la criada se hizo fantasma a su modo, más aún si se toma en cuenta que en Remadrín nunca antes existieron como tales, no al menos tan evidentes. De suyo, recomponiendo, la redundancia, si bien, viene a ser como un destrabe que a la fuerza se anticipa. Téngase que en un principio hubo una mancha latente, tan sólo una, misma que, por un acuerdo a saber con qué monstruos o demonios en una noche de tantas, se fragmentó pero riéndose de esa vil transformación –alguien tal vez escuchó sus carcajeos en lo oscuro–, a sabiendas que jamás volvería a ser como fue: sombra pilonga, blancuzca, íntegra, dura quizás, y por tanto limitada a una exigua magnitud para colmo impropagable: cual ominosa enanez incapaz de amedrentar al más ingenuo ente ¿vivo? –dizque: pero no, no tanto–, en virtud de que ese emplasto íncubo no tenía voz, sólo risa y eso ¿qué?: risa niña: ¡deliciosa!, terrenal al fin y al cabo e ¿insuficiente, por ende? De ahí que cada fragmento adquiriera cuerpo en forma de humo cande y fuese luego tan gigantesco y difuso como la noche más negra o la minucia más mugre. Fragmentos que se esfumaron en siluetismo cachondo, tomando cuerpo a la postre, y en Remadrín nomás uno se quedó: el de Olga Judith, cual estantiguo en espera...

Pareciera un ser viviente, y lo fue, ¡lo es!, y de más: para siempre y donde sea.

Vino luego Dora Ríos a jugar a las visitas, trato: ¿en dónde?: de permutas con Olga Judith: toquidos. Comunión trascendental entre ambas: sinfín de acuerdos y sin la egoísta lógica de ninguna en el sentido de que una quisiera estar por encima de la otra: que la criada por antigua o que la telefonista por nueva y más cucañera. Igualdad casi no bruja, lúcida: empero: no vasta, ni enliada: mucho menos, ni muy dueña: de resultas, sutil en cuanto a ese efecto que ellas querrían resultón a cada nueva intentona: el que un equis infeliz se afanara en platicar al cabo de abrir su puerta –hasta ahora sólo Cecilia cometió ese gran error–, ya se sabe el desenlace: la maldición en trasvuelo, jugarreta intemporal a saber si por desgaste laboriosamente cierta.

Y otros fragmentos futuros y así íntegros, corpóreos, (transformación de por medio), sólo de hembras con rebozo, casi ancianas o de plano... Se antojaban desviaciones. Siendo lo central la noche y los toquidos: ¡qué va!, no importaba si después fueran hombres o mujeres: jóvenes, niños incluso, por lo cual cabían de lleno tantos desaparecidos, los difuntos de verdad; ya de hecho por redondez y lógica fatalista se esperaba que vinieran a tocar en cuanta puerta de cuanta casa habitada, pero quién sabe si sí, pues aún se veía difícil, no sabiendo nadie aún si vendrían vivos o cómo: fantasmales, cadavéricos, sangrientos o mutilados, o ilesos y jubilosos por volver a medianoche.

Capítulo dos

Mucho más importante para Egrén fue tener la pistola consigo, ahora sí después de cuánto: ganancia sobre ilusión, mucho más, ¡claro!, por ende, que la bruta compañía de un ser tan encandilado, tan deveras al garete (sello grosero o impacto: poco o casi nebuloso desde el café tipo Vips; acá la confirmación: crasa o justamente rufa enrojeciéndose turbia), tanto que optó por huir con un documento en rollo: ¿lleno de pistas o qué?, dióselo un embaucador, o ¿no?, o ¿quién?, empero, bueno: el despeje y el temor aunándose a la fortuna de no matar a quien no: la nuca: el punto huidizo: menos: hasta ya no ser, y enseguida añadiduras: grises pero siempre luengas: flechas punteando algo ocre: allá: tras: enfilamientos, y nada más en el cielo el titubeo de la tarde.

De Egrén: su quehacer, en fin, ya se sabe lo primero: la aburrición de esperar: lejana la medianoche: esa horrenda antigüedad, antiguo amago también y... lo mejor era dormirse oyendo cómo el decurso del río cursi vespertino se afanaba en componer musiquillas vivarachas. ¡Véase pues cómo es lo incierto en una intemperie de ésas! Las musiquillas que no, pero sí la idea de juro para clavarla... tal vez... Egrén se tocó una sien: pensamiento palpitante conectándose a: ¡pues sí!: arduo corazón trolero cuya latencia de fondo bien podía darle armonía al avance de las aguas: emplasto que busca emplastos y entonces la dejadez: desazón o inercia y ¡ya!, hasta luego, porque, bueno... Egrén: luido: enmedio de: sus sensaciones muy otras, más como hebras pizcuintías, acabó en gran engarruñe para idealista de a tiro dormirse ideal, asegún...

Lo malo fue despertarse: de nuevo engañado-absurdo; no era problema la hora para Egrén, no las estrellas (ya querencia ya sarcástica) ni el resto del atiborre –en su sueño hubo disparos, gente que se desplomaba: gloria asesina amarilla: como película apócrifa, sin embargo parecida a una que vio en Pencas Mudas–, lo malo, ergo, fue saber que su maletín no estaba (las estrellas lo ayudaron al registro a troche y moche: negros visos, pardas vistas), pero la pistola ¡sí!, porque la tocó: friísima: no queriendo, ¡oh, qué sorpresa! De resultas su chispazo se volvió flama obligada por mor de una conjetura que más bien parecía charra. Dedujo que el ladronzuelo campirano colocóle la pistola a un costado y la razón: tan piadosa, tan a tientas... chulísima hubo de ser e inclusive pertinente: que se topara –si no– con: pero ¿tenía balas?, comprobarlo de inmediato y al concluir: zote alivio; no obstante lo segundero del trasunto, se supone: hubo un hilo tembloroso: sudorcillo detenido a la altura del tabique, y el esponje de su tez (las estrellas ayudaron; por eso fue que lo hizo en aína y jajajá)... Todo en orden, dicho sea, las balas en el tambor giratorio del revólver y el gatillo en su lugar, aunque: urgía una prueba, un disparo, después: ¡sí!, valía la pena, lo haría contra el agua vista como magma de la luna; una prueba necesaria para captar el sonido. Desperdicio y deducción: suficiente el par de balas. Gran asesinato pues. Episodio de hilazones que habrían de desvanecerse, o ¿quién sabe qué chingaos?

Ya como obviedad la noche y el suspenso renovado en vías de recolectar más minucias cual suspiros de un sinfín animalero. Animal Egrén y ¡¿qué?!, racional, ¡ay!, como tantos que de hinojos han de estar al aire libre enlíados; sólo que la diferencia... no cualquiera es tan sutil: vista sutil, lerdo atisbo, la minucia y el suspiro de Egrén tratando, tratando... Minucia el reloj de pulso: suyo el tictac vacilante, sentirlo ¡vaya si no!, negrura íntima hacia ¿un límite?; claridad y más tormento, pero a medio ver, o sea: eran las veintiuna horas con veinticinco minutos, diabla apretura del tiempo: que ni qué, pero también: llegada de madrugada, lo óptimo: extremo, o más suave, si Remadrín en la guala a las tres de la mañana, al alba no, no esa orilla: pendejada luminosa, por lo que al re, por supuesto, tenía aún harto recreo.

Así que yendo hacia atrás, recreándose en ironías: otro alivio luego de: ¿otra conclusión al bies?: tras la sonrisa de Egrén pareciera alucinante y más bello su reloj, y preciado: ni se diga, más que nunca, prietamente, quiérase ya amor virtual, ¡tan a punto!, porque: obvio: no se lo llevó el ratero, sin embargo, el maletín: tanta falta que le hacía, es que dónde iba a meterse la mentada pistolota, bueno... mmm... calma echadiza, ya que estaba harto seguro de encontrar alguna bolsa de plástico abandonada en el llano: ¡siempre había!

Cosas por hacer: bien hechas, como las concibe un líder: de sí mismo, por lo pronto. Incorporarse cuanto antes y al mirar sobre las aguas los resquebrajos lunares hacer la detonación. Filuras en movimiento, ¡verlas ya! Ferocidad; si en el acto lo pensado tuvo acción, ocurrió un poco diferente, pero sí, ya que se le habían dormido las piernas, le cosquilleaban...

Todavía con sus pateos (su sangre: hormigas: ¿bajando?: hasta sus plantas: ¡qué bueno!) Egrén apuntó hacia el pulso, si copete en correntía de las aguas: brusco afán, y sin más ¡puuuuuuum!, y los ecos.

Trepidación espacial.

Llenadero.

Desventura...

Comprobó Egrén que el sonido de la pistolota aquella era bastante expansivo y eso lo puso bien triste, pues en chorro repentino se iba también con las aguas su plan criminal jodido, ya que ahora le quedaba agenciarse una pistola veinte veces más discreta y en dónde a estas alturas.

En tanto el mundo nocturno se despertó chillador. Animalero procaz jalándose hacia un extremo tanto tiempo inconcebible. Y el problema en descobije: ¿cuánto duraría el asombro?

Orquestación imparable.

Temía Egrén que en gran tropel vinieran adonde estaba sombras rústicas de gente. Sustos de campesinaje armado: por si las dudas. Prestos machetes: lo mínimo, y a la sorda lo álgido, ¡uy!: rueda, redor, acorrale. Egrén: la víctima odiosa odiándose zonzo, o sea: tenía que pedir disculpas. No real aún eso próximo, pero los ruidos rastreros sobre el pelaje del llano, táctica su sequedad, daban para pensar feo, reculando él, por lo mismo, hacia la orilla besada por las aguas ola a ola que Egrén pisaría apenitas. Pero quiso adelantarse con un grito: un *«¡aaaaaaah!»* insincero, confundido, por desgracia, con los ruidos orquestales del nervioso animalero. Y si vio sombras moviéndose, sombrererío porque sí, no oyó ni voces propincuas ni alguna alusión de pasos. Lo peor: eso, ¿eh?, quizás, y la pistola: un deshecho: golpe, caída final, contrarresto contra el suelo ya como empuje también para dar algunos pasos, salir del tollo ¿embrujado?: Egrén: su reto, su ahínco: ominoso: ¡no!, ¿durable?

Alejamiento norteado: su intuición lo conducía, y él: su boca abierta: un hoyo: un suspiro como silbo, dos, tres luego, más undosos, de suyo más musicales; de subida el logro, o ¿plano?, al sumar pasos tras pasos siguiendo ya sin pistola un haz en tacha ¿imposible? Primero tenía que ir rumbo a los rieles del tren. Nada de amago de sombras, voces: ¡menos!, y el ruidero de por sí, sostenido, si escoltándolo. Su viraje incontinenti, aunque sin necesidad a la tupa de cruzar el río y sus fuerzas más posmas. Fue un viraje al lado opuesto.

Muchísima protección en tan aleve, digamos, gran «no obstante» circular, para seguir fresco, orondo, cobijo acaso de ruidos en correntía por doquier, súmense estires de sombra, tiras detrás ¿fantasiosas?, todo lo cual permitióle a Egrén pensar casi en vuelcos, modo: muy otro, ¡pues sí!, dicho sea, porque, veamos: sin pistola ya le daba exactamente lo mismo llegar pronto, o no, a su pueblo, ergo: un vuelco, enmienda zorra, de escoger: mejor que fuera nochecísimo ¿verdad?, por antojo o sugestión, autos de seguridad. Lo esperaban, lo sabía, ¿cuánto tiempo lo buscaron?

Policías, guachos, no tantos, en Capila ¿nada más?, tras sus huellas asesinas, aunque lo infructuoso aún; sin clímax ya la asechanza. Gris espera de noticias. Él, de hecho, necesitaba noticias a tutiplén de sus padres, de su novia: vivos, muertos, o rehenes; o ausentes, por peteneras, que sería la circunstancia más óptima y revolteada, por ficta e indiscernible, pero con cupo en todo esto. Más viable sería lo tétrico: la venganza del cacique y con hartas archivoltas de ira pormenorizada... Su obra cumbre –¿se recuerda?–. Contimás porque tampoco (se informa por separado) ni guachos ni policías hallaron la camioneta en la que Conrado Lúa llevó a Egrén hacia, ¿se infiere?, y eso sí que fue fatal.

De otro modo la otra búsqueda: la familiar, la amorosa, otrosí: la conexión, atisbo al vuelo, indirecto: se acordó Egrén que su padre tenía un como rifle corto para la caza de liebres y cotuchas que tiempo ha utilizó durante hartos viernes-sábados-domingos pero que a últimas fechas... Arma sustituta: ¡ojo!, otro solventado alivio.

En malcontento el resumen de aquel trayecto en sofrenos retorcido por razón de unos cuantos titubeos de Egrén que lleno de ideas no sabía qué hacer con ellas, darles redondez ¿acaso?, falsa posibilidad; mas cual fuese su intentona su caminar no servía, necesitaba sentarse en la tierra durante ratos (quince minutos o veinte) mirando lo que había arriba y a sus lados, ¡oh, romántico!, y así sus transformaciones... Se inclinó por lo sensible: sus afectos: ayayay: recuperarlos, fijarlos. También sus detenimientos obedecían a algo básico: hacer tiempo: deseo infame. La medianoche ¡pantalla!, arribar a ella: ¡que sí! Empellón sentimental contra... (ejem) lo asesino en reducción, empero ¿quién lo empujaba?: a poco paso tras paso y cada uno un gran capítulo y cada diez, once, etcétera, una novela granida de amor y ¡bien cariñoso!: y con pocos altibajos; es que pensaba en, se sabe, su cosita noviecita encueradita divina, ¡cuántas ideas hacia ella! Y a poco también sus pasos: lerdos, casi escrupulosos, porque, ¡claro!, consultaba su reloj, cual seudo tic, cuando se lo permitía el resplandor estelar; mas lo bueno; no correr: ¡eso sí no!, pero sus ruidos, sus traques...

La suerte quiso llevarlo adonde había un foco en poste, dizque una esquina, otro alivio.

Del perrerío se libró Egrén: ¡milagro!, ¿verdad?, porque los guaguás ¡ya ni uno!

Luego: entreverado el comienzo de lo que tanto deseó desde que ejercía el oficio no común de ser mesero y padrote al mismo tiempo (lo cual se hizo recurrencia en pañuzas antepuesta: la oh nostalgia oh en marco hojeado: Remadrín: un desdibujo, y la novia que le hablaba, y los padres de él más lejos saludándolo nomás), por lo pronto vio otros focos: postes esparcidos: ¿siete?, viendo luego algo crucial, tremebundo por coloro: bajo los focos había que dos, tres, cuatro, ¡hasta cinco!, variaba el número siempre, guachos deambulando: ¡ay Dios!:

en los recortes de espacio lúcidos en amarillo. Novedad, porque antes no. Guachos: ¡matones!, o sea: lo peor: lo sofisticado de las armas que portaban, y explicárselo ¿en aína?...

Erróneo sería que Egrén se mantuviese a lo zaino iluminado ¡a la vista!: sobre todo de esa gente encuadrada en una idea, una cruel con harto aire; es que ¡horror de horrores!, ¡vaya!, eso visto: real, continuo (así en un tris colocóse en lo oscuro: más difícil, más seguro por más amplio): trama para deshacerla y reconstruirla al tiro. Su perversa deducción, toda hacia un blanco ostensible, centro enorme al re, carajo: el pueblo estaba ocupado por el ejército, ¡sí!

Cárcel de terror día y noche: balas, acechanza, enojos, o entrecejos por doquier cual contención siempre a punto: tiento de Egrén que azorado no sabía si dar un paso o quedarse tal cual: mustio, oscuro pero deseoso de un jalón ficticio, mágico, o si no que el nuevo día lo sacara del apuro... Y pues ¡órale!, ¿qué más?: entremetida la suerte en lo prieto de ese lío, de nuevo, a contracorriente, quiso ayudar-impulsar a tan gran recién llegado, venido desde, ¡uy!, digamos, el *güei tu go* fronterizo hasta donde lo difícil tenía que ser fascinante. Entonces tras un sondeo de ardites, mínimo pues, el ahora oscurecido vio a distancia a una señora enrebozada tocando la puerta de una casa donde tal vez por la hora: ¡niguas, qué le iban a abrir!, y a malquiste su insistencia carente de una palabra como «¡ábranme!»: tan obvia. Ajenidad por deslinde estantiguo o algo así, porque por más que tocó... mmm, deveras, ya ¡ni modo!: trasquilimolochamente su fracaso, de resultas, de media vuelta despacia cabizbaja entre penumbras, a tal grado que su andar sin ruidos: ¡vaya!: hacia acá, es decir: fantasma: casi, o ánima a surco mediante, o de hecho a trancapalanca: vil sensación providente rumbo adonde Egrén: también: dando un paso, y otro, y tres: y freno a tiempo: cabal: quiso acercársele y no, no pudo preguntarle algo, porque la señora dio otro idéntico volteón yéndose casi como humo hacia un rumbo más oscuro pero inserto en el pueblito que en la noche, desde luego, no del todo parecía (pocos focos, pocos visos). Jalón, ¡sí!, porque la doña le hizo dos señas a Egrén invitándolo a seguirla. De acá el escrúpulo aún: la exigüidad de ¿una trampa?: misma no eficaz y aparte no antojable siendo que, véase si no: era absurdo que el alcalde tuviese a estas alturas empleados medio fantasmas, por ejemplo: esa señora parecida a –¡claro!, ¡diantres!– su ex patrona Dora Ríos: error, ilusión, ¡qué afán!, era ella o no: muerta o ¡uf!: medio viva, fantasmal, además: ¡invitadora!, ¡salvadora!, ¡era creíble!: ¡no era empleada del gobierno!, de ahí deducir lo otro: era un ángel de la guarda, a su manera, para él, entonces seguirla y punto:

confiado hasta donde fuera. Cierto que le convenía más aún teniendo en cuenta que su plan original se le vino a alrevesar poco antes de su llegada a esa orilla del pueblo: ya no el ayudante y no la pistola con tres balas y sí el milagro en lo oscuro: la señoraapariciónprodigiosa: simplemente. Creencia por conveniencia como indicio de otro plan que estaba naciendo allí.

Así (ejem) tal seguimiento sería disfrutable para Egrén si de plano se asumiera como fantasma eventual. ¡Claro que sí se podía!... Y dio los primeros pasos.

Las señas de la señora más o menos en lo alto como diciéndole: «¡sígame!» Muda ella a modo: ¡mejor! Cucañera jugarreta arreglada, según él, a un final si no feliz sí tranquilo y ya con eso. No quería ser molestado por un guacho apuntador o muchos inoportunos. Su procura primeriza era ir a la caseta telefónica en la cual de seguro ya Enguerrando vivía, dormía y, por lo tanto, se le podía despertar inclusive a la peor hora so pretexto de una urgencia: una llamada –¡ni modo!– que él deseaba hacer, en fin. No a la casa de sus padres que a saber si todavía...

Y así su andar sin problemas: invisible, ¿ideal?, ¿borroso?, sin embargo, a ras de tierra sus pasos reales, ¿audibles? Ni lo oían ni lo miraban los guachos memos, o bien, ¿fantásticos en la noche?: apostados en esquinas: bajo los postes de luz bebiendo quién sabe qué y embebidos cuchicheando en vez de estar al pendiente; algunos hasta jugaban barajita de esa furris de ocultis retencogidos: los vistos, los más, digamos, en alumbre, porque otros, bueno, o sea, ¿cómo ponerlo?... Había cantidad de esquinas sin postes de luz y en ellas se oían al doble de fuertes los cuchicheos vacilones.

Triunfal encaminamiento, con su ángel de la guarda, el de quien ya regresaba como asesino mugroso, mas no lo reconocían: ¡ojalá no!, ni en la puerta de, antes bien, se dio una como ruptura con la doña fantasmal, quien nomás en cuanto le hubo señalado la caseta se esfumó, voló, o ¿qué hizo?, y él, ahora sí que al albur, enfilóse hacia (un detalle: como Egrén durante el trayecto por las calles claroscuras se sintió etéreo y ganón, por un instante también quiso esfumarse, volar, pero ¡niguas!: porque el pobre todavía no estaba muerto) la puerta, donde: tenía que pensarlo bien, si otro plan al ce por be... luego... incluso escribir los pasos, pero todo bajo techo... Mas tomando aire, lo más, tocó, tocó, tocó fuerte, toques acaso fantasmas, porque ¿audibles?, ¿ciertos?, ¿falsos?

La progresión inocente de Trinidad, sus miedos equivocados (antes de hacer el recuento regresivo, el prometido –¡recuérdese!– acerca de esa familia, conviene hacer un deslinde un tanto cuanto estorboso, pero útil para la entrada a lo que importa en verdad. Se adelanta de una vez que Cecilia perdió a su hijo. Vinieron las contracciones cuando ella apenas contaba con seis meses de panzona. El bebito nació muerto. Estaba mirrungo y chulo, o sea que de haber vivido, como Cecilia deseaba, y Trinidad, casi mucho, hubiese sido a la postre un galán de esos perfectos que traería revoloteando a las huercas dieciocheras de Remadrín, por lo pronto. Pero como se murió, mejor ni pensar en eso, esto es –ejem–, por tanto: no pensar como lo hicieron los retefrustrados padres, mismos que anduvieron tristes casi un año, o sea: bastante. Lo bueno fue –¿se adivina?– que por los muchos acuestes tan de patas para arriba, por fin de nuevo Cecilia se empanzonó y pues ¡ajúa! Ahora sí Dios les mandó a Papías, su primer hijo, el cual, desgraciadamente, no fue chulo como el otro, por ende: no fue galán, pero, bueno, ya ¡ni modo! Sin embargo, a lo que vamos es a otro asunto más zonzo...). Oyó usted bien, y si no se reitera con más énfasis, se dijo (¡ojo!, ahora sí): «la progresión inocente de Trinidad», a lo que –bueno, juzgue usted si no–... El hecho de hacer un pozo de tapadillo en la tienda para meter los billetes y a poco irlos pellizcando, carajo, ¡qué inocentada! Es que vea usted cuánto riegue: si al zonzo de Trinidad no se le ocurría cambiar –como no se le ocurrió, pues siempre estaba en la guala– su dineral por, no sé, joyas, no sé, oro, diamantes, es seguro –como fue, aunque no pronto, eso sí– que su grandiosa fortuna caducara, ¿qué decir?, de la noche a la mañana. Por eso mismo es preciso sacar una conclusión sabihonda pero puntual: LA INOCENCIA PERJUDICA A LOS QUE LUCHAN POR SER PRÁCTICOS DE CABO A RABO. Entonces ¡venga una porra!: ¡QUE VIVA SIEMPRE LO PRÁCTICO Y QUE MUERA LA INOCENCIA RA RA RA! y así y etcétera... Ahora la redondez: nació Papías sano y feo, ¡lástima!, ¡qué malo es Dios!, y al cabo de un año y medio nació Salomón: ¡más feo!, pero eso sí: ¡retesano!, ¿qué bueno, entonces, fue Dios al respecto solamente?... Pero ahora vamos a esto, ya como toque final: los hijos, sean como sean, necesitan que sus padres se lleven bien noche y día: ¿¡QUÉ IMPORTANTE ES LA DECENCIA?!, y que también noche y día sean bastante cariñosos con sus sagrados retoños. Es que los hijos requieren ¡¡¡PADRES PRÁCTICOS!!!, ¿o no?, ¡¡¡BIEN PRÁCTICOS, MÁS Y MÁS!!!... Bueno, por ahí va la cosa...

Capítulo cuatro

Reales sorpresas nocturnas: frente a frente: no peleonas. No peleonas ni con gestos de zumbeles enojosos como la última vez. Como la última vez –¿se adivinan los sujetos?, si no, entonces, repitámoslos- cuando se liaron a golpes y de ahí esta consecuencia (luego de ¿cuántas semanas?): el reencuentro, puerta abierta, brusco reconocimiento del de adentro hacia el que: ¡vaya!: estaba pidiendo auxilio, encogido, por el fresco; bueno... mmm, memo suspenso; encogido por el fresco estaba pidiendo auxilio ¿Egrencito?, ¿susurrante? –ya Egrén, como se le ha dicho, sólo por ser asesino–, y al cabo de un minuto Enguerrando le dijo esto:

–¡Pásale!, ¡pásale rápido!

Se arrastró hasta la cocina la sorpresa del que antes resultara vencedor en eso de los fregazos contra quien ya tan jilito no sabía ni qué decir, por lo que la iniciativa le correspondió al ganón:

–¿Qué haces aquí?, ¿a qué has venido? –se sentaron a una mesa, la misma, una de lámina que otrora hubo comprado Dora Ríos cuando de acuerdo con su patrón: don Romeo, le construyeron dos cuartos una recua de albañiles en menos de dos semanas. Lo mejor era vivir paredaño a la caseta y con puerta de por medio. O sea que ¿cambios?, ¡ninguno!: mismo menaje corriente bajo el mismo techo boto de carrizo en tueste: gualdo: sostenido por puntales pilongos, escolimados, amén de que las paredes no tenían aún enjarre–... Recuerda que nos peleamos y no te tengo confianza.

–Te adelanto mis disculpas... Mmm... espero que me las des –atajó Egrén retorciéndose como lepe que se arredra: treta o prueba de eficacia, o ¡pura coquetería!: resultona, ¿necesaria?

–Es que también me enteré que mataste a una persona.

–¡Sí!, así es, yo no lo niego, pero es que él me iba a matar... Lo hice en defensa propia.

–Pues por eso tengo miedo... Ya no me confío de ti, y perdóname, o sea ¡entiéndeme!...

–Los perdones son iguales... o sea que es igual quién antes: si de mí a ti o de tú a mí... La cosa es que platiquemos.

–Bueno, está bien, dando y dando... Pero yo quisiera algo que a lo mejor no te gusta –Egrén levantó las cejas como diciendo «¿qué esperas?», y el otro con sus chischás de muchos «este» y «mmm» trompicando lo deseado, hasta que subiendo el tono–: nomás quiero preguntarte si traes alguna pistola.

–¡Revísame!, si eso quieres... Yo vengo de buena fe.

Ni tardo ni perezoso Enguerrando hizo el repaso de arribabajo en aína, evitando detenerse en alguna parte noble, como sí lo hizo despacio en tórax, cintura y piernas: tentaleos casi morbosos sin llegar a ser urracos ni mucho menos cacorros. Comprobación y respiro por mor de darle otro arreglo a su perdón-siempre-que, luz distinta: sin escollos, y ahora sí lo chiripero de un empiezo que había sido medio en falso, pero lógico.

–Está bien, ya no hay peligro. Ahora dime a qué has venido.

–He venido nada más por mis padres y mi novia. Quiero llevármelos lejos. ¡Ojalá mañana mismo! Y es por eso que te pido me des chanza esta noche de dormir aquí en tu casa.

–Es que tus padres... Perdón... –Enguerrando se trabó. Se reciclaron sus «este» y sus «mmm» como advertencia de algo desilusionante (los «bueno» eran orla, ¡ay!, exacerbada, importuna, como de tregua sin trama). Falsía, pues, a ultranza, incluso, nada más por no soltar la sopa nomás así, mas en caliente la tupa: chicotazo, mas no tan, y:

–¿Qué con mis padres?, ¡ya dime!

–Tus padres no están aquí... este... mmm... Se fueron a Fierrorrey... Me dejaron un recado por si acaso un día... mmm... volvías... Pero el problema es que... bueno... lo tiré, porque supuse que tú estabas ya... mmm... bien muerto... este... o desaparecido para siempre de...

–Perdiste la dirección... Pero ¿qué más te dijeron?

–Que iban a estar en la casa de un pariente... mmm... ¿qué decirte?... No me acuerdo de su nombre...

–Bueno, ya los buscaré... ¡Ojalá no sea difícil!... No está lejos Fierrorrey –luego Egrén, si de reversa, hizo una pausa: intranquilo, su abstracción lo delataba: ojos fijos en el suelo; tan sólo de imaginar cómo sería aquella búsqueda hubo al cabo una ilación, porque dio al traste con algo que harto excitado añoró, sobre todo al ver películas de pelamientos sin cuenta: en la tele, a medianoche, allá en el cuarto de hotel, en Pencas Mudas, Capila–... Ahora dime de mi novia, esa que tú conociste, la que me daba mis besos delante de ti, ¿te acuerdas?... Zulema, esa de las trenzas rematadas con un moño azul añil, o algo así, hija de don Blas Corral, el que componía motores...

–¡Ah, sí!, ya relacioné... mmm... Esa familia también se fue ya de Remadrín... Pero no dejó recado, no, ¡ni modo!... mmm... ni sus luces... Ni tu novia ni sus padres dejaron aquí recados...

Leve el agache sensible de Egrén: su escozor morriño, cual disfavor amoroso contra sí y contra Zulema, la que en sueños fugitiva a poco se hacía humo plácido, nubes de otro tiempo: amables, disolviendo aquel emblema ardoroso: gota a gota, y el rescoldo aquí: ¡malhaya!, malo el rebusco clemente, y el silencio como arreo, pero...

Para endulzar todo eso bastaron unos repuntes de fortuita referencia –ya persuasivo Enguerrando y sin ningún titubeo dijo algo concerniente al éxodo de familias de Remadrín día con día–, a fin de darle despacho, o completez casicasi, a lo trunco, dicho sea: lo que no siendo pedido sí que colmó la ansiedad de ese todavía «en veremos» huésped cuasiderrotado que, no obstante, hacía preguntas tatas, ¡vaya!: la permuta, de resultas, o el contagio de titubeos como espinas que se le fueron clavando. De entre muchas: un ejemplo (se destaca la más cruenta): así la formulación de un repatingue confuso donde suputando Egrén a su antojo cantidades, cayó en franco desatino: de la gente, la que huía de Remadrín pero ¿cómo?, no en autobuses, se infiere: cientos a diario, o acaso algunos menos, o ¿más?, y si el tanteo era propincuo, casi exacto, o por ahí ¿por qué estaba custodiado el pueblo por tanto guacho? Lo simplón de la respuesta (dicho a manera de enmienda) al cabo pareció mofa: POR ESO MISMO LA HUIDA, por la absurda guachería esparcida por las cuadras: las noventa y pico esquinas de las cuarenta-quién-sabe-cuántas-manzanas: o sea no todas, acaso ¿eh?, y sin motivo aparente; aunque todavía aclarando: la huida en masa abarcaba como diez días hacia atrás a partir de ese momento de plática desvelada, pero en promedio no eran cientos a diario: ¡ojo!, pues. Que un día después de que Egrén fue llevado sepa a dónde por Crisóstomo Cantú en la... bueno, desde entonces empezaron a llegar avanzadillas sin cuenta provenientes de Brinquillo, según el rumor pueblero, y para entrar en materia, la anfitrionía antes: ¿forzada? Para Enguerrando algo nuevo eso de atender a un huésped ofreciéndole café y unas semas: como arranque, para luego entrar de lleno a lo caliente, digamos: los frijoles en tortillas: lo que sí, pues ¿cómo no?, dado que Egrén –se supone– traía recosida el hambre.

Capítulo cinco

Besos: en la tienda, hartos, delante de la clientela, y prolongados de a tiro como siguiendo una veta; lo que era bastante incómodo para el dizque comprador más asiduo o más deseoso de lo que no se vendía (Cecilia: la procurante): Vénulo, quien al notar esos pegues tan de breva, salía corriendo alarmado cual si huyera de un incendio.

Rareza vista-revista durante años por... ¡ya qué!... ¿Por qué corría el grandulón? Besos así en la cocina, mañaneros casi siempre, poco antes del desayuno: cuando las apuraciones escolares de los hijos: su entrada-llegada a punto, pero el retraso: por ende (una constancia –¿ex profeso?!– de tres veces por semana)... Entre otras causas, por esa, Papías y Salomón fueron retemalos estudiantes ¡de primaria! (¡pinches padres!). Y más besos todavía en la calle de repente, y en la plaza de armas: ¡órale!: los domingos: ¡qué descaro!: tratándose sobre todo de un maridaje legal que ya podía hacerlo aparte, en lo íntimo, en un lecho. Pero entonces se desprende que en un lecho y en lo oscuro: lo cochino: ergo: cachondo: hasta un límite sangriento ¿de mordidas por doquier? La adivinanza retoña no era tan adivinanza, porque a los hijos después les bastaba ver las huellas en el cuello de su madre: que evidentísima la clave de al menos tres incisivos, ciertamente muy notorios los superiores, muy rojos (¡claro!, no a diario, no así), y preguntas al respecto de Papías o Salomón: ¡ni de chiste!, porque... ¡cuerda!

Tema vedado los besos para los hijos: ¡ni hablar!: lastre entonces las mordidas, dulce: ¿entonces?: la violencia, acorde con la inquietud de un par de inocentes lepes entrampados a lo zaino nada más por ver lo visto repitiéndose: ¿por qué?... Veamos la ácida secuela, una basta para atar otros hilos parecidos: si a la madre alguno de ellos le preguntaba el motivo de lo rojo: herida o ¿no?, ella le chismeaba al padre y en la tarde los azotes –en un rincón– de él: bestiales: contra: ¡ah!: arrinconaditos, sin camisa, para colmo: que los retoños neceando sobre eso y demás cosas, y los azotes, por tanto, hasta que ellos mudos, duros, atesorando un rencor que al engrosarse día a día se hizo estorbo insoportable y su destape: iracundo: más delante, pero ¿cuándo?: el salivazo: ¡recuérdese!: metafórica la forma de un beso, pero grosera, ya beso definitivo.

Cuestarriba: mientras tanto: esos hijos al garete luchando aparte: no bien: por no poder formular siquiera preguntas de esas típicas de lepes zotes; se mencionan dos ejemplos: el primero corresponde a un abstruso mixtifori en los sesos de Papías, o de Salomón, da igual, o de otros lepes, también: si la tierra no existiera ¿cómo sería el universo?; ¡vaya imposible respuesta, prohibida a todas luces!, cualquier aproximación no sería más que lindeza, aunque lindeza de ¿quién?: si los padres: ¡incapaces!, e inclusive: ¡negadores! Que hacerle aquella pregunta a un profesor con gafas, uno debía haber así en Remadrín, ¡uno!, ¿ni uno?: de esa categoría no, por lo que era de esperarse algún despacho insensato: para eso estaban los libros, esos de texto de oquis, y si ahí no había respuesta, pues entonces no la había. Otrosí: en ascuas el par, contimás si se menciona la segunda pregunta: ¡uf!: aritmética, si apócrifa: si el uno le gana al dos ¿en el veintiuno qué pasa?, ¿seguirá de todos modos ganando el uno o qué pues? En los libros sólo está lo prudente-misterioso o lo lógico-prudente: el profesor y sus tretas, porque los padres lavándose sus manos: bien corajudos: los mandarían, cual se debe, adonde debían de irse; de la madre este desdén: «Pregúntenle al profesor, él les dará la respuesta». Se sobrentiende su enfado: enrojecido, trinante. Ya el no intento con el flojo, el siesteroabarrotero de Trinidad, ya el supuesto: «¡No estén chingando la madre!».

Y en etapas lerda y turbia la frustración huerca siempre de quienes –hay que decirlo– terminaron la primaria de panzazo, o sea que apenas (tareas medio hechas, se infiere: malas, pésimas, o nulas, de ahí que un gran malcontento les resultara el estudio, sin auxilio de, (ejem), ¡diantres!... Siguieron dándose besos los padres: cada vez menos, aunque significativos por ser cada vez más largos y mucho más sinvergüenzas), también golpeados, ¡carajo!, por... mmm... en la escuela, esto es: los profesores de antes que tenían como divisa –ya se sabe, ¿eh?, ¡ya se sabe!– algo relativo al modo de educar con gran dolor: LAS LETRAS ENTRAN CON SANGRE Y ASÍ LOS CONOCIMIENTOS: pocos: terminados, y aire: hacia lo preclaro: ¡darle!, pero lo siguiente: ¿qué era?, trabajar, ganar dinero: la decisión fue del padre que entre enojado y modorro sentencióles a la mesa, cierto día, comiendo carne, que ya no los mantendría. Concebida la dureza hombruna: a saco: formal, no obstante, salvaje, cruenta, para que entendieran ya al doble su deber hijo (¡jijo ¿eh?, si bien se ve): nada más y nada menos que dar dinero a la casa.

Hay –hubo– aún, si callandito, cierto intríngulis filial entre la madre y los hijos –triángulo pues, si a esas vamos– que agarró fuerza buen rato –ocho semanas exactas: muchas, de hecho, demasiadas, si se toma en cuenta el énfasis dictador de Trinidad referente a los aportes de billetes: ¡no migajas!, sino porcientos jugosos de sus hijos para el gasto...– y que es digno mencionarlo (es lo último del recuento) en ¿cuarenta y nueve líneas?, ¿cuarenta y ocho?, quizás, ¡cuarenta y dos!, como mínimo, o inclusive ¿treinta y siete? Mejor cuéntelas usted, desde luego SI USTED QUIERE.

Es que nomás empezaron a trabajar de albañiles –ayudantes, poquiteros– hubo pacto entre, esto es: cualquier billete le daban por semana los retoños a la autora de, se sabe; un guardado, sin embargo, que ella les devolvería cuando estuvieran más grandes. A Trinidad, por su parte, por siestero incorregible, o por ido, como era, le pasó como de noche aquello que él mismo un día exigió dando en la mesa tres soberbios puñetazos. No obstante, llegó la vez, tardíamente, se supone –téngase que habían pasado marzo y abril como agua–, en una cena de tantas y estando a la mesa aquellos incipientes jornaleros, le hizo la pregunta fea a Cecilia, y ¡a temblar!:

–¿Ya te dieron los muchachos para el gasto o no te han dado?

–¡No me han dado un sólo peso! –¡oh, mentira con trasfondo!: la de Cecilia: coscona; verdad de pacto: redonda: el intríngulis cabal, se respetó lo acordado: mentir bien: crasa la enjundia, siendo luz, ya luz artera o ya estratégico enlabio.

La regañada esperada: largo aguante cabizbajo y sin mínimo reproche de los retoños que luego tuvieron que soportar tres azotes cada uno en sus espaldas peladas, llenas de huellas coloras de lo mismo, mas lo bueno, de resultas: tantas líneas en la carne ya parecían obras de arte, en conjunto: dos, o sea: eran dibujos abstractos que valía la pena ver; ver por último, si bien –nomás Trinidad vio aquello: su agria sensibilidad casi a punto de encantarse–, porque a partir de esa vez ya no hubo ningún azote. Empero, la regañada fue antes pródiga en preceptos, de los cuales se destaca algo como lo que sigue: ... *Sepan que a mí me darán cada viernes en la cena un billete de diez pesos cada uno y ¡ya con eso! No sé qué tengan que hacer, pero es la cuota que pido. De lo contrario, ya saben, seguiré dándoles duro...* No era mucho, no era poco, para héroes como ellos: no en potencia, porque fueron a la postre mal que bien, a contracurso y sin luces: héroes por mor del ahorro: harto, como pretendían, pues tuvieron que meterle muy en serio a cuanto jale –¿cómo hacerle?, ¿cuál ingenio?– ¿de sol a sol?: maña a fuerzas. ¿Pan comido?, ¡no!, tampoco: ¡SACRIFICIO RESULTÓN!, porque luego de diez años, u ¿once?, o ¿nueve?, por ahí, juntaron un gran guardado: la madre (presta pacá) a hurto zorra guardadora: el pacto: posma largueza, pingüe dineral servible. La madre haciendo la entrega: de ocultis, ¡claro!, una tarde: para que sus pobres vástagos construyeran una casa, en secreto, en Remadrín, en una orilla, en la sur: y la hicieron pronto: diestros, pero aún siguieron viviendo en donde mismo: ¡qué nobles!, y se explica su nobleza: tenían miedo de dejar abandonada a su madre en las garras de ese loco flojonazo furibundo, aunque ¿en las garras?, ¡qué bah!: a expensas de las besadas y los aprietes, o sea: seguían harto besadores los esposos, pese a pese, besadores y tremendos en eso de los empines en la cama, ¡ay!, ¡cuánto grito!, allá cada cuatro noches: de su madre: ¡oh, zarandeos!, sin embargo, todo inútil, pecador al cien por ciento, porque ya no fabricaron ni un hijo más: ¡no!, ya no.

Se dice, es un asegún, que luego de la tormenta vienen las gotas benignas, las benditas que ya son las de la suerte y por tanto a quien le caigan: ¡salud!, será un suertudo de cepa, siempre y cuando –¡ojo!, por ende– se haya ex profeso dejado empapar por la tormenta. Con esta figuración entiéndase lo postrer de un recuento que se agota. Las últimas gotas son, según dicen, las mejores, aunque falta lo que usted considere a fin de cuentas cuando se mencione el lastre o el resabio deductivo de un historial familiar no tan complejo: ¿sí o no?; ergo: se exprime lo último y a ver cuántas gotas caen...

Por partirse el lomo a fuerzas, por mor de un ahorro de años: esos mentados retoños no se dieron ni tantito al disfrute de la vida, a los quiérase, de suyo, gozos más superficiales, los comunes y corrientes que hasta la gente más fea recomienda incluso haciendo algún mohín de ¡ni modo!: tododentrodelasreglas o el reconcomio ¿decente?: novias, besos, jugueteos, viajecitos por ahí y rebanes a tolondro con harto margen de error, que siendo yerros muchachos no lo son tanto y sí sirven. Pero esos retoños no, y a cambio lo providente: puñeteros ejemplares como desvío inevitable a causa de su procura de ahorro: más, más, más, ¡más!, sazón de más, contimás: la seriedad de sus jales, al grado de enmarañarse en otra seriedad, ¡uy!, importantísima, ¡CLARO!: la política, la buena, la de abajo: subidora: se metieron a un partido de oposición: ¿¡el mejor?!, donde mujeres bonitas, o siquiera dispuestísimas, no había, ni habría: ni rebanes, ni besamientos ni empines, porque ningún degenere era acorde con la causa, tampoco la pendejada familiar, formal, ¡qué diantres!, ¡qué padres ni qué carajos! De ahí que el escupitajo contra Trinidad –recuérdese esa cara de caballo degradada: hecho increíble– fuese ideológico y ético, o revés de una nobleza sumisa por tanto aguante.

¿Ya se redondea el recuento? Digamos que fue parteaguas el amargo escupitajo, y con eso lo demás en reducción parte a parte, véase por donde se vea.

Capítulo seis

A Enguerrando, como estaba: todo ojos de farol, y con los nervios cual riendas para tensarlas, o bien, aflojarlas en carrera, no le importó desvelarse aquella noche: ya insólita: por tener a un asesino como huésped durante, acaso, unas horas nada más, y sobre todo a sabiendas que dormirse era para él peligroso en el sentido de que el otro podía ahogarlo: con una almohada: ¡bien fácil!: venganza del pleito de antes: tremenda suposición. Además, otros temores de solitario a macizas tenían que hallar desemboque: luz no remota: algún sesgo, dada su ansia contenida. Y halló el tris en coyuntura para salir de su hastío con la presencia de Egrén, tal no peligrosa mientras se mantuviese en calor de plática informativa, como estaba resultando lo que ya habían comenzado.

De hecho, el desvelo era parte de su esperar de rutina, pero las llamadas no, de día menos: ni un respingo, ningún sonadero equívoco, aunque una equivocación pudiera ocurrir: a ver: un desbloqueo de repente... Total que la incertidumbre era como una impureza cursi de latidos, ¡ay!, para dormir por etapas y siempre entre mil preguntas que en sus sueños se enredaban sin hallar por dónde y cómo o el cómo era negro o no era y con la plática: ¿qué?: tenía la oportunidad Enguerrando de ya ser voz cantante en ese asunto de hartas recomposiciones...

–Varios guachos te anduvieron buscando allá por Lanzazos, por Fierrorrey, por Brinquillo, por Caranchos, siguiendo nomás la ruta que pasa por La Malhaya.

–Pues yo me fui a la frontera, me la pasé muy a gusto en Pencas Mudas, Capila; conocí la zona roja y fui al cine cuatro veces.

–Bueno, pues, como te digo, dos días tardaron los guachos en todos esos lugares y quién sabe cuántos más de la ruta que te dije. Lo único que encontraron fue el mueble de don Romeo destrozado en el abismo y el cadáver de Crisóstomo balaceado, o sea que... mmm... tú te lo echaste ¿verdad?... ¡Cuéntame el asesinato!

–¡No!, no te lo quiero contar, me da cosa, fue feísimo, si vieras como yo vi todo lo que allí pasó. Fue en La Malhaya, está bien, y yo lo maté, ¡yo mero!, y con la misma pistola que él traía para matarme. Pero deja: te cuento esto: de allí me fui a Pencas Mudas. Tenía intención de cruzar al otro lado y no lo hice, algún miedo me frenó, no sé qué idea no muy buena...

–Pero llegaste muy rápido hasta allá, y es lo increíble, porque los guachos llegaron...

–Perdona que te interrumpa... Es que me faltó decirte que nomás maté a Crisóstomo corrí por la carretera...

–O sea que en la mera cuesta, digo arriba, lo supongo, fue donde le diste o ¿qué?, y luego la volcadura...

–Espérate, por favor.. ¡sí!, la volcadura, eso, obvio: ¡pluuum!, ¡plaaas!, ¡tuuun!, ¡traaas!, ¡sí!, así fue, lo adivinaste: un ruidazo traquetero hacia abajo y a saber, me lo pregunto, si alguien lo oyó como yo, pero lo que a mí me importa... mmm... vuelvo entonces a lo de antes: ¡corrí por la carretera!; no pasaron diez minutos cuando un autobús pasó, me recogió, por fortuna, iba a mero Pencas Mudas, eso también, por fortuna –enlabio de Egrén, mentira, compostura heroica a modo, de peliculona gringa donde todo es puro encanto en medio de los fragores–. Pero dices que dos días anduvieron en mi busca... Yo creo que todavía andan buscándome ¿o no es así?

–Ya iban para el tercer día cuando alguien les ordenó, por radio o sepa la bola, no sé si fue el mismo alcalde, aunque es lo menos probable, que suspendieran la busca...

–¿Y eso por qué?, ¿cuál motivo?... mmm... vieras que no me lo explico.

–Es que a la una de la tarde de ese tercer día en mención, llegaron unas personas de traje aquí a Remadrín en compañía de una escolta como de unos veinte guachos. Eso llamó la atención de mucha gente, si vieras, tanta que la plaza de armas se convirtió en hervidero: la elegancia de los trajes, de los muebles, de la escolta, todo elegante, increíble, y el motivo: ahí te va y oilo: que por órdenes de arriba venían a sacar a fuerzas a don Romeo y a su gente, les ayudarían los otros, eso por si hiciera falta, los guachos que custodiaban el pueblo desde hacía meses...

–Pero ¿a la fuerza?, ¿por qué?, y con tanta gente armada...

–Yo de plano me fui a ver, cerré la caseta pues –entre mordidas de semas y sorbitos ruidocitos de cafecito con leche ya se disponía Enguerrando a entrarle a tientas al tema que tanto alarmó a la gente por lo penoso del saque a ojos vistos, llamativo, de un cacique, ¡tan cacique!, llorando, casi gritando, más los males secundarios, pero gordos de resultas que el tal hecho trajo, o sea: las tristes repercusiones: inolvidables por únicas, pero eso después, ¡después!, porque antes hay muchos hilos. Y el «mientras»: a la bartola, raro, si al sesgo, ¿por ende?: Egrén sí mordía las semas, pero el trague: no, esto es: se sacaba de la boca los pedazos con sus dedos para en hilera ponerlos sobre la cubierta: ¡asco!: asegún: discreción: por lo pronto tres pedazos, y sorbitos: cuatro, chirris, otrosí: el hambre ya no, sino un tiemble cada vez más notorio, sobre todo en las manos: ¡qué seísmo!, casicasi parecía un aleteo motoroso de chupamirto en acción; y Enguerrando aprovechando...–. Voy a contártelo en partes... No es tan fácil el principio, es lioso, es necio incluso, y hasta un poco igual a esos cuentecitos que un abuelo le cuenta a su nieto lepe para que se duerma a gusto... Suponte que el nieto no oye el final, pero lo sueña, arreglándolo a su modo... El final es facilito, como todos los finales que son buenos, es decir, no cortantes, no engañosos... Lo de en medio es lo mejor... –por la última conjetura, misma cual lupia de oquis, o apostema hinchada al tiro: lo abuelo y luego ¿lo nieto?!, Egrén pensó que a Enguerrando se le había botado algo: ¿una canica?, ¿un tornillo?, algo se le descompuso, o escurrióle entre los sesos, siendo su locura a causa de una aburrición ¡supina!: por el encierro de marras, estando siempre al pendiente en falso, sin habla, o ¿cómo?, e hízose un camote Egrén con una frase capciosa, de juro autoimpuesta: en trechos, y con postre, ¿un isostiquio?, útil para enfatizarla: *Yo soy... tu abuelo... ¿me entiendes?... te voy a contar... un cuento... de niños... para que al fin... te duermas... tranquilamente... y el final... lo sueñes... tú... tú que eres... un niño... bueno...* Pero locuras ¡aparte!, pues Egrén ya todo oídos, mas con tiemble en progresión; mordidas: otros pedazos: en hilera sobre... ¿cuántos?... algunos habría, sin duda, entretanto, y además los sorbitos repentinos: digamos que hubo unos cuatro (de paso otra referencia: su tiemble justo empezó cuando Enguerrando le dijo que su noviecita santa se había esfumado de allí); entonces: por peteneras–. Si tú quieres que te cuente todo lo que sé del caso, nomás te pido un favor: no me interrumpas, ¿de acuerdo?, es que si no me hago bolas.

–De acuerdo, ¡sí!, ¡despreocúpate!, pero cuéntamelo todo.

–Bueno, según dicen los burócratas... bueno, ya soy amigo de dos, digo, dos me han visitado y me cuentan lo que saben... y debo aclarar también que los dos me han visitado una noche uno y otra otro y cada quien con su historia de lo mismo, o sea que yo, a mi entender, ya verás, hice de las dos historias la mía, digo, porque, bueno...

–¡Al grano!, suéltalo ya... Es que estoy retenervioso...

–¡¿Ya ves?!, ya me interrumpiste... No lo hagas, por favor, porque si lo haces te corro, y a golpes, verás que sí... ¡Tú a mí me haces los mandados!, eso lo sabes muy bien... ¿No recuerdas los fregazos que te di la última vez?

Comprobada por Egrén tal locura de enchirrisques sobrevino su apacigüe. Otro pleito adentro: ¡no!; no con la puerta cerrada, como estaba, por desgracia, igual que la última vez: con ganchete y aldabón, lo pensó y entonces no, porque además otra guarda: tanto fregazo bien puesto, con el frío que estaba haciendo, ¡imagínense el dolor!, para él sería casi al triple y lo malo es que tampoco traía alguna navajita de esas que traen abresodas, tijeras, tirabuzón, desarmador y puleuñas, así que ningún conato, sino pandeo zorro: pronto, distante serenidad: de tres cuartos: nueva, ahíta, empero como diciendo: «¡Ya suelta todo, reviéntate!», con una ceja nomás, y el anfitrión, más seguro, empezó con un rodeo de anticipo ¿necesario?:

–No sé si tú supiste algo de las llamadas secretas por el teléfono gris, el único que funciona por apaño entre mandones, porque éste todavía: ¡uy!: puro engaño de timbrazos, y yo que levanto el cuerno cada vez, por si las dudas, y del otro lado nada, sólo una vez escuché un güirigüiri risión que me dejó pensativo. Pero volviendo al asunto: fueron, según dicen, muchas las llamadas, como treinta... El gobernador le hablaba a don Romeo largamente, le pedía que renunciara, y el otro, necio como es, le decía que no, que nunca, pues según él si lo hacía, de inmediato sus amigos: los ricachos, casi todos, se irían del pueblo y lo peor es que sí tuvo razón. Endenantes don Romeo llamó a junta urgente a varios, según dicen los burócratas, los dos en mención que aún siguen jalando tranquilos, como yo, ¿ya te das cuenta?; entonces de los ricachos, volviendo al punto ahora sí, la cosa era prevenirlos diciéndoles que sin él el fisco les caería encima, o sea que se les venía un futuro retefeo, y su estrategia al respecto: aguantaría su renuncia a tente bonete pues, a fin de que ellos tuvieran chanza de efectuar sus ventas en un lapso de dos meses, y pasó lo que pasó: venta a granel de terrenos, de la fábrica de hielo, a lo que debe sumarse el remate de otros muchos negocitos que tenía y de hartas casas en renta. Tú me has de preguntar que quiénes compraron tanto y yo te respondo pronto: a políticos, o ex, de otros pueblos y ciudades de aquí cerca: dinerosos, todo en friega: facilito, aunque no sé cuál fue el trato, si estudiamos esas ventas metiéndonos hasta el fondo, no, este, ¡no!, por eso... mmm... Se me hace que tales chismes no son profundos, ¿no crees?, me los soltaron al vuelo o a flor de agua nomás. Pero, total, lo que sí: nomás salió don Romeo de Remadrín y salió en avalancha la gente. Los ricachos por delante seguidos por los medianos y hasta atrás, como en arrastre, la pobre bola de gente sin jale, hambrienta, llorosa, porque sin dinero el pueblo está tirado a la ruina. Ahora bien, yéndome recio por donde me entorilé, quiero hablarte de las tiendas, que es asunto importantísimo, de las catorce que había de abarrotes, haz memoria, han cerrado once, ¡deveras!, de antier a hoy: ¡¡¡YA... NO... EXISTEN!!!, y en las dos sobrevivientes venden casi puros dulces, y hasta eso algo descompuestos, más unas latas de chiles y jamón del diablo viejas. No hay huevo, frijol, arroz, fruta, verdura, ¡no hay leche!, más que dos veces, si acaso, por semana de todo eso, mismo traído hasta el tope en muebles repartidores de otros lados, a saber, pero que... ¡ya ni la amuelan!, lo dan a unos precios, ¡válgame!, modernos, gringos, no sé, y con eso date un trago: ¡imagínate nomás cómo es el regateo no llegando a baratura!; por eso la gente huye, está huyendo sin remedio...

–Perdona la interrupción, pero es que ya te me fuiste demasiado a lo fatal: todo ese empobrecimiento y las huidas a diario, pero yo quiero saber cómo salió don Romeo, me dejaste a la mitad...

–A eso iba o ¿qué?, ¿lo dudas?, y es fatal como lo de antes, y ridículo, si quieres, como todo lo de aquí. Así que si no te gusta... bueno, te lo advierto entonces: tú nomás sígueme y punto. Recuerda que yo te gano en eso de los fregazos.

Condición de anfitrionía la recurrente amenaza contra un deslinde, ¡ojalá!, menos peor, no tan peleón, y ex profeso la tabarra de Egrén como reto al tiento.

–Entonces ¿no quieres que hable?

–Tú hablas cuando yo te diga y si no te gusta ¡vete!

–¡No!, sí, yo nomás decía...

Decía: ¡iniguas!: zacatón. Si a rajatabla la prueba: el mal hirviendo, en efecto, trasquilimolochamente o aún sin ruidos cruciales, tanto que el deber de Egrén consistía en hacerse ínfimo, minucia latiendo aparte, y pánica y casi nula, reducida por EL MAL: su trasunto verdadero con su amago de tenebras, y a ver hasta dónde sí, pues desconocía a Enguerrando, ese: tristefuribundo casi diciendo: «soy grande», grandeza ante la miseria en fuga, la de los otros, siendo que él, cuasienguizcado, hallaba asidero adonde lo débil le echaba un lazo. De ahí su desvío culpable hacia algo más personal, repentino esto: un dilema:

–También se fue mi familia, se fue dizque muy al sur, vete a saber la razón: qué parentelas lejanas, sus conexiones ¡tan bambas! De hecho: la despedida fue fastidiosa, incapaz, medio chiparrienta pues, debido a que me mantuve bien frío porque me convino, mientras que mi madre, ¡vieras!, ella se afanó de más para que yo me jalara adonde con mis hermanos ellos irían a parar, lo más lejos que tú quieras imaginar: allí mero, pero les dije que no, que yo a fuerzas me quedaba cumpliendo con este encargo hasta ya no haber de otra. Fue mi padre quien me dijo que luego me llamaría por teléfono, o sea: aquí, dizque para saludarme y darme su dirección... aunque sabes una cosa, je, perdón, pero ya sé: ¡yo ni la voy a apuntar!

Para el semihuésped eso no era para carcajearse ni entrarle al asombro penco de espirales hacia abajo (los enrosques más delante), sino deshuese de hastío tan a orillas que de plano le hizo pensar muy en serio en irse a dormir quizás debajo de los nogales que estaban a unos diez metros del panteón municipal. A derechas y entre pujos de sí o no, drama y jactancia, fue dicho y oído –¡júzguense!: las actitudes de ambos– lo más grave y capitoso, y lo demás ¿tenía caso?... Por el desvelo tal vez: verdegris obnubilado, en lunático atiborre mareador de luces luidas que de pronto eran emplasto y de pronto llamarada, y así tolerar: ¡ya qué!, si al rato el sueño iba a ser de los dos un estropicio fascinante, enmarañado.

–Te conté lo de mis padres porque es mierda que me estorba, y si es para mí risión, se debe a que es tan fatal como lo de don Romeo, aunque por el lado zurdo, es decir: bien doloroso –¿zurdo?, o sea: clave incapaz, ¿qué quería decir con eso Enguerrando a fin de cuentas?, mas la reserva del otro era tan aguantadora, que mejor bajó la vista para seguir escuchando sin muecas ni sobresaltos–. Y ahora sí voy a lo feo... La escolta entró a la alcaldía detrasito de los hombres de traje, dizque importantes. Yo vi todo eso alelado desde la plaza, o sea: bien (nomás cruzando la calle), junto con varias personas. No sé qué alegato hubo allá adentro, o qué calores, pero ahí tienes que después de algo así como media hora, la escolta sacó arrastrando a don Romeo grite y grite. Fue gachísimo mirar a un hombre tan poderoso zarandeándose en el suelo y jalado tan así. Al cabo hubo un momento que uno de aquellos hombres de traje le ordenó algo como esto: «¡Levántese, no sea guaje, porque ya viene lo peor!», eso peor era, digamos, la gualdera de la entrada y la banqueta después: se lastimaría el alcalde yendo a rastras como iba, o sea que adentro el mosaico era resbalón y, bueno, hasta se sentía bonito tal paseo, me lo imagino, pero ahí tienes que Sanjuana, la del peinado de torre (yo creo que te acuerdas de ella), protestó por el maltrato que le estaban dando al hombre que ella, por convenenciera, dizque amó allí en la oficina, i¿pues qué le iban a hacer caso?! –pausa: importuna, ganosa, la de Enguerrando que adrede se echó un pedazo de sema a la boca, fue el primero, y luego un trago larguísimo de café a bien de sentirse con más ardor, desde luego, para seguir con su suelte chismorriento, ¿por etapas?: relato abuelo: dramático–. Si se descuenta a Sanjuana, ni burócratas ni azules, ni los guachos circundantes, trataron de defenderlo, aun cuando el viejo clamaba protección casi llorando. Así que, nada zoquete, se levantó hecho una furia y tiró golpes sin tino por mor de correr, y no; al contrario lo agarraron para meterlo a la fuerza en uno de los mueblones. De inmediato el arrancón hacia... luego ya se vio: recogerían a su esposa: polvareda hacia su casa... Ahora sí puedes hacerme una pregunta, si quieres, o si no le sigo un poco... Es que se me antoja darle unas dos o tres mordidas a esta sema ya empezada.

Suato el impulso de Egrén al obedecer tan mal: puros ruidos en su boca, hasta que encontró un motivo:

–¿Y quién se quedó de alcalde?

Hocico lleno el del otro: magmas de sema moliéndose vistas porque habló forzado:

—De agreng-tre logs homg-bregs de trag-je veg-nía el que se ib-ag a queg-dar... —horrenda articulación, se infiere el porqué: masozo; pausa, si no craso ahogo, en virtud de que es de mala educación cuando alguien intenta hablar, ¡ya lo oyeron!, trayendo la boca llena. Sin embargo, tras el trague...—: A ese alcalde de «por mientras», lo metieron a vivir en la casa que antes fue de don Romeo y su familia. Hombre joven, bien peinado, y risueño porque sí, mismo conocido luego por pocos, porque: ahí te va: al día siguiente hubo algo nunca visto en Remadrín: con micrófono y bocina llamaron a todo el pueblo a que se reuniera pronto afuera de la alcaldía; es que urgíale al mandamás de reemplazo dar un largo e indispensable discurso. Pero la ida pueblera no fue la esperada, ¡no!: numerosa, nada más por tanto planteo de dudas que traía un cambio tan zumbo y tan agrio como ese. Del curioseo ya final se entresaca un conteo al cálculo: triple fue la cantidad de mujeres obedientes, siendo que hombres: sólo cinco, y conmigo seis y ya, y ocho perros callejeros... A lo mejor pocos fueron porque el mentado discurso fue empezando por ahí como a la una de la tarde, y el sol y el calor, ya sabes: agrégale los regresos de muchos acalorados; o por desidia también de la gente al no entender qué otro horror, de esos políticos, iba a suceder o, bueno, por flojera, así, de plano. De lo dicho y revolteado por el nuevo mandamás le doy luz a unas tres cosas que me parecen pesadas. Por principio este sujeto supuso que el pueblo entero estaba retecontento de que gente de hasta arriba hubiera sacado a fuerzas a un alcalde tan vil... Vil porque tuvo el descaro de dar la orden de matanza; de ahí que fuera enliando explicaciones sin cuenta, dadas las muchas preguntas que la gente le fue haciendo: las mujeres por delante: preguntonas, corajudas, mientras que los hombres pocas: una que otra no importantes, nada más por no dejar...

Aquí entró Egrén sin remilgos con su disculpa estridente cortándole al hablantín su recreo proclive a ser un reborujo bien soso. Lo extraurgente lo impulsó: las preguntas por hacer en ráfaga más delante. Superposición acá: en el sentido anterior: el semihuésped: mujer; el anfitrión: mandamás: conocedor de lo cruento ignorado por la masa. Así que importóle un rábano al primero el dizque encrespe del segundo, dicho sea, quien lo amagó con sus puños en lo alto: nada más: por la interrupción adrede. Incluso Egrén se fue haciendo miniatura en engarruñe al tiempo que convidaba a Enguerrando a soltar golpes contra él y a ver si sí: *¡Pégame, pues!*, *date vuelo*, pero el otro ardiendo: rojo:, contenido, pero a punto, no pudo soltarle ni uno: se acobardó, ¿entró en razón?, y la cínica advertencia: *¡Pégame!, ¡ándale!, ¡aprovéchate!, ¡demuéstrame otra vez más que eres más bueno que yo para eso de los fregazos!, ¡o córreme, si eso quieres!*, Egrén se sonrió al final.

Vino el amilanamiento de quien no hizo gala inútil de supremacía a cercén. Se aplastó, antes bien, y pronto, en su silla de madera y siguió comiendo semas entre sorbos de café. En acto el perdón no dicho. Reto al fin de Egrén: ya era hora, mas lo que nunca esperó fue esa penca consecuencia: deveras tan fanfarrona, tan en desinfle sensible. Enguerrando: ¿harto mendaz escucha de un revolteo tendiente a alargarse harto? Ya otro clima de convivio y entonces vino la ráfaga de preguntas a la tupa (grosería envalentonada igual a la grosería que nomás fue vil regate): «¿y a los desaparecidos qué les pasó a fin de cuentas?», «¿habrá nueva votación?», «¿por qué ahora hay tanto guacho en Remadrín, para qué?», y así en enfile, tal vez, otras que iban por ahí, pero el freno de Enguerrando, dulce, de resultas, ¡justo!, porque las respuestas ya a las tres: las referidas... Si atacando la primera, la de por sí más compleja: nada sabía el nuevo alcalde del paradero final de los desaparecidos, pese a haber dicho sin táctica que el responsable directo de la matanza fue ¡¿quién?!, por lo cual esos de traje venidos desde Brinquillo debieron extorsionar al saliente mandamás para que dijera ¡¿dónde?!; júzguese, en tanto (esto acá) el precavido adelanto sobre esa pega, digamos, meridiana por venir, del anfitrión que macuco transportóse a lo ocurrido en la plaza justo cuando fue el discurso, aquel de empiezo fallido a la una de la tarde, el mismo que una mujer interrumpió sin tapujos, tal como Egrén casi apenas, empero la redondez hela aquí: trancapalanca: ninguno de los de traje se entretuvo en preguntarle a don Romeo algo al respecto, mas prometió el nuevo alcalde que eso se aclararía pronto por tener bajo custodia al desgraciado culpable de la matanza y también del paradero de... bueno... mmm... medio satisfecha pues la pregunta de, se infiere: aquí cabe la mujer de la plaza que meneó, junto con otras mujeres, su cabeza cuatro veces como si dijera: «¡chin!», y Egrén meneón por igual: su cabeza: un perpendículo al revés, o casi aguja de metrónomo ¿tal vez?, por sus muchos movimientos. Sin duda que le asombró la respuesta de Enguerrando a una pregunta no hecha, sí potencial y, por tanto, parecida a la hecha allá por cuál mujer no insistente. No insistente él, se deduce, siendo que aquella respuesta fue incompleta, fue infeliz, y seguiría así a saber durante cuánto tiempo más... Ahora aquella relativa a que si habría votación. De hecho, lo vino a advertir casi al final de su arenga ese relamido alcalde que a la fecha se la pasa juegue y juegue dominó con sus deditos derechos: los burócratas traídos quién sabe si de Brinquillo: cinco en total, quienes viven junto con él: ¡jotamente!, ¡prevéanse los degeneres hombrunos por solterones!: en la casonadelicia que antes fue de don Romeo, con alberca descuidada: rebosante de agua sucia y lamas semiazulosas oleando horrendas: ¡qué tufos!; agréguese lo extendido: tres huertas para perderse, donde sí había variedad de frutas ahora a merced de robaderos sin fin, porque vigilancia no hubo desde que entró el nuevo alcalde en el, digamos, hotel: interino: ¿sí?, ¿también?; ¡también!, y he aquí el meollo: delantera referencia a lo de la votación, eso que ya se venía (nadie le hizo tal pregunta, sólo el pancho semihuésped: acá: a destiempo, o sea: en vano, al anfitrión: ¿loco?, o ¿qué?; no tanto, o ¿no?, si a esas vamos, por tener buena memoria), y perfeccionada al máximo, ya que no habría robo de urnas, algo así: ¡no!, ¡nunca más!, sino democracia en vilo: ¡incorruptible!, por ende. Reducido el lapso, entonces, de interinato: ¿dos meses?: habría tiempo suficiente para que la oposición ¿propusiera candidatos e hiciera rauda campaña? Teatro fútil el de este orador bastante torpe, porque véase si no: un buen orador convence en cuanto más se prodigue en dar opciones políticas, y más o menos sociales (cuña aparte por si acaso, como recomendación tentativa, desde luego, que Enguerrando no exhibió, sino... ¡adivinen ustedes!), siendo que la tal propuesta de tan fachoso mandón no alcanzó siquiera un ápice de repulgo pueblerino. Es que nadie (y no se cuenten a quienes siempre votaban por el partido ganón) de la poquitez quedada en Remadrín tercamente quería acudir muy oronda a las urnas otra vez, cual si nada, después de. Así que enlabios ya no: ninguna pronta revancha, no de los opositores que incluso ni por antojo querrían proponer cuanto antes a un nuevo gallo: ¿por qué?, si también se estaban yendo de ese lugar casi a diario, o mejor, en todo caso, que los hechos por sí mismos hablaran o dieran crédito. No lo dieron, ¡no!, al contrario, por cala y contrarrecalco cínico de empiezo fue ese mandón interino, ya que en un tris desprendióse de Sanjuana –¿se recuerda?–: ¡a volar de Remadrín!, sacáronla nueve guachos (y a saber qué hicieron de ella), junto con tres «de confianza», deditos derechos, ergo (de lance en lance ya mustios): del otro mandón siniestro... ¡¿otros desaparecidos?!... En cambio sí respetó los veinte cargos menores: *¡Uno de ésos es el mío!,* enfatizó el anfitrión, mismo a quien después (ejem) se le hizo bien facilito dar respuesta a la tercera pregunta del semihuésped; o sea que pudo esponajarla y no quiso, no hacía falta; no útiles debieran ser las dos o tres conjeturas sobre un trasunto de endechas y terror siempre de ahucheo conforme fueran pasando los días, o mejor las noches: que era cuando se temía un ataque acaso mínimo, pero al cabo reprimido por... a ver si resultaba... ¡Vamos a entrarle de lleno! La pregunta era un pingajo desprendible de un jalón, sin que por ello quedara una hez de mesmedad, aún en pegue, algo chiclosa, y ahora sí ¡al grano!, por ende... Si hubo refuerzo de guachos se debió a que el nuevo alcalde temía una invasión nocturna, menos probable una diurna, pero ¿cuáles invasores? A decir de los burócratas (dos nomás, dos camaradas, o colegas, si se quiere, nomás a últimas fechas de un burócrata como él): LOS RICOS DE REMADRÍN, cuyas posibilidades de formar lo que se llama (y en menos que canta un gallo): «guardias blancas», o algo así, lo tenían en jaque siempre como todavía lo tienen. Empero, lo que han venido dizque cuidando los guachos es otra suerte quizás (Enguerrando rió sincero) de invasión ¡bien sabanosa! (perdónesele el supuesto porque de a tiro es supuesto): si todavía no arribaba a Remadrín otro ejército, ya había otro más incierto merodeando y atacando, aunque sin matar a nadie:

¡EJÉRCITO DE FANTASMAS!

Se pone por separado una afirmación como ésta ya que nomás por soltarla se entra en lo dificultoso.

Y aclárese de una vez que Egrén hizo otra pregunta cuando quedó respondida la tercera: tan de oquis. Cuña o resaca baldías, si no óiganla tal cual:

–¿Y durante mi ausencia qué otra novedad hubo en el pueblo?

Enlace del anfitrión con lo dicho apenas antes: Remadrín se iba poblando de fantasmas día con día. Primero lo ya sabido de travieso por rumores: la anciana que tiempo ha tocaba puertas (¡ah, sí!: la conexión inmediata): fantasma que no tocó la caseta telefónica, y la causa: inextricable:

–¿Te acuerdas de nuestra jefa, Dora Ríos?, ¿o a poco no? –Enguerrando le lanzó un dardo a Egrén no picudo ni demasiado heridor.

–¡Cómo no voy a acordarme!, ¡no me tengas por orate! –tal respingo lo esperaba el anfitrión, mas no así: burdo o retecalentado, sobre todo a esas horas de, ¡caray!, ¡ya amanecía! Se filtró un rayo de sol por... ese fue el nuevo problema de ambos porque no supieron.

Un tema así exigía al menos agarrarlo por arriba y con pinzas: levemente y... Por lo común las personas se confían de todastodas cuando tocan ciertos puntos sobrehumanos de raíz: la muerte que vive un poco y se esfuma cuando quiere (el ejemplo se bifurca) o la vida que no vive sino instantes siempre irreales y de ahí lo que se antoje pasajero y tenebroso. Por lo pronto, como lepes, ambos se dieron de plano al escrutinio en agache, luego a gatas dos minutos, para atisbar dónde estaba la hendidura por la cual... Se advierte que no había origen, el rayo entraba finísimo siendo ambiguo su comienzo comparado con su efecto. El hastío le llegó a Egrén que optó mejor por sentarse en su silla de madera.

Pálido andaba Enguerrando todavía buscando el punto. A gatas: ergo: ridículo, a erre que erre entendió el error de haber tocado el tema de Dora Ríos dado el fenómeno ese de la luz cuya filura no tenía principio lógico ni un final tampoco exacto porque en la mesa, en el suelo, en las paredes: no era; faltaba mirar al techo y lo hizo incorporándose: nulo sello circular con un añadido en falso: un mero esplendor terroso, granulado, ¿ya explosivo? Nacencia para olvidar (de ambos ningún comentario ni miradas que se cruzan), y así la consecución del tema –a ver hasta dónde– tocado a hurto, si bien, por enlace accidental. Con ciertos ruidos bucales el regreso de Enguerrando a su silla fue despacio, ¡calculado!, hasta que de nueva cuenta su necedad, ahora al margen, errónea, pero ¿ya qué?:

–Como te venía diciendo, resulta que nuestra ex jefa ya es fantasma, ¡te lo juro! También es imitadora de la viejilla, ¿te acuerdas?, la enrebozada pirrunga que andaba tocando puertas. Ella lo hace igual, o casi, y cuando la gente le abre la puerta para ver ¿qué?, ella se desaparece... Esto sucede por las noches... La cosa es que la anterior nunca ha venido a tocarme como lo hace en otras casas, pero nuestra ex jefa sí, y con porrazos que, bueno, parecen truenos de lluvia.

–Pero ¿cuándo sucedió?

–Hace apenas cuatro días. Eso te iba a decir, pero tú, ya me lo sé, te adelantas, me interrumpes. ¡No seas tan desesperado!, ¡no me hagas enojar, al grado de que después me obligues a que te corra y justo es lo que no quiero!

–Pues ¡córreme!, o yo me voy –y que se levanta Egrén decidido dando un paso.

–¡Espérate, por favor! ¡Siéntate!, ¡estáte tranquilo!

–Es que yo ya me enfadé. ¡No me gusta o me cae mal que me estés amenazando!

–Si de violencia se trata, nomás te digo una cosa –lo aclaró con sutileza el anfitrión: contenido–: de aquí no te vas a ir sin que yo te dé en la cara por lo menos tres fregazos y otro bien dado en la panza. ¡Escúchame, nada más!, luego ya haces tus preguntas.

–No entiendo por qué esa rabia contra mí, no me la explico...

–¡Mira!, otra vez. ¡Eres terco!... Ahora sí no te perdono: si me interrumpes, te pego.

–Pero ¡explícame!, ¡carajo!

A la brava fue Enguerrando hacia donde estaba Egrén, quien desconcertado violo y ¡bolas!: en plena cara el fregazo cuyo efecto de estrellitas: no en ringlera, sino al viso: fue como espiral cayendo, y en el suelo de cemento una línea colorada emborronó el estrellato. Mareo terrestre: explicable: el del semihuésped: bombo, que tocándose algún pómulo sintió una hinchazón sabrosa.

La disculpa: arriba: ¡oh, pena!, siendo hipócrita Enguerrando al ayudar al golpeado a levantarse cuanto antes. De pie luego Egrén, esto es: frente al otro, casi al beso, aventuró lo siguiente:

–Yo creo que ya me puedo ir... Llegaste hasta donde no.

–No te irás, no me conviene... Si lo haces yo chismeo que tú eres el asesino de Crisóstomo Cantú... Hay como unos veinte azules que te conocen de sobra... Te meterán a la cárcel, ¡eso lo puedo jurar!

–Mmm... caray, ¿ya qué me queda?

–Sentarte, oírme tranquilo... ¡Yo sabré cuándo te irás!

Cuando los chantajes cuajan deviene el inmovilismo.

El silencio es compañero.

La inducción: tal vez a ratos.

Complejidad cuestabajo (de lado a veces: si apenas: sostenida por dos hilos, y así luchando, sudando, por no caerse, no allí): la de Egrén que todo oídos: dizque, pero muy al bies (su pensamiento ya iba a situarse adonde estaban –en alguna nube de oro, y por lo tanto gloriosa, a orillas del universo– los héroes de la nación, reciclados tiempo ha en la escuela a foto y foto en los salones de clase. A lo que: su conjetura: ¡ellos no fueron cobardes!, pero tampoco zoquetes si alguien los acorralaba junto con otros distantes; en este caso Enguerrando y afuera azules y guachos. De los héroes aprender lo óptimo nada más y en el momento adecuado...), fingió estar en una clase donde no se toman notas. Quiérase que su fingir lo hacía que se asemejara a un muñeco de ventrílocuo, abandonado, blandengue, en una silla grandísima, mientras que el otro abundaba sobre la invasión fantasma.

Denuedo suprapotente de Enguerrando al referirse a su ex jefa que una vez llegó a tocarle la puerta (la duermevela incidía de más a estas alturas: ergo: puro merodeo de ¿ensoñación?, o de ¿sueño?, en ambos que sin desearlo se les cerraba de pronto un ojo, ¡oh, no!, aleve, o judas, o desleal, o a saber, tendiendo en contradicción el otro ¿birolo?, ¿atento?, ¡abierto!: porque también los rayos del sol –día en serio–

penetraban: pero ¿cómo?: no habiendo ni una ventana en aquella casuchita de dos estancias mirrungas, no contando la caseta). Entonces dizque le abrió, sin ambages, ¡por supuesto!, el nuevo jefe y ¡horror!: Dora Ríos (o sea el rumor de que ella era, y no, ya no, la viejilla casi idéntica): ¿dónde?, ¡ay, caray!, ¡ni sus luces, una apenas: una en fuga, que no muchas por doquier! Cierto es que fue tomadura de pelo como otras tantas a tantos enfrentadores. Mas no pararon allí tales síntomas, digamos, de estantiguas circundantes: vicio postrer pueblerino, comento asaz implacable, o enemistad vacilona, sino que, cual se apuntó, hubo a poco un gran ejército de, quizás sin gran distingo, ánimas en pena hablinches. La gente supuso bien: muchos desaparecidos regresaban voladores a Remadrín noche a noche. A la caseta llegaron sólo tres de esos espíritus, y para tirria y disgusto del trasnochado Enguerrando, de continuo, aposta, quiérase: viernes, sábado y domingo: madrugadores ideosos. El primero dijo esto: *Soy un desaparecido que escapé de la matanza...* Una frase, una viveza, harto prevaricadora de algún sueño a la mitad, mas lo bueno fue que no, porque el anfitrión estaba como tecolote absorto, en lo oscuro, ¡eso sí, pues! El segundo dijo esto: *Creo que andan tras de mí los guachos disparadores...* Otra frase impertinente, más sonora que la de antes, y acaso con más empaque de clave fundamental de cuanto estaba ocurriendo luego de la balacera: persecución ¿imposible? Así el acabóse diose con el ánima, digamos, dominguera-extravagante que estaba por malmeterse hable y hable soserías a la casa de Enguerrando cuando él le abrió retador. Si siendo enredoso o posmo su decir: no tuvo empaque, porque no se le entendió. Habladero: el suyo: rápido: ¿en inglés?: ¡muy deshuesado!, y la sorpresa: la misma –igual al viernes y al sábado–: no hallar en la calle nada; como nada, ni un atisbo, hallaron los dos burácratas, amigos a últimas fechas, cuando cada uno en su casa: también tres veces seguidas enfrentó el problema en serio. ¿Sería azoro general?: por ahí los comentarios, mas faltaba otra opinión: la de Egrén, más desde fuera.

–¿Cómo ves estas rarezas?... ¡Hay invasión de fantasmas!

Por venganza retrechera el semihuésped se hizo dizque harto inteligentudo. Pensó: mirando al peleón fijamente: NOVEDAD; se insiste que pensó... a ver... ¡en círculos!, pero adusto, ya con calma traducida en suficiencia de gane, cual si examinara un «¿cómo?»: de angustia en las cejas-flechas apuntando hacia el copete que el antifrión se tocaba queriéndolo hacer un rizo: ¡por los nervios!: AYAYAY, o porque aún siendo muñeco de ventrílocuo, asegún, no le estaba conferido soltar ni siquiera un ¡buuuuu!, pero a la postre sí apenas –pasado un minuto y pico– una mueca algo burlona, no hecha por él, sino, veamos: ¿algún fantasma se la hizo, o algún fantasma –también– por su boca quiso hablar?

–Si no fueras tan peleón... este... ¡ay!... ¿cómo decirte?... Es que de mí te aprovechas porque eres mucho más alto y bastante más toroso... este... bueno... a lo que voy... ¡Mira cómo tengo hinchado el pómulo por tu culpa!... Si me prestaras alcohol... o sea... entonces... ¿tienes algo?

–No tengo alcohol en la casa...

–Bueno... ¡olvídalo!... ¡ni modo!... Lo que es que ahora por antojo quieres saber mi opinión acerca de los fantasmas... mmm... no sé... pero te digo: si me dejaras hablar, largo, como a mí me gusta, harías buenas conexiones con lo que estás preguntando...

–Pues habla lo que tú quieras... Me hacen falta otras ideas.

Con la venia del, ya no, ventrílocuo prepotente, Egrén rióse de travieso antes de entrarle al engorro que al ce por be hubo tramado casi desde que llegó a pedirle techo y cama, en aína, como fue, a su virtual golpeador, real, al cabo, por desgracia, y así riéndose empezó:

–¿No sé si te has preguntado cómo llegué a la caseta, siendo que por todas partes de este pueblo hay muchos guachos nomás viendo a ver quién entra o qué anda haciendo en la calle tan de noche como yo?... Si no lo has hecho, te informo: justo entrando a Remadrín me topé con nuestra ex jefa: caí en cuenta al poco rato. Era un fantasma, sin duda, porque conmigo no habló, pero sí me hizo unas señas: me invitó a que la siguiera, y yo viendo que había guachos pues ahí te voy: la seguí. Fue mi ángel de la guarda. Me protegió. Fue increíble. Mantenidos a distancia casi por arte de magia y conforme el recorrido, ningún guacho me miró, digo, ni vino hacia mí, y un poco antes de llegar a la caseta fue el corte: nuestra ex jefa se esfumó y aquí me tienes, o sea...

–¡Deveras!, ¿y no le hablaste?; nuestra ex jefa a lo mejor te habría contestado algo... Hubiera sido, ¡qué bárbaro!, fantástico, de otro mundo.

–Hubiera sido terrible... No dudo que por zoquete me diera un solo fregazo, como ya lo hiciste tú, pero yo creo que el de ella sería mortal, ¿no lo crees?, despachador, horroroso.

–¡Claro!, estuvo bien, entonces...

–Con esto quiero decirte que en el pueblo sí hay fantasmas, aunque no sé si en gran número. Pero los que anden volando no son malos, son burlones, y hasta creo que están dispuestos a hacer algunos milagros.

Tras lo incierto los destellos de lo que acontecerá. Son destellos cuya hondura de repente sobresale como relieve engañoso. Relieve que será al fin verídico, se supone, sin dejar de ser extraño. Cede la incredulidad cuando encuentra un molde nuevo que se rompe de inmediato. Por ejemplo, dicho sea, la noche engrosa artilugios que el día adelgaza y precisa, como ocurrió aquella vez: vasta claridad insólita despidiendo fantasías para implantar coloridos contra el sueño de los dos: dos milagros de vencida, pero cuál sería el primero. Flexionando el torso a poco sobre la mesa de lámina el semihuésped dijo algo –algo último: un tanteo: aún lúcido quizás, un antojo: mero empiezo de todo lo que había sido su aventura en la frontera, largueza importuna o ¿no?, más aún porque su ánimo le fallaría en pleno arranque a causa de la impostura del sueño y sus artificios– que el otro ya no escuchó: se había ido a engarruñarse a su cama: ensabanado. De modo que el semihuésped alcanzó a decir muy poco –un remate justiciero, eco de su frustración–, antes de caer al pozo del dormerío subconsciente:

–Mi plan al venir aquí... además de rescatar a mi familia del mal... y llevarme... ojalá lejos... a mi noviecita linda... era matar al alcalde... pero don Romeo se fue... y no tengo ni pistola... y aunque la tuviera... ¡bah!...

Ya no, ni a prórrata un ruido bucal del que estaba hablando, ni una palabra incompleta. Sobre la mesa de lámina el acomodo cabezo: tan suyo así y para largo. Diurna la continuidad del sueño de ambos que luego, como a las seis de la tarde –¡vaya negligencia en vilo de Enguerrando al olvidarse de su trabajo que sólo, dado tanto desgarriate, consistía en abrir la puerta de la caseta y dejarla así durante ocho horas!–, rompióse porque el ya huésped se despertó turulato. Tenía ganas de bañarse, pero el anfitrión dormido: ¿despertarlo?, ¡ah!, lo pensó. Y, bueno, ultimadamente... Téngase que su ventaja, tratándose de fregazos, estaba ya a su favor, sólo por estar despierto, así que ¡a la carga!, ¡ea!: Egrén fue a la cama y ¡sí!: le plantó un cachetadón de *supermán* semiprieto, aprovechado, ¡maldito!, que hizo que el otro al instante se despertara gritando: su «¡aaaaayyyy!», su «¡¿quéeee paaaaasaaaaa?!», y ¡cuerda!: que se levanta confuso, pero Egrén lo puso en jaque:

–Yo fui quien te desperté zarandeándote nomás... Se me antojaba bañarme, pero mejor ya me voy... Sólo te quería avisar y darte las gracias y eso...

Enguerrando aún no íntegro para calibrar los hechos: ergo: lo último rotundo: la partida, y además: la tarde, las gracias, ¡vaya!, se restregó sus ojillos de lechuza alucinada y entonces ya respondió:

–¿Te vas?... Pues ¡vete, si quieres!... Aunque... ¡Espérate tantito!...
¿No quieres comerte un pan?... Aunque por la hora que es te puedo
hacer, por ejemplo: un par de huevos rancheros y un cafecito con
leche...

–Deveras, no tengo hambre...

–Este... Bueno... ¿Qué decirte?... Deja nomás que me lave la cara,
no tardo mucho, y ya vengo a despedirte.

–No hay problema... Yo te espero.

Salió Enguerrando al traspatio rumbo hacia el aguamanil: no distante, por fortuna. Se acordó durante el trayecto –grata chispa vespertina, por lo ácida, de resultas, y también fenomenal– de algo que
había descubierto, sin querer, un día de tantos: un tesoro entre papeles que valía mucho la pena mostrárselo a Egrén en friega. Trámite,
entonces, de agua y jabón y peine rápido y hecho lo hecho volvió
fresco diciendo algo como esto:

–Antes de que te despida, con abrazo y buen augurio, quiero mos-
trarte un cuaderno que descubrí hace unos días. Te va a interesar,
¡verás!, pues se refiere a ti en parte, y a mí, y al pueblo, y también a
la región de una vez, digo, lo que es orillero: los derredores cercanos.

–A ver, muéstramelo, ¡ándale!

La búsqueda en una cómoda: manos haciendo desorden para llegar hasta un fondo luminoso: ¿vez primera?: allí había una redondez:
un comienzo –conexión... con lo que antes buscaron... recuérdese
que fue a gatas... donde hubo empezado el rayo, ¡oh, filtración tras-
minada!–: el real del día: un sortilegio: el cuaderno: el hojeo entonces: Enguerrando apresurado, y así enllegando a la página fue adonde
Egrén y mostrósela; le dijo: *Por favor lee lo escrito hasta mero arriba y
luego vete bajando.* Arriba se hallaba un título bien largo y con letras
grandes: todas de molde: mayúsculas, y ahora sí entrarle leyendo:
LISTA GENERAL SECRETA HECHA POR DORA RÍOS TAPIA DE LAS LLAMADAS
QUE ENTRARON DURANTE EL BLOQUEO TELEFÓNICO DISPUESTO POR EL
GOBIERNO DE PÍO BERMÚDEZ CALANDA. ¿La avalaba don Romeo?; ¿conjeturas?: las que hubiera, sin embargo, la más obvia: hubo pacto entre
el alcalde y la ex jefa largo tiempo, y un tercero: el importante: era
Pío Bermúdez: ¡híjole!: el mero gobernador del estado de Capila. Y a
continuación la lista de nombres reconocibles por Enguerrando y
Egrén, figuraban, ¡por supuesto!, varios desaparecidos: los que huye-
ron, ¡por supuesto!, de la famosa matanza:

Elpidio Lira Elizondo
Gastón Avitia Noriega

Carlos Izunza Amador
Rogelio Eguía Colmenero
Uriel Pantoja Espinoza
Rutilio Amezcua Culebro
Isidro Osorio Narváez
Cleto Oropeza Negrete
Fidencio Leal Iracheta
Clemente Tamez Ocaña
Abundio Ledezma Iñiguez
Minervo Escoto Navarro
Tiburcio Ordoñez Jurado
Benito Izquierdo Luján
Silvestre Carrasco Pérez
Dámaso Repeto Cueto
Gorgonio Repeto Cueto
Albino Silva Cantú
Papías González de la O
Salomón González de la O

(Los dos últimos –¡recuérdese!– hijos de... la historia aparte.) Azoro por conexión de los dos que al repasar iban diciendo bajito cada uno por su cuenta «... éste es hijo de estos padres (nombres tanteados y a veces rápida la exactitud) y éste es hijo de estos otros...», pero algunos les sonaban novedosos o también sin familia o que no eran de Remadrín propiamente, mas la nota habida abajo de la lista fue la clave para entender lo esencial del vil pacto, y decía así: *Cumpliendo con lo acordado no se les comunicó a los familiares de éstos sus llamadas telefónicas, o sea las que se colaron por las noches nada más,* la firma de Dora Ríos al calce: casi una tacha con garrapato pupoño, otrosí: letrita furris como para descifrarla.

–Tú podrías dar el aviso ahora a los familiares, ¡deberías hacerlo ya! –dijo Egrén algo alterado, a sabiendas que Enguerrando no había hecho esa campaña.

–Don Romeo no habló conmigo del asunto ni tampoco me mandó una orden urgente por escrito o un mensaje en boca de un mensajero. Alguna razón tendría, o ¿no crees?, o ¿qué supones? Además muchas familias de los desaparecidos se han ido de Remadrín y nada más me refiero a los nombres que figuran en esta lista secreta. Muchos de esos familiares han venido aquí a dejarme direcciones y otras señas (algunos hasta teléfonos) de adonde irán a vivir; eso por si vuelve su hijo a Remadrín algún día o se le ocurre llamar a esta caseta, o también si alguien pregunta por ellos.

573

–Pues debiste dar informes cuando vinieron a...

–¡Espérate! Yo defiendo mi trabajo como puedo y ¡no me importa!... Aun cuando quedan familias que están esperando informes, o sea: que viven aquí y que no piensan moverse, ¡no voy a comprometerme!

–Nomás acuérdate de algo: don Romeo ya no es alcalde y no creo que vuelva pronto. Yo incluso hasta pienso feo: ¡ya casi lo doy por muerto!

–Pero queda el nuevo alcalde y la cantidad de guachos, aparte están los azules: los mismos que le sirvieron a don Romeo, digo, pues: siguen, no han sido corridos.

–Bueno... Pues... Todo está ideal... Te agradezco tus informes, pero sobre todo el último, porque es un arma perfecta para irme como llegué: fresco, amigable, sosiego... ¡Vaya, las cosas que pasan!

–¿Arma?, ¿qué?, a ver ¿qué te traes?, ¡explícame, por favor!

–Como ya me voy a ir, si al salir gritas, digamos: «¡Deténganlo, es asesino!, ¡enciérrenlo!», o por ahí, o que me des por antojo, como me lo sentenciaste, unos tres, cuatro fregazos, yo diré lo de la lista y de todo eso que sabes; lo gritaré como loco para que también a ti te detengan y te encierren... De modo que ya me voy... Entonces... tranquilo ¿eh?

Buen puchero hizo Enguerrando al no poder decir: «¡Vete, pinche asqueroso indeseable!», o «¡Báñate antes de irte!»: reviente en potencia real, que efectivamente ¡nunca!, y en cambio sí quedó su infle de cachetes hasta el tope: en la puerta: bruta imagen, mientras el avance lento, anochecido de Egrén (atestiguaba el pedazo de uña lunar entre nubes): por la calle de cascajo rumbo al norte: iba campante, y una frase de remate: no agresiva: le hacía falta al ingrato ex anfitrión, ¿soltarla?, por no dejar, jugándosela ¿de a tiro?... ¡Pues sí!: la soltó: ¡ya qué!: como la sueltan los lepes cuando pierden en un juego y el ganador se retira:

–¡Yo también un día me iré de este pueblo de fantasmas!

No volvió la cara Egrén ¿o es que haciéndose pequeño estaba a un tris de esfumarse? Pero siete guachos sí, un azul y dos señoras enrebozadas, gibosas, viendo al hombre de la puerta y luego viendo al huyente: punto blanco: ¿añico luido? El insulto era para ellos porque al cabo las miradas se clavaron en el hombre que profirió tal lindeza, tanto así que el susodicho, entendiendo su regada, cerró la puerta y adentro tan sólo deseó que el otro saliera de Remadrín fresco, sin ningún problema, esto es: en compañía, ¡por supuesto!, de su ángel de la guarda.

Decimocuarto periodo

Capítulo uno

Estamos ahora en el momento cuando llega la ambulancia llore y llore a Remadrín, venida desde San Chema. Son nomás dos las preguntas que se hacen los del pueblo y las dos son casi al vuelo: ¿trae sano al herido?, o ¿no?, mas la conjetura es única: de anticipo fatalista, típico en sí por tratarse de una novedad tan posma: un-alboroto-chillón-no-debe-ser-muy-glorioso, pero lo fue...

Pero antes la polvareda atrae gente, la enterrega, porque: sépase, de paso, que el recorrido del mueble por las calles es larguísimo, y el seguimiento de tantos: bullanga y toses y... Freno: mero enfrente de la casa, ¡perdón!, jacalón, de hecho, que está en la orilla sureste donde hay un altar añoso, chiquirringo, azul cerúleo, con una virgen local: la llamada De las Cuevas, misma que tiene los ojos peleados, ¿túrneos?, cafés, por desgracia o por descuido, y le falta el brazo izquierdo, a pesar de su tamaño, el cual se asemeja a un casco de esos tan reconocibles de cocacola chiquita, donde el contenido es como el triple de sabroso comparado al que contiene un casco grande normal, el de moda, por más señas.

Lo ocurrido, sin embargo, frente a esa imagen sagrada, se infiere fácil-chirrión: hubo harto rezadero de la parentela de... Mejor de una vez digamos que el herido da la cara, dando luego poco a poco su cuerpo de limosnero, que por supuesto no era: de oficio –no piensen mal–: ¡milagro!, de todos modos: puerta abierta, recorrida, trasera de la ambulancia y el aplauso de la gente enterregada, feliz. Sano el susodicho: ¡ajúa!, aun cuando cojea bastante –pero eso es inclusive explicable si se aduce que el balazo en su chamorro lo hubo recibido apenas hacía un par de días con horas, si hay conteo de horas con dedos, teniendo en cuenta que entró a Remadrín la ambulancia como a eso de las doce con cuarenta o más minutos, entonces pe eme, y bueno...– apoyado de un bastón. Está a punto de bajarse y algunos ya se acomiden.

Las enfermeras se aprestan –¡qué cuerpos tan bien formados!– a cogerlo de los brazos. Ellas no quieren que algunos metan mano por ahí. ¡No!: a la ayudantía mugrosa de lugareños: ¡que no! Tan sólo el chofer del mueble –se supone: limpiecito– será el único que sí: él le detendrá el bastón al herido mientras tanto.

Otra acción en la alcaldía hay –y también es empuje– como diez minutos antes del desveno chillador: hay borlote oficinesco conforme la polvareda se difumina en alargues: por doquier las hilazones dejando al cabo de serlo. Rumoreo que a fin de cuentas va tras la grita, digamos, en dirección vertical calle arriba donde adrede reverberan los colores de las ropas y se estiran. Luego parece una plasta la muñidiza que está en torno al mueble blancuzco; entre rejas todo visto, esas de tres ventanales casi desde el suelo al ático, donde la distribución de cabezas asomadas de burócratas deseando tal vez captar lo mejor no parece la adecuada porque se mueve bastante, sin embargo, a troche y moche, como se mueve también de un lado a otro en su oficina piense y piense qué decir quien se supone que es nada menos que el alcalde interino quien de pronto decide ir en la guayina hasta el lugar del desveno. Allá deberá lucirse, allá es su oportunidad.

Capítulo dos

Ojos leyendo, mente rumiando: fue justo a la hora de anochecer cuando lo incierto volvióse pasmo e incluso el foco movióse leve cual si tuviese la sensación de que algo amargo se iría hacia arriba: la luz ¿más lejos?, ¿qué tanto más?... ¡No!, ¡carajo!, no estuvo bien que aquel lector se enterara de lo que el destino le tenía reservado –¿deparado?, ¿se dice?, bueno... mmm...–, tal vez fue para bien, pero ¿cómo está eso de que al susodicho le suspendían el envío de las jugosas mensualidades?... Incómoda la noticia leída y después releída como unas cinco veces... Incrédulos son los ojos que acomodan lo que ven: letras, ideas, garabatos. Luego la mente se afana. Se afanó esa vez de a tiro al discurrir por el lado menos comprometedor... De un lugar de Gringolandia llamado Orlando, Florida, venía el dinero, se infiere, como siempre, mes con mes... Desde hacía como diez años fue localizado el punto en la vastedad de un mapa continental que compró el susodicho en Pompocha, por si acaso alguna vez... Téngase que a él, por zoquete, le resultó bien difícil dar con aquella ciudad hecha punto, pero dio... Mas lo esencial-valedero: ojos leyendo, mente rumiando, la carta escrita con tinta verde: sólo una hoja con tres dobleces... Bueno, solamente hemos de reproducir el párrafo tercero, helo aquí (no es largo): *A partir de la fecha que tú puedes leer hasta mero arriba, mi hermano y yo hemos decidido no enviarte siquiera un quinto. Si te parece sangrona la decisión que tomamos, entonces vente a vivir con nosotros acá a Orlando. Es una ciudad bien biúriful* (biuri... ¡ay!, ¡qué trabalenguas!) *donde el año que entra habrá un parque de diversiones, será el más grande del mundo, se llamará Disney World* (Disne... ¿qué?, ¡vaya maraña!). *Pero eso sí te advertimos, a ver cómo diablos le haces para venirte hasta acá. Arregla tu pasaporte y tu visa de una vez, porque de indocumentado no te queremos, ¿entiendes?...* ¿Pasaporte?, ¿visa?, ¡uf! (y dinero ¿para el viaje?... por fortuna tenía ahorros). Tremendas complicaciones, pues dónde arreglar todo eso. Ni una pista para Vénulo. Cuántas posibilidades de indagación no efectiva a partir de: a ver, a ver: no debería de tardarse más allá de una semana en. No era tan peor irse pronto. Adiós Remadrín. ¡Adiós! Empero al guardar la hoja en un cofrecito negro, se le prendió un foco a tiempo.

Capítulo tres

Pese a que le urgía lucirse, Cristóstomo no arrancó en la guayina de lujo, la plateada rebrillosa, del modo espectacular como lo hubo supuesto Sanjuana Cruz de la O, su asistente, o ¿qué decir?: la asesora que le impuso por teléfono el alcalde a altas horas de la noche. Ella insistió en ir allá –hacerla de copiloto durante unas cinco cuadras de ida, ¡por lo menos eso!... ¿sí?... su regreso sería a pie: lideresa A LO MEJOR: haciendo «ves» de victoria con los dedos bien arriba moviéndolos como péndulos– donde el argüende, el herido; y la cosa es que Crisóstomo no podía decir que no, que él sería el único allá que se aventara un discurso de esos asaz llegadores; cabal estreno, señero, mas expuesto, por desgracia, a la dunda interrupción de su asistente: ¡oh, ridícula!, por su peinado de torre. Y ante la tupa... pues... *¡¡¡Vámonos!!!*... Ese «¡Vámonos!» airoso, dicho ya en dos ocasiones –¿se recuerda dónde?, o ¿no?–: primero fue en la Cruz Roja y luego en El Firmamento: cuando aquellos dos aprietos. Empero cuando la vez, la de marras –¿se recuerda?–, lo dijo mucho más recio.

Apasionante ese aprieto porque debería lucirse siendo ya alcalde interino y ojalá después... ¡lo máximo!... ¡Sí!, ¡claro!, ni vuelta de hoja, debía estar reteseguro Crisóstomo de alcanzar la silla municipal en futuras elecciones, mismas próximas: ¡saberlo!, como saber por deslinde que estaba en plena campaña de único candidato, porque opositores ¿cuáles?; téngase que los partidos, los derrotados de siempre, se habían ido con la finta del robo de urnas, la marcha, y demás rarezas mugres no entendibles, no prudentes. Y la opción de él: ¡pintadísima! Campaña de simpatía, sólo que apócrifa o casi, pero fuese como fuese serían puntos a favor. Por ende (ejem), regresando, como se comprenderá, tenía que irse despacio: rodar de llantas con truenes de cascajos a buen ritmo, sin polvareda detrás, porque entonces ¡vaya riegue! No era el caso hacer socalces de emplasto perseguidor en arquivolta insidiosa, molestona, del otro ido en perfiles alargados hacía como un cuarto de hora, sólo para provocar toses y enfados puebleros, cuando su protagonismo de candidato aún en ciernes, debiera ser, en efecto, emotivamente hablinche. Tampoco mucho retraso, pues era obvio que al concluir su labor: la prometida, la ambulancia se arrancara con polvareda detrás: una segunda hipotética. Las enfermeras: de acuerdo: cuatro cuerpos para verlos: la masa libidinosa: su último y caliente goce, aunque eso, como se dijo, fue lo último, es decir: antes el suputo avance de la guayina plateada donde adentro manejando Crisóstomo no sabía cuál de entre cinco posibles sería la frase de empiezo. No escogió la más profunda ni elevada ni virtual, no pudo porque Sanjuana le hacía bastantes preguntas, mientras tanto, bien tolondras, que él por estar en lo suyo nomás no le respondió.

Al final ella le dijo:

–Yo hablaré. Tengo que hablar.

Y él, ¡ni modo!, acompletando, le contestó lo siguiente:

–Está bien, haz lo que quieras, pero primero hablo yo, soy el alcalde interino... ¡No vayas a interrumpirme!

Llegaron al punto aquel de los murmullos grilleros de la pingüe muñidiza justo cuando algo enfadado el herido respondía unas ¿para qué contar las preguntas que le hicieron?, dos provenían de dos líderes de los partidos locales de oposición y las otras: ¡zonceras a tutiplén! Ya el antes herido iba a meterse –frente en lo alto, pese a pese– a su casa a descansar, cuando alguien dijo: *¡¡¡MO-MEN-TO!!!* Trasera la voz chillona: pasos abriéndose entre, y así en correntía ya esto:

–Como ustedes podrán ver: ¡el herido vino sano! Sepan que yo fui quien tuvo la idea de llevarlo rápido –le atinó a la frase ideal de empiezo, más llegadora, mas de nada le sirvió porque en lo bajo empezaron en salterío timorato ruidos bucales piteros amagando ser cual dique a un tris de enjaquimar una zumba en avalancha, pero la masa aún prudente...– al hospital de San Chema. Sepan también otra cosa: ¡yo manejé de ida y vuelta!, no esta guayina que ven, sino la más conocida: la de diario, ¿la recuerdan? Y ahora voy a lo mejor: siendo yo alcalde interino no podía ser insensible a un accidente tan feo –le echaba leña, por ende, a don Romeo, aprovechando–, donde la sangre sacada por la bala de rozón...

–¡Espere!, no fue rozón... La bala sí quedó adentro de mi pierna y me ardía mucho –repuso el ahora curado al oír tal falsedad.

–Pero ya se la sacaron y usted sigue vivo, o ¿no?... eso es lo bueno ¿verdad?... Y prosiguiendo, perdón, yo deduje que el balazo causaría pánico e ira en la colectividad, lo cual me pareció, ¡claro!, razonable y, por lo tanto, me conmovió muy en serio –boquiento a más el ruidaje iba ganando terreno hasta al cabo convertirse en palabras insultantes como: «¡fuera!», «¡largo!», «¡váyase!» (es la muestra, en sí: casual: ergo: lo más reiterado), viniendo en desate, al fin, lo peor, lo urgente-iracundo, no obstante ¿serían piropos?, debía entenderlos así Crisóstomo a conveniencia: meros gajes del oficio: «¡pendejo!», «¡infeliz!», «¡zoquete!», «¡lambiscón!», «¡zote!», «¡corrupto!», lindezas que al orador parecíanle puros «¡vivas!», ¡ay!, ba-bo-cho, ¡ay!, za-ma-chu-cho, y oyendo como se oyen los chirridos de los grillos: un concierto hecho de arrullos en un solo movimiento: un largo de esos que aluden a la paciencia infinita propia de la gente sabia, Crisóstomo sacó a flote la innata sabiduría del gobierno en el poder–. Repito, me conmovió, y no olviden que yo soy el gobierno en carne y hueso. O sea que hay filosofía y verdadera piedad hacia todo lo que da un relumbrón de injusticia; en este caso: casual, tratándose de un disparo que no iba dirigido contra nadie especialmen... –rabiosa la interrupción, contimás porque los gritos ya se acoplaban en coro y hasta estribillo tenían: «¡fuera-lambiscón-pendejo!», «¡fuera-lambiscón-pendejo!», y otros ri tornelos memos más empeorados, incluso, nada agradables ¿verdad? Contra eso, apenas sí: *¡Yo no soy un lambiscón!, ¡yo soy institucional!*... Y el coro arremetía al doble, ya con puños levantados. Fue entonces cuando Sanjuana entró al quite a ver si sí, un tanto desperfilada:

–¡Esperen!, ¡no agredan tanto!, ¡sean buenos, por caridad!... ¡Yo también soy el gobierno en carne y hueso, lo saben!, ¡y también me conmovió lo del balazo en la pierna!, ¡lo bueno es que ya está sano el herido, véanlo pues!

–¡Mentira!, ¡no estoy curado!, ¡todavía cojeo bastante! –replicó el cojo cojeando, tenía toda la razón, en virtud del bailongueo de la pierna dizque sana, siendo que el bastón servíale de regate, y no eficaz; así que añadir, mas cómo, ajaspajas, pues sí y ¡¿qué?!: Sanjuana envalentonada:

–¡Entiendan que en unos días estará bien el... –¡cortón!: la impunidad colectiva peripuesta: más propincua (pasos dados, encerrona) y con nuevos estribillos y más perfección coral, tanto que el terror del hombre y la mujer del gobierno no hizo más que despejarlos: flexiones puestas en fuga: caminito por ahí: la chuequez y la salida: cañón de cuerpos-laderas: «¡Vámonos!», dijo Crisóstomo (su cuarta repetición) jalándose a la pazguata que nomás gritaba «¡uy!», y «¡ay!», y otra vez «¡uy!», y pues, bueno, imaginen lo demás... Por ahí andaban los perros familiares y por tanto... Empero, el par de burócratas salió ileso y se trepó a la guayina en un tris. Empezaban las pedradas cuando una enfermera dijo: «¡Alto!, ¡apláquense!, ¡no tiren!», y el acato bufador de los muchos: cuadro en ramas: un instante: disolvencia, o acaso el escurrimiento de raíces como brazos; piedras al suelo después, y un nuevo cuadro instantáneo: ¿vindicación del olvido en un amarillo exangüe?; rucia, en masa, la derrota: explicable de este modo: a la enfermera enseguida le hicieron caso, ¡pues sí!, y por ende se aventura un asegún cual pretexto: ¿sólo porque tenía un cuerpo demasiado llamativo?, si no a ver ¿cuál otra causa?: una escultura en acción no es pan de todos los días; valedero pero no acabalado el mal chiste, porque no tiene al final un abanico de opciones, y el desgaste por, en fin, redúzcase todo eso a un despacho de fracasos hecho hilazón o guedeja.

Fracaso inservible entonces, del que no se aprende nada. Fracaso disperso, omiso: cabizbajeos en retiro.

No tan fracaso la huida ni la burda polvareda que levantó la ambulancia. Adentro las enfermeras iban riéndose de todo. El chofer también risión, por contagio al taz a taz: su risa tan chiquirringa, tierna, dulce, apenas sí.

Aunque hablando de fracasos... La medianía es problemática, duele porque alela harto, y un ejemplo es lo mejor: todo un episodio inane para alguien que dijo: «¡fuera!», «¡izote!», «¡pendejo!», «¡izoquete!», nunca en coro dichas: sino... Hemos escogido adrede lo gritado un poco al sesgo desde una de las orillas de la cruenta muñidiza. El personaje es, más bien, un aprendiz de mitotes. Fue acaso el único ingenuo a quien le sirvió de sobra presenciar tal algazara, pero entre muchos sombreros y cabezas de señoras con trenzas bien hechecitas. Se trata de Trinidad, el esposo de Cecilia. Empero, para hablar de él es preciso irnos al día en que llegó de la cueva deveras hecho un pelele, un fantoche casi tieso: copetudo y empolvado de la manera más peor; venía hambriento –¿se recuerda?– y con ganas de fumarse lomas de cigarros de hoja. Ahorrémonos, para el caso, los pormenores de besos y tentaleos con aquélla en el interior doméstico: ergo: los cochineríos cual modos de bienvenida, porque el baño: más delante, más, ¿más?, ¡más!: luego del zampe, el final: entre penumbras. Entonces ¡venga el sabor, el otro, lo que ocurrió!: los encueres poco a poco, el pichoneo en la cocina, recuérdese la promesa después de: ¡sí!: la frescura, si se infiere lo que trajo la bañada con amole y sus brillos olorosos: ¡oh, encueres tan diferentes!, agréguese el agarrón de sus manos para irse lentamente hasta su cama rechinona-musical, mas cuando iban hacia allá vino una duda, un desveno: onírico Trinidad le hizo una enorme pregunta a Cecilia nada más para ver qué respondía:

–¿Por qué dejaste el rimero de las fotos en el suelo, digo, desatado, o sea: ya hay riegue, lo estoy notando, digo, porque, como sabes, casi nunca vemos fotos?

Pudo ser mucho más largo el incisivo torito si el esposo en correntía no pusiera como puso de rebato para un cierre la incógnita de revés, sino que se retardara haciendo mención fugaz de su hacer en cada «clic» (encuadres con poca luz: o movidos o borrosos): de equis gente –refrendaria, pero también vendedora– donde aparecían: ¡muy novios!: la hoy doña y el hoy tumbón (aparte sus arrejuntes: que abrazamientos, bailongos, besamientos y demás), para llegar medio al viso a la cantidad exacta de las fiestas que tuvieron... precisión, ¡más precisión!... que organizó Trinidad durante aquella época alegre, y ahora sí: trancapalanca: eran más de cuatrocientas fotos a todo color, pero cuántas fiestas: ¡ah!, ¿la mitad?, ¿la cuarta parte?, a éstas se han de agregar las fotos de aquella boda, la primera, la importante.

–Es que como me quedé dos noches solita aquí, y confundida, insegura, traté de jugar a algo y la verdad que no pude. Las fotos no me sirvieron. Tampoco las recogí. Por lo cual ves lo que ves.

¿Solita?, ¿qué palabrita? Malcontento o turbación de Trinidad que, con saña, quiso ser de nueva cuenta tal como era: si ¿coherente o mandón encaprichado?

–Ya sabes que no me gusta el tiradero en la casa, y menos de fotos nuestras.

–¿Quieres que las recojamos?... Es que estamos encuerados, limpiecitos, o ¿qué piensas?

–Mejor vamos a la cama... Ése es nuestro compromiso... Mañana tú las recoges y atas el rimero bien.

Después del gran agarrón lujurioso y prolongado, mas sin compañía del radio (si tuvieran esa vez el que tenían... ayayay), Trinidad se echó un cigarro que le supo a frenesí, porque al irse como se iba el humo por la ventana y hacia adentro: a los pulmones, contimás si ha de agregarse la agitación padecida durante los empinaderos, el frenesí le hizo ver un modo muy diferente al rutinario y tan suyo: la pachorra o la paciencia de abarrotero en contraste con la desesperación de esposo rancio, arrogante, y de padre ¡tan temible! Su silencio trajo algo, en virtud de que Cecilia, encuerada aún y en la cama moviéndose salerosa, dizque le lanzó un torito: *¿En qué piensas, corazón?* Pensaba en lo de la cueva el fumador encuerado que iba a seguir fume y fume y tire y tire colillas en el suelo, casi adrede, a sabiendas, desde luego, que su esposa barrería mañana mismo el mugrero; entrampe para pensar con rabia en su frustración: la ausencia de sus retoños, su duda hecha de rarezas, agrandándose y, por ende, al soltar todo ese lío lo hizo en pausas e, inclusive, deletreando cada frase.

Lo devuelto, de algún modo: asquerosidad de años, se resume en dos ideas: desde mañana temprano sería un lenguaraz modelo –¿qué iba a creerle Cecilia?–, pues según él diariamente saldría a protestar con creces por los desaparecidos: sus hijos: ¡lo preocupante!; el resto: ¡vil refilón!; él solo, si fuese el caso, enfrente de la alcaldía gritaría mañana y tarde hasta obtener la respuesta satisfactoria: a saber... <u>Se anticipa lo sabido: son apenas dos minucias que al re pronto se despachan: no fue el único gritón Trinidad, sino bastantes: los apostados: igual: enfrente de la alcaldía, y ¡niguas!: nada obtuvieron, se cansaron –era lógico– tras un mes de sendos gritos y elaboración de mantas y pancartas infelices...</u> La segunda idea es la peor: desde mañana Cecilia se encargaría de la tienda... <u>Eso está por suceder, en fárfara, si se quiere...</u>

–¿Y quién hace de comer? –aún encuerada Cecilia protestó y se tapó en friega con las sábanas sus senos; al final sólo dejó al descubierto su cara.

–Comeremos puros lonches, en principio, pues no hay de otra.

–¿Y tú lavarás los trastes?

¡Vaya audacia de mujer!... Es que luego del empine... Pero vino el desespero del tan temible mandón:

–¡Tú lavarás, barrerás y atenderás en la tienda!... ¡No sé cómo vas a hacerle, pero ya lo dije y punto!

Vil revolteo inconsecuente, fácil, trasquilimolocho, y el escozor por detrás. Lo que era una decisión y lo que era una sorpresa: lío y deslío: varias incógnitas. Por su parte, la señora quiso ver a su señor como una sombra engrosada, una que hablaba quejosa por mor de alguna indulgencia instalada en la recámara como efecto milagroso luego del gran agarrón: un artilugio de culpas y piedades ¿en meneo? Para culpas: las que pinchan y hacen sangrar y además envenenan la conciencia. De este entuerto contra sí Trinidad supo de sobra. Quería ser, pero sin hijos, un buen padre ¡despejado!, y merecedor de Dios que es también padre ejemplar (sus hijos están bien lejos, pero los siente, los sufre) como él quisiera ¿ser? Desde entonces ¡a la carga!: holgazanear protestando. En cambio Cecilia: ¡uf!: se resignó a su papel de luchadora casera, pues ella muy en el fondo aplaudió la decisión sensible de su marido, aun cuando las consecuencias recayeran sobre... bueno... No sería por mucho tiempo, de eso estaba bien segura...

Y dicho y hecho salió Trinidad a protestar desde muy temprana hora. Lo imaginado por él fue cierto de pe a pa: estuvo gritando solo enfrente de la alcaldía, pero no por mucho tiempo.

Instalada, un poco ambigua, detrás de, como su esposo –lángara rutina plácida–, esperaba a la clientela (¡oh, mostrador tan gastado!), y como nadie venía a comprar siquiera un chicle, ella se fue a la cocina, pues el trastero aún pendiente: que una lavada a conciencia. Cecilia lo hizo mal porque lo hizo en aína, o qué decir: angustiada, con una culpa grandísima: que no, que sí, que ¡ni modo!

Nomás transcurrió hora y media y Trinidad vio venir un grupo con dos, tres mantas y un montonal de pancartas. Se instaló justo donde él e hizo coro de inmediato; él no le entró al estribillo.

Nadie llegaba a la tienda, por lo cual Cecilia optó por irvenir, barrer: poco, echando ojo a ver si alguien... Tenía más quehacer atrás.

Trinidad halló la clave para su gritonería solitaria y ¡con razón!: irse casi al alba allá. Segundo día de protesta. Esa vez hubo más grupos: ¿eran partidos políticos? Cuatro. Lo supo. Y aún él expectante, dijérase: tras un mostrador ficticio: más holgazán, más prudente. Hubo luego interrupción porque llegó la ambulancia y él se fue con la manada.

Varias frases de Cecilia, pensamientos derrotistas: «Está mal este negocio»; «Deveras que está difícil»; «Ya nadie viene a comprar»; «¿No sería mejor cerrarlo?» Sin embargo, nada de eso comentólo con su esposo. Era comprometedor. En cambio él durante una cena le comunicó ya estar en un «grupo de pancartas y de mantas... ¡insultantes!»... ¿En un grupo de... qué diantres?... ¡Algún partido político!... A saber... Pero ya estaba... No se enteró a qué partido se hubo integrado a lo loco... Pese a pese por ahí oyó algo como esto: *Somos la renovación, nuestro hacer no es tan ideoso, porque somos progresistas que no se andan por las ramas,* y hasta ahí lo subrepticio... Lo importante del asunto para

Trinidad –dedúzcase– estribó en el pasatiempo: se volvió casi un concurso de frases contra el gobierno donde él tenía cuerda en grande para imaginar insultos: rojos, ¿colorados pues?, ergo: una viva escritura, a la cual le entró con fe. Aquélla era una labor vespertina y agobiante: las hechuras a cercén: grosero clandestinaje en una casa espaciosa –¿de quién?, ¡vaya!, ni saberlo– con galera a medio hacer. Trinidad como nunca antes tuvo trabajo deveras sudoroso, o sea, cabal; pero por sus hijos: ¡todo!, en tanto no aparecieran.

En lo suyo: original, el antes sendo haragán, con excepción del domingo, no dejó ni un solo día de ir temprano a gritar solo –así el desayuno a oscuras; para Cecilia: ¡qué enfado!–, pero de qué le valió tal propósito culpable –a las seis de la mañana no había nadie en la alcaldía; a las siete algunos cuantos burocratitas que ¡uy!: para ningún lado: ¡pobres!, por necesidad chambistas quiérase algo firulias; a las ocho completez de la planta y sin embargo no estando los importantes: ni Sanjuana ni Crisóstomo, quién sabe si don Romeo hubiese vuelto en secreto de Brinquillo y si no... mmm...; a las ocho y media o más, no llegando a ser las nueve, ya estaban todos los grupos con sus cosas y su temple–, su gritar iluso ¿entonces? –y qué y qué– ¡sí!, y sin ambages gritar nomás por antojo, tal vez Dios lo oyera un rato.

Curso aparte de silencios entre marido y esposa: casi dos fantasmas torpes: un sumiso y un mandón, sutilezas de miradas, mas palabras casi ¿cuántas?, por deslinde las más justas, y a pararle de contar...

Luego habrían de transcurrir mal que bien cuatro semanas y...

Capítulo cuatro

Por aquellos días, a poco menos de un mes del regreso de don Romeo a Remadrín, sobrevino la «caída» –a que no saben de qué, tratándose de caídas: las mil y una, o más, anuales, en un país como Mágico, donde toda corrupción es muestra de inteligencia: zorra o de cejas en arco– «súbita», como le dicen los expertos más expertos a todo lo relativo al peso, o sea: la moneda nacional –la única válida– del país en el que estamos, y nacimos, y es probable... ¡basta, pues!... Con apitos fue anunciada tal caída por la radio; con apitos (si se oyeran) porque el par de locutores hablaba (¡ojo!) cual si allá, en la cabina en que estaban, hubiese un fiestón pitero. Si casi al doble el valor de rebaja y ¡en la torre!: el peso: ¡ya!: y la razón ningún locutor la dio.

Ninguna razón creíble, ni incluso la más valiosa: la aventada por delante: dizque el mercado mundial se tambaleó de repente, y a saber qué más lindezas intentendibles, inútiles. Pero la celebración radiofónica fue horrenda, según le vino a contar Leona Cueto una mañana a Cecilia allí a la tienda: donde: estando de abarrotera la última se la pasaba papando moscas nomás, pues ni un cliente le caía. Justo la noche anterior la noticia fue soltada algo en friega por... Recuérdese que Cecilia no contaba con su radio desde hacía ya casi un mes (el aparato en el llano ¿todavía?, o sepa Dios ¿dónde?). Total que la abarrotera se puso a escuchar pazguata todo lo que su comadre le dijo a topa tolondro.

Casi siempre Leona Cueto entraba por otra puerta cuando allá de vez en vez visitaba a la que ahora era una absurda haragana: ya colocada, aburrida, tras el mostrador de marras. Lo hacía así para evitar al agrio de Trinidad. Bien pensado si se entiende como debe entenderse eso de escabullirse coscona. Otrosí: los cuchicheos larguísimos entre ellas muy adentro: ¡en un rincón! Esa vez también lo hizo: por la entrada de la sala: Leona Cueto: y al no hallar a su comadre: ¿qué hacer?: tiento a tiento por detrás fue acercándose a la tienda: y la sorpresa de reojo. Se deslindan los porqués de esa nueva actividad, explicables sin gran cuita por la enfadada tendera, para llegar de una vez al trasunto de angarillas: todo el lastre que traería la devaluación del peso.

Ahorrémonos los vaivenes del sí al no: todo en abstracto, incluidas las preguntas que tuviesen por respuesta argumentación de más, y no un simple monosílabo, con la mira de atacar el remate que dio Leona referente para colmo a otro provecho, quizás: lo decidido en un tris por su esposo atormentado: irse al fin de Remadrín –magnífica solución– hacia: a ver: ojalá sí: un lugar bastante rico, porque uno igual tan de a tiro pobretón como el terruño, ya incluso ni tan querido, ¡nunca!, ojalá, pero a ver; y siendo así ¿cuál truqueo?: si se venía a despedir de su uña y carne, su cómplice, más aún porque iba a ensartarle un pendiente por si acaso: le dejaría un papelito en donde estaba apuntada la dirección a la cual debían acudir sus hijos, también desaparecidos, por si luego aparecieran y preguntaran y, bueno: le explicó que en un principio quiso pegar tal papel con harto engrudo en la puerta de su casa: puerta enorme: ¿extravagancia?: de dos hojas color ocre: la única hacia la calle, y ¡oh, pendejada!, ¡pues sí!; si más visible lo blanco, desde luego, entre más alto, no obstante siempre al alcance de una mano, dicho sea: siempre y cuando el equis hijo –ilusión, desproporción– consiguiera y se trepara en una escalera de esas de gradilla o de albañil. Pero habría de echar por tierra Leona Cueto aquel empeño en cuanto hubo de acordarse de su amiga preferida, a ella pedirle lo dicho. Y hasta ahí la perorata postrer, luego lagrimitas: las que hubo de por medio: cuéntense nomás las luengas: tan femeninas, tan póstumas, una del lado derecho: la de Leona: gruesa y recta, y la otra del lado izquierdo: la de Cecilia: harto magra, mas viborera en resbale retardado lucidor. Después diéronse un abrazo Leona y Cecilia muy bueno: prieto: deveras: durable, y adiós, adiós, ¡ay, adiós!

¿Suceso conmovedor?

¡Sí!, pero lo resultante...

¡Con qué ansiedad esperó Cecilia –¿cómo decirlo?– a su esposo aquella vez, mismo que vendría a la una de la tarde muerto de hambre –le prepararía enseguida unos tres o cuatro lonches de aguacate con frijoles, empero, con pan de caja–, y una vez que él le atorara al pipirín en caliente soltaríale unas dos frases sobre la devaluación del peso y sus consecuencias!... ¡Y a ver qué reacción tendría!

Pues ¡al ataque!

¡Oh, hechura!

De una reja hubo cogido Cecilia –para ponerlos encima del mostrador– ocho óptimos aguacates. Que meterles cuatro plastas tamañas de mayonesa conforme los deshiciera en reborujo pupoño para al cabo hacer el unte propocional en los panes. Le urgía ir a la cocina y volver rápido a –*antes de continuar (ejem) con la preparación de los lonches, y de antemano mil disculpas, es preciso traer a cuento lo que dos semanas antes se suscitó en Remadrín: no venían los proveedores de mercancía ¡ni de chiste! Su venida semanal se interrumpió: ¿por mieditis?: a raíz del robo de urnas, o tal vez fue cuando varios de refilón se enteraron de la matanza en el monte. En sí su tregua suputa, pero ¡¿cuánto duraría?!, o de vencida mejor: ¿todos, sin duda, acordaron jamás ir a Remadrín, pues temían que los mataran?! No era razonable aquello; ergo: el problema o efecto hay que verlo en lo concreto: ya Cecilia cogía artículos comestibles de la tienda. Acabó con dos cartones de huevo en una semana, se supone que los últimos. De modo que hacerle lonches de huevo a su esposo: ¿cuándo?, menos de carne de res, de chivo, pollo, o borrego, no había matanza vendible en el pueblo desde ¡uh! Lo bueno es que aún quedaban muchos frijoles en lata, en su tienda nada más. Por eso y por otras causas Cecilia no se explicaba por qué no caían los clientes siquiera a pedirle fiado una lata o dos incluso, y ¡el extremo del extremo!: que le vaciaran la tienda entre muchos con violencia...–* la tienda para ver si, no obstante saber que no, que ningún cliente caería. Entonces, reconstruyendo, se fue en friega a la cocina e hizo lo deseado y... La embarrada de frijoles fue –debemos suponerlo– la coronación lonchera, cuatro coronas –y ¡listo!– apiladas como en borlas: cual una ebúrnea escultura, misma que debió tapar con mantelillos de encaje, tal como lo venía haciendo en las últimas semanas, pero dada su vehemencia, esa vez se le olvidó: su mente estaba ocupada en la ida de Leona Cueto –al volver al mostrador vio la reja de aguacates, de reojo, sin querer; lo sobrante a la barata: quedaban como unos veinte aguacates de esos foscos. Se podriría la mitad, asegún, mas de los buenos tras el consumo i¿qué diantres?!: ¿ya nada más puros lonches de frijoles?, ¿y después?: puro pan rancio de caja, dulces, papitas, churritos, chicharrones de maíz y un etcétera bien gacho– y la caída del peso.

A la una de la tarde llegó Trinidad exhausto, hablando solo, de juro, quejoso en serio y haciendo varias muecas contrastantes. Expansivo como nunca le comunicó a Cecilia lo del bajón –si puntilla para un avaro como él– monetario, intempestivo, e hízolo cual si sacara un vómito aguacatoso conmixto con sotol acre... ¡vaya para coincidencia!... Adelanto noticioso a prórrata ya sabido por la que iba a decirle lo mismo, pero más lento.

Pero volviendo a lo de antes: ¿vómito a contracorriente casi vaciando las tripas?... Al menos desfogue impuro, debido a que era imparable tal queja recién llegada, amén de sus ¿toscas ramas?... Memos, cursis: otrosí: esos símbolos tan mugres, por débiles nada más, por lo cual lo mejor era hacerse un poco hacia atrás para ya no sentir náuseas: Cecilia lo hizo discreta. Nada de meter cuchara, sino entresacar al viso dos ideas: claves, tal vez, subconscientes, ¡valedoras!, de esa extensa confesión: ME ASQUEA LO QUE ESTÁ PASANDO... ¡QUÉ LARGA HILERA DE ERRORES CONTRA MÍ, Y EN MÍ COCIÉNDOSE... YA ME SIENTO COLADERA... Para interpretar los símbolos de decepción y de abulia a Cecilia le bastó seguir oyendo perpleja dicho enredo a humo de pajas: a la espera de otra clave: una que aclarara todo, y ¡atiza!: hela aquí: ¿sería?: YO QUE PUDE SER BIEN RICO Y VIVIR EN OTRA PARTE, NO ME DEBERÍA DOLER ESTE DESPLOME PENDEJO... Lo demás: añadiduras enfilándose de pronto hacia un abismo sin fin: que se fuera él con sus culpas, total ya i¿qué?!, i¿pobre suato?!... Cecilia lo dejó hablar, lo siguió como se sigue a un animal que agoniza y luego habrá de caer –clemencia de cazador–; pero no cayó el maldito, sino que nomás sentóse en su silla de costumbre: a la mesa: en la cocina, y al ver de paso los lonches hizo un gesto picajoso (vago instante de silencio), es que el hambre contra el vómito: continuación de lo último, aunque cada vez más pausas alargándose a cercén, mas en ínfimo registro, y por ahí alguna clave: MI CAPITAL SE REDUJO EN UN

SETENTA POR CIENTO... SOY HEDIONDA COLADERA, O EMBUDO RETEPO-DRIDO, O TAMBIÉN BAGAZO NEGRO, DIGO, PORQUE, CORRIGIENDO, MI CAPITAL SE REDUJO EN UN NOVENTA POR CIENTO... ¡QUÉ MALO ES TENER BILLETES EN LUGAR DE ORO Y PLATA!... Más símbolos a la baja convertidos en escoria tras escoria t-r-a-s l-o p-e-o-r, contimás por tanta inopia, tanta, como es de advertirse, al no mencionar siquiera lo de las cajas cerradas: su reserva providente, para ¿cuándo?, para ¿nunca? Estuvo a punto de hacerlo Cecilia, pero el sofreno: enguizcado a conveniencia, al querer que su marido se cansara: más, más pausas, y cuando juzgó oportuno soltóle una dizque choncha idiotez, aunque no tanto, por tener tinte inocente de desvío color de rosa:

–¿Pero cómo te enteraste de la caída del peso?

Pauta ideal para otro alargue de ambiguos desasosiegos al comenzar Trinidad por indignarse con creces: el motivo: la ocurrencia de elegir a una, de plano, ¡personaja descarada! –¡¿pues quién diablos la eligió?!, ¡¿qué burócrata zoquete?! Sería el alcalde interino, porque don Romeo de lejos por el teléfono gris, podría ser, pero: a saber... De «interinato» y «teléfono» y de otros ¿cómo llamarles?: asuntitos infelices, enteróse el susodicho nomás por tener contacto con otros manifestantes. El grupo al que ya, asegún, pertenecía (más o menos) por sólo andar ingeniando consignas contra el gobierno que otros duchos escribían, y él a veces y... por ahí–, misma que por altavoz dio la noticia en mención. Se trataba de una doña que lucía una falda corta: ajustadísima y roja, con lluvia de lentejuelas cuyo remate en lo alto era un escote de esos bastante ocasionador, o de los que, como sea, han de apretar casi hundiendo esa línea siempre obscena: divisoria de los senos, amén del airón final: un gran peinado de torre que ningún viento pandeaba. Fachas pues: a la barata, o bien enderezadoras, de las que ni una mujer lugareña osa lucir: de día: ¡nunca!, o cuando menos en los bailes con orquesta. Por ahí, en otras palabras no lejanas a ese impacto asaz exhibicionista, describióle Trinidad a Cecilia sólo el «cómo» con enojo circunspecto. Y el «qué» postergado ¿adrede?: la brusca devaluación... tal referencia: ¡hasta cuándo!... Qué problema es la decencia cuando aspira a ser concepto ampuloso en una mente limitada a un mostrador y a un acodamiento inane; es prisión pero sin rejas y sin haz de luz filtrado, siendo, asimismo, negrura que atormenta porque estruja y luego enguye a quien quiera darle amplitud como quiso Trinidad al prodigarse y el freno, ¡a tiempo!, valiente: siendo que se le antojó a la esposa un buscapiés no grave, mas sí indiscreto... aunque... Justo lo que iba a decirle a Trinidad cuando entró hecho una furia a la casa, hablando solo, y no hambriento: que la chirlera había sido Leona Cueto, su comadre: radiófila incorregible; como antes lo fue... mmm, ¡ni modo!... Ni modo que la tendera como loca fuese al llano a ver si aún estaba el radio. Pronta la desgracia oída a través de... GRAN PRETEXTO... es que Leona trajo en friega lo del peso a temprana hora; angustiada, sin embargo, con otra nueva fatal: su huida de Remadrín con su esposo y, por lo tanto, su despedida y su lágrima. Más pormenores ¡al diablo!, pues cortando Trinidad dijo que a él no le importaba enterarse de esos líos de amistad entre mujeres... Así al doble su rabieta enllegando por hastío a una decisión muy burra:

–Voy a seguir protestando enfrente de la alcaldía hasta que alguien del gobierno me dé siquiera una pista para encontrar a mis hijos o me diga de una vez si están vivos o están muertos.

–¿Y tú crees que lo consigas?

–Voy a seguir protestando, ya lo dije, ¡es lo que quiero! Y mientras nadie me aclare lo que ha pasado con ellos, no volveré a hacerme cargo de la tienda, ¡¡no lo haré!!, tú serás la abarrotera, tú despachas a los clientes, ¿eh?, ¿de acuerdo?... No hagas gestos... Ya verás lo que se siente hacerlo todos los días.

–Pero si no viene ni uno... O uno por día, ¡sí!, perdón, pero compra cualquier cosa: baraturas, fregaderas... Entiende que en Remadrín ya no hay buenos compradores.

–Desde hace mucho no hay... Pero, bueno, ya me voy... Si quieres después hablamos.

El ahora manifestante ganó la calle en un tris. A trote quería alejarse de esa tienda tenebrosa; tienda culpable, maligna, la que tanto daño le hizo durante años, ¡sí, pues sí!, a él que había sido siempre todo un rebelde sin causa, y eso se oye feo ¿verdad?... Entonces para que se oiga bonito pero excitante retorzamos la manera, revolquémosla inclusive, y a ver como se oye así: siendo él tan buen billarista en lo que vino a acabar...

–¡Trinidad!, ¡por Dios!, ¡espera!... ¡No has comido!... O, bueno... a-a-di-di-diós.

Capítulo cinco

¿Qué tan importante es un alcalde?, y sobre todo: ¿qué tan importante es fuera de su municipio? Fuera. Dentro. Vaivén. Indecisión de Pío Bermúdez: quien: mediante ondas de radio fue informado –rasposos estridules: esos juegos sonoros que la distancia estira. El campo. Y lo crucial–: por fin eran conducidos el alcalde don Romeo y su esposa a la frontera, desde luego, en limusina, pero... La orden definitiva, en cuanto a su ejecución (su muerte debía ocurrir en despoblado, mas ¿dónde?)... Lo otro: el sitio que no: Dallas: irreal, o ¿cuál otro?, para vivir sin problemas en los Estados Unidos... Cierto: todavía los asegunes y las dudas en centón: el acre gobernador por qué debiera inclinarse, y no hallando aún el «qué», el «cómo» salía sobrando; por eso optó por decirle al informante castrense que en unos veinte minutos volviera a comunicarse. Tenía que pensarlo más.

Capítulo seis

Durante los tres días siguientes a la caída del peso Trinidad mantuvo a raya a Cecilia al no dejarla más que a mitad de las frases. Si por medianero palio él no exigía la atención de su esposa para nada, ni en el comer como antes: que esto y lo otro: trabajal, imponiéndose de a tiro sus antojos de chorizo en desayuno y almuerzo, más a la hora de la cena –llamado a la pesadez–: con seis tortillas de harina (se informa de refilón que en Remadrín el chorizo ya escaseaba de a deveras), ni al momento de acostarse: platiquita de vencida por Trinidad cigarreada: ya no, sino jaloneo de la sábana nomás: evidencia de que ni uno por inercia como siempre decía un «buenas noches» bajo, ni un «buenos días» después de.

Malos sueños: inconclusos, porque como unas tres veces Trinidad se levantaba para hacer chi largo rato, yendo al traspatio: modorro... mejor bajo las estrellas (eso no le sucedió sino a partir del desplome económico, angustiante: ¿por qué tanta chi?, ¡¿por qué?!, para Dios esa pregunta...); de modo que al retomar sus pesadillas, digamos, de rutina, por castigo (chanza como absurdo efecto de sus zampes de chorizo, otrora mugre constancia demudada hasta esos días), el ahora protestante veía como en desperfil varias formas amarillas de pingajos resbalando: alusión escatológica de escupitajos en son de insultos no dirigidos hacia él, ¡ea!, ¡por fortuna!; entonces ya por conteste: Trinidad escupidor, modo de contrarrestar lo que le dolió bastante.

Lo malo es que él le escupía a un espejo hasta cubrirlo de saliva membranosa (cuasirrecurrencia onírica reiterada casi adrede), pero sus escupitajos se emborronaban a poco no sin que se lo jalaran hacia el mar de sortilegios que había dentro del espejo. Adentrarse, adelgazarse, viajando por los colores: dos nada más: y él dispuesto: primero el blanco –y ¡qué bueno!– y luego el negro: ampuloso, mas con rastras de amarillo como en estrías serpenteantes. Espacio donde sus hijos –desde un fondo: retefondo–, tamañones, sin embargo, lo saludaban diciéndole: *Te perdonamos... ¡Entiende!... ¡Te perdonamos en serio!...* Por respuesta Trinidad escupía de puro gusto, al vacío, ¡sí!, se supone.

Lo bueno es que al despertarse todo quedaba arreglado, excepto la realidad inmediata: esa doméstica, donde la enemiga era Cecilia, o ¿a poco no?, y el tercer día fue el ejemplo, día que se estaba, perdón, acabando, porque eran, más que menos, las once y pico ¡pe eme!, justo cuando Trinidad regresó de sus engorros o su deber pro-tes-tan-te y le soltó así nomás a su esposa esto infeliz:

–Tú fuiste la de la idea de poner tienda en la casa. Querías tenerme a tu alcance, o a tu antojo, o como sea, acodado durante años en un mostrador, sin fe, y lo lograste y ¡ni modo!; incluso bien que sabías que me gustaba el billar y salir con los amigos y las fiestas y demás –toma crasa de conciencia a raíz de la caída de... y lo por venir–; ahora ve lo que lograste: todo ha sido para nada. Durante todos estos años hemos estado viviendo de la herencia de mi padre. Pero ya se está acabando y no quiero abrir las cajas sino después, ¡muy después!, cuando estemos casi muertos de hambre: ¡fíjate!, ¡fregados!, ya sin fuerzas y sin ánimo, o bien cuando nuestros hijos aparezcan y, por ende, me perdonen, los perdone, y entonces sí ¡a disfrutar!: les regalaré una caja como herencia, o recompensa por no haberlos entendido; la otra será para mí... y para ti, desde luego, si me pides de rodillas perdón por lo que me has hecho. ¡Anda!, ¡anímate!, ¡hazlo ya!

–¿Y hasta ahora me lo di...?

–La devaluación del peso me aclaró muchas ideas.

–Pero antes me hubieras di...

–Me querías tener atado, no lo niegues, ¡no seas cínica!... Yo sí tenía la esperanza de ser un gran comerciante, pero no de una tienda, no abarrotero, no eso.

–Es que estuviste de acuerdo en poner la tienda, o ¿no?, porque si no fuera así, yo jamás te habría impedi...

–¡Cállate... me tienes harto!, ¡ya no quiero hablar contigo!

Sin darle de paso al menos un pellizco mirrunguillo a los lonches tempraneros que le preparó Cecilia ¡con amor!, o ¿por deber?, se despidió Trinidad diciendo que iba a lo suyo: sus protestas sin sentido enfrente de la alcaldía, mismo que –puede inferirse– no tenía apetito, ergo: ni siquiera de pellizcos casi a hurto de comida desde el domingo anterior (era sábado, y mañana: justo una semana en ascuas por acompletarse mal). Precisión, de todos modos: la última tragazón fue de noche y fue pesada: de chorizo con frijoles; el primero se acabó y se lo dijo la esposa. Si aire para un gran berrinche le faltó al tragón que, bueno: de aquello que faltaría para el lunes... la escasez, pero también... No era entonces un trasunto de mal apetito y ¡ya!, sino que desde aquel lunes al mediodía no venía a su casa ¡por supuesto!, sólo muy noche, y exhausto... La inferencia, sin embargo, podría tener un desate más allá: en la calle: acaso, donde los zampes ¿de qué?: de chorizo: ¡no!: en las tiendas. Mas lo real se hizo rodaja al incidir de revés... Se percató Trinidad que su tienda era la única abierta todos los días, ¡y ni así compraba nadie! Algún miembro del partido al que: ¡oh!: él pertenecía: púsolo al tanto en un tris (de lo escuchado se estracta lo esencial, así que ahí va): como dizque ya no había abundancia de productos comestibles desde... mmm... en Remadrín y, por ende, en los ranchos aledaños, y el cálculo de semanas chanza rebasara el mes, la gente fue almacenando todo: lo poco, si bien, comprado, que es un decir, porque los abarroteros de aquellas tiendas ya muertas remataron cuánto y... ¡uf!... regalo cual desperdicio de quienes luego se fueron cual si huyeran de un infierno, o sea: Remadrín, i¿qué cosa?!

–Pues yo también tengo tienda, pero a la mía aún no ha ido nadie.

–Es que todo el mundo sabe que tú no acostumbras fiar. Ésa es la razón, ¿entiendes?... En el momento que fíes ya verás cómo la gente hará un panal de tu tienda.

Puntilla dada a su espíritu de rígido comerciante. Sus mil artes inflexibles metidas –valga la imagen– como en una de esas cajas heredadas, casi rocas: de casi imposible escario, ya que: obvio, si se infiere: un cambiazo a estas alturas por mor de experimentar asedio mañana y tarde... Su tienda llena, caótica... Lo tentaba tal razón: gran bondad inconsecuente, quehacerosa, pero: ¡inguas!; sólo en principio el atisbo, porque, lo reconoció: razón con cola y orejas: ¡perra!, y al final b-i-e-n ch-i-v-a, y lo mejor su mudez, su no respuesta agachada, llaneza elocuente entonces la de sus ojos al ver fijamente las dos niñas de los ojos de ese miembro del partido: ¿equis? –pues ¡sepa!, ya que él medio lo sabía–, mismas que, para acabarla, no jugaban con las suyas (lo único sí sabido por Trinidad endenantes es que el dichoso partido prohibióles a sus miembros formar parte de la marcha de protesta hacia Brinquillo; asimismo, por deslinde, sabía algo bastante feo: del susodicho partido quedaban en Remadrín nueve miembros, mas sin líder, ya que el supuesto se fue con su familia al demonio). Deducción: no era exigencia, ni súplica a la barata, de modo que Trinidad negó sólo cuatro veces con la cabeza cual títere, dando a entender que no le iba ni de chiste a fiar a nadie porque no tenía sentido. Empero no hubo reclamo del otro que, sonrisudo, lo invitó a comer ¡chorizo! –¡increíble!, ¡le dio al punto!, ¡qué zote debilidad!–: a su casa, y ¡¿cómo no?!; ese miembro del partido tenía almacenado harto –lo dedujo el invitado–: era un acaparador sobre todo de chorizo –inconfundible olorcito a partir del guiso en sí–: su placer, su preferencia, al igual que... Y ya se explica el porqué no iba a comer a su casa. Tres días de ausencia ex profeso. Por tan menuda apetencia le ofreció a ese miembro un pago extraordinario, demente, por cada comida diaria (invitóse descarado... pues el vicio cuando es vicio...); de por medio un adelanto lo más cuantioso posible y trato hecho: sin ambages, el otro le dio la mano: gran apretón, dicho sea: prolongadísimo y ¡órale!; después casi dieron brincos los dos cual huerquillos sucios cual si se despelucaran y tan-tan: a otra cosa. Antes hubo condición del propiciador: ¡bien pingüe!: que entre ambos se acabaran el chorizo si no no...

De hecho, lo recomendable, por sencillona grullada, hubiera sido comprar cien, ciento cincuenta trozos, doscientos o incluso más, pero no se le ocurrió a Trinidad, o quizás le sirvió como pretexto para no ver a Cecilia: a mediodía, a plena luz, cuando las disculpas son tan idóneas, ¡ay!, tan mágicas, siendo lo peor, en efecto, el volver como si nada al jale de abarrotero.

Cecilia, en tanto, sí hacía comida: el almuerzo: ¡téngase!: cada vez con más esmero, aunque lonches y más lonches. ¡Lástima!, ¡sí!, pero, bueno... Su deber irrenunciable de esposa que también barre y trapea y lava la ropa, e ingeniando su irvenir: que el negocio, NO NEGOCIO, pero pendiente constante. Todo: pese a pese: igual, pues no perdía la esperanza de un apaciguamiento conciliatorio entre... a ver... Es que la pobre lloraba por sistema puntualmente a eso de las dos pe eme.

A eso de las dos a eme cierta vez se levantó de su cama Trinidad para ir al pozo secreto. Los ronquidos de Cecilia servirían de contrapunto atenuado o sopesado o a modo de darle mate a los ruidos que él hiciera en la tienda tras mover el pesadísimo mueble usado como tapujo. Lo que sí que hubo un agarre mayúsculo de billetes con tres dedos solamente. Billetes.. tan devaluados. Su logro, empero, fue lerdo –su sobaco fue el resguardo antes que su pantalón, en esa oportunidad–, como todos los demás: nocturnos y a hurtadillas, relativos a pellizcos de billetes agenciados, siendo ese acaso el que más le hizo sudar gotas gordas; y al cabo lo sorpresivo: un humor reteapestoso, nuevo, incluso insoportable, para él mismo por lo que: nada de irse campante a su cama y pues ¿qué hacer?... Chispa contra la flojera de lavarse a fondo cuánto. Decidirse, y sí: ¡qué lata!, y agua y jabón en un trapo: muchas veces, y pelado, casi un baño, o mejor que eso. Mas su logro a fin de cuentas: de vicio el dundo dispendio para pagar caro, y ¿qué?, todo el chorizo que hubiese en Remadrín, ¡todo!: mmm... delicia inconmensurable...

Nomás porque Trinidad no le permitió a Cecilia que terminara sus frases, estamos como en la guala. Es que de prodigarse ella habría dicho cosas lúcidas, necesarias para ambos, pero, en fin, ya qué remedio...

Cualquier posible remedio sobrevendría en el momento que en Remadrín el chorizo se acabara, entonces sí...

Dicho lo cual se resume que en menos de una semana el tal miembro del Partido ¿Anticorrupto? —es el mote—, o del Progreso —a saber—, y Trinidad se zamparon todo el chorizo comprado y por eso es que anduvieron como tres días busque y busque y no, pues no... ¿dónde?... y ¡diantres!

Capítulo siete

Ésta es la historia del tejemaneje ideado por Vénulo para llevar a cabo una sinvergüenzada amorosa. Su último entrampe en el pueblo, antes de salir a Orlando, Florida, menudo engorro, a reunirse con sus hijos, ¡pues sí!: jugársela en serio, pese a suponer, de suyo, que podría significarle el ridículo más grande que hubiese hecho en su vida (¿su última y mejor carta?), o la gloria salvadora tan ansiada durante años. Para el caso daba igual: su valentía puesta a prueba, pero antes, desde luego, su deber era tantear el terreno varias veces no obstante que de contado tuviese ya un dato útil, mismo obtenido de viso a raíz de que él solía dar rondines de rutina por Remadrín, por solaz, o para desaburrirse, empezando por el centro: la plaza de armas, adonde, por estrategia, se sentaba en una banca y planeaba el recorrido. Mas a últimas fechas lo último no tenía razón de ser.

La comodidad primero: que en la plaza hubiese algo llamativo y, sobre todo, durable para observarlo a media distancia: táctica, oídor desde una banca, pues mucho oía el bullebulle, y que nadie lo notara, o mejor, no adivinara su zorrez impertinente. Téngase que para efectos exclusivos de su treta supuso a tiempo que acaso por un milagro los hechos vistos y oídos al bies obraban en su favor. Los plantones cotidianos enfrente de la alcaldía le hicieron caer en cuenta que a diario ahí Trinidad protestaba: oyó su voz –inexplicable cambiazo: al aire libre el, digamos: penco amigo, zote al tope, cuyo enquiste abarrotero era de un cuarto de siglo: pasadito, y de repente...–, violo metido entre tantos desde la primera vez. Lo demás: comprobaciones: cuatro –y en la quinta ¡al tiro!– serían las congruas, suputas, midiendo tiempos de ausencia Vénulo, por si las dudas: Trinidad no regresaba al mediodía: a comer: ¡no!, ni a despachar en la tienda: sistemático abandono a causa, parecía ser, de un trasjuego de flaquezas u omisiones o descuidos; de modo que todo ideal para que se encaminara el otrora y siempre firme pretendiente adonde estaba su amorcito pichoncito, su añeja ilusión, su trauma... Empero, debe aclararse que él vio a Cecilia desde ángulos incógnitos para ella, y la vio a veces llorando: ¿por qué?... no podía intuirlo, y acodada, como el otro, en el mostrador: pazguata, mañana y tarde y... ¡Cuidado!: la quinta comprobación debía implicar mayor riesgo, pero como estaba a punto de irse a Orlando con sus hijos, se la jugó aun a sabiendas del arribo ya a las veinte del marido y pues ¡carajo!: apretó puños y cara y garganta, y muy resuelto –pasos de campeón de amor– supo que frente a Cecilia todo se le endulzaría.

Es que Vénulo sintió el impulso una mañana: unas manos ex profeso por atrás: y una justeza– como si... pero a saber–: leve empellón a las diez –síntoma de hora propicia– y arranque desde la plaza cuando osado más que nadie Trinidad lanzaba insultos contra... ¡vengan dos consignas!: ¡MUERA DON ROMEO POMAR!... ¡MUERA EL CACIQUE ASESINO!... repeticiones a coro, en destemple, resonantes, y el abarrotero siendo director, ¿quién lo dijera?, y por ahí otras lindezas u otras nulas abstracciones. Bocas mierdas ¿las externas?, y oídos mierdas ¡al doble!: los de adentro, imperturbables, de la alcaldía: a saber cuántos; y aunque esa vez don Romeo mostróles a los de afuera su cara –¿lo había hecho antes?– afligida –¿era teatral?–, cejas de esperanza y todo, sorpresiva aparición: tratando de explicar algo, tras las rejas, ¡eso sí!, de uno de esos ventanales del suelo al ático y: ¡pausa!, silencio, o como se diga, de los gritones en ascuas, en tanto que el oídor trasero se fue alejando, más resuelto que empujado.

Para el sofalde temblón de Vénulo Villarreal resulta mucho mejor desperfilar su ida tiesa. Salto, entonces, al meollo: a bien de un enfoque insano: el atisbo a contraluz de su arribo tan a tientas: el que hubo de presentir Cecilia estando de espaldas. Leve captación audible la de ella que silbadora acomodaba unas latas de frijoles, de sardinas y de mangos en almíbar; jugueteo en los anaqueles cuando el ruido de seis pasos, suave ritmo interrumpido, traques de por sí: seis guizques, y luego el «pssst... pssst... señora», le hicieron volver, con dudas, su cabeza, y aún... ¿quién?... ya que por estar trepada en un escabanco de haya su equilibrio era tan vírgulo que al más leve movimiento... Lo único que Cecilia podía hacer, sin menoscabo, era bajarse despacio por donde se había subido.

Menuda descuadratura causó en Vénulo el dilema de ser tanteado al pro y contra sólo por lo cavernoso de su voz abarcadora, incluida la farfulla del «pssst, pssst»: cautivadora: tono en cristaleo ¿envolvente?, tono pues que no sirvió, porque ella gritó: «¡Ay, Dios mío!», por reacción tras el impacto cara a cara: inevitable. Ñuriditos los recobros de una y de otro fueron tregua para que ambos asumieran sus papeles de otro tiempo: los potenciales a prueba, los que ambos sabían aviesos, pero que no hubo ocasión y si la hubo fue corriente: gusto efímero, falible. De él más: mediocre donjuán, de ella: altanera doncella; humildad contra arrogancia, insistencia contra enfado, sortilegio contra ira, y el último intento de él: descaradísimo, seco:

–Por favor, señora mía, le ruego que no me ponga esa mueca como de asco. Me iré pronto, se lo juro, solo vengo a despedirme.

–¿A despedirse?... No entiendo... ¿Por qué de mí si ya sabe todo lo que lo desprecio?

–Ya me voy de Remadrín... Me voy a Estados Unidos, con mis hijos, usted sabe, ellos me quieren allá.

–¿Y qué quiere que le diga?, que le vaya bien, ¿verdad?, pues le deseo eso, ¿de acuerdo?, y adiós... Si quiere puede irse...

Dardo en directo a un espíritu que al herirlo se fue haciendo más propenso, en este caso, a la lambisconería, que es zamacuca, melosa, y a veces salaz ¿de plano?, que no a la humildad con maña, de ahí que más desde abajo más luchón debiera ser Vénulo: más reflexivo, para acceder al meollo de su recurrencia onírica: ¡oh hundimiento!

–¡No!, no quiero despedirme de Trinidad, no hace falta. La que me importa es usted, porque siempre me ha gustado –simpleza ofensiva adrede.

–Pero ¡¿qué diablos se trae?!

–Ya se lo dije en su cara, lo cual hace que me sienta más libre y más animado.

–¿Queeé?... No entiendo... Me confunde...

–No debería confundirse... Entienda... ¡Yo a usted la quiero!

Brusquedad tingolilingo –sin remilgos ni pujidos– para que Cecilia arqueara sus dos cejas y al instante: atáxico balbuceo, salida sandez apenas, en agache retobado, por respuesta, por regate: no hallando adonde mirar, que no fuese aquella cara de galanteador maduro. El suelo no era un motivo, las paredes cascarosas: menos, y el techo: aún menos. Pudiera ser una lata de sardinas, por ejemplo: ¡sí!, y de nuevo, muy grosera Cecilia le dio la espalda al donjuán ¡y con razón!, al treparse al escabanco: trasero senil para él, tal vez eso más delante, porque durante esos minutos las palabras de su amada –viejita, pues, tan impropia– lo excitarían mucho más; empero: de aquélla: acciones, solaz como indiferencia ideando una perdedera, de hecho, por sentirse chula y halagada y muchachita y un «gracias» sería fatal.

–Lo que le dije no es un piropo y «hasta luego»... Si me vine a despedir es porque también le tengo una propuesta concreta. Pero deje de hacer cosas y voltéese, por favor.

Seguía Cecilia en su plante: de espaldas acomodando; oscuro ya el anaquel –figuración gradual mínima–: cueva con una docena de cuerpos-latas: sorteo: retaque a deshora al fin. Latas hijas, cuerpos muertos. Le llevaría mucho rato encontrar buen acomodo: lucidor, en tal altura, no obstante pudiendo darle al donjuán amable entrada con un simple monosílabo, mas su estrategia coqueta: seguir, seguir en lo suyo, cual reto por omisión.

–Mi propuesta es que se venga conmigo a Estados Unidos.

Osadía con hilazones por mor de un ingrato asombro, quiérase juvenilista, ya que no era para menos, pero que inmutable aquélla con su aguante a las maduras, al cabo de tres minutos no continuó acomodando, sino... –e infiérase el morbo: lento su bajar al tiento– el escabanco tembló, y ella pintipuesta en serio enfrentaría sin ambages al dizque donjuán vetarro:

–¡¿Qué me vaya con usted a los Estados Unidos?!... ¡Está loco!... ¿Cómo cree?... ¡Soy una mujer casada!... ¡Y casada con su amigo!... ¡Debería darle vergüenza!

–Ha sufrido usted muchísimo, lo sé, porque me doy cuenta... ¿Qué le espera en este pueblo del que ya se está saliendo tanta gente y no hay quién venga siquiera a comprarle algo: lo mínimo o más barato?, ¿o acaso le estoy mintiendo?, ¿verdad que no, o qué me dice?... Pero si no se le antoja responderme, como quiero, yo ya le tengo un presagio que ojalá no se le olvide... Le espera pura tristeza si se queda, o ¿no lo intuye? Pronto se morirá de hambre, pero eso sí: siempre fiel a su penco Trinidad.

–Es que pueden regresar nuestros hijos cualquier día.

–Entiéndalo de una vez: ¡sus hijos están bien muertos! No hay para qué hacerse bolas con algo que cada vez se aclara y por aclararse a todos desilusiona. No volverán, ¡se lo juro!, y si vuelven no vendrán vivos como usted quisiera, le traerán los puros restos, aunque no creo que eso pase.

–¿Y eso usted cómo lo sabe?

–¡Ay!, señora, no sea zonza, saberlo es bastante fácil... Si las familias se van, como se están yendo a diario, es porque temen lo peor, y además porque no tienen la más remota esperanza de que sus hijos regresen... Además, para acabarla, tenga en cuenta que el gobierno nunca dirá la verdad, por eso a mí me da risa ver a tantos que protestan (y cada vez son más pocos) a diario e ingenuamente frente a la alcaldía en espera de una respuesta y pues ¡claro!, les dirán puras mentiras, si acaso les dicen algo. El gobierno es muy injusto y también muy mentiroso, lo cual ya no es novedad para mí, que soy profeta; así que todos los gritos contra él son tan inútiles como su marido allí tras el mostrador día a día enfadado y cabeceando; pero ya lo vi en la plaza gritando y ya me reí, digo, porque no he de verlo ni un día más, no tiene caso, si he de irme con usted a los Estados Unidos mañana mismo ¿verdad?

–¡¡Óigame, pare su tren!!...

–¡Todavía no he terminado!... Nomás deje acompletarle el plan que tengo antes de irme, perdón, irnos yo y usted mañana mismo, es decir: es que entre más nos tardemos todo se nos frustrará, en fin, déjeme explicarle y luego, si quiere, la oigo. Este... mmm... mi plan es fácil... Es cuestión de que usted haga una maleta y ya está. Una maleta ligera, con poca ropa, ¿me entiende?, yo en los Estados Unidos le compraré ropa buena, lucidora, incluso cara. Así que el siguiente paso... mmm... ¡póngame mucha atención!... En ausencia de su esposo, como a eso de las nueve de la mañana: en punto, o sea que no antes ni después, y hágame caso, deveras, usted cerrará la tienda y se irá rumbo a mi casa...

–¡Espéreme... por favor!...

–¡Nomás deje que termine!, no es mucho lo que diré...

–Pero, ¡cabrón!, es que...

–¡Sssht!, falta una idea y ahí le va... bueno, una idea con dos pasos... Entonces usted se va, ya bañada y bien peinada, a mi casa y a la hora que le dije: no más tarde, ¡ojo!, a las nueve, porque el camión a Pompocha pasa por aquí a las diez y hay que subirnos en ése si no todo esto se amuela...

–Usted sí que está reloco... ¡Soy una mujer casada y por tanto...!

–Ya nada más falta un paso... permita que se lo explique... Cuando al fin... ¿cómo decirle?... nos encontremos tranquilos en mi casa... mmm... voy a esto... Yo la meteré a mi cuarto, por supuesto, luegoluego, y allí nos hemos de dar un beso largo, creativo, en sí: de recibimiento, para darle un buen comienzo a nuestro amor y también a nuestro viaje hasta Orlando, lo cual nos animará a no tener ningún miedo para agarrar las maletas e irnos por el lado oeste, con prisa, o sea que: ¡prepárese! La cosa es que no nos vea, en principio, su marido, y poca gente del pueblo, porque lo más importante de mi plan es que salgamos de Remadrín hacia el norte, por un atajo que sé... este... –mientras Vénulo: campante, discurría cual si a cercén hiciera magia imprudente, por notársele los trucos que, de suyo, ni eran finos y acaso tampoco brutos, Cecilia sintió un goteo acre, ¿ponzoñoso?, en su alma, ¿sí?, al enturbiar tal propuesta, loca pero tentadora, con sus tristezas de amor. Cierto que la relación con su esposo andaba mal, o en suspenso, en desajuste, pero lo otro: la huida: con tan cínico vejete... Todo se iba consumiendo, mas de pronto se avivó una luz inverosímil–. A la salida del pueblo, como usted debe saber, hay una curva que tuerce hacia el noroeste y después ya no hay más curvas difíciles, a lo que, ya conectando, el atajo que le digo nos llevará de inmediato adonde la recta empieza, justo adonde hay una algaida de pirules y chaparros cerca de la carretera nos detendremos, al fin, pero no mucho, eso sí, para hacerle la parada al autobús cuando pase... Entonces ¿le queda claro lo que tenemos que hacer?

El goteo se convirtió en filura reluciente cuyo amago pinchador podría ser luz redentora si ella dijera: «Sí, ¡claro!, haré lo que usted me diga». Pero su fidelidad, su creencia sacrosanta, su Cygnus-Sirrah indeleble, sus hijos en un confín, las culpas de su marido ya de continuo en trastrueque paternal-sensiblero, y su amor aún soplador hacia su, después de todo, lindo, precioso haragán, enojocito, aburrido, por ende, su gran costumbre...

–Usted no tiene remedio... ¿Cómo cree que voy a irme como si fuera una huerca que no sabe lo que quiere, y con usted que bien sabe que soy casada y aparte que estoy haciéndome vieja?... Se está pasando de listo.

–Pero luego me querrá, es cuestión de echarle ganas.

–¡No, cabrón!, ¡largo de aquí!, ¡ya no me esté molestando!... Si no se va gritaré...

–¡Anímese, por favor!... Deme el «sí», ¡ándele!, pronto, y con eso es suficiente...

–¡Aaauuuxiiiliiiooo, saaaqueeen a éeesteee!

–Cálmese, doña Cecilia... Nomás dígame sí o no... ¿Para qué hace tanto escándalo?

—¡Nooo!, ¡pues no!, ¡no!, ¡no!, ¡y ya láaargueeeseee!, ¡pinche cínico jodido!

—Pero, señora, por Dios...

—Sepa que le contaré a Trinidad todo esto... Se enojará como un diablo... Lo matará, ya verá... Así que ¡lárguese!, ¡váyase!... Usted está retefeo.

Vénulo —ya no había de otra— se encaminó hacia la puerta. Dos pasos, tres, y alto anómalo, queriendo ver la dulzura postrimera de su... ¿antojo?, que se afeaba, sin embargo, o se derretía en la sombra, u otra sensación monstruosa, aunque lo real, ajustado, era el tono enrojecido no visto antes tan horrendo en la cara, casi pasa, por las arrugas en ciernes en la frente y las mejillas, de aquella otrora doncella, amén de sus invectivas dolorosas y abusivas; y el «¡lárguese!» tal por... ¡eso!: amago de variedad, mientras tanto, se supone, pero en aumento empeorado, si no acataba la orden el donjuán, quien intuyó cuchilleos o balaceos: menuda alucinación: trifulca en puerta: en azul, potencial, o sea que no, porque ni a escozor llegaba el meramente coloro vislumbre por peteneras. Tal vez —siendo lo deseable— todo acabara en reyerta verbal, tipeja, collona, nomás con que ella a lo zaino le trasmitiera a su esposo tan sobrada pretensión. Todo lo cual en aína fue concebido por Vénulo y fue tirón bienhechor para sacarlo de allí diciendo algo como esto:

—¡Por favor, no se lo cuente!... Ya me voy, no se preocupe... Trinidad está bien loco y lo siento muy capaz de matarme y yo no quiero...

Jilito el alejamiento del galanteador novato (pese a su edad y su labia). Jilito porque a sabiendas de su derrota amorosa todavía tenía un regate (prepotencia al rojo vivo traducida en despropósito, acaso como desquite por tan grosero rechazo) que iba a mostrarle a su... ¿antojo?: con denodado retiemble de voz huyendo, apagándose. Para ello necesitaba en verdad ameritarse dando once o doce pasos y comprobar, de pasada, que no había gente en la calle, movimientos estorbosos: ¡ni uno!, más que los del viento hojeando a modo: en viroles, y una vez que se sintió seguro, fueron diez pasos, soltó con aire de augur su amenaza de conteste:

—¡¡Por haberme rechazado ya verá lo que le espera!!... ¡¡Recuerde que soy profeta y que cuento con poderes superiores a los que hay en este mundo de idiotas!!... ¡¡También sepa que a mí nadie ni por error se ha atrevido a mandarme a la chingada y quien lo hace la paga, como la habrán de pagar usted y su pendejete, ya lo verá, se lo juro!! ¡¡LES CA-CAERÁ LA MA-MALDICIÓN!!

Fue el fin del tejemaneje ideado tan de vencida por tan ingrato señor, sin embargo ¿quedarían las consecuencias macabras, incisivas como puntas, contra...?, a ver –acomodando–: primero sería Cecilia, pero ¿cuándo su marido? Lo preocupante en verdad era ya el miedo sembrado en la diva que salió a la puerta de la tienda tras oír claro el enlabio fatídico o ¿prepotente?: del que sin doblar la esquina más cercana –i¿habráse visto?!– desapareció ¡caray!: luz trasferida o crisol de ominoso colorido: momentáneo: así el atisbo de una fuerza superior, si arreglo de certidumbre: estrías: visibles: tenebras: cual montaje, podría ser, para el alma de Cecilia, mas no para su sesera... Es que después del impacto, inventado como alumbre, o sepa Dios si fue así, ella inmóvil en la puerta quiso reciclar la escena, su menosprecio soez contra la sinvergüenzada... etcétera, ¡no amorosa!, eso no, mínimamente... Entonces a humo de pajas se le vino a la cabeza, una clave: la del miedo: ¡al profético donjuán le aterraba –¿por qué diantres?– que Trinidad, por orate, fuese capaz de matarlo!, entonces ¿cuáles poderes?, o ¿cuál sería de resultas su contrapeso diabólico? Mentirota sideral de quien se valía a lo tonto de excesos que ni de chiste... Pero otra clave traspuesta: ¡¡LES CAERÁ LA MALDICIÓN!! Aquí Cecilia ahondó a modo y por tanto se obligó a hacer un viaje mental hacia atrás buscando el símil; cierto que no le costó gran trabajo conectar la otra maledicencia: idéntica en su trasfondo, hosca la expresión también, con la leve diferencia: LE CAERÁ... ¡no acompletemos!, el «le» relucía, reluce, en singular: ¿se recuerda?: o sea que nomás a ella le caería lo que se dijo; fue la noche desgraciada cuando Trinidad andaba en la cueva, según él, y ella absorta se quedó jugando a mirar las fotos: lo que no pudo concluir. Ergo: las dificultades empezaban de revés. Téngase como anticipo la imagen de mujer buena, recargada y medio lela, en el marco de la puerta, al aire libre, ex profeso, y mirando un punto fijo. Téngase pues que Cecilia dio con el tono de voz, aquel tipludo, irritante, de viejilla chinchumida, mismo que era harto distinto al reciente, cavernoso, despedidor, y, de suyo, insufrible por iluso, porque ¡vaya invitación!; así el cotejo de súbito: aquella vez el fantasma le exigía nomás salir, aunque por descoyuntura, sumiéndose en los excesos, no estaba mal concebir que el profético donjuán pasara, haciéndolo bien, por enigmática anciana, enrebozada hasta el tope, dejando ver nada más su nariz piramidal, pero lo importante: acorde: su voz fingida, tan lerda, ¡oh teatrero inverosímil!: si se añade el largo rato de conversación: ¡atiza!... Cuando Cecilia llegó a ese punto se sonrió de pura satisfacción: el despeje providente al recordar que la sombra enrebozada y con lápiz como dije de collar: largueza dúctil, si bien, aunque extraña por demás, no galanteó, no podía. Centróse el tema en los hijos extraviados de Cecilia, la cárcel adonde estaban: lejos, demasiado lejos, y el viaje de ¿cuántos días?: en un futuro inmediato. No era Vénulo, ¡seguro!, sino el famoso fantasma de Remadrín, esto es: el ya visto por, veamos: sobre las apariciones de la sombra enrebozada no cabe más que traer a colación otra plática. Leona Cueto alguna vez en voz baja le contó su experiencia a ese respecto. Cecilia nomás la oyó, no se atrevió a confesarle que ella también una vez... En fin, vayamos al grano (¿recuerdo exacto, extractado?), ahorrándonos el comienzo:

–Yo no lo podía creer, pero una noche en que hacía un calor insoportable oí que alguien me llamaba. Mi esposo estaba dormido y no quise despertarlo. Tuve inquietud al principio, pues pensé que a lo mejor era uno de mis hijos que ya estaba de regreso, aunque la voz aflautada, pero recia a fin de cuentas, me hizo suponer tonteras: que por los muchos maltratos sufridos a saber dónde, también su voz se le había estropeado para siempre, ¡figúrate nada más!... Yo pensé que era Gorgóneo, no Dámaso, porque él tiene la voz bastante gangosa, y esa sí que no es tan fácil de cambiar así nomás; y la cosa es que... ahí te voy: que me paro de la cama, y que avanzo acelerada deteniéndome de pronto en la sala, por si acaso... Fue entonces que me entró miedo, una rara temblorina, porque con más claridad me suplicaba la voz que le abriera o que saliera a la calle, así modorra, que rápido, ¡ay, imagínate!: yo despeinada y en bata, y no quise: ¿para qué?, aún cuando me lo pidió de favor, casi llorando, y no, ¡mangos!, qué iba a ir –se advierte aquí, de pasada, e inclusive se reitera, que el chirle traído a cuento fue reconstrucción mental y esforzada de Cecilia, tan sólo para agenciarse argumentos si no congruos, sí como causales pingües para su consolación–. No era ni uno de mis hijos: comprobado, según yo, siendo que ellos cuando me hablan siempre meten en sus frases el «mamá» o el «mi viejita», a no ser, pero ¡ni modo!... Por ende fui reculando a modo de irme a la cama, sabedora, desde luego, que ahora sí tendría un problema demasiado peliagudo: ¿cómo continuar el sueño?, mismo que era rete... ¡uf!: de refilón lo menciono: ahí aparecían nogales que en lugar de hojas tenían ¡puros billetes de mil! Pero, retomando el caso, terca me enfilé hacia donde, entre tinieblas, nerviosa, debía irme, encobijarme, y al hacerlo oí más fuerte una sentencia final, fea, canija, ¿o di si no?: «Si no sale ahorita mismo ¡LE CAERÁ LA MALDICIÓN!», y ni así salí, ¡qué va!, y no sé si estuvo mal. No desperté a mi marido, pues presentí algo fatal, porque él sí hubiera salido... ahí te encargo el desenlace. En fin, de todas maneras, a lo que voy es a esto: como a esa maldita voz sólo la oí aquella vez, no tuve miedo contarles mi dramón de medianoche a cuatro, y contigo cinco, vecinas que tú conoces: Alejandrina, Belinda, Delfina y María Irasema, pero no, todavía no, a mi marido, ya sabes, es que... bueno, mmm, de por sí... casi puedo asegurarte que él me tildaría de loca, y no soy, como tampoco... –los nombres antes citados son reales, aunque mal suenen, o bien, con el apellido, según el punto de vista, así que en orden ahí van: Sobrino, Pineda, Eguía y Resendiz y con eso ahora sí a modo proceden los cuatro enlaces obviados: Alejandrina Sobrino, Belinda Pineda, ¿eh?... los otros dos se deducen. Aquí el aporte no es de Cecilia, sino: a ver...–: mis vecinas, a las cuales, y ¡ojo!, porque aquí va el chasco, al contarles mi vivencia, las cuatro me regresaron largo y tendido las suyas, que eran, con algunos cambios, casi iguales a la mía, que la maldición, etcétera, aunque Delfina y Belinda sí salieron a la calle, viendo, para su sorpresa, una sombra enrebozada que huía elevándose en friega y en lo blanco de la luna se hacía punto y se esfumaba. Ahora bien, dime una cosa: ¿a ti no te ha ocurrido algo que se le asemeje?... Si es así ¡suéltalo ya!... ten en cuenta que esa voz sólo la oyen las mujeres, las casadas, sobre todo, según dicen, y la sombra: ¡acobardada!, es la misma, es como plasta o si no como un tanate con rebozo que aletea mientras se eleva y se pierde.

–A mí nunca me ha llamado esa voz, ni lo deseo.

Tácita ruptura y vuelco de un episodio rehinchido de temblorina: ¡ay sí!: ¿cómo?, lo que hubo no fue, digamos, tan macabro, aunque depende... Que el miedo y sus desniveles, que la lógica y sus lados de impostura paradójica. Caos venial. Treta de amor. Y lo demás con dobleces. Y el trasunto, entonces, ¿cómo? Esconder más el secreto poniéndole un «hasta aquí»i, lo hizo por convicción: Cecilia: a contracorriente, o en correntía por antojo, y así fue que se animó al dar pasos hacia adentro de la tienda: su desgaste, o para decirlo al viso: su querencia pasajera, ¡ojalá sí!, pero mientras: necesitaba el olor típico del abarrote o las sombras más enteras de guarida espiritual al arbitrio de tenebras y de voces de otro tiempo; frescura honda, soterrada, embriagante por añeja, y así el corte con lo otro: turbia escoria cual resaca ¿lenta?, ¿grave?, ¿abarcadora? Es que al trasponer Cecilia el galanteo y su rechazo por mor de encimar a fuerzas sus oscuras remembranzas, por un lado Leona Cueto, y por el otro la vez: la del rimero de fotos, encontraba que el misterio tenía un sinfín de misterios: minúsculos: más, más, ¡más!, y en ella sembró más dudas y una maldad en proyecto (lo útil recuperado bajo el solazo, y no más.

Estigmas reminiscentes para sentirse mejor cuando volviera a lo suyo: la perplejidad, la espera. Para sí la diferencia con lo que les ocurrió a aquellas cinco señoras: a ella la voz le llamó cuando no estaba su esposo, y la causa: ¿un sortilegio? Pero su afán justiciero...); nueva y perversa estrategia, y a ver cuál maña eficaz, pues tenía que convencer a su esposo de algo horrendo. Empujarlo, dicho sea, haciendo valer del todo su dignidad machorrina. Una enconada bravata de él para matar a Vénulo por hacerla de donjuán y de profeta a la vez; es que a ella, de resultas, por lo molesto que fue el galanteo de un hipócrita: dizque amigo de su esposo, la muerte de él, si había sangre, le pudiese enternecer: visión letal vengativa ya así tras el mostrador: en borlas con puntos rojos al mirar hacia la calle, ¡oh, asesinato apetente!, que si no la maldición de Vénulo, del fantasma, de la ambigüedad siniestra, sería cabal, pero ¿cuándo?

Capítulo ocho

Cualquier hecho monstruoso siempre tiene un magma fascinante. Presupone dolor, postula sangre y ansia, y una largueza innoble y un esfuerzo grotesco. Así imaginó Pío Bermúdez la ejecución en despoblado del alcalde de Remadrín y su esposa: la secuela de una lentitud, porque: no se trataba de acribillarlos en un dos por tres sino... Había que herirles una pierna: que cojearan, que se arrastraran. La descarga final sobrevendría luego que sus quejidos hicieran eco: acaso: algo: si lejos: lo mínimo estentóreo o alarmante: tanto que su rebote en (más o menos)... ¿importaba el lugar?: ya como insinuación fuese el aviso para un despacho a modo y... Cuando de nueva cuenta el informante estableció contacto con: ¡qué va!: fue que recibió la orden de mateo (con lujo de detalles) de quien refocilado en su contento dijo que una vez muertos los esposos los quemaran ahí con gasolina hasta hacerlos ceniza, quepa aquí la figura: ceniza de fogata. Sobraron pormenores saboreados en cuanto a otras órdenes más leves, pero muy importantes: vigilancia en redor de tropas para el caso: estratagemas de distribución, y demás ajaspajas. Acuerdos pertinentes. Y ahora bien: una duda jamás debía durar más allá de una hora: eso era norma rígida autoimpuesta por Pío Bermúdez: ergo: para no hacerse bolas y al cabo arrepentirse. Es una aclaración, y a otra cosa. Lo último: helo aquí: que una vez concluido tal siniestro el mentado informante debía comunicarse nuevamente nomás para decir: «¡Ya estuvo todo!».

Capítulo nueve

Veamos lo subsiguiente: los lonches dizque sabrosos que Cecilia, apresurada, le preparaba a su esposo mediodía tras mediodía sin que aquél, como se sabe, en la última semana viniese ni por error tan siquiera a pellizcarlos (el motivo fue el chorizo y zamparse el que existiera en Remadrín era el reto), no fueron depositados en un cesto de basura ni acabaron –aún no– en la panza de algún perro (al respecto vale aquí traer algo a colación: es común que en un lugar mirrunguillo como éste, perros y gatos se vuelvan visitantes rutinarios a las casas donde hay sobras de comida de la buena. Por ende cabe asentar que hasta pueden escoger, con absoluto rigor, las casas donde las sobras son de mejor calidad; en síntesis: ¡qué gorduras!; perros y gatos mañosos, porque aun teniendo dueño, como de hecho todos tienen, andan probando y probando), ¡no!, al contrario, por venganza, en una caja vacía, de esas tamañas que se usan para empaquetar al tope artículos comestibles, Cecilia optó por juntarlos. Pila que iba a la mitad. Pila rancia, por supuesto. Y se aclara que aún venían repartidores de pan (conchas, cuernos, marranitos, semas, pelonas, orejas, y sobre todo bolillos –pan francés, como le nombran– era lo que se vendía), en camioneta tartana, de San Chema a Remadrín, cada tres días, pero, entonces, como no había mucha venta, como antes en el pueblo, el reparto se espaciaba. Por los problemas políticos: ¿la ausencia de compradores?: una posibilidad, como otras de angarillas: Remadrín era un volcán todo el tiempo en erupción; Remadrín era un infierno donde el griterío de tantos quemándose, o algo así, a cualesquier panaderos podía enloquecer e, incluso, que ellos también se quemaran –por andar de vendedores– junto con su camioneta; aunque todavía un ejemplo, vasto, si bien, de resultas: compradora fue Cecilia la última vez de un costal de bolillos no muy suaves (ninguna pieza de dulce compró, ni una sema, incluso –pan que tanto le gustaba–, por olvido o simplemente porque no le dio la gana). De lo del gasto cogió lo único que le quedaba: un billete de cincuenta, aunque el cambio ¡cuernos!, ¡éjele!, y el entrampe inexplicable, zorro o zorrillo o ¿qué diablos?, bástenos la descripción: cual si huyera de un infierno el panadero: ¿asustado?: se trepó a su camioneta –éxito de vendedor– diciendo que volvería a la semana siguiente, pero ¿para qué volver?, y esperarlo ¿tendría caso? Así la insigne ganancia de la suata abarrotera fue hacer lonches y más lonches mediodía tras mediodía y apilarlos en la caja. Luego se verá por qué.

Antes, y ese «antes» es a partir del galanteo del donjuán: pesadilla al buen tuntún padecida por Cecilia, que ni pálida se puso, sí aguantadora y muymuy, medio dizque imperturbable: siendo su edad calidad y su fe concupiscencia: manida, pero segura, o usted proponga, si quiere, alguna idea con más luz... Mas si se juzga su amor desde una corazonada, entonces ahí va este albur: ¡NI COMPARACIÓN QUE HUBIERA ENTRE TRINIDAD Y VÉNULO!, porque –¡sepámoslo al tiro!–: un flojonazo de cepa es diez veces más sublime que un cínico enloquecido, uno es dulce, a su manera, y el otro agrio y agriador, ¿está bien?, o ¿cómo está?; y retomando tal símil: vale decir (ejem) –perdón– que Trinidad llegaba de sus rondines protestantes noche, cada vez más noche, y cada vez –ahora sí– más enfadado, más mustio, más, dijéramos, confuso: sumido en su nueva vida de vagancia como ¿antes?, vaguedad sin muchos rumbos, y él sabedor, desde luego, que pronto volvería al sitio, el de siempre, tras... ¡qué lata!... mugre mostrador gastado, el mismo, desde... es decir: nacida su roñería desde que puso la tienda, fue enraizándola a conciencia hasta volverla pachucha. Sus codos ya tenían marca en la madera, asegún, exceso, ¡sí!, que abarcaba al recinto comercial, porque ni una pintadita, nada, ni un renuevo mínimo desde... mmm... Quepa aquí la conexión: pensaba en eso: ¿a rehílo?: durante sus regresos mustios a su casa o ¿en qué más? Esquivemos los trasuntos para ir a las escenas en que Cecilia al notar los arribos enfadados de su sorprendente esposo le salía –y hay que entenderla– con una urgencia de labia; se la restregó tres veces, o sea tres noches seguidas, pero el recién protestante, u opositor aprendiz, distraído con sus miras de renovación total, la aplacaba con un «¡cállate!», y alguna frase de más, zaheridora, por supuesto.

Veamos lo que pasó:

Posterior al galanteo de, ¡sí, claro!: la maldición era el punto. Así la primera noche: enllegando Trinidad afanoso, entrecejado, más zambomba que cachonda se le acercó la doncella (senil, pero aún con pegue) para decirle en concreto dizque putamente algo que lo haría echarse hacia atrás: *Me urge contarte una cosa que es fea, pero es importante... ¡Ándale, ponme atención!... Te la vas a sa-bo-re-ar*, no era el tono pertinente, dado el chasco, o usted juzgue, además ¿saborear qué?, el término era incorrecto, pero le salió del pecho; y lo dicho líneas antes, la hosca respuesta, de suyo, con empuje de por medio, porque él le tiró un codazo que ella eludió turulata: *¡Cállate!, que me distraes... Estoy pensando bastante*. Pensaba como en aumento floreciente, o a saber... Giro radical de vida, nueva cara, nuevos sueños, entre ruinas, a la tupa: Remadrín de ahí en delante se empezaría a transformar, siendo

Trinidad ejemplo, muy al alza, pretencioso, e inclúyase su procura de poder, ¡oh, solución!: es que el día menos pensado sería alcalde, ¿por qué no?: un presidente mesías. Sin embargo, por lo pronto, pensaba en el carpintero que le hizo el mostrador, contratarlo cuanto antes –mas su nombre y su apellido... René Romo, Rulo Reza, por ahí, pero ¿importaba?– lo mismo que al albañil Silvestre Vélez Mojica, gran experto en el blanqueo de paredes cascacharras; por ende cabe inferir que todos sus pensamientos parecían estar repletos de cal y pintura fresca.

Y si de cabidas se habla, quepa aquí la opacidad de Cecilia justamente durante aquellos días de inopia en que no pudo mirar –era agosto: mes ajeno, cielo extraño y enemigo– su estrella: la Cygnus-Sirrah, su iluminación, su estigma, no obstante, si se atreviera... No estaría mal que buscara una estrella sustituta, dado su caos pasajero, caos que la hacía cometer errores tan de vencida como el no saber decirle de sopetón a su esposo que Vénulo la maldijo porque no se fue con él a los Estados Unidos, ¡no!, y la tozudez tal cual, como inercia irremediable: durante la segunda noche: cuando en la cama: de espaldas: él fumaba piense y piense mientras que ella, temerosa: no hizo sino reiterarle su anodina petición: idéntica a la de ayer, excepto la última frase, esa del sabor cachondo. La tercera noche: igual, y el «¡cállate!» y el codazo: ¡tan bien puesto en las costillas!: de Trinidad que le dijo: *¡¡Me tienes bastante harto!!... ¡¡Vete a dormir, por favor!!... ¡¡Y si lloras, yo me largo!!... ¡¡Me iré a dormir a la plaza!!* La opacidad obediente de Cecilia, en engarruñe, ya no tenía mucho hilo: ¿mañana podría acabarse?, o, bueno ¿hasta cuándo pues? Queda pendiente a propósito la cuarta noche que es clave en todo este revoleo.

Lo siguiente es una suerte de calandrajo u ostugo de rosario o de cadena donde se harán contrarrestas de pegas que en su momento de refilón se anunciaron. Téngase que son, digamos, problemitas inconclusos acicalándose adrede a flor de agua, se supone –llámense eslabones, cuentas, anillas o barbuquejos–, la cosa es que no pasaran de ser cuatro y el primero, desde luego, es el más obvio: el chorizo y la desgracia de ya no haber en el pueblo ni un trozo ni algún burujo. La referencia es trasera, se habla cuando Trinidad y aquel miembro del partido se zampaban con tristeza los últimos dos pedazos. Su angustia por separado: ningún intento de busca regional, como en desbande, a ver si acaso... y ¿qué caso?... Hubo antes una porfía ajaspajienta al respecto, concluida en un «¡ni modo!», y habría que hacerse a la idea... Así su resignación, sabihonda a contracorriente, al disfrutar como lepes las escurridas de jugo de las bolitas que, ¡ay!, les parecía que con eso Remadrín –¡vaya figura!– también se iba al carajo. Abismo de negaciones: ¡sí!, pero nomás un rato: nada de ahogarse llorando; entonces como refuerzo: abismo de perspectivas para resurgir cuanto antes, la luz llegaba hasta abajo y ¡ánimo!, ¡a la carga!, ¡órale!: acalorados encomios: mutuos: al chaschas: chulosos, teniendo como premisa que el partido ayudaría (jamás sirve una política derrotista de raíz) (jamás debe de caber en la cabeza de alguien que se ocupa de los cambios sociales a toda hora un ápice de fracaso, porque entonces: pues ¿¿qué chiste?!) (y aunque ellos mientras tanto desistieran de armar bulla en la plaza diariamente –así lo dictaminó la cúpula del partido regional, el más prudente, o decente, o por ahí– no quería decir que ya regresarían a sus casas –se entiende que a lo normal– con la cola entre las patas, eso ¡jamás!, Dios mediante). Otrosí: se despidieron deseándose lo mejor. Ojalá hubiese una cámara de cine en este momento para observar en *clos-op* las caras alegres de ambos: esas cejas de esperanza queriendo unirse en lo alto, llegar incluso al copete, casi en forma de venablo, y esas boquitas rayitas como dos «ues» en ascenso, en fin, cordial payasismo sonrisudo bajo el sol, mas no habiendo una visión cinera como se antoja, entre letras se perfila lo que la imaginación revela siempre de más, por fortuna, por supuesto. Entonces sólo atenidos a las letras, pues no hay de otra, podemos imaginar el regreso dizque airoso, en principio, desde luego, de un hombre politizado y con ideales de lucha; un hombre... ¿cómo decir?... uno que estaba dispuesto a darle una sacudida a su capciosa pereza y enseguida sacudir a la prole lugareña para que abriera los ojos. Tanta modorra ignorante de las verdades políticas hacían mal, ¡eso ni qué!; por ende ¡cuánta labor!, pero el poder, ¡EL PODER!, para las transformaciones, des-de arriba como Dios, porque si no ¡no!, ¡pues no! Se le metió en la cabeza la alcaldía de Remadrín, un salvador de a deveras, y todo lo que siguiera ya sería maravilloso. Más que vuelo planeador: ¡puro ascenso indetenible cínicamente idealista!, asegún, heroico no, es que eso era bien difícil. Por lo pronto: lo concreto: se había acabado el chorizo, y estando a un tris de llegar a su casa ¿cómo hacerle? La culpa debía ir en pos de la disculpa y el beso: uno largo entre él y... Cierto: la revancha de Cecilia la esperaba, era forzosa; ver a su amor repelando tal vez le significara un espectáculo gratis, casero y de gran nivel: la alharaca: ¿razonable?: de una muñeca antigüita movida como una pinga, mediante hilos estantiguos, que acertaba en regañarlo y hacerlo que se comiera... ¡Ah!: lo imaginado por él pasó tal cual –y ¡qué chasco!– a la hora de la hora (su ensayo de tolerancia: lerdo y posmo trago amargo). Por delante su disculpa:

burra, medio tata, ñoña, y el sermonazo de ella a partir de una punzante, por puntual, frase en el límite: *Estuve a punto de irme a los Estados Unidos.* Suelta la frase: gallera, sin lastre subordinado, porque luego hubo un desvío relativo a lo infructuoso de ir a diario a protestar (con la cola entre las patas ¿teatral el esposo oyendo? Convincente gatería circunscrita a un solo gesto, siendo su trasfondo empacho: oír ¿como oír llover?). Que una vez estaba bien, y con énfasis grosero, pero hacerlo –verbigracia– de rutina: ¡qué candor!; es que eso era como darle al gobierno por su lado, pues su manida respuesta: puro atole con el dedo recibirían los quejosos. Así que inútil también era la hechura de mantas y pancartas: ¡cuánto gasto!; la referencia: un concurso: lo dicho de refilón por Trinidad a Cecilia una noche cuando ella le reclamó su tardanza. Lo demás: reiteraciones: circulares: a lo zaino, excepto el remate en sí: ostensible, preocupante, porque (veamos la farsa): ahí va la esposa enchilada a traer la caja aquella donde apilaba los lonches: taconeó recio, incorrecto; confusa o fortuita arritmia que le sirvió a Trinidad para pensar ¿en la fuga a los Estados Unidos?: lo dijo Cecilia, o ¿no?: clave para descifrarla, y más porque fue premisa aislada: ergo: incomprensible, sin decurso, pero pronto el taconeo de regreso, como insidia... Vino la demostración: *¡Mira lo que no comiste!* Vaciamiento casi histérico sobre el mosaico: ¡proeza!: un ejército de lonches: pareciera, aunque el dilema ante lo real-insolente o sublime-descompuesto... De las dos opciones ¡ni una!, mejor la sensiblera:

–¡¿Qué te pasa?! ¡¿Por qué lo haces?! –replicó herido el, digamos, político aún en ciernes.

–Tú recógelos y tíralos en donde deben tirarse, o ¡cómetelos!, si quieres... Están duros, te lo advierto.

–Antes aclárame algo... Creo que hace rato dijiste que estuviste a punto de irte a los Estados Unidos, ¿cómo es eso?, ¿qué te traes?

–Si quieres que te lo diga, primero recoge todo.

–Pero no te vas a ir... ¡Ni creas que te dejaré!

–De querer ¿tú crees que quiero?... Un hombre al que yo le gusto me amenazó con llevarme ¡a la fuerza!, ¡¿te das cuenta?! Es un fulano asqueroso, sinvergüenza, horripilante, al que yo le tengo miedo desde que lo conocí, pero lo bueno que tú eres más hombre que él y no lo permitirás, de eso estoy bien convencida, o dime si me equivoco...

–¿Un hombre al que tú le gustas?... A ver, detállame más...

–Vénulo, tu gran amigo, vino ahora en la mañana a decirme que se iba a los Estados Unidos, me invitó a irme con él, me lo pidió de rodillas, y yo le dije que no, que cómo se atrevía a eso siendo yo ni más ni menos mujer casada y esposa de su más querido amigo, pero él dijo no importarle nada de eso y, por lo tanto, repitió su cantaleta: que me llevaría a la fuerza pasando sobre tus huesos, porque según él tú eras penco, zote y haragán, es decir: una piltrafa a quien él no le tenía el más mínimo respeto, y mejor ya ni te digo porque ¿para qué ofenderte?

–¡¿Me juras que eso te dijo?!

–Si me pides que te jure es porque no me crees nada... ¡Tengo miedo, Trinidad!... ¡Quiero seguir a tu lado!... ¡Demuéstrame que me quieres portándote como un macho!... ¡¡Defiéndeme, por favor!!... ¡¡¡No permitas que me lleve!!!

–Pero ¿¡todavía está aquí?!

–¡Esa pregunta me ofende!... ¡Claro que debe de estar!... Piensa que el muy desgraciado, aprovechando tu ausencia, vino temprano a la tienda a decirme...

–¡¡¡Ya entendí!!!

–¡¿Es que cómo se va a ir, si antes tiene que pasar a llevarme por la fuerza?!

–¡Déjame pensar un rato!... ¡Dame chanza unos minutos!... Estoy... muy... desconcertado...

–¿¡Todavía vas a pensarlo?!

–¡Déjame!, ahorita decido...

–¿¡Y qué vas a decidir, si todo está reteclaro?!

–Mmm... a ver... vamos por partes... Iré a su casa a buscarlo ahorita mismo y ¡ni modo!... Pero debo de llevar un cuchillo cuando menos, porque pistola no tengo...

–Si quieres yo te acompaño...

–¡Ándale, qué buena idea!... Así tú llevas también un cuchillo en una bolsa.

–¡Sí!, entre los dos lo matamos.

–Pero que conste una cosa: ¡nos meterán a la cárcel!... No olvides que en Remadrín hay vigilancia de sobra... Con esto quiero decirte que es rara la esquina adonde no hay siquiera un solo azul ni algún guacho pajareando...

–Es lo que menos importa... Primero la dignidad de nuestro amor y después la justicia del gobierno.

–Entonces no hablemos más... ¡Ve a la cocina a traerte los cuchillos más filosos!

Decir que un extraño apetito de venganza se apoderó de los esposos es tan exagerado como decir que Vénulo se los llevaría hasta Orlando cogidos de los cabellos y en cuelgue como balanza sopesadora, en tal caso, de dos muñecos de trapo: de una mano campaneaba su amiguito preferido, su rival a todas luces, si ha de verse la pañuza de un trasfondo casi endrino, o su trama reservada a los sueños más canallas, mientras que de la otra mano campaneaba su ilusión: a placer, dale que viene, siendo el sueño o la vigilia, a causa de un sentimiento enfermo, por desmedido, un nudo ciego imposible de un desñude así nomás. Y para exageraciones: recuérdese que el donjuán era altísimo y membrudo: un gigante lugareño –maldición, milagro, ¿ensayo?, en un pueblo de chaparros– de dos metros y fracción: cualquier centímetro más, o dos o tres eran pizca, si se considera el resto. Resto irreal que deambulaba... ¡loco ingeniero de calles!... Coloso con harta labia: su bocota: extravagancia, amenaza de, ¡oh!: su lengua: que no se fuera a salir, y sus labios salchichones cual si engulleran sabroso el entorno: casi: el aire: casi todo, si era mucho, pero no: nunca, por cierto: en Remadrín: ¡ojalá!; en otoño un poco más y en febrero sólo el ruido de una leve correntía (todo exceso es figurero mientras no haya un «¡hasta aquí!»). Mas del asunto en mención –volviendo a lo exagerado–: hace falta que se meta un escalmo amondongante, a fin de que haya soporte o equilibrio en la inventiva del bullebulle de marras: que donjuán de una sola hembra; que bateador emergente: otrora gloria sin mácula del equipo de beisbol «los pastores colorados»; que ficto nómada heroico al darle la vuelta al mundo, sin dinero, alguna vez; fábrica de fantasías a la barata: imponente: trastrueque de superficies tras superficies y lastre con caída, sin embargo, siempre íntima, indeseable, hasta el mismísimo lodo del merodeo emocional. ¡ABISMO CASERO ALEVE!: de un engañado a sí mismo buscando engañarse más: más porque iba a la caza (desde luego: mental-sórdida: ¿espirulosa?, ¿frenética?) de engaños mil: más insólitos, más porque se pasaba horas bebiendo café MARINO hasta marearse a propósito para poder calibrar su frustración amorosa: esa falla, ese desangre: todo lo cual incidía en la imposibilidad de conseguir, sin entrampes, a una mujer chiquirringa (primor), pizpireta (encanto), cara y cuerpo deliciosos (cielo, corazón, ¿qué más?), como la que de él ¿pendía?... Es que enviudó muy temprano, justo cuando los deleites empezaban a hacer mella; y al mirar eso a distancia... por una parte ¡qué bueno!, pero por la otra he aquí la zopenca referencia: su esposa –vista, de suyo, como mera aparición, empero no milagrosa– era una caballona: un metro noventa y pico; y ahora pasemos al colmo: tenía los ojos peleados –riña bisca sin remedio– y además lloraba mucho y agréguese que la pobre tenía una joroba bruta; mas fue la única fulana que le dio el sí luegoluego. Ver besarse a dos gigantes en la plaza era tremendo. Mas lo bueno de todo esto fue que el monstruo referido, femenino pese a pese, a las primeras de cambio se murió, ¿se fue al infierno?, no sin dejarle antes de irse un par de hijos larguísimos, bien monstruos los desgraciados; y parémosle hasta aquí, puesto que resulta ingrato seguir dándole más cuerda a un trasunto que, si bien, sin duda provocará un vómito estrapalucio, así que es recomendable olvidarlo por completo.

No de albricias, sin embargo, fue la ida temblorosa a la casa del donjuán. Pasos de plano suputos a bien de un ánimo insano. Trinidad iba adelante: no zorro, jamás valiente, a erre que erre y sin habla, mientras que el rezago aposta de Cecilia: más y más: tenía su razón de ser: su prudencia a contrapelo pareciera, más de juro, puro menudeo de morbos; empero en ningún momento ni ella ni él se frenaron, y eso de ver hacia atrás: tampoco: ni una intentona.

> Entonces morbos en pos.
> Síntomas de muerte.
> Atisbos.
> Es que ¿a quién le tocaría?
> Pútrido ámbito: la cárcel.
>
> Si a la deriva. La oscuridad.
>
> Doliente espera cuán más remota.
> Si se alejara sería minucia
> más todavía punto o escorzo
> fuera del mundo fascinación.
>
> Terca negrura que se apretuja
> si intacta aguarda, si no hay quien llegue
> a deshacerla con sus rejuegos
> de amor propicio, propincuo, presto,
> ya magma luido o hilo que pende
> de un sueño inútil
> ¿acuchillado?
> terco ¿quién sabe?
> vasto ¿sí o no?
> Y mientras tanto la inercia aleve.
> Sangre que fluye
> ya horizontal.

Pero, bueno, es que, como es de suponerse, para Trinidad no era nada más cuestión de «¡enchílame otra!» el hecho de enfrentar a un gigantón musculoso cual si fuese, por decir, una chiva de tres meses. Lo que más temía el ahora digno marido pirrungo era que su amigo de antes deveras se encabronara y la arrebatara a modo el cuchillo acuminado para encajárselo ¡al tiro!: hasta el límite del mango en plena panza y después lo sacara para hundírselo en el corazón y ¡ya! Resultado: todo listo para el donjuán endenantes; ahora sí podría llevarse a Cecilia: su ilusión: a los Estados Unidos: a la fuerza: y sonrisudo. Se la llevaría inclusive –¿por qué no pensarlo así?– cogida de los cabellos campaneando, ya se dijo, yéndose a pie: ¿de seguro?, y quien lo mirara: ¡uy!: con su presa chiquirringa: la cual grite y grite: ¡horror! Pero ¡ojo!, ¡alto!, sin más: guachos y azules en friega, varios habrían de afanarse para atraparlo, esposarlo y refundirlo en la cárcel. Claro que (ejem), o a saber, no lo iban a meter en una celda (había tres): la más oscura y hedionda: con Cecilia, ¡eso sí no!, ese triunfo ¡ni de chiste! Eso es lo que iba pensando Trinidad con harto miedo, siendo que iba a despacharse a su ya no ídolo insigne, y ¡carajo!, ¡qué volteo!, ¿por qué sucedió lo peor?

Ahora bien, se aclara aparte, desandando a hurto ex profeso: de reversa: hacia, o mejor: el rezago: un circunloquio, esto que es harto morboso:

Cecilia preconcebía una hazaña inenarrable:
Prueba de amor sin igual:
Que inflándose muy en serio Trinidad le encajaría el cuchillo al tal donjuán –¿cómo?, ¿sí?, ¡muerte instantánea!–, y acto seguido: los dos, por darle hilo a lo ominoso, correrían como venados sin que les dieran alcance...
(fantasía descabellada)
Por el monte: indistinguibles: perderse entre nopaleras y espejismos antepuestos:
Más que renuncia desánimo de los guachos cabizbajos; en contraste: los azules, dos o tres serían bastantes: mirones: queriendo más: lerda su aproximación: caos de figuras: vaguío, ya sin ninguna esperanza.
Lo real aquí se antepone: en una bolsa de mano Cecilia traía consigo los cuchillos de cocina.

Dos potencias venturosas.
Sendo agrado Impulso a hurto.

Y si amantes suelen ser los filos que buscan brillo

cualquier abertura irradia.
Luz, ¡pues sí!
Designio.
Agobio.

Lo oculto escuece
¿tal vez?
secretos y devaneos.

Lo demás habrá de ser sortilegio que se pudre.

Bien que mata.
Mal que salva.

Sin embargo, de revés,
o como sea al fin y al cabo
frío o caliente
saldrá algo.

Lustre de amor al acecho
¡se verá la proporción!,
y en los filos la demora.

Y en el aire ¿la certeza?

Luida la tregua que falta.

Hundimientos más allá.

Bosque o espesura o saña.
Se postula un fondo
(turbio).

Más adentro.
¿Cuánto más?

Lo necesario no es tanto
y así la fuga a favor
de los amantes cual puntos
en la frágil dimensión
de un resol que se deslee.

Letra muerta, mientras tanto, viva, después de, y por ende: ya nomás falta agregar que Cecilia y Trinidad estaban frente a la casa del donjuán: la puerta a modo: la única: una de acero, y a la mitad sus tensiones, las mismas que decrecieron cuando ella tocó y tocó, y luego él, pero más fuerte –dedúzcanse los porrazos de continuo y nada: ¿cómo?, tal vez gritar: dúo de gritos–. Luego la brusca alternancia:

–¡¡¡Saaal, caaabróoon, veeengooo a maaataaarteee!!!... ¡¡¡Ooofee-endiiisteee a mi seeeñoooraaa, y a mí taaambiiiéeen, peeerooo al doo-obleee!!!... ¡¡¡Saaal, cooobaaardeee, no te raaajeees!!!... ¡¡¡Soy Triiiniii-daaad, tu eeeneeemiiigooo!!!

–¡¡¡Reeepíiiteeeleee a mi maaariiidooo tu deeescaaaraaadaaa prooo-puuueeestaaa!!!... ¡¡¡Quiiieeerooo ver si eeereees taaan maaachooo!!!

–¡¡¡No me moooveeeréee de aaaquíii haaastaaa que me eeexpliii-queees tooodooo!!!

–¡¡¡Áaandaaaleee, saal, da la caaaraaa, y prooopóoonmeee iiirmeee cooontiiigooo!!!

Fue torpe el procedimiento, se pasaba de agresivo, así que el don-juán, de estar, no iba a salir, no era guaje; los gritos no funcionaban, de eso cayeron en cuenta los esposos tras dejar que trascurrieran, diga-mos, tres minutos y fracción, lapso durante el cual, al viso, como en agache secreto, cuchicheado hubo un acuerdo: su mudez tramada adrede. Resistencia concienzuda tendiente a la persuasión: que el tras-lado de confianza a poco –estaba por verse– para el personaje oculto: debiera sobrevenir, o al menos era deseable; gran silencio invitador, tras la puerta: sugestivo, ya que él al percatarse de que afuera no había nadie ¿abriría?, ¿comprobaría? Nada: luego: tiempo muerto: la estra-tegia no sirvió. Tal cual la puerta y también la terquedad interior.

Entonces hubo otro acuerdo: la suavidad palabrera, el cariño dele-treado: de ellos: sin alterar tonos, y a practicar a la fuerza... ¿enlabio politicón?, teatro: ¡sí!: experimental... Tenía que dar el ejemplo el esposo al hablar quedo: su trompa casi pegada, casi besando la puerta:

–Ándale, s-a-a-a-l, te convie-e-ene-e-e... Nomás quiero acla-a-a-r a-a-algo-o-o... No olvides que soy tu a-a-ami-i-igo-o-o... Soy Tri-i-ini-i-ida-a-ad... Ha-a-azme-e-e c-a-a-aso-o-o.

Y la alumna momentánea reforzó la petición; imitadora, por ende, tuvo que acercar su trompa: beso en potencia, y así:

–Anímate, no seas to-o-onto-o-o... Soy Ce-e-e-ci-i-ili-i-ia-a-a y ve-e-engo-o-o a ve-e-erte-e-e... Qui-i-i-e-e-e-r-o-o-o lle-e-ega-a-a-r a un a-a-acu-u-u-e-e-erdo-o-o.

Siguieron las sugerencias alterándose y ¡qué lata! Tres fueron de Trinidad, las mismas que de Cecilia, sin ápices de agresión, bruto el

615

silencio postrer, de nuevo, por si las moscas: tres minutos, poco más, y nada: el donjuán tal cual. Entonces el exabrupto de la doncella senil: en desate, o ¿qué decir?: se le salió y ya ¡ni modo!:

–¡¡¡SI NO SAAALEEES AAAHOOORAAA MIIISMOOO TE CAAAEEERÁAA LA MAAALDIIICIIIÓOON!!!

La reconvino el esposo:

–¿Por qué gritaste otra vez?, ¿qué diablos te está pasando?... ¿por qué dices «maldición»?, ¿de dónde sacaste eso?

–Es que eso mismo me dijo cuando lo mandé al carajo.

–Pues no lo repitas tú, porque se oye retefeo.

Estaban en ese trance cuando salió una vecina, un poco al cae que no cae, y les dijo lo siguiente:

–No es necesario que griten. Don Vénulo ya se fue hace casi una hora y media. Yo tenía la puerta abierta y lo miré desde adentro. Iba con muchos arreos: un veliz en cada mano, de esos grandes de latón, y dos mochilas al hombro; también traía varias bolsas colgando de sus muñecas.

–¿Y usted sabe si se fue a los Estados Unidos? –al tiro inquirió Cecilia (dunda doncella senil: vanidosa de vencida) cual si quisiera atrapar no una trucha, sino un barbo o un pez gato o un siluro, que son un poco más grandes.

–¡Sí!, se fue para ese rumbo... Pero déjenme contarles que al mirarlo desde adentro cargando tantos arreos, yo de plano sí salí, pues me llamó la atención, y le pregunté a dónde iba y él me respondió que allá, adonde usted dijo antes. Dizque iba a ver a sus hijos.

–¿Y no sabe si regresa pronto, o cuándo, más o menos? –Trinidad quiso cerrar con su pregunta el careo, y lo consiguió y el «gracias» se adelanta de una vez.

–Usted lo está adivinando: yo le pregunté eso mismo, pero no me contestó. Al parecer traía prisa.

Capítulo diez

Nada hay como el consuelo de arrejuntarse al ser amado –si es en la cama: mejor– cuando se tienen malos pensamientos. La ternura es superficie con relieves a cercén. Tiento a tiento como treta para explorar y palpar las sensaciones de empiezo, sólo de empiezo: melifluas, es decir: que no son colmo, sino llegue inacabado. Las sorpresas se ¡darán!... Entonces muy despacioso Pío Bermúdez se acercó fingiendo suspirar harto. Purísima, por su parte, le hizo piojito en la cholla en señal de gratitud. Por mor de aquel arrumaco él tuvo el atrevimiento de decirle con dulzura algo que le incomodaba (¿preocupación sanguinaria?):

—Sabes que soy pecador. A diario meto la pata. Mas lo bueno de pecar es que uno se confiesa con un padre o un obispo y luego Dios lo perdona.

Purísima no deseaba entrar, nomás por entrar, en honduras discernibles. Si teniendo a su señor como un tórtolo en sus brazos, pirrungo: cada vez más: ¿para qué hacerse la dura?, ¿resultona?, ¿racional? Por ende se concretó a decirle tiernamente:

—Eres bastante bribón, pero yo te quiero mucho.

Decimoquinto periodo

Capítulo uno

Por mucho que se haya escrito y hablado acerca de los sueños, nadie se ha puesto de acuerdo en lo relativo al origen de ciertas rarezas inconscientes, y menos aún cuando se trata de entrecruzamientos medio... digamos... insospechados... o quién sabe cómo ¡pues!... pero ¡momento!, o que diga: ¿DESDE DÓNDE ESTOY HABLANDO?... Se aclara que es un trasunto simultáneo y transitorio, ocurrido, por decir, durante una noche crucial; lo soñado no es de espanto, aunque... ¿Es posible imaginar a dos personas soñando la misma historia y también con la misma duración?... Un sueño es versión del otro, mas si vamos de una vez a los detalles de ocultis, pronto nos daremos cuenta que hay como una expropiación: mutua: ¡sí!, para acabarla, y a saber si mejorada o empeorada, o ¡sepa Dios!

Entonces ya se perfila un caso que... ¿ya se intuye?... donde la rareza estriba en que no hubo pacto alguno entre dos –¿dos sueños tétricos?– soñadores infelices. Dos sueños independientes que a la postre se conectan. Lo común: la misma cama y tal vez que esos dos entes se hayan dormido, digamos, casicasi al mismo tiempo. Ya lo demás se desteje: pese a que se habían pasado varias horas sin hablar o cuando menos mirarse y hacerse un gesto malévolo a distancia: mal que bien... etcétera, por lo pronto... Hasta aquí los elementos reales, mas no resultones. Quedan pendientes adrede los nombres de ella y de él, ya que lo importante es lo otro: el resto: el sueño: lo dual: lo inexplicable, ¿malsano?, y que a lo mejor será ¿mero entrampe del azar? (¿o de qué chingaos pues?) *(no tienes por qué enredarte con las ligas de lo incierto, porque luego ha de llegar el momento en que desees desenredarte en un tris y...).* Bueno, pues, para no meterme en tanta argumentación onírica, mejor me atengo al suceso y digo los nombres reales de los autores y... ¿sí?... Son Cecilia y Trinidad. Pero vamos a situarnos: lo ocurrido fue la noche del día en que ambos enojados fueron en friega

619

a buscar al susodicho donjuán (¿cómo es eso de «la noche del día», qué diantres?... es como decir al vuelo que no hubo Chana ni Juana... No te azonces, no seas güey) *(mejor suelta lo que traes y déjate de asegunes)*. Bueno, resulta que Cecilia y Trinidad soñaron lo mismo esa vez... Lo mismo, porque al despertarse a medianoche, medio atónitos y como que jalados a la par por una extraña... digamos... ¿fuerza?, se contaron lo que estaban... ¿se vale repetir el verbo «soñar» o cómo hacerle? (aunque no se valga, ponlo, y ya síguete de largo, porque si no me encabro... ¿eh?... Conste que no acompleté lo que tú ya te imaginas... No quiero que te me sientas) *(no repares en minucias... ¡no le preguntes al aire!)*. ¿DESDE DÓNDE ESTOY HABLANDO?... Bueno... mejor va de nuevo... Este... mmm... La realidad más reciente, o sea la grabada en ambos, la importante durante el día, fue el regreso entristecido, el suyo: tan si-len-cio-so, de la casa del donjuán (deberías decir «escena» y no «realidad», y menos «más reciente», como dices... y eso de que «si-len-cio-so»... ¡la estás cagando de a madre!) *(relájate, o mejor ¡cállate!, porque ya no sabes cómo)*. Bueno... este... Quiero hacer, si me permiten, nomás un último intento (mejor duérmete y procura soñar en lo que soñaban esos esposos pendejos, o sublimes, o no sé, como tú quieras llamarlos) *(si tú no estás muy seguro, yo puedo contar el caso... ¿me das chanza?, o a ver di)*... Bueno, está bien, cuenta tú (¡no!... ¿por qué?... no seas culero... no lo dejes que se meta) *(es que ya me dio permiso... yo nomás quiero contar algo breve y luego a ver...)* (entonces también yo cuento, ¿qué chingaos?, si a ésas vamos). Cuenten los dos, pero ¡ojo!, uno empieza y otro sigue, y así se van alternando *(bueno, yo propongo algo: que uno diga unas dos frases y otro otras dos y otro igual, y luego en el mismo orden...)* (pero ¿tú vas a empezar?... ¡ah, qué chingón si es así!). Empieza tú que eres lépero, para que no te molestes (mira, tú a mí no me mandas... ¡yo soy más verga que tú!, ¡y que los dos de una vez!, así que...). ¡Espera!, ¡entiende!, ¡no insultes!... Tú empiezas y ¡órale!, ¡arráncate! (pues ahí está que Cecilia y Trinidad venían tristes, y también apendejados; mudos los pinches cabrones). El esposo: cabizbajo, y ella pajareando un poco: cual si buscara asideros (a ver ¿cómo que «asideros», y eso de «cual»: ¡qué mamada!) *(tú concéntrate en lo tuyo... si interrumpes no avanzamos... ahora que si no respetas: mejor miéntanos la madre, pero lárgate de aquí)* (¿qué?, ¿me estás hablando al chile?... conmigo vete despacio...). Es que en todo juego hay reglas y nuestro primer deber es respetarlas o ¿no? (está bien, pinches ojetes... ustedes son buenas gentes, los respeto, aunque sean güeyes... y los quiero, por Dios santo... y ahora ¿a quién le toca el turno?) *(a mí, si me lo permiten... este... al ir buscando asideros la señora se dio cuenta que en tres puertas, tal vez cuatro, de casas... a lo mejor abandonadas, o bueno: alguien podía regresar: había papeles pegados)* (conste que no respetaste la regla de las dos frases... digo, cabrón, no nos chingues... si te vuelves a pasar, entonces también me paso... bueno, voy yo... y ahí les va: en esos putos papeles había letrita pedorra, digo, chiquita, furrita, aunque viéndola de lejos, más bien parecía un embarre). Cecilia no se atrevió a acercarse para leer lo escrito en cada papel; una vez estuvo a punto, pero cuando vio al marido: su entrecejo horripilante, prefirió seguir derecho, tras él, mas no muy, y muda *(en cambio en el sueño sí leyó un papel, sólo uno, de pe a pa, con harto morbo. Lo había escrito una señora llamada Aurora Leal Sierra)* (también en su pinche sueño Trinidad, apendejado, leyó ese mismo papel, sólo que no lo había escrito la tal señora en mención, sino un güey que se llamaba Roque Vergara Parada). En el papel referido la señora, o el señor... –para el caso no hay problema– decía que se elevaría por encima de las nubes, y una vez estando en lo alto le iba a ser mucho más cómodo irse rápido hasta China, porque allá tenía parientes *(cierto es que la elevación fue como la describiste, pero fue de aquel señor llamado Roque Ver... issht!... sus apellidos no importan)* (el chiste está que en el sueño la pendeja de Cecilia al igual que su marido, quizá más pendejo que ella, vieron cómo se elevaba una sábana sangrienta, misma que se convirtió, poco antes de traspasar las nubes putas, blanquísimas, en hilacho o algo así). Por estar como alelados mirando la conversión, de repente se elevaron los esposos a la vez *(a ni uno se le ocurrió aletear para subir lo más rápido posible, ni tomarse de la mano para ir a la segura. La cosa es que ellos también traspasaron la gran masa que estorbaba –¡y vaya estorbo!– la vista hacia el más allá, pero cuando ya en despeje vieron la otra elevación, resulta que no era hilacho ni señora ni señor, ¡ni la sábana, asegún, sangrienta!, sino que allá se había convertido en buitre descomunal, horroroso, que abrió al máximo su pico, gigantesco, abarcador, para echárselos enteros y saborearlos despacio)* (¡ya ves cómo no respetas las reglas que tú impusiste!, te alargaste ¡pinche ojete!... mejor aquí le paramos, y lo que debes hacer es algo que a ti te encanta: ¡vete a chingar a tu madre y allá en casa de la verga te la coges bien sabroso y luego si quieres ven a contarme cómo estuvo!) *(¡óyeme, a mí no me insultas!, ya me hartaste, ¡vete al diablo!, y cuando estés junto a él suplícale que te enseñe maneras más diplomáticas, porque eres muy majadero y necesitas usar palabras muy suavecitas)* (miramira, ¡ay qué cabrón!, se me subieron los huevos hasta el pescuezo, ¡uy qué miedo!... ¡pues sábelo de una vez: tú a mí me pelas el pito!). ¿DESDE DÓNDE ESTOY HABLANDO?, ¿desde otro sueño o qué diantres?, ¿desde una casa maldita donde sólo hay dos fantasmas?, ¿hay tantas casas así ahora que el pueblo está en ruinas?... Casas repletas de enseres, porque no se sabe de alguien que haya hecho una mudanza camionera, pero, en fin... Yo soy quien debe de irse de este lugar asqueroso... ¡Adiós!, ¡peléense bonito!... Sin embargo ¿adónde iré?...

Capítulo dos

Aquí parece mejor.
¡Ojalá que el inconsciente no se atreva como antes!
(EL INCONSCIENTE ¿DE QUIÉN?)
Bueno... perdón... o ¿qué pasa?... Tal vez hay que acomodarse un poquito más allá... Traslado de asentaderas... A ver si aquí sí... ¡Está bien!... Y entonces nomás lo último... Cuando los esposos (ejem) sintieron que el buitre estaba a punto de darles un piconazo para enseguida tragárselos, despertaron alarmados: a la vez cual dos resortes, aunque balbucientes ¡chin!: un principio natural y en lo oscuro ¡ya ni qué!; aún la costumbre tardaba: las frases tras el asombro; pero luego se contaron lo soñado: casi idéntico.

¿Escrúpulo?, ¿inhibición?: sus palabras temblorosas decían más que siendo claras: como fueron de repente: una que otra, que esto y lo otro, pero su ansiedad vivaz: trrrrrrr... y así pues sus sensaciones resentidas, revividas... Que se fueran agotando las sutilezas de insidia: lo escrito: las frases muertas en el papel: pretenciosas de un despertar que a saber... La realidad fue el desdén hacia la ambigua lectura: un «¡no!»: craso potenciado de revés contra otro «no» que pudiera ser que sí: en el sueño: ¿elevación?; leer para abrir la puerta de una nube, o de un infierno: alto, en tal caso: sin fuego, mas sí caverna sin fin la garganta de la bestia: verla apenas ambos y ay: el regreso adonde ¿siempre?... La oscuridad redentora –no siendo siesta, o sea que...–, las estrellas sin caerse, y la luna como antojo con su sonrisa fallida: todavía no, por ser bola: foco donde debe estar... ¿Quién sabe si la vigilia sólo consista en abrir los ojos y pensar algo?

La vigilia es ¿vigilante?
Sólo tregua, sólo arbitrio.
Incidencia trasgredida por un espacio que añade tiempo y ritmo e ilusión de un comienzo que no acaba.

¿Nunca el sueño es sustituto? –y he aquí la síntesis vaga, extraída de lo hablado por Cecilia y Trinidad: en lo oscuro: rudamente–: TODO SUEÑO ES TREMENDISTA, PERO AL MISMO TIEMPO IDEAL.

Para enlabios el milagro de aquel sueño compartido...

No hubo acuerdo: ¡ojo!, y por ende...

El ascenso a un precipicio: atisbo de deglución, y el milagro regresivo...

La cosa es que a los esposos, por estar plática y plática, se les fue la noche entera; por lo tanto se durmieron cuando el renuevo de... ¡uf!... ¡grisura al amanecer!... Esa vez en Remadrín llovió todo el santo día.

Capítulo tres

Consideremos este, digamos, mugre encuadre: como estorbo: los lonches en desparramo. El suelo había que barrerlo. Y Cecilia, que volviendo a la fuerza a su papel de hacendosa ama de casa, se obligó mañosamente a ir juntando con su escoba... ¡asco!: los lonches casi cual piedras: arrinconarlos nomás... montón cómodo, si bien... ¿ya se recuerda la orden: la que ella le dio a su esposo?... La recogida: pendiente.

Consideremos, por ende, el nuevo encuadre: aquel dejo: ya advertencia sensorial: plasta sucucha o retaque para que se afigurara Cecilia, sea por deslinde, que todo se estaba yendo por una suerte de embudo: la gente, la tienda, el pueblo, y ella también, y tras ella: trastos, trapeador, escoba, latas, comida impensada, trapos, jabón, cuanta cosa, y Trinidad hasta atrás: mirrunguillo risa y risa... «Hasta atrás» es un decir, porque él, sintiéndose chinche, hubo de recuperar aquellas sus siestas pencas (cuasiembudo... alivio... ¿su ida?): cuatro horas: de dos a seis: estire hacia el mediodía enllegando, pero a pique, a la tarde, y despertarse... y ¿para qué?, si su hastío, si sus ímpetus, sus taras...

Al escasear la comida –no se cuenta la enlatada– como por arte de magia a Trinidad se le fue el apetito y las ganas de abrir la tienda: ¿ya no?... En suspenso sus protestas contra... mmm... aparte de... Entonces ¿cómo decirlo?... Es que ahora su locura iba en otra dirección... Posma abstinencia madura... Relajada inanidad: acaso para acceder a una nueva vida ¿ansiosa?, con atareo ¡diligente!: en pos de: siempre sonriendo; con sus sueños tocar fondo para luego ¡PROVOCARSE!

Y...

En fin: Cecilia (ejem) terminó por (¡puf!) recoger los lonches; lloró de rabia al tirarlos y todavía lloró más cuando vio que cuatro perros se empanzurraron con ellos, al grado de vomitarlos en el traspatio más tarde.

El regreso de los perros fue por venganza ¿ex profeso?... Téngase su indigestión; nunca antes el alimento que les daba la señora fue tan rancio como aquel.

A diez metros de distancia Trinidad vio carcajeándose la escena estrapalucienta; en cambio, Cecilia: ¡pobre!: tan sólo con una mano recogió tal gargantada, la otra mano le servía nada más para taparse la nariz y he ahí el problema...

Gran tardanza, gran engorro.

Capítulo cuatro

–¿No quieres que te haga un lonche?

–¡Cállate!, ¡no estés fregando!... Cuando tenga hambre te aviso.

Ningún intento de más por parte de, se supone: desesperada Cecilia, y ¡ni modo!: aguantadora; la mudez le confería un temple provisional que quizás, pero mejor... Así que aquella pregunta, con añadidos superfluos, y aquella ácida respuesta, mas teniendo como base el «¿no quieres que...?» y el «¡cállate!», repitiéronse mañana: con enjundia tempranera, mediodía y tarde: apenitas, casi como decir «¡pío!», y en la noche: sólo el «¿no –pausa para lo siguiente: turbio, aposta deletreado–:... q-u-i-e-r-e-s q-u-e...?», pero el desveno, ergo: durante... mal asunto, porque... Veámoslo ahora más rápido: tres días duró Trinidad sin probar ningún bocado; empero enllegando el cuarto: al alba se despertó, fue a la tienda a traer latas (seis de frijoles refritos): abriólas y en frío atacóse: cuchareó, escarbó, y tan-tan; panza llena, pero luego...

Antes se hace necesario meter una trasca aquí para darle mayor peso a lo que vendrá más tarde:

Por andar medio en la guala o tan sólo por olvido, pero... a saber cuál fue la causa de que a Trinidad no se le ocurriera –como alguna vez lo hizo– de hacer recordar a... –cuando aquélla nomás no–. Veámoslo como fue: en la ocasión susodicha el trámite embarazoso consistió en plantarle un beso de piquito en la plena boca y luego gritarle recio al oído: «¡ya levántate!», jalándole al mismo tiempo con suavidad los cabellos. De resultas, ante eso, estentóreo, por urgente, ella se habría puesto en pie: modorra, mas comedida, y cual muñeca de cuerda rauda se dirigiría a la cocina y... Tal vez Trinidad previó que ella le repetiría la pregunta, esa, tal cual, de los últimos tres días: «¿no quieres que te haga un lonche?». Además, debe aclararse que los diez, once bolillos, guardados en un armario, y en concreto, más de ocultis, en una bolsa de plástico, estaban bastante duros; él lo pudo comprobar cuando anduvo inspeccionando a hurto el haber casero, si poco, si inadvertido, por ambos, a lo mejor, si, de suyo, en buen estado...

Ahora bien: ¿por qué la mudez impuesta por...? (ni siquiera ella, dolida, le reprochó a Trinidad su carcajeo cuando el vómito de los perros: otrosí: proficientes-filauteros, pancistas que ¡ni pintados!). ¡Sí!: como él andaba rarito: bisbiseador: zote o cuco; su actitud: ronda que ronda de la tienda a la trastienda mientras no durmiera siestas, y en el último recinto (¿fue ocurrencia abrirlo adrede?) se quedaba horas mirando las dichosas cajas fuertes, pensador de un plan: ¡pues sí!, más aún porque estando inmóvil sentado en un banco de haya y con el puño derecho dándole dizque descanso a su quijada: ¡pues claro! Cecilia lo espiaba a tientas, desde ángulos, desde... ¿dónde?, deducía que él se iba a ir llevándose la riqueza habida adentro, la cual... abrir a la medianoche: fácil la combinación de las cajas para: ¡pronto!: sacar todo aquello, o ¿no?, meterlo en dos, tres costales, y sin ruido –¡chin!–: la huida; cobardía con fundamento: POR MESMEDAD DESPECHADA, ya que ella, por peteneras, adujo la causa al bies: sin hacer olas de intriga era obvio que Trinidad sospechara vagamente que ella le mintió respecto al acoso del donjuán; sin embargo, él en lo suyo: íntegro, calculador: sus ojos lo delataban; su mudez ¿iba a seguir?; nada del asunto: un ápice, nada: una insidia, un «ya casi», hasta su olor le cambió: olía a mierda de caballo, ¡puf!, de plano, ¡vaya ondeo!, ¿o es que ella olía su estrategia?

Capítulo cinco

–Tengo miedo, Trinidad... Presiento que ese canalla vendrá por mí y, según creo, con un rifle y dos pistolas, tal como lo soñé ayer –osada aquella irrupción temblorosa de Cecilia, luego de tanto callar: roto el hielo: ¿en cuántas partes? Reacciones podría haber diez de su esposo, mas ninguna –era imposible– relativa a una descarga de reatazo contra ella; puño peludo en su cara: no estrellato y borrazón; empero, como es sabido, jamás hay que descontar que ocurra sólo una vez.

–¿Te estás refiriendo a Vénulo? –por el tono medio sórdido de Trinidad: ¿medio cálido?, Cecilia agarró confianza.

–¡Sí!, ¿quién más?, tú bien lo sabes.

–No vendrá, no te preocupes... Lo conozco, sé cómo es, y aunque por su gran tamaño impresione a todo el pueblo, es más cobarde que el más... A mí me tiene respeto, aún cuando a mis espaldas hable pestes, porque, ¡entiende!, siempre exagera las cosas... Él me envidia, ¡date cuenta!, porque tiene muchos años de estar solo y pues ¡no es fácil!, pero yo también le envidio su capacidad de augurio, de hecho: su imaginación... Con su mente me ha llevado a lugares increíbles... Pero eso ya se acabó, ahora si viene lo mato, aunque no creo que se atreva.

–Trinidad... este... ¡por Dios!... ¡Vámonos de Remadrín!

–Pero ¿qué te está pasando?... Ya tengo nuevas ideas... Me he propuesto ser alcalde de este pueblo y te aseguro que pronto lo lograré... Verás que nos irá bien.

Capítulo seis

¡Se estaban muriendo de hambre!

Capítulo siete

–¡Vámonos de Remadrín! En este pueblo no hay nada. Ya no hay ni clientes que compren ni proveedores que surtan... ¡Todo se está yendo al diablo!

–Pero, mujer, ten paciencia... Las cosas van a cambiar...

–No veo cuándo ni quién lo haga... ¿los policías?, ¿los soldados?, ¿el gobierno, o sea: allá arriba?, o ¿tú: desde abajo?, o ¿quién?

–Hay que esperar, esperar... No hay que darnos por vencidos.

–¡Tú no crees en el gobierno!, sea cual sea, nunca has creído, y lo has dicho muchas veces.

–Desde que tuve la idea de ir a diario a protestar, he cambiado de opinión. Se me metió en la cabeza el deseo de ser alcalde. Verás que lo lograré...

–Antes envejecerás, porque de aquí a que lo logres...

–No olvides las cajas fuertes. He pensado abrirlas pronto. Yo pagaré mi campaña de candidato y, ya sabes, entre más dinero invierta más chanza tengo de ser alcalde de Remadrín.

–¿Vas a gastarte el dinero en un caprichito así?... Me parece un desperdicio, puesto que ya me imagino que serás un candidato opositor al gobierno.

–Haré lo que más convenga. La cosa es ganar, o ¿no?... Además, como tú sabes, con dinero todo es fácil.

–¿O sea que te venderás?

–Ahora quiero ser más práctico. Siempre me gustó el comercio, porque es siempre al dando y dando, o sea que por simple es sabio, y por lo cual no hay de otra: mi ideología es la del triunfo.

–Práctico es irnos de aquí, como lo ha hecho mucha gente.

–Yo aquí nací, éste es mi pueblo, y aquí debo de morir junto con él, como sea... Si a Remadrín se lo lleva la fregada, a mí también. Pero eso no va a pasar, puesto que yo seré alcalde.

–¿Y a mí, entonces, qué me queda?... ¿irme a morir a mi pueblo?

–Tú te saliste del tuyo y ¡ni modo!: te amolaste... Además, tú estás casada, no con un paisano de Arras, sino conmigo, ¡CONMIGO!, y por eso mismo pues, mi pueblo es tuyo también... ¡Aquí nacieron tus hijos!, o sea ¡los nuestros!, ¡¿entiendes?!... ¡AQUÍ HEMOS PERMANECIDO!, y por tanto me parece que a estas alturas no es práctico irnos a otro lugar...

–Pero...

–¡Sssht!, ¡carajo!, ¡espérate!... Aún me falta agregar que no pierdo la esperanza de que vuelvan nuestros hijos. Será pronto, ya verás.

–¡Nuestros hijos están muertos!, si regresan será ¡MUERTOS!, nos traerán sus esqueletos, si es que acaso nos los traen... ¡NO TE HAGAS LAS ILUSIONES!

–¡¡¡Cáaallaaateee!!!... ¡¡¡No hables así!!!... ¡¡¡NO HAY QUE PERDER LA ESPERANZA!!!

–¡Tengo miedo, Trinidad!... ¡Nos vamos a morir de hambre!... ¡Anda, entiende... por favor!... ¡Vámonos de Remadrín!... A Papías y Salomón les dejamos un recado diciéndoles dónde estamos... Así lo ha hecho mucha gente que ya se ha ido del pueblo.

–¡No nos moriremos de hambre!, ¿cómo crees?, ¡ni lo supongas!... Al respecto tengo un plan que he venido madurando en los últimos tres días... En cuanto abra las cajas me iré a Pompocha a comprar una *picop* nuevecita, en ella pienso traer costales, ¡muchos costales!, de comida para...

–¡Espérate!... ¿y la tienda?... a ver... explícame... ¿qué con eso?... a ver... dime algo...

Nunca habían hablado así: las cartas sobre la mesa, los puntos sobre las «íes», la claridad contundente: a poco: a flote: oprobiosa; agua sucia de la noria: sacarla ¿en cuántos cedrones? Figureos: de fondo: aciagos, como turbio remanente, conforme iban discurriendo; figureos ya cenicientos: advertidos cual regate (subconsciente al ce por be) –por ambos, y a contrapelo– de una lucidez que: ¡uf!: no estaba siendo siquiera complemento... por si acaso... No obstante, al cobrar impulso Cecilia encontró un perfil.

–¿La tienda?... mmm... ¡la cerraremos! –¡ah, qué chistoso señor!: de la razón al capricho, del capricho a la razón: método propio, asegún, de un político ¿de cepa?... Grisura que ha de aclararse, y vuelta clara ¿qué hacer? Vil vaivén improvisado, de acuerdo a como lo mueva una equis corriente de aire: ¡muchas!, ¡ni una!, ergo –si bien– la constancia, pese a pese, la cosa es que no se pare...

–Pero falta todavía un detalle importantísimo...

–No querrás que lo adivine... ¡Dímelo!, o si no me enojo.

–El peso se devaluó. Lo que hay en las cajas fuertes no vale ni la mitad de lo que antes valía. Tu plan no creo que se logre: *picop*, comida, campaña...

–Es cierto... pero... deveras... ¿no se te hace buena idea que yo quiera ser alcalde?

–Primero tienes que abrir las cajas y calcular cuánto para la campaña, cuánto para la comida, cuánto para la...

–Está bien... ¡Ya lo tengo decidido!... Primero nos acabamos las reservas que tenemos y luego abrimos las cajas.

–Pero...

–¡Ya lo decidí!... ¡¡¡Cáaallate!!!... ¡No me confundas!

–¿Comeremos solamente la comida de las latas?... ¡Está rancia, huele a caca!

–¡¡¡Cáaallaaateee, puuueees!!!... ¡¡¡Ooobeeedéeeceeemeee!!!

–¿Por qué no abrimos las cajas y así sabemos cuánto hay?

–¡¡¡Cáaallaaateee!!!, ¡entiende, por Dios!... Dame chanza de pensar como pienso y luego sí: ¡las abrimos!, ¡te lo juro!

–No te tardes, por favor... Piénsalo, pero mañana, aunque sea al anochecer, las abrimos, pues si no –todo depende de ti– yo me regreso a mi pueblo.

–¡¡¡¿¿¿Quéee???!!!

–¡Ya no quiero que me grites!... ¡¡¡Estoy harta!!!... ¡¡¡No te aguanto!!!

–¡Tú de aquí no te me mueves!

–¡¿Qué?!, ¿me matarás?, o ¿qué? –esa táctica chancera, ruda, chantajista al bies, Cecilia la hubo aprendido de aquellas radionovelas que ahora extrañaba, digamos, casi igual que a su par de hijos: un par irrecuperable, lo intuía así: ¿lo soñó?; en cambio lo otro... en efecto... si con lo secreto habido en las cajas al alcance... esa realidad: si pingüe... Al fin ¡cuerda!: a rajatabla... Después de veinticinco años...

–Entiende, voy a pensarlo... Nomás no me digas eso, ¡sin ti jamás podré ser alcalde de Remadrín!

–Ni lo serás ¡date cuenta!... ni conmigo ni sin mí... Tú no eres tan desgraciado como para andar soñando en el poder, ¡oh, el poder!, para el cual se necesita otro tipo de locura que tú no tienes y, bueno: mejor olvídate de eso, porque si no ya verás, te vas a frustrar ¡de a tiro!

–¿Otro tipo de locura?... ¿Qué es lo que quieres decirme?... Me impides cambiar de vida... En todo caso, lo cierto, es que yo sí he fracasado como abarrotero, o ¿no?

–Bueno... está bien... allá tú... Por eso es bueno que abramos las cajas para saber, ya con todo el dineral contado peso por peso, qué es lo mejor, o también, qué se nos puede ocurrir... ¿Me prometes que mañana haremos esa labor?

–¡Claro que te lo prometo!... Pero prométeme tú que si quiero ser alcalde no me lo vas a impedir...

–De acuerdo, ¡te lo prometo!

Y entre promesa y promesa la cercanía a tientas dábase cual cosquilleo rendundante en la placidez de manos al fin acariciadoras y en el beso que ¡ya mero!, una intención suave, fresca, luego abstrusa porque ¡alto!: treta radionovelera –o enlabio ya a su favor– de Cecilia al silabear: cachonda y cínicamente: una delicia como ésta:

–Pri-me-ro a-bri-mos las ca-jas y lue-go ya lo que quie-ras.

Capítulo ocho

La secuencia del deseo constreñida a la honradez de Trinidad, quien se abstuvo –ni por diablo ludimiento– de tocar –diole él la espalda– a Cecilia, aun cuando ambos se acostaron encuerados y sin taparse siquiera un poquillo con las sábanas sus partes nobles: ¿su antojo?... Nuevo placer de revés: su nerviosa inhibición: momentánea a conveniencia: para imaginar caricias: las mejores: ¿despaciosas?... «en veremos» ex profeso... Entonces habría que ver la secuencia de sus sueños: senda horizontalidad que a poco tuvo un desvío: en él fue acopio de voces (atiborre contra sí), cada vez más, más acoso, aunque nunca a la barata ni al grado de confundirlo, pues lograba escabullirse de una presión que de lejos parecía sustancia en grumos: viola él por sobre su hombro y huyó, perdióse entre curvas, para acceder a otro: ¿sí?: acopio de voces luido, y así el trasunto librado una vez más, o vez menos; sin embargo en la señora sí tuvo un efecto brusco: oyó una voz: ¡¿la mismísima?!, sólo que un poco más hueca, proveniente de la calle: toquidos ahora no había, por lo cual burla burlando alguien: ¿quién?: transgredía a modo su sueño y ella inconsciente, medio en duermevela aún, lo que hizo fue acercarse a Trinidad, y el codazo: ¡fuera!, mas no tanto: o sea:

nuevo acomodo fallido

Ilusión contra extrañeza.
Colmo para deshacerlo.
Registro reconocible cuando... ¡no!
Prodigio... A ver

Atisbo aleve
¿de nuevo?

No se debe de llamar «exclamación» a un suspiro
sino «expiación resumida», aunque tampoco sea
exacto el concepto, sino prueba
de algo a punto.
Duda, entonces

Y esperar lo que se espera
¿LE CAERÁ
LA MALDICIÓN?
El sueño no es argumento
sino posibilidad,
en desorden, categórica
Mas la vigilia,
si a oscuras,
está maldita

¿sí o no?

Despierta y: ¿cómo?, ¿qué hacer?, nunca debió abrir los ojos, mas todavía estando en cueros Cecilia no se animaba a levantarse y así –la probidad cual planteo de un escándalo doméstico, mas aún teniendo a su esposo a modo para azuzarlo y revelarle por fin...–: ir, salir, retar, por ende, a la sombra: aquella voz: era del donjuán o acaso de la mujer del rebozo –¿se recuerda?–, o de ambos pues –mezcla afanosa, crucial–, pero el registro, ¡carajo!, si lo oyera nuevamente... Y transcurrían los minutos y nada de nada en falso. El sueño la había hecho bolas, por lo que, si comprobarlo: amodorrada ahí va ¡oh!, no poniéndose siquiera una bata o una blusa o una falda o una... este... ¡las sábanas a la mano!; mas la decencia en lo oscuro no servía, ¡qué iba a servir!, menos aun en ese trance de saber si su cautela y su adulta peladez influenciarían al fantasma para que soltara un lépero *fiiúuu-fiiúuu* de esos de albañil: ¡ojalá!, pero... digamos... su ocurrencia fue a lo zaino: por despeje, por ensalmo, de modo que a tientas lerda: sus pasos: su aprendizaje, agréguese su temblor, pese a la temperatura de unos treinta y ocho grados centígrados sobre cero a la sombra, ergo: ¿sudores?: fríos sí y apenas sí, entonces su desnudez: ofrecida, retadora: para abrir la puerta de... mmm... cabe decir que encontró el derrotero más corto... la sala daba a la calle... Y sin rubor precautorio salió encuerada a gritarle al... ¿viento?... y a ver si sí: *¡¡¡Aquíii eeestoooyyy, y eeestoooyyy eeen cuuueeeerooos!!!, ¡¡¡aaahoooraaa pooor faaavooor reeepíiitaaanmeee laaa meeentaaadaaa fraaaseeesíiitaaa... eeesooo deee queee meee caaaeeeráaa laaa maaaldiiiciiióoon... aaahoooraaa aaatréeevaaansee!!!* La respuesta: ¿cuál?; la espera temblorosa, enloquecida, dizque ufana de Cecilia, mas su miedo en flor después... Veamos el resto del cuadro: aquella vez, por fortuna, en las esquinas contiguas no había guachos vigilando ni azules poco más lejos que la escucharan o vieran, que si no se van sobre ella para agarrarla y llevársela a la cárcel de inmediato, en cambio sí se prendieron cual tanteos intermitentes de norte a sur diez ventanas, mismas que al verlas Cecilia asustada se metió a su casa si no ¡ay!, amén de no haber oído de nuevo la maldición que ella hubo soñado o ¿qué?

Adentro su corredero para ir a despertar a su esposo, o mejor dicho: sacudirlo, pellizcarlo, gritándole en pleno oído esta rareza entrampada:

–¡¡¡Trinidad!!!... ¡¡¡Anda!!!... ¡¡¡Levántate!!!... ¡¡¡Oí una voz allá afuera y quiero que vayas tú para que veas de quién es!!!

–Es-te... Es-pé-ra-te... ¿Qué di-ces?...

–¡¡¡Alguien nos está gritando allá afuera!!!, ¡¡te lo juro!!!... ¡¡¡Si no para oreja y oye!!!

Transcurrieron diez minutos y lo único que el esposo logró oír estando en ascuas fue el firulete del viento: músico, pero sin más: cosa diaria, inacabada:

631

–Creo que tienes pesadillas... Mejor duérmete y con eso verás que todo se arregla...

Falsedad contra extrañeza.

Duda de vencida acaso para un reacomodo insano: bocabajo, ¿bocarriba? De un lado mirando estrellas; del otro: mejor: lo oscuro en la pared atareado: calca apenas de ardentía haciendo que ella cerrara a poco sus ojos: pero... algo molesto se impuso: se perfilaba la idea de que tal vez si caía en el sueño abiertamente, la voz podría despertarla: necia, más recia quizás. Entonces vino a Cecilia una trépida alcandora que algo le insinuó: una frase, tanto menos: ¿tres palabras?: «no», «pelada», «sino», ¡sepa!, la cosa es que ella en un tris se levantó y fue a ponerse la bata, por si las dudas; luego acostóse y sí pudo –adrede su posición retráctil, nueva, fetal– dormir: como dentro de algo: una cápsula, un alvéolo: espacio rosa envolvente, viaje hacia la extravagancia de la inanidad perenne, ya sin temor, por ejemplo: a un codazo repentino o a una maldición final.

Capítulo nueve

Bien mirada, Cecilia se veía chula inclusive hasta mascando con la boca abierta cachos de bolillo que por viejos ya casi parecían lascas o terrones esclerosos. De ella, ergo: su palidez acorde con sus arrugues: firmeza alba matizada, a poco, pero también: larga novedad sensual que aprendérsela al mirarla tardaría: ¿cuánto?, digamos: ¿una hora?, o por ahí; una hora más o menos fue el lapso de aprendizaje empleado por quien decíase con orondez sin igual: *¡Qué bonita mujer tengo!... debo dar gracias a Dios... a ver, una miradita...,* y ella cual si adivinara masque y masque lo veía como desde... ¿qué decir?... una altura ígnea, colora, y él desde un fondo: ¡extasiado!: pobre mirón pizcuintío, feísimo, porque, bueno, ya que entre más hacía muecas más se asemejaba a un burro, de esos babeantes, quiotosos, que a cada momento jijos menean harto su dentera y no se sabe si ríen o intentan llorar a gusto. La gota de sugestión cae precisa en lo macabro de un hambre donde había arte, al viso, casi de ocultis, pero bello al fin, o sea: lo artístico consistía en masticar con fervor despacioso pequeñeces: la saliva era la clave y tragársela a rehilo podría ser la recompensa de lo poco que en ablande debía durar saboreado. Se obvia la carencia a ultranza: ese último piscolabis, en agraz como depósito, y la tiesura del pan acabaría por ser traba donde los dientes ya no. Pero es que no había maíz para cocer ni había leña, y las latas: lo posible: esas postas descompuestas: ¡puro asco sobre asco!; su condición: animal: tregua que amolda insabores: lo que la naturaleza, poca o mucha en el desierto, ofrece a los errabundos: sus hierbas, su jugo amargo, aunque cabe la excepción: los cactos: sus frutos bombos; de modo que lo siguiente era ir a cortar nopales, si tunas: tanto mejor, y ese extremo ya propincuo: en dos días: máximo, o bien: un mísero lado humano: la esperanza limosnera: busca en el pueblo a ver si... con los clientes: un repaso: agotando las opciones. Todo eso en planteo cazurro o a la chitacalla ambos porque a la mesa su arte también consistía en lo dicho para no sentirse mugres. Y así sus vistas, sus gestos. Nada de la pesadilla salió a flote, por ejemplo: un comentario buscón, por regate de, pues no, y ella que pudo no lo hizo. Arte para repensar durante una hora: fue lo óptimo. Tenebroso el regodeo de Cecilia, quien a modo de ponerle, en lo posible, tajos fictos por aposta a su bulimia tan acre, imaginaba los sitios donde podían encontrarse sus hijos ya espirituales: limbos a cercén: pirrungos, encierros mil, aunque airosos: probidad de uno por uno, y así su desplazamiento estantiguo, derivado; si ellos acaso ¿zulús?, o más bien lo que quedaba de sus ánimas en pena. Entonces Cecilia: lela: recordó que la largaron primero en la realidad: de la plaza hacia... y después en el sueño aquel del viaje a la cárcel-laberinto: rémora indeleble horrenda, por lo cual: ¿ya no vendrían? Compulsa: ergo: comodina: tal ausencia, tal eclipse: marro, zurdo, si medroso, más duro, cada vez más; y en eso el turbio contraste: ocurrió que Trinidad sobre la mesa dejó caer un puño y luego otro para dar con lo ¿correcto?, si ideal en cuanto a funciones derivadas en funciones y así hasta donde se quiera, dijo que iría de inmediato en busca de, por lo menos, un soplete para: ¡oh!: tal vicisitud ¿por qué?, ultimátum para sí, a sabiendas, desde luego, que no sería nada fácil conseguir lo que quería, buenamente tardaríase un día entero, o tal vez ¿más?, y...

Digamos que la busca de Trinidad fue de (... mmm... valió la pena, eso sí; milagro en vez de: lo dicho: la maldición cual regate, por parte de... cual desgaste... todo iba marchando bien...) larga duración: y ¡¿qué?!; lo efectivo: la cosecha: vaciamiento por regusto sobre la mesa donde antes dejó caer puño y puño: decisión, urgencia, y véase: granos de maíz, avena –eso metido en bolsitas al igual que– piloncillo, lentejas, chiles serranos; el soplete en bolsa grande, y lo ¡pasu...!: extraordinario: TRAJO BARBACOA DE AYER, medio kilo de pellejos que... bueno... si se considera el grado de (ejem) carencia experimentado por: ¡ya tenían casi cosidas sus vísceras, y por tanto...!, amén de la estrepitosa estrechez que padecía la gente, la poca ya, se deduce que la busca fue... mmm... si bien... etcétera, y lo siguiente... Por la carga o el fastidio de andar toque y toque puertas llegó pánfilo el buscón justo cuando anochecía. Su malcontento, por ende, no tenía razón de ser, porque vista su resarcia se podría sustantivar algo que a lo mejor luego cobraría efectos malsanos: «éxito de limosnero», o de pedinche, es decir: lo caídocaído, ¿sí o no?, pues por albur soltó esto (lo primero, con hastío): *Todo lo que ves aquí es nomás para nosotros, y el soplete me lo apropio,* mientras no hubiese reclamo por parte de... Cecilia no, pero el dueño... Total que ¡manos a la obra!... Pero ella lo frenó a tiempo:

–¿Nos vamos a desvelar?

–¡Sí!, ¡pues sí!... nos vamos a desvelar... ¡Tú serás mi auxiliadora!

Cualquier hambruna permite mayor largueza si antes ha tenido probidad de resistencia tozuda, así que después el zampe y ahora el salto hacia el asombro: puras joyas, puras fotos de esa madre –¿se recuerda?–, la de Trinidad: churruinga, en blanco y negro, ¡carajo!, empero ningún billete, ni morralla entreverada: de súbito: ¡ah!: un mugre unto, casual acaso un centavo que tintineara al caer de entre las fotos sacadas; íncubo el valor a prórrata del aún joyerío lúcido cual manjar a cuatro manos posmo en sí por la extracción: de ella: su avidez alerta, de él: su congoja chaflana al no ver ni una caída, un peso no estaría mal. Tan arduo fue perforar –cuatro horas les llevó, en relevos espaciados; mas la trampilla: difícil, de hecho lo más difícil: zafarla sin desgraciarla, que el resto de la tarea ya no importó: quiérase en un lapso incierto de minutos, de sudores– que la decepción fue al triple al momento del gran fiasco, sobre todo del que anduvo limosneando sin cesar y suponía que su afán –si a erre que erre con carga de desvelo contra enfado– no debía desperdiciarlo en abrir la otra caja para toparse con: ¡puf!: ¡lo mismo!: la inconsecuencia momentánea de unas joyas y de un torrente de fotos de su madre ¿sacrosanta?: por haber posado harto: lucidora de vestidos: ¡qué exceso tan más orondo! Así que el ascua en acción: mirando él a su señora –«¿qué bonita mujer tengo?», de refilón tal vaguío– le dijo que había llegado la hora del cuchareo (intermedio providente), pues su hambre cual chirrio sístole o dístole escandaloso doblábalo casi y: ¡ojo!: si entrarle a la barbacoa. De acuerdo. Sonrisas. Y aire. Y luego a la mesa (véase): como nunca antes lo hizo Trinidad mientras comía no paraba de quejarse de no haber sabido a tiempo lo que contenían las cajas: las dos en reserva para... miedo al cambio ¡de raíz!: la sustancia de esa tregua: a hurto: ¡zoquete!: otrosí: las disyuntivas a pasto «en veremos» durante... a ver... los años se acumularon en un vacío ni hondo ni ancho, inútil de pe a pa, y mientras tanto otro azar menos azar aguardando, donde todo menos, ¡menos!, menos, digamos, preguntas, y ante esto se entresaca nada más lo provechoso: que con más nervio o más fe perforarían la otra caja mañana por la mañana, que a ver si hallaban billetes...

Cecilia, por el contrario, reprimiendo su entusiasmo, dejó adrede que su esposo se vaciara hasta cansarse. Táctica de suficiencia para arremeter con creces cuando, pero su entereza... Ella midiendo a sabiendas... Todo en su favor y extra, hasta el cálculo y el temple aunados al cruzamiento de sus brazos y también –pues de hecho bastaba verla– a su recargue burlón en el fregadero: ¡sí!: su figura en desguachipe: desarreglo aposta turbio, tan de anticipo y, entonces, como que por inducción Trinidad –al fin: humilde– soltó una pregunta de esas que postulan por respuesta la manga ancha o el desbarre:

–¿Tú qué opinas de todo esto?

–Deberías estar feliz... De la caja hemos sacado joyas que valen muchísimo y yo sé de unos señores que las compran y...

–Perdón, ¿dónde están esos señores?, quiero vendérselas ya.

–Antes de que te dé el dato, debo aclarar unos puntos que... –se prodigó como lo hacen los profesoretes chachos que por ser de medio pelo tienen que enredar lo simple y lo difícil saltárselo, así que dada la chanza pues ¡órale!: el revolteo, y ahí tenemos los atores, en principio, cual rebanes. Un punto, acaso el más obvio, era el término «incosteable»: en sí ni alhajas ni lana servían de algo en Remadrín: ya pueblo de ¿limosneros?!, ya muerto de hambre, ya... este... muy... Y sobre tal circunstancia bruscas e inútiles vueltas hacia atrás y hacia adelante; por ende: la interrupción:

–Lo que tú quieres decirme es que aquí no hay compradores... ¿Y tú crees que no lo sé?... ¿Adónde quieres llevarme?... ¡Anda, suéltame lo bueno!... Dime dónde están ahorita los señores que tú sabes...

La chachez tenía trasfondo: Cecilia daba rodeos por no atreverse a soltar su aventurada propuesta, dicha ya, pero en un tono que por suave era, digamos, como una invocación... vago rezo bisbiseado... Entonces grave chachez, luida, pero ¡BIEN SUBLIME!, más de mujercita ñanga que de tonga mujerzota, mas provista de refuerzos que de suyo a poco hubo acumulado durante... ¡uh!... Así el empiezo: ¡qué va!: tremendísimo, si bien, una frase imperativa, bruta o no, pero pues ¡óigase!: «¡Vámonos de Remadrín!», pero decirla tan... ¡No!... Que fuese una consecuencia del revolteo si no no, lógico deber sesudo del esposo al fin y al cabo, puesto que de lo contrario... Sin embargo, él presionaba: los señores: ¿dónde?, ¡ya!, y Cecilia titubeante (su tatez des-va-ne-ci-da, aunque al paso darle... eso) soltó el nombre: *A-a-a-a-arra-a-a-a-as*, ¡ni modo!, aquel su pueblo natal, casi ciudad porque había joyeros y más comercio, lana a chorros, por lo tanto, y desde ahí la hilazón: hoteles, un cine, iglesias, gran mercadeo en las banquetas, huertas, más agua, más sombras, y ¡claro!: más visitantes, más diversiones, más ¡¡¡vida!!!!, más gente, menos fantasmas, si más puertas por abrir o abiertas ya, mas, según, más caprichismo, más tretas, jales, roces, sensaciones, más música, muchos pianos en las casas y el placer de caminar, si pimpante, por las calles principales, sobre todo por las tardes, oyendo las intentonas de tocada: hartos ensayos, así que irse a vivir a un sitio tan sin igual: Arras: oasis: delicia: idea inagotable: afán, pero a la vez saciedad, y el «¡sí!»: cuándo... *Ándale...* Y ¡alto!

Trinidad y sus ideales que por nuevos eran zotes. Su lindeza esperanzada de ser alcalde: ¡qué empacho! De modo que la paciencia: resistencia valentona: de ellos: heroicos, preclaros; un lapso en lo subterráneo para ganar mayor luz.

Débil argumentación: la de arriba: ¿a poco no?, en virtud de que su alcance apenas sí merecía un charco pirrungo, o sea: infeliz estancamiento que a las primeras de cambio, nomás con que el sol quisiera, se endurecería y después: las grietas: rajas más rajas, y el tepetate: no triste, sino zote por insulso; téngase guarda de polvos para absurdos remolinos. Así que fácil de a tiro la emborronadura y téngase que Cecilia se sonrió, porque... a ver... cómo borrar... Esas miras de poder en el fondo no eran malas; sólo que eran des-pa-ci-tas, así de-li-ca-de-ci-tas (la sorna, ¿eh?... ¡mucho cuidado!): positivas por relance, y al grano la solución: bien posible tal anhelo en Arras, menos macabro: la alcaldía de allá a la vista, y el empuje, ¡oh, el empuje!, más de plácemes verbales y por ende más social; que el abecé ya empezaba: la campaña en pos de aquello tenía un origen distante. De allí allá: cerros de ideas: figuración baladí para hacerla inverosímil a la buena poco a poco kilómetro tras kilómetro, por lo cual ilusionada Cecilia ahora sí gritó: *¡¡¡Vámonos de Remadrín!!!* Sin embargo, el otro: necio: que sus hijos volverían –¡chin!, pues dale con los hijos, burda amarra, abstrusa, ambigua– y ellos también podían ser, si no alcaldes por lo pronto, sí burócratas de peso, de los buenos: ambiciosos. Total que el «¡no!» tenía aire y largueza en demasía y a cada empeño virtual le correspondía un empeño proclive al aguante penco, pero al cabo el vencimiento: trama de dundo recargue en la mesa: aquellos codos de Trinidad en desgaste, por mor de un cruce de joyas, dinero, sombras, poder, y lo óptimo aclaratorio en su debido momento: la casona de los padres de Cecilia: herencia intacta, cuestión de barrerla y punto, después una pintadita, que a los hijos (el trasunto) dejaríanles un recado en la puerta de lo que antes fue la tienda de abarrotes, por supuesto a pegue y sello y «adiós» no, sino «hasta luego», y lo demás por de más: fronda a modo, por decir, anchurándose a favor de un goce más relajado, luego de una gran tarea de convencimiento al sesgo, sin que existiera exigencia o desate renegado por parte de... se deduce... Lo deducible a propósito es el otro ángulo ¿tenue?, lángui-do por falto y triste: no deseaba Trinidad que Cecilia le apagara, cual si le soplara suave a unas velitas cuicuinchis, una a una sus rarezas; entonces la vio y sonrió –para sí su vitamina: frasecita extravagante reciclada a contrapelo: «¡qué bonita mujer tengo!»–, y al reconocer que fue su fracaso ¿ingenuo?, ¿sí?, también dijo que fue sano y agre-gó, por no dejar:... *por lo tanto si vendemos las joyas, como tú dices, puede ser que luegoluego llegue a ser alcalde de Arras.* Lo real vino, brilló, y véase:

–¡Claro que sí!, ¡date cuenta!... Aquí serías mandamás de policías y soldados, ¡pero nunca de fantasmas!

Sus risas casi agrietadas, dolorosas, aunque nobles, por no ser de lengua afuera.

Sus procuras, su silencio.

Contra el sueño: su fiesta íntima, y para que fuese mutua se toma-ron de la mano y a la cama paso a paso, yendo, ¡ay!, cual si subieran a un trono que, según ellos, debería reconfortarlos...

Pero...

Nada de que darse besos o abrazarse empelotados, mejor la satis-facción ominosa de sus almas...

Lazo en lo alto: blanca imagen: diosecitos voladores, siempre uni-dos, siempre ingrávidos, y ¡a dormir!, porque si no:

Si no ¿qué?...

Véase el viraje:

Nomás cerraron sus ojos y sobrevino a cercén el dramatismo soñoso de atisbar entre tenebras desperfiles de siluetas acechantes para mal que insinuaban secreteos pero en ondas que de pronto eran ras-tras temblequeantes y así el amago, el regate, vez tras vez: dual sensa-ción para comentarla: aparte, pero en tanto padecerla. Si atáxico el culebreo fidedigno en el trastrueque de lo que estaban planeando contra sus pequeñas dudas al respecto: ¿subsanadas?... ¡a saber si era su encomio!... Y en lo bajo por lo pronto chachas sus figuraciones: aleves en apariencia, vacilantes porque luego cada uno por su lado perdíase para buscarse –su unión: tregua por vencer– y hallarse otros de repente. Difusas deformidades en resbale: pasajeras, pero en ráfagas: a tente: gayos visos (de por sí): todos identificables; sus caras, sus cuerpos: dudas: brochazos a la barata; no obstante, incrédulos ellos querrían seguir corre y corre por el níveo laberinto: paredes: casi ¿ilusión?, suelo blanco transitable, pero ¿hasta dónde era el límite?... El escenario, en efecto, era infinito, o si no: ¿qué jardín lo recortaba?, ni para cuándo lo vieran ellos en su correntía; espacio dimensionado en pasillos y hasta ahí; ningún dibujo de más, que una geometría más libre, que un encuadre diferente, que algún ruido perdedizo; si no un traque: algún color: garzo, oliva, caoba, grana o azafrán o alheña o pardo, mas sólo –supuestamente– los desperfiles rastreros podían traer algo más... Lo trajeron, fueron voces: enllegando coloridas; él oyó lo que deseaba: sus hijos entre paredes como que decían a coro: *¡Ya llegamos!... ¡Ya lle-ga-mos!... ¡Ábrannos!... ¿¡Qué no nos oyen?!* Pero los toquidos *¡nunca!*, ni sus cuerpos hasta atrás: en un fondo omiso apenas; ella también oyó claro lo deseado: los toquidos, no de sus hijos: ¿por qué?, sino del donjuán de nuevo, que venía para llevársela, o de la famosa sombra de mujer enrebozada que alguna vez la invitó dizque a efectuar en camión, con otras madres del pueblo, un largo viaje a un lugar –¿se recuerda el nombre?, o, bueno...– adonde estaba la cárcel en la cual... ¿falso?, o ¡qué diantres!... por ende, llena de miedo, tras un ajuste inconsciente hecho medio de revés, Cecilia volvió a escuchar el lastre aquel: infeliz: *¡Le caerá la maldición!...* Todo se desvaneció cuando ambos se despertaron a la vez tratando en vano de mirarse y, para colmo:

–¿Lo soñé o está pasando?

Tal pregunta de él, absorto, mientras que ella flexionándose, desde luego con disgusto, soltó un burdo despropósito:

–¡Basta!... ¡Ya basta, por Dios!... Con ésta ya van tres veces.

Dundo desconcierto al doble de Trinidad por lo oído, si a ver, a ver, arreglando –y ya sentado en la cama–, quiso entrar en pormenores al preguntarle a su esposa:

–¿Cómo que ya van tres...?

¡Pero!... en eso oyó: ¡real!, ¡carajo!: la voz de Papías: ¡afuera!: *¿¡Quién de los dos nos va a abrir?!... ¡Ya lle-ga-mos!... ¡Ya, deveras!,* y el refuerzo, algo sesgado, de Salomón al gritar: *¡Venimos sanos y salvos!* Y la puesta en pie en aína de Trinidad que, si bien, malcontento o tembloroso, urgió a su mujer diciendo:

–¡Levá-a-antate!... ¡Á-a-andale, pro-o-onto!... ¡Ya llega-a-aron nue-e-estros hi-i-ijos!

Empero ella cual si nada. El resplandor estelar como que en tela alumbraba su azoro inane: ¿confuso?, esa acodada postura, sostenedora tan sólo de la cintura hacia arriba, mas sin ningún balbuceo, y por lo mismo el marido acometió con más brío:

–¡¿O QUÉ NO OÍSTE CLARITO LO QUE YO OÍ, O QUÉ TE PASA?!

Y el «isssht!» de Cecilia a tiempo, añadiendo el toque mónico, o sea el reparo puntual que el otro necesitaba:

–Habla bajo, por favor... Mira... yo no oigo a mis hijos, es Vénulo el que está afuera o si no es una viejita que ha venido ya tres veces a invitarme a hacer un viaje...

En eso la interrupción de Trinidad con un «¿¿qué?!»: larguísimo, espantador, y cuando iba a suplicarle que le explicara al detalle su reborujo, digamos, de plano patas pa'arriba, oyeron de nueva cuenta lo soñado, pero así: él a sus hijos llamando y ella al donjuán o a... ¿tal vez?... la voz no parecía de hombre, mucho menos de mujer, sino (bueno, de resultas, en voz baja lo siguiente):

–¿Oíste?... Son nuestros hijos. Oí la voz de Papías, luego la de Salomón.

–¡No!, no son... Son otras voces... Una es de la viejita, aunque de pronto la oigo como si fuera de Vénulo.

–Creo que te estás confundiendo, o estás modorra, o ¿qué tienes?

–El que estás mal eres tú... Deberías despabilarte... Ve al baño y échate agua en la cara a ver si captas.

Por fortuna, nuevamente la voz (¿voces?: con más fuerza) y por fortuna otro lío, aunque ya más de salida:

–¿Oíste?... Son nuestros hijos... ¿O a poco vas a negarlo?

–Te juro que no los oigo... En cambio sí oigo asíasí la voz de Vénulo, o, bueno, de la viejita al final, o al revés, o entremezcladas.

–Entonces, ya me asustaste... Oímos cosas distintas... ¿A eso te referías cuando dijiste «tres veces»?

–¡Sí!, a eso... pero mejor ¿por qué no vamos a ver?

Por lo tenso del momento –mitad real, mitad soñoso, y con pinta de alucine: el todo, si es que eso era; lerdo efecto al fin y al cabo– parecía que no había de otra; cuadraba aquella propuesta, sólo que con un agarre de manos, por si las dudas: automatismo que sí: como acuerdo a modo a oscuras u obediencia perendengue. A hurto lo venidero: trámite de acercamiento: de pie ambos –y así el «sí»– y en bordeo de cama, esto es: de salida, donde, bueno... el agarre no fue fácil. Pero una vez ya palpados, se antojaba, y con razón, un abrazo, semi, pues, que les permitiera dar los pasos, los necesarios, hacia... la sala antes que la tienda... la ruta por intuición, con ayuda del emplasto en tela ámbar por encima. Entonces una pregunta más desde lo fantasmal: ¿quién dirigiría el avance?... Tirones harto sutiles de quien decía haber oído a sus hijos, pero ¡chin!, lo malo era que entretanto el silencio circundante profanaba, corroía, apretaba de por sí cualquier traque, salvo –aparte–, por ¿ocultos?, los latidos de, en permuta: dos aciagos monorritmos que intentaran hacerse uno, y más recio, cual queriendo salirse de sus covachas y en el aire hallar un modo más audible o mal que bien resonante y ¡trompicado! Pasos, dudas, y de suyo cada quien con sus ideas en desvío para sentirse: mira-mira, ¡ay sí!: quisieran: hazañosos, si virtuales, yendo juntos: retadores: por mor de un azar a expensas de su actitud precavida. Ella queriendo atisbar al grandulón o a la sombra de la narizona incierta; él jalándose en refalse hacia el magma de la clave: la pendiente: «las tres veces», dizque a punto de desate: que Vénulo había venido a buscar a su señora cuando él no estuvo en la tienda... podían ser muchas más veces... pero ¡¿qué tal?!, ¿sería cierto?, de serlo nomás faltábale verlo afuera y ¡a la carga!: matarlo, pero ¿con qué?, ni modo de regresarse por un cuchillo, eso no, quizás un poco después; además, la tal viejita, pues ¿quién era?, y luego lo otro: el largo viaje hacia... ¡vaya! Pero mejor acercarse –ojalá antes de– a la puerta –no fueran a arrepentirse– y abrirla y caer en cuenta. Por fin el límite y ¡dale!: con toda delicadeza Trinidad abrió lo dicho. Primero el asomo chirris: aunque osciló su cabeza el panorama exterior regalaba una quietud cuya vibra era tan rígida que hacía de la levedad una chirriante expiación: reconocible, si bien: consabido el grillerío incantatorio y tendiente a apagarse adrede: a poco: nomás porque él se asomó. Luego el jalón o el empuje: lo que fuera macareno o manjaferro o muy cheché: cuerpos como a la deriva: él o ella: titubeos, y de resultas los dos, en agarre, mas expuestos a una ráfaga naciente que los repasó... perdón... repasaba mientras, bueno... Total que hubo desatore: el esposo: despeinado: gritó lo que más le urgía:

–¡¡¡Paaapíiiaaas!!!... ¡¡¡Saaalooomóoon!!!... ¡¡¡Reeespóoondaaan-meee!!!... ¡¡¡Aaaquíi eeestoooy, sooy suuu paaapáaa!!!

Nada: la respuesta: ¿cuándo? Los segundos se estiraban como engrosando un dilema, y engolfadas las mentiras conforme el decurso aleve pareciera ir de revés, también como que escurríanse por un embudo macabro. Ergo: el refuerzo, otrosí: calamitoso, de suyo, por emocional y ambiguo, de Cecilia que gritó cual si retara al azar:

–¡¡¡Saaal deee dooondeee eeestéees, maaaldiiiitooo!!!... Siii haaas veeeniiidoo pooor míii, ¡¡¡óoooraaaleee!!!, ¡¡¡aaatréeeveeeteee deee uuunaaa veeez!!!... ¡¡¡Ooo túuu fuuulaaanaaa deee taaal!!!... laaa deeel reeebooozooo... aaa veeer... ¡¡¡veee!!!

Demasiado disparate para enganchar lo deseado: la aparición obediente del donjuán y la viejita a una mediana distancia y a bote y vole el antojo de que ambos humildísimos se acercaran a la casa gustosos y retepandos, ¡pero no!, sino más bien, por tal desfogue tan dundo, más probable es que vinieran guachos y azules en friega, pero al parecer tampoco, porque la quietud: idéntica, terrorífica, más cierta, conforme iban transcurriendo los segundos de zozobra, empero: risas ¡sí hubo!, suerte de discreteo ñango, risas: zote afinación: por doquier: de quiénes, ¡ay!, y el flujo de un sortilegio... De repente un «jajajá»: ¿los hijos se estaban riendo?, así lo pensó el esposo y le hizo el comentario a la que, por diferencia, oyó lo mismo, no obstante: rauco, burdo, y al final: ¡oh registro tan tiplludo! (la viejita resultona y el donjuán dando la pauta), como para un amilane instintivo, dicho sea, a tal grado que la pobre juntó manos con orejas: aterrada, pero firme. Próxima otra retahíla de «jajajás» con variantes, en oleaje irregular: tonos, ¡tonos!, y compás: hosco baño a la barata de «jajajís», «jajojás», «jejejés» y «jojojós» y el reciclaje enfadoso como inundación proclive a un volumen más orate, de plano ensordecedor...

–¡¡¡No se ríiiaaan!!!... ¡¡¡No seeeaaan caaabroooneees!!!

Desespero inconsecuente de Trinidad que sentíase, al igual que su señora, en apretado acorrale, machucón, hostigador, y por ende adrede esto: «ja-je-jojijá-jojó-je-ji-jajajajajá-jijajejajajajú», y ¡ni modo!: era un engaño, pues ni hijos ni viejita ni donjuán ni azules ni... los guachos ni se asomaban, mas ¿dónde el divisadero?: los fantasmas ensayando burlas, ¡puras turbiedades!; si opción para los esposos: meterse –¡basta!–, librarse, enseguida ya, y después: macilentos a la cama abrazados dirigíanse: a ver cómo iban a hacerle no sólo para dormir, sino para tener sueños de color de rosa, ¡claro!, porque de otro modo: ¡horror!, de nuevo y... pero el volteo... Estando (ejem) dizque en acurruque, bueno, en definitiva, aún temblaban harto... y apretarse y así... etcétera... cierre de ojos y estrías cándidas: miedo en redondel: ¿quimera?, o trasiego venturoso en alargue, ¡ay!, derramándose: lloro ulterior descompuesto o invención sin derrotero: otra noche: una colada: otra fuerza podría haber nacida de un fondo blanco: punto que estalla coloro y a partir de ahí el soñar: mutuo: y el reparto de ángulos que se diluye o se amolda a un jardín: límite irreal de un laberinto que es nudo, o impureza cual pingajo que cae, cae, cambia, y por tanto...

Capítulo diez

Cecilia le explicó a Trinidad (fenomenales las nubes del día azul que al transformarse serían cual bolas rodando; orondo el sol ¡bien bonito!: portador de hazuelos gualdos, héticos a tutiplén, y uno inciso, casi diablo, iluminando la mesa, las sillas y el fregadero, parte a parte la cocina donde el desayuno ¡niguas! –el hambre tenía otro empuje, con deslinde providente–, debido a que los esposos desde muy temprana hora optaron por perforar la caja fuerte restante) lo de las apariciones: al detalle: aquellas veces, pero a saber qué sentido tendría el remate redicho de manera categórica: «¡Le caerá la maldición!», como insidia que tal vez seguiríase repitiendo, si se quedaban allí.

Conjeturas a granel de ella nomás: silenciosa, porque el otro oyendo mientras, concentrado en su labor, como que silbaba mal, para eludir la rareza que aquélla planteó y después (luz, ¡más luz!: trama estantigua en la casa –diurno asedio–: fulgor acre en las recámaras, en la sala y en ¡la tienda!, agréguese en la trastienda la asombrosa filtración. Los soslayos servían de algo: los esposos percatábanse de ese iluminismo adrede, sin comprobarlo del todo, al deducir la abundancia como acecho –luz, ¡más luz!– de una monstruosidad que de ahí para adelante...): recios sus –cabe atisbarlos– movimientos de cabeza: afirmativos (¡pues sí!): al tiempo que él, por antojo, soltaba aisladas procuras o ideas como: «Ya está visto, nos tenemos que ir de aquí», «Nuestra casa está embrujada», «Es mejor irnos hoy mismo», «Nos llevaremos a Arras nada más lo indispensable» y otras de apuro o temor. Sin embargo, cuatro horas a Trinidad le llevó perforar y abrir, digamos: ¡ni a dos tirones forzados!, la trampilla de la caja.

Capítulo once

De nuevo fotos y joyas, ni un billete –¡¿mala suerte?!–, pese a tanta sacudida: ni morralla que cayera.

Capítulo doce

¡Qué importantísima madre!

Capítulo trece

¡Cuánta idolatría guardada!

Capítulo catorce

Paso siguiente automático de Trinidad fue ir en friega a la tienda a mover ¡órale! –Cecilia tras él: atónita– un mueble pesado para... Y el pozo adonde el dinero (devaluación perendengue: pronto senil, otrosí: trasunto irrecuperable): el poco: ya: de reserva. De hecho, el descubrimiento a destiempo de Cecilia, quien viendo con ojos loros la perfecta cuadratura, la turbia profundidad no era de un metro siquiera; mas su aguante preguntón, a hurto sus «¡¿qué?!» precautorios, pues no era bueno el momento para las explicaciones, esas tardarían quizás días, semanas, meses, ¿cuánto?, cuando ya no fuesen –¡sepa!– charadas ni quisicosas. Y así con saque a dos manos –cuatro fajos algo magros– Trinidad determinó: *Con esto habremos de irnos a tu pueblo ahora mismo... Nos urge vender las joyas enllegando, ya lo sabes... Espero que sea verdad que en Arras las venderemos...* Y ella nomás asintió con la cabeza y después...

Capítulo quince

En el fondo del traspatio la quema de fotos: sórdida: que no quedara ni un rastro de esa orate idolatría. Las cenizas en propelas a la postre se elevaron, aunque verlas: ¿para qué?

Capítulo dieciséis

Mejor la hechura de liachos. Es que no tenían velices para todo lo que... bueno... la considerable carga... salvo dos, los de Cecilia: antiquísimos, pirrungos, quiérase un par de macutos: los usados –¿se recuerda?–: cuando ella vino de Arras a Remadrín; y otro uso –mas no tanto–: sólo un trayecto de cuadras cuando ocurrió la mudanza de la casa de su tía a la de... ¡Ésta!, ¡sí!, invadida por fantasmas, brujas,

¡vaya!: diurnidad, nocturnidad, de tenebras... ¡sí!, ¡seguro!... y además su empuje al sesgo, y entonces: un desacuerdo...

Capítulo diecisiete

Lo hubo: por peteneras: alegato pasajero: porque Trinidad: nervioso: puso un «¡hasta aquí!» en aína... Que se usarían los velices para meter los montones de joyas: lo que cupiera. Sobró, empero, como magma, una pila no nutrida de oro ¿mierdoso?, ¡atención!: ¿asqueroso?, ¿repugnante?, amén de un tampoco vasto traslúcido pedrerío.

Capítulo dieciocho

No llevarían mucha ropa en los lichos sabaneros. Sólo dos cambios aparte, para no doblarse zambos por una sobrada carga.

Capítulo diecinueve

Sus «sí» en correntía de apuros, ergo: diluidos sus «no», o sus «quizás», o sus «pero», contimás los de Cecilia, por descuento sistemático.

Capítulo veinte

De modo que no estarían incluidas (¡ni de chiste!) las fotos de aquella boda (pues ¡qué ocurrencia tan suata!): la primera: senda pila, y menos las que a cercén les tomaron a raudales cuando las bodas de plata, siendo las últimas, de hecho, el triple, o sea: tres legajos: más artísticos encuadres... No obstante, la decisión de él, de resultas, grosera: ¡al carajo de una vez!; aunque viendo el foterío: ambos: de modo distinto, tales amarres intactos, hubo un síntoma, digamos: parecido –¡persuasivo!– de agria sensibilidad, ya que las dichosas pilas no merecían una quema como (y así lo manifestaron)... bueno, para no ir más lejos... tan sólo una regazón (ya empacho para fantasmas: óptico, en sí: ¿secundario?): un rebane amenazante, lastre adrede, aunque ¡eso sí!: llevarse enliachada, a ver... ¡¿la gran foto familiar?!... Trinidad dijo que no, puesto que era dolorosa... Y llevársela ¡pues no!, y añádase lo crucial: ¡qué estorbo entre la aguadez de sus ropas ¿no era así?

Capítulo veintiuno

La aguadez fue la premisa; lo exiguo: la conclusión... dicho todo con aplomo: el necesario por parte de quien ensayaba modos de mandamás endenantes, a lo que: acto seguido –traduciendo por regate lo evidentealigerado–: no podían llevarse nada cuya dureza –¿ya se obvia?–... cualesquier objetos –quiéranse– consentidos de ninguno, excepto: las joyas, ¡sí!, y a otro asunto ¡de inmediato!

Capítulo veintidós

Sobre la señera foto familiar que tamañona, y con retoque coloro, betunoso hasta el hartazgo, pendía aún de una pared de la sala cual destello de una posma incertidumbre, Trinidad argumentó, con desespero infeliz, que tendría mayor sentido, para efectos de signáculo o reminiscencia diáfana, el que sus hijos llegaran a Remadrín: arrepisos, y de allí, por consiguiente, partieran directo a Arras, como empujados por Dios; si eso ocurriera ¡qué suerte!: allá se habrían de tomar, repitiendo posiciones, la foto definitiva.

Capítulo veintitrés

De lo anterior: ¡ni chitón!; Cecilia consideró razonable ese godeo. Entonces: ¡manos a la obra!: se redunda en la aguadez exigua, y punto y, por ende: pura ropa hecha pelota, luego nudos sabanosos en aína, y «¡¿vámonos?!»

Capítulo veinticuatro

¡Momento!, porque faltaba el santiamén proverbial.

Capítulo veinticinco

De hecho, el deslinde emotivo, sensiblero de ella, y el «por favor» por agobio: rastra para aletargarla; es que debe de inferirse que deseaba echar a modo un vistazo –¡tras-cen-den-te!, el póstumo, como insidia– a esa casa que fue pródiga en reveses ¡protohumanos!, cuya historia aún rehinchida de bailongos, gritos, risas, problemas, niñez, amores, odios, frenesí, desgastes, rompimientos, ¿madurez?, y tristezas y demás... Se le antojaba a Cecilia un recorrido final tocando objetos, paredes, los rincones: su misterio, el menaje que –¡ni modo!– habría de quedar a expensas de fantasmas, suave arbitrio, o del aire lugareño, o de ¿quiénes?, ¿qué ladrones?... Mas Trinidad la frustró al decirle regañon: *Un vistazo es un vistazo, es rápido y suficiente... Un vistazo que no dure ni diez segundos, ¿de acuerdo?... Un vistazo en derredor, mas sin dar un solo paso: lo que alcance de registro en un giro de cabeza... ¡y no se vale hacer trampa!...* y así lo hizo la señora: mirando el traspatio, ¡ay!, desde adentro, mas no muy: punto estratégico pues, y ¡claro! –se sobrentiende– se le tuvo que salir fácil una lagrimita, misma que con un pañuelo con ternura le limpió Trinidad y «¡vámonos!»

Capítulo veintiséis

Ya iban a cargar los liachos y los velices, si ¿cómo?: trasunto ese del reparto de las zabordas, etcétera: si el equilibrio suputo, cuando él pertinente dijo algo acerca del recado que deberían de dejarle a sus hijos por si... en fin.

Capítulo veintisiete

Se plantea la truculencia de un irvenir afanoso y a topa tolondro: ¡riegues!: ergo: las necias enmiendas: posteriores archiequívocos en cuanto a una suficiencia inmaculada... a saber... y el rehílo empieza aquí: lápiz, mas con punta gruesa; papel, pero no de estraza (siendo tal el conseguido por la señora en un tris, y el «¡no!» deducible, craso: es que no se iba a notar lo escrito, como se debe, en resalto duradero), y entonces ¿cuál?, a ver, ¿sí?... En consecuencia el papel que fuese blanco: lo óptimo, y resistente, por ende. Un cartón podría servir, siempre que no se pasara de grosor porque... lo inciso, ¿eh?, si bien, harto proclive a una ringa de hundimientos... O sea que mejor se queda en lo dicho: el papel blanco: que ¿una hoja de cuaderno?, si rayado de pe a pa, escolar, como se vende... ¡pues sí!, y entonces ¡de prisa!... La cosa es que ¿dónde?, y... La busca fue de los dos: en la tienda él abridor de cajones, y no halló; en cambio ella sude y sude hurgando entre los cajones de su tocador con luna, y tampoco uno siquiera. Mas, para no perder tiempo, Trinidad determinó: que un cartón (lo facilito), pero partido en dos pliegos, para quitarle balumba, y así la pronta medida de ella mostrando su ingenio tras irvenir y ahí estaba. Ahora otro reconcomio: ¡qué mejor que utilizar pluma atómica y por tanto...! Nueva busca en los cajones susodichos –contratiempo–, empero fue Trinidad quien halló lo que no vio en su viaje de registro, el anterior: perendengue, pues la apuración, de suyo, había hecho del trajín –y eso tiene abarque mutuo– un absurdo desgarriate... Ahora lo consecuente: el estilacho cabal, el que visto –si a ésas vamos– por encima, y que persuade, o puede, incluso, dijérase, atraer a algún fulano que se encuentra a una distancia de veinte metros, si bien, por su chispeo sensitivo: *Queridos hijos ausentes* (misterioso imán quizás), con recalco de mayúsculas. Era una exageración. A tiempo el reparo, entonces, de Trinidad diciendo esto (más expletivo el saludo): *Hijos que vienen de lejos,* ¿qué tan lejos, sin embargo? Si se ha de medir al tiento por kilómetros y luego se calcula una cifra equis, si es vasta: quizás, ¡de acuerdo!, aunque todavía descuelle lo relativopropincuo como anticipo estorboso. Así podría resultar que lo lejano en verdad no fuese más que minucia mundial, ¿eh?, o continental, de modo que eso, asegún, lejano, pues mejor no. Y el destrampe por recelo de ambos se desató: remilgos, pruritos, tretas, donde escrúpulos ¿ambiguos?: incompartidos adrede se anchuraban harto infames, o se comprimían –depende– en aras de precisiones que de darles relevancia provocarían –como fue– una tardanza insufrible. Otrosí: ¿quién ganaría tan ampuloso alegato?... Avanzaban frase a frase con «peros» a tutiplén; y el acábose broncudo: se enfadaron, se gritaron los esposos cual oleaje que desbordaba esa casa. De a tiro por un pelito no se dieron de manazos. Es que osado Trinidad largó un ademán frenético:

fintador, repasador, que por fortuna acabó sin estrellarse en... ¡qué suerte!; y por fin, al cabo de horas: unas tres: trancapalanca, quedaron reteconformes con lo escrito en el cartón, escrito de él: despacioso, dada su enorme pericia en la escribidera aciaga de mantas y de pancartas hirientes, mas lo de ahí, tan sensible de vencida, debió ser incitación, que no rejuego perverso. De por sí: letra visible: relumbre en tinta cerúlea, y esos moldes llamativos, y la presunta elocuencia... De ella fue la idea del pegue (dunda inercia imitadora tras lo visto en varias... bueno...) en la puerta de... a ver... ¡chin!... tin marín de don... etcétera... Ganó la tienda, digamos, por arrobas, y ¡ni modo! Recado exterior: tan frágil: a la buena de los vientos. Mas como ni por error encontraron pegamento, hubo clavo con martillo, y el ejecutor fue... obvio... Trinidad era más alto que Cecilia: un poco más... Y la altura del recado: un cálculo horizontal de ojos: ¡así!: los de sus hijos, que eran de la altura de él, y por ende: lo supuesto.

Capítulo veintiocho

¡Venga lo escritoclavado!:

Adorables hijos nuestros:
Nos fuimos a Arras, Capila, pueblo natal, bien lo saben, de su tan querida madre. Allá es donde viviremos lo que nos resta de vida. ¡Vayan a buscarnos pronto!, nos daría bastante gusto. La dirección es –¡escríbanla!–: calle de Rendón Aguayo, número cuarenta y cinco, entre las calles de Cruces y Coyotes, dicho entonces, no habrá pierde, así que ¡vayan!, porque además esa casa casi está en el mero centro.

Firmas al calce mirrungas: sendas rayas al garete: garabatos leones ¡quiéranse!, y más abajo los nombres nomás con un apellido. Del lado izquierdo el de ella y del derecho ¿quién?: sino... ¡Se les olvidó la fecha!: detallito ¿necesario?... Frescura perdonavidas a fin de cuentas y ¡¿qué?! Los hijos regresarían a saber si para irse a Arras ¡bien obedientes! Lo más seguro es que no. Agréguese otro asegún: si volvieran no irían mansos en busca de comprensión, y con disculpa en la boca: para tristes vomitarla. Lo inminente es que llegaran a su casa: aquel jacal hecho con sus propias manos. Pero lo más resultón es que ya jamás volvieran a Remadrín: ¿tendría caso? Si acaso como fantasmas, zotes ánimas en pena pervirtiéndose ¿sin fe?... A escoger prerrogativas: ellos: a contracorriente; del aire: la más capciosa, asirla con desespero a la hora de la hora...

Capítulo veintinueve

¡Listo!, y ahora sí la huida con aflicción como rastra que no termina tan, de hecho: imborrable frenesí, arbitrariedad de amor.

Capítulo treinta

Antes debe de decirse que no fue fácil el quiebre con un historial tan lerdo; sublimado subterfugio: la huida: de una vida no sublime sino sub, así nomás, o sea menos, casi nada: fugacidad que después tendría vuelo en otra parte. Cecilia no resistió dar un último repaso a las estancias añosas. Recuerdos en deshilacho. Todo para abandonarlo. Pero mejor, ¡sí, mejor!

Capítulo treinta y uno

Trinidad, en tanto, afuera: en la puerta: ansioso, y quiérase fume y fume porque... ¡vaya!... Llegó la esposa llorando y ¡a cargar!, pues no había de otra, y dar pasos hacia... en fin... Entonces adrede él dejó la puerta entreabierta –un poquillo, casi no– como diciéndole a ¿quiénes?: «Pueden robárselo todo». Y ella no dijo ni pío: al respecto, e hizo bien; en cambio sí, ya en avance, le gritó al ex haragán: *¡Vámonos!, ¡pronto!, ¡ya vámonos!,* por lo que el otro: pues ¡órale!

Capítulo treinta y dos

La repartición de pesos para caminar seis cuadras. Él llevaba dos velices y cuatro liachos gordinflas, parecía tener el pobre cuatro manos cual tenazas y dos espaldas, ¡caray!, ya que el balanceo-equilibrio no lo hacía ver tan grotesco, mientras que ella, con dos liachos, para colmo desmirriados, sí batallaba, sudaba, por andar cae que no cae.

Capítulo treinta y tres

Y el entorno guacho-azul, estatuario-anochecido. Aquella inmovilidad cual designio de fantasmas viendo el avance intranquilo de...

Capítulo treinta y cuatro

¿Cómo cuesta trabajo irse?... Ir dejando lo querido... En primer lugar la casa y el recado a la deriva. Luego la plaza, la cual: tantos besos como anuncio de algo que a la postre habría de declinar o tal vez... Si en desperfil la alcaldía, las calles, la noche misma, y así llegar a... ¡el trasunto!

Capítulo treinta y cinco

Se describe –y ¡con terror!, de esos chistosos que cunden cuando agobia la zozobra– el cuartito utilizado como estación, asegún, de autobuses que descargan o que cargan bultos-gente, y tuuurruuuptrrr, ¡rápido!, truuuptrrr... Entonces íncubo el foco, pingajiento de por sí, y falsamente oscilante, dizque mareador ¿malévolo?: movíalo el viento ¡fantasma!: como burla momentánea hacia los pocos viajeros que decidían esperar la parada intempestiva del último, por decir, regio autobús –era el único– que iba a Torción: viaje en ascuas durante una noche en arrufe, casi entera, casi lenta –¿por eso era el más lujoso?–, o sea hacia el sur: si filura: allá donde las tinieblas. Falta ver lo habido al fondo: ambiguo arrinconamiento, y ahí un desdibujo aleve: una huerca boletera: greñudísima-enfadada –cara de palo a la fuerza– en arrellane atolote en un sillón escarlata: mullido –¡iuf!–, pegosteoso, tras una mesilla gacha, patichueca, porque, ¡ojo!, también el viento movíala.

Capítulo treinta y seis

Vacilante fue el informe de esa huerca desganada. Dizque el autobús pasaba a la una de la mañana. Frase turbia por restire, venida desde ¿quizás?, y: letargo de cinco horas –desde las ocho pe eme, hasta... ¡cuéntenle!, si quieren– de espera ¿allí?, si en la guala. Pudiera hasta darles tiempo a Cecilia y Trinidad de arrepentirse o ¿qué hacer?... Había una banca no larga, no para que se acostara a sus anchas la señora, pero lo hizo, acomodóse; en tanto el ¿ex haragán?: se tendió con placidez en el suelo de cemento. Dormir era lo indicado. Mas sus sueños coincidentes... ¡Ojalá que se desviaran hacia la afabilidad de ir en pos de un horizonte rosa, BIEN ROSA, y también agarrados de la mano y con las frentes en alto!, pero... etcétera y etcétera... Dormir adrede a sabiendas que podría ser peligroso en tanto permanecieran en ese pueblo ya en ruinas. Dormir, aunque ahora sí, al lado de un fantasmilla: la tal huerca boletera que fungía como si fuese, aun cuando pizcuintía, aun cuando de carne y hueso.

Capítulo treinta y siete

Repentino el despertar de... pero antes vamos por partes... ansia a prórrata soñosa y lejanía sobre hastío... dedúzcase el nerviosismo... La primera fue Cecilia, quien... El fantasmilla en acción sacudiólos con apuro. De no haber intervenido el susodicho ¡qué va!, es seguro que los deja el autobús y tan-tan. Naturalmente fue en rosa el sueño desguachipado: de ambos en pos, por ahí. Y lo dicho: ¡qué problema!: para la huerca ¿verdad?, y luego para Cecilia, porque el otro en sumideros ni para cuándo y, entonces: las cuatro manos sirvieron –por femeninas ¿acaso?–, pero más aún el grito que Cecilia le pegó en plena oreja a... y ¡al tiro!... Téngase que mientras tanto el autobús ronroneaba: trasunto especulativo, y una vez que... mmm... lo apurón de meter liachos, velices, en la panza cual cajuela del autobús en el cual: gran contratiempo el esfuerzo del chofer encorbatado, pero además bien molesto; así que hizo lo que hizo y «¡vámonos, por favor!»... Era obvio que allá en Torción harían el trasbordo a Arras; tal vez fuese en un camión de esos típicos polleros, pero hasta allá se sabría... Antes el trepe en aína y la sentada cuachera: había bastantes asientos de la mitad hacia atrás... Y el tuuurruuuptrrr sobrentendido y en pinturreo Remadrín: obsceno y fláccido tinte: endrino, ¿fuliginoso?; focos en ráfaga: líneas, incidencias hechas pote o símbolo que se agita, dejo o punto perdedizo; y la carretera: ¡oh, tregua!: suerte de embudo extenuante; y el campo: masa blandengue y a sí misma membranosa: como aciago escurrimiento; y ¡adiós!, ¡en sí!, por etapas, cuán zote birlibirloque.

Capítulo treinta y ocho

Recado omiso: ¿fascinación?: A LA DERIVA porque quizás en el momento menos pensado un viento diablo pegaría ¿dónde?, ¿en cuál esquina primeramente?, siendo o estando tan ¿qué decir? –cartón que acecha la irradiación de letras muertas y, por lo mismo: parece gana (medio elusiva) de revivir a contracorriente todo un afán desmerecedor... Entonces (ejem) sale sobrando hacer hincapié en lo relativo al centro del cartón; ¡sí!, está firme; ¡sí!, está, por lo pronto, (¿es?) inamovible; es como una, digamos, atracción a hurto... digamos, al bies... o más o menos, y por ende ha de inferirse que el recado se mantendrá fijo durante... lo jodido es estar especificando... Mejor huir de lo... ¿fantasmal?–, y mientras tanto fragilidades, blancas las vibras ¡hostigadoras!... –acorde, perdón, con las cuatro esquinas ¡POR SUPUESTO!, y ya con esto se redondea la soledad de un cartón que... bueno...– aún imprecisas, no obstante el clave, aún «en veremos», y ¿cuándo, pues? Pero la puerta –téngase en cuenta–: si por quedarse tan al garete acaso un día se haría hacia atrás dándole paso a qué robadero de qué personas o qué fantasmas; mas por fortuna no ocurrió así, sino que el viento desde el traspatio vino en desboque para cerrar la puerta y luego, por el golpazo, medio, o si a poco, laxó el cartón, cual si enervara su contenido: expuesto otrora para que alguien lo viese al paso –bueno... ¡sí!... *dan ganas de saltarse todo este dizque sutil o dizque arduo procedimiento, en tal sentido es mejor que el deslinde sea... mmm...* <u>Encabrona lo atascado</u>... ¡Fuera ya!, ¡váyanse voces!, que lo fantasmal se enguizque por el lado más incierto, es decir: cuando suceda el primer zafe esquinero–, empero ¡zas!: lo esperado, ¿a qué horas?, sin embargo... Si en una esquina de las de abajo, siendo de día y el ruido poco, siendo venganza contra la noche que ya no pudo sino aguardar otra ruptura no tan mañera, la cual fue arriba y también de día; mas no fue un zafe quiérase oblicuo, sino emotivo, recto, inmediato, para que al cabo las vibraciones fuesen concurso de fuerzas luidas hacia un tercer desgarrón: ia tiempo!: ya rota esquina, ya privilegio, mas lo pendiente ¿más duradero?: casi propela dueña de un ritmo: casi zabuque o palpitación o intriga apenas: ventura o tregua: trunco artificio: si transitorio, y aquel recado en pandeo vibrátil, hasta que amigo el viento enemigo: siendo de noche cuando por fin: ruda viveza desesperada ya a merced: i¿no?!, isí flotadora!, y que el capricho del viento arredre, tenga ya el rumbo y entonces vaya, lleve lo escrito cual si quisiera –¿en dónde diablos... perdón... está el confín?, ¿la celda emborronada?, ¿la supuesta? (irecuérdese!)... iFuera!, ifuera!, ial demonio: la voz que condesciende!– tantear lo ambiguo, recuperarlo, frase tras frase: lejos: ¿qué tanto? Cartón paseando: meollo hacia dónde: lastre fantasma (yo) (de algún modo), mas por encima ien el abandono!: de ir hacia «nunca»: ¿cuál dirección?: si aún huidizo el blancor en fuga contra la noche que se en-tre-a-bre... Empero el rumbo va hacia el espíritu de aquellos muertos, o medio muertos: hijos remotos que esperan ¿sí?; la levedad a final de cuentas por mor de un vuelco más sosegado o de un enlabio más palabrero: que en el recado por haber sido de prisa escrito –sin fe, digamos, sin mayor brío– pues no, iqué diantres!, icaray!, iqué merma!; los hijos ¿vibras fuera del mundo?, o agua anegada en un punto absurdo... Así es que ahora nomás el vuelo tiene avatares que a lo mejor son desniveles para llegar a un derrotero definitivo... Valga el acopio de circunstancias en tanto... a ver si quizás querría: seguir huyendo el recado: i¿sí?!... Puede decirse que libró cerros, algún cabezo, alguna montaña, ganando cimas pendias, clivosas, cual si lo hiciera por pasatiempo... Lejos, no obstante, se deslizó hacia el corión atezado y recio de algún desierto extenso ex profeso; quiso el arrastre, las volteretas; quiso probarse reptando en firme hasta encontrar –le faltaba mucho– un río ominoso de agua hablantina, o musicosa, pero nocturna, y sí y iqué alivio reminiscente!, porque lo dicho: el paseo al azar: viajó en oleaje: itanta distancia!, viaje en aína: ya iba hacia el mar, pero algún viento de este a oeste quiso orillarlo porque si no... Entonces quieto secóse a poco y otro arrebato de correntía lo llevó adonde ya para siempre: triste trayecto hacia otra fijeza más solitaria, más al «quizás»; cruel menudencia el cartón caduco –letras que ceden, que se destilan– porque el ensarte fue casi tétrico, por ende: aleve, por ende: i¿lúcido?!, sin fuerza preso entre siete espinas: ya no recado, mas sí cual orla de una chumbera... dizque nopal... no obstante: anciano: seco, imás seco!, y así durante años: palideciendo:

tono tras tono
yerma sustancia
savia invadida... savia interior

Ciudad de México, a 11 de mayo de 1998